Robert Quackenbush

OH, WHAT AN AWFUL MESS!

A STORY OF CHARLES GOODYEAR

Prentice-Hall, Inc.
ENGLEWOOD CLIFFS, NEW JERSEY

For Piet

Printed in the United States of America

Prentice-Hall International, Inc., London
Prentice-Hall of Australia, Pty. Ltd., North Sydney
Prentice-Hall of Canada, Ltd., Toronto
Prentice-Hall of India Private Ltd., New Delhi
Prentice-Hall of Japan, Inc., Tokyo
Prentice-Hall of Southeast Asia Pte. Ltd., Singapore
Whitehall Books Limited, Wellington, New Zealand

10 9 8 7 6 5 4 3 2 1

Library of Congress Cataloging in Publication Data

Quackenbush, Robert M.
Oh, what an awful mess! A story of Charles Goodyear

SUMMARY: A brief, humorous biography of the man who discovered a way to make useful, durable items from rubber.
1. Goodyear, Charles, 1800-1860–Juvenile literature.
2. Rubber–Juvenile literature. [1. Goodyear, Charles, 1800-1860. 2. Inventors. 3. Rubber. 4. Humor]
I. Title.
TS1885.U6Q3 678′.2′0924 [92] [B] 80-17154
ISBN 0-13-633404-0

Prologue

Sung to "A Hunting We Will Go"

There was in 1832,
A man so poor (it's true),
He sold the family linens;
There was nothing else to do.

The man mentioned in this song is Charles Goodyear, a man who was obsessed with rubber, a strange substance that no one at the time had been able to make into a useful product. Goodyear was willing to give up everything–even gainful employment–to find a way to make rubber durable so that it could be made into useful things like raincoats and boots. The amazing facts about Goodyear's ten-year quest to find his discovery, are told in a lively, humorous manner on the following pages.

There was once a poor, struggling inventor named Charles Goodyear. Whenever he needed money for an experiment, he sold one of his family's belongings. Once, he pawned his wife's handmade linens and his children's schoolbooks.

Until he was thirty-two years old, Goodyear owned a hardware business in Philadelphia. Then in 1832, he became obsessed with rubber. In those days, no one knew how to use this strange raw material that came from South American trees. However, Goodyear believed he could make useful things like raincoats and boots out of rubber. His dedication to this idea cost him his business and all the money he could borrow.

HOME SWEET HOME
THE EAGLE

Many people who knew Goodyear thought he was crazy. Why did he waste his time with something so useless? Other people had tried to manufacture rubber products, but all had failed. In summer, rubber turned into syrup and in winter, it turned into cement!

Even so, Goodyear believed he could find a way to make rubber durable. Whenever he could, he bought samples of raw rubber for his experiments. He chopped the samples into small pieces and kneaded them with turpentine. Then he mixed in different chemicals and rolled out the rubber with a rolling pin. It was very messy work.

BILL
BILL
BILL
BILL
BILL
BILL
BILL
BILL
BILL

In Goodyear's day, people who could not pay their debts were thrown into prison. Goodyear was sent to debtor's prison many times. Even in prison, he kept on with his experiments.

RUBBER
GUM

Loyal friends paid for his freedom from prison. But time after time, he was sent back. Still, Goodyear refused to give up his experiments. He kept on trying and he kept on failing. Just when he thought he had found a durable rubber, it collapsed into the usual rubbery mess.

One day, Goodyear mixed a tasteless, white powder called magnesia with a rubber mixture and produced a hard rubber. Was his search ended? Eagerly, he made shoes and a pair of pants. Unfortunately, the shoes turned into glue in the closet and the pants stuck together. The pants could hardly be removed from the legs of the man who wore them!

Years went by. Goodyear moved his family from place to place and kept on with his experiments. In New York he boiled rubber, turpentine, and magnesia in quicklime (a white solid that can burn) and water. At last he was sure that he had discovered a way of "tanning" rubber like leather so that it could hold up in hot and cold temperatures.

With the new mixture, Goodyear made rubber products to sell. He opened a showroom on Broadway in New York. He won medals at fairs with his "tanned" rubber. But his success didn't last. A little vinegar made the rubber sticky as ever and soon every product collapsed and tore.

Goodyear kept moving. In Massachusetts, he added sulphur (an element used for making paper and matches) to a rubber mixture. This time, he was positive that he had discovered the way to make rubber durable. The United States Government ordered 140 waterproof mailbags. The mailbags were promptly returned. They sagged and were useless.

After that humiliation, Charles Goodyear kept his experiments secret—even from his wife. Then one February day in 1839, when his wife was away, Goodyear mixed sulphur with raw rubber. Suddenly, he heard his wife's footsteps. Before she could see what he was doing, he tossed the rubber into the stove. Later, he went back to the stove and removed the charred mixture. Something amazing had happened! The rubber was like leather and still flexible. He took it outside and it stood the test of the cold February temperatures. Sulphur, plus heat, was the answer!

Goodyear's long search was over. His discovery, called *vulcanization*, became the foundation of the rubber industry. By 1841, money was rolling in from his invention and Goodyear could pay all his debts. The money also allowed him to come home loaded down with presents for his wife and children. However, money and fame meant nothing to him. So, for as long as he lived, he gave most of his wealth to research to find hundreds of rubber products that would benefit humanity.

About Charles Goodyear's Discovery

When Charles Goodyear tossed his rubber mixture into the stove, the batch hardened rather than melted. This proved to him that a certain degree of high temperature would cancel out the effect of the heat itself. Thus, with the discovery of *vulcanization*, Goodyear could move ahead. He founded the rubber industry on these five variables for manufacturing rubber products:

1. Rubber varies with every tree, with every person who prepares it for shipment, and with all packing and handling thereafter. Therefore, no given batch can be vulcanized in the same way.
2. The amount of sulphur to be added can vary from 1% to 50% of the total weight of rubber.
3. The amount of compounds and activating agents can vary according to the characteristic of the rubber needed—whether it is to be hard or soft.
4. The temperature required for *vulcanization* varies with each different rubber mixture and can be extremely high or at room temperature.
5. The time required for *vulcanization* varies with each different rubber mixture and can be measured in minutes or hours.

DATE DUE

NOV 23 1996			
MAY 19 1999			

1. Books may be kept two weeks and may be renewed once for the same period.

2. A fine is charged for each day a book is not returned according to the above rule.

3. All injuries to books beyond reasonable wear and all losses shall be made good to the satisfaction of the Librarian.

4. Each borrower is held responsible for all books drawn on his card and for all fines accruing on the same.

dy, swoje metody postępowania⟩: Profesor każdego urobi na swoją modłę. *Żukr. Zioła 179.*

modły *podn.* ⟨*modlitwy; prośby*⟩ **1.** Gorące, korne, uroczyste **m. 2.** Odprawiać (uroczyste) **m. 3.** Słać, zanosić **m.** do kogo.

modnie m. ubrany. Ubierać się **m.**

modny 1. m. garnitur, kostium, kapelusz. **2. m-e** uczesanie. **3. m.** pisarz ⟨*poczytny (w danym okresie)*⟩. **4. m.** taniec. **5.** *przestarz.* Po modnemu ⟨*modnie*⟩: Ubrany po modnemu.

modyfikacja 1. Coś jest modyfikacją czego ⟨*przeróbką, odmienną*⟩: Wydanie tej książki jest tylko nieznaczną modyfikacją wydania poprzedniego. **2.** Dokonać modyfikacji (czego), wprowadzić w czym (pewne) **m-e. 3.** Ulec, ulegać modyfikacji (modyfikacjom).

mogiła *książk.* **1.** Ciemna, rozkopana, świeża; pokryta trawą, zapomniana; wspólna, zbiorowa **m.** ⟨*dół mogilny; nasyp nad grobem; grób*⟩. **2. m-y** żołnierskie. **3.** *pot.* **m.**, to **m.** ⟨*o kimś lub o czymś: ponury, smutny; beznadziejna sprawa, koniec, kres czego*⟩: Nie ten sam gość [...] Dawniej, pamiętacie, żartował... ile było śmiechu na lekcjach... A teraz co? Mogiła. *Brand. K. Obyw. 255.* **4.** Chować (kogo, zwłoki czyje) w mogile. **5.** Chylić się ku mogile ⟨*starzeć się, zapadać coraz bardziej na zdrowiu*⟩: Co dzień, co godzina zdawała się latami starzeć i chylić się ku przedwczesnej mogile. *Krasz. Chata III, 13.* **6.** Doprowadzić, przywieść, przywodzić kogo do mogiły ⟨*postępowaniem swoim (dokuczaniem, robieniem przykrości itp.) przyczynić się do czyjejś przedwczesnej śmierci*⟩: Ojcu życie struli i do mogiły go przywiedli. *Krasz. Siekierz. 107.* **7.** Stać nad mogiłą ⟨*być bliskim śmierci*⟩: Człowiek stojący nad mogiłą. **8.** Usypać, wznieść (wysoką) mogiłę ⟨*nasyp, gdzie kto jest pochowany; kopiec*⟩.

mohikanin Ostatni **m.** ⟨*ostatni przedstawiciel jakiejś grupy, rodu itp.; epigon*⟩.

mojżeszowy 1. Księgi **m-e**, Pięcioksiąg **m.** ⟨*pierwsze księgi biblijne*⟩. **2.** Prawo **m-e**, zakon **m.** ⟨*przepisy moralne, obrzędowe i cywilne zawarte w Pięcioksięgu*⟩. **3.** *kult.* Wyznanie **m-e** ⟨*starozakonne, żydowskie*⟩.

mokro 1. Na **m.** ⟨*w stanie wilgotnym, zwilżając płynem*⟩: Czyścić garderobę, prasować na **m. 2.** *pot.* Dziecko ma **m.** ⟨*oddało mocz w pieluszki, w majteczki*⟩.

mokry 1. *chem.* **m-a** analiza ⟨*dokonywana na roztworach*⟩. **2. m-a** bielizna. **3.** *przestarz.* **m-a** droga, ⟨*wodna*⟩. **4. m.** drzewo, drewno ⟨*nie wysuszone*⟩. **5.** *chem.* Gaz **m.** ⟨*rodzaj gazu ziemnego*⟩. **6. m-e** gleby, grunty, łąki itp. ⟨*położone nisko, podmokłe, błotniste, bagniste*⟩. **7.** *techn.* Kompas **m.** ⟨*z pływającą igłą magnetyczną*⟩. **8.** Para **m-a** ⟨*mieszanina pary wodnej i wody skroplonej*⟩. **9. m.** piasek (po deszczu). **10. m-a** robota ⟨*w środowiskach przestępczych: napaść, rabunek połączony z rozlewem krwi, np. z morderstwem*⟩. **11. m.** rok, miesiąc; **m-a** jesień, wiosna; **m-e** lato ⟨*pora obfita w deszcze, deszczowa, dżdżysta*⟩. **12.** *techn.* **m-e** szlifowanie ⟨*w płynnym środowisku*⟩. **13. m.** śnieg ⟨*wilgotny*⟩. **14. m.** o d c z e g o: Drzewa **m-e** od deszczu; twarz **m-a** od łez.

molo 1. Kamienne **m. 2. m.** pasażerskie, rybackie.

moment 1. m. c z e g o: **m.** rozmowy, radości, słabości, nieuwagi itp.; *przen.* **m.** przełomu a. przełomowy, **m.** przemiany; ważny **m.** życia a. w życiu ⟨*okres, czas*⟩. **2. m.** d o c z e g o: Był to odpowiedni **m.** do wystąpienia. **3. m.** istotny czego ⟨*składnik, aspekt, punkt, szczegół*⟩: **m.** istotny dyskusji, zagadnienia. **4.** *fiz.* **m.** siły; **m.** pędu ⟨*kręt*⟩. **5.** Co **m.** ⟨*w krótkich odstępach czasu, często*⟩: Co **m.** ktoś wpadał do sklepu. Rozmowa rwała się co **m. 6.** Lada **m.** ⟨*lada chwila, niedługo, wkrótce*⟩: Lada **m.** nadejdzie. **7.** Na **m.** ⟨*na bardzo krótko*⟩: Wpaść gdzie a. do kogo na **m. 8.** *daw.* W ten **m.**, w momencie ⟨*natychmiast*⟩: Zastawiono stół kilku potrawami, które w momencie zniknęły. *Kit. Opis. 414.*

momentalny Skutek **m.** ⟨*natychmiastowy*⟩.

monarchia 1. m. absolutna a. nieograniczona ⟨*monarchia, w której władza niepodzielnie należy do panującego*⟩. **2. m.** konstytucyjna ⟨*monarchia, w której rządy sprawuje panujący wspólnie z parlamentem na podstawie konstytucji*⟩. **3. m.** stanowa ⟨*monarchia, w której monarcha dopuszcza do współrządów stany*⟩.

monarchiczny Państwo **m-e** ⟨*o ustroju monarchicznym*⟩. Ustrój **m.** ⟨*monarchia*⟩. Władza **m-a.**

moneta 1. Drobna, miedziana, srebrna, złota **m. 2.** Dawna, stara **m.** ⟨*numizmat*⟩. **3. m.** obiegowa ⟨*o wartości nominalnej równej wartości kruszcu, z którego jest zrobiona*⟩. **4. m.** zdawkowa ⟨*bilon; moneta o wartości nominalnej przewyższającej wartość kruszcu, z którego jest zrobiona*⟩; *przen.* Ze szczególną grzecznością i taktem obdzieliła gości swoich zdawkową monetą salonowych uprzejmości. *Dzierzk. Rodzina 101.* **5.** Fałszować, puszczać w obieg, wypuszczać; wycofywać z obiegu monetę. **6.** Płacić, odpłacać się równą, podobną, tą samą monetą ⟨*odwzajemniać się komu w taki sam sposób, odpłacać tym samym (zwłaszcza w rzeczach przykrych, nieprzyjemnych*⟩: Kto się dąsa, nie może nikomu brać za złe, że mu odpłacą podobną monetą. *Lam J. Kron. 89.* **7.** Rozmieniać co (np. talent) a. rozmieniać się na drobną monetę ⟨*rozpraszać się w działaniu, w twórczości*⟩.

monetarny 1. Jednostka **m-a** ⟨*pieniężna*⟩. **2.** System **m. 3.** Konwencja **m-a** ⟨*umowa międzypaństwowa mająca na celu ujednolicenie systemów monetarnych*⟩. **4.** Stopa **m-a** ⟨*przepis określający, ile monet ma być wybitych z jednej wagi kruszcu*⟩.

monogram 1. Chusteczka, papierośnica z monogramem. **2.** Haftować, malować, ryć **m.**

monokl 1. Nosić **m. 2.** Włożyć, wrzucić w oko; założyć, zasadzić na oko **m. 3.** Wypuścić, wyrzucić **m.** z oka.

monolog *lit.* **1. m.** liryczny, rodzajowy, wewnętrzny ⟨*jeden z elementów dzieła literackiego*⟩. **2.** Recytować **m. 3.** Wystąpić w monologu (o aktorze).

monopol 1. m. bankowy, kapitalistyczny, kopalniany, kredytowy, państwowy, propinacyjny, solny, spirytusowy, tytoniowy, walutowy, zapałczany. **2.** Mieć **m.** na co ⟨*wyłączne prawo do produkcji czego* *lub handlu czym*⟩: Przedsiębiorstwo „Ruchu“ ma wyłączny **m.** na kolportaż czasopism. *przen.* Czy pan ma monopol na rozumienie sprawy? *Strug Krzyż II, 210.* **3.** Wprowadzić na co **m.** Wziąć co w **m.** **4.** Zachować, znieść **m.**

monopolistyczny 1. Kapitał **m.** **2. m.** kapitalizm ⟨*imperializm*⟩.

monopolowy 1. Przedsiębiorstwo **m-e.** **2.** Sklep **m.** ⟨*sprzedający artykuły monopolowe*⟩. **3.** Spirytus **m.**, wódka **m-a** ⟨*czysty(-a), produkowany(-a) w zakładach państwowych (mających na tę produkcję monopol)*⟩. **4.** Tytoń **m.**

monosylaba Mówić, odpowiadać, odzywać się monosylabami ⟨*w sposób urywany, krótko, zwykle z niechęcią*⟩: Była zakłopotana, odpowiadała na pytania monosylabami. *Prus SPP.*

monsunowy Klimat **m.** ⟨*gorący, charakteryzujący się wiatrami monsunowymi*⟩.

montowy *przestarz.* **1.** Bułka **m-a.** **2.** Mąka **m-a** ⟨*pszenna najlepszego gatunku*⟩.

monumentalny 1. Budowla, rzeźba **m-a** ⟨*okazała, wielkich rozmiarów, o dużych walorach artystycznych*⟩. **2.** Malarstwo **m-e** ⟨*związane z architekturą; ścienne*⟩. **3.** Pismo **m-e** ⟨*starorzymskie, używane do napisów na budowlach; kapitała*⟩.

mops *pot.* Nudzić się, wynudzić się jak **m.** ⟨*bardzo się nudzić*⟩: Dosyć tego dobrego. Wynudziłem się jak mops. *Andrz. Popiół 230.*

moralność 1. m. publiczna, zawodowa. **2.** Kodeks moralności. **3.** Normy, zasady moralności: Wpajać w kogo (surowe) zasady moralności. **4.** Obraza moralności (publicznej). **5.** Świadectwo moralności: Wystawić komu świadectwo moralności.

moralny 1. Norma, sankcja **m-a.** **2.** *hist.* Kolegium **m-e** ⟨*jeden z typów kolegiów, obejmujący nauki filologiczne i filozofię*⟩. **3.** Kredyt **m.** ⟨*zaufanie*⟩: Mieć w społeczeństwie kredyt **m.**, poderwać swój kredyt **m.** **4.** *praw.* Krzywda **m-a** ⟨*nie wyrażająca się stratami materialnymi*⟩. **5.** Nauka, sentencja **m-a.** **6.** Nędza **m-a.** **7.** Ocena **m-a** (czynu, postępowania). **8.** Pobudka **m-a**: Robić co z pobudek moralnych. **9.** Pomoc **m-a.** **10. m-e** poparcie ⟨*nie oparte na sile, niematerialne; duchowe*⟩. **11. m.** porządek świata. **12. m-e** prowadzenie się. **13.** Przejścia **m-e.** **14. m-e** przekonanie ⟨*oparte na mocnym przeświadczeniu wewnętrznym*⟩. **15.** Przymus **m.** **16.** Równowaga **m-a** ⟨*duchowa, wewnętrzna*⟩. **17.** Sens **m.** (bajki) ⟨*morał*⟩. **18.** Spokój **m.** **19.** Teologia **m-a** ⟨*etyka teologiczna (w odróżnieniu od filozoficznej)*⟩. **20.** Ucisk **m.** **21.** Upadek **m.** ⟨*moralności*⟩. **22.** *hist.* Wydział **m.** ⟨*wydział akademii obejmujący nauki filologiczne i filozofię*⟩. **23.** Życie **m-e.**

morał 1. Końcowy **m.** bajki. **2.** Prawić komu **m-y** ⟨*upominać kogo, dawać komu nauki*⟩: Nie chcę ci prawić morałów, ale źle robisz, igrając z podobnymi uczuciami. *Dygas. As 38.* **3.** Wysnuć z czego **m.** ⟨*naukę, wniosek o charakterze pouczającym*⟩.

mord 1. m. masowy polityczny, rabunkowy, rytualny, skrytobójczy. **2.** Ohydny **m.** **3.** *hist.* **m.** kapturowy ⟨*dokonywany z polecenia sądu kapturowego*⟩. **4. m.** i pożoga: Mordy i pożogi zamieniły bogaty kraj w obszerną pustynię. *Baliń. M. Polska IV, 746.* **5.** Dokonać, dopuścić się mordu, popełnić **m.**

morda 1. m. psia, końska a. psa, konia itp. ⟨*pysk, paszcza*⟩. **2.** *wulg.* **m.** (człowieka) ⟨*twarz, usta*⟩. **3.** Bić, walić kogo po mordzie a. w mordę; skuć komu mordę. **4.** Dać komu w mordę. **5.** Palnąć, trzepnąć, walnąć kogo w mordę. **6.** Dostać po mordzie. **7.** Ty chamska, końska, świńska mordo! ⟨*wyzwiska*⟩. **8. m.** na kłódkę; trzymać mordę na kłódkę ⟨*nic nie mówić, być cicho; nic nie mów, bądź cicho*⟩: Tylko uważaj pan: mordę na kłódkę! *Mostow. Kariera 166.* **9.** Brać, wziąć, trzymać kogo za mordę ⟨*być dla kogo surowym, wymagającym; trzymać kogo krótko*⟩: Mnie oczernia dlatego, że go mocno trzymam za mordę. *Święt. A. Nałęcze 116.* **10.** Stulić, zamknąć mordę ⟨*przestać mówić, zamilknąć*⟩: Zamknij mordę! Już dawno wiem, co z ciebie za gagatek. *Nowak. K. Tak było 72.* **11.** Wyrzucić kogo na zbitą mordę ⟨*bezwzględnie, kategorycznie usunąć kogo*⟩: Wyrzucić pijaka z lokalu na zbitą mordę. **12.** Pies mu (ci, wam itp.) mordę lizał ⟨*nie dbam o niego (o ciebie, o was itp.); mniejsza o niego (ciebie, was); niech go (cię, was) itp. tam!*⟩.

morderczy 1. *książk.* **m-a** ręka ⟨*ręka mordercy; morderca*⟩. **2. m-e** tempo (biegu), **m-a** wędrówka ⟨*męczące(-a), wyczerpujące(-a)*⟩. **3.** Walka **m-a** ⟨*krwawa*⟩.

morderstwo 1. Bestialskie, ohydne, potworne **m.** **2.** Masowe **m.** **3. m.** rabunkowe, skrytobójcze. **4. m.** w stanie afektu a. w afekcie. **5. m.** z premedytacją. **6.** Dokonać, dopuścić się morderstwa. **7.** Popełnić **m.**

mordować 1. m. k o g o, c o: **m.** ludność cywilną. **2.** *żart.* **m.** fortepian, skrzypce itp.; **m.** robotę ⟨*robić co nieudolnie, męczyć się nad czym*⟩: Panna Adela i panna Józefa na przemian mordowały klawicymbał. *Lam J. Głowy I, 9.* **3. m.** k o g o — c z y m ⟨*męczyć, dręczyć, udręczać*⟩: **m.** słuchaczy długim i nudnym wykładem. **m.** kogo ustawicznymi pytaniami. **4. m.** k o g o — o c o ⟨*męczyć kogo o co*⟩: **m.** kogo o pożyczkę. **5.** *daw.* **m.** w pień ⟨*wycinać w pień*⟩: Dziki żołnierz Kmicicowy [...] mordował w pień przerażoną i zaślepłą z trwogi ludność. *Sienk. Pot. I, 83.*

mores 1. Nauczyć kogo moresu, *daw.* mores ⟨*zmusić do karności, do posłuszeństwa*⟩. **2.** Znać **m.** (dla kogo, przed kim) ⟨*być karnym, posłusznym; szanować kogo, bać się kogo*⟩: Żyłeś na świecie i znasz mores, obrał cię do tej posługi, jako najzdatniejszego. *Chodź. Pisma I, 328.*

Morfeusz *żart.* W objęciach Morfeusza, *daw.* na łonie Morfeusza ⟨*we śnie*⟩: Wszyscy byli już w kajutach w objęciach Morfeusza. *Wędr. 18, 1901.*

morganatyczny Związek (małżeński) **m.** ⟨*związek zawarty z osobą innej klasy społecznej, zwłaszcza przez panującego lub następcę tronu*⟩.

morowy 1. m-e powietrze, **m-a** zaraza ⟨*dżuma*⟩. **2.** Bać się, strzec się, unikać czego jak morowego powietrza, jak morowej zarazy; stronić, uciekać od kogo jak od morowej zarazy (od morowego powietrza) ⟨*bać się panicznie, unikać zdecydowanie*⟩.

3. Bodaj, żeby cię (go, ich, was itp.) **m-e** powietrze! ⟨*okrzyk wyrażający gniew, złość, oburzenie*⟩.

morski 1. Pejzaż **m.**; wybrzeże **m-e** ⟨*nad morzem*⟩. **2.** *bot.* Cebula **m-a** ⟨*cebulica*⟩. **3.** Pies **m.** ⟨*foka*⟩. **4.** Żegluga **m-a. 5.** Flora, fauna **m-a** ⟨*właściwa morzu, żyjąca w morzu*⟩. **6.** Muszle **m-e** ⟨*muszle mięczaków żyjących w morzu*⟩. **7.** *daw.* Panna **m-a** ⟨*syrena*⟩: Miasto Warszawa ma za godło Syrenę, czyli, jak ją gmin czasem nazywa — morską pannę. *Zmor. Podania 165.* **8.** Państwo **m-e** ⟨*mające dostęp do morza i znaczną flotę morską*⟩. **9.** Piechota **m-a** ⟨*składająca się z marynarzy floty wojennej*⟩. **10.** Podróż **m-a** ⟨*przez morze*⟩. **11.** Port **m. 12.** Prawo **m-e. 13.** Prąd **m. 14.** Ptactwo **m-e. 15.** Rozbójnik **m.** ⟨*pirat*⟩. **16.** Słoń **m.** ⟨*arktyczny ssak morski*⟩. **17.** Sól **m-a. 18.** Świnka **m-a** ⟨*ssak z rodziny o tej samej nazwie (Cavidae), zamieszkujący w stanie dzikim lasy i zarośla Ameryki Płd., hodowany dla celów doświadczalnych*⟩. **19.** Trawa **m-a** ⟨*roślina porastająca płytkie dno morza, używana do wyrobu materaców, poduszek itp.*⟩. **20.** Trąba **m-a** ⟨*gwałtowna burza wirowa*⟩. **21.** Wilk **m.** ⟨*stary, doświadczony marynarz*⟩. **22.** Woda **m-a.**

morwowy 1. Drzewo **m-e** ⟨*morwa*⟩. **2.** Jedwabnik **m.** ⟨*motyl z rodziny prządek, którego kokon przerabiany jest na przędzę jedwabną*⟩. **3.** Plantacja **m-a.**

morze 1. Bezbrzeżne, bezkresne **m. 2.** Granatowe, lazurowe, sine, stalowe, szafirowe, szare **m. 3.** Gniewne, groźne, rozhukane, rozkołysane, spienione **m. 4.** Gładkie, łagodne, spokojne **m. 5.** Otwarte **m.** ⟨*morze o wolnej przestrzeni wodnej bez wysp i półwyspów*⟩. **6.** *geogr.* **m.** otwarte ⟨*typ morza połączonego z oceanem*⟩. **7.** Pełne **m.** ⟨*część morza z dala od brzegów*⟩. **8. m.** przybrzeżne ⟨*zamknięte, rozciągające się między lądem i łańcuchem lub archipelagiem wysp*⟩. **9. m.** śródziemne ⟨*otoczone lądami, połączone cieśninami z oceanem*⟩. **10. m.** wewnętrzne ⟨*otoczone posiadłościami jednego państwa*⟩. **11. m.** zamknięte ⟨*odgrodzone od oceanu lądem lub wyspami, łączące się z nim cieśninami*⟩. **12.** Głęboki, niezgłębiony, wielki itp. jak **m.** ⟨*bardzo głęboki, bardzo wielki*⟩: Wiedza rozległa i niezgłębiona jak morze. **13.** *przen.* **m.** c z e g o ⟨*wielka ilość; mnóstwo, ogrom, bezmiar*⟩: **m.** głów, płomieni; wina, kawy; łez, krwi; potrzeb, miłości; **m.** uczuć, nieszczęść, namiętności. Droga poprzez morze piasków. *Przybysz. SPP.* **14.** *przestarz.* **m.** do wypicia ⟨*rzecz trudna, nie do wyczerpania*⟩: Nauka prawa — rzekł do niego — jest to morze do wypicia. *Krasz. Poeta 73.* **15.** Bezkres, przestwór morza. **16.** Głębia, głębina, otchłań morza. **17.** Grzmot, plusk, ryk, szum; szept, poszept morza. **18.** Poziom morza ⟨*teoretyczna powierzchnia odpowiadająca zwierciadłu spokojnej wody w oceanach*⟩. **19.** Przypływ, odpływ morza ⟨*okresowe podnoszenie się, obniżanie się poziomu wody w morzu*⟩. **20.** Tafla, zwierciadło morza. **21.** Wysokość nad poziomem morza. **22.** Na lądzie i morzu. **23.** Od morza do morza. **24.** Za siódmym morzem, za siedmioma morzami, za morzem, za morzami ⟨*gdzieś bardzo daleko*⟩: Wąwozy i drzewa [...] są teraz [...] nieosiągalne, jakby gdzieś hen, za siódmą górą, za siódmym morzem. *Rudn. A. Lato 187.* **25.** Chcieć **m.** wypić, wysuszyć ⟨*pragnąć rzeczy niemożliwej*⟩. **26.** Morzu wody dolewać (przelewać) ⟨*wykonywać czynność bezcelową, niepotrzebną*⟩. *por.* Tłusty połeć smarować. **27.** Jechać, wyjechać nad **m.** ⟨*do miejscowości nadmorskiej*⟩. **28.** Płynąć, pływać, żeglować morzem, po morzu. **29.** Puścić się na **m.**; wyjechać, wyjść, wyruszać, wypłynąć na **m.**, w **m. 30. m.** faluje, grzmi, huczy, kipi, kołysze się, pieni się, pluszcze, ryczy, szemrze, szumi.

przysł. **31.** Morze przepłynął, na brzegu utonął. **32.** Na świętego Grzegorza idzie zima do morza. **33.** Wybiera się jak sójka za morze.

morzyć Sen, senność morzy kogo ⟨*komuś chce się spać*⟩.

most 1. m. betonowy, drewniany, kamienny, żelazny; belkowy, łukowy. **2. m.** pontonowy, *daw.* **m.** łyżwowy a. na łyżwach ⟨*na pontonach*⟩. **3. m.** powietrzny ⟨*intensywny transport za pomocą samolotów*⟩. **4. m.** wiszący. **5. m.** zwodzony, *daw.* zwodowy, *rzad.* spuszczany ⟨*w średniowiecznych zamkach warownych; dziś: ruchomy w pewnej części dla przepuszczania wysokich statków*⟩. **6. m.** n a c z y m lub p r z e z c o: np. na rzece a. przez rzekę. **7.** Budować **m.** ⟨*bawić się w rodzaj gry towarzyskiej*⟩. **8.** Kłaść mostem, kłaść się mostem ⟨*pokotem, gęsto, jeden obok drugiego*⟩: Działa nabite kartaczami po prostu kładły ludzi mostem. *Sienk. Wołod. III, 209.* **9.** Mówić, powiedzieć, palnąć, napisać itp. (co) prosto z mostu ⟨*szczerze, otwarcie, bez przemilczeń i wykrętów, bez ogródek*⟩: Nie krępuj się, co masz powiedzieć, mów prosto z mostu. Wyrąbał im całą prawdę prosto z mostu. **10.** Palić, popalić, spalić **m-y** za sobą ⟨*zrywać, zerwać stosunki z kim, zrywać, zerwać z tym, co było, uniemożliwi(a)ć sobie powrót do tego, co było*⟩: Wszystkie mosty zostały spalone i znajomości zerwane. *Żer. Syzyf. 136.* **11.** (Prze)rzucić **m.** (przez rzekę, przez przełęcz, przez cieśninę); *przen.* rzucić **m.** między kim (czym) a kim (czym) ⟨*nawiązać łączność*⟩; (prze)rzucić **m.** zgody między kim a kim ⟨*zbliżyć, pogodzić poważnionych*⟩. **12.** Zerwać **m.** (o krze, powodzi). **13. m.** łączy brzegi (rzeki).

mostek 1. m. drewniany, kamienny; **m.** przez rów, rzeczkę ⟨*niewielki most*⟩. **2. m.** cielęcy a. barani ⟨*rodzaj potrawy: mięso łącznie z kośćmi żebrowymi*⟩. **3.** *mors.* **m.** kapitański, nawigacyjny ⟨*nadbudówka na statku zapewniająca dobrą widoczność*⟩.

mostowy *hist.* Myto **m-e**, opłata **m-a** ⟨*opłata za przejazd lub przejście przez most*⟩.

moszcz m. winny ⟨*wino o mocy poniżej 9⁰/₀ alkoholu*⟩.

mości, mościa *daw.* **1. m.** ⟨*używane w tytułach grzecznościowych*⟩: Mości książę, mości panie (dobrodzieju), mościa pani, mościa dobrodziejko. **2.** Mości pan ⟨*szlachcic w odróżnieniu od magnata lub nieszlachcica; szlachetka, panek*⟩: Wczoraj ledwo mości pan, dziś jaśnie wielmożny. *Kras. Sat. 99.*

mość *daw.* ⟨*używane w tytułach, zwykle osób panujących*⟩: Jego, Wasza Książęca, Królewska, Cesarska **M.** *żart.* Ukaz Jego Lwiej Mości. *Mick. Wiersze 353.*

motać *daw.* **m.** co na wąs, na wąsik ⟨*układać, snuć pewne plany, zamiary, nie mówiąc o nich głośno*⟩: Uśmiechając się filuternie i, jak jemu samemu zdawało się zapewne, niezmiernie przebiegle, pokręcał czarnego wąsa, motając nań, jak to mówią, pomysły jakieś czy nadzieje. *Orzesz. Pompal. 286.*

motocyklowy 1. Silnik **m. 2.** Części zamienne **m-e** ⟨*do motocykla*⟩. **3.** Zawody **m-e.**

motor 1. m. elektryczny, parowy, wodny, wietrzny; **m.** spalinowy. **2.** Huk, warkot motoru. **3.** Z(a)gasić, wyłączyć **m.** ⟨*wyłączyć działanie motoru*⟩. **4.** Iść, chodzić na motorze ⟨*o statku: być poruszanym za pomocą motoru*⟩: „Dar Pomorza" idąc na motorach zataczał szeroki łuk, aby wykręcić dziobem pod wiatr. *Meis. Sześciu 284.* **5.** *pot.* Jechać, przyjechać na motorze ⟨*na motocyklu*⟩. **6.** Puścić w ruch, zapalić, zapuścić **m.** ⟨*uruchomić*⟩. **7. m.** dudni. **8.** *przen.* Być motorem czego ⟨*pobudką, sprawcą, inicjatorem*⟩: On jest pierwszym motorem tego przedsięwzięcia. *SW.*

motorowy 1. Dźwig, pojazd, statek **m.** ⟨*poruszany motorem*⟩. **2.** Sport **m.** ⟨*uprawiany na wszelkiego rodzaju pojazdach motorowych*⟩.

motoryczny *książk.* ⟨*ruchowy*⟩ **1.** Mięśnie, nerwy **m-e. 2. m-e** centrum mózgowe. **3.** Nawyk **m.**

motyka 1. Dziobać, kopać, okopywać (kartofle) motyką. **2.** Porywać się, rzadziej: rzucać, zrywać się, iść z motyką na słońce ⟨*podejmować zadania niemożliwe do wykonania, ponad siły*⟩: Z właściwym takim ludzim brakiem poczucia rzeczywistości pan się porywa z motyką na słońce. *Tarn Sprawa 49.*

motyl 1. Barwne, różnobarwne, złote **m-e. 2. m.** nocny ⟨*ćma*⟩. **3.** Siatka na **m-e. 4.** Rój motyli. **5.** Zbiór motyli (zasuszonych). **6.** Łapać **m-e. 7.** Upiąć, zawiązać (na włosach) motyla; zawiązać krawatkę w motyla ⟨*kokardę w kształcie motyla*⟩.

motylkowy 1. m. kwiat, **m-a** korona ⟨*właściwa kwiatom roślin motylkowych*⟩. **2.** Krawat **m.** ⟨*wiązany w rodzaj kokardy; muszka*⟩. **3.** *techn.* Nakrętka **m-a** ⟨*skrzydełkowa*⟩. **4.** Palnik **m.** ⟨*palnik gazowy, dający szeroki płomień w kształcie skrzydeł motyla*⟩. **5.** *bot.* Rośliny **m-e** ⟨*z rodziny dwuliściennych*⟩. **6.** *sport.* Styl **m.** ⟨*styl pływacki — motylek*⟩. **7.** *przen.* Życie **m-e** ⟨*lekkomyślne, płoche*⟩.

motyw 1. m. dekoracyjny, ornamentacyjny; geometryczny, roślinny, zwierzęcy ⟨*element kompozycji, ornament*⟩. **2. m-y** polityczne, psychologiczne; **m-y** działania, postępowania ⟨*pobudki, powody*⟩. **3. m.** przewodni czego (np. utworu) ⟨*myśl, temat*⟩. **4. m-y** wyroku ⟨*umotywowanie, motywacja*⟩. **5.** Kierować się (jakimiś) motywami. **6. m.** (jakiś) skłania kogo do czego. **7. m-y** (jakieś) kierują kimś.

mowa 1. m. artystyczna, codzienna, książkowa, poetycka, potoczna, środowiskowa ⟨*sposób mówienia, język, styl*⟩. **2. m.** ojczysta, obca; **m.** polska, rosyjska, francuska itp. ⟨*język*⟩. **3.** Mowa kwiecista, napuszona, płomienna; pochwalna, powitalna, panegiryczna, weselna, jubileuszowa, pogrzebowa itp. ⟨*przemówienie okolicznościowe*⟩. **4. m.** na cześć kogo lub czego. **5. m.** niewiązana, *daw.* wolna ⟨*proza*⟩. **6. m.** niezależna ⟨*przytoczenie czyjej wypowiedzi dosłowne lub w cudzysłowie*⟩. **7. m.** obrończa, sejmowa, tronowa ⟨*przemówienie*⟩. **8. m.** pozornie zależna ⟨*przytoczenie czyjej wypowiedzi, czyichś myśli lub uczuć bez cudzysłowu z zachowaniem ich bezpośredniości i charakterystycznej formy*⟩. **9. m.** wiązana ⟨*wiersz*⟩. **10. m.** zależna ⟨*przytoczenie czyjej wypowiedzi po zdaniu zapowiadającym tę wypowiedź*⟩. **11.** Żywa **m.** ⟨*język mówiony; wypowiedź mówiona; żywe słowo*⟩: Nigdy podręcznik nie zastąpi żywej mowy. *SL.* **12. m.** dziecka ⟨*język, mówienie*⟩. **13.** *przen.* **m.** gestów, zegarów, kwiatów; **m.** serca. **14.** Akcent, ton mowy ⟨*mówienia*⟩. **15.** Dar, wątek mowy ⟨*wypowiadania się; wypowiedzi*⟩ **16.** Narządy mowy ⟨*narządy wytwarzające artykułowane dźwięki*⟩. **17.** W mowie i (w) piśmie: Władać jakim językiem w mowie i w piśmie. **18.** Jest, była **m.** o czym ⟨*mówi się, mówiło się o czym; coś jest było przedmiotem rozprawy, dzieła itp.*⟩: Kredyty, o których była **m.** w projekcie, zostały przyznane. O tym była już **m. 19.** Mieć, wygłosić, wypowiedzieć mowę ⟨*wystąpić publicznie z mową*⟩. **20.** Odjąć, odebrać komu mowę ⟨*pozbawić kogo zdolności mówienia*⟩: Przerażenie odjęło mu na chwilę mowę **21.** Odzyskać, stracić mowę ⟨*zdolność mówienia*⟩ **22.** Zacząć, skończyć, przerwać mowę ⟨*wypowiedź*⟩ **23.** *pot. posp.* Po co ta **m.**, do kogo ta **m.**? ⟨*po co o tym mówisz, po co (do kogo) z tym się zwracasz?*⟩ *przysł.* **24.** Mowa jest srebrem, a milczenie złotem. **25.** O wilku mowa, a wilk tuż ⟨*o kimś, kto zjawia się w momencie, kiedy o nim mówią*⟩.

mozół ⟨*trud, znój, mordęga, wysiłek*⟩: Z wielkim mozołem (pracować, wykonywać co, zaoszczędzić nieco grosza).

moździerz 1. Mosiężny **m. 2.** Tłuc, utłuc co w moździerzu (np. pieprz, cukier). **3. m.** ratunkowy ⟨*działo na statkach do wyrzucania rakiety z uwiązaną liną; służy do ratowania tonących*⟩.

może 1. m. nawet: Jej chłopiec odprowadził ją pod samą bramę — może nawet nie odszedł i czeka? *Goj. Dziew. I, 83.* **2. m. ... m. ...**: Szedł obok niej może znudzony, może roztargniony. *Orzesz. Niemn. III, 26.* **m.** ten, a **m.** inny.

możliwość 1. m. c z e g o: np. ratunku, odbudowy, wypadku itp. **2.** Nieograniczone, olbrzymie, realne, wielkie; stracone, zmarnowane itp. **m-i** ⟨*warunki dające możność dokonania czego, widoki na co, perspektywy*⟩: Przed kim a. przed czym otwierają się olbrzymie **m-i. 3.** W miarę możliwości ⟨*w miarę sposobności, w miarę nadarzających się pomyślnych sytuacji*⟩: W miarę możliwości starałem się oddawać pierwszeństwo źródłom krajowym przed obcymi. *Dyak. SPP.* **4.** Liczyć się, nie liczyć się z czyimi (ze swoimi) możliwościami. **5.** Coś otwiera przed kim, przed czym (nowe, wielkie, olbrzymie itp.) **m-i** ⟨*coś stwarza warunki dające możliwość dokonania czego, widoki na co*⟩: Wielkie odkrycia przyrodnicze otwierają przed techniką nowe możliwości. *Probl. 3, 1956, s. 146.* **6.** Coś przerasta czyje **m-i.**

możliwy 1. m-e jedzenie, **m-a** kuchnia ⟨*dość dobre (-a), nie najgorsze(-a)*⟩. **2. m-e** przykrości, niebezpieczeństwa; korzyści ⟨*ewentualne, przypuszczalne*⟩: Chciałbym uchronić cię od możliwych przykrości. **3.** Rzecz **m-a** ⟨*prawdopodobna*⟩. **4.** Coś jest **m-e,** nie jest **m-e** do wykonania, do przeprowadzenia ⟨*da, nie da się wykonać, przeprowadzić*⟩: Jest to zadanie **m-e** do wykonania. **5. m-e,** bardzo **m-e,** (że...) ⟨*jest rzeczą prawdopodobną*⟩: Bardzo możliwe, że to nie pani powołanie. *Dąbr. M. Noce II, 85.* **6.** Uczynić, zrobić wszystko **m-e**, aby... ⟨*co tylko można*⟩.

można 1. Czym **m.** służyć? ⟨*zwrot grzecznościowy, kierowany do interesantów: co mam zrobić, załatwić, jaką sprawę mam załatwić; czym mogę służyć?*⟩. **2. m.** (z bezokolicznikiem) ⟨*jest rzeczą możliwą, da się; należy*⟩: **m.** się obejść bez czego; **m.** polegać na kim, na czym; **m.** powiedzieć, że...; **m.** zrozumieć itp. **3.** Jak **m.**, jak tylko **m.** (ze stopniem najwyższym przysłówka): Ułożyć się jak (tylko) **m.** najwygodniej. **4.** Nie **m.**! ⟨*nie wolno*⟩: Czy **m.** (czy wolno, czy mogę) wejść, otworzyć, wziąć itp.? — Nie **m.**!
przysł. **5.** Wszystko można, byle (lecz) z ostrożna.

możność 1. m. c z e g o ⟨*możliwość, odpowiednie warunki wykonywania czego*⟩: **m.** pracy naukowej. **2.** Być w możności (co robić): Nie jestem w możności dogodzić twym zachciankom. *SL.* **3.** Dać komu **m.** czego: Dał mu **m.** wyjaśnienia nieporozumień. **4.** Mieć, stracić, uzyskać **m.** czego a. co robić ⟨*mieć możliwość, sposobność; móc co robić, wykonać*⟩: Mieć **m.** nauki. Nie miał możności przemówić ani słówka na swoją obronę. *Dygas. As 26.* **5.** *przestarz.* Ile możności ⟨*w miarę sił, możliwości, zdolności*⟩.

możny m. dom, pan, ród ⟨*mający wpływy, władzę, znaczenie; potężny*⟩.

móc 1. Robię, co mogę; robi, co może ⟨*staram się (stara się) usilnie*⟩: Człek żyje, jak może, i robi, co może, dla ojca, dla żony, dla dzieci. *Len. T. SW.*
przysł. **2.** Każdy orze jak może. **3.** Wiele ten może, co musi.

mój 1. m. Boże ⟨*wyrażenie oznaczające ubolewanie, narzekanie, biadanie itp.*⟩: Boże, mój Boże, co ja pocznę! *Berent Próchno 182.* **2. m.** kochany, moja droga, moi państwo itp. ⟨*zwroty poufałe, pieszczotliwe itp. kierowane do rozmówcy*⟩: Odezwij się kiedy, **m.** kochany, do nas, napisz, zadzwoń. **3. m-a** osoba ⟨*ja*⟩: Obawiam się, czy **m-a** osoba nie będzie tu przeszkadzać. **4. m-e** uszanowanie ⟨*zwrot grzecznościowy używany przy powitaniu lub pożegnaniu*⟩. **5.** *pot.* Na **m.** rozum ⟨*według mego zdania, przekonania*⟩: Na **m.** rozum najlepiej oddać aparat do naprawy, a nie majstrować samemu. **6.** W moich czasach ⟨*w okresie mojej młodości, mego czynnego życia*⟩. **7.** Być moim, moją ⟨*być moim mężem, ukochanym; moją żoną, ukochaną; należeć do mnie*⟩: Kocham piękną Helenę i pragnę, aby ona była moją na zawsze. *Chodź. Pisma I, 199.* **8. m-e** na wierzchu, na **m-e** wyszło ⟨*miałem rację, stało się tak, jak przewidywałem*⟩: Więc na moje wyszło! na to, na co zasłużył. *Lubow. Sąd 55.* **9.** Danaż moja, dana (dana) ⟨*przyśpiewka w piosenkach ludowych*⟩.
przysł. **10.** Co twoje, to i moje, a co mojego, to ci nic do tego.

mól 1. m. mączny, słonecznikowy; **m.** odzieżowy. **2. m.** książkowy, *rzad.* gabinetowy, naukowy ⟨*człowiek zagrzebany w książkach, ślęczący nad książkami, nie widzący życia poza nimi*⟩. **3.** Grzebać się w starych szpargałach jak **m. 4. m-e** wdały się w co, pogryzły, zjadły, zniszczyły co (np. ubranie, futro).

mór 1. m. n a c o ⟨*zaraza*⟩: **m.** na bydło. **2.** Dziewica moru ⟨*legendarna postać będąca zwiastunką moru*⟩: Strażnicy boru widzieli jak przez smętarz szła dziewica moru. *Mick. Tad. 215.* **3.** Bać się kogo, czego jak moru ⟨*jak zarazy*⟩.

mówić 1. m. cicho, dobitnie, donośnie, głośno, podniesionym głosem (tonem), poprawnie, półgłosem, przez nos; przyciszonym, zduszonym głosem; szeptem, wyraźnie ⟨*wydawać głos, wymawiać*⟩. **2. m.** bez ładu i składu, bez ogródek, bez osłonek, bez sensu, bez zająknienia, do rzeczy, dużo, gładko, głupio, jasno, mądrze, monotonnie, nudno, od rzeczy, płynnie, potoczyście, prosto, rozsądnie, rozumnie, rozwlekle, rzeczowo, serio, szczerze, zajmująco, z sensem, żartem ⟨*wypowiadać się, przemawiać*⟩. **3. m.** z ożywieniem, z patosem, z powagą, z prostotą, z przejęciem, z zapałem. **4.** Mówili, mówią jeden przez drugiego, wszyscy naraz. **5. m.** c o: **m.** modlitwę, pacierz ⟨*modlić się*⟩. **m.** wiersz ⟨*deklamować*⟩. **6. m.** (co) pod sekretem, w sekrecie ⟨*zastrzegając sobie poufność, utrzymanie w tajemnicy tego, co się mówi*⟩. **7. m.** co ślina na język (do ust, do gęby) przyniesie ⟨*mówić byle co, co tylko przyjdzie na myśl, nie zastanawiając się nad tym, co się mówi*⟩. **8. m.** co komu w (żywe) oczy ⟨*komunikować komu co w jego obecności, kierować swoje słowa bezpośrednio do kogo*⟩: Właśnie dlatego, że dobrze wam życzę, prawdę w oczy wam mówię. *Żer. Wiatr 286.* **9. m.** (c o) n a k o g o ⟨*oskarżać, obmawiać; wymyślać, wygadywać*⟩: Mówiła na nią okropne rzeczy. **10. m.** d o k o g o: np. **m.** do zebranych. **11. m.** d o k o g o, d o c z e g o ⟨*oddziaływać, działać na kogo, na co, przemawiać do kogo, do czego*⟩: Każde dzieło sztuki, aby było interesownym [interesujące], mówić powinno do rozumu, do uczucia i do imaginacji naszej. *Brodz. Estet. 80.* **12.** *pot.* **m.** do ściany a. jak do ściany ⟨*przemawiać do kogo bezskutecznie*⟩. **13. m.** do kogo a. komu (**m.** sobie) ty, wy, on; per ty, po imieniu itp. ⟨*używać formy „ty" itp. przy zwracaniu się do kogo*⟩: Mówili sobie po imieniu. Mówiła do niego „on", jakby go w izbie nie było. *Rus. Człow. 59.* **14. m.** j a k: **m.** dialektem, gwarą, jakimś językiem ⟨*władać, posługiwać się dialektem, gwarą, jakimś (danym) językiem; znać czynnie gwarę, język itp.*⟩: **m.** po angielsku, po literacku. **15. m.** jak ślepy o kolorach ⟨*nie znać się na rzeczy*⟩. **16. m.** na migi, za pomocą gestów ⟨*wyrażać swe myśli odpowiednią gestykulacją*⟩. **17. m.** na wiatr ⟨*nie biorąc odpowiedzialności za swoje słowa; nieobowiązująco*⟩. **18. m.** o k i m, o c z y m: a) ⟨*rozmawiać*⟩; b) ⟨*roztrząsać co*⟩: **m.** o mężu, o żonie; o ważnych sprawach. Całe miasto o tym tylko mówi. Nie mówmy o tym. **19.** Różnie o tym mówią ⟨*różne o tym krążą wieści, wersje*⟩. **20. m.** przez sen. **21. m.** przez zęby ⟨*niechętnie; cedzić słowa*⟩. **22. m.** pod nosem ⟨*cicho, niewyraźnie*⟩. **23. m.** z pamięci, z natchnienia ⟨*bez uprzedniego przygotowania, nie zaglądając do tekstu napisanego*⟩. **24. m.** sobie w myśli, w duchu; **m.** sobie, *daw.* **m.** w sobie ⟨*myśleć*⟩: Mówił sobie w duchu: „dalibóg nie znam przystojniejszego mężczyzny od ciebie!" *Marc. Ideały 28.* **25.** *pot.* Mów sobie zdrowo, mów do mnie jeszcze. *por.* Gadaj do lampy. **26. m.** z k i m ⟨*rozmawiać z kim*⟩. **27.** *pot.* Nie **m.** z kim ⟨*nie rozmawiać z kim, gniewać się z kim*⟩: Przez kilka lat nie mówili ze sobą, ale się w końcu pogodzili. *SL.* **28.** *przestarz.* **m.** z a k i m, z a c z y m ⟨*występować w obronie kogo, czego; wstawiać się za kim, za* *czym; świadczyć dobrze o kim, o czym*⟩: Otwartość i szczerość w przyznaniu się do win wszystkich [...] bardzo za nim mówiła. *Kaczk. Murd. II, 51.* **29. m.** za panią matką pacierz ⟨*powtarzać bezmyślnie za kimś*⟩. **30.** Artykuł (prawa; kodeksu) mówi ⟨*opiewa, brzmi, ujmuje w następujący sposób*⟩. **31.** Co tu (dużo) **m.** ⟨*nie ma potrzeby nad czym się rozwodzić*⟩: Dobre miał życie, co tu mówić. *Nałk. Z. SPP.* **32.** Coś mówi o czym ⟨*świadczy, jest wyrazem czego*⟩: Wyraz oczu mówił o tym, że jest wściekły. **33.** Coś mówi przez kogo ⟨*ktoś w wypowiedzi kieruje się czymś (zwykle jakimś uczuciem), zajmuje jakąś postawę; czyjaś wypowiedź nacechowana jest jakimś uczuciem, wyraża jakąś postawę*⟩: Ambicja (gorycz, zazdrość itp.) mówi przez niego. **34.** Coś **mówi** samo za siebie ⟨*nie wymaga komentarza, dodatkowych objaśnień*⟩: Pisze ze zniewalającą jasnością i prostotą, starając się jak najbardziej o to, aby wypadki mówiły same za siebie. *Ziel. T. Kult. ant. 125.* **35.** Gdzie diabeł mówi ludziom dobranoc ⟨*o bardzo odludnym miejscu*⟩: Marna zakazana dziura, gdzie diabeł mówi ludziom dobranoc. *Kurek Ocean 43.* **36.** Inaczej mówiąc ⟨*innymi słowami*⟩. **37.** Jak to mówią, jak się to mówi, jak to się zwykło **m.** ⟨*jakby się można wyrazić — zwrot wtrącany przez mówiącego, usprawiedliwiający użycie jakiegoś utartego związku frazeologicznego*⟩: Oprócz szacunku pozyskał on u młodzieży miłość taką, że każdy z jego uczniów był gotów — jak to mówią — w ogień za nim skoczyć. *Dygas. Robins. 57.* Krótko, nawiasem, prawdę, otwarcie, szczerze, wyraźnie, bez osłonek itp. mówiąc ⟨*zwroty wtrącone, określające wypowiedź jako krótką, prawdziwą itp. w stosunku do poruszanego tematu*⟩: Prawdę mówiąc, to nie do mnie należało w tej sprawie zrobić pierwszy krok. *Nałk. Z. Dom kob. 136.* **38.** Nie dać sobie dwa razy czego **m.** ⟨*szybko się zorientować w sytuacji, zacząć natychmiast działać*⟩. **39.** Nie ma co **m.** ⟨*nie da się zaprzeczyć, to jest pewne*⟩: Egzamin wypadł znakomicie, nie ma co **m.** **40.** Nie ma o czym **m.**: a) ⟨*nie warto o tym wspominać, to mało ważne*⟩: To głupstwo, nie ma o czym **m.**; b) ⟨*nie warto o tym mówić, bo i tak nic z tego nie będzie, to już jest rozstrzygnięte*⟩: Tu nie ma o czym **m.**, sprawa już jest przesądzona. **41.** Nie mówiąc (już) o..., cóż dopiero **m.** o... ⟨*szczególnie zaś, a zwłaszcza*⟩: Wszystkim dopisywał apetyt, nie mówiąc o Janku, który jadł za trzech. Jeśli suteryna ciotki nie była domem i nie była domem kuchnia matki, to cóż dopiero mówić o schronisku na Mariensztacie? *Goj. Dziew. II, 8.* **42.** Nie mówię, że..., nie można **m.**, że... ⟨*nie twierdzę, że...*⟩: Nie można mówić, żeby i gra nie miała w istocie swojej niejakiego dobra. Uczy rzeczy kombinować, pamięć zaostrza. *Kras. Podstoli 59.* **43.** Przeczucie, rozsądek, rozum, serce itp. mówi coś komu ⟨*wskazuje na co, nakazuje, doradza itp.; ktoś jest przekonany, że...; ma wewnętrzne przekonanie, ma przeczucie, że...*⟩: Sam rozsądek mówi, że to byłoby najrozsądniejsze wyjście. *Dąbr. M. Noce II, 88.* **44.** Szkoda **m.** ⟨*nie warto nawet mówić, lepiej nie mówić*⟩. **45.** Tak się to mówi, tak się tylko mówi, niech sobie mówi co chce, mówcie co chcecie itp. ⟨*zwrot wyrażający niewspółmierność między tym co się mówi, a tym co jest w rzeczywistości*⟩: Mów pan sobie co chcesz, to jest niegodziwość. *Kamień. Pam. 154.* **46.** Tak się nie mówi ⟨*tak się nie powinno mówić; to jest forma wypowiedzi nie spotykana*⟩.

przysł. **47.** Kto wiele mówi, ten mało czyni.

mówienie 1. Ćwiczenia w mówieniu (i pisaniu). **2.** Sposób mówienia.

mówka *żart.* ⟨*krótka mowa*⟩: Kropnąć, palnąć mówkę.

mózg 1. Kurzy, ptasi **m.** ⟨*ograniczony, płytki umysł*⟩. **2.** Prawa, lewa półkula mózgu. **3.** Rozmiękczenie mózgu. **4.** Wstrząs mózgu. **5.** Wylew krwi do mózgu ⟨*udar*⟩. **6.** Zapalenie mózgu ⟨*choroba wirusowa powodująca zmiany w samym mózgu lub w oponach mózgowych*⟩. **7.** Być, stać się mózgiem czego ⟨*ośrodkiem kierującym, centrum czego*⟩. **8.** Komuś na **m.** padło, uderzyło ⟨*ktoś stracił rozum, zachowuje się jak niepoczytalny*⟩. **9.** *przestarz.* Przewrócić **m.** ⟨*spowodować utratę przytomności, chaos w myślach*⟩: Przyznam się, że ta genealogia mózg mi przewróciła, i choćby mi pan porucznik ciosał koł na głowie, nie potrafiłbym mu za nic powtórzyć dowodu pokrewieństwa naszego. *Pług Zagon I, 35.* **10.** *pot.* Ruszać mózgiem ⟨*myśleć, zastanawiać się*⟩: Musisz, bracie, mózgiem ruszać. Nikt za ciebie nie będzie myślał. *Wyg. Jel. 193.* **11.** Suszyć (sobie) **m.** nad czym, *daw.* skwarzyć **m.** ⟨*usilnie nad czym rozmyślać, zastanawiać się, głowić się, łamać sobie głowę*⟩. **12.** *przestarz.* **m.** mi się przewraca a. wywraca ⟨*mąci mi się w głowie, tracę przytomność*⟩: Cóż mam czynić? wyznaję, mózg mi się wywraca. *Mor. A. SW.*

mózgownica *rub.* **1.** Nie może się to pomieścić w jego mózgownicy ⟨*nie może tego zrozumieć*⟩. **2.** Ruszyć mózgownicą ⟨*pomyśleć, zastanowić się*⟩. **3.** Suszyć mózgownicę ⟨*usilnie nad czym rozmyślać, zastanawiać się, głowić się, łamać sobie głowę*⟩: Zostaw to zmartwienie innym, nie musisz sobie nad tym suszyć mózgownicy.

móżdżek 1. Paszteciki z móżdżkiem ⟨*potrawa z mózgu cielęcego albo wieprzowego*⟩. **2.** Ptasi **m.** ⟨*płytki, ograniczony umysł*⟩. **3.** Suszyć (sobie) **m.** ⟨*usilnie nad czymś rozmyślać, zastanawiać się, głowić się, łamać sobie głowę*⟩: Suszy sobie na ulicy móżdżek, co by mu z pozostałym czasem robić należało. *Bog. Wizer. 77.*

mroczyć *przestarz.* **1.** Mroczy kogoś ⟨*komuś robi się niedobrze, słabo; komuś kręci się w głowie*⟩: Brakowało mu tchu, zamierało w nim serce, i tak go wtedy mroczyło, iż się zdawało, że przychodzi chwila ostateczna. *Wierchy 1931, s. 77.* **2.** Sen kogoś mroczy ⟨*komuś chce się spać*⟩: Kiedy mi kto czyta pod nosem, zaraz mnie sen mroczy. *Kaczk. Anunc. I, 153.* **3.** Wino, wódka kogoś mroczy ⟨*powoduje zamroczenie umysłu, mąci pewność ruchów*⟩: Wino ich mroczyło i większa część ciosów ginęła w próżni. *Gomul. Mieszczka 43.*

mroczyć się *przestarz.* Mroczy się komuś w oczach ⟨*ktoś słabo widzi, komuś w oczach ciemnieje*⟩: Blady bywał jak opłatek i uderzał we drzwi rękoma, jakby mu się w oczach mroczyło. *Konopn. Now. 124.*

mrok 1. Gęsty, gruby, nieprzebity, nieprzenikniony, ponury, szary **m. 2. m.** nocy, wieczoru. **3.** *przen.* **m.** nieuctwa, przesądów; **m-i** przeszłości. **4. m.** śmierelny ⟨*śmierć*⟩: Skonał, mrok go śmiertelny ogarnął. Bardz. *SW*. **5.** Pogrążać się, rozpływać się, tonąć w mroku. **6.** Rozpraszać **m.** ⟨*o świetle, lampie itp.*⟩. **7.** Spowijać, zasnuwać mrokiem. **8.** Wynurzyć się z mroku. **9. m.** nastaje: W zimie **m.** prędko nastaje. **10. m.** ogarnia, otula (ziemię, domy, drzewa itp.), panuje (w pokoju), rozpościera się, rzednie(je), zapada; **m.** zalega co.

mrowie ● **1.** Jak **m.** ⟨*bardzo liczny*⟩: Liczny, gęsty jak **m. 2. m.** ludzkie ⟨*chmara, tłum, gromada*⟩: **m.** ludzkie snuło się po ulicach. **3. m.** ciurów, czeladzi. **4. m.** świateł, gwiazd.
● **5. m.** trwogi (przejmuje kogo) ⟨*dreszcz*⟩. **6. m.** przechodzi kogo, po kim a. komu po skórze ⟨*ciarki, dreszcze*⟩: Czuł, że mu serce bije gwałtownie i jakieś zimne mrowie przechodziło go czasami od stóp do głowy. *Łoz. Wal. Dwór 426.*

mrozić 1. m. krew (w żyłach) ⟨*wywierać wrażenie niesamowite, wywoływać uczucie lęku, grozy; przerażać*⟩: Opowiadać historie mrożące krew w żyłach. **2. m.** serce ⟨*zniechęcać, zrażać*⟩: Niewdzięczność taka i oschłość mrozi najczulsze serce. *SL.*

mroźny m. wiatr; **m-a** pogoda, zima; **m-e** powietrze.

mrożony 1. Kawa **m-a**; owoce, wino **m-e**. **2.** Mięso **m-e**; drób **m.**

mrówczany 1. Kwas **m. 2.** Spirytus **m.** ⟨*nalewka ze spirytusu na mrówkach służąca jako lekarstwo*⟩.

mrówczy 1. m-e gniazdo ⟨*mrowisko*⟩. **2. m-e** jaja ⟨*poczwarki mrówek w białych kokonach*⟩. **3. m-a** praca ⟨*skrzętna, wytrwała, usilna, żmudna*⟩.

mrówka 1. Kolonia, kopiec mrówek ⟨*mrowisko*⟩. **2.** Pracowity jak **m. 3. m-i** chodzą, przebiegły, przeszły komu po ciele, po grzbiecie, po krzyżach, po plecach ⟨*ktoś czuje, poczuł mrowie, dreszcze*⟩: Ile razy kto zgrzytnie żelazem o szkło, mrówki mi chodzą po całym ciele. *SL.*

mróz 1. Okrutny, ostry, siarczysty, silny, srogi, tęgi, trzaskający **m.** Mróz na dworze taki, że aż szyby pękały! *Prus Wiecz. 60.* **2.** Siwy **m.** na szybach, na dachach ⟨*zamarznięta rosa, szron, szadź*⟩. **3.** Kwiaty, liście zwarzone mrozem. **4.** Skostnieć, zdrętwieć od mrozu. **5. m.** ścisnął; złapał; zelżał. **6. m.** dochodzi do x stopni. **7. m.** idzie, trzyma; przenika, szczypie (w uszy, w policzki, w czoło, w twarz). **8. m.** skuł (lodem) (rzeki, jeziora itp.), zwarzył (kwiaty). **9. m.** przechodzi po kim, przechodzi komu po kościach (*przestarz.* poszedł po kim), przenika, przeszywa kogo, ścina komu krew w żyłach; ktoś ma **m.** w kościach ⟨*ktoś doznaje uczucia zimna, chłodu, odczuwa dreszcze*⟩: Zaszlochał tak okropnie, że mróz przeszedł po mnie. *Padal. Opow. II, 63.*

mruczeć, mruknąć 1. Mruczeć jak kot (z zadowolenia). **2. m.** co pod nosem ⟨*mówić, śpiewać niewyraźnie, cicho; mamrotać; powiedzieć, odpowiedzieć, odburknąć niewyraźnie*⟩.

mrugać, mrugnąć 1. m. filuternie, porozumiewawczo, znacząco. **2.** (Nawet) nie mrugnąć okiem: a) ⟨*nie zareagować na coś, nie poruszyć się; zachować się biernie, obojętnie*⟩: Okiem nie mrugnął, gdy mu ojciec u stołu przed gośćmi policzek wyciął. *Brück. Kult. II, 450;* b) ⟨*nie zrobić najmniejszego wysiłku, żeby coś osiągnąć*⟩: Palcem nie kiwnął, okiem nie mrugnął [...] aby ją odzyskać. *Orzesz. Bene 162.* **3.** *pot.* Szkoda mrugać ⟨*szkoda czasu, szkoda wysiłku, nic z tego, wykluczone*⟩: Oho! nie obudzi się [...] Szkoda mrugać! Chrapie jak zabity. *Kown. Kajt. 32.* **4.** Gwiazda, lampa, światło (lampy) mruga ⟨*migoce*⟩. **5. m.** n a k o g o: Tak mówiąc na Sędziego mrugał; widać z miny, że miał i taił inne, ważniejsze przyczyny. *Mick. Tad. 17.*

mruknąć p. **mruczeć**

mrzeć 1. m. głodem, z głodu, *przestarz.* **m.** głód ⟨*cierpieć głód, przymierać głodem*⟩. **2. m.** ze strachu, z bólu itp. ⟨*tracić przytomność ze strachu itp.*⟩. **3.** *przen.* Słowa mrą, marły na ustach ⟨*zamierają, zamierały*⟩.

msza 1. m. czytana, dziękczynna, śpiewana, uroczysta. **2. m.** polowa ⟨*pod gołym niebem*⟩. **3. m.** żałobna. **4. m.** na czyją intencję (np. na intencję chorego). **5.** Być na mszy. **6.** Celebrować mszę. **7.** Czytać mszę. **8.** Zamówić, zakupić mszę ⟨*złożyć ofiarę (pieniężną) za odprawienie mszy*⟩. **9.** Dzwonić na mszę. **10.** Odprawiać mszę, wyjść ze mszą (o księdzu). **11.** Słuchać mszy. **12.** Służyć do mszy ⟨*pełnić funkcje pomocnicze przy kapłanie odprawiającym mszę*⟩. **13.** *pot.* **m.** wyszła ⟨*zaczęła się*⟩.

mszalny Ornat **m.** Wino **m-e.**

mścić się 1. m. się n a k i m: np. na dzieciach. **2. m. się** z a c o: np. za krzywdy. **3.** *daw.* **m. się** n a d k i m c z e g o: Mszcząc się nad Lutykami ojcowskiego wygnania, począł ich kraje najeżdżać. *Narusz. Hist. I, 199.*

mucha 1. m. domowa ⟨*Musca domestica*⟩. **2. m.** hiszpańska ⟨*kantaryda*⟩. **3. m.** kleparska ⟨*bolimuszka*⟩. **4. m.** tse-tse ⟨*Glossina palpalis, przenosząca świdrowca, powodującego u ludzi śpiączkę afrykańską*⟩. **5.** Natrętny jak **m. 6.** Popstrzony przez muchy (o kloszu lampy, żarówce itp.). **7.** *pot. żart.* Być pod muchą ⟨*być podchmielonym, wstawionym; być pod dobrą datą*⟩. **8.** Ciągnąć, lgnąć, lecieć do czego a. do kogo jak **m.** do miodu, na lep itp. ⟨*dać się znęcić, zwabić na coś; garnąć się do kogoś; dążyć do osiągnięcia, zdobycia czego a. kogo, zabiegać o czyjeś względy*⟩: Wszędzie ułani rej wodzili i cały ród niewieści lgnął do nich jak muchy. *Sztyrm. Pow. I, 77.* **9.** Ginąć, mrzeć, padać, umierać itp. jak **m-y** ⟨*masowo*⟩: W Faszodzie dorośli nawet Europejczycy giną z febry jak muchy, a cóż dopiero takie dziecko. *Sienk. Pust. I, 148.* **10.** Kręcić się, zwijać się jak **m.** w ukropie ⟨*robić coś bardzo prędko, gorączkowo, nerwowo; śpieszyć się z czym*⟩: Brudna usługująca dziewczyna kręciła się jak mucha w ukropie, odwoływana i popychana na wszystkie strony. *Konopn. Now. I, 121.* **11.** *pot.* Mieć **m-y** w nosie, na nosie; **m.** siadła na nos, ukąsiła kogo itp. ⟨*być w złym humorze, dąsać się, złościć — bez wyraźnego powodu*⟩: Czasem baba miała muchy w nosie, chciała dokuczyć jegomości. *Dygas. As 61.* Cóż ci za mucha na nos siadła! *Zap. G. Dul. 95.* **12.** Robić z muchy słonia ⟨*przesadzać, wyolbrzymiać co*⟩: Jestem zdenerwowana i z muchy robię słonia. *Krzywosz. Jula 47.* **13.** Ruszać się, wlec się itp. jak **m.** w mazi, w miodzie, w smole ⟨*robić co bardzo wolno, ospale; lenić się; iść pomału, nie śpieszyć się*⟩: Tylko nie

marudź, wałkoniu! Rusza się jak mucha w smole. *Hertz B. Termin. 34.* **14.** To **m.** dla mnie (dla niego) ⟨*to nic nie znaczy, głupstwo, bagatela*⟩. **15. m.** brzęczy, bzyka; kąsa, tnie. **16.** *posp.* (Taki, że) **m.** nie siada, nie siądzie ⟨*udany, doskonały, bez zarzutu*⟩: Temat do reportażu mam pierwszorzędny. Temacik taki, że mucha nie siądzie! *Brand. M. Dom 170.*
przysł. **17.** Dobra psu i mucha ⟨*nie należy gardzić małą korzyścią*⟩.

mularz Wolny **m.** ⟨*wolnomularz, mason*⟩.

muł 1. m. głębinowy. **2. m.** gliniasty, żyzny. **3. m.** węglowy ⟨*osadzający się na dnie odmulników lub osadników mułowych*⟩.

mumia 1. Chodząca; zasuszona **m.** ⟨*o człowieku wychudzonym, wyschłym; bez energii, bez życia*⟩. **2.** Siedzieć jak **m.** ⟨*nieruchomo, bezczynnie*⟩.

mundur 1. m. harcerski, górniczy, wojskowy, oficerski, kolejowy, polowy, galowy, paradny. **2.** Przywdziać, włożyć **m.** ⟨*zostać żołnierzem*⟩.
przysł. **3.** Za mundurem panny sznurem ⟨*wojskowi mają powodzenie u kobiet*⟩.

mundurek m. gimnazjalny, harcerski, pensjonarski, szkolny.

mundurowy m. milicjant, policjant ⟨*w mundurze*⟩.

munsztuk 1. m. papierosa a. od papierosa ⟨*ustnik*⟩. **2.** *przestarz.* Trzymać kogo na munsztuku, wziąć kogo na **m.** ⟨*trzymać krótko, ująć w ryzy, w karby*⟩: Oj, weźcie ich na munsztuk, bo też szlachta bryka! *Mick. Tad. 248.*

mur 1. m. cyklopowy ⟨*mur z kamieni z grubsza obrobionych ułożonych powierzchnią przełomu do lica*⟩. **2.** Mury obronne (miasta, zamku) ⟨*w dawnych czasach: fortyfikacje otaczające miasto lub zamek*⟩. **3. m.** oporowy ⟨*z kamienia, cegieł lub betonu, podtrzymujący stok ziemny*⟩. **4. m.** pruski ⟨*ściana o konstrukcji drewnianej, wypełniona ceglanym murem*⟩. **5. m.** ślepy ⟨*ściana murowana bez otworów*⟩. **6. m-y** miasta ⟨*miasto murowane; miasto*⟩. **7.** W murach (jakiego miasta, np. Krakowa) ⟨*w mieście, np. w Krakowie*⟩. **8. m-y** uczelni ⟨*budynki uczelni; uczelnia*⟩. **9.** *pot.* Na **m.** ⟨*na pewno, z całą pewnością*⟩: Jutro wyjeżdżamy na **m.** Postaraj się przyjść na **m.** **10.** *przestarz.* Głuchy jak **m.** **11.** Rozbijać (taranem), wznosić **m.** **12.** Otoczyć, opasać (miasto) murem. **13.** *przen.* zburzyć **m.** przesądów, uprzedzeń. **14.** Być przypartym, przyciśniętym do muru; przyprzeć, przypierać, przycisnąć, przyciskać kogo do muru ⟨*być zmuszonym (okolicznościami lub warunkami) do czego; zmusić kogo do wykonania czego, do wyjawienia prawdy; nie dać się komu wykręcić*⟩: Przyparty był do muru i odpowiadać musiał. *Orzesz. Eli II, 274.* **15.** Iść pod **m.** ⟨*być skazanym na śmierć przez rozstrzelanie*⟩. **16.** Ktoś jest jak **m.** ⟨*twardy, nieugięty, nieustępliwy*⟩: Ona prosi, a on jak mur. *Ritt. Duchy 76.* **17.** *przen.* Odgrodzić się murem od kogo, czego ⟨*całkowicie, zupełnie*⟩: Odgrodzić się murem od społeczeństwa. **18.** *przestarz.* Siedzieć pod murem ⟨*żebrać*⟩. **19.** Stać jak **m.**, stanąć murem (za kim, za czym) ⟨*zwartym szeregiem, jak jeden; nieustępliwie; bronić czyich spraw, interesów, popierać kogo*⟩: Murem stanęła za nim [za Chmielnickim] „czerń" chłopska. *Nowe Drogi I, 1954, s. 37.* **20.** *przen.* Bić, tłuc, walić głową o **m.**, rozbić głowę o **m.** (z rozpaczy); ⟨*walczyć z trudnościami nie do pokonania, bez nadziei zwycięstwa, bez powodzenia; rozpaczać*⟩. **21.** Zamknąć na **m.** ⟨*mocno, dokładnie, dobrze*⟩: Zamknąć bramę na mur.
przysł. **22.** Cierpliwość i mury przebija. **23.** Głową muru nie przebijesz.

murarski Zaprawa **m-a** ⟨*mieszanina wapna gaszonego, piasku i wody używana przy murowaniu do spajania cegieł*⟩.

murowany 1. m. budynek; **m-e** miasto ⟨*z cegły lub kamienia*⟩. **2.** *pot.* **m.** interes; **m-a** pogoda; **m-a** dwója ⟨*pewny(-a); niezawodny(-a)*⟩. **3.** *pot.* **m.** przewodnik, towarzysz ⟨*taki, na którym można polegać, pewny*⟩.

murzyn 1. *pot.* Opalić się na murzyna ⟨*na ciemny, brązowy kolor*⟩.
przysł. **2.** Murzyn zrobił swoje, murzyn może odejść.

I mus 1. Z musu, *rzad.* przez **m.**, *daw.* musem ⟨*wbrew woli, pod przymusem, z konieczności, nie dobrowolnie*⟩: Robić co z musu. **2.** *przestarz.* dziś *gw. posp.* **m.** co robić ⟨*trzeba co robić*⟩: Potańcujmy raz dokoła, potem zaś znów mus mnie iść. *Wysp. Wes. 97.*

II mus m. owocowy ⟨*przecier*⟩. **m.** z jabłek.

muskuł 1. Potężne, silne, tęgie **m-y.** **2. m-y** jak ze stali, jak z żelaza. **3.** Naciągać, napinać, naprężać **m-y.**

muszka *pot.* Mieć kogo na muszce ⟨*poddawać kogo nadzorowi, śledzić*⟩: Już go od dawna mieli na muszce. *Jaroch. Niemił. 178.*

muszkatołowy Wino **m-e** ⟨*muszkatel*⟩.

muszlowy 1. Wapień **m.** ⟨*skała wapienna powstała przez nagromadzenie muszli mięczaków*⟩. **2.** Przełom a. przełom **m.** ⟨*płaszczyzna łupliwości przypominającą kształtem muszlę*⟩: Przełom **m.** masy drożdżowej, krzemienia, kryształu.

musztarda m. po obiedzie ⟨*rzecz spóźniona, za późno przekazana, podana*⟩.

musztardowy 1. Sos **m.** **2.** Gaz **m.** ⟨*iperyt*⟩.

musztra 1. m. bojowa, konna, piesza, wojenna. **2.** Plac musztry.

muszy Waga **m-a** ⟨*w boksie: kategoria zawodników do 51 kg; w zapaśnictwie: do 52 kg*⟩.

muza 1. Jedenasta **m.** ⟨*telewizja*⟩. **2.** Lekka, lżejsza, **m.** ⟨*utwory artystyczne, zwykle muzyczne o charakterze rozrywkowym*⟩. **3.** *żart. iron.* **m.** podkasana: a) ⟨*o utworach muzycznych, choreograficznych, teatralnych utrzymanych w stylu lekkim lub frywolnym*⟩; b) ⟨*aktorka wykonująca takie utwory, występująca w kabaretach, rewiach itp.*⟩: Pić w gabinecie szampana z podkasaną muzą. **4.** *książk.* Kochanek, ulubieniec muz ⟨*poeta, artysta*⟩. **5.** *iron.* Sobie a muzom ⟨*wyłącznie dla siebie, dla własnej przyjemności*⟩: Wszystko co robi to sobie tylko a muzom.

muzeum 1. m. archeologiczne, etnograficzne; **m.** starożytności. **2. m.** narodowe. **3. m.** techniki. **4.**

Oddać co (np. obraz) do **m.**, złożyć co w depozycie w **m.**

muzyczny 1. Poranek **m.** ‹*rodzaj koncertu*›. **2.** Wykształcenie **m-e**. **3.** Zespół **m.**

muzyka 1. m. absolutna ‹*nieopisowa, beztematowa*›. **2. m.** atonalna ‹*operująca tonami bez uwzględnienia stosunku ich do tonu zasadniczego*›. **3. m.** instrumentalna ‹*przeznaczona do wykonywania na instrumentach*›. **4. m.** kameralna ‹*skomponowana na niewielką liczbę instrumentów; dla małego audytorium*›. **5.** *pot. żart.* Kocia **m.** ‹*pisk, wrzask, walenie w metalowe przedmioty jako oznaka niezadowolenia lub w celu dokuczenia komu*›: Urządzić komu (np. pod oknami) kocią muzykę. **6. m.** poważna, **m.** rozrywkowa. **7. m.** symfoniczna ‹*orkiestralna*›. **8. m.** taneczna ‹*do tańca*›. **9. m.** wokalna ‹*przeznaczona do śpiewu*›. **10.** Lekcja muzyki na fortepianie, skrzypcach itp. **11.** W takt muzyki co robić (np. wykonywać ćwiczenia, pas taneczne). **12. m.** sfer ‹*według dawnych pojęć astronomicznych: dźwięki wydawane przez planety, poruszające się dokoła Ziemi*›. **13.** *przen.* **m.** dzwonów; **m.** wieczoru; **m.** świateł; **m.** przyszłości. **14.** Dorobić muzykę do pieśni ‹*melodię*›. **15.** Podkładać muzykę pod tekst słowny lub tekst słowny pod muzykę ‹*dorabiać muzykę do tekstu lub tekst do muzyki*›. **16.** Słuchać, uczyć się muzyki; znać się na muzyce.

muzykalny 1. *jęz.* **m.** akcent (wyrazowy) ‹*akcent toniczny*›. **2.** Pamięć **m-a** ‹*zdolna do dokładnego odtworzenia melodii*›. **3.** Słuch **m.**; ucho **m-e** ‹*czuły (-e) na muzykę; rozróżniający(-e) dokładnie tony i ich wysokość*›.

my 1. Po nas ‹*zginęliśmy, grozi nam zguba*›: Jakbyśmy tak parę minut wcześniej tu przyszli, mogłoby już być po nas. *Meis. Sześciu 289.* **2.** *pot.* U nas jak to u nas ‹*nic nowego się nie dzieje, nic się nie zmieniło*›: Co ja ci będę o takich drobiazgach mówił, u nas jak to u nas — żyje się. *Goj. Dziew. II, 27.*

mydełko 1. m. pachnące, toaletowe. **2. m.** do mycia zębów ‹*rodzaj pasty w postaci mydełka*›.

mydlany 1. Korzeń **m.** ‹*korzeń mydlnicy, mający właściwości pianotwórcze, stosowany w gospodarstwie domowym*›. **2.** Płatki **m-e** ‹*mydło skrawane na wiórki, używane do prania wełny i jedwabiu*›. **3.** Spirytus **m.** ‹*roztwór mydła potasowego w alkoholu etylowym lub metylowym*›.

mydlić 1. m. c o: **m.** bieliznę, twarz. **2.** *pot.* **m.** komu oczy ‹*wprowadzać kogo w błąd; oszukiwać, zwodzić kogo*›: Nikt nie próbował mydlić oczu, dawać wymijających odpowiedzi, ukrywać prawdy. *Gaz. Rob. 310, 1954.* **3.** *rzad.* **m.** komu głowę ‹*dawać burę, wymyślać*›: Krytyk mydli tobie głowę, że ci brak nowości, że wciąż nowych uczuć, myśli trzeba publiczności! *Grudz. Poezje 26.*

mydło 1. Szare **m.** ‹*maziste, półpłynne mydło potasowe*›. **2. m.** toaletowe. **3. m.** do prania, **4. m.** w płynie, w proszku. **5.** *pot.* Idzie, schodzi co jak po mydle ‹*gładko, łatwo, lekko*›. **6.** *przestarz.* Puścić w oczy **m.** ‹*utrudnić, uniemożliwić komu zorientowanie się w sytuacji*›. **7.** *przestarz.* Sprawić komu **m.** ‹*sfukać kogo, zwymyślać, zmydlić komu głowę; zbić kogo*›. **8.** *posp.* Wślizgiwać się, wchodzić, wejść bez mydła ‹*narzucać się, nadskakiwać, pochlebiając komuś, na kim zależy, dla zdobycia korzyści osobistych*›: Zręcznym wślizgiwaniem się wszędzie, nawet „bez mydła", zajmują nieraz intratne stanowiska. *Nałk. W. Pisma 131.* **9.** Wyjść na czym jak Zabłocki na mydle ‹*zrobić zły interes, ponieść stratę; zostać wyzyskanym; zawieść się na czym lub na kim*›. **10.** *przestarz.* Wyjść, wyjechać z mydłem ‹*z niczym; nic nie otrzymać, nie osiągnąć celu*›: Pani Potocka z Mniszchów, uprzedzona o zbliżaniu się tej damy do miasta, wyjechała naumyślnie przed jej przybyciem do pobliskiej wsi Wojtówki [...] Wittowa z mydłem wyjechała z Tulczyna. *Czartk. Tulcz. 61.*

mylić 1. m. rytm, takt w tańcu. **2. m.** tropy, ślady ‹*uciekając kluczyć, zmieniać kierunek biegu, aby oszukać pogoń*›. **3. m.** k o g o z k i m ‹*brać jedną osobę za drugą, popełniać omyłkę co do osoby*›: Pan, zdaje się, myli mnie z kimś innym. *Lut. Próba 100.* **4.** O ile (jeżeli) mnie oczy nie mylą ‹*o ile (jeżeli) się nie mylę*›. **5.** Jeżeli mnie pamięć nie myli ‹*jeżeli dobrze pamiętam*›. **6.** Pozory mylą ‹*wprowadzają w błąd*›.

przysł. **7.** Ten się nie myli, kto nic nie robi.

mysi 1. m. kolor. **2.** *żart.* **m.** ogonek ‹*o cienkim warkoczyku lub pęczku włosów*›. **3.** Schować się, skryć się, wejść w mysią dziurę, jamę, norę ‹*ze strachu lub ze wstydu ukryć się, żeby nie być widzianym*›: Wstydziłem się wtedy tak podczas przedstawienia, że byłbym się schował, jak to powiadają, w mysią dziurę. *Chłęd. Pam. I, 293.*

mysz 1. m. biała; szara **m.**, **m.** domowa, leśna, polna ‹*gatunki myszy*›. **2.** Pułapka ma myszy. **3.** *przestarz.* Przepaść jak ruda **m.** (w popiele) ‹*przepaść, zginąć bez ratunku*›: Przepadnę jak ruda mysz, przepadnę bez ciebie. *Konopn. Now. II, 41.* **4.** Siedzieć (cicho) itp. jak **m.** pod miotłą ‹*zachowywać się cicho, spokojnie, aby nie zwrócić niczyjej uwagi; trwać w bezruchu; nie przejawiać działalności, nie występować z żadną inicjatywą*›: Jędrzej przycupnął cichutko niby mysz pod miotłą, bojąc się widocznie, aby go starsi nie przepędzili od siebie. *Twórcz. 8, 1954, s. 60.* **5.** *rzad.* Siedzieć jak **m.** na pudle ‹*być pełnym niepokoju, trwogi*›: Lada chwila wyrwie mię dyrektor do łaciny, siedzę więc jak mysz na pudle. *Żer. Dzien. I, 352.* **6.** Spocić się jak ruda **m.** ‹*bardzo się spocić*›. **7. m.** chrobocze (czym), piszczy.

przysł. **8.** Myszy tańcują, gdy kota nie czują.

myszka 1. m. polna *p.* mysz. **2.** Zabawa w kotka i myszkę; bawić się, grać w kotka i myszkę ‹*rodzaj gry towarzyskiej*›. **3.** Mieć, hodować **m-i** w głowie ‹*być niespełna rozumu; dziwaczyć*›. **4.** Trącić, pachnąć myszką ‹*być przestarzałym, staroświeckim*›: Archaiczny [...] koloryt „Ezopa" Biernatowego [...] w okresie Kochanowskiego musiał myszką trącić. *Krzyż. J. Romans 146.*

myśl 1. m. badawcza, płocha, samodzielna, uporczywa, zdrożna ‹*myślenie; czynność umysłu; wytwór czynności umysłowej*›. **2.** Bystra, jasna, trafna, znana **m.**; **m.** głęboka, ścisła, zawiła ‹*sąd, mniemanie, zdanie o czym*›. **3.** Dobra, pogodna, wesoła **m.** ‹*dobry humor; dobre samopoczucie, usposobienie*›: Życzenia dobrej myśli. **4. m.** główna, podstawowa (zasadnicza); **m.** przewodnia (utworu, wypowiedzi) ⟨*treść zasadnicza, idea*⟩. **5. m.** materialistyczna, prawnicza itp. ⟨*idea, pogląd*⟩. **6.** Nowoczesna **m.** techniczna ⟨*osiągnięcia techniki*⟩. **7. m.** oryginalna, zapożyczona ⟨*pomysł, pogląd*⟩. **8.** Uboczna **m.** ⟨*ukryta intencja*⟩: Robić co bez żadnych ubocznych myśli. **9.** Zielone myśli ⟨*niedojrzałe, właściwe człowiekowi niedoświadczonemu*⟩: Pisał do jednego ze znajomych, że im bardziej siwieje, tym bardziej zielone ma myśli. *Chłęd. Odr. 520.* **10 m.** c z e g o ⟨*zamiar, projekt, pomysł; chęć, pragnienie, wola*⟩: **m.** poświęcenia się sztuce, nauce itp., **m.** wyjazdu w góry. W jej głowie nie powstała nigdy myśl jakiegoś oporu. *Dąbr. Ig. SPP.* **11. m.** d o c z e g o ⟨*pomysł*⟩: **m.** do poematu, noweli. **12. m.** o c z y m ⟨*myślenie; czynność, praca umysłu; rozmyślanie*⟩: **m.** o domu; o przyjacielu, o wynalazku. **13. m.** o jutrze ⟨*troska o przyszłość, myślenie o przyszłości*⟩. **14.** Nurt, tok, wątek myśli ⟨*myślenia*⟩: Wątek myśli urywa się. Zmienić tok myśli. **15.** *psych.* Gonitwa myśli ⟨*natłok skojarzeń, którego objawem jest bezładna mowa*⟩. **16.** Lenistwo myśli. **17.** Nawał myśli. **18.** Polot myśli. **19.** Swoboda, wolność myśli ⟨*przekonań, poglądów*⟩. **20.** Wymiana myśli ⟨*sądów spostrzeżeń, poglądów; dyskusja*⟩. **21.** Ani w myśli (komu co): Psom ani w myśli niezgoda. *Bartk. SPP.* **22.** Na **m.** o k i m, o c z y m: Na **m.** o tym człowieku porwał go gniew. Na **m.** o rozstaniu zrobiło jej się smutno. **23.** W **m.** c z e g o ⟨*zgodnie z czym*⟩: W **m.** polecenia, decyzji, testamentu, rozkazu itp. **24.** W **m.** przepisu, paragrafu (np. kodeksu karnego) ⟨*zgodnie z intencją (tego przepisu)*⟩: **25.** W myśli ⟨*w pomyśleniu, w wyobraźni*⟩: Poprowadzić linię w myśli. Układać sobie plan, uprzytomnić sobie co w myśli. **26.** Łamać się z myślami ⟨*nie móc się zdecydować na co; wahać się*⟩. **27.** Ktoś buja, krąży gdzie myślami, myśli czyje gdzieś błądzą itp. ⟨*ktoś marzy, rozmyśla, duma o czymś*⟩: Myślami buja w obłokach. **28.** Być gdzie myślą, myślami ⟨*myśleć o czym, wyobrażać sobie co*⟩: Być myślą w domu, w biurze, w podróży itp. **29.** Być nieobecnym myślą, myślami; być pogrążonym, zatopionym w myślach ⟨*myśleć intensywnie o czymś, nie zwracając uwagi na to, co się dzieje dokoła*⟩: Jest senna, rozmarzona słońcem, nieobecna myślami. *Meis. Sześciu 8.* Tak był pogrążony w myślach, że nie słyszał, jak matka weszła do pokoju. **30.** Być pochłoniętym, zaprzątniętym myślą, myślami ⟨*myśleć o czym intensywnie*⟩: Widać było, że cała jest pochłonięta własnymi myślami. *Perz. Las 54.* **31.** Być z kim jednej myśli ⟨*zgadzać się z kim pod jakim względem*⟩. **32.** Chwytać się, uchwycić się jakiej myśli. **33.** Czepiać się myślą czego. **34.** Gonić co myślą, uciekać myślą do czego ⟨*myśleć o czym*⟩: W zgiełku i zamęcie życia dworskiego poeta chętnie uciekał myślą do gwiaździstego nieba. *Probl. 1953, s. 618.* **35.** Gubić się w myślach ⟨*snuć domysły, przypuszczenia; trudzić się nad rozwiązaniem, zrozumieniem czego*⟩: Gubią się w myślach i nic nie mogą wymyślić własnym rozumem. *Strug Ojc. 147.* **36.** Coś, wszystko idzie, robi się, wiedzie się itp. po czyjej myśli, *przestarz.* według, podług czyjej myśli ⟨*coś staje się zgodnie z czyim pragnieniem, intencją, wolą*⟩. **37.** Iść za czyją myślą ⟨*zgadzać się z czyją koncepcją, dewizą, mieć, wyrażać ten sam pogląd*⟩: W dalszych zwrotkach idzie Morsztyn za myślą włoskiego poety. *Nehr. Studia 160.* **38.** Czyją myślą jest ⟨*ktoś myśli o czym, ma jakiś zamiar, zamierza co (zrobić)*⟩: Moją myślą jest wrócić za dwa tygodnie. *Chopin Wyb. 52.* **39.** Kojarzyć myśli. **40.** Mącić, plątać myśli. **41.** Mieć kogo, co na myśli ⟨*myśleć o kim, o czym*⟩: Mówiąc o tym, miałem na myśli was. - Miała co innego na myśli. *Dąbr. M. SPP.* Ja, kiedy mówiłam o rozczarowaniach, miałam siebie na myśli. *Perz. Las 86.* **42.** Mieć kogo, co w myśli ⟨*mieć w pamięci, pamiętać; wyobrażać sobie kogo lub co*⟩: Zofii twojej ręce całuję. Miałem ją często w myśli, malując heroinę poematu mego, Zosię. *Mick. Listy II, 107.* Mam czasem w myśli jego oczy. Mgliste, niebieskie oczy. *Żer. Uroda 40.* **43.** Mówić, pisać, odpowiadać itp. co komu na **m.** przyjdzie ⟨*mówić, pisać itp. bez zastanowienia, bez rozważenia, byle co*⟩: Mówił o wszystkim, co mu tylko przyszło na myśl. *Pytl. Fund. 202.* **44.** Nabić sobie (komu) głowę a. mieć głowę nabitą myślami (o kim, o czym) ⟨*spowodować intensywne myślenie o czym*⟩: Nie mógł zasnąć [...] Głowę miał nabitą myślami. *Olcha Most II, 164.* **45.** Naprowadzić kogo na **m.**: Barbarę te słowa naprowadziły na myśl. *Dąbr. M. SPP.* **46.** Nasunąć komu **m.** Coś, ktoś nasuwa się komu na **m.** ⟨*coś, ktoś się komu przypomina, wywołuje wspomnienie*⟩: Opowiadanie Jakuba nasuwało mu na myśl dalekie jakieś mgliste wspomnienia. *Choj. Alkh. IV, 46.* **47.** Nosić się z myślą (czego a. o czym) ⟨*mieć zamiar zamierzać*⟩. **48.** Odpędzać (natrętne) myśli. **49.** Odrywać się myślą od czego ⟨*przestawać o czym myśleć*⟩: Górnicy pracowali w skupieniu, odrywali się myślą od pracy na krótko tylko. *Szew. Kleszcze 110.* **50.** Odwrócić **m.** od czego. **51.** Ogarnąć, ogarniać, pojąć myślą ⟨*(z)rozumieć, pojąć rozumem*⟩: W jedno oka mgnienie myślą ogarnął plan cały. *Jeż. Rotuł. 571.* **52.** Opanować **m.** czyją. **53.** Opędzać się (nieprzyjemnym) myślom a. od myśli. **54.** Oswoić się z myślą. **55.** Podjąć **m.** czego a. czyją ⟨*przystąpić do realizacji pomysłu, zamiaru (czego lub czyjego)*⟩: Myśl blokady handlowej przeciwko Szwecji [...] podjął teraz na nowo Zygmunt III. *Szeląg. Bałtyk 153.* **56.** Podsunąć, poddać, rzucić **m.**; natchnąć koko myślą ⟨*podsunąć projekt, natchnąć ideą, pomysłem*⟩. **57.** (Nie móc) pogodzić się z myślą o czym ⟨*(nie móc) uznać czegoś za możliwe, prawdopodobne; nie móc przejść nad czym do porządku*⟩. **58.** Pogrążyć się, zatopić się w myślach. **59.** Poruszyć jaką **m. 60.** Porzucić **m.** (o czym a. jaką). **61.** (Ani) coś komu w myśli nie postało, nie mogło postać ⟨*ktoś nawet przez chwilę o czym nie pomyślał*⟩: Ani mi w myśli nie postało przysuwać się ku nim zbyt blisko. *Pigoń Komb. 253.* **62.** Powziąć **m.** (czego). **63.** Pożegnać się z myślą (o czym). **64.** Przebiec kogo, co myślą ⟨*objąć kogo, co w myśli; porachować kogo, co w myśli*⟩: Przebiegłem myślą wszystkich naszych ludzi i nie widzę nikogo odpowiedniego. *Kossak Z. Krzyż. I/II, 363.* **65.** Przebiegać, przechodzić co myślą ⟨*wspominać, odtwarzać w pamięci*⟩: Przebiegał myślą dzieje swojego uczucia. *Dygas. As 46.* **66.** Przenosić się dokąd myślą. **67.** Coś komu przeszło, przemknęło przez **m.** ⟨*ktoś pomyślał o czym na krótko*⟩. **68.** (Ani, nawet) co komu przez **m.** nie przejdzie, na **m.** nie przyjdzie ⟨*ktoś ani przypuszcza, ani domyśla się czego; ani pomyśli o czym*⟩: Nigdy mi przez myśl nie przeszło, aby to niedołężne stworzenie miało w sobie tyle chytrości. *Krasz. Pam. 199.* Nawet nie przyszło mu na myśl zazdrościć szczęśliwcowi. *Nałk. Z. Romans 66.* **69.** Coś a. ktoś komu przychodzi, przyszło, przyszedł na **m.** ⟨*ktoś uświadamia, uświadomił sobie co; przypomina, przypomniał sobie o czym, o kim*⟩: Przyszedł mu na myśl Jurek. *Iwasz. J. SPP.* Przyszła mi na myśl mania ballad, niegdyś panująca. *Mick. Listy II, 202.* **70.** *przestarz.* Przypaść do myśli ⟨*do gustu; podobać się*⟩: Ten zły, ten niedobry [...] chyba Czarny Jerzy przypadnie wam do myśli. *Łoz. Wal. Szlach. I, 41.* **71.** Coś komu przywodzi co na **m.** ⟨*przypomina, nasuwa obraz czego*⟩: Białość drzewek w maju przywodzi na myśl rajskie ogrody. *Kunc. Dni 249.* **72.** Robić co w myśli ⟨*po cichu, w duchu*⟩: Przyrzekać sobie co, powtarzać co w myśli. **73.** Robić co w (tej) myśli, że ⟨*w tym celu, w tej intencji*⟩: Brała zarazem lekcje obcych języków w tej myśli, że może zostanie nauczycielką. *Nałk. Z. Romans 28.* **74.** Robić co w dobrej, niewinnej, złej itp. myśli ⟨*intencji*⟩: Nie powiedziałem tego w złej myśli. *SW.* **75.** Robić co z myślą o czym a. z myślą, że... ⟨*myśląc o czym, z zamiarem zrobienia czego*⟩: Studiował mapę z myślą o podróży. **76.** Rozwijać, rozwinąć **m.** czyją a. o czym. **77.** Sięgać myślą w przeszłość lub przyszłość ⟨*wspominać, rozpamiętywać przeszłość; wyobrażać sobie przyszłość, myśleć o niej*⟩: **78.** Snuć **m-i.** **79.** Stanąć w myśli, *przestarz.* na myśli, przed myślą ⟨*przypomnieć się, stanąć w pamięci, przedstawić się wyobraźni*⟩: Nie uwierzysz, jak mi stoisz w myśli przy każdym nieledwie uczynku. *Chopin Wyb. 51.* **80.** Utrafić komu w **m.** **81.** *przestarz.* Wchodzić w **m.** czyją ⟨*zgadzać się z czyim rozumowaniem, koncepcją; starać się kogo zrozumieć*⟩. **82.** Wpaść na **m.** **83.** Wracać myślą do czego ⟨*myśleć o czym na nowo, wspominać co*⟩: Wracał jeszcze myślą do szkoły. *Dąbr. M. Noce II, 171.* **84.** Wybić komu lub sobie **m.** z głowy ⟨*wpłynąć na kogoś, żeby przestał myśleć o czym, o kim*⟩: Zamyśliła się smutnie, starając mnie pocieszyć tym, że przez matkę swoją potrafi mojej myśl tę wybić z głowy. *Krasz. Seraf. 113.* **85.** Wybiegać myślą naprzód itp. ⟨*myśleć o czymś w przyszłości, przewidywać co*⟩. **86.** Wypowiadać, wyrażać myśli, wypowiedzieć, wyrazić myśl ⟨*zdanie, sąd, mniemanie*⟩. **87.** Zaniechać myśli. **88.** Zaprzątnąć **m.** czyją. Coś zaprząta **m.** ⟨*coś zajmuje, interesuje umysł*⟩: Sprawa zatonęła w tysiącu innych, co nadchodzą, tłoczą się, zaprzątają myśl. *Dąbr. M. Noce II, 13.* **89.** Zebrać, pozbierać, skupić, opanować myśli ⟨*skoncentrować na czym uwagę, zastanowić się, skupić się; wrócić do równowagi umysłowej*⟩: Tak był zmęczony i zdenerwowany, że nie mógł skupić myśli. - Nie mógł zebrać myśli. *Żer. SPP.* **90.** Zgadywać czyje **m-i.** **91.** Zwrócić ku czemu **m.** czyją. **92.** Żyć myślą o kim, o czym ⟨*myśleć tylko o kim, o czym*⟩. **93.** **m.** (jaka a. czego) błysnęła (komu) ciśnie się, dojrzewa (w kim); dręczy, gnębi, męczy kogo; kiełkuje, kołata się (w czyjej głowie), nasuwa się (komu), nie daje spokoju (komu); nurtuje, opanowała, opętała kogo, owładnęła kim; przebiega, przelatuje; przenika, przeszywa, przeraża kogo; przychodzi, strzela komu do głowy, świta komu; trapi, uderza kogo. **94.** Myśli się komu mącą, plączą; snują po głowie; nawiedzają, opadają, opadły kogo: Opadły go złe myśli. **95.** **m.** zajęta kim a. czym.

przysł. **96.** Co w myśli, to i na języku. **97.** Co z oczu, to i z myśli.

myśleć **1.** **m.** bezbłędnie, chaotycznie, poprawnie; **m.** ciągle, ustawicznie, poważnie (o czym). **2.** **m.** głośno ⟨*myśleć, wypowiadając jednocześnie swoje myśli*⟩. **3.** **m.** n a d c z y m: Im więcej myślał nad obecnym swym położeniem, tym cięższy smutek opanowywał jego umysł znękany. *Kaczk. Olbracht. III, 167.* **4.** **m.** o c z y m a. co robić ⟨*zamierzać, zamyślać, projektować; chcieć*⟩: Przyjechał do Krakowa i myślał zabawić w tym mieście kilka tygodni. Nie myślał wcale pracować. Myślał o wstąpieniu na wyższą uczelnię. **5.** **m.** o k i m, o c z y m: a) ⟨*rozmyślać*⟩: **m.** o rodzinie, o kraju, o przyjemnościach. Jest o czym **m.**; b) ⟨*troszczyć się, pamiętać*⟩: **m.** o czyim losie, o przyszłości, o własnej skórze. **6.** **m.** o kim bezinteresownie ⟨*dbać, troszczyć się o kogo, pamiętać o kim*⟩. **7.** **m.** poważnie o kim ⟨*mieć względem kogoś poważne zamiary; chcieć się ożenić*⟩: Że on o mnie poważnie myśli, może się mama z tego przekonać, że tak często u nas bywa. *Dąbr. Ig. Felka 139.* **8.** **m.** o k i m, o c z y m; **m.**, że... ⟨*sądzić, mniemać, być przekonanym, być zdania; przypuszczać*⟩: Powiedziałem mu wprost, co o nim (a. o tym) myślę. Myślę, że tak trzeba zrobić. **9.** Myślałby kto, że... ⟨*mógłby ktoś przypuszczać*⟩: Było czego tak lamentować! Myślałby kto, że Bóg wie, jakie nieszczęście wam się zdarzyło! *Orzesz. Cham. 12.* **10.** Niewiele myśląc ⟨*nie zastanawiając się długo; szybko się decydując*⟩: Zakochał się w niej od pierwszego wejrzenia i niewiele myśląc pojął ją za żonę. *Kow A. Rogat. 8.* **11.** Dobrze, doskonale myślący ⟨*lojalny*⟩: Akt konfederacji napiętnował partię hetmańską znamieniem gnębicieli praw ojczystych i wezwał wszystkich dobrze myślących do garnienia się pod sztandary związku. *Kraus. Repn. I, 50.* **12.** *pot.* Nie myśl sobie ⟨*nie myśl inaczej, nie spodziewaj się czego innego*⟩: Teraz mi na tym wcale nie zależy, nie myśl sobie, mam już dosyć. *Goj. Dziew. II, 91.*

przysł. **13.** Myśl długo, czyń prędko. **14.** Kto myśli, ten i wymyśli.

myślenie **1.** **m.** abstrakcyjne ⟨*polegające na wysnuwaniu wniosków z przyjętych założeń*⟩. **2.** **m.** konkretne ⟨*polegające na dokonywaniu obserwacji przedmiotów z otoczenia i zjawisk*⟩. **3.** Sposób myślenia ⟨*sposób zapatrywania się na co; poglądy, przekonania*⟩: Szekspir malował swój wiek, obyczaje, sposób myślenia i przywary ludzi, z którymi żył. *Śniad. Rozpr. 19.* **4.** Zdolność myślenia.

myślistwo Oddawać się myślistwu. Uprawiać **m.**

myśliwski **1.** Dywizjon **m.**, eskadra **m-a** ⟨*wojskowe jednostki lotnicze*⟩. **2.** Gwara **m-a**, język **m.** ⟨*używana(-y) przez myśliwych*⟩. **3.** Ludy **m-e** ⟨*trudniące się myślistwem*⟩. **4.** Nóż **m.**; torba **m-a.** **5.** Pawilon, zamek **m.** ⟨*używany jako baza do polowania*⟩. **6.** Pies **m.**, **m-a** psiarnia ⟨*do polowania*⟩. **7.** Prawo **m-e** ⟨*łowieckie*⟩. **8.** Samolot **m.** ⟨*szybki i zwrotny samolot bojowy, przystosowany do walk powietrznych; myśliwiec*⟩. **9.** *mors.* Statek **m.** ⟨*przystosowany do polowania na zwierzęta morskie*⟩. **10.** Żyłka **m-a** ⟨*pociąg, pasja do myślistwa*⟩.

myślowy **1.** *psych.* Gonitwa **m-a** ⟨*gonitwa myśli*⟩ *p.* myśl. **2.** Postawa **m-a.** **3.** Proces **m.** **4.** Skojarzenia **m-e.**

myto *przysł.* Za moje myto jeszcze mnie obito ⟨*za mój dobry postępek — doznałem przykrości*⟩.

N

na 1. Na odlew ⟨*zamachnąwszy się (z lewej ręki); mocno, nie namyślając się*⟩: Palnąć, trzasnąć kogo na odlew. Oddać komu na odlew. **2.** Na opak, *daw.* na opaku ⟨*nie tak jak należy, na odwrót, przeciwnie*⟩: On wszystko robi na opak. *SL.* **3.** Na oślep ⟨*nie patrząc; przen. nieopatrznie, nie zważając na nic*⟩: Biec na oślep. Nam się nic nie powodzi, bo na oślep wszystko czynimy. *L.* **4.** *pot.* Na pe ⟨*na pewno*⟩. **5.** Na płask ⟨*płasko*⟩: Kłaść, położyć co (np. płytę) na płask. Leżeć na płask. **6.** Na poczekaniu (zrobić co, wykonać) ⟨*natychmiast, zaraz, od ręki*⟩. **7.** Na podorędziu, *daw.* na podoręczu, na podręczu, na doręczu, na dorędziu ⟨*pod ręką, w pogotowiu*⟩: Nie wiem, czy co mam na podorędziu stosownego dla ciebie. *Wol. Dom. II, 75.* Ma ona zawsze na podręczu ziarnka palonej kawy, które żuje. *Dygas. SW.* Co bym ja też dał za to, gdybym tu miał na dorędziu mego siostrzeńca. *Czart. Panna 164.* **8.** Na pohybel ⟨*na nieszczęście, na zgubę, na zatracenie*⟩: Na pohybel mu! *SW.* **9.** Na pokładankę (dać, dostać) ⟨*w pozycji rozciągniętej, leżącej, dla wymierzenia kary cielesnej*⟩: Dostał dziesięć batów na pokładankę. **10.** *łow.* Na pomyka (polować, polowanie) ⟨*polowanie z wyżłem*⟩: Za podstawę wyszkolenia wyżła [...] uważamy polowanie na pomyka. *Hop. Jęz. 101.* **11.** *daw.* Na poprzek (stanąć komu) ⟨*stanąć na przeszkodzie, przeszkodzić, bruździć*⟩: Na poprzek stawały mi przy sprzedaży majątku serwituty. *Jordan SW.* **12.** Na przekór (komu, czemu) ⟨*wbrew komu, czemu; na złość komu*⟩: Na przekór wszystkiemu. *Nałk. Z. SPP.* Robić komu na przekór. Robić co na przekór czemu (np. trudnościom, smutkom itp.). **13.** Na przemian, na przemiany ⟨*zmieniając się kolejno*⟩: Z oczu Marty wybłyskiwały na przemiany światełka zachwytu i miłości. *Święt. A. SPP.* **14.** *daw.* Na przewał ⟨*nawałą, falą, tłumnie*⟩: A wojsko sunie na przewał, jak woda. *Pol SW.* **15.** *daw.* Na ręby ⟨*na wywrót, na lewą stronę, na nice*⟩: Na ręby, na wywrót, na nice szatę oblec. *Kn.* **16.** *pot.* Na schwał ⟨*nad wyraz, nad podziw, co się zowie, nad wszelką pochwałę (dorodny, postawny)*⟩: Chłop na schwał. - Wszystko rycerze na schwał. *Sienk. SW.* **17.** Na wynos [!] ⟨*sprzedaż do domu*⟩: Sprzedaż na wynos [!] **18.** *przestarz.* Na wyprzódki, na wyprzodki, na wyprzodek, *daw.* na wyprzód ⟨*na wyścigi, jeden przez drugiego (ścigając się)*⟩: Na wyprzodki puścili się na górę. *Krasz. SW.*

nabawić, nabawiać 1. n. k o g o c z e g o ⟨*ściągnąć co na kogo, doprowadzić kogo do czego (dziś tylko z dopełniaczem rzeczowników o ograniczonym zakresie treści negatywnej)*⟩: Nabawiać kogo kłopotu, niepokoju, strachu, wstydu. **2.** *daw.* **n.** c z y m ⟨*napełnić*⟩: Nabawić wstydem, strachem. *SW.*

nabić, nabijać 1. n. c o: **n.** akumulator, kondensator ⟨*naładować*⟩. **2. n.** gaz w zbiornik, do zbiornika, **n.** zbiornik gazem ⟨*wtłoczyć, naładować*⟩. **3. n.** trzos, worek itp. ⟨*zdobyć majątek, wzbogacić się*⟩: Myślał o nabiciu sobie worka. *Gordon Sołdat 89.* **4. n.** obcasy ⟨*przybić do obcasów fleki*⟩. **5. n.** c o — c z y m ⟨*wypełnić, wyładować*⟩: **n.** siennik słomą. Sala nabita publicznością. **6. n.** c o — n a c o ⟨*włożyć, wsadzić, wtłoczyć, nasadzić*⟩: **n.** obręcze na koła, kapelusz na oczy. **7.** Nabić c z e g o: Nabić zwierzyny ⟨*ubić, zabić większą ilość*⟩. **8.** Nabić k o g o (w c o) ⟨*obić, natłuc kogo*⟩: Nabił go porządnie. *SPP.* Ile go nakopano nogami, wydarto za łeb, za uszy, nabito w gębę! *Dygas. As 53.* **9. n.** (komu) rozumu ⟨*przez bicie nauczyć kogo rozsądku*⟩: Bylem pisnął, wali pociągaczem, bo to u niego był zwyczaj, i po trzeźwemu, żeby rozumu nabijać, dostawało się i drugim. *Krasz. Z dzien. 16.* **10.** Nabijać komu uszy, *rzad.* w uszy (w ucho) ⟨*powtarzać co uporczywie, aby ktoś dobrze zapamiętał, zrozumiał*⟩: Najczęściej tą mi gadką nabijała uszy. *Zab. XI/2, 1775, s. 373.*

nabiec, nabiegać, nabiegnąć 1. Coś (komu) nabiega czymś a. do czego ⟨*napływa, ciśnie się*⟩: Do oczu jej nabiegały łzy, ale je przemocą powstrzymywała. *Żer. Uroda 150.* Krwią mu nabiegły źrenice. *Mick. Konrad 117.* **2.** Oczy, twarz nabiegają gniewem, złością itp.; gniew, złość itp. nabiegają do oczu, do twarzy ⟨*oczy, twarz wyrażają gniew, złość itp.*⟩: Przypatrywał się dziwacznemu starcowi o ruchach nieopanowanych, oczach wiecznie nabiegłych gniewem. *Par. Król 108.* **3.** Ktoś nabiega krwią ⟨*ktoś burzy się, gniewa się, czerwienieje z gniewu*⟩: Chmielnicki nabiegł krwią i przysiągł, że ich za łby z gniazda wywlecze. *Sienk. Mieszan. 134.*

nabierać p. **nabrać**

nabijać p. **nabić**

nabijać się *pot.* **n. się** z k o g o ⟨*wyśmiewać się, kpić, drwić*⟩: Władek nabija się ze mnie, że we własnej żonie się kocham i na żadne baby się nie oglądam. *Korcz. Jerzy Trzy 83.*

nabijany Broń, pochwa **n-a** złotem, perłami; pas **n.** ćwiekami.

nabity 1. n-e ciało ⟨*jędrne*⟩. **2. n.** chłopiec, **n-e** dziecko ⟨*silnie zbudowany(-e), krępy(-e)*⟩. **3. n-e** płótno ⟨*ścisłe*⟩. **4. n-a** sala ⟨*całkowicie wypełniona widzami, uczestnikami*⟩. **5. n.** tekst, **n-e** pismo ⟨*gęsty(-e), ścisły(-e)*⟩. **6.** *przen.* Niebo **n-e** gwiazdami ⟨*gęsto usiane*⟩.

nabożeństwo 1. n. błagalne, dziękczynne; jutrzenne; odpustowe, pontyfikalne. **2. n.** czerwcowe, październikowe, majowe ⟨*odprawiające się w tym czasie*⟩. **3. n.** czterdziestogodzinne ⟨*uroczyste wystawienie Najśw. Sakramentu przez okres czterdziestu godzin*⟩. **4. n.** żałobne, **n.** za zmarłych, za poległych ⟨*poświęcone zmarłym*⟩. **5.** *przestarz.* Z nabożeństwa ⟨*z pobożności*⟩: Z nabożeństwa do Rzymu pieszo pielgrzymował. *Mech. Wym. III, 307.* **6.** Z nabożeństwem ⟨*z pobożnością, pobożnie*⟩. *przen.* Kaśka z nadmiernym nabożeństwem weszła do wnętrza menażerii. *Zap. G. Kaśka 140.* **7.** Celebrować, odprawiać **n. 8.** Mieć szczególne **n.** do kogo a. czego ⟨*szczególną cześć dla wybranego przedmiotu kultu religijnego*⟩: Ślub brała przed bocznym ołtarzem, gdzie był obraz św. Józefa, do którego zawsze miała szczególne nabożeństwo. *Korz. J. Tad. 89.* *przen.* ⟨*szczególnie cenić kogo, co*⟩: Kocha monetę i do niej ma szczególne nabożeństwo. *Korz. J. Spek. 40.* **9.** Nie mieć nabożeństwa do kogo, czego ⟨*nie darzyć sym-*

patią kogo, czego⟩: Cóż mnie obchodzi, że go szlachta wielbi, gdy ja do szlachty nie mam nabożeństwa. *Bełc. Tarło 173.*

przysł. **10.** Posłuszeństwo — żołnierskie nabożeństwo.

nabój 1. n. armatni, artyleryjski, karabinowy, rewolwerowy ⟨*kula*⟩. **2. n.** ćwiczebny ⟨*ślepy*⟩. **3. n.** dynamitowy ⟨*ładunek materiału wybuchowego*⟩. **4. n.** inicjujący, udarowy, zapalny ⟨*zapoczątkowujący wybuch ładunku*⟩. **5. n.** kumulacyjny ⟨*nabój materiału wybuchowego o zwiększonym efekcie odstrzału*⟩. **6.** Ostry **n.** ⟨*mający siłę przebijającą, używany w walkach i na polowaniu*⟩. **7.** *przen.* W tym gabinecie ładuje się nabój plotek, które wnet wybuchną, oblecą miasto i pogrzebią reputację przełożonej. *Prus Emanc. I, 286.* **8.** Ślepy **n.** ⟨*bez pocisku lub z pociskiem rozrywanym zaraz po wylocie z lufy i nie mającym siły przebijającej; używany na ćwiczeniach i przy salwach honorowych*⟩. **9.** Wystrzelać wszystkie **n-e. 10.** Walczyć do ostatniego naboju.

nabrać, nabierać 1. n. c o — c z y m, n a c o, w c o ⟨*zagarnąć, zaczerpnąć co*⟩: Schylali się, widłami nabierali buraki, potem szybkim ruchem rzucali je na transporter. *Kowalew. M. Kamp. 334.* **2. n.** tchu, oddechu: a) ⟨*wciągnąć w płuca powietrze, głęboko odetchnąć*⟩: Pani Barbara nabierała tchu, mówiła, że jej duszno, straszno i ciemno. *Dąbr. M. Noce II, 36*; b) ⟨*odpocząć*⟩: Nabrał tchu po całorocznej mitrędze ostatniego kursu. *Wojtk. Gen. 19.* **3. n.** wody w usta ⟨*przestać mówić, pisać na jakiś temat, zamilknąć, milczeć*⟩: Nabrali wody w usta. Rewolucja stała się tematem zakazanym. *Brosz. Opow. 91.* **4.** *łow.* **n.** wiatru ⟨*o zwierzynie lub psie myśliwskim: poczuć zapach, zwietrzyć*⟩: Każemy psu obłożyć pole, a gdy nabierze wiatru i zaczyna dociągać, wystawiona przepiórka rwie się spod psa. *Hop. Jęz. 61.* **5. n.** oczka (w dziewiarstwie): Nabrać na druty 66 oczek, przerobić 3 cm ściągacza. *Moda 8, 1952.* **6. n.** c z e g o ⟨*kupić*⟩: Nabrała szaraczku i kazała mężowi porządny futrzany surdut sporządzić. *Jun. Bracia 178.* **7. n.** c z e g o ⟨*stać się jakimś*⟩: **n.** barwy, (ładnego) brzmienia, doświadczenia, mocy, odwagi, ogłady, pewności, przekonania, rozgłosu, rumieńca, sił, sprężystości, trwałości, wartości, wprawy, znaczenia. **8. n.** gustu do czego ⟨*zasmakować w czym*⟩: Pomału zaczęli gustu do piwa nabierać, a tak nieznacznie odstręczali się od gorzałki. *Kras. Podstoli 43.* **9. n.** szybkości, rozpędu, pędu itp. ⟨*osiągnąć wzrost szybkości, rozpędzić się*⟩: Statek rusza i nabiera szybkości. *Kowalew. S. Bliżej 83.* **10. n.** wysokości ⟨*osiągnąć odpowiednią wysokość*⟩: Aparat odrywa się od betonowej powierzchni wybiegu, leci nad trawą, nabiera wysokości. *Kurek Ocean 350.* **11.** *daw.* **n.** wzrostu ⟨*urosnąć, wzrosnąć, powiększyć się*⟩: Miasto też prędko wzrostu nabrało i murowane domy się powznosiły. *Baliń. M. Polska III/1, 282.* **12. n.** k o g o ⟨*oszukać, zwieść, naciągnąć, wykorzystać*⟩: Nabrał starych na grubą pożyczkę, niby to na Kursa. *Gąs. W. Pig. 60.*

nabrzmieć, nabrzmiewać 1. n. c z y m (łzami, krwią, fioletem, czerwienią): Co chwila wyrywał się skądś okrzyk, który natychmiast wszyscy podchwytywali, twarze nabrzmiewały czerwienią, podnosiły się zaciśnięte pięści. *Par. Niebo 277.* **2.** Ciało (twarz, ręka, żyła itp.) nabrzmiało krwią ⟨*krew napłynęła mocniej niż normalnie*⟩. **3.** Oczy, powieki nabrzmiały łzami ⟨*łzy napłynęły do oczu*⟩: Chłopiec ugina się pod każdym uderzeniem — oczy nabrzmiewają mu łzami. *Gomul. Wspom. 152.* **4.** *przen.* Były to naprawdę wielkie dni: pachnące prochem, krwią i nabrzmiałe entuzjazmem. *Brand. M. Spot. 65.* **5. n.** o d c z e g o, np. od ukąszenia, od płaczu ⟨*pod wpływem zewnętrznym*⟩: Twarz mu nabrzmiała od płaczu. *SPP.* **6. n.** z c z e g o ⟨*z przyczyny natury wewnętrznej*⟩: Z gniewu nabrzmiały mu oczy. *SPP.*

nabyć, nabywać *książk.* **1. n.** c o ⟨*kupić*⟩: **n.** dom, meble itp. **n.** na kredyt; **n.** na licytacji; **n.** za gotówkę; **n.** za bezcen. **2. n.** c z e g o ⟨*dojść do czego, pozyskać co*⟩: **n.** biegłości, gustu, poloru, świetności, umiejętności, wprawy, zręczności itp. **3. n.** choroby (np. astmy, artretyzmu, bólu głowy) ⟨*nabawić się*⟩.

nabytek 1. Cenny, nowy, świeży, trwały **n.**: Cukier był dla nich najcenniejszym nabytkiem. *Morc. Urodzaj 87.* **2. n.** c z e g o: np. biblioteki. **3.** Być, stać się, uczynić nabytkiem (czego).

przysł. **4.** Z nieprawego nabytku nie ma pożytku.

nacechować 1. n. c o c z y m ⟨*nadać czemu określoną cechę, właściwość, rys, charakter; napiętnować, naznaczyć*⟩: Ich pogląd na świat nacechowany jest pesymizmem. *Szmag. Dymy 148.* **2. n.** c o ⟨*opatrzyć cechą, stemplem, znakiem fabrycznym; ostemplować*⟩: Przeszli przez gąszcz gajowy z panem nadleśniczym, nacechowali najdrobniejsze buki. *Strug Ojc. 61.*

nachodzić p. **najść**

nachylać się, nachylić się *przestarz.* **1. n. się** d o c z e g o a. k u c z e m u ⟨*skłaniać się, dostosować się do czego*⟩: **n. się** do wymagań, do występku; **n. się** ku konserwatyzmowi. **2. n. się** do końca ⟨*kończyć się, dobiegać końca*⟩: Pobyt mój w stolicy nachyla się już do końca. *Słow. Listy I, 101.* **3. n. się** do upadku, ku zgubie ⟨*zacząć walić się w gruzy, rozpadać się; marnieć*⟩: Katedra nachylała się do upadku i groziła ruiną. *Krasz. Wilno II, 191.* **4. n. się** ku zgrzybiałości, ku zimie ⟨*starzeć się, być bliskim śmierci*⟩: Ja, który się nachylam ku zgrzybiałości, mało się mam czego obawiać od złości ludzkiej. *Niemc. Rasslas. 184.* **5. n. się** wiekiem, trudami itp. ⟨*przygarbić się, stać się starym, zestarzeć się*⟩: Wiekiem i wojennymi trudami nachylony, sam ogromowi państwa podołać nie mógł. *Narusz. Hist. I, 138.* **6.** Zwycięstwo się nachyla: Wódz szwedzki Brandt, nie mogąc dojrzeć w strasznej kurzawie, kędy się nachylało zwycięstwo, mając rozkaz zachodzić naszym z tyłu, puścił się ku Dźwinie w tę stronę. *Dzied. Lisow. I, 25.*

nachylić n. ucho (uszko), **n.** ucha (uszka) ⟨*wysłuchać*⟩: Niech lalka będzie grzeczna, nie płacze, nie beczy, ładnie mi się ukłoni i uszko nachyli. *Syrok. Gaw. 140.*

nachylić się p. **nachylać się**

naciąć, nacinać 1. n. c o ⟨*dokonać cięcia, przeciąć powierzchnię czego, zrobić nacięcie*⟩: **n.** drzewo, pień; **n.** karbunkuł, wrzód. **2.** Naciąć c z e g o ⟨*ściąć czego dużo, narznąć, nastrzyc*⟩: Naciąć trawy, kwiatów, sieczki itp. **3.** Naciąć papieru ⟨*pociąć według określonego formatu*⟩.

naciąć się 1. *posp.* **n. się** ⟨*dać się oszukać, wyprowadzić w pole; nabrać się*⟩: Myślał chłopina, że ten dokwaterowany facet się zlęknie i mieszkania nie zajmie. Ale się naciął. *Wiech Śmiej II, 54.* **2.** *posp.* **n. się** n a k o g o ⟨*natknąć się na kogo, spotkać kogo niespodzianie*⟩: Idąc miastem można się przypadkiem naciąć i na policję. *Past. Komuna 32.*

naciągnąć, naciągać 1. n. c o ⟨*ciągnąc napiąć, naprężyć co, nastawić*⟩: **n.** cięciwę, łuk, strunę, sznur; płótno na ramę itp. **2. n.** mięśnie ⟨*zbyt intensywną pracą rąk lub nóg spowodować wydłużenie (rozciągnięcie) ponad miarę mięśni ruchomych tych kończyn*⟩. **3. n.** nogę (rękę) ⟨*nastawić na właściwe miejsce w stawie zwichniętą kość nogi (ręki)*⟩. **4. n.** zegar ⟨*nakręcić ścienny zegar wahadłowy*⟩: Wśród tych rupieci znajduje się też stary zegar, który, naciągany, okropnie bzyka, ale chodzić nie chce. *Sier. Now. 141.* **5. n.** c o ⟨*przen. o argumentach, twierdzeniach, dowodzeniach itp.: nagiąć siłą do jakiegoś z góry powziętego założenia, koncepcji; oprzeć co na błędnej podstawie, przesłance, przekręcić, sfałszować*⟩: Romantyzm malując przeszłość malował ją fantastycznie i naciągał do niej obecne pojęcia ludzkie. *Sienk. Szkice I, 62.* **6. n.** c o — n a c o: a) ⟨*ciągnąc przesunąć w celu przykrycia czego; nasunąć*⟩: Głębiej naciągnął na ramiona kołdrę i szczelniej się nią owinął. *Andrz. Popiół 215*; b) **n.** chustkę, kapelusz itp. ⟨*nasunąć ku przodowi głowy chustkę itp., nacisnąć kapelusz, beret*⟩: Spod chustki naciągniętej na głowę prawie wcale nie widać jej było twarzy. *Perz. Cud. 25*; c) *pot.* **n.** buty, odzież, pończochy, rękawiczki itp. ⟨*ubrać się w co, włożyć, wdziać*⟩: Uważnie i starannie naciągała jedwabne pończochy na wąskie stopy. *Goj. Rajs. I, 72.* **7.** *daw.* **n.** rozmowę na co ⟨*skierować rozmowę na jakiś temat*⟩. **8. n.** c z e g o: a) ⟨*ciągnąc naczerpać, nabrać czego, wyciągnąć*⟩: Chcąc naciągnąć wody żurawiem ze studni musiałam stawać nogami na cembrowinie. *Rudn. L. Stare I, 61*; b) ⟨*wchłonąć, wessać*⟩: Był on [kościół] bowiem po spaleniu przez kilkanaście lat bez przykrycia, bez okien, ruiną, a tak mury naciągnęły wilgoci; która wiekami trwać będzie. *Bork. S. Bibliot. 9.* **9. n.** c z e g o — d o c z e g o: np. atramentu do pióra. **10.** *daw.* **n.** długów ⟨*wiele pożyczyć, nazaciągać*⟩: Tyle znowu naciągnął długów. *Narusz. Hist. IV, 319.* **11.** *pot.* **n.** kogo ⟨*oszukać, wykorzystać kogo; nabrać*⟩: Wieczorem znalazł zawsze sposób, by gdzieś z kimś popić, gdzieś się zadłużyć czy jeszcze raz kogoś naciągnąć. *Nałk. Z. Gran. 80.* **12. n.** dziewczynę ⟨*zbałamucić*⟩. **13. n.** k o g o n a c o ⟨*nakłonić, namówić kogo na co, wyłudzić co od kogo*⟩: Muszę żyć jak żebrak, ludzi naciągać na pożyczki, na jałmużnę. *Kowalew. S. Droga 106.* **14.** Herbata, ziółka itp. naciągają ⟨*o płynach: nabierają smaku, koloru, zapachu przez przejęcie tych właściwości od ziół, korzeni, owoców i in. zalanych danym płynem (zwykle wrzątkiem)*⟩.

nacierać, natrzeć 1. n. k o g o, c o — c z y m ⟨*trąc smarować; smarować, trzeć, masować*⟩: **n.** kogo maścią. **n.** skronie octem, spirytusem, wodą. **n.** posadzkę pastą, woskiem. **2.** Natrzeć komu uszu, *daw.* natrzeć komu kapituły ⟨*skarcić, złajać kogo; udzielić komu nagany*⟩: Łgarz jesteś! pfe! ja z Waści, panie Tadeuszu, zrobię śledztwo, ja Waści jeszcze natrę uszu! *Mick. Tad. 224.* Szambelanicowi tak natarli kapituły, że on nieborak klęczący starostę przepraszał. *Skarb. Starosta 76.* **3.** *daw.* Natrzeć komu czym uszy ⟨*zwrócić komu kilkakrotnie uwagę na co, upomnieć kogo*⟩: Nim zaś wyprawisz syna w ten zawód, do którego się gotuje, dobrze mu natrzyj uszy tą nauką, że nade wszystko sumienie szanować z największą ostrożnością Bóg mu nakazuje. *Czart. Dośw. III, 35.* **4. n.** n a k o g o, c o ⟨*zbrojnie uderzać, przypuszczać szturm, atak; atakować, napierać na co*⟩: Rozkazywał rotmistrzom, ażeby nie razem i z przodu nacierali na Macedonów, ale z różnych stron i to tegoż samego czasu. *Zab. III/1, 1779, s. 51.* **5. n.** n a k o g o — o c o ⟨*domagać się czego w sposób kategoryczny; nalegać, naciskać*⟩: Natarł na mnie energicznie o wadliwe używanie znaków pisarskich, o niedostatek przecinków. *Boy Flirt. III, 198.*

nacieszyć n. oczy ⟨*patrząc na co, na kogo doznać wewnętrznego zadowolenia, radości; napatrzeć się*⟩: Nie mogłem dość nacieszyć oczy widokiem miasteczka. *Rudn. A. Morze 398.*

nacieszyć się 1. n. się k i m, c z y m ⟨*ciesząc się doznać uczucia pełnego zadowolenia*⟩: Znów z wami, znowu w mieście z wami... Niechaj się każdym nacieszę kamieniem, tych chłodnych murów dotknę. *Staff L. God. 107.* **2. n. się** z c z e g o: Nie mógł się nacieszyć z posiadania pierwszego w życiu zegarka. *SW.*

nacinać p. **naciąć**

nacisk 1. n. wroga, nieprzyjaciela ⟨*napór, natarcie*⟩: Wycofali się pod naciskiem przeważającego nieprzyjaciela. *Żukr. Kraj. 14.* **2.** Pod naciskiem: a) ⟨*pod ciśnieniem, pod naporem (siły fizycznej)*⟩: Drzwi pod naciskiem tłumu roztworzyły się na oścież. *Sienk. Ogn. I, 156*; b) ⟨*pod presją (moralną), pod wpływem kogo lub czego, pod przymusem*⟩: Pod naciskiem plotek zaczęła zmieniać o nim opinię. *Sewer Zyzma 348.* **3.** Kłaść, położyć na co **n.** ⟨*wyodrębnić jakieś zagadnienie spośród innych, uznać co za szczególnie ważne, godne uwagi, zasługujące na podkreślenie*⟩: Na naukę pisania mama nie kładła zbyt silnego nacisku. *Prus Now. II, 213.* **4.** Mówić, powiedzieć (co), pytać (⊙ co) z naciskiem ⟨*z zaakcentowaniem czego*⟩: Powtórzył swe pytanie z naciskiem, żądając wyraźnego wyjaśnienia. *Żer. Char. 350.* **5.** Ulec naciskowi (kogo lub czego). **6.** Wywierać **n.** na kogo, na co ⟨*działać z określoną siłą, cisnąć na co; przen. wywierać presję, wpływ na kogo, na co*⟩: Woda wywiera nacisk na łopatkę turbiny. *Ignat. SPP.* Wywierali na niego **n.**, aby się nie zaniedbywał w pracy.

naciskać, nacisnąć 1. n. klakson, pedał, sprężynę itp. ⟨*przyciskać, nagniatać*⟩. **2.** Naciskać odpowiednie, różne itp. sprężyny ⟨*wykorzystywać odpowiednie itp. osoby, instytucje mogące mieć wpływ na załatwienie jakiejś sprawy*⟩: Po jej aresztowaniu próbował interweniować — „naciskać odpowiednie sprężyny", jak to się w takich wypadkach mówiło. *Brand. K. Obyw. 109.* **3. n.** k o g o (o c o) ⟨*wywierać presję, przynaglać*⟩: Naciska go o dług. *SW.* **4. n.** n a k o g o ⟨*napierać, nacierać*⟩: Z lewej strony naciska na nas ławica połamanej kry. *Cent. Foka 54.* Naciskać na nieprzyjaciela, na granice państwa (o wojsku, siłach zbrojnych).

naciskowy ⟨*działający pod wpływem nacisku*⟩ **1.** Ołówek **n.** Pióro (wieczne) **n-e**. **2.** *wojsk.* Mina **n-a**.

nacisnąć p. **naciskać**

nacjonalizacja ⟨*przejęcie na rzecz narodu, państwa podstawowych środków produkcji*⟩ **1. n.** przemysłu, środków komunikacji, ziemi. **2.** Przeprowadzić nacjonalizację: Fabryki, kopalnie [...] stały się w Polsce Ludowej po przeprowadzeniu nacjonalizacji własnością państwa. *Barb. Nauka 224.*

naczelnictwo 1. n. rodowe ⟨*zwierzchnictwo*⟩. **2. n.** czego lub nad czym: **n.** powstania; **n.** nad wojskiem. **3.** Pod naczelnictwem ⟨*pod wodzą, pod przewodnictwem*⟩: Odpowiedzią na drugi rozbiór Polski było powstanie narodowe w r. 1794 pod naczelnictwem generała Tadeusza Kościuszki. *Smol. W. Przycz. 12.* **4.** Przyjąć, objąć, sprawować **n.**

naczelnik 1. n. państwa. **2. n.** siły zbrojnej narodowej: Wezwany do kierownictwa powstaniem narodowym Kościuszko przyjął tytuł najwyższego naczelnika siły zbrojnej narodowej. *Korzon Woj. III, 248.* **3. n.** stacji ⟨*zawiadowca*⟩. **4. n.** wydziału ⟨*urzędnik stojący na czele wydziału*⟩.

naczelny 1. n-a idea, teza; **n-e** hasło, zadanie ⟨*centralna(-e), węzłowa(-e), zasadnicza(-e), najważniejsza(-e)*⟩. **2. n.** organ ⟨*kierowniczy, zwierzchni, nadrzędny*⟩. **3. n-e** stanowisko ⟨*kierownicze*⟩. **4.** Zwierzęta **n-e** ⟨*najwyższy rząd ssaków (primates)*⟩.

naczynie 1. n. aluminiowe, blaszane, cynowe, drewniane, emaliowane, fajansowe, gliniane, kamionkowe, kryształowe, ocynowane, porcelanowe, szklane, żeliwne. **2. n-a** domowe, gospodarskie, kredensowe, kuchenne, stołowe. **3. n-a** grzebalne, przedhistoryczne. **4. n-a** kościelne, liturgiczne, ofiarne. **5.** *daw.* **n-a** gędziebne ⟨*instrumenty*⟩. **6.** *anat.* **n-a** chłonne a. limfatyczne; **n-a** krwionośne, tętnicze, wieńcowe, żylne; **n-a** włoskowate (kapilarne) ⟨*kapilary*⟩. **7.** *fiz.* **n-a** połączone ⟨*dwa lub więcej naczyń połączonych od dołu rurami, przewodami itp., w których swobodna powierzchnia cieczy leży na tej samej płaszczyźnie poziomej*⟩. **8. n.** do czego ⟨*służące do czego*⟩: **n.** do gotowania, do zmywania. **9. n.** na co ⟨*przeznaczone na co*⟩: **n.** na wodę. **10. n.** od czego ⟨*wzięte od czegoś, do czego zwykle bywa używane*⟩: Złapała w pośpiechu naczynie od mleka i wsypała w nie kaszę. *SPP.* **11. n.** po czym ⟨*opróżnione z czego*⟩: **n.** po mleku. **12. n.** z czego ⟨*zrobione z czego*⟩: **n.** z blachy, z gliny, ze złota. **13. n.** z czym ⟨*z zawartością czego*⟩: **n.** z mlekiem. **14.** *przen.* **n.** czego ⟨*siedlisko, przybytek*⟩: Naczynie mądrości, prawdy. *SW.* **15.** Zmywać **n-a**.

nad 1. Nad podziw ⟨*niezmiernie*⟩: Bagnista rzeka rozlała szeroko, bo wiosna była nad podziw w wody obfita. *Sienk. Pot. IV, 259.* Wiedzie się komu nad podziw. **2.** Nad program ⟨*dodatkowo*⟩: Grać co nad program. Wykonać co nad program. **3.** Nad siły: Praca nad siły. **4.** Nad stan ⟨*w sposób przekraczający czyjeś środki*⟩: Życie nad stan. **5.** Nad wszystko, nade wszystko: Drogi nad wszystko. Kochać kogo, co nad wszystko. **6.** Nad wyraz ⟨*nadzwyczajnie*⟩: Nad wyraz szczęśliwy. **7.** Nad życie ⟨*więcej niż życie, ogromnie*⟩: Nad życie kochać, cenić kogo, co.

nadać, nadawać 1. n. komu — co ⟨*ofiarować, przyznać komu co, obdarzyć kogo czym*⟩: **n.** autonomię, beneficjum, godność, order, odznaczenie, prawa, szlachectwo, tytuł, władzę. **2. n.** imię, przydomek, nazwę ⟨*nazwać imieniem, dać przydomek, nazwę*⟩. **3. n.** komu, czemu — co ⟨*sprawiać, żeby się wydawał jakimś lub przybrał określony kształt, wygląd, charakter itp.*⟩: Czapkę ściągnął mocno na prawe ucho, by nadać sobie wygląd zawadiacki. *Morc. Ptaki 10.* **n.** komu, czemu urok, polor, ton. **n.** czemu piętno, znaczenie, wartość. **4. n.** co ⟨*powierzyć, oddać jakąś przesyłkę*⟩: **n.** paczkę, pieniądze, rzeczy (na kolei), telegram, list itd. **5. n.** muzykę, wiadomość itp. ⟨*przekazać, przesłać za pomocą fal radiowych*⟩: Radio nadawało w tym okresie znacznie mniej niż zwykle muzyki tanecznej. *Sand. Śmierć 119.*

nadarzać się, nadarzyć się Nadarza się okazja, sposobność ⟨*przytrafia się, nastręcza się*⟩: Znać było, że ma zamiar wszcząć z nim rozmowę, lecz nie nadarza mu się stosowna sposobność. *Żer. Nawr. 67.*

nadawać p. **nadać**

nadawać się n. się do czego lub na co a. na kogo ⟨*być odpowiednim, stosownym do czego lub na co; przydać się, pasować*⟩: **n. się** do pracy, do jakiej roli, do służby. - Znający wybornie świat i ludzi, przy tym oczytani, obyci w towarzystwach, zręczni, gładcy w formach, nadzwyczaj się nadawali do służby dyplomatycznej. *Chłęd. Odr. 258.* Nadają się do siebie. **n. się** na stanowisko, na kierownika, na nauczyciela; **n. się** na pokrycie mebli (o materiale).

nadawczy 1. Stacja **n-a** ⟨*wysyłająca fale elektryczne, świetlne, dźwiękowe*⟩. **2.** Poświadczenie **n-e** ⟨*dowód nadania przesyłki*⟩. **3.** Przywileje **n-e** ⟨*przyznające, dające, ofiarowujące co komu*⟩: Osadnictwo opierało się na książęcych przywilejach nadawczych. *Bujak Społ. 80.*

nadąć, nadymać 1. n. co — czym ⟨*wypełnić, nadmuchać*⟩: **n.** balonik powietrzem. **2. n.** policzki, usta ⟨*odąć, wydąć*⟩: To nie ma sensu! — krzyknął Józek grubym głosem, srożąc się i nadymając policzki. *Perz. Uczn. 49.* **3.** *przen.* **n.** pychą: Bolesława oślepiło powodzenie i nadęła pychą świeża nieprawość. *Mick. Hist. 63.* **4.** Coś kogo a. co nadyma: Rozmaite są zajączki na świecie, i [...] niekoniecznie trzeba szukać pod miedzą, w ludzkich głowach czasami też siedzą, gdy je próżność nadyma lub łechce. *Wędr. 17, 1901.*

nadąć się, nadymać się n. się jak indyk, jak paw ⟨*puszyć się*⟩.

nadążać, nadążyć 1. n. za kimś ⟨*nie zostawać w tyle za kim, starać się dotrzymywać komu kroku; wydołać w biegu*⟩: Ledwie nadążał za ojcem, który przyspieszał coraz bardziej kroku. *Cent. Odarpi 144.* **2.** Nie **n.** z czym a. *rzad.* w czym ⟨*nie sprostać, nie podołać*⟩: Czterech ekspedientów [...] nie mogło w godzinach największego ruchu nadążyć z obsłużeniem klientów. *Andrz. Wojna I, 60.* Nie nadążać w robocie.

nadbudowa ⟨*w filozofii marksistowskiej: polityczne, prawne, filozoficzne, religijne, artystyczne poglądy społeczeństwa oraz odpowiadające im instytucje polityczne, prawne i inne*⟩. **n.** ideologiczna.

nadchodzić, nadejść 1. Chmura, burza, grad, wiatr itp. nadchodzi ⟨*nadciąga*⟩. **2.** Katastrofa, śmierć; lato, zima; wieczór, zmierzch nadchodzi ⟨*następuje, nastaje*⟩. **3.** Listy, meldunki, wiadomości, wieści nadchodzą ⟨*dochodzą, docierają do kogo lub dokąd*⟩. **4.** Pociąg nadchodzi ⟨*nadjeżdża*⟩. **5.** Posiłki nadchodzą, odsiecz nadchodzi ⟨*przybywają, przybywa*⟩. **6.** Lada chwila nadejdzie (o kimś) ⟨*przyjdzie*⟩.

nadciągać, nadciągnąć 1. Nadciąga huragan, wicher; nadciągają chmury, ludzie, oddziały, pułki, wojska ⟨*nadchodzi, nadchodzą; zbliża się, zbliżają się*⟩: Nadciągnęły chmury. Zerwała się gwałtowna ulewa *Par. Król 207.* **2.** Nadciąga noc, wiosna; nadciągają przymrozki ⟨*następuje, następują*⟩: Nadciągnęły przymrozki, upadł drugi śnieg i pobielił dachy i ulice. *Prus Emanc. III, 104.*

naddźwiękowy Szybkość **n-a** ⟨*większa niż szybkość rozchodzenia się fal głosowych*⟩.

nadeptać, nadeptywać, nadepnąć 1. n. k o m u c o a. n a c o: Nadeptać komu nogę a. na nogę. **2. n.** komu na odcisk, na odciski ⟨*dokuczyć komuś boleśnie, dotknąć go, urazić*⟩: Kiedy przebrali miarę kubków albo nadeptali sobie na odciski, wtedy zapominali o niedoli, o ucisku i za bary się brali. *Wikt. Papież 127.* **3.** Nadeptywać komu na pięty ⟨*chodzić za kim natrętnie chcąc przypomnieć o czymś lub przynaglić do czegoś; śledzić, pilnować, obserwować kogoś*⟩: Zaczęłam już sama chodzić do kuchni, ale Magdalena się rozgniewała i powiedziała mi: „Niech mi pani nie nadeptuje na pięty." *Zap. G. Pam. 8.*

naderwać, nadrywać 1. n. ścięgno ⟨*spowodować częściowe rozerwanie ścięgna wskutek nadmiernych nieskoordynowanych ruchów w stawach itp.*⟩. **2.** *przen.* **n.** czyją kieszeń ⟨*przyprawić kogo o stratę*⟩: Synalek ten grubo naderwał kieszeń swego ojca. *SW.*

nadęty 1. n. jak indyk ⟨*nachmurzony, nadąsany, zagniewany, gniewny*⟩: A on wciąż chodził po pokojach, nadęty jak indyk, i pisał, wciąż pisał... *Prus Lalka I, 219.* **2. n-a** mina ⟨*pyszałkowata*⟩. **3. n.** styl ⟨*nienaturalny, sztuczny, przesadny, wymuszony*⟩.

nadgodzina Robić, pracować w nadgodzinach ⟨*w godzinach dodatkowych, nadliczbowych*⟩.

nadgraniczny ⟨*znajdujący się nad granicą, położony blisko granicy; pograniczny*⟩ Miejscowość, strefa **n-a**; miasteczko **n-e**; powiat, pas **n.**

nadgrobny 1. Kamień, napis **n.** ⟨*znajdujący się na grobie*⟩. **2.** Modlitwa **n-a** ⟨*wypowiadana nad grobem*⟩.

nadgryzać, nadgryźć *daw.* Nadgryźć sobie języka ⟨*powstrzymać się od powiedzenia, wyjawienia czegoś*⟩: Moja wina, biję się w piersi, ale uśmiechnąć się szczerze miałem ochotę; wolałem jednak nadgryźć sobie języka, niżeli zacnego męża miłość własną obrazić. *Tremb. Listy II, 159.*

nadkręcić *przestarz.* **1. n.** karku ⟨*zrobić sobie krzywdę, ulec jakiemuś wypadkowi; potłuc się; doznać jakiegoś niepowodzenia*⟩: Trochem tylko nadkręcił karku. *Zabł. Zabob. 50.* **2. n.** komu karku ⟨*pobić kogoś, poturbować, zranić*⟩: Dwunastu rajtarom karku nadkręcił, a mnie trzynastemu obiecuje! *Sienk. Pot. V, 118.*

nadliczbowy n. żołnierz ⟨*dodatkowy*⟩.

nadludzki 1. n-a boleść, siła; **n.** strach, trud, wysiłek ⟨*niezwykła(-y); ogromna(-y), nadzwyczajna(-y)*⟩. **2. n-a** istota, **n-e** siły ⟨*nadprzyrodzona(-e), nieziemska(-e)*⟩: Miał kochankę, Elzę, którą miłował i uwielbiał, jakby nadludzką istotę. *Trent. Demon. 5.*

nadmuchiwany n. materac ⟨*napełniany powietrzem*⟩.

nadobny *książk.* ⟨*pełen powabu, krasy, ładny, piękny, dorodny, urodziwy, przystojny*⟩ **1.** Dziewka, dziewczyna **n-a**. **2. n-e** kształtny (kobiet). Twarz **n-a**. **3.** Płeć **n-a** ⟨*żart. o kobietach; płeć piękna*⟩: Piękna Sara nie była zbyt trudną zdobyczą dla jakiego biegłego uwodziciela płci nadobnej. *Dygas. Molk. 67.* **4.** *przestarz.* Literatura **n-a**; nauki, sztuki **n-e** ⟨*piękna(-e)*⟩: Nie brakowało w katalogu literatury nadobnej i poezji. *Korzon Woj. III, 74.* **5.** *daw.* Wzrost **n.** ⟨*wzrost słuszny, okazały*⟩: Był Kołłątaj wzrostu nadobnego. *Zienk. Wiecz. 183.* **6.** Oddawać, odpłacać, płacić pięknym za **n-e** ⟨*odpłacać tym samym, odwzajemniać się*⟩: Władysław przyrzekł sobie odpłacić pięknym za nadobne Wolanowiczowi, który tylekroć oczernił go przed pryncypałem. *Gąs. W. Pig. 58.*

nadprodukcja 1. n. samochodów, żywności ⟨*produkcja przewyższająca zbyt*⟩. **2. n.** literacka. **3. n.** inteligencji ⟨*nadmiar*⟩.

nadprogramowy 1. n. numer koncertu ⟨*nie objęty programem*⟩. **2. n-e** zajęcie ⟨*dodatkowe*⟩.

nadprzyrodzony ⟨*będący poza obrębem postrzegania zmysłowego, nie dający się rozumowo wytłumaczyć lub uzasadnić, przekraczający zwykłą miarę rzeczy w przyrodzie; cudowny, nadzwyczajny*⟩: Świat **n.**; **n-a** istota, siła; zjawisko **n-e**: Jakaś nadprzyrodzona siła obudziła się w wątłym moim ciele a wytrwałość w duszy. *Sztyrm. Pow. I, 111.*

nadrabiać, nadrobić 1. n. opóźnienie, stracony czas, zaległości ⟨*uzupełnić, wyrównać*⟩. **2.** Nadrabiać miną, grzecznością, gadatliwością, humorem itp. ⟨*maskować zachowaniem prawdziwy nastrój lub sytuację; pozorować, udawać*⟩: Nadrabiał humorem, ale był zdenerwowany. *Dąbr. M. Noce II, 91.* Róży wstyd było i złość ją brała, ale nadrabiała miną. *Iwasz. J. Mił. 29.* **3. n.** pończochy ⟨*robiąc dosztukować, podłużyć lub dorobić części zniszczone*⟩.

nadrzędny 1. n-e stanowisko, władze ⟨*zwierzchnie, kierownicze*⟩. **2.** *jęz.* Zdanie **n-e** ⟨*zdanie, od którego zależy inne zdanie, zwane podrzędnym*⟩. **3.** *filoz.* Pojęcie **n-e** ⟨*w logice: pojęcie obejmujące inne pojęcie o mniejszym zakresie*⟩.

nadskakiwać n. k o m u ⟨*świadczyć komu grzeczności, okazując niezwykłą uprzejmość, zabiegać o czyjeś względy*⟩: Młodzi i starsi panowie nadskakiwali jej zawzięcie, w każdym salonie otaczało ją moc wielbicieli. *Mostow. Kariera 278.*

nadstawiać, nadstawić 1. n. co: **n.** policzek, usta do pocałowania. **2.** *daw.* **n.** czoła 〈*stawiać opór*〉: Umykała się przed wodzem owa tłuszcza, nie śmiejąc nadstawić czoła wstępnym bojem. *Narusz. Hist. III, 56.* **3. n.** ucha (lub ucho, uszu): a) 〈*wytężać słuch, skupiać uwagę; słuchać, przysłuchiwać się pilnie, uważnie*〉: Otoczyły ich dzieci wielkim kołem, nadstawiając ciekawie uszu. *Makowiec. Przyg. 47*; b) 〈*chętnie słuchać, wysłuchiwać czego; z zadowoleniem przyjmować co do wiadomości, dowiadywać się o czym*〉: Jagiełło rad nadstawiał ucha doniesieniom i namowom otaczających go dworaków. *Baliń. M. Polska IV, 65.* **4. n.** uszy 〈*o zwierzętach: stawiać uszy na sztorc, podnosić w momencie wzmożonej uwagi, czujności*〉: Mysz podnosiła pyszczek, nadstawiała uszy, rozglądała się. *Morc. Inż. 182.*

nadużycie ● 1. n. czego a. w czym 〈*przekroczenie czego; nadmierne użycie*〉: **n.** czyjej dobroci, cierpliwości, łatwowierności, zaufania. **n.** władzy, **n.** trunków. **n.** w jedzeniu i piciu.
● 2. Grube, kasowe **n.** 〈*działanie bezprawne, malwersacja*〉: Pana E. przydybano na kasowych nadużyciach i będzie proces. *Prus Now. IV, 27.* **3.** Dopuszczać się nadużyć: Pułki regularne szły w porządku, i przyznać potrzeba, że się żadnych nadużyć nie dopuszczały. *Andrzej. A. Ram. I, 24.* **4.** Popełnić **n. 5.** Ukrócić, wykorzenić **n-a.** Wykryć **n.** Zapobiegać nadużyciom.

nadużyć, nadużywać 1. n. czego 〈*przekroczyć określone granice czego*〉: **n.** łatwowierności, zaufania; **n.** swobody. **2. n.** trunku 〈*użyć ponad miarę, nieumiarkowanie*〉. **3. n.** przewagi fizycznej, władzy 〈*wykorzystać co w sposób niewłaściwy, w złym celu*〉: Nadużywając swojej przewagi fizycznej przy każdej sposobności tarmosił go za uszy. *Putr. Rzecz. 32.*

nadwaga *sport.* Mieć nadwagę 〈*w boksie, zapaśnictwie i niektórych innych dyscyplinach sportowych: nadwyżka wagowa ponad określoną maksymalną wagę w danej klasie sportu*〉: Startowałem w półciężkiej [...] gdyż miałem pół kilo nadwagi. *Prz. Sport. 64, 1950.*

nadworny 〈*będący przy dworze królewskim lub wielkopańskim, zatrudniony na dworze; dworski*〉 **1. n.** dostawca, krawiec, gęślarz, lekarz, poeta. **2.** Laska **n-a** 〈*urząd marszałka nadwornego*〉. **3.** Podskarbi **n.**; **n.** marszałek: Podskarbi nadworny zarządzał dochodami królewskimi i zastępował wielkiego. *Smol. W. Dzieje 150.* **4.** Urząd **n. 5.** Wojska **n-e**: Pozostałością wojen prywatnych były w Polsce zajazdy i utrzymywanie wojsk nadwornych przez magnatów. *Ehrl. Prawo 23.*

nadwyżka 1. n. towarowa, eksportowa; budżetowa, bilansowa itp. **2. n.** dochodów, kosztów, wydatków. **3. n.** czego nad czym 〈*liczba, ilość stanowiąca różnicę między określonymi wielkościami*〉: Nadwyżka wagi chleba nad wagą mąki nazywa się przypiekiem. *Aryt. VI, 204.* **4.** Wykon(yw)ać co z nadwyżką: Powoli zgłębiał przyczyny, dla których plan bywał czasem wykonywany z nadwyżką, a czasem beznadziejnie opadał. *Bocheń. Praw. 30.*

nadymać p. nadąć

nadymać się p. nadąć się

nadziać, nadziewać 1. n. co — czym 〈*wypełnić nadzieniem*〉: **n.** gęś jabłkami; *przen. przestarz.* **n.** brzuch ziemniakami, trzos—pieniędzmi. **2.** *przestarz.* Nadziewać kogo diabłami 〈*przeklinać kogo*〉. *L.* **3. n.** co na co 〈*nasadzić, nałożyć na wierzch czego; wbić, nasadzić*〉: **n.** czapkę na głowę, **n.** mięso na rożen. **4.** *przestarz.* **n.** czapę, buty, spódnicę 〈*włożyć, wdziać co, ubrać się w co*〉: Okręciłem się w kołdrę, nadziałem czapę, nogi obłożyłem poduszkami i czytałem. *Reym. Now. III, 206.*

nadzieja 1. n. co do kogo, co do czego: Miała co do niego wielkie nadzieje. *Dąbr. M. SPP.* **2. n.** czego: np. pozyskania, zobaczenia, zrobienia czego, wzajemności. - Nie było już nadziei odparcia nieprzyjaciela. *Dan. W. Not. 235.* **3. n.** na co: Słaba na to **n. 4. n.** w kim, w czym: Cała **n.** w tobie. **5.** Ambitne, daleko sięgające **n-e**; głęboka, mała, niepłonna, piękna, płonna, przyjemna, słaba, ułudna, uzasadniona, wygórowana, zawodna, złudna, zwodnicza **n.**; **n-e** (palcem) na wodzie pisane. **6. n.** matematyczna 〈*suma iloczynów wartości zmiennej losowej przez prawdopodobieństwa, z jakimi te wartości są przyjmowane*〉. **7.** Błysk, iskra, promyk itp. nadziei. **8.** Pełen nadziei 〈*zdolny, zapowiadający się w przyszłości na wybitnego; obiecujący*〉: Młody, przystojny, ukształcony, pełen nadziei młodzieniec. *Hemp. Wspom. 54.* **9.** W nadziei, w nadziei, że..., z nadzieją, że... 〈*przewidując co, spodziewając się czego*〉: Umyślnie tu wszedłem naprzód, w nadziei zobaczenia pani. *Żer. Grzech 64.* Przyjechałem w tej nadziei, że się tu nic podobnego nie stanie. *Sienk. SPP.* Chętnie szli do robót, nawet najgorszych, z nadzieją, iż zdobędą coś do zjedzenia. *Rudn. A. Morze 358.* **10.** Być czyją nadzieją 〈*być tym, na kim można by polegać w przyszłości, spodziewać się, że zapewni powodzenie, coś osiągnie*〉: Przy schylonym już trudami wieku, to dziecię jedyną jest i pociechą, i nadzieją moją. *Niemc. Kaz. 63.* **11.** Robić, uczynić nadzieję (komu) 〈*obiecywać co komu*〉: Od dwóch dni lekarze robią mi trochę więcej nadziei i to mnie w części ożywia. *Grabow. Mich. Listy 111.* **12.** *daw.* Czynić nadzieje, nadzieję o sobie 〈*dawać powód do przewidywania przyszłych zamierzeń, postępków itp.; zapowiadać się na kogoś wybitnego, być obiecującym*〉: Wielkie czynił o sobie nadzieje. *Krasz. Wilno II, 340.* **13.** Jest **n.**, że... 〈*można przypuszczać, spodziewać się*〉: Jest **n.**, że więcej się to nie powtórzy. **14.** Krzepić, podtrzymywać, utwierdzać itp. nadzieję w kim lub kogo w nadziei. **15.** Łudzić kogo (się) nadzieją: Wahałem się, nadzieją przyjemną łudzony: może on jej zapomni, ona mnie pokocha. *Fredro A. Geld. 61.* **16.** Mieć nadzieję czego; mieć nadzieję (co zrobić) 〈*spodziewać się czego, liczyć na co*〉: Wszyscy mieli nadzieję prędkiej odsieczy ze strony króla. *Kub. Szkice I, 119.* Biedaczysko, nigdy nie miał nadziei długo żyć, tak był słabowity. *Goj. Dziew. I, 160.* **17.** Mieć nadzieję, że 〈*spodziewać się; również jako zwrot uprzejmościowy*〉: Miał nadzieję, że go jeszcze zastanie w domu. - Mam nadzieję, że Szanowny Kolega oceni [...] moją szczerość. *Żer. Prom. 139.* **18.** Mieć nadzieję na co: Ma nadzieję na dobrą posadę. **19.** Mieć nadzieję co do kogo, *daw.* o kim 〈*spodziewać się po kim wielkich osiągnięć*〉: Miała co do niego wielkie nadzieje. *Dąbr. M. Noce II, 205.* **20.** Mieć nadzieję w kim, w czym 〈*liczyć (w trudnej* *sytuacji) na kogo, na co*⟩: Kogo tchórz oblatuje, niech w ucieczce ma nadzieję, nie we mnie. *Sienk. Pot. VI, 102.* **21.** Nie ma, nie było nadziei ⟨*o położeniu bez wyjścia: nie można się niczego spodziewać, wszystko stracone*⟩: Okazało się, że dziecko jest ślepe. Doktorzy twierdzili, że nie ma żadnej nadziei, że takiej katarakty nie da się zdjąć. *Górs. H. Tory 160.* **22.** Obudzić, wzbudzić nadzieję w kim. **23.** Odbierać, odebrać komu nadzieję. **24.** Oddawać się nadziei. **25.** Odjąć komu nadzieję. **26.** Podsycać w kim nadzieję. **27.** Pogrzebać nadzieję. **28.** Pokładać nadzieję w kim, w czym, *daw.* zasadzać nadzieję na czym ⟨*obiecywać sobie co po kim lub po czym; spodziewać się czegoś pożądanego*⟩: Pomyślała z przykrością, że zawiodła jakieś pokładane w niej nadzieje. *Dąbr. M. Noce III/1, 78.* **29.** Porzucić nadzieję. **30.** Powziąć nadzieję. *SFA.* **31.** Pożegnać się z nadzieją. **32.** Przechodzi coś najśmielsze **n-e**. **33.** Rokować **n-e** ⟨*zapowiadać świetną przyszłość*⟩: Staff od pierwszej swej książki „Sny o potędze" zwrócił na siebie uwagę, jako poeta szczery, wielkie rokujący nadzieje. *Tyg. Ilustr. 53, 1904.* **34.** Rozwiać czyją nadzieję. **35.** Snuć **n-e**. **36.** Spełnić czyją nadzieję. **37.** (S)tracić nadzieję. **38.** Uchwycić się nadziei. **39.** Ukołysać kogo nadzieją. **40.** Utrzymywać w kim nadzieję. **41.** Zawieść czyją nadzieję. Zawieść się w nadziejach. **42.** Ziścić czyje **n-e**. **43.** Zniweczyć czyją nadzieję. **44.** Zostawić kogo w nadziei, że... **45.** Żyć nadzieją. **46.** Żywić nadzieję. **47. n.** błysnęła komu; krzepi, ożywia, podtrzymuje kogo; pryska (jak bańka mydlana), przyświeca komu, rozbiła się o co, rozwiała się (jak mgła), rośnie, spełniła się, spełzła na niczym, świta; ukołysała kogo, upaja kogo, wstępuje w serce, wygasa, zaświtała, zawodzi, ziściła się. *przysł.* **48.** Nadzieja — matka (a. matką) głupich.

nadziemny 1. Górnictwo **n-e** ⟨*odkrywkowe*⟩. **2.** *bot.* Pęd **n.**, część **n-a** (rośliny).

nadziemski 1. n. czar, **n-a** uroda ⟨*niezwykły(-a), cudowny(-a)*⟩. **2.** Istota **n-a** (często o kobiecie). **3. n-e** moce ⟨*nadprzyrodzone*⟩.

nadziewać p. **nadziać**

nadziewany Czekolada **n-a**; cukierki **n-e**. Kaczka **n-a**; raki **n-e**.

nadziwić się Nie móc **się n.** ⟨*zdziwić, zdumieć się bardzo; nie móc wyjść z podziwu*⟩: „Majster" był pracowity, w sposób niewiarygodny. Nienaski nie mógł się tej pracowitości napatrzeć i nadziwić. *Żer. Nawr. 132.*

nadzorczy Organ **n.** ⟨*nadzorujący, kontrolujący*⟩: Rada Państwa jest zwierzchnim organem nadzorczym nad terenowymi radami narodowymi. *Barb. Nauka 176.* Rada **n-a**, radca **n.**

nadzór 1. n. n a d k i m, n a d c z y m: **n.** nad wykonywaniem robót. **2.** Mieć, roztaczać, rozciągać **n.** nad kim, nad czym. **3. n.** policji, policyjny ⟨*ograniczenie praw swobody obywatelskiej w zakresie dowolnego poruszania się po kraju, z obowiązkiem meldowania się w policji w wyznaczonych terminach*⟩. **4. n.** sądowy. **5.** Techniczny **n.** (robót). **6.** Mieć co pod nadzorem ⟨*kontrolować, nadzorować co*⟩: Policjant, stojący w milczeniu, miał ją [...] pod szczególnym nadzorem. *Krasz. Kartki 787.* **7.** Poddawać nadzorowi. **8.** Robić co pod nadzorem. **9.** Zostawić coś bez nadzoru: Zostawiłem dom i mieszkanie bez nadzoru... *Prus Wiecz. 148.*

nadzwyczajny 1. Ambasador **n.** ⟨*dziś to samo, co ambasador, dawniej tytuł nadawany ambasadorowi wysłanemu do innego państwa w misji specjalnej, w odróżnieniu od ambasadora akredytowanego na stałe*⟩. **2. n.** człowiek ⟨*niezwykły, wyjątkowy, osobliwy*⟩. **3.** Komunikat **n.**, **n-a** sesja sejmowa, **n-e** posiedzenie (rządu) ⟨*spowodowany(-a, -e) niezwykłymi okolicznościami, specjalny(-a, -e)*⟩. **4. n-e** pełnomocnictwa ⟨*upoważniające do decydowania w imieniu mocodawcy*⟩. **5. n-a** pogoda ⟨*niezwykle piękna*⟩. **6.** Poseł **n.** ⟨*przedstawiciel państwa suwerennego w innym państwie*⟩. **7.** Profesor **n.** ⟨*tytuł naukowy samodzielnego pracownika naukowego, wyższy od docenta a niższy od profesora zwyczajnego; pracownik naukowy noszący ten tytuł*⟩. **8.** Powodzenie **n-e** ⟨*niebywałe*⟩. **9.** *praw.* Rewizja **n-a**. Sąd **n.**: W wyjątkowych razach tylko, gdzie chodziło o zbrodnię stanu, składał Zakon sąd nadzwyczajny. *Kętrz. Ludn. 599.* **10.** Sejm **n.** ⟨*zwoływany poza kadencją z powodu nagłych i ważnych wydarzeń w życiu państwowym*⟩. **11. n-a** siła ⟨*ogromna, niezwykła*⟩. **12. n-e** zdolności ⟨*wyjątkowe, szczególne, niebywałe, niezwykłe*⟩.

naftowy 1. Eter **n. 2.** Gazy, oleje **n-e**. **3.** Kaganek **n. 4.** Kopalnictwo **n-e**, szyb **n.**: Z wysokości, po której szedł, widać było wielki płat ziemi obsiany wieżami szybów naftowych. *Sewer Nafta III, 231.* **5.** Oświetlenie **n-e**. **6.** Paliwo **n-e**. **7.** Przemysł **n. 8.** Ropa **n-a**. **9.** Wiercenia **n-e**.

nagana 1. Łagodna, ostra, publiczna, surowa **n.**; **n.** służbowa. **2.** *daw.* **n.** szlachectwa ⟨*zarzut przeciw temu, kto bezprawnie podawał się za szlachcica*⟩. **3.** Dostać, otrzymać naganę; Michaś dostał publiczną naganę w szkole z zagrożeniem, że zostanie usunięty. *Sienk. Now. VI, 13.* **4.** Udzielić komu nagany. **5.** Zasłużyć na naganę: Wiem, że prowadzisz się wzorowo i mam nadzieję, że nigdy nie zasłużysz na naganę. *Lam J. Głowy II, 67.* **6.** *daw.* Zapowiedzieć naganę ⟨*apelację*⟩: Nagana musiała być zapowiedziana zaraz po zawyrokowaniu. *Moracz. Dzieje III, 246.* **7. n.** spotyka kogo.

naganiać p. **nagnać**

naganka, nagonka ● *łow.* **1. n.** n a c o: np. na lisy, na sarny, na zające. **2.** Polowanie z naganką, z nagonką. **3.** Prowadzić, urządzić nagankę, nagonkę: Nagankę powinni prowadzić ludzie obznajmieni ze sprawą i znający miejscowość. *Kors. Rok 202.* Rad był ugościć u siebie tak dystyngowanego dżentelmena, jak dr Mitręga i urządzić na jego cześć nagonkę na zające, sarny, lisy i dziki. *Lam J. Kariery 234.* **4. n.** idzie, rusza: Zobaczyłem lisa, jak przemykał się ku mnie od strony naganki, która właśnie ruszyła. *Meis. Wilk 55.*

● *przen.* **5. n.** n a k o g o ⟨*zorganizowana kampania przeciw komu*⟩: Na panią Jasieńską odbywała się po prostu jakaś naganka, a ona nie zawsze mogła lub chciała przytaczać swoje racje. *Dąbr. Ig. Matki 108.* **6.** Urządzić, wywołać nagankę, nagonkę na kogo: Działalność polityczna Mickiewicza we Włoszech wywołała wściekłą nagonkę reakcji polskiej na osobę poety. *Nowe Drogi 1, 1955, s. 19.*

agarbować n. komu skóry ⟨*mocno wybić, wychło-ać kogo*⟩: Niech ci tam mieszczańscy synkowie kóry nagarbują po trochę i pewno ci to prędzej ozumu napędzi do głowy. *Kaczk. Gniazdo 24.*

agi 1. n-e drzewo ⟨*bez liści*⟩. **2. n-e** dziecko, **n-e** amiona, stopy ⟨*bez ubrania, gołe, obnażone*⟩. **3. n.** niecz, **n-a** szabla ⟨*wydobyty(-a) z pochwy*⟩. **4. n.** ień ⟨*bez kory*⟩. **5. n.** pokój, **n-e** ściany ⟨*nie przy-rany(-e), pusty(-e)*⟩. **6. n-a** prawda, rzeczywistość *bez osłonek*⟩: Z obowiązku muszę mówić często-roć nagą, choć przykrą prawdę. *Sienk. Chwila II, 49.* **7. n-a** skała; **n-a** ziemia ⟨*bez roślinności, pu-tynna*⟩. **8. n.** szkielet ⟨*bez ciała, sam szkielet*⟩. **9.** Do aga ⟨*do gołej skóry, nie zostawiając żadnego ubra-ia, okrycia*⟩: Rozebrałem się do naga i leżałem na łońcu z godzinę. *Unił. Pam. 57.* **10.** *iron.* Kontent, adowolony, jak **n.** w pokrzywach ⟨*bardzo nieza-owolony z powodu przykrego położenia*⟩. **11.** Obedrzeć kogo do nagiej skóry ⟨*ograbić, obrabować ogo doszczętnie, nic nie pozostawiając*⟩. *przysł.* **12.** Nagi rozboju się nie boi.

agiąć, naginać 1. n. c o (k u c z e m u) ⟨*pochylić, achylić*⟩: **n.** gałęzie; **n.** ku ziemi. **2.** *daw.* **n.** kolana *upaść na kolana, uklęknąć*⟩: Licznych poddańców łum kolana nagnie. *Narusz. Wiersze I, 399.* **3. n.** omu głowy, karku; **n.** kogo do swoich nóg ⟨*zmusić ogo do uległości, upokorzyć, poniżyć kogo*⟩: Powie-dział również, że ani sobie, ani nikomu z poselstwa ie pozwoli nagiąć przed sułtanem głowy. *Śliw. A. ob. 68.* **4. n.** do czego karku ⟨*zmusić się do czego*⟩: Nie znoszę paniczów, wymagam bezwarunkowego posłuszeństwa i roboty, do której żaden laluś karku ie nagnie. *Jun. Wod. 30.* **5. n.** przed kim karku ⟨*ulec komu, poddać się czyjej woli; upokorzyć się*⟩: On jeden wzniosłego karku przed nim nie nagiął, on jeden po chwilowych klęskach nie rozpaczał. *Hoff. K. Polit. 10.* **6. n.** kogo do swej woli: Twarz a znamionowała egoizm i dumę człowieka, który przez całe życie przyzwyczaił się rozkazywać i nagi-nać innych do swej woli. *Rudn. H. Spart. 187.* **7. n.** c o d o c z e g o ⟨*dostosować*⟩: Dla prawdy nagiej wielką mam estymę, do rymu nigdy sensu nie nagi-nam. *Słow. Ben. 243.* Nagiąć swe wymagania do warunków. *SW.*

nagle Umrzeć **n.**

naglić 1. n. k o g o — d o c z e g o ⟨*przynaglać, pilić*⟩: **n.** kogo do roboty, do pośpiechu. **2. n.** o c o; **n.**, żeby...: Naglił o wyjazd, jak gdyby gnało go całe piekło. *Choj. Alkh. IV, 84.* Pani Barbara gorączkowała się tymczasem i nagliła, żeby się spie-szyć. *Dąbr. M. Noce II, 272.* **3.** Czas, potrzeba nagli.

nagły 1. n-a choroba ⟨*występująca nagle*⟩. **2. n.** przyjazd, zwrot (w polityce) ⟨*niespodziewany, nie-przewidziany, nieoczekiwany*⟩. **3. n.** ruch ⟨*gwałtow-ny*⟩. **4. n-a** sprawa ⟨*nie cierpiąca zwłoki*⟩. **5. n-a** śmierć ⟨*szybko następująca; niespodziewana*⟩. **6. n.** wniosek ⟨*w sprawie nie cierpiącej zwłoki*⟩: Zgłosić **n.** wniosek (w obradach). **7. n-a** zmiana ⟨*gwałtowna, raptowna*⟩. **8. n-a** krew, śmierć, cholera; do nagłej krwi, do nagłej cholery; żeby cię **n-a** śmierć utłukła itp. ⟨*wyrażenia używane jako przekleństwa*⟩: Dla-czegóż, do nagłej troistej cholery, robią z nim jakieś ceregiele. *Hamera Plewa 233.* **9.** *posp.* Do nagłej cholery ⟨*niesłychanie wiele; za dużo, w nadmiarze*⟩. **10.** W nagłych razach, w nagłym wypadku. **11.** Z na-gła ⟨*znienacka, nagle, niespodziewanie, raptownie*⟩: Goszczyński nie należy do typu poetów spontanicz-nych, tworzących z nagła i od razu. *Pigoń Studia 237.*

nagnać, nagonić, naganiać 1. n. c o a. c z e g o ⟨*spędzić, napędzić*⟩: Nagnać, nagonić chmur; naga-niać chmury (o wietrze). **n.** zwierzynę. **2. n.** k o g o d o c z e g o ⟨*zmusić, przymusić, napędzić*⟩: **n.** kogo do roboty, do pracy, do lekcji. - Nie chciał się gałgan uczyć [...] do geografii nie można go było kijem nagnać. *Gomul. Wspom. 37.* **3.** Nagnać, na-gonić komu strachu ⟨*przestraszyć, przerazić kogo*⟩: Ktoś idący drogą od Jowisza nagnał Szymczakowi takiego strachu, że ten począł biec ze skrzynią i zęby mu poczęły dzwonić. *Jackiew. Górn. 81.*

nagonka p. **naganka**

nagrać, nagrywać n. c o n a c o ⟨*utrwalić*⟩: **n.** przemówienie na taśmę magnetofonową. **n.** płytę, piosenkę na płytę (gramofonową).

nagradzać, nagrodzić 1. n. c o — k o m u, np. **n.** krzywdy, straty, szkody komu: Dniem i nocą myśla-łem tylko o tym, by szkody ojczyźnie nagrodzić. *Sienk. Pot. IV, 98.* **2. n.** k o g o, c o — c z y m: **n.** artystę, spektakl oklaskami. *iron.* **n.** kijami: [W komedyjkach i intermediach] często zjawiał się typ łazika i próżniaka, próbującego różnych zawo-dów i nagradzanego stale kijami, wskutek braku so-wizdrzalskiej pomysłowości. *Krzyż. J. Romans 168.* **3. n.** k o g o — z a c o: Wolałem cierpliwie po-czekać. I oto, jak pani widzi, los mię za me cnoty szczodrze nagrodził. *Żer. SPP.*

nagrobek 1. Drewniany, murowany **n.**; **n.** z kamienia ⟨*płyta, tablica nagrobna; pomnik*⟩. **2.** Wierszowany, żartobliwy **n.** ⟨*epitafium*⟩. **3.** Ustawić, wystawić (ko-mu), wznieść **n. 4.** Napisać komu **n.**

nagrobkowy Napis, wiersz **n.** ⟨*umieszczany na gro-bach*⟩.

nagrobny ⟨*stawiany, umieszczany na grobach*⟩: Pom-nik **n.**; kaplica **n-a.** Napis **n.**; płyta, rzeźba, tablica **n-a.** Wieniec **n.**

Nagrobowy *daw.* Napisy **n-e.** Sztandary **n-e.**

nagroda 1. n. naukowa, sportowa; konkursowa; pań-stwowa. **2.** Główna **n.**; pierwsza, druga, trzecia **n.**: **n.** I, II, III stopnia. **3.** Hojna, sowita, suta, stokrot-na **n.** ⟨*rekompensata, odszkodowanie*⟩: Jego podróż z Brundisium do Rzymu była jednym wielkim try-umfem, który był sowitą nagrodą za wszystkie go-rycze wygnania. *Ziel. T. Rzym. 484.* **4.** Zasłużona **n. 5. n.** pocieszenia ⟨*drobna suma pieniężna, książka lub jakiś przedmiot, przyznawane po zakończeniu konkursu lub zawodów tym, którym nie udało się zdobyć właściwej nagrody*⟩. **6. n.** przechodnia ⟨*pu-char, proporczyk, sztandar itp. przyznawane zdo-bywcy pierwszego miejsca w konkursie lub zawo-dach, i przekazywane przy następnym konkursie nowemu zwycięzcy*⟩. **7. n.** z a c o: np. za postępy w nauce, za zasługi, za waleczność. **8.** W nagrodę, w nagrodę za co, w nagrodę czego, *daw.* w nagrodzie ⟨*jako wynagrodzenie, zapłatę lub odszkodowanie za* *co; w dowód uznania, wyróżnienia*⟩: W nagrodę za dobre wyniki w nauce otrzymał książkę. **9.** Otrzym(yw)ać nagrodę: Na licznych wystawach w „Zachęcie" artysta otrzymał szereg medali, nagród i wyróżnień. *Prz. Artyst. 5, 1952, s. 75.* **10.** Dać komu nagrodę a. co w nagrodę. **11.** Przedstawić kogo do nagrody. **12.** Przyznać komu nagrodę. **13.** Rozdawać **n-y**. **14.** Ubiegać się o nagrodę. **15.** Zasługiwać, zasłużyć na nagrodę. **16.** Zdobyć nagrodę. **17. n.** dostaje się komu, ominęła kogo.

nagrodzić p. **nagradzać**

nagrywać p. **nagrać**

nagus *pot.* Na nagusa ⟨*bez ubrania; nago, goło*⟩: I pomyśleć, że kiedyś ludzie żyli tak, na nagusa, w lasach i nad wodami. *Goj. Dwoje 62.* Kąpać się na nagusa.

nahaj, nahajka 1. Bić, obić, ściągnąć, uderzyć kogo, co nahajem, nahajką: Konia nahajem uderzył i pomknął naprzód. *Sienk. Ogn. II, 13.* **2.** Otrzymać, wziąć; sypać, wyliczyć komu (dwadzieścia pięć, pięćdziesiąt) nahajów, nahajek. **3.** Pod nahajami, nahajkami (lec) ⟨*pod razami, ciosami nahaja, nahajki*⟩.

naigrawać się n. się z k o g o, c z e g o, *daw.* k o m u, c z e m u ⟨*odnosić się do kogo, czego z szyderstwem, drwinami, lekceważeniem; urągać, szydzić, kpić, naśmiewać się, natrząsać się*⟩: Masz czoło dziwić się!? Przychodzisz naigrawać się ze swej ofiary! *Gąs. W. Pig. 59.*

najazd 1. n. nieprzyjaciela ⟨*napaść, inwazja*⟩; *przen.* **n.** szarańczy, gąsienic, szkodników na pola, lasy. **2.** *pot.* **n.** rodziny; **n.** znakomitości ⟨*przyjazd lub przyjście licznych, często niespodziewanych osób, zwłaszcza gości*⟩: Widmo tłumnego najazdu rodziny panny Celiny prześladowało ją nie na żarty. *Dąbr. M. Noce II, 78.* **3.** Dokonać najazdu. **4.** Trapić (kraj) najazdami. **5. n-y** nękają, pustoszą (kraj): Cesarstwo Rzymskie nękały od końca w. II najazdy różnych ludów barbarzyńskich. *Baran. Hist. IX, 7.*

najem 1. n. przymusowy ⟨*obowiązek pracy na rzecz dworu za pewnym (niższym od ogólnie przyjętego) wynagrodzeniem, nakładany na chłopów w czasach pańszczyzny i w początkowym okresie po jej zniesieniu*⟩: Oprócz powiększonej pańszczyzny obszarnicy stosują najem przymusowy za minimalną opłatą. *Szwank. Warsz. 157.* **2. n.** sił roboczych: W gospodarstwach mających ponad 20 morgów właściciel pracuje zazwyczaj sam na roli fizycznie, lecz nie może obejść się bez najmu sił roboczych. *March. Pisma I, 616.* **3.** Umowa najmu, umowa o **n.** **4.** *przestarz.* Chodzić na **n.** ⟨*wynajmować się do pracy u kogoś*⟩: Na przednówku już nie stawało chleba. Chodziliśmy na najem, ja i dziewka moja Hanka. *Choj. Alkh. I, 349.* **5.** Wypuszczać w **n.**: Mieszkał w zielonym domku, ale zajmował tylko połowę, a drugą wypuszczał w najem. *Orzesz. Graba I, 72.*

najemny 1. *przestarz.* Bursy **n-e**, karety **n-e** ⟨*przeznaczone do wynajmowania*⟩. **2.** Praca **n-a** ⟨*praca na rzecz pracodawcy, wykonywana przez siły robocze zatrudnione na zasadzie umowy o najem*⟩. **3.** Siła **n-a, n-a** siła robocza ⟨*pracownicy zatrudnieni przez pracodawcę na zasadzie umowy o najem; robotnicy, wynajęci lub wynajmujący się do pracy*⟩. **4.** Wojsko **n-e**, żołnierz **n.** ⟨*wynajęte(-y) za opłatą*⟩.

najeść się 1. n. się c z e g o a. c z y m — do syta ⟨*nasycić się czym, pożywić się dostatecznie*⟩: **n. się** słodyczy. - Na naszym ognisku zawsze piekły się placki z mąki i mogliśmy najeść się nimi do syta. *Was. W. Pierw. 152.* **2.** Najadłszy się i napiwszy: Najadłszy się i napiwszy, śpiewali chórem pieśni. *Hertz B. Samow. 25.* **3.** Nie móc się (dość) najeść ⟨*nie móc przestać jeść, zjeść bardzo dużo*⟩: Drozd się wysadził na ostatku na tak wspaniałą wieczerzę, że się jej najeść i nachwalić nie mogli. *Orkan Rozt. 255—256.* **4.** *przen.* **n. się** c z e g o ⟨*wiele doznać, znieść czego przykrego, nieprzyjemnego; mieć po uszy*⟩: **n. się** głodu, nędzy; strachu, wstydu. **5. n. się** blekotu ⟨*mówić głupstwa, bajdurzyć, bredzić, pleść*⟩: Aśćka się dziś blekotu najadłaś! Nie opowiadaj byle czego! *Aud. Zbieg. 100.*

najęty 1. Gadać, krzyczeć, kłamać, łgać itp. jak **n.** ⟨*gadać, krzyczeć, kłamać, łgać itp. bez przestanku, bez zająknienia, jak z nut, gorliwie, z zapałem*⟩: Słowiki śpiewały jak najęte. *Dąbr. M. Noce II, 66.* **2.** *daw. żart.* **n.** włos, rumieniec itp. ⟨*sztuczne, przyprawne włosy, malowany rumieniec itp.*⟩.

najgorszy 1. W najgorszym razie ⟨*co najgorsza, najwyżej*⟩: Gdybym nie przyszedł do trzeciej na dworzec, nie czekajcie na mnie, w najgorszym razie nie pojadę. *por.* raz. **2.** Być przygotowanym na najgorsze: Proszę mi powiedzieć całą prawdę, jestem przygotowany na najgorsze.

najlepszy 1. n. pod słońcem ⟨*bardzo dobry*⟩: **n.** pod słońcem człowiek, ale safanduła. **2.** Coś ty najlepszego zrobił? ⟨*forma wymówki, w zwrocie do kogoś, kto coś zepsuł, źle wykonał, nieodpowiednio sprawę załatwił itp.*⟩. **3.** W najlepsze ⟨*jakby nigdy nic*⟩: Przybiegam do niego, a on śpi sobie w najlepsze! *SW.*

najść, nachodzić 1. n. k o g o a. n a k o g o, n a c o ⟨*wtargnąć do kogo, napastować kogo, co*⟩: **n.** kraj, ojczyznę (o nieprzyjacielu). **2.** Najść czym ⟨*napełnić się*⟩: Dobregoś wybrała posłańca, Domicelko! cała kawiarnia zaraz naszła perfumami. *Wol. Dom. II, 168.* **3.** Najść do czego ⟨*napłynąć, wypełnić co czymś*⟩: Wchodźże prędzej, bo zimno najdzie do izby. *Prus Plac. 88.* Do pokoju naszło dymu. **4. n.** kogo ⟨*naprzykrzać się komu, odwiedzać kogo wbrew jego życzeniu, niepokoić kogo*⟩: Komornicy, wierzyciele go nachodzą. - Po co ta kobieta go nachodzi? Dlaczego nie pozostawi go w spokoju? *Zap. G. Mił. 176.* **5.** *przen.* Naszła kogo myśl, chęć, chwila czego ⟨*jakieś uczucie lub myśl opanowały kogo*⟩: Naszła ją chwila obojętności, zaprawianej jakimś kamiennym spokojem. *Rudn. A. Niekoch. 67.*

najwyższy 1. N-a Izba Kontroli (NIK). **2.** Sąd **n.** **3.** Stopień **n.** (przymiotnika). **4. n-a** władza. **5.** W najwyższym stopniu ⟨*najbardziej, najwięcej*⟩: Zachował się w najwyższym stopniu nieprzyzwoicie.

nakarmić 1. n. niemowlę. **2.** *przen.* **n.** (kogo) strachem, wstydem; widokiem; żółcią: Stary czeladnik był bez humoru, jakby go kto żółcią nakarmił. *Dobrow. S. Warsz. 149.* Tejże nocy nakarmiono jej oczy strasznym widokiem. *Sienk. Ogn. II, 84.*

nakaz 1. n. egzekucyjny, wykonawczy ⟨*akt sądowy*⟩. **2. n.** kwaterunkowy ⟨*przydział mieszkania przez urząd kwaterunkowy; akt stwierdzający ten przydział*⟩: Mówię wam, że sprawdzałem i starostwo żadnego takiego nakazu kwaterunkowego nie wydało. *Twórcz. 7, 1954, s. 97.* **3. n.** pracy ⟨*przymusowy przydział pracy*⟩. **4.** *przen.* Przemożny, przemocny **n.**: Z nastaniem zmierzchu rysie [...] poczuły dojmujący głód, pod którego przemożnym nakazem wyruszyły na polowanie. *Ejs. Pusz. 22.* **5.** Wewnętrzny **n.** ⟨*motyw wewnętrzny, norma działania*⟩: Conrad, jak w życiu tak i w twórczości artystycznej, za obowiązujące go uważał jedynie wewnętrzne nakazy i normy moralne. *Ujej. J. Korz. 151.* **6. n.** opuszczenia, stawienia się itd. ⟨*rozkaz, polecenie*⟩. **7. n.** chwili. **8. n.** obowiązku, sumienia. **9.** Dostać, otrzymać, wydać **n.** (czego).

nakład 1. Duży, mały, wielki itp. **n.**; **n.** pieniężny ⟨*inwestycja*⟩: Hodowla jedwabników nie wymaga wielkich nakładów. *Sienk. Chwila I, 89.* **2. n.** c z e g o: **n.** energii, pracy, sił ⟨*ilość energii, pracy, sił*⟩. **3.** *przestarz.* **n.** drogi, podatków ⟨*dodatkowa ilość, wielkość; naddanie, nałożenie*⟩: Ponieważ nakład drogi nie był wielki, więc Maciek wstąpił do Grochowskiego. *Prus Plac. 226.* **4. n.** książki, gazety ⟨*liczba egzemplarzy jednego wydania*⟩. **5.** Nakładem własnym ⟨*swoim kosztem, za własne pieniądze*⟩: Jeszcze w początku naszego wieku młodzi poeci [...] wydawali pierwsze tomiki nakładem własnym. *Musz. Książ. 203.* **6.** Wyjść w nakładzie (x egzemplarzy): Dzieła trzech tylko mistrzów naszej literatury: Mickiewicza, Prusa i Żeromskiego, wyszły w okresie ubiegłych pięciu lat w łącznym nakładzie 7 milionów egzemplarzy. *Twórcz. 7, 1954, s. 157.*

nakładać, nałożyć 1. n. c o; **n.** c o — n a c o, n a k o g o: np. **n.** ceny, kary, kontyngenty, kontrybucje, podatki itp. (na kogo) ⟨*ustanawiać wysokość cen, kontyngentów, kontrybucji; zarządzać, nakazywać*⟩: Okupant nakładał na chłopów olbrzymie kontyngenty w zbożu, bydle, mleku, tłuszczach. *Barb. Nauka 92.* **2. n.** lulkę ⟨*napychać tytoniem*⟩. **3. n.** farbę, róż, smar, tynk ⟨*rozsmarowywać cienką warstwą, obrzucać, wykładać*⟩: Stała przed lustrem. Oczy miała ciemno podmalowane, ale nie zdążyła jeszcze nałożyć różu na swoje zwiotczałe policzki. *Jackiew. Wiosna 246.* **4. n.** kapelusz (na głowę); **n.** rękawiczki; ubranie (na siebie) ⟨*ubierać, ubrać się w co, wciągać, wciągnąć co na siebie*⟩: Wyjął rękawiczki z kieszeni i [...] nakładał, gładząc poszczególnie każdy palec. *Grusz. Ar. Tuzy 107.* **5.** *przen.* **n.** obowiązki: Miłość nakłada obowiązki, domaga się czynów. *Dygas. Zając 30.* **6.** *przestarz.* **n.** ognisko, ogień ⟨*ułożywszy paliwo zapalać, rozniecać ogień*⟩: Nakładają sto ognisk, warzą, skwarzą, pieką. *Mick. Tad. 236.* **7. n.** opatrunek ⟨*umieszczać*⟩. **8.** *przen.* **n.** pęta na kogo, na co ⟨*krępować kogo, co*⟩: Nakładanie jakichkolwiek pęt na wolną myśl ludzką poczytywał Lelewel nie tylko za nieszczęście, ale i za zbrodnię. *Chrzan. I. Lel. 34.* **9.** *przestarz.* Nałożyć c z y m: Nałożyć głową, karkiem, szyją; nałożyć życiem ⟨*oddać, stracić życie, umrzeć*⟩: Co tu począć? Kusa rada, przyjdzie już nałożyć głową. *Mick. Ball. 49.* **10.** *daw.* **n.** (k o g o) d o c z e g o ⟨*wdrażać, wdrożyć do czego*⟩: Nakładać kogo do pracy. *SW.* Zna on, co będzie z chłopięcia, bo stary szpakami karmiony. — Więc go od razu do bojowego rzemiosła nakłada. *Berw. Pow. I, 48.*

nakładowy 1. Księgarnia **n-a** ⟨*będąca nie tylko instytucją sprzedającą książki, lecz i wydawniczą*⟩. **2.** Przemysł **n.** ⟨*przemysł, w którym rzemieślnik-chałupnik jest zaopatrywany w narzędzia i surowiec przez przedsiębiorcę handlowego*⟩: Z domowej pracy przemysłowej wyrasta przemysł nakładowy. *Bujak Gal. II, 295.*

nakłaniać, nakłonić 1. n. k o g o — d o c z e g o ⟨*namawiać, przekonywać; skłaniać*⟩: **n.** kogo do decyzji, do figlów, do przestępstwa, do roboty, do wzięcia udziału w czym, do zgody. **2. n.** ucha ⟨*dawać posłuch, dawać się przekonać, namówić*⟩: Nakłoń twego ucha Panie! wysłuchaj mię w nędznym stanie. *Karp. Psalmy 175.*

nakłaść, nakładać, nałożyć 1. Nakłaść, nałożyć c z e g o — n a c o: nakłaść, nałożyć mięsa na talerz, siana na wóz. **2.** Nakłaść komu w uszy ⟨*perswadując skłonić, przekonać, zmusić do czego*⟩: Poprawi się. Już ja mu dosyć w uszy nakładłem. *Tyg. Ilustr. 145, 1870.* **3.** Nakładać c o — n a c o: Nakładać mięso na talerz, siano na wóz.

nakłonić p. **nakłaniać**

nakreślić 1. n. granice czego, plan działania ⟨*wyznaczyć, wytyczyć*⟩. **2. n.** kółeczko na czole: Ktoś palcem na czole nakreślił kółeczko. — Wariat. *Wikt. Miasto 234.* **3. n.** obraz kogo, czego ⟨*opisać*⟩: Nakreślony w „Dworzaninie“ obraz kobiety [...] daje wysokie wyobrażenie o ówczesnych mężczyznach. *Tarnow. Dworz. 246.* **4. n.** plan ⟨*narysować*⟩: Przy świetle latarki major pokazał wodzowi nakreślony ołówkiem plan bojowego frontu. *Sewer Poboj. 33.* **5. n.** słowa, rachunek, napisy ⟨*napisać*⟩: Na drugiej karcie po okładce były te słowa, nakreślone szerokim, porywczym pismem. *Par. Niebo 193.* **6. n.** znak krzyża: Drżącą ręką nakreśliła w powietrzu znak krzyża i pochyliła się nad głową syna. *Orzesz. Klat. 279.*

nakręcić, nakręcać 1. n. film ⟨*dokonać zdjęć filmowych*⟩: Nakręcano [...] film z życia robotnic włoskich. *Brand. M. Spot. 58.* **2. n.** numer telefonu ⟨*połączyć się telefonicznie nakręcając w aparacie odpowiednie cyfry*⟩. **3. n.** patefon, zegarek ⟨*uruchomić mechanizm patefonu, zegarka przez nakręcenie sprężyny*⟩. **4.** *przen.* **n.** k o g o ⟨*namówić, nakłonić*⟩: Może by starego nakręcić, może by jakąś inspekcję na Pokuciu wymyślić? *Putr. Wrzes. 378.* **5.** Nakręcić komu karku ⟨*spowodować, wyrządzić krzywdę*⟩: Używa teraz synalek, ani się domyślając jak niedługo bies mu karku nakręci. *Zmor. Podania 97.* **6.** Nakręcić komu ucha ⟨*ukarać szarpiąc za ucho*⟩: Czasem człowieka ręka zaświerzbi, żeby takiemu smarkaczowi ucha nakręcić. *Dygas. Zając 133.*

nakręcony Jak **n.** ⟨*automatycznie, bezdusznie*⟩: Wśród tego rozgwaru dawał się słyszeć głos sroki, która jak nakręcona skrzeczała na płocie. *Andrz. Wojna I, 234.*

nakrycie 1. n. głowy ⟨*czapka, kapelusz, chusteczka itp.*⟩. **2.** Drogie, kosztowne, srebrne **n.** ⟨*zastawa stołowa*⟩. **3.** Dać, położyć **n. 4.** Sprzątnąć **n.**: Po obiedzie sprzątnęła nakrycie szybko i zniknęła. *Święt. A. Twinko 24.* **5. n.** na dwie, trzy... osoby.

nakryć 1. n. c o — c z y m ⟨*przykryć z wierzchu*⟩: **n.** głowę czapką, kapturem; **n.** stół obrusem. **2. n.** stół, do stołu, do obiadu, do śniadania itp. *rzad.* **n.** śniadanie ⟨*przygotować stół do posiłku, zastawić go naczyniami i potrawami*⟩: Trzeba dziś pięknie nakryć do stołu. Dasz biały obrus i te najlepsze talerze. *Szan. Most 37.* **3.** *pot.* **n.** k o g o ⟨*złapać na gorącym uczynku, wykryć; zaaresztować*⟩: Akurat siedzi u nich komisja. Dopiero dwie godziny badają i już różne świństwa nakryli. *Lut. Próba 107.*

nakryć się 1. n. się c z y m: np. kocem. **2. n. się** nogami ⟨*przewrócić się, fiknąć koziołka*⟩: Pchnął go tak silnie, że ten się nogami nakrył. *przen.* ⟨*zostać zabitym, polec*⟩: Pierwej jeszcze niejeden kondel nogami się nakryje. *Sienk. SW.* **3.** Stoliczku, nakryj się ⟨*bądź nakryty, zastawiony potrawami (czarodziejska formułka ze znanej bajki)*⟩: Zachowywał się z pełną zdumienia biernością, jakby patrzył na urzeczywistnioną bajkę o „stoliczku, nakryj się". *Par. Niebo 140.*

nakwasić *przestarz.* **n.** czasu ⟨*zmarnować, stracić czas na próżno*⟩: Jeżeli zechcesz chwalić piękność moją, nakwasisz czasu niepotrzebnie. *Rzew. H. Listop. I, 169.*

nalać, nalewać 1. n. c o, c z e g o — d o c z e g o, n a c o lub w c o: Nalać herbaty; kufel piwa; mleka do butelki, wody do miednicy; zupy na talerz; wina w szklankę. **2. n.** komu sadła za kołnierz, za skórę ⟨*dokuczyć komu, dać się we znaki*⟩: Gdy mi sadła za kołnierz naleje moja batystowa pokusa, wtedy dopiero uznaję mądrość przestróg mojego wewnętrznego doradcy. *Zag. Chochl. 161.* **3. n.** łez w kamizelkę ⟨*zwierzyć się komu ze łzami w oczach, z rozczuleniem; użalić się*⟩: Niemało łez Pipek nalał Ryszardowi w kamizelkę, opowiadając swoje dzieje. *Żer. Nawr. 23.* **4. n.** n a c o ⟨*zalać coś znajdującego się w naczyniu; zrobić nalewkę*⟩: Dzięki tylko wódkom pani Dzwonkowskiej, nalewanym na dzięgiel i na kurze ziele, przyprowadzony był do przytomności. *Sienk. Na polu 249.* **5. n.** w czuprynę, w czub, za kołnierz ⟨*podpić sobie; upić się*⟩: Jak małmazji w czuprynę naleje, to gotów z samej serdeczności i grzech śmiertelny wypaplać. *Kaczk. Olbracht. II, 223.*

przysł. **6.** Z próżnego (z pustego) i Salomon nie naleje.

nalany 1. Twarz **n-a** ⟨*nabrzmiała, obrzękła*⟩. **2. n.** krwią ⟨*wypełniony, napęczniały*⟩: Pienił się. Jego bezrzęse oczy były nalane krwią. *Stryjk. Bieg. 319* **3.** Być nalanym: Zżółkły był i nalany tak, że oczka ledwie mu było znać. *Pięt. Grom 132.*

nalewać p. **nalać**

należeć 1. Coś należy d o k o g o, d o c z e g o, *daw.* k o m u, c z e m u ⟨*stanowi jego własność*⟩: Dom ten należy do spółdzielni. - Pola te należały do leśniczówki. *Iwasz. J. SPP.* **2. n.** do koła, do organizacji, do partii ⟨*być członkiem koła itp.*⟩. **3. n.** do spisku itd. ⟨*brać udział, być uczestnikiem*⟩. **4. n.** d o k o g o ⟨*stanowić czyj przywilej, prawo albo obowiązek, wchodzić w zakres czyich kompetencji, działalności*⟩: W Polskiej Rzeczypospolitej Ludowej władza należy do ludu pracującego miast i wsi. *Konst. PRL 257.* Zrobię wszystko, co do mnie należy. *SW.* **5.** To do mnie wcale nie należy ⟨*to się mnie nie tyczy*⟩. **6.** *daw.* Należy n a k i m, n a c z y m ⟨*zależy, zawisło na kim, na czym, w czym, od kogo, czego*⟩: Na was wszystko zwycięstwo jako na paniech należy. *Szajn. Jadw. I, 54.* **7.** Jak należy ⟨*w sposób właściwy, należyty; należycie, dobrze*⟩: Była dwornie uśmiechnięta, wykwintnie spokojna, jak należy wobec gościa. *Żer. Rzeka 158.*

należeć się 1. Jak się należy ⟨*w sposób właściwy, należyty, dobrze, właściwie, odpowiednio*⟩: W pół godziny później, rozebrany, jak się należy, January spał na wygodnym łóżku sąsiada. *Prus Now. II, 133.* **2.** Niewiele się komu należy ⟨*ktoś jest bliski śmierci, ktoś niebawem umrze itp.*⟩: Widać było, że temu trzeciemu niewiele się już należy, leciał przez ręce. *Czesz. Pocz. 18.*

należność 1. n. z a c o ⟨*suma należna komu za co*⟩. **2.** Zwrot należności. **3.** Dochodzić na kim swej należności. **4.** Odebrać swoją **n. 5.** Płacić, zapłacić **n.**: Interesanci, zapłaciwszy należność w kasie i odebrawszy towar, wyszli na ulicę. *Meis. Sześciu 48.* **6.** Ściągać **n-i. 7.** Uiszczać **n. 8.** Upomnieć się o **n. 9.** Zwrócić komu **n. 10. n.** wynosi (x zł): Zamówiła perełki i blaszki w różnych kolorach. Należność wyniosła dwa floreny. *Ward. Wyłom 81.*

należny ⟨*przysługujący, należący się komu lub czemu; powinny, dłużny*⟩ **1. n-e** honory, **n.** dług, **n-a** prowizja. **2. n.** k o m u, c z e m u: Szacunek **n.** starszym.

należyty ⟨*taki, jak należy, jak być powinien; właściwy, stosowny, odpowiedni*⟩ **1. n-e** honory: Wszedł do sali, aby tam z należytymi honorami przyjąć gościa. *Prus Wiecz. 10.* **2. n.** porządek: Utrzymać mieszkanie w należytym porządku. **3. n-a** skrupulatność, informacja: Skatalogowanie dopełnione zostało z należytą skrupulatnością. *Lel. Bibliot. 243.*

nalot 1. n. artyleryjski ⟨*ogień wykonany z określonym natężeniem w ciągu krótkiego czasu do jednego celu lub do grupy celów połączonych w jeden odcinek; nawała ogniowa*⟩. **2. n.** falowy ⟨*wykonywany kolejno przez poszczególne zespoły lotnictwa bez wyraźnych przerw w czasie*⟩. **3. n.** gwarowy ⟨*cecha nabyta, naleciałość*⟩: Mówiła całkowicie poprawnie, nawet bez nalotów gwarowych. *Prusz. Opow. 43.* **4. n.** gwiaździsty ⟨*wykonywany bez przerw w czasie przez zespoły lotnictwa, nadlatujące z różnych kierunków*⟩. **5. n.** nocny (samolotów), *rzad.* **n.** morski (statków, okrętów) ⟨*atak*⟩: Znów był alarm i nalot nocny. *Koźn. Rok 122.* **6. n.** policji ⟨*najście*⟩: Trzeba było stosować nadzwyczajne środki ostrożności [...] aby ochronić drukarnię przed nalotem policji carskiej. *Prolet. 130.* **7. n.** w gardle ⟨*rodzaj powłoki*⟩: Zbadał mu gardło [...] dojrzał tam biały nalot, zapowiedział, że będzie angina. *Waż. Mity 165.* **8.** Osiadać, pokrywać się nalotem ⟨*cienką warstewką krystaliczną*⟩: Pod wpływem czynników atmosferycznych przedmioty z brązu pokrywają się ładnym zielonkawym nalotem, tzw. patyną. *Sypn. Metal. 222.*

naładować 1. n. c z e g o — n a c o ⟨*nakłaść*⟩: **n.** drzewa na samochód. **2. n.** c o — c z y m ⟨*napakować, wypełnić⟩: **n.** wóz zbożem. **3.** *fiz.* **n.** akumulator ⟨*przepuścić prąd elektryczny przez akumulator*⟩. **4.** *rub.* **n.** żołądek, brzuch ⟨*najeść się*⟩: Na co to wszystko? Na to jedynie, aby brzuch naładować. *Dąbr. M. Noce II, 45.*

nałamać 1. n. c z e g o: np. gałęzi. **2. n.** głowy ⟨*długo, z trudem namyślać się, głowić nad czym*⟩: Niemało głowy sobie nałamie, by jeszcze coś niecoś z poborów zaoszczędzić. *Goj. Dzień 109.* **3.** *przestarz.* **n.** k o g o d o c z e g o ⟨*nakłonić, zmusić kogo do czego*⟩: **n.** kogo do posłuszeństwa, uległości.

nałazić n. k o g o ⟨*nachodzić kogo, naprzykrzać się komu częstym przychodzeniem*⟩: Wciąż nas nałazi z rozmaitymi projektami i interesami. *Perz. Raz 238.*

nałogowy n. palacz, karciarz.

nałoić *żart.* **n.** komu skórę ⟨*zbić kogo, wygarbować komu skórę*⟩.

nałowić n. ryb ⟨*o dzieciach: oddać mocz we śnie*⟩.

nałożyć p. **nakładać**

nałożyć p. **nakłaść**

nałóg ⟨*mocno zakorzeniony nawyk*⟩ **1.** Dawny, zakorzeniony **n.**; dobry, zły **n. 2. n.** c z e g o: np. pijaństwa, palenia; **n.** myślenia. **3.** Z nałogu ⟨*z przywyknienia*⟩: Samotnik z nałogu. *Dan. SPP.* **4.** Być jakim z nałogu: Dobrzy z serca i charakteru zdają się być takimi z nałogu. *Jank. Wspom. 81–82.* **5.** Mieć **n.** (**n-i**). **6.** Otrząsnąć się, wyleczyć się z nałogu. **7.** Pozbyć się nałogu. **8.** Przezwyciężyć, wykorzenić, wyplenić **n. 9.** Robić co przez **n.**: Do teatru uczęszczał teraz tylko przez nałóg. *Dygas. As 7.* **10.** Coś się staje nałogiem, weszło w **n. 11.** Ulegać nałogowi. **12.** Wciągnąć kogo (się) w **n. 13.** Wpaść w (dawne) **n-i. 14.** Wyrzec się nałogu. **15.** Zerwać z nałogiem. **16. n.** ciągnie kogo, zakorzenił się.
przysł. **17.** Nałóg drugie przyrodzenie.

nałykać się n. się c z e g o **1. n. się** wiedzy, książek, broszur itp. ⟨*przyswoić sobie co szybko, lecz często powierzchownie*⟩: Nałykałaś się jakichś głupich broszur, myślisz, że wszystkie rozumy zjadłaś. *Melc. Statek 76.* **2. n. się** strachu, wstydu ⟨*doznać silnego strachu, doznać wielkiego wstydu*⟩: A ty, nygusie jeden, ja się tyle wstydu za ciebie nałykałem! *Dygas. Now. VIII, 72.*

namacać *daw.* **n.** kijem, batem itp. ⟨*zbić, uderzyć*⟩: Masztalerz surowcem [osła] po boku tęgo namaca. *Zab. XIV/2, 1776, s. 278.*

namarszczyć n. brwi, czoło ⟨*ściągnąć brwi, pofałdować czoło pod wpływem wysiłku myślowego lub uczucia, np. gniewu, niezadowolenia itp.*⟩: To młodzieży się podobało, ale starzy trochę czoła namarszczyli. *Rzew. H. Pam. 373.*

namaszczenie 1. n. kapłańskie. **2. n.** na króla, na biskupa. **3.** Ostatnie **n.** ⟨*w niektórych kościołach chrześcijańskich — sakrament udzielany chorym dla uzyskania odpuszczenia grzechów*⟩. **4.** Z namaszczeniem ⟨*uroczyście, z powagą*⟩: Słuchać czego; robić wypowiadać co, mówić o czym z namaszczeniem. - Mówił to z namaszczeniem, jakby wygłaszał kazanie z ambony. *Piach. Nas. 165.* Spotkać też tam zawsze można smakoszów, kosztujących z wielkim namaszczeniem te napoje. *Sienk. Listy IV, 24.*

namawiać, namówić n. k o g o d o c z e g o, *pot.* n a c o ⟨*nakłaniać, starać się skłonić kogo, do czego; zachęcać, przekonywać*⟩: **n.** dziecko do jedzenia, klienta do kupna towaru. **n.** kolegę na przechadzkę, na teatr.

namiestnik 1. *hist.* **n.** królewski; **n.** państwa; **n.** Galicji ⟨*pełnomocnik panującego*⟩. **2. n.** Chrystusa, Chrystusowy ⟨*papież*⟩.

namiętność 1. n. c z e g o a. d o c z e g o ⟨*pasja, nałóg*⟩: **n.** palenia papierosów, chodzenia po górach, dyskutowania; **n.** do papierosów, do gry w karty, do porządku, do wiedzy. **2.** Dzika, gorąca, niepohamowana, nieposkromiona, niska, rozhukana, rozpasana, wielka, wyuzdana, zła **n. 3. n.** cielesna ⟨*żądza, popęd cielesny*⟩. **4. n-i** polityczne, religijne. **5.** Ogień, wulkan namiętności. **6.** Wybuch namiętności. **7.** Być powodowanym, zaślepionym namiętnością: Powodowany namiętnością, czuł w sobie siłę wyzwać wszystkich do walki. *Grusz. Ar. Hut. 54.* **8.** Dać się porwać, ulegać, schlebiać, hołdować namiętności. **9.** Hamować, poskramiać, tłumić, ukrócić **n.** a. **n-i**, walczyć z namiętnościami. **10.** Coś jest, staje się czyją namiętnością: Polowanie stało się jego namiętnością. *SW.* **11.** Mieć **n.** do czego: Miała namiętność do porządku i czystości, która przechodziła w manię. *Krzyw. I. Gorzk. 11.* **12.** Obudzić w kim **n. 13.** Oddawać się namiętności (czego) a. namiętnościom. Oddawać się czemu z namiętnością: Oddają się z całą namiętnością pracy w małych ogródkach. *Bień. Czyś. 14.* **14.** Opanować **n.**, panować nad namiętnościami. **15.** Pałać namiętnością (do kogo). **16.** Podniecać, podsycać, rozpętać **n. 17.** Puścić wodze namiętnościom. **18.** Robić co całą namiętnością a. z całą namiętnością: Rozkochał się w niej całą namiętnością młodzieńczego serca. *Chłęd. Odr. 454.* **19.** Unieść się namiętnością. **20. n.** kipi (w kim); miota, rzuca kim; pożera, trawi kogo. **21. n-i** rozpalają się, rozpętują się (rozpętały się), wrą, wybuchają, wygasają (w kim): Gdzie tam mnie do kochania! [...] We mnie już namiętności wygasły. *Prus Lalka III, 119.*

namiętny 1. n-e czytanie, zamiłowanie ⟨*wykonywane z przejęciem, oddające się czemu z pasją*⟩. **2. n.** miłośnik, palacz, stronnik, znawca ⟨*nałogowy, zapalony; opanowany jakąś pasją*⟩. **3. n-a** miłość, **n-e** uniesienie; **n-e** słowa ⟨*pełna(-e) namiętności, gwałtowna(-e), silna(-e)*⟩. **4. n-e** spojrzenie ⟨*przeniknięty(-e) uczuciem miłości, działający(-e) podniecająco; zmysłowy(-e), pożądliwy(-e)*⟩. **5. n.** pociąg do czego ⟨*nałogowy*⟩: Namiętny pociąg do napojów alkoholowych spowodował smutny koniec jego życia. *Dyb. B. Pam. 474.* **6. n.** sprzeciw ⟨*gwałtowny*⟩.

namiot 1. Rozbić; rozpiąć nad czym; zwinąć **n. 2.** Rozbić gdzie swoje **n-y** ⟨*zatrzymać się gdzie na dłużej, zamieszkać gdzie*⟩: Najwięcej cieszyli się Chopinem młodzi romantycy francuscy [...] którzy w Paryżu rozbili swe namioty. *Iwasz. J. Chopin 43.*

namleć *pot.* **n.** językiem, ozorem itp. ⟨*wiele o czym opowiedzieć; powiedzieć wiele nieprawdziwych, niepotrzebnych rzeczy, plotek na kogo; nagadać się, naplotkować*⟩: To nieprawda! Tylko podli ludzie mogli ci tak namleć ozorami. *Mort. Wiano 66.*

namotać *przestarz.* **n.** n a k o g o, **n.** na wąs kogo ⟨*powziąć względem kogo jakieś zamiary; zagiąć na kogo parol*⟩: Tomkowi [...] potrzeba kochanki i zaraz sobie namotał na ciebie. *Krasz. Chata III, 103.*

namowa 1. Za namową, z namowy: To za jej namową od dwóch lat pakował w te cegły każdy grosz. *Past. Komuna 46.* Było to w parę dni po polowaniu, które Żarnicki z namowy Drakiewicza wyprawił dla Piszczalskiego. *Dygas. Piszcz. II, 48.* **2.** Działać z czyjej namowy. **3.** Ulegać namowom: Z początku certował się, wymawiał. Ale jak uległ namowom, to zjadł kilka placków i czosnku pół główki *New. Pam. 49.*

namówić się 1. Dać się namówić ⟨*ulec namowom czyim, przekonywaniom*⟩: Z przeszłego listu wiadomo Wam, Najukochańsi Rodzice, że się dałem namówić na danie koncertu. *Chopin Wyb. 41.* **2.** *pot.* Namów się! ⟨*daj się namówić, przekonać, zachęcić*⟩.

namyć n. głowy ⟨*wielokroć nawymyślać komu, wymyślać przez czas dłuższy*⟩: Co też mi żona głowy namyje, żebym używał angielskiej karety. *Krasz. Jabł. III, 26.*

namysł 1. Długi, dojrzały, głęboki. **n. 2.** Bez namysłu, bez chwili namysłu: Bez namysłu rzucił się tonącemu na ratunek. **3.** Po namyśle: Po namyśle odrzucił propozycję. - Decyzję powzięła [...] po dojrzałym namyśle. *Krzyw. I. Bunt 74.* Postanowić co po namyśle. **4.** *przestarz.* Z namysłu ⟨*naumyślnie*⟩: Bezwstydnie, szkaradnie, bo z namysłu, przeszłość fałszują. *Krasz. Studia 71.* **5.** Dać, mieć czas do namysłu. **6.** Robić co z namysłem: Młody chłopak wypowiadał te słowa powoli, z namysłem, jakby dobywał je z pamięci, żadnego nie chcąc uronić. *Osm. Siedem 75.*

nanieść, nanosić 1. n. piasku, mułu na łąkę ⟨*o rzece: osadzić, przynieść*⟩. **2. n.** na mapę (nieznane szczyty górskie) ⟨*oznaczyć*⟩. **3. n.** jaj ⟨*o ptakach: poskładać*⟩. **4. n.** poprawki (na margines maszynopisu) ⟨*powpisywać*⟩.

naoczny 1. n. dowód, fakt, przykład ⟨*oczywisty*⟩: Przeciwnicy wystąpili z mnóstwem faktów i dowodów naocznych niezbitych. *Niwa VI, 1874, s. 792.* **2. n-a** obserwacja, **n.** widok ⟨*oglądana(-)y własnymi oczami*⟩: Widok naoczny piramid egipskich, mówi jeden podróżny, wzrusza daleko więcej, niżeli najżywsze ich opisy. *Brodz. Estet. 36.* **3. n.** świadek, widz ⟨*taki, który sam coś widział*⟩.

napad 1. n. n a k o g o, n a c o, np. **n.** na przechodnia, na miasto, na dom, na bank, na kraj. **2. n.** bandycki, łupieski; **n.** nieprzyjacielski. **3.** Krwawy, zbrojny **n. 4. n.** bandytów, chuliganów. **5.** *przen.* ⟨*gwałtowne wystąpienie lub działanie przeciw komuś, zwykle nie uzasadnione*⟩: Boleśnie dotknęły nas nieprzyjemności, oszczerstwa, nawet i haniebne napady, na które w ostatnich czasach wystawiony był Władysław Kościelski. *Klaczko Zapomn. 67.* **6. n.** szczerości, zwątpienia ⟨*przypływ*⟩. **7. n.** płaczu ⟨*gwałtowny objaw*⟩: Zaczęła strasznie szlochać, łkać i dostała napadu płaczu, który nazywają serdecznym. *Dygas. Now. V, 31.* **8.** Dokonać napadu (na kogo, na co). **9.** Gotować się do napadu. **10.** Miewać **n-y** (np. epilepsji, gniewu). **11.** Odeprzeć **n.** (nieprzyjaciela). **12.** Przygotować **n. 13.** Wytrzymać **n.**

napadać, napaść 1. n. k o g o, c o a. n a k o g o n a c o ⟨*atakować*⟩: Wilki głodne napadają podróżnych. *SL.* **n.** na śpiących, na obóz. **2.** *przen.* **n.** n a k o g o ⟨*występować przeciwko komu gwałtownie zarzucać co komu*⟩: Napadać na kogo z wymówką *SW.* Wy ciągle na mnie napadacie, ciągle mi co wmawiacie. *Przekr. 399, 1952.* **3.** (Zły) humor śmiech napada kogo ⟨*ogarnia, opanowuje kogo*⟩ Co za złośliwy humor napadł tego człowieka. *Dąbr M. Noce II, 209.* Już cię śmiech pusty jak kuglar. napada. *Konopn. Imag. 163.* Mania, melancholia obojętność napada kogo, *rzad.* na kogo: Głębsza ni. kiedykolwiek melancholia i obojętność napadły n mnie. *Słow. Listy I, 209.*

napadać n. c z e g o ⟨*zwykle o śniegu: padając na gromadzić się*⟩: Śniegu napadało na łokieć. *Dzierzk Obrazy 167.*

napar 1. Lekki **n. 2. n.** z c z e g o: np. z ziół z kory dębowej.

naparstek 1. n. krawiecki (bez denka). **2. n.** rumu wódki ⟨*maleńki kieliszek; bardzo mała ilość rumu wódki*⟩: Wyrzucił słomką kawałek lodu ze szklank i wlał naparstek rumu. *Prom. Opow. 212.* **3.** Ja w naparstku (przynieść czego) ⟨*bardzo mało*⟩.

napastnik *sport.* Środkowy **n.** ⟨*grający w środk ataku*⟩.

napastować 1. n. k o g o ⟨*nachodzić*⟩: Wierzyciel go napastują. **2. n.** k o g o o c o ⟨*dopominać si natarczywie o co*⟩: Boi się, żeby mnie nie napastowa o pieniądze ten hultaj Feluś, mój siostrzeniec. *Pru Kłop. 87.* **3. n.** k o g o c z y m ⟨*narzucać się kom z czym*⟩: Sama napastowałam cię miłością. *Pięt Białow. 77.* **4. n.** kogo listami ⟨*niepokoić*⟩: Znają tak niezmiernie pracowity żywot Pański [...] oba wiam się Go listami moimi napastować. *Krasz Kores. 390.* **5.** Artretyzm, chrypka itp. napastuje ko go ⟨*atakuje kogo, dokucza komu*⟩: Ta utrapion chrypka, która go już kilka razy napastowała, ucze piła się znów do niego. *Tyg. Ilustr. 137, 1870* **6.** Marzenia, wspomnienia; czarne myśli, wątpli wości napastują kogo ⟨*narzucają się komu*⟩: Na pastowały ją wspomnienia i odciągały daleko, w la ta najszczęśliwsze. *Strug Krzyż III, 163.* Pokrze się trochę, może i duch w ciebie wstąpi i te czarn myśli nie będą cię tak napastować. *Korz. J. Majst 437.* Już w powrotnej drodze do domu zaczęły j napastować wątpliwości. *Dąbr. M. Noce II, 99* **7.** Trwoga napastuje kogo ⟨*opanowuje kogo*⟩: Po trzebował odetchnąć i pokonać mimowolną trwogę która napastowała go pierwszy raz w życiu. *Morzk Bożek 248.*

I napaść 1. n. n a k o g o, n a c o: na kraj **2.** *przen.* Ordynarna, osobista **n. 3. n.** o c o: np o plotki. **4.** Zaskoczony napaścią: Zaskoczony na paścią próbowałem się bronić. *Gaz. Rob. 277, 1954* **5.** Bronić się jak od napaści. **6.** Odeprzeć **n.** (wroga)

II napaść n. (czym) oczy (rzadziej: uszy) ⟨*przyjrze się czemu bez ograniczeń, do syta, nacieszyć się pa trzeniem na co; posłuchać czego do woli*⟩: Czy my ślisz, że krew rozlewam dlatego jeno, by oczy czer woną barwą napaść? *Sienk. Pot. II, 114.* O! jakż nam serca biły na brzmienie teatralnej kapeli, a p odsunięciu kurtyny nie mogliśmy napaść do syta oczu i uszu. *Wędr. 12, 1901.*

III napaść p. **napadać**

napaść się n. się widokiem czego ⟨*przyjrzeć się czemu dokładnie, do woli; nacieszyć się patrzeniem na co*⟩: Rzucamy okiem nie wiedząc, którym pierwej napaść się widokiem. *Karp. Zab. VII, 44.*

napatrzeć się, napatrzyć się Nie móc się (dość) **n.** (czemu, na co) ⟨*odczuwać stałą chęć patrzenia na co*⟩: Nikt się wdziękom jej do woli nie mógł napatrzyć. *Mick. Wiersze 385.* Nie mógł się na nią napatrzeć, nie mógł od niej oczu oderwać. *Jeż Uskoki II, 165.*

napawać 1. n. k o g o — c z y m ⟨*napełnić, przejąć*⟩: Napawa mnie zawsze radością i lękiem myśl o owej chwili, kiedy Twoja spracowana ręka dotknie okładki mojej książki. *Rus. Wiatr 7.* **2.** Coś napawa kogo bólem, dumą, szczęściem, urokiem: Owiało go tłumne życie ludzkie, zgiełk uliczny, łoskot dorożek i wozów odurzał go i napawał szczęściem. *Strug Pocisk. 178.* **3. n.** oczy, wzrok widokiem czego ⟨*patrzeć z przyjemnością na co, rozkoszować się widokiem czego*⟩: Będę [...] co dzień wychodził na balkon, aby napawać oczy widokiem cudownego pałacu. *Leśm. Klech. 193.* **4. n.** ucho — czym ⟨*słuchać z przyjemnością; rozkoszować się słuchaniem czego*⟩: Tłumy zwolenników lżejszej muzyki spieszą codziennie napawać ucho skocznymi dźwiękami, wychodzącymi spod smyczka Straussa. *Tyg. Ilustr. 125, 1870.*

napawać się n. się c z y m ⟨*rozkoszować się czym; rozpływać, unosić się nad czym*⟩: Im więcej wesołości widziała w tym zgromadzeniu, tym większym sama napawała się smutkiem. *Kaczk. Grób II, 194.* Napawałem się rozkosznym widokiem tak wspaniałej nocy. *Baliń. M. Pisma IV, 117.*

napchać, napychać 1. n. k o g o, c o — c z y m ⟨*napełnić szczelnie*⟩: **n.** siennik słomą, fajkę tytoniem. **2.** *pot.* **n.** żołądek ⟨*zjeść dużo, najeść się do syta*⟩: Każdy cisnął się w ogrzane izby, zgłodniały napychał żołądek, a co gorzej, zanadto trunkiem się zasilał. *Fredro A. Trzy 45.* **3. n.** (czym) kieszenie, trzos itp., *pot.* **n.** kabzę ⟨*zarobić na czym, wzbogacić się*⟩: Szachruje, dopóki człowieczą biedą nie napcha trzosa i potem zmyka do swoich. *Choj. Alkh. IV, 38.* **4. n.** komu kieszenie ⟨*przysparzać komu dochodu, bogacić kogo*⟩. **5. n.** (komu) c z e g o — w c o: Napchać komu słodyczy w kieszenie. *przen.* Tamtemu by przez ten czas w łeb ołowiu napchano. *Sienk. SW* ⟨*rozstrzelano by go*⟩.
przysł. **6.** Dziurawego woru nie napchasz.

napełniać, napełnić 1. n. c o: **n.** kieszeń, *daw.* mieszek, trzos ⟨*zdobywać pieniądze (zwykle nie bardzo legalnie); bogacić się*⟩: Nigdy za nikim nie straciła głowy. Byle uciechy doznać i mieszek napełnić. *Wikt. Papież 331.* **2. n.** c o — c z y m: **n.** kieliszek winem; *przen.* Boleści jej powracały co dnia, tak że krzykiem napełniała pokoje. *Słow. Proz. 499.* To jedno puste miejsce nęci go i mami, już nie puste, bo on je napełnił myślami. *Mick. Tad. 19.* Cztery mu deski zbijemy na trumnę i pochowamy w nich szczątki mocarza, co niegdyś sławą napełniał świat cały. *Bełc. Śmiały 268.* **n.** serce czyje błogim uczuciem. **3. n.** k o g o — c z y m (jakimś uczuciem), np. **n.** kogo radością, dumą, lękiem itp.: Rósł niby na drożdżach, napełniając ojca dumą, matkę — radością nieopisaną. *Jeż Uskoki I, 21.* **4.** Łzy napełniają (komu) oczy. **5.** Tłum napełnia co (np. salę). **6.** *przen.* Mrok, świt napełnia pokój. Zapach czego napełnia powietrze: Kwitły drzewa i zapach czeremchy napełniał powietrze. *Pawł. Wspomn. 7.*

napełniać się, napełnić się n. się c z y m: Balon z wolna napełniał się gazem. *SW.* Ulice napełniły się tłumami. *SW. przen.* Serce moje napełniło się smutkiem, goryczą. *SW.*

napęd 1. n. elektryczny, korbowy, mechaniczny, parowy, ręczny, silnikowy, turbinowy, wodny. **2. n.** odrzutowy, rakietowy ⟨*urządzenie poruszające samolot (lub rakietę) za pomocą silnego prądu gazów spalinowych wyrzucanych w tył z dużą prędkością*⟩: Wypadł z domu z szybkością pocisku o napędzie rakietowym. *Brand. M. Dom 152.* **3. n.** na przednie koła. **4. n.** maszyn. **5.** Brać **n.** z czego: Obok był niewielki młyn parowy, z niego brano napęd. *Żukr. Zioła 95.* **6.** Otrzymywać **n.** od czego.

napędowy 1. Energia, siła **n-a:** Zwykle kopalnia posiada swoją własną siłownię, dostarczającą energii napędowej do silników całej kopalni. *Budr. Górn. 170. przen.* Ruch narodowowyzwoleńczy był jedną z głównych sił napędowych rewolucji w Polsce. *Nowe Drogi 12, 1955, s. 24.* **2.** Koła, pasy **n-e.**

napędzać, napędzić 1. n. chmury (o wietrze), zwierzynę (o psach). **2.** *techn.* Napędzać coś ręcznie, mechanicznie: Mechanizm, poruszający pomost suwnicy, może być napędzany ręcznie lub mechanicznie. *Ignat. Maszynozn. 161.* **3. n.** k o g o — d o c z e g o ⟨*zmuszać, przynaglać*⟩: Napędzać kogo do roboty. **4.** *daw.* Napędzić kogo do zimnej wody ⟨*postawić kogo w sytuacji bez wyjścia, przyprzeć do muru*⟩: Sam napędzony (jak mówią) do zimnej wody, omglewa. *Wójc. Teatr II, 30.* **5. n.** k o m u c o a. c z e g o: Maszyny [...] pracowały doskonale i napędziły wam do kieszeni — zyski nie byle jakie. *Żer. Biała 60.* **6. n.** komu rozumu (do głowy) ⟨*zmusić kogo do rozsądnego postępowania; nauczyć rozumu, pouczyć*⟩: Kto wie? Może ten wartogłów przemówi do niej i napędzi jej rozumu? *Żer. Grzech. 52.* **7. n.** (częściej napędzić) komu strachu a. stracha ⟨*przestraszyć kogo*⟩: Eksperymenta, które robił w swoim pokoju, napędzały niemało strachu inżynierowej i innym domownikom. *Ritt. Most 70.*

napiąć, napinać 1. n. łuk, kuszę ⟨*mocno wyprężyć cięciwę łuku, kuszy przed strzałem*⟩. **2. n.** mięśnie ⟨*naprężyć*⟩: Napinał mięśnie, aż kurtka trzeszczała w szwach. *Ziel. S. Pol. 282.* **3.** *środ.* **n.** plan, bilans ⟨*nakreślić plan, zrobić bilans maksymalny*⟩. **4. n.** tkaninę ⟨*naciągnąć*⟩: Tkaninę [na stole farbiarskim] napinano w ten sposób, że zahaczano ją z jednej strony o wystające gwoździe, z drugiej zaś nawijano na walec. *Rein. Druki 81.* **5.** *przen.* **n.** uwagę ⟨*skoncentrować*⟩. **6.** Żagle **n.** ⟨*rozwinąć*⟩: Przypomniał mu, że czas żagiel napinać. *Jeż Uskoki I, 207.*

napiąć się, napinać się 1. Mięśnie się napinają: We czterech odkręcali ogromną śrubę ściskającą błotniarkę. Napinały się mięśnie, czerwieniały twarze. *Kowalew. M. Kamp. 16.* **2.** Napinają się nerwy:

Zawsze, kiedy zaczynało się coś nowego, napinały się wszystkie nerwy do ostateczności, w niecierpliwym, gwałtownym oczekiwaniu. *Was. W. Rzeki 596.*

napiec *przestarz.* **n.** raków ⟨*zarumienić się mocno wiele razy*⟩: Polcia raków napiecze i damy pozwolenie Felkowi ubiegania się o jej względy, zgoda? *Wol. Bakał. 309.*

napięcie 1. Dramatyczne, najwyższe, ostre, stałe **n.** ⟨*nasilenie czego*⟩: Od owego dnia kłótnie ich i swary, czasem o bardzo ostrym napięciu, powtarzały się prawie codziennie. *Mort. Wawrzek 106.* **2. n.** uczuciowe, wewnętrzne. **3. n.** mięśni. **4. n.** nerwów. **5.** *przen.* Cisza pełna napięcia. Twarz pełna napięcia: Słuchał z olimpijskim spokojem, patrząc na moją pełną napięcia twarz, gdy rozpoczynałem swe dobrze przygotowane przemówienie. *Twórcz. 9, 1955, s. 63.* **6.** *fiz.* **n.** powierzchniowe cieczy ⟨*siła, działająca na każdy centymetr powierzchni cieczy w kierunku prostopadłym do niej, skierowana do wnętrza cieczy*⟩. **7.** *geol. górn.* **n.** tektoniczne ⟨*stan naprężenia występujący w utworach skalnych poddanych działaniu ciśnienia górotworu*⟩. **8.** Linia wysokiego napięcia ⟨*przewody*⟩: Nad łąkami piętrzyły się koronki linii wysokiego napięcia, błękitne i zamglone w słońcu. *Braun Lewanty 291.* **9.** Rozładować **n.**: Nastąpiło pewne rozładowanie napięcia w sytuacji międzynarodowej. *Życie Warsz. 60, 1954.* **10.** Trzymać kogo, uwagę czyją w napięciu.

napiętnować 1. n. k o g o: a) *daw.* ⟨*naznaczyć piętnem*⟩: Zbrodniarza napiętnowano rozpalonym żelazem; b) *przen.* a. **n.** k o g o — c z y m ⟨*potępić, nazwać właściwym imieniem*⟩: **n.** zdrajcę. **n.** kogo mianem zdrajcy, renegata, itp.; c) *przen.* **n.** k o g o — c z y m ⟨*naznaczyć, pozostawić znak, znamię*⟩: Natura napiętnowała go brzydotą, ale nie odmówiła mu zalet umysłu. *Kraus. Łaski I, 183.* **2. n.** c o — c z y m ⟨*nacechować*⟩: Przyrodzenie napiętnowało czoło jego szlachetnością. *SW.* Twarz napiętnowana cierpieniem, smutkiem.

napięty 1. n-a atmosfera, sytuacja; **n-e** stosunki ⟨*pełne niepokoju, zadrażnienia*⟩: Napięte stosunki z Zakonem zagroziły bezpośrednio jednej z arteryj handlu krakowskiego, drodze na Toruń. *Szujski Opow. 229.* *przen.* **n-a** cisza: W napiętej ciszy słychać było na schodach głuche, ciężkie dudnienie zbliżających się szybko kroków. *Dan. Wraż. 9.* **2.** *pot.* **n.** interes, **n-a** transakcja ⟨*upatrzony(-a), zamierzony(-a), omówiony(-a)*⟩: Centrala H[andlu] Z[agranicznego] ma pewną ilość transakcji napiętych, lecz jeszcze nie sfinalizowanych. *Maz. Plan. 65*; **n-e** małżeństwo ⟨*zamierzone, upatrzone, uplanowane*⟩: Napięte małżeństwo zerwał, bo panna brzydka i mało ma posagu. *Lel. Listy II, 172.* **3. n-e** nerwy: Paweł czuł, że miał nerwy jak struny napięte. *Sier. Now. 191.* **4. n-a** skóra ⟨*naciągnięta*⟩: Szczęka zarysowała mu się twardo pod napiętą skórą. *Brand. K. Miasto 179.* **5. n-a** uwaga ⟨*skoncentrowana*⟩: Ogromne, szeroko rozwarte oczy wyrażały napiętą, czujną, jakby trwożną uwagę. *Meis. Wraki 197*; **n.** wyraz twarzy: Wyraz jego twarzy stał się trzeźwy zupełnie, napięty i czujny. *Andrz. Popiół 147.*

napinać p. **napiąć**

napinać się p. **napiąć się**

napis 1. Czytelny, nieczytelny, wyraźny, niewyraźny **n. 2.** Zatarty **n.**: Moneta z napisem zatartym. **3. n-y** wielojęzyczne. **4. n.** n a c z y m: na książce, na marginesie (książki), na ścianie itp. **5.** Dać, wyryć **n. 6.** Odcyfrować, odczytać **n. 7.** Położyć **n. 8.** Zatrzeć, zetrzeć, zmazać **n.**

napisać 1. n. c o ⟨*skomponować, ułożyć i napisać*⟩: **n.** księgę, list, odezwę, reportaż, testament, traktat; **n.** donos, meldunek, pokwitowanie, pozew, skargę, wezwanie, zawiadomienie. **2. n.** c o — n a c z y m: **n.** kilka słów na kartce. **n.** podanie na maszynie ⟨*posługując się maszyną do pisania*⟩. **3. n.** c z y m — n a c z y m ⟨*położyć napis*⟩: **n.** kredą na tablicy, węglem na ścianie. **4. n.** k o m u, d o k o g o, a. skrótowo: **n.** ⟨*porozumieć się z kimś na piśmie, za pomocą listu, listownie*⟩: **n.** do kogo w jakiej sprawie. - Trzeba było napisać do domu, żeby mu matka przysłała bieliznę na zmianę i ciepły kubrak. *Grusz. An. Od Karpat 131.*

napisane 1. Coś jest **n.** czarno na białym ⟨*coś jest wyraźnie udokumentowane, stwierdzone na piśmie*⟩: Nigdzie tego czarno na białym napisanego nie ma, a jednak mnóstwo rzeczy jest w historii, które były i z czasem odkrywają się, że były. *Szujski Odr. 22.* **2.** Mieć **n.** na czole ⟨*wyglądem wskazywać na co, wyraźnie uzewnętrzniać co*⟩.

napiwek 1. Suty, podwójny **n. 2.** Dostać, przyjąć **n.**

napluć *przestarz.* **naplwać n.** komu w twarz, w pysk, w oczy ⟨*plując na kogo, okazać mu pogardę*⟩: On nie daruje hańby, jaka go spotkała. W oczy by sobie dał napluć pierwszemu lepszemu, gdyby darował. *Niedź. Grzech 156.*

napłynąć, napływać 1. Coś napływa (skąd): Masy chłodnego powietrza napłynęły z północy. Ciemne chmury napłynęły od zachodu. **2.** Coś napływa czym ⟨*zachodzi, napełnia się*⟩: Oczy napływają łzami. **3.** Coś napływa do czego ⟨*gromadzi się, zbiera się*⟩: Ślina napływa (komu) do ust; krew napływa (komu) do głowy ⟨*uderza*⟩. **4.** Artykuły, informacje, meldunki, wypowiedzi napływają (do kogo, do czego) ⟨*dochodzą, są nadsyłane*⟩: Wkrótce napłyną pełniejsze informacje, zasadniczych faktów dowiecie się za chwilę. *Brand. K. Troja 214.* **5.** *przen.* Myśli, problemy, pytania napływają komu do głowy: Na pytania, które mu napływały falą do głowy, nie umiał dać sobie odpowiedzi. *Sienk. Leg. 17.* Wrażenia, wspomnienia napływają komu do głowy, do serca: Siedzi w kuchni samotna i czuje, jak gryzące wspomnienia napływają do serca. *Gomul. Obraz. 97.* **6.** Ktoś napływa do czego, na co ⟨*przybywa, zgłasza się*⟩: Goście napływają licznie na koncert. Nie napływają do rzemiosła ludzie nowi w stosunku pożądanym, gdyż majstrowie z uczniami obchodzą się źle. *Prus Kron. IV, 251.* **7. n.** n a c o ⟨*płynąc natrafić, wpłynąć na co*⟩: Okręt napłynął na rafę.

napływ 1. n. krwi (do głowy, do twarzy) ⟨*przypływ, uderzenie*⟩. **2. n.** powietrza ⟨*napłynięcie*⟩: Napływ powietrza chłodnego, cięższego wypiera powietrze ciepłe, przynosi dobrą widzialność. *Radlicz Geogr VIII, 169.* **3. n.** kandydatów ⟨*liczne zgłoszenie się, natłok*⟩. **4. n.** ludności ⟨*przybywanie*⟩: Jednym z czynników powodujących wzrost ludności miejskiej jest napływ ludności ze wsi do miast. *Nowe Drogi 2,*

956, s. 104. **5 n.** sił, energii ⟨*gromadzenie się, dopływ*⟩: Czuł napływ sił zdobywczych, desperackiej ecyzji, aby raz skręcić wreszcie z piaszczystej drogi pomknąć szerokim traktem. *Krzyw. I. Siew. 71.* . **n.** radości, chęci, uczuć ⟨*przypływ*⟩: W napływie ozkosznych uczuć nie mogła się zdobyć na odpowiedź. *Sztyrm. Pow. I, 153.*

apływać p. **napłynąć**

apływowy Ludność **n-a** ⟨*przybysze, osadnicy*⟩.

apocić się 1. n. się jak w łaźni: Napocili się jak w łaźni, nasprzeczali się niemało o znaczenie słów frazesów. *Kaczk. Olbracht. II, 194.* **2. n. się** n a d z y m ⟨*napracować się, natrudzić się nad czym; łamać sobie głowy*⟩: Napocił się nad tym zadaiem. *SW.*

apocząć 1. n. bochenek (chleba) ⟨*zacząć krajać*⟩. . **n.** z innej beczki ⟨*próbować innej metody, innego posobu; przejść na inny temat w rozmowie*⟩: Chcąc rawdy dociec, z innej napocznijmy beczki. *Zabł. Żabob. 70.*

apoić 1. n. k o g o, c o ⟨*dać pić*⟩: **n.** spragnionego. **n.** konie, krowy, zwierzęta. **2. n.** c o c z y m ⟨*nasycić*⟩: **n.** gazę chloroformem; strój zapachem, woią czego; *przen.* Rad by pieśń swą napoić miłością. *Chmielow. Poeci 255.* **3. n.** oczy widokiem: Na poasach kupiła się szlachta i żołnierze, chcąc napoić iekawe oczy widokiem największego w Rzeczypopolitej wojownika. *Sienk. Ogn. III, 127.* **4. n.** k o- o — c z y m ⟨*przejąć kogo czym, sprawić co komu*⟩: Wiadomość ta napoiła go smutkiem. *SL.* **5. n.** kogo goryczą, żółcią ⟨*sprawić komu przykrość, rozgoryczyć kogo*⟩. **6. n.** kogo otuchą ⟨*dodać otuchy*⟩.

apoleoński 1. Bródka **n-a** ⟨*bródka taka, jaką nosił Napoleon III*⟩: Miał lat może trzydzieści, czarne włosy i czarną napoleońską bródkę. *Kłosy 158, 868.* **2.** Orły **n-e** ⟨*orły na drzewcach chorągwi sztandarów, wprowadzone przez Napoleona I na wzór rzymski*⟩. **3. n.** pieróg ⟨*rodzaj nakrycia głowy noszonego za czasów Napoleona*⟩. **4.** Po napoleońsku ⟨*tak jak to zwykł robić Napoleon I*⟩: Założyć, zakładać ręce po napoleońsku ⟨*założyć przed sobą rękę na rękę, zginając w łokciach*⟩: Siada na krześle, zakładając po napoleońsku ręce. *Perz. Szczęście 175.* **5.** Wojny **n-e** ⟨*prowadzone przez Napoleonów*⟩. **6.** Żołnierz **n.** ⟨*służący w armii Napoleona I*⟩.

apomknąć, napomykać 1. n. k o m u — c o ⟨*wspominać*⟩: Prawdę mówiąc, wystarczyło jej coś napomknąć, coś wskazać, resztę robiła już sama. *Dąbr. M. Noce II, 122.* **2. n.** k o m u o k i m, c z y m: Napomknąłem mu przy tej sposobności o jego obietnicy. *SW.*

apomnienie 1. Łagodne, ojcowskie, surowe **n. 2. n.** pisemne a. na piśmie. **3.** Dać komu **n.** Udzielić komu napomnienia.

apotkać, napotykać n. k o g o, c o [nie: na kogo, na co]: **n.** opór, przeszkody.

apowietrzny 1. Linie **n-e** ⟨*przewody prowadzone nad ziemią*⟩. **2. n.** ogród ⟨*wiszący*⟩: Dachy portyków i pałacowych krużganków dźwigały tam jakby napowietrzne kwitnące ogrody. *Orzesz. Mirt. 153.* **3.** Statek **n.** ⟨*balon*⟩: Odbył podróż balonem ponad najwyższymi szczytami Alp, przepłynął niedawno w swoim statku napowietrznym ponad piramidami i częścią Pustyni Libijskiej. *Tyg. Ilustr. 42, 1904.*

napój (*lm* napoje) **1. n-e** chłodzące ⟨*oranżada, lemoniada, woda sodowa, woda z sokiem itp., zwykle z lodu*⟩. **2. n-e** gazowe, orzeźwiające. **3. n.** miłosny ⟨*lubczyk*⟩. **4. n.** odurzający, ognisty, rozgrzewający ⟨*alkoholowy, najczęściej wódka lub wino*⟩. **5. n-e** spirytusowe ⟨*spirytus alkoholowy oraz wódka; napoje wyskokowe, monopolowe*⟩: Sklep z napojami spirytusowymi. **6. n-e** wyskokowe ⟨*napoje zawierające alkohol, spirytus*⟩. **7.** Częstować napojem, podawać **n. 8.** Używać (jakiego) napoju (napojów), używać czego jako napoju: Gorącej herbaty używaliśmy jako napoju najlepiej gaszącego pragnienie.

napór 1. n. ciżby ludzkiej, tłumu; fal, morza, lodów, wiatru, wody, żywiołów ⟨*silny nacisk, napieranie*⟩: Statek może zatonąć za parę minut, o ile napór lodów nie osłabnie. *Cent. Foka 103. przen.* **n.** faktów, uczuć: Widać było, że coś chce powiedzieć, twarz mu się skrzywiła pod naporem uczuć. *Rudn. A. Morze 212.* **2.** *lit.* Okres burzy i naporu (w literaturze niemieckiej). **3.** Robić co (ustępować, chylić się, wyginać się; pęknąć, zawalić się) pod naporem czego: Płoty chylą się pod naporem bzów, jaśminów, kwaśnych wiśni i berberysów. *Ziel. S. Pol. 116.* Tama pękła pod naporem wezbranej rzeki. *SL.* **4.** *przen.* Poddawać się, ulegać; nie poddawać się, nie ulegać naporowi czego: Młodzi poeci ulegali naporowi nowszych kierunków artystycznych.

naprawa 1. Drobna, gruntowna **n. 2. n.** c z e g o: np. bielizny, obuwia, zegarka, statku. **3.** Dać, oddać, przyjąć co do naprawy: Wieczorem roznosił paczki z magazynu obuwia, gdzie przyjmowano buty do naprawy. *Was. W. Wierzby 50.* **4.** Być, mieć co w naprawie. **5.** Odebrać z naprawy.

naprawczy 1. Brygada, ekipa **n-a**; warsztat, zakład **n.** ⟨*zajmująca(-y) się naprawianiem*⟩. **2.** Prace, roboty **n-e** ⟨*związane z naprawianiem, remontowe*⟩.

naprawiać, naprawić 1. n. odzież, piec, uszkodzenia, zegarek ⟨*poprawiać, reperować*⟩. **2. n.** krzywdę, stratę, szkodę ⟨*wynagrodzić, powetować*⟩: Wziął się do naprawiania krzywd, wyrządzonych chłopom w swych dobrach. *Kot. Frycz 165.* **3. n.** świat, stosunki ⟨*zmieniać co na lepsze, prowadzić ku dobremu; polepszać, ulepszać, uzdrawiać, reformować*⟩. *przysł.* **4.** Co jeden głupi zepsuje, tego tysiąc mądrych nie naprawi.

naprężać, naprężyć 1. n. łuki ⟨*naciągnąć, napiąć*⟩: W lot naprężyli łuki strzelcy. *Rom. Poezje I, 212.* **2. n.** mięśnie ⟨*natężyć, napiąć*⟩. **3.** *daw.* Uszu naprężyć ⟨*wytężyć słuch, nastawić uszu, słuchać uważnie*⟩: Gdy baje, uszu napręż. *Zab.XII/1,1775,s.101.*

naprężenie 1. *geol. górn.* **n.** dynamiczne skały ⟨*wywołane przez istnienie w górotworze napięć tektonicznych*⟩. **2. n.** nerwów, umysłu, woli ⟨*napięcie*⟩: W takim naprężeniu umysłu, woli, fantazji nie byłem nigdy jeszcze. To rozkosz! *Żer. Dzien. II, 45.* **3.** W naprężeniu robić co: Zerwał się i w naprężeniu nasłuchiwał, kroki zmierzały w jego stronę. *Goj. Dwoje 67.* **4. n.** polityczne; **n.** stosunków (między kim a kim) ⟨*zadrażnienie, stan grożący konfliktem*⟩.

naprężony 1. n-a sytuacja ⟨*niejasna, nieprzyjemna, nieznośna w momencie przed lub po zajściu*⟩. **2. n-e** stosunki ⟨*przykre, oziębłe, bliskie zerwania*⟩: Stosunki ze Świętopełkiem i nadal były naprężone, dochodziło do nowych zatargów. *Piw. Prusy 12.*

naprężyć p. **naprężać**

naprowadzać, naprowadzić 1. n. k o g o — n a c o: **n.** na ślad, na trop ⟨*prowadząc wskazać*⟩: Miałem minąć Leśnowolę [...] ale byli tacy, którzy naprowadzili na ślad. *Aud. Zbieg. 70.* **2. n.** kogo na drogę: Zgromadził wodzów karawany, naprowadził ich na drogę, pożegnał się z nami i odjechał. *Niemc. Różne 376.* **3. n.** rozmowę ⟨*nakierować*⟩: Pomaleńku zaczęli tak naprowadzać rozmowę, że chłopcy jakby zapomnieli o malinach. *Bron. J. Ogn. 194.* **4. n.** gości, koni (na targ) ⟨*sprowadzać, przywodzić ze sobą*⟩: Wraca bez jeńców, ale ci mnogich naprowadza gości. *Słow. Wall. 47.* **5. n.** c o — c z y m ⟨*pokryć, powlec co — czym, nasycić*⟩: **n.** tablicę woskiem; rysunek kolorami; papier oliwą.

naprzeciwko, naprzeciw 1. Iść, pędzić, wyjść, wybiec; wyjechać; mieszkać, stanąć **n.** (kogo, czego): Gdy tak snuli swe sprawy, zobaczyli, że naprzeciwko idzie Danielowa Ostrzeńska i że im daje gwałtowne jakieś znaki. *Dąbr. M. Noce II, 201.* **2.** Z naprzeciwka: Nadjechać, nadejść z naprzeciwka. Coś dochodzi (jakiś głos, dźwięk) z naprzeciwka.

naprzód ⟨*o miejscu: na czele, na przedzie przed innymi, przed siebie, wprzód, do przodu*⟩ **1.** Biec, iść, posuwać się, poruszać się, pochylić się, rzucić się **n.** ⟨*w przód, do przodu*⟩: Przez gęste zarośla posuwali się z trudnością **n.** - Rzuca się w przepaść głową naprzód. *Gomul. Wspom. 133.* **2.** Cieszyć się z czego **n.** ⟨*przed czasem, zawczasu*⟩. **3.** Ktoś, coś posuwa się, postępuje, mknie itp. **n.** ⟨*ktoś, coś rozwija się szybko, doskonali się*⟩: Rzeczy nie nadawały się do mówienia i niczego nie posuwały ani na jotę naprzód. *Dąbr. M. Noce II, 92.* **4.** Poczynić, uczynić, dokonać, stanowić itp. wielki, znaczny, poważny krok **n.** ⟨*poczynić, uczynić, dokonać, stanowić itp. duże osiągnięcia, postępy w jakiejś dziedzinie, na jakimś polu itp.*⟩: II wyprawa Cooka w historii odkryć geograficznych [...] stanowi wielki **krok** naprzód w poznaniu kuli ziemskiej. *Wiedza i Życie 9, 1952, s. 831.* **5.** Posunąć, pchnąć coś, jakąś sprawę **n.** ⟨*nadać bieg czemu, jakiejś sprawie, udoskonalić coś, osiągnąć, załatwić*⟩. **6.** Przewidywać **n.**, wybiegać **n.**, wybiegać myślą **n.** ⟨*przewidywać coś, fakty, bieg wypadków itp.*⟩: Sprawy sanitarne były w rękach człowieka, który wybiegał myślą daleko naprzód i brał sobie do serca całość zagadnień zdrowia publicznego. *Hirsz. Hist. 70.* **7.** Wypłacać **n.** ⟨*z góry*⟩: Dziś mają wypłacać żołd na trzy miesiące naprzód. *Żukr. Dni 271.* Wysuwać się, wyrywać się **n.** ⟨*wysuwać się na pierwszy plan, mieć pierwszeństwo w czym, wybijać się*⟩: To właśnie dobrze, że rodziny niezużyte wysuwają się naprzód, a upadają familie dziwaków i hipochondryków — odburknął Gromadzki. *Prus Wiecz. 206.* **8. n.**! ⟨*wezwanie, rozkaz, komenda nawołująca do posunięcia się, ruszenia do przodu, przed siebie, do walki, do ataku*⟩: **n.** marsz! — Małą naprzód! — padła komenda. P czym: Ster prawo na burt. *Meis. Sams. 73.* **9. n.** wia ra!: Słyszałem jeszcze jak na nas zawołał: Naprzó wiara. — Ale ja za nim iść nie mogłem, bo mi kul drogę przestąpiła i to ramię z sobą wzięła. *Skar Starosta 145.* **10. n.** ..., po wtóre... ⟨*po pierwsze... p wtóre*⟩: Moi państwo, wyperswadujcie sobie tańc naprzód dlatego, że nie ma muzyki, a po wtóre, ż ziemia i trawa to nie posadzka i moglibyście no powykręcać. *Prus Przem. 27.*

napsuć 1. n. c z e g o ⟨*zmarnować*⟩: Napsuł duż klisz, nim się nauczył fotografować. *SL.* **2. n.** kom krwi, zdrowia ⟨*być przyczyną gniewu, irytacji, zd nerwowania; zgniewać, zirytować, zdenerwować ko go*⟩: Więc to istotnie nie ten łotr Feluś?... Uu, co o mnie zdrowia napsuł... *Prus Kłop. 86.* **3. n.** sob głowy ⟨*nałamać, nasuszyć sobie głowy, namęczyć si nagłowić nad jakimś trudnym zagadnieniem*⟩.

napuszczać, napuścić 1. n. c z e g o do c z e g a) ⟨*napełnić czym*⟩: np. wody do wanny, powietrz dymu do pokoju, ryb do stawu; b) ⟨*nasycić*⟩: n tkaninę jakimś kolorem, drzewo bejcą. **2. n.** kog przeciw komu, na kogo ⟨*podżegać, podburzać, po judzać*⟩: Na jego pupilków przed nim się skarży Przecież to on ich na nas napuścił. Nie miał do na zaufania. *Twórcz. 7, 1953, s. 80.*

napuszony 1. Mina **n-a, n-a** twarz, gęba ⟨*nadęt pyszna*⟩: Przybrał minę napuszoną, pewną siebi dziwnie śmiałą i buńczuczną. *Krasz. Kartki 305.* **2.** język, styl; **n-a** forma (utworu, wypowiedzi); **n-** wierszydła ⟨*pełne przesady, nienaturalne, sztuczne*⟩ Mówisz do nas tak dziwnym, nienaturalnym, po wiedziałabym, napuszonym językiem. *Żer. Śnieg 2.*

napuścić p. **napuszczać**

napychać p. **napchać**

napytać (się) 1. *pot.* **n.** komu a. sobie czego ⟨*spro wadzić, ściągnąć*⟩: **n.** sobie biedy, łez, kłopotów. Choć sam sobie tej biedy napytał, jak żbik na in szych parskał, jak dzik zgrzytał. *Konopn. Balcer 3* **2. n. się** biedy, choroby, guzów: Człowiek nie wi jak, kiedy, i napyta się biedy. *Rodoć Sat. 96.* **3.** sobie wroga, wrogów: To mnie jeno martwi, żeś so bie nowego wroga napytał. *Sienk. Pot. III, 291.*

narabiać *daw.* **n.** bronią ⟨*władać, robić bronią*⟩ Siedzę na koniu nie gorzej jak inni, umiem nar biać wszelką bronią tak samo jak drudzy. *Kacz Olbracht. III, 139.*

narada 1. Burzliwa, długa, tajna, walna **n. 2.** gabinetowa, produkcyjna, robocza, sejmowa, wo jenna, wytwórcza. **3.** Mieć, odbywać, toczyć, wieś itp. z kim narady, *przestarz.* Składać, złożyć narad nad czym lub nad kim itp. ⟨*naradzać się z kim, z stanawiać się nad czym lub nad kim*⟩: Toczyła n rady z panią Rudecką, a ta, oczywiście, myślała jo w jotę to samo. *Żer. Rzeka. 169.* **4.** Zebrać się n naradę. **5.** Zwołać naradę. **6. n.** odbywa się, tocz się.

naradzać się, naradzić się 1. n. się między sobą. **n. s** z kim ⟨*porozumiewać się w jakiejś sprawie, wspólni rozstrząsać co*⟩. **2 n. się** nad czym, w sprawie czeg co do kogo, czego: Warto się nad tym naradzi ienk. *SPP*. Będziemy się musieli w sprawie naszego wyjazdu naradzić. *SPP*. Trzeba będzie naradzić się o do tego. *SPW*. **3.** *przestarz*. **n. się** kogo ⟨*zasięgać zyjej rady, radzić się kogo*⟩: Kiedy tak się królowi odoba, zbraniać [wzbraniać] tego nie mogą, z tym świadczeniem i że będzie ich się król jmć naradzał. *Lubom. Pam. 9*.

narazić, narażać 1. n. c o — d l a k o g o, d l a c z e g o ⟨*wystawi(a)ć na niebezpieczeństwo, ryzykować*⟩: np. czyjś autorytet, byt, opinię, reputację. **n.** życie dla bliźnich, dla ojczyzny; zdrowie dla dobra nnych. **2. n.** k o g o (c o) — n a c o: **n.** kogo na kary, na koszty, na kpiny, na niebezpieczeństwo, na pośmiewisko, na prześladowania, na przykrości, na stratę, na szkodę, na śmierć, na śmieszność, na wstyd, na zarzuty, na zgubę. **3. n.** na szwank czyje dobre imię, czyj autorytet. - Nie chcę panią narazić na niewątpliwą przegraną. *Święt. A. SPP*. **4. n.** sobie kogo, **n.** sobie czym kogo ⟨*wzbudzić w kim niechęć do siebie, obrazić, rozgniewać kogo na siebie*⟩: Naraziłeś sobie stryjów porywczością, synowców, cały swój ród. *Krasz. Baśń 191*.

narazić się, narażać się 1. n. się d l a k o g o ⟨*wystawi(a)ć się na niebezpieczeństwo*⟩: Nie był tchórzem: zgłosił się dobrowolnie na wyjazd w czasie epidemii cholery, narażał się wielokrotnie dla chorych. *Krzyw. I. Siew 176*. **2. n. się** k o m u, **n. się** c z y m k o m u ⟨*wzbudzić w kim niechęć do siebie, obrazić, rozgniewać kogo na siebie*⟩: Naraziwszy się panu Zamoyskiemu, musiał uciekać z zamku przed jego furią. *Boy Mar. 93*. **3. n. się** na niebezpieczeństwo, na szwank, na przykrość, na zarzut czego ⟨*wystawiać się na co, ryzykować co*⟩: Nie chcę, ażeby z mojej winy narażał się pan nie tylko na niebezpieczeństwo, ale nawet na przykrość. *Prus Przem. 234*. Gdyby się uchylał od walki, naraziłby się na zarzut tchórzostwa. *Witkow. S. Trag. I, 182*.

narciarski 1. Spodnie **n-e**; czapka **n-a**; ekwipunek **n.** ⟨*używane w narciarstwie*⟩. **2.** Konkurencja **n-a** ⟨*dział tego sportu, np. biegi, skoki, kombinacja itp.*⟩. **3.** Klub **n.** ⟨*zrzeszający narciarzy*⟩. **4.** Kurs **n.** ⟨*na którym odbywa się nauka jazdy na nartach*⟩. **5.** Mistrzostwa, zawody **n-e** ⟨*obejmujące konkurencje narciarskie*⟩. **6.** Sport **n.** ⟨*narciarstwo*⟩. **7.** Turystyka **n-a** ⟨*uprawiana na nartach*⟩. **8.** Wycieczka **n-a** ⟨*odbywająca się na nartach*⟩.

narciarstwo ⟨*jazda na nartach (uprawiana jako sport)*⟩: Nauka narciarstwa. Uprawiać **n.**

narkotyk 1. Stosować **n-i** (w lecznictwie): Znosiła niewymowne cierpienia i jedynym leczeniem było stosowanie wciąż nowych narkotyków. *Nałk. Z. Romans 89*. **2.** Działać jak **n.**: Głos miał tenorowy, aksamitny, jeden z tych głosów, które na kobiety jak narkotyk działają. *Gomul. Mieszczka 34*. **3.** Zażywać **n-i**.

narkoza 1. n. wziewna ⟨*stosowana przez wdychanie*⟩. **2.** Pod narkozą: Chory pod narkozą jęczał głucho. *Chor. Zazdrość 59*. **3.** Dać narkozę ⟨*zastosować środki wywołujące uśpienie*⟩: Nie dałem nawet narkozy, chłopak trzymał się jak dorosły. *Rus. Paw. 38*.

narobić 1. n. c z e g o: a) ⟨*zrobić wiele lub dosyć czego*⟩: **n.** długów, głupstw, plotek; **n.** (sobie) nieprzyjaciół, wrogów; b) ⟨*spowodować co, być powodem czego*⟩: **n.** nieszczęścia, szkody, wstydu, zamętu, zamieszania, zmartwienia (komu). **2. n.** rwetesu, wrzasku, zgiełku. **3. n.** w c o ⟨*zanieczyścić odchodami*⟩: **n.** w spodnie ze strachu.

narodowościowy Państwo **n-e** ⟨*państwo jednoczące szereg różnych narodowości na zasadzie współrzędności lub takie, w którym znajdują się liczne i wpływowe mniejszości narodowe*⟩: W państwach narodowościowych osobne przepisy normują stanowisko mniejszości narodowych, zapewniając im opiekę i pewne prawa. *Kutrz. Wstęp 65*.

narodowowyzwoleńczy ⟨*mający na celu wyzwolenie, oswobodzenie narodu*⟩: Walka **n-a.**

narodowy 1. Kolory **n-e** ⟨*połączenie kilku kolorów w ściśle określonym porządku, będące symbolem danego państwa*⟩. **2.** Bohater **n.**; **n.** demokrata, liberał. **3.** Honor **n. 4.** Hymn **n.**, pieśń **n-a. 5.** Język **n. 6.** *kult.* Kościół **n.** ⟨*wyznanie chrześcijańskie wywodzące się z wyznania rzymskokatolickiego, lecz nie uznające zwierzchności papieża i używające liturgii w języku narodowym*⟩. **7.** Tradycja **n-a. 8.** Sztuka, twórczość **n-a. 9.** Mienie **n-e. 10.** Obyczaje, zwyczaje **n-e. 11.** Oświata **n-a. 12.** Państwo **n-e** ⟨*państwo, którego ludność reprezentowana jest przez jeden naród*⟩. **13.** Powstanie **n-e** ⟨*zmierzające do wyzwolenia narodowego*⟩. **14.** Pisarz, wieszcz **n. 15.** Przemysł **n. 16.** Przynależność **n-a**, świadomość **n-a. 17.** Rada **n-a** ⟨*w Polsce: organ terenowej władzy państwowej*⟩. **18. n.** ruch oporu. **19.** Sprawa **n-a. 20.** Strój **n. 21.** Szkoła **n-a** ⟨*w stosunku do jakiegoś narodu: szkoła, w której językiem wykładowym jest jego język*⟩. **22.** Święto **n-e** ⟨*ustanowiony przez państwo dzień, najczęściej rocznica ważnego wydarzenia historycznego, obchodzony jako święto*⟩. **23.** Taniec **n. 24.** Wojna **n-a. 25.** Wojsko **n-e.**

narodzić się Czuję się tak, jakbym się na nowo (znowu) narodził ⟨*czuję się odmłodzony, czuję się doskonale*⟩.

narozlewać n. krwi ⟨*odnieść lub zadać wiele ran, walcząc zranić lub zabić wiele osób*⟩: Małom to się natłukł, nakołatał, nocy bezsennych na kulbace spędził, krwi swojej i cudzej narozlewał? *Sienk. Pot. VI, 207*.

narożkowy ⟨*będący, znajdujący się na rożku*⟩ *reg.* Szatka **n-a** ⟨*biała chustka na głowę z wyhaftowanym obustronnie znaczkiem krzyżykowym na czterech rogach; noszona dawniej przez śląskie Góralki*⟩.

naród 1. Bratni **n. 2.** Mały, potężny, wielki **n. 3. n.** polski, francuski, czeski; **n.** starożytny. **4. n-y** germańskie, romańskie, słowiańskie. **5.** *daw.* **n.** kobiecy ⟨*rodzaj kobiecy, kobiety*⟩: Chytry bo ten naród kobiecy i skryty, co innego w mowie, a całkiem co innego w sercu. *Jun. Bracia 155*. **6.** *daw.* **n.** szlachecki ⟨*stan szlachecki, szlachta*⟩. **7.** *przen. żart.* Żabi, ptasi **n.** ⟨*rodzaj, gatunek żabi, ptasi*⟩. **8.** Przyszłość narodu (*przen.* o młodzieży). **9.** Zasada samostanowienia narodów. **10.** Liga Narodów ⟨*związek państw, utworzony po pierwszej wojnie światowej, mający na celu pokojowe rozstrzyganie sporów pomiędzy swoimi członkami i zapobieganie zbrojnym konfliktom*⟩. **11.** Organizacja Narodów

Zjednoczonych ⟨*związek państw, utworzony po drugiej wojnie światowej, mający na celu zapewnienie pokoju na świecie i bezpieczeństwa każdego narodu*⟩. **12.** Prawo narodów ⟨*ogół norm prawnych przyjętych przez większość państw, obejmujących głównie stosunki między państwami*⟩. **13.** *posp.* Moc narodu ⟨*dużo ludzi*⟩: Na placu zebrało się moc narodu. **14.** Podbić, ujarzmić **n. 15.** Służyć narodowi.

narów 1. Brzydki **n.** ⟨*nałóg*⟩. **2.** Koń bez narowów, z narowem: W dyszlu kasztany tęgie, ale ten z prawej strony na orczyku z narowem. *Orzesz. Eli II, 83.* **3.** Mieć **n-y. 4.** Wykorzenić **n.**

narty 1. n. biegowe, slalomowe, turystyczne, zjazdowe. **2. n.** podporowe. **3. n.** wodne ⟨*używane do ślizgania się po powierzchni wody za ciągnącą sportowca motorówką*⟩. **4.** Jeździć, wyruszyć na nartach. **5.** Pójść na **n. 6.** Przypiąć **n. 7.** Pojechać na **n.** ⟨*pojechać na urlop, wypoczynek, wakacje z zamiarem spędzania ich na jeździe na nartach*⟩. **8. n.** niosą.

naruszać, naruszyć 1. n. c o: **n.** prawo ⟨*pogwałcić*⟩: Naruszają prawo międzynarodowe, łowiąc cudze okręty na wodach obcego państwa. *Tyg. Ilustr. 2, 1900.* **2. n.** kość, kręgosłup itp. ⟨*uszkodzić*⟩: Upadł tak nieszczęśliwie, że naruszył sobie kręgosłup. *SL.* **3. n.** przysięgę ⟨*nie dotrzymać przysięgi*⟩: Bo kto przysięgę naruszy, ach, biada jemu, za życia biada! *Mick. Ball. 20.* **4. n.** równowagę ⟨*wytrącić z równowagi*⟩: Teraz dopiero załoga pojęła, jak rozumne było rozporządzenie kapitana dotyczące usunięcia brył przymarzłych do boków okrętu. Bryły te mogły naruszyć równowagę okrętu i zatopić go. *Sier. Now. 115.* **5. n.** umowę ⟨*nie dotrzymać umowy*⟩: Zrobiła zobowiązanie na rok cały i nie może naruszyć umowy. *Jun. Now. 140.* **6.** *przestarz.* **n.** kogo ⟨*o chorobie: dotknąć, zmóc*⟩: Jednego dnia z wielkiej złości paraliż jegomości naruszył, i umarł nieboraczek. *Chodź. Pisma I, 371.*

narwać, narywać 1. Narwać czego: kwiatów, owoców, zielska. **2.** *przestarz.* **n.** gardła ⟨*nakrzyczeć się, zachrypnąć od krzyku*⟩: Narwał sobie gardła. *Ossol. Nie użyje 13.* **3.** Rany narywają ⟨*wzbierają ropą, obierają się*⟩.

narwać się, narywać się *posp.* **n. się** na kogo, na co ⟨*porwać się na kogo, na co, narażając się na przykre następstwa*⟩.

narybek 1. *przen.* **n.** ⟨*młode siły, młode pokolenie, nowe kadry w dziedzinie jakiejś specjalności, nauki, pracy, sportu itp.*⟩. **2. n.** aktorski, dziennikarski itd.: Teatry otrzymują corocznie liczny i interesujący narybek aktorski. *Prz. Kult. 17, 1954.*

narząd 1. n-y artykulacyjne, mowne. **2. n-y** anatomiczne, głosowe, słuchowe, smakowe, oddechowe, wydalnicze, wydzielnicze, płciowe, rozrodcze, kopulacyjne, wewnętrzne, żujące; wykonawcze, odbiorcze. **3. n-y** zmysłów; **n-y** ruchu, równowagi, węchu, słuchu, wzroku. **4. n-y** czepne (u pasożytów).

narzekać 1. n. n a k o g o, n a c o: np. na syna, na córkę; **n.** na biedę, na niedostatek, na złe czasy. **2.** Nie mogę **n.**: Jak ci się powodzi? — Nie mogę **n.** ⟨*znośnie, nieźle*⟩.

narzędzie ● ⟨*urządzenie techniczne, przyrząd, instrument*⟩ **1. n.** astronomiczne, fizyczne, matematyczne itp.; **n.** ciesielskie, chirurgiczne, geodezyjne, gospodarskie, kreślarskie, kowalskie, miernicze, rolnicze, rusznikarskie, rybackie itp. **2. n-a** gospodarskie: W sieniach, jak zwykle na wsi, wszystkie narzędzia gospodarskie stały, leżały przy ścianach: niecki, beczki, żłukta, garnki, grabie, rydle, widły, drabiny. *Krasz. Sfinks I, 154.* **3. n.** kamienne, krzemienne. **4. n.** mordercze, śmiercionośne. **5. n.** ostre, tępe, tnące, skrawające, pomiarowe, pneumatyczne, ręczne, maszynowe, uniwersalne, oblężnicze. **6.** *daw.* **n-a** piśmiennicze ⟨*przybory*⟩. **7. n.** c z e g o a. d o c z e g o: **n.** kary, obrony, pracy; **n.** śmierci, masowej zagłady, walki, wojny, tortur. **n.** do wkręcania śrub, do pracy. **8.** *przen.* **n.** władzy.

● ⟨*o kimś, kto jest biernym wykonawcą cudzej woli, czyichś rozkazów, planów itp.*⟩ **9.** Bezwolne, bierne, podatne, powolne, posłuszne, ślepe **n.**: Cenił [go] jedynie jako posłuszne narzędzie, potrzebne mu do wykonywania pewnych zarządzeń. *Hulka Żyrar. 307.* **10.** Służyć komu (a. w czyichś rękach) za **n.** czego. **11.** Używać kogo za **n.** do czego.

narznąć, narżnąć 1. n. sieczki. **2. n.** ludzi ⟨*nazabijać*⟩. **3.** *tryw.* **n.** w portki (ze strachu) ⟨*narobić*⟩.

narzucać, narzucić 1. n. c o — n a c o, n a k o g o ⟨*włożyć, nałożyć*⟩: **n.** palto, suknię, szlafrok itp. (na ramiona; na siebie, na kogo); **n.** glinę, tynk, wapno (na ścianę budowli) ⟨*kłaść, położyć*⟩. **2. n.** k o m u — c o ⟨*zmuszać kogo do przyjęcia czego, podporządkować sobie kogo*⟩: **n.** komu swoją wolę, swoje zdanie, swoje panowanie. **n.** zwyciężonym twarde warunki. - Ojciec narzucił mu ideał obcy duszy i niezrozumiały. *Żer. Przedw. 96.* **3. n.** komu towarzyszów, towarzystwo ⟨*zmuszać do przebywania w czyim towarzystwie*⟩: Jeszcze raz proszę Pani, abyś mi wybaczyła, że Jej śmiałem narzucać nieznajomych towarzyszów. *Mick. Listy II, 183.* **4. n.** oczka ⟨*w specjalny sposób nawiązać na druty wełny, przędzy itp. zaczynając robotę dzianą; dorobić oczek przy poszerzaniu formy*⟩: Narzucić na drut 36 oczek i przerobić ściągaczem 15 cm. *Gaz. Rob. 270, 1954.* **5. n.** tempo (w biegu) ⟨*dyktować*⟩: Teraz Malström, który doskonale wytrzymywał narzucone mu tempo, uznał za stosowne jeszcze je powiększyć, i objął prowadzenie. *Prom. Opow. 138.*

narzucać się, narzucić się n. się komu ⟨*ofiarowywać się z czym mimo czyjejś woli, gwałtem nastręczać się z czym, być natrętnym, wpraszać się*⟩: **n. się** komu z towarzystwem, z usługą, z przyjaźnią. Coś narzuca się (komu) ⟨*nastręcza się, nasuwa się, przychodzi na myśl*⟩: Pamiętało wielu postać Sobieskiego i mimo woli narzuciło się porównanie. *Krasz. SW.*

nasadzić, nasadzać 1. n. c o — n a c o ⟨*nałożyć, wsadzić, osadzić*⟩: **n.** bagnet na broń (na lufę), kosy na sztorc; **n.** okulary na nos. **2. n.** c z y m ⟨*nabić, wyłożyć*⟩: Rząd na koniu turecki, suty, srebrny, pozłocisty, kamieniami nasadzany. *Kit. Opis 307.* **3. n.** c o — n a c z y m: **n.** kurę, kaczkę itp. na jajach ⟨*posadzić kurę, kaczkę itp. na pewien okres na jajach dla wysiedzenia piskląt*⟩. **4. n.** k o g o n a k o g o ś ⟨*namówić, nasłać kogo przeciw komu; polecić, powierzyć zastawienie zasadzki na kogo*⟩: O ja nieszczęśliwa!... Przysięgnę, że to on, nikczemnik, nasadził na mnie tych bandytów. *Prus Lalka I, 269.* **5.** *daw.* **n.** słuch ⟨*skierować słuch*⟩: Dzik posłyszawszy psy, ruchnął kilka razy, nasadził słuch w tę stronę, szczecinę grzbietną najeżył. *Wójc. Zar. III, 91.* *przysł.* **6.** Kiedy diabeł czego nie dokaże, to babę nasadzi.

nasenny Środki **n-e**, pigułki **n-e** ⟨*wywołujące, sprowadzające sen; dane na sen; usypiające*⟩.

nasercowy Środki **n-e** ⟨*środki lecznicze, przeważnie pochodzenia roślinnego, wzmacniające czynność mięśnia sercowego*⟩.

nasiadowy Kąpiel **n-a** ⟨*nasiadówka*⟩.

nasiąkać, nasiąknąć 1. n. c z y m ⟨*najść płynem*⟩: **n.** wilgocią, wodą; *przen.* **n.** aromatem, wonią; goryczą, łzami. **2. n.** o d c z e g o: Ubranie nasiąkło od wilgoci. *SPP.*

nasienie 1. Nasiona celne ⟨*dobre, wybrane, zapewniające plony, doborowe, kwalifikowane*⟩. **2.** Nasiona lotne, pływające, skrzydlate. **3.** Nasiona oleiste, słonecznikowe. **4.** Hodowca nasion. **5.** Skład nasion. **6.** Wysiew nasion. **7.** Zanieczyszczenie nasion. **8.** Wyhodować (roślinę) z nasion. **9.** Zostawić czego (np. pszenicy) na **n. 10.** Nasiona kiełkują, zawiązują się. **11.** *pogard.* Dziadowskie, hyclowskie, sobacze, złodziejskie itp. **n.** ⟨*wyzwiska*⟩: Gdyby to jeszcze Jędruś wykombinował, rozumiem, chłopak ma tęgi łeb. Ale taki nygus, dziadowskie nasienie, jak ten Tomasz? *Bart. L. Ludzie 169.*

nasienny 1. Drzewostan, las **n.** ⟨*który wyrósł z nasion; przeznaczony do produkcji nasion*⟩. **2.** Gospodarstwo **n-e** ⟨*hodujące rośliny nasienne*⟩. **3.** Rok **n.** ⟨*w którym drzewa wydają nasienie*⟩. **4.** Rośliny **n-e** ⟨*rozmnażające się przez nasiona*⟩. **5.** Torebka **n-a** (rośliny). **6.** Ziarno, żyto itp. **n-e** ⟨*dające pełnowartościowe, cenne nasiona*⟩.

naskrobać 1. n. c z e g o: **n.** kartofli, marchwi, chrzanu. **2. n.** c o (*rzad.* czego): **n.** sobie głowę (głowy) ⟨*nabiedzić się z czym wiele, namozolić, natrudzić się myśleniem*⟩: Trzeba mu wprzód paznokci dobrze nagryźć, głowy naskrobać, niźli w pióro wpłynie rym gotowy. *L.* **3.** *rzad.* **n.** komu skórę ⟨*obić kogo, ochłostać*⟩. **4.** *żart.* **n.** korespondencję, tom utworów ⟨*napisać co byle jak; nabazgrać, nagryzmolić*⟩: Po moim dramacie wysiliłem się i ledwo naskrobałem jedną korespondencję, którą i tak trzeba przerobić. *Sienk. Koresp. I, 227.*

nasłać, nasyłać n. k o g o, c o — n a k o g o, n a c o: a) ⟨*przysłać na czyją szkodę*⟩: **n.** na kogo mordercę, zbirów; b) a. **n.** komu kogo ⟨*przysłać kogoś niechętnie widzianego*⟩: **n.** na kogo egzekutora, reporterów, swatów. - Nasłał mi tego gadułę. *SW.*

nasłuch n. radiowy ⟨*śledzenie komunikatów radiowych*⟩. Odbierać, zapisywać **n-y** ⟨*komunikaty radiowe*⟩: Każdy zawodnik musiał odebrać i zapisać 3 pięciominutowe nasłuchy tekstu literowego, cyfrowego i mieszanego. *Radioam. 10, 1953, s. 8.*

nasmarować 1. n. c o — c z y m: **n.** chleb masłem, smalcem; włosy pomadą, narty smarem. **2. n.** list, wypracowanie itp. ⟨*napisać niedbale*⟩. **3. n.** komu ręce (łapę) ⟨*przekupić kogo, dać komu łapówkę*⟩: Myślałem nasmarować łapę komornikowi, ale Szmul widać z duszą i z ciałem był go zakupił. *Choj. Alkh. I, 260.* *przysł.* **4.** Kto lepiej nasmaruje, temu nie skrzypi. **5.** Kto nasmaruje, ten pojedzie sporzej.

nasolić 1. n. mięso, słoninę ⟨*przyprawić solą*⟩. **2. n.** beczkę ogórków. **3.** *przestarz.* **n.** komu ⟨*dać się we znaki*⟩: No, no już ja ci nasolę. *Rog. SW.*

nastać, nastawać 1. Wieczór, mróz nastaje ⟨*rozpoczyna się, przychodzi*⟩. **2.** Czas nastaje; czasy nastają: Z nową epoką nastały dla miasta cięższe czasy, wojny, rozterki domowe i chwilowe tylko błyski powrotu do życia dawnego. *Krasz. Kartki 734.* **3.** Nastaje wiosna, lato, odwilż. Nastają chłody, pluchy, upały, zimna itp. **4. n.** do kogoś na służbę ⟨*pójść do kogo na służbę*⟩: Nastałam do państwa Cichanowskich na służbę. *Witow. Ludzie 116.* **5. n.** p o k i m ś, p o c z y m ś ⟨*nastąpić, zająć czyje miejsce*⟩: Władysław IV nastał po Zygmuncie III. *SW.*

nastanie Z nastaniem czego; przed nastaniem czego ⟨*z rozpoczęciem, z przyjściem czego; przed rozpoczęciem, przed przyjściem czego*⟩: Z nastaniem nocy chłód dawał nam się we znaki. *Fiedl. A. Biz. 228.* Roboty szły z podwójną szybkością. Trzeba było się śpieszyć przed nastaniem pierwszych mrozów. *Zap. G. Dzień 56.*

nastawać 1. n. n a k o g o ⟨*usilnie domagać się czego od kogo, wywierać presję na kogo*⟩: Wielcy panowie podniecili szlachtę i wspólnie z nią na króla nastają, aby Barbarę porzucił. *Lel. SW.* **2. n.** n a c o: a) ⟨*godzić w co, dybać na co, zagrażać czemu*⟩: **n.** na cnotę, cześć, uczciwość, życie czyje; b) a. o c o ⟨*nalegać na co, upominać się o co*⟩: Krewni poety usilnie nastawali na to, ażeby propozycję przyjął. *Chmielow. SW.* O co stryj wielce nastawał. *Sienk. SPP.* **3. n.** na czyją zgubę ⟨*dążyć do czyjej zguby*⟩: Tak się poróżnili, że jeden na drugiego zgubę nastawał. *Moracz. Dzieje III, 74.* **4.** *daw.* **n.** na czyją szyję ⟨*zagrażać czyjemu życiu*⟩: Odpuszczam mu z serca, że na szyję moją nastawał. *Sienk. Pot. IV, 138.*

nastawiać, nastawić 1. n. aparat radiowy (radio), płytę, gramofon (patefon), telewizor ⟨*przygotować aparat, płytę do działania; naregulować*⟩: Nastawiła płytę z tym samym walcem, który grano wtedy, na balu. *Prusz. Karabela 214.* **2. n.** budzik (na określoną godzinę) ⟨*naregulować, przygotować tak, aby dzwonił*⟩. **3. n.** celownik ⟨*przed strzałem: zmierzyć za pomocą celownika odległość*⟩: Założywszy nowy ładunek, nastawiłem celownik na 400 kroków i dałem jeszcze jeden strzał, lecz bez skutku. *Grąb. Wspom. 77.* **4. n.** kołnierz ⟨*postawić*⟩: Ubiera się w przedpokoju, nastawia kołnierz, bierze Basię za rękę i wychodzi na ganek. *Iwasz. J. Odbud. 100.* **5. n.** lornetkę ⟨*naregulować, przystosować do oka*⟩. **6. n.** nalewkę ⟨*zalać owoce albo zioła spirytusem i zostawić na pewien czas*⟩. **7.** *pot.* **n.** wodę, kartofle, wieczerzę ⟨*postawić naczynia z obiadem, wodą itp. na ogniu (na płycie kuchennej), aby zagotować wodę itp.*⟩. **8. n.** pierś a. piersi, głowę, karku, grzbietu, łba itp. ⟨*narazić się na niebezpieczeństwo, na utratę zdrowia lub życia, narazić zdrowie, życie*⟩: Będziesz jeszcze miał czas i sposobność głowę nastawiać. *Jeż Uskoki I, 142. por.* nadstawiać. **9.** *pot.*

n. samowar (samowarek) ⟨*przygotować samowar do zagotowania wody na herbatę*⟩: Felek nastawiał rano i wieczór samowar. *Niedź. Dzieło 138.* **10. n.** statek pod wiatr ⟨*ustawić, skierować*⟩: Żagle utrudniają mi sterowanie i początkowo nie zawsze udawało mi się nastawić prawidłowo statek pod wiatr. *Cent. Wyspa 235.* **11. n.** ucha (lub ucho, uszu, uszy) ⟨*natężyć słuch, skupić uwagę, wysłuchać pilnie, uważnie*⟩: Marszczyła brwi i nastawiała uszu chcąc zrozumieć, co do niej mówią. *Goj. Dom 138. por.* nadstawiać. **12. n.** uszy ⟨*o zwierzętach: postawić uszy na sztorc, podnieść w momencie wzmożonej uwagi, czujności*⟩: Pies [...] warował czujnie z chrapami rozdętymi i nastawionymi uszami. *Goj. Dom 154. por.* nadstawić. **13. n.** zegarek ⟨*uregulować*⟩. **14.** *med.* **n.** złamania i zwichnięcia ⟨*naprowadzać zwichniętą albo złamaną kość na właściwe miejsce; zestawiać*⟩: **n.** zwichnięte ramię, złamaną nogę itp. Jęczeli chorzy, którym [...] nastawiano złamane członki. *Orzesz. Obraz. 159.* **15. n.** c o — n a k o g o ⟨*naszykować, zastawić*⟩: **n.** żelaza na lisy, pułapkę na myszy, sidła na ptaki.

nastąpić, następować 1. n. (k o m u) n a c o ⟨*nadepnąć, nadeptać*⟩: **n.** na ciernie, na gałęzie; **n.** komu na nogę, na suknię: Jakeśmy tańczyli galopkę, jeden pan [...] tak mi nastąpił na suknię, że się aż z paska wyrwała. *Dąbr. Ig. Felka 52.* **2. n.** na cnotę, na honor, na życie (czyję) ⟨*nastawać na co, godzić w co, dybać na co*⟩: Padł tak, jakby go kosą z nóg ścięło, tego samego dnia, gdy miał na cnotę tej panienki nastąpić. *Sienk. Pot. V, 196.* Nie chcę ani na honor, ani na życie jego następować. *L.* **3. n.** p o k i m, p o c z y m ⟨*zająć opróżnione po kim miejsce; nastać, nadejść*⟩: Po Władysławie Łokietku nastąpił syn jego Kazimierz. *SL.* Po burzy następuje pogoda. **4.** Następują komplikacje ⟨*zachodzą, mają miejsce*⟩: U jednego z operowanych nastąpiły niespodziewane komplikacje. *Zap. G. Ptak II, 158.* **5.** Wypadki po sobie następują: Wypadki tak szybko następowały po sobie, że dziewczyna nie umiała zdać sobie sprawy ze wszystkiego, co ją spotkało. *Sienk. Ogn. II, 44.* **6.** Nastąpił pokój ⟨*nastał*⟩. **7.** Nastąpiła śmierć ⟨*coś (choroba, wypadek itp.) zakończyło się śmiercią czyją*⟩. **8.** *przestarz.* dziś *książk.* Następuje nieprzyjaciel, wojsko ⟨*naciera, atakuje*⟩: Nastąpiły zatem wojska regularne. *Kras. Podstoli 159.* **9.** Następuje wyjazd ⟨*przychodzi do skutku*⟩: Wiedziała o jego zamierzonym wyjeździe, ale nie spodziewała się, że tak szybko nastąpi. *Jackiew. Wiosna 149.* **10.** *posp.* Nastąp się! ⟨*okrzyk skierowany do bydlęcia, aby się nieco usunęło*⟩: No, „Gniada", nastąp się. *Życie Lit. 5, 1954.*

następca 1. *żart.* **n.** tronu ⟨*syn pierworodny*⟩. **2.** Stać się czyim następcą. **3.** Wyznaczyć, zostawić po sobie następcę.

następować p. **nastąpić**

następstwo ● ⟨*następowanie w czasie*⟩ **1.** *jęz.* **n.** czasów ⟨*consecutio temporum*⟩. **2. n.** tronu. **3.** Prawo następstwa: Bolesław Krzywousty uregulował prawo następstwa w Polsce osobnym statutem, ustanawiającym tzw. seniorat. *Piw. Hist. 19.* **4. n.** zjawisk, sytuacji, wydarzeń: Geolog interesuje się przede wszystkim [...] kolejnym następstwem zjawisk zachodzących na powierzchni Ziemi. *Radlicz Geogr. VIII, 279.*

● ⟨*skutek, wynik, konsekwencja*⟩ **5.** Niebezpieczne, nieobliczalne, opłakane, smutne **n-a** (czego). **6.** W następstwie (czego) ⟨*w konsekwencji*⟩: Potrafił zbliżyć się do tego człowieka, a w następstwie pozyskać jego ufność. *SW.* **7.** Być następstwem czego ⟨*być rezultatem czego, wynikać z czego*⟩: Wyniszczenie jego organizmu było następstwem długotrwałej choroby. **8.** Mieć, pociągać za sobą **n-a**; mieć co w następstwie ⟨*pociągać skutki, powodować co*⟩: Będzie to miało a. pociągnie to za sobą bardzo smutne następstwa. *SW.* **9.** Znosić **n-a** czego: Jeśli zrobisz co złego, to miejże odwagę znosić następstwa, a nie wykręcać się jak dzieciak. *Reym. Ferm. I, 114.* **10.** Zostawiać **n-a**. Choroba zostawia (nie zostawia) następstwa (następstw). **11. n-a** wynikają z czego: Jakie stąd wynikną następstwa, domyślić się łatwo. *SW.*

nastręczyć, nastręczać 1. n. k o m u — k o g o, c o ⟨*polecić, zarekomendować*⟩: Pośrednik nastręczył jej lokatorów na ostatnie wolne trzypokojowe mieszkanie. *Goj. Rajs. II, 30.* Prosił mnie, ażebym mu nastręczył do nabycia jaką kamienicę. *Prus Lalka III, 22.* **2. n.** (częściej *ndk*) kłopoty, okazję, sposobność, trudności, wątpliwości ⟨*nasuwać, przedstawiać; powodować*⟩: Jego uwagi nastręczają wiele wątpliwości. *SW.*

nastręczyć się, nastręczać się 1. *nieco przestarz.* **n. się** k o m u c z y m — z c z y m ⟨*narzucić się, narzucać się*⟩: Nie okazując mi najmniejszej niechęci, nie nastręczała mi się swoim towarzystwem. *Kamień. Pam. 76.* Ręczę, że on sam nastręczył się hrabiemu z tą pożyczką, żeby utrzymać się przy karczmie. *Święt. A. Twinko 28.* **2.** Nastręcza się okazja, sposobność ⟨*nasuwa się, zdarza się*⟩. **3.** Nastręcza się partia (małżeńska) ⟨*trafia się*⟩: Pomimo nastręczających się kilku bardzo dobrych partyj za mąż wychodzić nie chciała. *Nałęcz. Szmat 71.* **4.** Nastręczają się przeszkody ⟨*nasuwają się, powstają*⟩: Przychodziło jej do głowy, czyby wziąwszy dla bezpieczeństwa część Azjowych żołnierzy, lepiej nie wrócić — różne jednak nastręczały się przeszkody. *Sienk. Wołod. III, 12.* **5.** Nastręcza się pytanie, czy... ⟨*nasuwa się, zachodzi*⟩.

nastroić, nastrajać 1. n. (zwykle *dk*) fortepian, skrzypce, lirę, gitarę, instrument muzyczny ⟨*doprowadzić do właściwego tonu*⟩. **2.** *daw.* Nastroić minę, lice, postać itp. ⟨*zrobić jakąś minę, przybrać umyślnie jakiś wyraz twarzy albo postawę stosownie do okoliczności*⟩: Pan Wołodyjowski zabrzdąkał w lutnię, nastroił pocieszną minę i zaintonował fałszywym głosem. *Sienk. Pot. I, 101.* **3.** *przestarz.* **n.** pistolety ⟨*nabić pistolety*⟩: Dobył kieszonkowe pistolety z walizy i począł je na wszelki przypadek nastrajać. *Krasz. Kartki 227.* **4. n.** kogo ⟨*usposobić; usposabiać*⟩. **5. n.** kogo (do czego) dobrze, przychylnie, źle, podejrzliwie itp.: Zazdrość [...] nastrajała go podejrzliwie. *Perz. Las 165.* **6.** Coś nie nastraja do czego ⟨*nie usposabia*⟩: Rozmowa nie bardzo się klei, niewiele mamy sobie do powiedzenia, to, co nas czeka, jest zbyt poważne i nie nastraja do byle gadaniny. *Rudn. A. Ucieczka 28.*

nastroić się, nastrajać się n. się na (jaką) nutę ⟨*wywołać w sobie pewien stan, nastrój*⟩: W tej pannie nie było nic z przybranego sentymentu, nic z nastrajania się na nutę znaną i modną, nic z jakiegokolwiek snobizmu. Była wciąż sobą. *Żer. Uroda 47.*

nastrój 1. Apatyczny, ciepły, doskonały, grobowy, kamienny, kwaśny **n. 2. n.** kościelny, mistyczny, modlitewny, odświętny. **3. n.** panikarski, podniosły, poetycki, pogodny. **4. n.** pogrzebowy, ponury, posępny, poważny; radosny, różowy, romantyczny, serdeczny, sielski, smutny. **5. n.** szampański, świąteczny, tęskny, uroczysty, wesoły, wiosenny, wojowniczy, zimowy. **6. n.** c z e g o a. d o c z e g o: a) ⟨*stan uczuciowy, usposobienie (chwilowe)*⟩: **n.** niepokoju, oczekiwania; **n.** do rozmowy, do żartów; b) ⟨*atmosfera uczuciowa*⟩: **n.** powagi, uroczystości; **n.** szkoły; c) ⟨*ton*⟩: **n.** pieśni, utworu. **7.** Być w nastroju do czego ⟨*być usposobionym do czego*⟩: Nie był w nastroju do rozmowy. Dać się unieść nastrojowi chwili. **8.** Popsuć, zamącić, zmienić **n.**: Nic nie zamąciło podniosłego nastroju zebrania. *SL.* **9.** Odczuwać, oddawać, odtwarzać, odzwierciedlać **n. 10.** Wnieść, wnosić **n. 11.** Wpadać, wpaść w **n. 12.** Wyczuć, wywołać, wzbudzić **n. 13. n.** (jaki a. czego) ogarnia, porywa (kogo): Ogarnął go nastrój zwątpienia. *SPP.* **14. n.** (czyj) zmienia się: Dziesięć razy na dzień zmienia się mój nastrój. *Dąbr. Ig. Śmierć 35.*

nastrzępić, nastrzępiać 1. n. brwi, wąsy ⟨*nastroszyć*⟩. **2. n.** język a. języka ⟨*dawać rady, które nie są przyjmowane, daremnie mówić*⟩. *por.* Strzępić język (pod język).

nastrzyc *żart. rzad.* **n.** uszy ⟨*natężyć słuch*⟩: Mandatariusz rozdziawił gębę, wybałuszył oczy, najeżył wąsy i nastrzygł uszy, ale nie rozumiał nic. *Łoz. Wal. Dwór 239.*

nasunąć, nasuwać 1. n. czapkę (na uszy); buty (na nogi); włosy (na czoło); kołdrę (pod brodę) ⟨*nagarnąć, naciągnąć*⟩. **2.** *rzad.* Nasunąć ławy ⟨*przysunąć*⟩. **3.** Coś nasuwa myśl, refleksje, temat do dyskusji, sposobność ⟨*podsuwa, poddaje*⟩: Szereg refleksji nasunęła gra artystów, występujących w sztuce. *Loren. Dwadz. 347.* Jakaś myśl mi zaświtała w głowie, która mi nasuwała sposobność upieczenia dwóch pieczeni przy jednym rożnie. *Kaczk. Murd. I, 61.*

nasunąć się, nasuwać się 1. n. się komu na (przed) oczy ⟨*stawać w czyimś polu widzenia, dać się widzieć komu*⟩: Nie bój się, ja ci się nie będę nasuwała przed oczy. *Żer. Grzech. 74.* **2.** Nasuwa się myśl, przypuszczenie, potrzeba, pytanie, spostrzeżenie, temat ⟨*zjawia się, pojawia się, nastręcza się, zachodzi*⟩: Z upływem roku miałem skończyć studia we Lwowie i nasuwała się potrzeba pomyślenia o tym, co pocznę dalej. *Lam J. Głowy III, 51.* Nasuwają się wątpliwości, nie nasuwają się żadne wątpliwości.

nasycić, nasycać 1. n. (czyją) ciekawość, próżność; chciwość ⟨*zaspokoić, zadowolić*⟩: Z Drezna przybywszy do Warszawy, rozrywany po domach, używał przyjemności, jaką daje nasycona próżność. *Koźm. Pam. III, 436.* **2. n.** c o — c z y m ⟨*napuścić*⟩: **n.** papier woskiem. **3. n.** serce zemstą ⟨*zaspokoić*⟩: Żył tylko myślą, że gdy serce zemstą nasyci, będzie szczęśliwszy i spokojniejszy. *Sienk. Wołod. III, 125.* **4. n.** czym oczy, wzrok ⟨*patrzeć na co do syta, do upojenia; napatrzeć się*⟩: Gdybyż raz jeszcze ujrzeć ją, stęsknione oczy nasycić czarem jej postaci. *Staff L. God. 83.* **5.** *kip.* Nasycić miodu ⟨*przerobić (przez gotowanie) miód przaśny na pitny*⟩: Zabili tucznego wieprza, napiekli chleba i kołaczów, nasycili miodu. *Jezier. Rzepicha 296.*

nasycić się n. się czyim widokiem ⟨*napatrzyć się do syta*⟩: I począł patrzeć na nią, jakby chciał nasycić się jej widokiem. *Sienk. Quo I, 70.*

nasyłać p. nasłać

nasyp n. drogowy, kolejowy, ziemny. Budować **n.** Pracować przy nasypie.

nasypać 1. n. c o a. c z e g o — n a c o ⟨*posypać czego na co*⟩: **n.** popiołu, piasku na głowę. *żart.* **n.** komu soli na ogon ⟨*schwycić, złapać kogo*⟩: Ja chodu, przez Brynicę, ażem sobie papierochy zamoczył [...] Nasypcie mi soli na ogon! Na wodzie śladów nie ma! *Jackiew. Górn. 22.* **2. n.** k o m u — c z e g o ⟨*posypać*⟩: **n.** kurom ziarna. **3. n.** c o a. c z e g o — d o c z e g o l u b w c o ⟨*wsypać*⟩: **n.** zboża do worka, cukru do herbaty. Wiatr nasypał mi piasku w oczy. **4. n.** kupę czego ⟨*sypiąc nagromadzić*⟩: **n.** kupę kamieni, ziemi, zboża.
przysł. **5.** Nie nasypiesz dziurawego wora.

nasz 1. *pot.* **n-a** (jest, będzie) na wierzchu ⟨*nasza racja (sprawa) okaże się słuszna*⟩: Oczekujemy dekretu, spodziewając się, że nasza będzie na wierzchu. *Krasz. Latarn. II, 23.* **2.** Po naszemu ⟨*zgodnie z naszym zwyczajem, z naszym językiem*⟩: To wszystko czynił grając na bandurce, a po naszemu na teorbanie. *Rzew. Pam. 145.* Tyle naszego, co... (że...) ⟨*jedyną naszą korzyścią jest, że...*⟩: Tyle naszego, że czasem piosenki wysłuchamy. *Prus Now. III, 17.*

naszczekać *rub.* **n.** na kogo ⟨*obmówić, oczernić kogo, nagadać na kogo*⟩: Spoglądał wokoło szukając, kto na niego naszczekał. *Braun Lewanty 298.*

naszpikować n. c o — c z y m ⟨*nadziać*⟩: **n.** pieczeń, zająca (słoniną). *przen.* **n.** mowę cytatami. **n.** wilka śrutem ⟨*gęsto postrzelać*⟩.

naszyć, naszywać 1. n. c o — n a c o ⟨*przyszyć na co*⟩: Na białe płótno naszył czerwone paski. *SPP.* **2. n.** c o — c z y m ⟨*przyozdobić*⟩: Kazałem utkać sztandar i naszyć go złotem i klejnotami. *Jeż Uskoki II, 74.* **3.** Naszyć czego ⟨*uszyć wiele*⟩: **n.** koszul, garniturów. **4.** Naszyć sobie czego ⟨*kazać wiele uszyć, posprawiać*⟩: Naszył sobie garniturów.

naśladownictwo 1. Niewolnicze, ślepe **n. 2. n.** c z e g o: **n.** obcych wzorów.

natarcie ⟨*atak*⟩ **1.** Bezpośrednie, gwałtowne; boczne, czołowe; pierwsze **n. 2.** Przystąpić do natarcia. **3.** Odrzucić nieprzyjaciela (gwałtownym) natarciem.

natarczywy 1. n-a prośba ⟨*usilna, gwałtownie się czego domagająca*⟩. **2. n-e** spojrzenie ⟨*natrętne*⟩. **3. n.** żebrak ⟨*natrętny*⟩. **4. n.** dźwięk czego; *przestarz.* **n.** krok, **n-a** napaść ⟨*gwałtowny(-a)*⟩: Obudził go natarczywy dźwięk dzwonka. *Czesz. Pocz. 21.* Już dwa razy odparte natarczywe Janczarów napaści. *Dzied. Lisow. II, 86.* **5.** Być, stać się, zrobić się natarczywym: Nie bądź zbyt natarczywy i pamiętaj, że dobre wino należy pić powoli. *Sienk. Quo I, 107.*

natchnąć n. k o g o — c z y m lub d o c z e g o ⟨*wzbudzić w kim co*⟩: **n.** kogo męstwem, optymizmem, otuchą, ufnością, wiarą, zapałem, tkliwością itp.: Nieraz radość zalewała mi serce, sądziłem bowiem, że tylko miłość może podobną tkliwością natchnąć. *Sienk. Quo II, 56.* Macież wy powieści dawnym podobne i których by treści natchnęły muzę do polotów szczytnych? *Mick. SPP.*

natchnienie 1. Poetyckie, prawdziwe **n.** ⟨*stan sprawności twórczej*⟩. **2.** *przestarz.* Z natchnienia, wedle natchnienia, pod natchnieniem, za natchnieniem itp. ⟨*z inicjatywy, z poduszczenia, pod wpływem kogo, czego*⟩: Wiersz „Grünwald", napisany pod natchnieniem obrazu Matejki, należy również do mniej udatnych. *Sienk. Wiad. II, 219.* **3. n.** do czego: a) ⟨*pomysł poddany*⟩: **n.** do swych obrazów czerpał u malarzy rodzimych; b) *żart.* ⟨*chęć, skłonność*⟩: Ma **n.** do butelki, do spania. **4.** Robić co w natchnieniu, z natchnienia, z natchnieniem: Najlepiej byś zrobił, pisząc z natchnienia, a nie podług jakich systematów. *Mick. Listy I, 358.* **5.** Grać (na jakimś instrumencie) z natchnieniem. **6.** Stać się źródłem natchnień dla kogo: Insurekcja Kościuszkowska, potem zaś epopeja Napoleońska i legiony stają się na długo źródłem natchnień dla malarstwa polskiego. *Dąbrow. T. Szt. 386.* **7.** Szukać natchnienia w c z y m (u k o g o) — d o c z e g o. **8.** Tworzyć pod wpływem natchnienia a. w natchnieniu. **9. n.** unosi kogo: Natchnienie unosi go w czarowną krainę poezji. *Sienk. Szkice I, 20.*

natchniony 1. n. mówca, wieszcz. **2. n-e** słowa, **n.** śpiew: W miarę jak znikała z jego poezji nuta patriotyczna, słabły natchnione słowa i z poety stawał się tylko wierszopisem. *Bar Kum. 162.* **3. n-a** twarz ⟨*wyrażająca natchnienie*⟩.

natężać, natężyć ⟨*wzmocnić, spotęgować*⟩ **1. n.** głos: Musicie bardzo natężyć głos [...] żeby przekrzyczeć burzę. *Melc. Statek 122.* **2. n.** siły, słuch (ucho), uwagę, wzrok: Więc natężałem wzrok, serce i ucho; i z przerażeniem rozmyślałem w sobie, jak moim dzieciom takiej nocy w grobie? *Słow. Poem. I, 286.* **3. n.** tony: Mistrz coraz takty nagli i tony natęża, a wtem puścił fałszywy akord jak syk węża. *Mick. Tad. 351.* **4.** *daw.* **n.** cięciwę, łuk ⟨*napiąć*⟩: Stał w pogotowiu z natężoną cięciwą. *Rzew. H. Zamek 123.*

natężenie 1. n. barw, świateł ⟨*intensywność, spotęgowanie*⟩: Natężenie barw i świateł bywa tu niekiedy wprost bajeczne. *Orzesz. Ad astra 30.* **2.** Robić co, myśleć z natężeniem ⟨*z napięciem*⟩.

natka *przysł.* Jaka matka taka natka ⟨*jaka matka, taka i córka*⟩.

natknąć się, natykać się 1. n. się n a k o g o, n a c o ⟨*wpaść, natrafić na kogo, na co; napotkać kogo, co*⟩: Przejechałem kilkanaście mil, nigdzie się nie natknąwszy na nieprzyjaciela. *Pam. powst. 132.* **2.** *przen.* **n. się** na obojętność: Nasz pisarz, natykając się na obojętność, rewiduje swój warsztat twórczy. *Borow. Kron. 69.*

natłok 1. n. ludzi, publiczności ⟨*ciżba, tłum*⟩: Sztukę wystawiano trzeci czy czwarty raz, przy nadzwyczajnym natłoku publiczności. *Gomul. Obraz 20.* **2.** *przen.* **n.** myśli, słów, spojrzeń, uczuć; spraw, interesów ⟨*nawał, mnóstwo*⟩: Aż mu huczało w głowie od natłoku myśli, od mnóstwa projektów. *Poraz. Kich. 154.* **3.** W natłoku czego ⟨*w nawale czego*⟩: W natłoku spraw zapomniał o jego prośbie. *SL.*

natłuc 1. n. cynamonu, pieprzu ⟨*utłuc*⟩. **2. n.** garnków, szklanek ⟨*narozbijać*⟩. **3. n.** much ⟨*nazabijać*⟩. **4. n.** kogo ⟨*pobić*⟩: **n.** chłopca. **5. n.** komu guza itp. ⟨*bijąc kogo zrobić, nabić komu guza itp.*⟩. **6. n.** sobie guza ⟨*uderzywszy się o coś zrobić, nabić sobie guza*⟩: Natłukła sobie przy tej okazji okropnego guza nad okiem. *Niedź. Grzech. 165.*

natłuc się n. się c z y m — p o c z y m ⟨*podróżować wiele, nawłóczyć się, namęczyć się podróżowaniem*⟩: Natłukłem się tymi pociągami po całej Europie. *SL.* W ciągu tego roku dużośmy się natłukli po różnych miastach, hotelach, pokojach hotelowych. *Bogusz. Nigdy 123.*

natręctwo Być narażonym na **n.** kogo ⟨*naprzykrzanie się, niepokojenie*⟩: Mijał ludne ulice miasta nie dostrzeżony przez nikogo, nie narażony na natręctwo gapiów. *Par. Przyg. 50.*

natręt 1. Być natrętem. **2.** Uważać kogo za natręta. Uważała mnie prawdopodobnie za intruza, natręta — może wprost za sezonowego łowcę posagów. *Orzesz. Ad astra 153.*

przysł. **3.** Jak mucha w potrawie, tak natręt w zabawie.

natrętny 1. n-a mucha ⟨*naprzykrzona*⟩. **2. n.** wzrok; **n-a** myśl ⟨*natarczywy(-a), niedelikatny(-a); uporczywy(-a)*⟩. **3.** Ukryć się przed natrętnym okiem ⟨*niedyskretnym*⟩.

natrzeć p. **nacierać**

natura 1. Dziewicza, dzika, górska, leśna, jałowa, piękna, skąpa, szczodra, uboga **n.** ⟨*przyroda*⟩: Szczodra natura dała jej dowcip, rozum naturalny i bystry. *Korz. J. Kolł. 17.* **2. n.** człowiecza, ludzka ⟨*cechy (usposobienie) charakteryzujące rodzaj ludzki, właściwe człowiekowi*⟩: Omyłki i wady od natury ludzkiej są nieodłączone i niejeden [...] człowiek może pobłądzić i nie raz błądzi. *Gol. Wym. 469.* **3.** Burzliwa, dobra, gwałtowna, namiętna, prosta, szczera, zamknięta (w sobie), zmysłowa, żywa **n.** ⟨*usposobienie, temperament; osoba odznaczająca się jakimś usposobieniem*⟩: Ma dobrą naturę. *SW.* Była to natura zamknięta w sobie, mało udzielająca się na zewnątrz, mało ekspansywna. *Chmielow. Poeci 48.* **4.** Silna, żelazna **n.** ⟨*organizm, zasób sił fizycznych*⟩: Dwa dni trwało pasowanie się ze śmiercią, silna natura jednak zwyciężyła. *Chłęd. Odr. 272.* **5.** Bogactwa, dary, płody, żywioły; cuda, piękno, urok; zjawiska natury ⟨*przyrody*⟩. **6.** *żart. iron.* Cud natury! ⟨*istota cudowna*⟩: Powinni mi dać nagrodę: ostatni galant w tym kraju. Cud natury! Ustępuje kobietom miejsca w tramwaju! *Winaw. Znajom. 21.* **7.** Głos natury ⟨*usposobienia, temperamentu*⟩. **8.** Opis, znajomość natury ⟨*krajobrazu, pejzażu*⟩: Znajomość natury jest tylko połową umiejętności poety. *Niemc. Rasslas. 46.* **9.** Powrót do natury ⟨*do stanu pierwotnego, poprzedzającego okres cywilizacji*⟩: Występując przeciw despotyzmowi i uciskowi, Rousseau głosił utopijną ideę powrotu do natury. *Lib. Lit. IX, 236.* **10.** Prawa natury ⟨*jednostajność, prawidłowość, niezmienność, z jaką te same zjawiska przyrody powtarzają się w tych samych warunkach*⟩. **11.** Rezerwat, park natury, *daw.* gabinet natury ⟨*wydzielony obszar mający na celu zachowanie pierwotnego stanu przyrody*⟩. **12.** Wybryk natury ⟨*rzecz o nienormalnym wyglądzie, dziwotwór, dziwoląg*⟩: Burak olbrzymich rozmiarów, istny wybryk natury. *SW.* **13.** W naturze (otrzymywać, dostawać) wynagrodzenie, zapłatę; płacić ⟨*w produktach, w towarach*⟩. **14.** W stanie natury ⟨*w stanie pierwotnym, naturalnym niecywilizowanym*⟩: Człowiek żyjący w stanie natury. *SW.* **15.** Z natury: a) ⟨*z otoczenia; z żywego modelu*⟩: Studium, szkic, zdjęcie z natury; malować, rysować, robić zdjęcia z natury; b) ⟨*z przyrodzenia*⟩: Z natury był małomówny. *Prus SPP.* **16.** Z natury rzeczy ⟨*samo przez się, nie ulegając kwestii, z konieczności*⟩: Coś wypływa z natury rzeczy. - Stosunki pomiędzy Polską a Hiszpanią z natury rzeczy nie były zbyt ożywione. *Ask. Nowe 69.* **17.** Gwałcić naturę, zadawać gwałt naturze ⟨*postępować wbrew przyrodzonym właściwościom czego, wbrew czyim wrodzonym skłonnościom*⟩. **18.** Iść za głosem, popędem natury ⟨*zgodnie z usposobieniem, temperamentem*⟩. **19.** Coś jest jakiejś natury ⟨*jakiegoś rodzaju*⟩: Wątpliwości innej natury. *Dąbr. M. SPP.* Podniesiono przeciw niemu zarzuty różnej natury. *SL.* Coś jest natury sercowej: Ogarniała go coraz silniejsza depresja, a na jej tle jęły się wzmagać jakieś przypadłości natury sercowej. *Wrocz. K. Wspom. 55.* **20.** Coś jest, leży, drzemie w czyjej naturze ⟨*w jego usposobieniu*⟩: To nie w jego naturze. *SW.* **21.** Coś jest, staje się drugą czyją naturą ⟨*czymś wrodzonym*⟩: Zacząwszy udawać pilnego ucznia, tak się wciągnął w to udawanie, że przyzwyczajenie stało się [...] drugą jego naturą. *Skiba Poziom. 64.* **22.** Coś przeciwne naturze, sprzeczne z naturą ⟨*sprzeczne z naturalnym stanem rzeczy*⟩: Przymusowa praca pańszczyźniana jest urządzeniem sprzecznym z naturą. *March. Pisma I, 79.* **23.** Mieć co w (swojej) naturze ⟨*być z natury skłonnym, usposobionym do czego*⟩: Krzysia miała to w swojej naturze, że lubiła być kochaną. *Sienk. Wołod. I, 98.* **24.** Obcować z naturą, zżyć się z naturą ⟨*z przyrodą*⟩: Wierzył, że tylko praca na roli i obcowanie z naturą odrodzi człowieka. *Hirsz. Hist. 251.* **25.** Obnażyć prawdziwą naturę w kimś; zmienić swoją naturę ⟨*prawdziwy charakter; usposobienie*⟩: Niebezpieczeństwo obnaża prawdziwą naturę w człowieku... *Żukr. Dni 42.* **26.** Otrzymać od natury; być obdarzonym od natury ⟨*od przyrody*⟩: Byli zdolniejsi ode mnie, więcej otrzymali od natury, a zmarnowali się. *Kow. A. Rogat. 120.* **27.** *przestarz.* Wypłacić, spłacić dług naturze ⟨*umrzeć*⟩. **28.** **n.** ⟨*przyroda budzi się, odradza się*⟩. **29.** **n.** a. matka **n.** była komuś macochą, darzy nas czym, hojnie kogoś uposażyła: Natura nas różnymi przymiotami darzy. *Dmoch. Rym. 42.* **30.** **n.** ⟨*usposobienie, temperament*⟩ (jakaś) odzywa się w kimś, w czymś.

przysł. **31.** Przyzwyczajenie jest drugą naturą.

naturalia ⟨*płody rolne lub ogrodowe, np. zboże, warzywa, owoce; świadczenia w naturze*⟩: Otrzymywać deputaty, płacić daninę, pobierać dochody w naturaliach.

naturalizacja ⟨*nadanie cudzoziemcowi obywatelstwa danego państwa*⟩: Podanie o naturalizację. Udzielać naturalizacji.

naturalny 1. Barwniki **n-e** ⟨*pochodzenia roślinnego lub zwierzęcego*⟩. **2.** Danina, renta **n-a** ⟨*uiszczana w towarach, w naturze*⟩. **3.** *rzad.* Dziecko **n-e**; córka **n-a**, syn **n.** ⟨*dziecko, córka, syn urodzone(-a, -y) ze związku nieślubnego, nieślubne(-a, -y), nieprawe (-a, -y)*⟩. **4.** Fotografia, film w barwach naturalnych ⟨*w takich barwach, jakie występują w rzeczywistości, a nie w biało-czarnych*⟩. **5.** Gospodarka **n-a**, gospodarstwo **n-e** ⟨*gospodarka na najniższym stopniu rozwoju, oparta na zasadzie samowystarczalności i handlu wymiennym (towar za towar)*⟩. **6.** Język **n.** ⟨*będący wytworem historycznego rozwoju w przeciwieństwie do języków sztucznych*⟩. **7.** Kolor **n.** ⟨*właściwy przedmiotom, nie sztuczny*⟩: **n.** kolor włosów. **8.** Matka, ojciec, rodzice **n-i** ⟨*matka, ojciec, rodzice dzieci nieślubnych*⟩. **9.** Posąg, portret, popiersie, figura itp. naturalnej wielkości ⟨*posąg, portret, popiersie, figura itp. mająca takie wymiary, jakie ma model w rzeczywistości*⟩. **10.** Pożytek **n.** ⟨*przychód uzyskiwany zgodnie z przeznaczeniem rzeczy i z zachowaniem zasad prawidłowej gospodarki*⟩. **11.** Prawo **n-e** ⟨*w przeciwieństwie do prawa pozytywnego — prawo przyrodzone człowiekowi, jako wypływające z jego natury*⟩. **12.** Przyrost **n.** ⟨*nadwyżka urodzin nad zgonami na danym terenie*⟩. **13.** *jęz.* Rodzaj **n.** ⟨*rodzaj fizyczny istot oznaczonych za pomocą rzeczowników (zgodny z rodzajem gramatycznym tych rzeczowników w takich wyrazach jak (ten) mężczyzna; niezgodny — w takich, jak dziewczę, gw. dziwczak)*⟩. **14.** **n.** rozsądek, wdzięk ⟨*wrodzony*⟩: Naturalny jej wdzięk podnosiła jeszcze suknia, zrobiona modnie i gustownie. *Jun. Bruk. 60.* **15.** *biol.* System **n.** ⟨*klasyfikacja gatunków organizmów na podstawie zachodzących między nimi stosunków pokrewieństwa*⟩. **16.** Śmierć **n-a**, zgon **n.** ⟨*śmierć spowodowana chorobą lub starością*⟩. **17.** *chem.* **n.** układ pierwiastków ⟨*układ pierwiastków chemicznych pierwotnie — według rosnących ciężarów atomowych pierwiastków i według periodycznie powtarzających się ich chemicznych i fizycznych właściwości, obecnie — według rosnącej liczby atomowej, określającej wielkość ładunku dodatniego jąder ich atomów*⟩. **18.** Zobowiązanie **n-e** ⟨*zobowiązanie, którego wykonania nie można dochodzić na drodze sądowej; jednakże świadczenie w wykonaniu takiego zobowiązania nie podlega zwrotowi (np. dług karciany)*⟩. **19.** **n-e** zabarwienie, **n.** kolor ⟨*przyrodzony, właściwy czemu*⟩. **20.** Być naturalnym ⟨*swobodnym, prostym, niewymuszonym*⟩: Najtrudniej jest być naturalnym. *Marc. Pisma II, 73.* **21.** Coś jest, wydaje się zupełnie **n-e**; jest rzeczą naturalną, że...; **n-a** rzecz, że... ⟨*zgodne(-a) ze zwykłym porządkiem rzeczy*⟩: Zupełnie naturalna rzecz [...] że się młoda dziewczyna kocha... *Perz. Las 54.*

natychmiastowy 1. **n-a** egzekucja (wyroku). **2.** *psych.* Pamięć **n-a** ⟨*rejestrująca szybko, ale nietrwale, pamięć doraźna*⟩. **3.** Rozwiązać umowę o pracę ze skutkiem natychmiastowym: Niestawienie się pracownika do pracy w ciągu więcej niż trzech miesięcy upoważnia pracodawcę do rozwiązania umowy o pracę ze skutkiem natychmiastowym. *Państwo 1, 1954, s. 188.*

natykać p. **natknąć**

nauczać p. **nauczyć**

nauczanie Tajne **n.** ⟨*nielegalne*⟩. **n.** zaoczne ⟨*nie bezpośrednie, korespondencyjne lub przez radio*⟩.

nauczka 1. Porządna, zasłużona **n. 2.** Dać komu nauczkę, należy się komu **n.**: Dał zuchwalcowi porządną nauczkę. *SW*. Temu panu należy się nauczka. Zaczepiać cudzą żonę. *Niedź. Dzieło 97.* **3.** Mieć nauczkę: Oto masz nauczkę... na przyszłość się nie przechwalaj! *Świerszcz. 34, 1952.*

nauczyciel 1. n. domowy, gimnazjalny, ludowy, prywatny, wiejski. **2. n.** c z e g o: **n.** szkoły podstawowej, średniej (liceum); **n.** muzyki, śpiewu, pływania, tańca. **3. n.** d o k o g o: **n.** do dzieci.

nauczycielski 1. Grono **n-e** ⟨*zespół nauczycieli*⟩. **2.** Egzamin **n.** ⟨*na nauczyciela*⟩. **3.** Pokój **n.** ⟨*pokój w budynku szkolnym przeznaczony dla nauczycieli*⟩. **4.** Praktyka **n-a. 5.** Seminarium **n-e** ⟨*kształcące nauczycieli*⟩. **6.** Siła **n-a** *książk.* ⟨*nauczyciel*⟩: Wszystkie najlepsze siły nauczycielskie prowadzą lekcje. *Dąbr. M. Noce II, 162.* **7.** Zebranie **n-e.**

nauczyć, nauczać 1. n. k o g o — c z e g o a. co robić: **n.** kogo rzemiosła; **n.** kogo czytać i pisać; **n.** psa służyć. **2.** Nauczyć kogo przez kij skakać ⟨*zmusić kogoś do karności, do posłuszeństwa; poskromić, ujarzmić*⟩. **3.** Nauczyć kogo rozumu ⟨*przywołać kogo do porządku; wskazać właściwe postępowanie; dać nauczkę*⟩: Ja pana rozumu nauczę! Jeszcze mnie pan nie znasz! *Gąs. W. Pig. 19.* **4.** Nauczać kogo o czym: Nauczać o życiu i śmierci. *Słow. SPP.* **5.** Ja cię, was nauczę! ⟨*wykrzyknienie wyrażające pogróżkę, zapowiedź dania komuś nauczki; ja cię (was) oduczę; ja ci (wam) pokażę!*⟩: Nauczę ja was, jak to napadać na cudze lasy i turbować cudzych poddanych! *Łoz. Wal. Szlach. I, 102.*

przysł. **6.** Co bardziej dokuczy, to rychlej nauczy. **7.** Co zaszkodziło, to nauczyło.

nauczyć się 1. n. się c z e g o a. co robić: **n. się** języka, wierszy na pamięć; **n. się** mówić po francusku, po węgiersku; **n. się** cenić zdrowie; **n. się** palić papierosy; **n. się** kłamać. **2. n. się** rozumu ⟨*nauczyć się właściwego postępowania*⟩: Z cudzego gadania, to się jeszcze nikt rozumu nie nauczył. *Was. W. Wierzby 39.*

nauka 1. Głęboka, gruntowna, powierzchowna **n.** ⟨*zasób wiedzy, erudycja, wykształcenie*⟩. **2. n.** teoretyczna ⟨*wiedza służąca wyłącznie celom poznawczym, nie związana z określonymi celami praktycznymi*⟩. **3. n.** stosowana, praktyczna ⟨*wiedza w zastosowaniu praktycznym*⟩. **4. n-i** dedukcyjne, empiryczne, nomotetyczne, normatywne, pozytywne, spekulatywne, spostrzegawcze, ścisłe, polityczne, prawnicze, przyrodnicze (*daw.* przyrodzone), społeczne ⟨*rodzaje, działy wiedzy*⟩. **5. n-i** tajemne ⟨*mające za przedmiot świat nadprzyrodzony*⟩. **6. n-i** wyzwolone ⟨*w średniowieczu: nauki obejmujące gramatykę, arytmetykę, geometrię, astronomię, dialektykę i retorykę*⟩. **7. n.** czytania i pisania ⟨*nauczanie*⟩. **n.** szkolna. **8. n.** chrześcijańska ⟨*doktryna*⟩. **9. n.** k o g o ⟨*doktryna; poglądy*⟩: **n.** Lutra, Platona. **10. n.** o c z y m ⟨*wiedza; wykład jakiejś wiedzy*⟩: **n.** o cieple, o człowieku. **11.** Doktor nauk (np. filozoficznych) ⟨*stopień naukowy*⟩. **12.** Polska Akademia Nauk (PAN). **13.** Czynić postępy w nauce ⟨*w studiach*⟩: Postępy w naukach czynili jakie takie, ale nienadzwyczajne. *Żer. Syzyf. 108.* **14.** Dawać komu **n-i** ⟨*upominać kogo; prawić morały*⟩: Mogłaby ciocia przy dziewczętach nauk mi nie dawać. *Zap. G. Dul. 142.* **15.** Głosić **n-i** z ambony ⟨*kazanie*⟩. **16.** Coś jest dla kogoś a. komuś nauką ⟨*przestrogą*⟩: Nieszczęścia drugich powinny być nam nauką. *SW.* **17.** *przestarz.* Kończyć gdzie **n-i** ⟨*kształcić się*⟩: Dawno domu nie widział, bo w dalekim mieście kończył nauki. *Mick. Tad. 10.* **18.** Krzewić **n-i** ⟨*wiedzę*⟩. **19.** Mieć naukę: a) ⟨*przestrogę*⟩: Dobrze ci tak, będziesz miał na drugi raz naukę. *SW*; b) ⟨*kazanie*⟩: Ksiądz pleban z ambony miał naukę. *Koss. SW.* **20.** Otrzymać naukę ⟨*przestrogę, napomnienie, ostrzeżenie na przyszłość*⟩: Ja otrzymałem wczoraj naukę, jak nigdy nie należy sądzić o ludziach z pozoru. *Orzesz. Pam. II, 224.* **21.** Napędzać kogo do nauki ⟨*do uczenia się*⟩: Nie chce się uczyć, trzeba go napędzać do nauki. **22.** Nie potrzeba na to wielkiej nauki ⟨*uczoności, wiedzy*⟩. **23.** Oddawać się, poświęcać się nauce; przykładać się do nauki ⟨*uczyć się, studiować pilnie*⟩. **24.** *przestarz.* Pobierać naukę ⟨*uczyć się*⟩: Pobierać naukę w uniwersytecie. **25.** Pochłaniać, pożerać naukę ⟨*uczyć się szybko i z zapałem*⟩. **26.** Posuwać naukę naprzód, wzbogacać naukę ⟨*wiedzę*⟩; *książk.* pracować na polu (na niwie) nauki ⟨*naukowo*⟩. **27.** Prowadzić naukę czego; utrzymywać się z nauki czego ⟨*nauczanie; z nauczania*⟩: Prowadzić naukę rysunku w szkole. Utrzymuje się z nauki śpiewu. **28.** Rozpocząć naukę ⟨*zacząć się uczyć, kształcić*⟩. **29.** *pot.* **n.** mu nie w głowie ⟨*nie myśli o uczeniu się, nie chce się uczyć*⟩. **30. n.** odbywa się ⟨*lekcje*⟩: Nauka mego oddziału odbywała się po południu. *Kow. A. Rogat. 88.* **31. n.** skąd płynie, wypływa ⟨*morał*⟩: Z tej bajki wypływa ta nauka, że... *SW.*

przysł. **32.** Nauka nie poszła w las ⟨*nauka odniosła skutek, nie poszła na marne*⟩.

naukowy 1. Badanie **n-e. 2.** Cenzus **n.** ⟨*wykształcenie*⟩. **3.** Ośrodek, zakład **n.**; ruch **n.**; koło, towarzystwo **n-e. 4.** Kariera **n-a. 5.** Pewnik, pogląd **n. 6.** Pierwsza siła **n-a,** powaga **n-a** ⟨*ceniony, poważany naukowiec*⟩. **7.** Sesja **n-a. 8.** Pracownik **n. 9.** Stopień, tytuł **n.** ⟨*stopień, tytuł uzyskany za wykazanie się wymaganym zasobem wiedzy*⟩. **10.** Teoria **n-a. 11.** Teoria naukowego socjalizmu. **12.** Termin **n. 13.** Wiedza **n-a** ⟨*teoretyczna, gruntowna*⟩. **14.** Wyprawa **n-a** (np. do Afryki, na Spitzbergen).

nawa 1. Środkowa, boczna, główna **n.** (kościoła). **2. n.** państwowa, narodowa, rządowa, społeczna itp. ⟨*państwo, naród, rząd, społeczeństwo itp.*⟩: Kto ma pokierować rozkołataną od burz periodycznych nawą państwową? *Korzon Wewn. I, 32.* **3.** *przestarz.* **n.** Piotrowa ⟨*Kościół katolicki symbolicznie traktowany jako łódź św. Piotra*⟩.

nawalać *pot.* **1.** Ktoś nawala ⟨*źle pracuje, zawodzi*⟩: Wyjeżdżam na dłuższy spływ, sam niestety, bo kompan nawalił. *New. Archip. 277.* Coś nawala ⟨*psuje się, źle funkcjonuje, przestaje działać*⟩: Motor nawalił. **2.** Kicha nawaliła ⟨*opona pękła*⟩.

nawalny Ulewa **n-a,** śnieg **n.** ⟨*burzliwy, gwałtowny*⟩: Teraz uciął deszcz nawalny, z samego jądra chmury.

Weys. Józ. Puszcza 133. Znowu wzmaga się burza, ulewa nawalna. *Mick. Tad. 272.*

nawał 1. n. interesantów ⟨*ciżba, kupa*⟩. **2. n.** powodzi, lodów ⟨*napór; gromadny napływ, napierająca kupa, fala*⟩: Grobla trzyma nawał powodzi znakomicie. *Żer. Śnieg. 19.* **3.** *przestarz.* **n.** nieprzyjacielski: Nawał nieprzyjacielski zagrażał [...] samemu sercu ziemi przemyskiej. *Łoz. Wł. Praw. I, 367.* **4. n.** pracy, spraw ⟨*wielka ilość pilnych prac, spraw*⟩: Pędzi do biura, gdzie czeka na niego nawał spraw. *Pytl. Listy 47.* **5.** Mieć **n.** czego, upadać pod nawałem czego (kłopotów, pracy). **6.** *przestarz.* Cisnąć się, runąć itp. nawałem ⟨*w wielkiej masie, tłumnie*⟩: Tłum w drzwi otwarte cisnął się nawałem. *Konopn. Poezje I, 75.*

nawała 1. Barbarzyńska, groźna **n. 2. n.** nieprzyjaciół, barbarzyńców; **n.** niemiecka, mahometańska, turecka ⟨*wielka liczba napierających nieprzyjaciół itp.*⟩: W ciągu XV stulecia nawała mahometańska, zająwszy Konstantynopol, opanowała Morze Czarne. *Bobrz. Dzieje II, 306.* **3. n.** chmur, wód ⟨*nawał*⟩: Cała chmur nawała zbiła się na zachodzie, nad głowami podróżnych wyjaśniło się. *Krasz. Baśń 45.* **4. n.** prac: Zatracili się ludzie pod nawałą drobnych prac i codziennych wydarzeń. *Strug Pocisk. 240.* **5.** *wojsk. przestarz.* **n.** ogniowa ⟨*ogień wykonany z określonym natężeniem w ciągu krótkiego czasu do jednego celu lub do grupy celów połączonych w jeden odcinek*⟩: W czasie nawał ogniowych obsada okopów [...] kryła się w kazamatach i korytarzach fortów. *Sł. Powsz. 227, 1958.* **6.** Oprzeć się, ulec nawale. - Nic nie zdołało oprzeć się nawale, która wlekła z sobą różne innego rodu hordy. *Mick. Hist. 20.*

nawałnica 1. Groźna, straszliwa, straszna **n. 2.** Śnieżna, deszczowa **n.** ⟨*gwałtowna śnieżyca, ulewa*⟩. **3. n.** germańska ⟨*nawała; gwałtowny napór*⟩: Ukazanie się Teutonów było zapowiedzią tej nawałnicy germańskiej, która po upływie kilku stuleci przyniosła ze sobą zagładę świata antycznego. *Ziel. T. Rzym. 369.* **4.** *przen.* **n.** wojenna ⟨*zawierucha wojenna; wojna*⟩. **5.** *przen.* **n.** słów, myśli, faktów: Szła na nią nawałnica słów twardych jak kamienie. *Par. Niebo 172.* Długo milczał, głowa wzbierała mu nawałnicą myśli, nowe a silne uczucia przepełniały serce. *Choj. Alkh. IV, 223.* **6.** Uśmierzyć nawałnicę uczuć. **7.** Zatrzymać nawałnicę czego ⟨*napór mas wojska, ludzi*⟩: Zatrzymać nawałnicę Teutonów. **8. n.** idzie, nadciąga, przechodzi, zbliża się.

nawałność *przestarz.* ⟨*nawałnica*⟩. *przen.* Oprzeć się nawałności: Zdoła-li ta matka nasza przy takich dzieciach oprzeć się wszystkim nawałnościom, które jej grożą? *Sienk. Na polu 204.*

nawarzyć n. c z e g o; **n.** komu lub sobie bigosu itp. ⟨*narobić głupstw, nabroić; narobić sobie lub komu kłopotu, zamieszania, biedy itp., postawić siebie lub kogo w kłopotliwej sytuacji*⟩.

nawąchać się n. się prochu ⟨*być długo żołnierzem, brać udział w wojnie, w wielu bitwach*⟩: Był to wiarus prawdziwy, legionista, co połowę świata obiegł, prochu się nawąchał, a kuli nie bał. *Łęt. Wspom. 95.*

nawias 1. *mat.* **n.** mały: ( ); **n.** prostokątny (kwadratowy): [ ]; **n.** klamrowy: { }. **2.** Nawiasem mówiąc, nadmieniając, dodając itp. ⟨*mówiąc, nadmieniając, dodając itp. mimochodem, ubocznie, przy okazji, między innymi, od niechcenia, po prostu*⟩: Jest to, nawiasem mówiąc, praca nieźle opłacana. *Krucz. Sidła 276.* **3.** Być, czuć się, pozostawać, znajdować się poza nawiasem ⟨*być, czuć się itp. zbędnym, nie brać w czym udziału; być odsuniętym, usuniętym od czego*⟩: Nie czuję się jeszcze poza nawiasem życia, poza nurtem jego żywych dążeń, jeszcze mam to i owo do zrobienia. *Pigoń Komb. 1.* **4.** *daw.* Chodzić nawiasem ⟨*chodzić bokiem, z ukosa, drogą szczególną, własną*⟩: Nigdy nie chodził drogą zwykłą, lecz nawiasem. *Nehr. Studia 216.* **5.** Podać, umieścić co w nawiasie: Obok form spolonizowanych przy pierwszym ich wymienieniu podaje się w nawiasie formy oryginalne. *Sinko Lit. I/1, 16.* **6.** Ująć, wstawić, zamknąć co w **n.**: Wszystkie zaś myśli Montaigne'a, których było przytoczone mnóstwo, ujęte zostały w nawias. *Żer. Char. 271.* **7.** Wyrzucić co (np. liczbę) poza, przed **n. 8.** Wyrzucić, wypchnąć, usunąć itp. kogo lub co poza nawias ⟨*uznać kogo lub co niepotrzebnym, zbędnym; pominąć kogo lub co, nie uwzględnić czego*⟩: Czuł się zbyteczny, wyrzucony poza nawias. *Meis. Wraki 226.*

nawiązać, nawiązywać 1. n. c o: **n.** kontakt, łączność, stosunki, korespondencję, rozmowy, współpracę itp. ⟨*porozumieć się, rozpocząć lub wznowić rozmowy, wymianę wzajemnych świadczeń, listów itp.*⟩. **2. n.** romans: Od chwili nawiązania romansu z malarzem [...] doznawała wrażenia, że w życiu jej wszystko znowu zaczyna iść ku lepszemu. *Perz. Las 135.* **3. n.** nić sympatii, wspomnień: W myśli mojej nawiązałem znowu nić wspomnień, czerpanych z ubiegłego dzieciństwa. *Orzesz. Pam. I, 27.* **4. n.** c z e g o: **n.** sieci, snopków ⟨*wiążąc narobić*⟩. **5. n.** d o c z e g o ⟨*oprzeć się na czym; łączyć się z czym organicznie lub ideologicznie*⟩: Wczesne Odrodzenie włoskie nawiązywało silnie do idei heretyckich z epoki Średniowiecza. *Budzyk Lit. IX, 65.* **6.** Coś (nić czego) nawiązuje się między kim a kim: Nawiązuje się przyjaźń, nić porozumienia: Od tego czasu między Sobieskim a młodziutką mężatką nawiązuje się niebezpieczna przyjaźń. *Boy Mar. 53.* Za pośrednictwem języka poeta komunikuje to, co chciał wyrazić. W ten sposób między nim a odbiorcą nawiązuje się nić porozumienia. *Furm. Wers. 14.*

nawiązka Oddać co komu z nawiązką, odpłacać komu z nawiązką ⟨*z naddatkiem*⟩: Gdy mu kto dokuczy złośliwie, odda mu z nawiązką. *Morc. Wyrąb. I, 33.* Czując, że ona ma dla niego szczerą sympatię, odpłacał jej z nawiązką. *Sienk. Połan. II, 222.*

nawiązywać p. **nawiązać**

nawiedzać, nawiedzić 1. n. k o g o, c o ⟨*o chorobach, klęskach, nieszczęściach: dotykać, dotknąć*⟩: Klęski głodu nawiedzają kraj. - Okolice Miechowa nawiedził naprzód grad, potem szarańcza. *Prus Kart. I, 49.* **2.** *przestarz.* **n.** chorych ⟨*odwiedzać, odwiedzić*⟩. **3.** *przestarz.* Nawiedziło kogoś, ktoś jest nawiedzony przez co ⟨*opętało, ktoś jest opętany przez co*⟩: Żeby cię nawiedziło, opętana przekoro. *L.* Lata jak furia, jak nawiedzona. *L.* **4.** Nawiedzony przez diabła.

nawietrzny 1. n-a strona (statku) ⟨*na wiatr wystawiona*⟩: U nawietrznej strony dzioba wykwitały wysokie fontanny bryzgów. *Meis. Sześciu 275.* **2.** Statek, jacht, żaglowiec **n.** ⟨*statek, jacht, żaglowiec mający tendencję do samorzutnego kierowania dziobu w stronę wiatru (do wiatru)*⟩.

nawieźć, nawozić 1. Nawozić ziemię, glebę ⟨*zasilać nawozem*⟩: Gdybyśmy wciąż siali i zbierali, nie nawożąc ziemi, to by plony były coraz gorsze. *Bogusz. Patrz I, 7.* **2. n.** czym ⟨*nagnoić, namierzwić*⟩: Nawiózł jeden mórg gnojem końskim. *SW.*

nawigacyjny 1. Aparaty, przybory, przyrządy **n-e**; kabina, kajuta **n-a**; ⟨*służące nawigacji, ułatwiające nawigację*⟩. **2.** Kanał **n.** ⟨*spławny*⟩. **3.** Mapa **n-a** ⟨*mapa obszaru, na którym ma się odbywać żegluga*⟩. **4.** Rachunek **n.** ⟨*obliczenia dotyczące żeglugi, oparte na danych przyrządów nawigacyjnych*⟩. **5.** Światła **n-e** ⟨*światła umieszczone na wieżach, stawach i pławach: stałe (S.), przerywane (Przw.), błyskowe (Błsk.), blaskowe (Bla.), migawkowe (Mig.), zmienne (Zmn.) i mieszane (Msz.)*⟩. **6.** (Pomyślne, niepomyślne) warunki **n-e** ⟨*warunki żeglugi*⟩. **7.** Znaki **n-e** ⟨*sztuczne obiekty pływające lub stałe na lądzie lub na płytkiej wodzie, które służą do odgradzania miejsc niebezpiecznych na morzu, do wyznaczania torów wodnych itp.*⟩.

nawijać (się), nawinąć (się) 1. n. c o — n a c o: **n.** nici na szpulkę; makaron na widelec. **2.** Ktoś, coś nawija się ⟨*zjawia się, pojawia się, ukazuje się w pobliżu kogo, czego, nadarza się, trafia się, nastręcza się*⟩: Nawinął mi się niespodziewanie mój znajomy. *SPP.* Nawinęła mi się okazja wycieczki w góry. **3.** Nawijać, nawinąć się komu na myśl, na oczy, przed oczy, pod rękę, pod pióro itp. ⟨*znaleźć się przypadkiem w najbliższej odległości kogo, tuż obok kogo; zjawić się nagle, nasunąć*⟩: Gdy podrażniony przez kogoś wpadał we wściekłość, rzucał w człowieka, co się nawinęło pod rękę. *Gard. Trzech 68.*

nawis Groźny, zdradliwy, niebezpieczny, ciężki, olbrzymi, śnieżny, śniegowy **n.**; **n.** skalny: Brygady robocze usuwały bloki lodu, pracując pod groźnym nawisem, który lada minuta mógł stoczyć się i przysypać ludzi. *Meis. Arkt. 69.*

nawisły n-e rzęsy ⟨*zwisające*⟩.

nawisowy 1. n. system budowy mostu ⟨*za pomocą ruchomych dźwigów montowanych na stałym rusztowaniu przęsła*⟩. **2.** *daw.* Pocisk, strzał, ogień **n.** ⟨*przebiegający po krzywej, bardzo wypukłej linii*⟩.

nawlec, nawlekać 1. n. c o: **n.** korale (na nitkę) ⟨*nanizać na nitkę*⟩. **2. n.** c o — n a c o ⟨*naciągnąć*⟩: **n.** poszewkę na poduszkę. **3. n.** co na haczyk ⟨*wbić, nadziać na haczyk, zawiesić na haczyku*⟩: Jako przynęty na łososia używają rybacy śledzia, któremu obcinają ogon i nawlekają na haczyk. *Demel. Narz. 13.* **4.** Nawlec czego ⟨*naściągać, naprowadzić, naznosić*⟩: *przen.* **n.** chorób: Siedź na miejscu, nie ruszaj się. Nie widzisz, że tu choróbsk nawlekli, jeszcze się zarazisz. *Was. W. Rzeki 19.*

nawłóczyć n. igłę ⟨*nawlekać*⟩: Nawłóczył igły, przyszywał guziki, łaty przyczepiał... *Jun. Mazur. 179.*

nawodny n-e budownictwo, budowle, osady itp. ⟨*wzniesione na palach wbitych w wodę (w dno jezior, rzek itp.)*⟩. **n-e** ptactwo ⟨*przebywające na wodzie*⟩.

nawozić p. **nawieźć**

nawóz 1. n. bydlęcy, naturalny. **2.** *chem. roln.* Nawozy sztuczne ⟨*minerały, syntetyczne połączenia chemiczne lub ich mieszaniny stosowane w celu podniesienia ilości i jakości plonów*⟩. **3.** *roln.* **n.** zielony ⟨*rośliny motylkowe, zaorywane przed kwitnieniem w celu użyźnienia gleby*⟩.

nawrót 1. n. zimy. **2. n.** d o c z e g o: **n.** do przeszłości. **3.** Częstymi, kilkoma, wieloma itp. nawrotami ⟨*często, kilkakrotnie, wielokrotnie itp.*⟩: Kilkoma nawrotami chodził po wodę do rzeki. *Prus Plac. 245.* **4.** (Za) drugim, trzecim, którymś itp. nawrotem ⟨*po raz drugi, trzeci, któryś itp.; za drugim, trzecim, którymś itp. razem*⟩: Reinhard wystawił „Sen nocy letniej" kilkanaście razy. Za każdym nawrotem czynił to inaczej. *Teatr 3, 1946, s. 21.* **5.** *daw.* Iść w nawroty ⟨*zdarzać się ponownie; powtarzać się, wracać*⟩: Wiek Jagiełłów, wiek dla nauk złoty, pod ich potomkiem zda się iść w nawroty. *Zab. VIII/1, 1773, s. 30.*

nawyczka *reg.* ⟨*złe przyzwyczajenie*⟩ **1.** Mieszczańskie **n-i**. **2. n.** c z e g o: **n.** mrugania oczami. **3.** Mieć **n-i**. Pozbyć się, wyzbyć się nawyczek.

nawyk 1. Dobry, zły; charakterystyczny, odwieczny **n. 2.** Siła nawyku. Coś staje się czymś nawykiem: Ten ruch stał się z latami jego charakterystycznym nawykiem. *Jaroch. Niemił. 77.* **3.** Wyrabiać w sobie dobre **n-i**.

nazad 1. Tam i **n.** ⟨*tam i z powrotem*⟩: Kołysać się, przechadzać się tam i nazad. *przen.* Myślicie sobie, że ja tylko gadać umiem. Jedno i to samo mleć w kółko, tam i nazad walkować. *Twórcz. 5, 1955, s. 20.* **2.** Rok, miesiąc temu **n.** [!] ⟨*rok, miesiąc temu*⟩. (Poprawne tylko o miejscu, nie o czasie).

nazierek *daw.* tylko w wyrażeniach: Nazierkiem, w nazierki ⟨*spoglądając z boku, z ukosa, zezem, spode łba, z góry; obserwując, śledząc*⟩: Słońce kładło się na zachód; — nazierkiem spod ciemnej rzęsy chmur wieczornych patrzało na ziemię. *Berw. Pow. I, 35.*

naznaczony 1. Losem **n.** ⟨*prześladowany przez los, napiętnowany*⟩: Z trojgu [trojga] jeden, losem naznaczony, odszedł z tej ziemi w zagrobowe strony. *Krasiń. Drobne 133.* **2. n.** ospą, śladami ospy ⟨*oszpecony przez ospę, mający ślady po przebytej ospie*⟩: [Twarz] była świeża i urodziwa, jeno śladami ospy tu i owdzie naznaczona. *Gomul. Mieszczka 68.*

naznaczyć 1. n. c o: a) ⟨*zaopatrzyć znakiem*⟩: **n.** bieliznę; b) ⟨*oznaczyć, określić*⟩: **n.** karę, nagrodę. **n.** termin, spotkanie, widzenie. **2. n.** ceny ⟨*ustanowić ceny*⟩. **3. n.** c o — c z y m ⟨*zaopatrzyć znakiem*⟩: **n.** beczkę kredą, kartkę ołówkiem. **4. n.** czym swą drogę, życie, panowanie itp. ⟨*wieść życie pełne czego, zostawić po sobie ślady czego*⟩. **5. n.** k o g o — c z y m: **n.** kogo ospą, trądem, garbem, kalectwem itp. (skrótowo: **n.**) ⟨*dotknąć, napiętnować kogo ospą, trądem, garbem, uczynić kogo garbatym, kalekim itp.*⟩: Natura go naznaczyła (o kulawym, garbatym, krzywym itp.). *SW.*

nazwa 1. n. oficjalna, urzędowa. **2. n-y** etniczne, topograficzne. **3. n-y** rzeczowe; **n-y** proste, złożone.

4. n. bezprzedmiotowa, pusta ⟨*nazwa nic nie oznaczająca, beztreściwa*⟩: Roi sobie, że wyjaśnia rzeczywistość, kiedy ją opatrzy pustymi nazwami. *Myśl Filoz. 1, 1954, s. 200.* **5. n.** żywa; **n.** martwa ⟨*nazwa używana powszechnie w danej epoce, nazwa, która wyszła z użycia*⟩. **6. n.** c z e g o: **n.** miasta, wsi, rzeki; rośliny, zwierzęcia, przedmiotu, zjawiska, pojęcia itp. **7.** Pod nazwą ⟨*pod mianem, pod tytułem*⟩: Urządzony [...] bal artystyczny pod nazwą: „W pracowni artysty" należał niewątpliwie do najudatniejszych. *Tyg. Ilustr. 7, 1904.* **8.** Być jakim, istnieć (tylko) z nazwy ⟨*nosić nazwę nie odpowiadającą rzeczywistości; nie istnieć faktycznie*⟩: Rzucił doskonałą posadę [...] na rzecz biurkowo-kreślarskiej skrobaniny w przedsiębiorstwie istniejącym tylko z nazwy. *Brand. M. Pocz. 18.* **9.** Mieć, otrzymać nazwę ⟨*być nazwanym*⟩: Krzemieniec [...] otrzymał nazwę od skalistej, w krzemienie obfitującej góry. *Baliń. M. Polska III/1, 75.* **10.** Nosić, przybrać, przyjąć, wziąć nazwę. **11.** Zasługiwać na nazwę. **12.** Ochrzcić jaką nazwą, podciągnąć pod nazwę ⟨*nadawać komu, czemu jaką nazwę, miano*⟩. **13.** Rozumieć, znać kogo, co pod jaką nazwą: Około Gdańska [...] zagospodarzyła się ludność znana pod nazwą Kaszubów. *Małec. Przeszł. 121.* **14. n.** utarła się, wzięła początek, poszła skąd.

nazwać, nazywać 1. n. k o g o — k i m, c z y m ⟨*nadać miano*⟩: **n.** kogo głupcem, sknerą; bohaterem, ojcem ojczyzny. **2. n.** k o g o, c o — k i m, c z y m (imieniem) ⟨*nadać imię*⟩: **n.** syna Antonim. **n.** krowę Łaciatą, psa Burkiem. **3. n.** k o g o, c o — k i m, c z y m — o d c z e g o: Dom nazwali Wojciechowem od imienia syna. *SPP.* **4. n.** kogo po imieniu, po nazwisku, z imienia, z nazwiska ⟨*wymienić, wypowiedzieć czyje imię, nazwisko; odezwać się, zwrócić się do kogo wymawiając jego imię, nazwisko*⟩: Jak śmiesz obcego sobie mężczyznę nazywać po imieniu? *Orzesz. Na dnie II, 193.*

nazwisko 1. n. panieńskie (np. matki, żony). **2. n.**-etykieta ⟨*w literaturze pięknej wymyślone przez autora nazwisko bohatera utworu, znaczeniem swym określające charakter lub typ bohatera*⟩: Dzięki Bohomolcowi i Rzewuskiemu przyjmuje się w Polsce komedia molierowska [...] oraz nazwiska-etykiety, określające naiwnie schematyczne typy ludzkie. *Krzyż. J. Lit. 407.* **3.** Ktoś nazwiskiem, o nazwisku... ⟨*ktoś noszący nazwisko..., nazywający się...*⟩: Jednegośmy tylko mieli cudzoziemca, nadwornego doktora nazwiskiem Laxirenberg. *Niemc. Sieciech 35.* **4.** Nie znany z nazwiska. **5.** Na **n.** czyje (wystawić weksel; nadesłać przesyłkę, wiadomość). **6.** Pod przybranym nazwiskiem (pisać; podróżować) ⟨*pod pseudonimem; incognito*⟩. **7.** Jak (pana, pani) **n.**? ⟨*jak się pan, pani nazywa?*⟩. **8.** Brać, otrzymać, zmienić **n. 9.** Kłaść swoje **n.** ⟨*podpisywać się nazwiskiem*⟩: Nie chciał kłaść pod listem własnego nazwiska. *Sienk. Pot. III, 34.* **10.** Mieć, zdobyć, zyskać, wyrobić, zrobić sobie **n.** ⟨*stać się znanym, popularnym, cenionym; wsławić się czym, zyskać rozgłos, sławę*⟩: Niedawno opuścił ławy uniwersyteckie i w literaturze nazwiska jeszcze nie miał. *Chmielow. Dram. 476.* **11.** Nosić **n.**: Nosiła nazwisko historyczne po ojcu. *Pięt. Współ. 47.* **12.** Podać imię i **n.** Odezwać się, zwrócić się do kogo, wołać, wyliczać itp. kogo po nazwisku, z nazwiska ⟨*odezwać się, zwrócić się do kogo, wyliczać, wołać kogo, wymieniając jego nazwisko*⟩: Słyszę, iż ktoś mnie po nazwisku woła. *Słow. Listy I, 38.* **13.** Podpisać się całym nazwiskiem, imieniem i nazwiskiem. **14.** Podszywać się pod czyjeś **n.**; robić co pod jakim nazwiskiem, pod cudzym, fałszywym, przybranym itp. nazwiskiem ⟨*robić co, nosząc, podając jakieś nazwisko, podając cudze, fałszywe, przybrane nazwisko*⟩: Musiał się obecnie w Galicji ukrywać pod nazwiskiem Kiżły. *Żer. Wspom. 16.* **15.** Przybrać **n.** (matki). **16.** Splamić, zhańbić; wsławić swoje **n. 17.** *przestarz.* Czyjś majątek wychodzi z nazwiska ⟨*czyjś majątek przechodzi na własność kogoś, noszącego inne nazwisko*⟩: Stryj jego zapisał mu Witów, aby majątek nie wyszedł z nazwiska. *Reym. Ferm. I, 141.* **18.** Znać kogo z nazwiska ⟨*znać czyje nazwisko*⟩: Nie używaliśmy już pseudonimów, znaliśmy się wszyscy od wielu lat z imienia i nazwiska. *Wyg. Widz. 70.* **19.** Znać kogo tylko z nazwiska ⟨*nie znać bliżej kogo, osobiście, znać tylko jego nazwisko*⟩. **20. n.** powstaje: Nazwiska szlachty polskiej powstały w przeważnej liczbie od nazw miejscowości. *Witt. Szlachta 11.*

nazywać p. **nazwać**

nazywać się 1. n. się k i m, c z y m ⟨*uważać się za kogo, mieć się za kogo*⟩: Niech się siostrzenicą moją nie nazywa, jeżeli to uczyni. *L.* **2. n. się** czyim przyjacielem. **3.** Jak się nazywasz? ⟨*jak masz na imię lub nazwisko*⟩. **4.** Jak to się nazywa? ⟨*jaką to ma nazwę*⟩. Ten pies nazywa się Burek ⟨*wabi się*⟩. **5.** *przestarz.* Co się nazywa ⟨*w całym znaczeniu tego słowa, co się zowie, w istocie*⟩: Co się nazywa, czuwają. *Żer. SPP.* Piękny, co się nazywa. *SW.* Chłopiec to, co się nazywa, do rzeczy. *Słow. Listy I, 46—47.* **6.** *pot.* To się nazywa: a) ⟨*z podziwem: to dopiero jest naprawdę*⟩: To się nazywa zadać szyku! *SW.* To się nazywa przyjaźń! *SW.* To się nazywa szczęście! (również *iron.*). Pół kilometra w półtorej minuty, to się nazywa jazda. *Przyj. 49, 1952*; b) ⟨*pytająco, z niedowierzaniem, z ironią, przekąsem: to ma być...?*⟩: Jak wytarłaś kurz, Broniu, to się nazywa wytarte? *Goj. Dziew. I, 110.* **7.** Nazywa się (że...) ⟨*mówi się na co lub o czym w sposób nie odpowiadający rzeczywistości, określa się co nieodpowiednią nazwą*⟩: Nazywało się, że tańcowano walca, redowę, polkę, lansjera, ale tego wszystkiego nikt by nie poznał, gdyby nie muzyka. *Krasz. Kartki 787.*

neandertalski Człowiek **n.**

neapolitański Sumy **n-e** ⟨*znaczne sumy pieniężne (około 500 000 dukatów) pożyczone przez królową Bonę Filipowi II hiszpańskiemu i nigdy Polsce nie zwrócone*⟩. *przen.* ⟨*ogromna, fantastyczna suma, niemożliwa do zapłacenia, nieosiągalna dla kogo; bajońska suma*⟩.

negatywnie *gw. warsz. mł.* Załatwić **n.** ⟨*pobić*⟩.

nekrolog Napisać, ogłosić, podać **n.** Ojciec Loci umarł [...] we wszystkich dziennikach ogłoszą jego nekrolog. *Prus Dusze 137.*

nektar 1. n. boski ⟨*w mitologii greckiej: napój bogów*⟩. **2.** *pot.* Orzeźwiający, słodki **n.** ⟨*smaczny, wyborny napój*⟩: Panna Ewa urząd ma kawiarki, w filiżankę leje nektar słodki. *Oppman Typy 20.* **3.**

przen. ⟨*rozkosz, upojenie*⟩: Spojrzeń twoich najsłodszy nektar. *Asnyk Poezje I, 107.*

nelson *sport.* Podwójny **n.** ⟨*chwyt oburącz, ze spleceniem palców na karku przeciwnika*⟩: Udało mu się ująć Tracca w straszliwy chwyt, zwany „podwójnym nelsonem". *Mostow. Kariera 211.*

nelsoński Zrazy **n-e** a. po nelsońsku ⟨*zrazy duszone w zamkniętym naczyniu, na maśle, z dodatkiem grzybów, korzeni, często także kartofli*⟩.

neonowy 1. Lampa **n-a** ⟨*rurka ze szkła wypełniona neonem lub innym gazem szlachetnym, będąca źródłem światła*⟩. **2.** Światło **n-e**, rurki **n-e**, instalacja **n-a. 3. n-a** reklama.

neptek *gw. miejska* ⟨*człowiek niezaradny; oferma, niedorajda*⟩. Leżeć jak **n.**: Za dwa lata sześcioraczki nasza ojczyzna posiada i Ameryka ze swojemi [swoimi] pięcioraczkami leży u nas, czy nie leży? — Jak neptek! *Wiech Śmiej II, 160.*

nerka 1. n. wędrująca ⟨*schorzenie polegające na opuszczeniu nerki z powodu zwiotczenia podtrzymujących ją tkanek*⟩. **2.** Sztuczna **n.** ⟨*aparat włączony okresowo do organizmu, zastępujący pracę chorych nerek*⟩.

nerw 1. n. mózgowy, rdzeniowy, przeponowy, słuchowy, wzrokowy. **2. n-y** czuciowe ⟨*nerwy sensoryczne przewodzące wrażenia czuciowe z części obwodowej do mózgu*⟩. **3. n-y** obwodowe ⟨*nerwy (czaszkowe, rdzeniowe) łączące centralny układ nerwowy z poszczególnymi narządami*⟩. **4. n-y** ruchowe ⟨*nerwy motoryczne przewodzące bodźce ruchowe z mózgu do mięśni*⟩. **5. n.** trójdzielny ⟨*nerw czuciowo-ruchowy twarzy, jamy ustnej i nosowej*⟩. **6.** Naprężenie nerwów. **7. n-y** stalowe, żelazne, jak postronki itp. ⟨*usposobienie opanowane, wytrzymałe na silne podniety, opanowanie nerwowe, wytrzymałość nerwów*⟩: W tej gromadce ludzi o stalowych nerwach [...] był przecie taki, który całą istotą odczuwał okropność burzy. *Prus Plac. 183.* **8. n.** artystyczny, dramatyczny, pisarski ⟨*zdolności, żyłka*⟩: Koprowski ma nerw pisarski, plastykę opisu, zdolność powoływania do istnienia żywych, kapitalnych postaci. *Twórcz. 9, 1952, s. 170.* **9.** *pot.* Chorować na **n-y**: Przez całą wiosnę chorowała na nerwy, co się objawiało stanem nieokreślonego przygnębienia i apatii. *Perz. Raz 11.* **10.** Psuć, (s)targać, rozstrajać, szarpać itp. komu lub sobie **n-y** ⟨*wprawiać w stan zdenerwowania, przyprawić o rozstrój nerwowy*⟩: Nie miał w sobie matczynej wrogości, nie szarpał nerwów okrutnymi odmianami humoru. *Kunc. Cudz. 177.* **11.** Trzymać **n-y** na wodzy, panować nad nerwami itp. ⟨*być opanowanym, spokojnym, opanowywać zdenerwowanie, nie podniecać się*⟩: Chciałbym osiągnąć tego rodzaju panowanie nad cielskiem i jego tak zwanymi nerwami, żeby nie być od niego zależnym. *Żer. Ludzie II, 132.* **12.** Uspokajać, wzmacniać **n-y**: Cisza i światło księżyca uspokoiły jej nerwy, łagodząc rozdrażnienie. *Sewer Zyzma 350.* **13.** Żyć nerwami ⟨*żyć w ciągłym niepokoju, denerwować się o co*⟩: Żyć [...] nerwami przez cały długi miesiąc, męczarnia. *Sewer Nafta II, 1.* **14. n., n-y** w kimś grają, dygocą, drżą ⟨*ktoś jest w stanie silnego podniecenia, zdenerwowania*⟩: Całe ciało, każdy mięsień, nerw każdy drżał od szalonego napięcia, serce biło młotem w piersiach. *Makowiec. Dios. 74.* **15. n-y** odmówiły komuś posłuszeństwa, nie wytrzymały, zawiodły, poniosły kogo ⟨*ktoś stracił panowanie nad sobą, załamał się nerwowo, psychicznie*⟩: Zawiodły mnie nerwy, zbyt silnie napięte. Dostałem spazmów. *Brand. K. Troja 79.*

nerwica n. serca, żołądka: Cierpię na nerwicę serca, brak powietrza mnie zabija. *Brand. K. Troja 59.*

nerwowo 1. n. chory: Nerwy go zjadły, w końcu musiał poddać się kuracji dla nerwowo chorych. *Ower. Ramp. 359.* **2.** Być rozstrojonym **n.**; zużywać się **n. 3.** Nie wytrzymywać **n.**, nie znosić czego **n.**: W jej głosie zabrzmiało tyle smutku, że ani Tosia, ani Wanda nerwowo nie wytrzymały. *Breza Uczta 8.* **4.** Grać **n.**: Grała nerwowo, z temperamentem. *Dąbr. Ig. Zmierzchy 23.* **5.** Płakać **n. 6.** Skubać co **n.** (np. wąsy).

nerwowość 1. Kapryśna, histeryczna **n. 2.** Popadać w **n.**: Z dniem każdym popadała w coraz większą nerwowość i sama nie wiedziała kiedy, zaczęła ogromnie tęsknić. *Pięt. Białow. 37.*

nerwowy 1. Rozstrój **n.**; choroba **n-a**, zaburzenia **n-e**: **2. n.** człowiek; **n-e** drżenie, **n.** płacz. **3.** Substancja **n-a** (mózgu). **4.** Napięcie, podniecenie **n-e**: Ogarniało go nerwowe podniecenie, serce zaczynało walić. *Putr. Rzecz. 431.* **5.** Odprężenie **n-e. 6. n-e** pismo: Tkwił zgarbiony [...] nad sosnowym stołem zarzuconym mapami i papierami zapisanymi nerwowym pismem. *Jackiew. Jan 249.* **7.** System, układ **n.** ⟨*system, układ narządów w organizmie ludzkim i zwierzęcym, których funkcją jest przyjmowanie podniet ze świata zewnętrznego i reagowanie na te podniety; zespół nerwów*⟩. **8.** Włókna **n-e** ⟨*wypustki komórek nerwowych*⟩.

netto *hand.* Cena **n.** ⟨*cena towaru po potrąceniu rabatu*⟩. Waga **n.** ⟨*bez opakowania*⟩.

neutralność *polit.* **1.** Zbrojna **n.** ⟨*postawienie wojsk w gotowości zbrojnej w celu ewentualnego przystąpienia do wojny (we własnej obronie) prowadzonej przez inne państwa*⟩. **2.** Ogłosić, zachować **n.**

neutralny 1. *fiz.* **n-e** atomy, cząsteczki ⟨*pozbawione ładunku elektrycznego*⟩. **2.** *chem.* Odczyn **n.** ⟨*odpowiadający odczynowi chemicznie czystej wody*⟩. **3.** *polit.* Państwo **n-e**, kraj **n.** ⟨*zachowujące neutralność, nie biorące udziału w konflikcie*⟩. **4.** Pas **n.** ⟨*pas ziemi ciągnący się wzdłuż granicy państw, nie należący do nikogo*⟩. **5.** Sędzia **n.** ⟨*w sporcie: sędzia z kraju nie biorącego udziału w zawodach*⟩. **6.** Statki **n-e** ⟨*należące do państwa neutralnego*⟩: Koprowie nieraz napadali i bezkarnie łupili statki neutralne. *Szeląg. Bałtyk 33.* **7.** *fiz.* Strefa **n-a** (w magnesie).

newralgiczny Ból, atak **n.**; *przen.* Punkt **n.** ⟨*czułe miejsce; sporna sprawa mogąca wywołać konflikt*⟩.

nędza 1. Ostatnia, skrajna **n.**; **n.** wyjątkowa; **n.** aż piszczy ⟨*wielka, skrajna bieda; również o osobach: nędzarz, biedak*⟩. **2.** Bezdomna **n.** ⟨*nędzarze*⟩. **3.** Błyszcząca, złota **n.** ⟨*nędza przysłonięta, zamaskowana pozorami dostatku*⟩. **4. n.** moralna, duchowa, umysłowa itp. ⟨*bardzo niski poziom, stan upadku moralności, kultury itp.*⟩: Majątek jest kalającej natury, i skierowanie wszelkich usiłowań li do niego, ie może jak tylko nędzę moralną sprowadzić. *Goł. Kwestia 63.* **5.** *rub.* Psia **n.**! ⟨*rodzaj przekleństwa (zaniast psiakrew)*⟩: Jeśli mu się doświadczenia nie powiodą [...] syczy przez zaciśnięte zęby: „Psia nędza z taką robotą!" *Żukr. Zioła 32.* **6.** Borykać się z nędzą, popaść w nędzę; być, zostawać, żyć w nędzy. **7.** Cierpieć, klepać nędzę. *por.* Cierpieć, klepać biedę. **8.** Doprowadzić, przywieść kogo, co do nędzy. **9.** *pot.* Grać nędzę ⟨*nędzną sztukę*⟩: Jednego dnia teatr grał arcydzieło, drugiego dnia nędzę. *Boy Flirt V, 7.* **10.** *pot.* Kupić nędzę jaką ⟨*rzecz lichą, nędzną; w złym gatunku*⟩: Dlaczegoś nakupił takiej nędzy? To mówiąc, podniósł do góry wiązkę kiełbasy pokrytej białą pleśnią. *Sier. Now. 187.* **11. n.** dokucza komu, gryzie kogo.

nędznie 1. n. ubrany, umeblowany ⟨*licho, ubogo*⟩. **2. n.** redagowane (pismo) ⟨*niedołężnie, nieumiejętnie, niedbale*⟩. **3.** Mieszkać **n.** ⟨*ubogo, w lichym mieszkaniu*⟩. **4.** Płacić **n.** ⟨*licho, słabo, skąpo*⟩. **5.** Wyglądać **n.** ⟨*licho, mizernie*⟩. **6.** Żyć **n.** ⟨*w biedzie*⟩. **7. n.** żywić ⟨*źle, niedostatecznie*⟩. **8. n.** zginąć, umrzeć, skończyć ⟨*bez sławy, w zapomnieniu, w nędzy*⟩.

nędzny 1. n. aktor, pismak ⟨*lichy, nie znający swego fachu*⟩. **2. n-a** chałupa, **n-e** odzienie ⟨*w złym stanie, zniszczona(-e)*⟩. **3. n.** charakter ⟨*podły, niecny*⟩. **4. n-e** czasy ⟨*złe*⟩. **5. n-a** płaca ⟨*niska*⟩. **6. n.** posiłek ⟨*lichy, mający małą wartość, skąpy, nieobfity*⟩. **7. n-a** ramota, **n.** wiersz ⟨*lichy, słaby, kiepski*⟩. **8. n.** starość ⟨*bezsilna, słaba*⟩. **9. n.** tchórz, służalec ⟨*podły, nikczemny*⟩. **10. n-e** umeblowanie ⟨*niedostateczne; liche*⟩: Dwa krzesła i stół, które stanowiły nędzne umeblowanie tej stancyjki, założone były różnymi gratami. *Szyman. W. Lichw. 47.* **11. n-e** utrzymanie ⟨*lada jakie*⟩. **12. n-e** zdrowie ⟨*słabe*⟩. **13. n-e** życie ⟨*marne, ubogie*⟩.

nękać 1. n. k o g o, c o — c z y m ⟨*gnębić, trapić, dręczyć*⟩: **n.** kraj napadami, **n.** żonę (męża) scenami zazdrości. **2.** Bieda, choroba; sumienie nęka kogo.

niby *pot.* Na **n.** ⟨*pozornie, rzekomo*⟩: Ofiarować co komu, zrobić co na niby.

nic 1. n. a. **n.**; **n.**, ale to **n.**; absolutnie, literalnie, dosłownie, prawie **n.**; **n.** na (w) świecie; **n.** wcale, **n.** zgoła ⟨*zupełnie nic*⟩: Nie mieć, nie widzieć **n.** a. **n.** Nic, ale to nic nam nie powiedział. Nie pamiętał tego poranka nic, literalnie nic. *Żer. Opow. 129.* Nie jadł prawie nic. Nic na świecie nie może Anielki uratować. *Sienk. Bez dogm. III, 161.* **2. n.** i **n.**: Córka moja panie Rzecki, rujnuje się [...] na ogłoszenia po zagranicznych pismach, a tu nic i nic. *Prus Lalka II, 195.* **3.** *daw.* **n.** do rzeczy ⟨*w sposób bezsensowny, niedorzecznie*⟩: A możem powiedział nic do rzeczy. *Rzew. H. Zamek 131.* **4.** (Komuś) **n.** do kogo, do czego ⟨*ktoś nie jest w czymś zainteresowany, nie powinien się do czyich spraw, do czego wtrącać*⟩: Jak panienka jest w domu, to panienka rządzi, mnie nic do tego. *Reym. Ferm. I, 60.* **5. n.** komu ⟨*nic go złego nie spotyka*⟩: Kule brzęczały koło niego, jak pszczoły... a jemu nic! śmiał się. *Jun. Dworek 63.* **6. n.** komu (z rzeczownikiem lub bezokolicznikiem czasownika) ⟨*coś nie ma dla kogo znaczenia, nie stanowi przeszkody*⟩: Nic mu zamieć i wicher, i zima. Jeśli [...] dał słowo — dotrzyma. *Świerszcz. 52, 1950.* **7. A n.**, a tu **n.** ⟨*bez skutku*⟩: Można wołać, dzwonić, strzelać, a tu nic. Jakbyście zapomnieli, że jestem. *Ritt. Duchy 112.* **8.** (A) ktoś **n.** ⟨*zupełnie nie reaguje, jest obojętny*⟩: Czyż się was dziś nie dowołam? Piersi zrywam, serce ledwie mi nie pęknie, a wy nic! *Gomul. Wspom. 16.* Nina szaleje za nim po prostu... A on nic. *Kosiak. Rick II, 80.* **9. I n.** ⟨*bez (złych) następstw*⟩: Tyle razy wyjeżdżał i nic, a tu dzisiaj aż się trząsł. *Goj. Dziew. II, 79.* **10. I n.** poza tym: Życie to jest życie — i nic poza tym. *Dobrow. S. Spart. 133.* **11.** (I) **n.** więcej: Pobranie się wasze jest niepodobieństwem, a nadzieje twe są to gruszki na wierzbie, nic więcej. *Korz. J. Krewni 103.* **12. n.** (z przymiotnikiem w dopełniaczu): **n.** pilnego, **n.** dobrego, **n.** złego (nie można im zarzucić), **n.** groźnego, **n.** szczególnego (nie zdarzyło się), **n.** nowego (nie słychać), **n.** osobliwego (nie przedstawiać) (również w przypadkach zależnych): O niczym groźnym nie ma mowy; nie odznaczać się niczym osobliwym; nie myśleć o niczym innym itp. Komuś **n.** dobrego z oczu nie patrzy ⟨*po kimś można się spodziewać czego złego*⟩: Bogdajbym był fałszywym prorokiem, ale jemu nic dobrego z oczu nie patrzy. *Sienk. SPP.* **13.** Coś nie wróży, nie zapowiada **n.** dobrego ⟨*zachodzi możliwość czegoś niepomyślnego; zagraża niebezpieczeństwo*⟩: Radość wstąpiła w nią, że i bez operacji może być uleczoną, ale radość ta prędko zgasła, gdy podniosła oczy na doktora, który miał minę zafrasowaną i nie wróżącą nic dobrego. *Bał. Dziady 245.* **14. n.** innego... tylko ⟨*wyrażenie wyodrębniające co*⟩: Nie ma tam nic innego do roboty, tylko chodzić po brzegu; chodziliśmy więc z Asnykiem nieraz do późnej nocy. *Sienk. Mieszan. 6.* **15.** Nie pozostaje **n.** innego, jak (niż) ⟨*coś jest jedynie możliwe, celowe*⟩: Nie pozostaje ci nic innego, jak wyjechać do Holandii, nabyć statek i rozpocząć handel kauczukiem. *Święt. A. Nałęcze 26.* **16.** *pot.* **n.** podobnego ⟨*wyrażenie ekspresywne, oznaczające mocne zaprzeczenie*⟩: Wzruszyłem ramionami i powiedziałem, że nic podobnego, że ja bym pierwszy wiedział. *Dąbr. M. Noce II, 110.* **17. n.** straconego (nie jest jeszcze) ⟨*jest jeszcze szansa, możność działania*⟩: Jeszcze nic straconego. Ojciec przecież da się w końcu ubłagać. *Bał. Ryby 53.* **18.** *pot.* **n.** takiego (się nie stało) ⟨*rzecz nie ma znaczenia, nie zasługuje na uwagę*⟩: Nic mi się takiego nie stało — powtarzała. *Dąbr. M. Noce. II, 85.* **19. n.** wielkiego ⟨*coś bez znaczenia*⟩: Co ci jest? — Nic wielkiego: maleńki paraliżyk lewej części ciała. *Sienk. Połan. II, 186.* **20. n.** (z przym. w dopełniaczu w st. wyższym) + nad, jak, niż: **n.** piękniejszego nad...; **n.** łatwiejszego jak...; **n.** gorszego niż... itp. **21. n.** to, to **n.** ⟨*to rzecz błaha, bez znaczenia, obojętna; to nie szkodzi*⟩: Nic to, że zdobyliśmy nowy rekord sportowy. Nie dla rekordu chodzimy. *Wierchy 1931, 40.* Słyszę, ktoś przy skrzynce — nic to, dalej chrapię. Niech kradnie, myślę sobie, na uczynku złapię. *Fredro A. Nikt 315.* **22. n.** (tu) po kim, po czym ⟨*ktoś nie jest potrzebny, coś nie jest potrzebne, użyteczne*⟩: Zabierajcie się stąd. Nic tu po was. *Krzyw. I. Bunt 71.* **23. n.** więcej: **n.** więcej prócz, **n.** więcej (jak) tylko: Nie mieć **n.** więcej do powiedzenia. - Ją samą nic już więcej nie czeka prócz deptaka zamkniętych powszednich spraw. *Dąbr. M. Noce II, 278.* **24. n.** z czego ⟨*coś się nie uda, nie powiedzie, nie dojdzie do skutku; nie osiągnie się czego*⟩: **n.** z wycieczki, **n.** z posady. **25. n.** z kogo (nie będzie) ⟨*ktoś nie spełni* *pokładanych w nim nadziei*⟩: Z niego już **n.** nie będzie. **26. n.** z tego: a) ⟨*to nie doprowadzi do pożądanego skutku, nie uda się*⟩: **n.** z tego nie będzie. - Próbował pisać wiersze, ale **n.** z tego nie wychodziło; b) ⟨*nie zrobię tego, odmawiam*⟩: Nie proś, **n.** z tego. **27.** Jakby (nigdy) **n.**, jak gdyby (nigdy) **n.** ⟨*nie poczuwając się do niczego, nie reagując odpowiednio, zachowując się obojętnie*⟩: Panna Helena, którą kocham, przechadza się po ogrodzie sam na sam z tym hultajem, jak gdyby nic. *Fredro A. Jow. 197.* **28.** Na **n.** ⟨*całkowicie, zupełnie; do niczego*⟩: Buty mu na **n.** przemokły. Kotlet na **n.** spalony. Zmarniał na **n.** Cały plan jest na **n.** - Tam, gdzie serce wchodzi w grę na nic wszelkie rachuby. *Prus Lalka II, 201.* Na nic twoje wybiegi ⟨*nie wykręcisz się*⟩. *SW.* Wszystko na **n.** ⟨*wszelkie wysiłki — daremne, stracone, bezskuteczne*⟩: Przymykał oczy, ale — wszystko na nic. Sen nie przychodził. *Prus Plac. 219.* **29.** *przestarz.* Pójść, zejść na **n.** ⟨*zmarnować się*⟩: Cały koncert pójdzie na nic, jeżeli pan nam nie pomoże. *Prus Emanc. II, 85.* **30.** Na **n.** się nie zdać, nie przydać, *przestarz.* na **n.** się zdać ⟨*być bezużytecznym, bezskutecznym (w wysokim stopniu)*⟩: Heroiczne jego wysiłki na nic się nie zdały. *Fiedl. A. Kan. 97.* **31.** Niby **n.**, a... ⟨*pozornie tylko bez znaczenia*⟩: Niby nic, zwyczajnie sobie łaził, wystawał nieruchomo przed oknami — a gdzieś w zaułku świadomości doznawał mdłej i ciepłej, jak delikatny dreszcz mrowiącej się otuchy... *Krucz. Sidła 14.* **32.** Tyle co **n.** ⟨*prawie nic, niewiele*⟩: Cośmy tam u siebie wiedzieli o prawdziwej wsi? Tyle co nic. *Bron. J. Ogn. 153.* **33.** *daw.* W **n.** ⟨*w niwecz*⟩: Obrócić się, pójść, rozwiać się, zamienić się w **n.**: Jej nadzieje, kupione tak drogo, znowu się w nic rozwiały. *Gosz. Pow. 220.* **34.** Za **n.** (na świecie, w świecie) ⟨*za żadną cenę, zupełnie nie*⟩: Nie będzie nosić tego kapelusza, za nic w świecie, za nic. *Goj. Dziew. I, 58.* Wyjść za mąż za satrapę? Za nic. *Kow. A. Rogat. 6.* **35.** Za **n.**: a) *przestarz.* ⟨*nic nie warte, mało warte*⟩: U niego rada starszych braci za nic. Wszystko chce robić po swojemu. *Rzew. H. Zamek 194*; b) *daw.* ⟨*za bezcen*⟩: Kupić co za **n.**; c) **n.** nie mówiący ⟨*nie odznaczający się niczym szczególnym, pozbawiony wyrazu*⟩: Rozmawiał żywo z jakimś mężczyzną, który jej się przedstawił wymieniając nic nie mówiące nazwisko. *Wyg. Jel. 138.* **36.** Zupa **n.** ⟨*zupa z mleka, ryżu, żółtka, cukru i wanilii*⟩. **37.** *pot.* Niczego sobie ⟨*zupełnie dobry, piękny, interesujący itp.; zupełnie dobrze itp.*⟩: Buzia, figurka niczego sobie. - Jakże służy zdrowie? — „Niczego" brysio odpowie. *Mick. Wiersze 119.* **38.** To niczego nie dowodzi ⟨*nie stanowi dowodu przekonywającego*⟩. **39.** Bez niczego ⟨*bez środków do egzystencji*⟩: Aby się trochę ubrać, musieli sprzedać drugi kolczyk i „na czarną godzinę" zostali bez niczego. *Rudn. A. Morze 328.* **40.** Do niczego ⟨*o człowieku lub rzeczy: nie mający wartości, niezdatny, nieużyteczny*⟩: Pracownik do niczego; grat do niczego. **41.** Człowiek do niczego, *daw.* **n.** po tym, **n.** warty ⟨*nicpoń*⟩. **42.** Być do niczego ⟨*nie nadawać się, nie być przydatnym, zdolnym do czego*⟩: Ja pójdę spać, bo jak nie dośpię, tom do niczego. *Dygas Now. I, 128.* **43.** To do niczego nie prowadzi ⟨*nie daje pożądanego skutku*⟩. **44.** Na niczym: Nie zbywa komu na niczym ⟨*ktoś ma wszystkiego w bród*⟩: Nikomu na niczym nie zbywało, więcej: każdy porastał w nowy dostatek. *Par. Troj. 14.* **45.** Coś skończyło się, spełzło na niczym ⟨*nie osiągnęło celu, skutku*⟩: Miałem dziwny wypadek, który szczęściem na niczym się skończył, ale mógł mnie życie kosztować. *Chopin Wyb. 196.* Zabiegi czyje spełzły na niczym. **46.** Schodzi (czas, dzień itp.) na niczym ⟨*nie wykorzystany należycie*⟩: Dzień schodził na niczym, Claude [...] wałęsał się po mieście, po ulicach, po ogrodach, po kawiarniach. *Strug Krzyż III, 129.* **47.** W niczym: W niczym nie ustępować komu, czemu ⟨*dorównywać komu, czemu pod każdym względem*⟩: Wina węgierskie w niczym nie ustępują francuskim. **48.** W niczym... nie... (z czasownikiem) ⟨*pod żadnym względem, wcale*⟩: W niczym trybu życia nie zmienił. *Zachar. Kres. 11.* **49.** Z niczego ⟨*przy użyciu minimalnych środków, nakładów*⟩: Z niczego stworzyłam pensję. *Prus Emanc. I, 10.* **50.** (Tak) z niczego ⟨*bez powodu*⟩: Ale jak się rozwścieczył, i to tak z niczego, to by człowieka rozdarł. *Jaroch. Niemił. 105.* **51.** Nie liczyć się (z nikim) z niczym ⟨*być niepohamowanym, nieposkromionym, bezwzględnym w działaniu*⟩: Jeśli coś się nie zgadzało z jej artystycznymi wymaganiami, wówczas nie liczyła się z nikim i z niczym. *Ower. Ramp. 209.* **52.** Odejść, (po)wrócić z niczym ⟨*nie osiągnąwszy celu, zamierzenia*⟩: Jak przyszli bez niczego, tak wrócili z niczym. *Kras. Wiersze 192.* **53.** Odprawić kogo z niczym; zbyć, zbywać kogo niczym ⟨*nie zadośćuczynić czyjej prośbie, interwencji, nie odpowiedzieć w wystarczającym stopniu na pytanie*⟩: Zapytywali mię kilkakrotnie, co piszę, alem ich zbywał niczym. *Dąbr. Ig. Śmierć 142.* **54.** *daw.* Być za **n.** ⟨*nie mieć wartości, znaczenia*⟩: Nie podobna, ażeby jego słowa za nic były u Ostrowskiego. *Kaczk. Swaty 48.* **55.** Mieć kogo, co za **n.**, *daw.* także rachować, uważać, ważyć za **n.** ⟨*traktować jako osobę, rzecz mało wartą, nie szanować kogo, czego*⟩: Wszystko ganisz i wszystko masz za nic. *Piotr. Satyr 34.* **56.** Nie mieć **n.** do czego: a) ⟨*nie mieć żadnych pretensji do czego*⟩: Bracia, którzy się zrzekli działu, nie mają nic do spadku po ojcu. *Moracz. Dzieje VI, 40*; b) *przestarz.* ⟨*nie mieć powiązania, współzależności z czym*⟩: Mówią pospolicie, że suknią nie ma nic do obyczajów. Oj ma! i bardzo wiele. *Kit. Opis 177.* **57.** Nie mieć **n.** do kogo (na sercu) ⟨*nie mieć żalu; pretensji do kogo*⟩: Celina zmieszała mnie bardzo dobrym znalezieniem się, oświadczając, że manatki zabierze i wróci, nic do mnie nie mając na sercu. *Mick. Listy II, 112.* **58.** Nie mieć **n.** do czynienia z czym ⟨*być czymś zupełnie odrębnym, odgraniczonym od czego*⟩. **59.** Nie mieć **n.** do roboty, do powiedzenia itp. **60.** Coś nie ma **n.** do rzeczy ⟨*jest bez znaczenia, nie wiąże się z daną sprawą, nie powinno obchodzić*⟩: Pan jest przecie przyjacielem doktora [...] Przyjacielem?... nie wiem... ale to zresztą nie ma nic do rzeczy. *Ritt. Dom. 129.* **61.** Nie mieć **n.** do stracenia ⟨*być w sytuacji rozpaczliwej; nie liczyć się z następstwami*⟩. **62.** Nie mieć **n.** przeciwko komu, czemu ⟨*nie mieć względem kogo, czego żadnych uprzedzeń, zastrzeżeń, zarzutów*⟩: Dla zabicia czasu i nudów chodziłem za kulisy podczas przedstawień, przeciw czemu nikt nic nie miał. *Kosiak. Now. 126.* **63.** Nie mieć **n.** w ustach (*rub.* w gębie) od jakiego czasu, przez jaki czas ⟨*nie jeść, nie pić*⟩: Był głodny, pora śniadania już minęła, od rana nic nie miał w ustach. *Pytl. Pożegn. 67.* **64.** Nie mieć **n.** wspólnego z... ⟨*nie być powiązanym z...*⟩: Żółkowski, schodząc ze sceny,

musiał zrobić jakąś gierkę, zupełnie ze sztuką nie mającą nic wspólnego, aby dostać brawa. *Ower. Ramp. 45.* **65.** Nie mieć w sobie **n.** z kogo, z czego ⟨*być całkowicie pozbawionym cech przypisywanych komu, czemu*⟩: Ta poufałość nie miała w sobie nic z serdeczności czy sympatii. *Wyg. Jel. 48.* **66.** Mówić, rozmawiać (o wszystkim i) o niczym ⟨*o rzeczach bez znaczenia*⟩: Mówiono o wszystkim i o niczym, przeskakiwano z przedmiotu na przedmiot. *Jeż Dypl. 143.* **67.** Nie robić (sobie) **n.** z kogo, czego ⟨*nie traktować kogo, czego poważnie; odnosić się do kogo, czego z lekceważeniem*⟩: Jej mąż, jeżeli jest człowiekiem uczciwym, nic sobie z plotek robić nie będzie. *Zap. G. Mił. 226.* **68. n.** sobie z niczego nie robić ⟨*nie traktować czegokolwiek poważnie, być zuchwałym*⟩: Miał w oczach wyraz nietajonego zuchwalstwa, i widać było, że nic sobie z niczego nie robił. *Perz. Raz. 80.* **69.** Nie zrobić komu **n.** ⟨*nie wyrządzić krzywdy*⟩: Nic mi nie zrobił, [...] a jednak strach mnie bierze, gdy go obaczę. *Zachar. Kres. 56.* **70.** Zdaje się, zdawałoby się **n.** ⟨*coś bez znaczenia*⟩: Znalazłem dokument, ot zdawałoby się nic: rękopis starego wierszyka. *Boy Słowa 52.*
przysł. **71.** Zarzeka się niczym żaba błota.

nice 1. Przewrócić, obrócić, wywrócić na **n.**: a) ⟨*przewrócić, obrócić na lewą stronę*⟩: Przerobił go do szczętu, wywrócił na nice, wyrychtował, przypasował, odświeżył z wierzchu i pod spodem, zmienił krój, poprawił robotę. *Gomul. Róże 28*; b) ⟨*zmienić radykalnie, zupełnie; przewrócić do góry nogami*⟩: Sejm wszystko w stolicy wywrócił na nice. *Gomul. Miecz. I, 67*; c) *przestarz.* ⟨*poddać zbyt surowej krytyce; zganić*⟩: Same cnoty na nice obracamy, i często na gładkiej twarzy brodawki upatrujem. *Zab. XIII/1, 1776, s. 65*; d) *przestarz.* ⟨*zniszczyć*⟩: Na nice wywróciła wojna bujne ziemie. *SL.* **2.** Zedrzeć, zniszczyć na **n.** ⟨*zedrzeć, zniszczyć zupełnie, całkowicie, na nic*⟩: Był bliski przeświadczenia, że tym, co ostatecznie w życiu da mu rady i zedrze go na nice, będzie budowa osiedla. *Brand. K. Obyw. 94.*

nicejski *żart.* Ubranie **n-e** ⟨*nicowane*⟩.

nicość 1. Powstać, wyprowadzić z nicości ⟨*z niebytu*⟩: Jeśli to, co jest, nie mogło powstać z nicości, to w nią i zamienić się nie może. Tylko więc jedne postacie bytu przejdą w inne. *Święt. A. Dum. 22.* **2.** Przechodzić w **n.** ⟨*ginąć, unicestwiać się*⟩: Umierały wieki, a z nimi przechodziły w nicość pokolenia. *Czayk. Poezje 1.* **3.** Rozpływać się w **n.**: Z rozpadlin jarów ulatywały białe kłaczki mgieł, wiły się chwilę około ciemnych świerków i rozpływały się w nicość przed blaskiem słońca. *Witkiew. S. Utwory 9.* **4.** Zapadać, zapaść w **n.**: Noc była mglista i takiej ciemności, że się zdawało — jakby wszelkie życie wygasło; ziemia w otchłanie nicości zapadła. *Ziel. G. Poezje II, 133.*

nicować 1. n. ubranie, marynarkę, spódnicę itp. ⟨*przerabiać, odnawiać jakąś część garderoby, przewracając tkaninę na lewą stronę, na nice*⟩: Spódnica była widocznie nicowana i na szwach zrudziała. *Zar. Grusze 12.* **2. n.** kogo ⟨*krytykować*⟩: Drugi powód, jaki do niechęci względem Piaseckiego mieli spółcześni, jest ten, że nicuje ostro jezuitów. *Bartosz. Hist. 385.* **3. n.** prawdę ⟨*fałszywie interpretować, tłumaczyć niezgodnie z prawdą; przekręcać, przerabiać*⟩: Niewiele troszcząc się o prawdę, nicował ją w potrzebie. *Bem Studia 132.*

niczyj 1. Ziemia **n-a** ⟨*nie należąca do nikogo*⟩: Nie ma tam panów i nie ma niewolnych. Ziemia niczyja, można orać i siać, ile zdołasz. *New. Pam. 240.* **2. n-a** rzecz: Własność niczyjej rzeczy ruchomej nabywa się przez objęcie jej w posiadanie. *Zoll Prawo cyw. II/2, 18.* **3.** *przen.* Życie **n-e**: Patrzę na swoje życie bezpańskie, niczyje, na trudy nieprzydatne już dzisiaj nikomu. *Karski Poezje 82.* **4.** Bez niczyjej pomocy ⟨*bez pomocy kogokolwiek, samodzielnie*⟩: Zrobiłem to sam, bez niczyjej pomocy. **5.** Coś nie może ujść niczyjej uwagi ⟨*ktoś musi to zauważyć*⟩: Sądzi, że taki spacer z piękną panną nie może ujść niczyjej uwagi. *Par. Niebo 256.* **6.** Nie potrzebować niczyjej rady ⟨*nie potrzebować pomocy, rady kogokolwiek*⟩.

nić 1. Cienka, gruba, mocna **n. 2.** Cienki jak **n. 3.** Nawijać **n-i** na kłębek; przetykać tkaninę (złotymi) srebrnymi nićmi; skręcać włókno w **n. 4.** Srebrna **n.** ⟨*siwy włos*⟩: Czarną niegdyś jego brodę gęsto srebrna nić przeplata. *Gomul. Pieśni 82.* **5. n.** jedwabnika. **6. n.** babiego lata; **n.** pajęczyny: Słonko przypiekało, srebrne nici pajęczyn żeglowały w powietrzu. *Żukr. Dni 120.* **7. n.** plazmatyczna ⟨*plazmodezma*⟩. **8. n.** Ariadny ⟨*w mitologii greckiej: nić, a właściwie kłębek nici, którym Ariadna obdarzyła Tezeusza, aby mógł wyjść z Labiryntu po zabiciu Minotaura; przen. nić przewodnia*⟩. **9.** *daw. poet.* **n-i** lutni ⟨*struny lutni*⟩: Znowu w takt grają lutni polskiej nici. *Zab. VIII/1, 1773, s. 190.* **10.** *pot. żart.* **n-i** z czego ⟨*coś się nie udało, nie doszło do skutku; nic z czego nie będzie (aluzja do wyrazu „nic”)*⟩: Jak nie chcesz, to nie. W takim razie z naszej umowy nici. *Andrz. Wojna I, 209.* **11.** *daw.* Kręcić z **n-i** powrozy ⟨*wyolbrzymiać co, przesadzać, robić z igły widły*⟩. **12.** *przen.* Przerwać **n.** szczerości, zaufania: Nić najzupełniejszej szczerości i zaufania już była przerwana. Córka oderwała się od matki. *Dąbr. Ig. Matki 46.* **13.** *przestarz.* Skakać jak wróbel na **n-i** ⟨*niezgrabnie*⟩. **14.** Skupiać, trzymać nici czego ⟨*skupiać główne wątki, szczegóły danej sprawy; kierować czym, być w co wtajemniczonym*⟩: Zdawał się trzymać w rękach nici całej gry, ale tej wiedzy swojej niczym prócz drwiny nie ujawniał. *Nałk. Z. Gran. 65.* **15.** *przen.* Snuć **n.** opowiadania; snuć, nawiązywać **n.** wspomnień: Wyborna pamięć nasuwa mu ciągle jakieś nowe szczegóły, które pozwalają mu snuć nić opowiadania niemal bez końca. *Chmielow.* w: *Niwa VI, 1874, s. 35.* W myśli mojej nawiązałam znowu nić wspomnień, czerpanych z ubiegłego dzieciństwa *Orzesz. Pam. I, 27.* **16.** *przestarz.* Coś wisi na cienkiej nici ⟨*ledwie się trzyma, jest niepewne; wisi na włosku*⟩: U skąpca czasu wszystkiego żywota na bardzo cienkiej nici wisi cnota. *Rej SW.* **17.** *przen.* **n.** życia przerywa się: Ja pragnę używać życia pospiesznie, niewstrzemięźliwie, wesoło, bo jego nić niedługo się przerwie. *Święt. A. Asp. 156.*

nie 1. Ależ **n.**, wcale **n.** ⟨*wyraża stanowcze zaprzeczenie*⟩: To chyba przerwiemy tego robra? Ależ nie! *Lut. Próba 61.* Czyż pani myśli, że i ja aprobuję jadanie kiepskich obiadów? Wcale nie! *Żer. Grzech. 49.* **2.** Czemu **n.** ⟨*zgoda (wyrażona oględnie)*⟩: Rozwlekle wymawiając słowa zdecydował, że owszem, czemu nie? *Bogusz. Polon. I, 100.* **3.** *pot.* Jasne, **n.**?

no **n.**? ⟨*nie prawda?*⟩: Złożywszy to razem, otrzymamy całkowite szczęście. Jasne, nie? *Dąbr. M. Noce II, 191.* Mieliśmy rację, no nie? *Past. Komuna 7.* **4.** Tak albo **n.** ⟨*wyrażenie alternatywne*⟩: Widzę, że nikt nie chce powiedzieć wyraźnie — tak albo nie. *Meis. Wraki 371.* **5. n.** (ze stopniem wyższym przym. lub przysłów.), jak... (niż, od, aż): **n.** większy niż (od), **n.** więcej, jak..., **n.** dawniej, jak (np. wczoraj); **n.** prędzej, aż... **6. n.** bez tego, aby (żeby) **n.** ... ⟨*to, o czym mowa w zdaniu (z wyłączeniem przeczeń) najprawdopodobniej ma miejsce*⟩: Karnawał nasz cichy, głuchy, ale [...] Nie bez tego, ażeby się nie pobawili ludziska. *Prz. Tyg. Życia 3, 1875, s. 26.* **7. n.** bez czego ⟨*z czym*⟩: **n.** bez podstawy, powodu, pożytku; **n.** bez uszczypliwości, wstrętu. Człowiek **n.** bez talentu. **8. n.** i **n.** ⟨*wyrażenie oznaczające kategoryczną odmowę, upór*⟩: Poszedłem do Staśka ubijać interes. Na razie nie chciał nawet słyszeć: nie i nie. Wreszcie zmiękł. *Warsz. młod. 138.* **9. n.** do (z rzeczownikiem odczasownikowym) ⟨*coś jest niemożliwe do wykonania, niecelowe, niewskazane*⟩: **n.** do darowania (popełnić błędy); (fakt) **n.** do odrobienia; (zmienić się) **n.** do poznania; (droga) **n.** do przebycia. **10. n.** (chcesz), to **n.**: Chcesz, żeń się z nią, a nie chcesz, to nie. *Mort. Wawrzek 107.* **11.** *daw.* **n.** nadto ⟨*niezbyt*⟩: Panna nie nadto młoda, już pono półwieczna, lecz gospodyni dobra, osoba stateczna i posażna. *Mick. Tad. 324.* **12. n.** nazbyt + przymiotnik ⟨*wyrażenie osłabiające, ograniczające znaczenie przymiotnika, któremu towarzyszy*⟩: Dzień był i owszem bardzo cudny i nie nazbyt gorący, niebo jasne, rozsłonecznione. *Reym. Fron. 161.* **13.** *daw.* **n.** przeto ⟨*nie dlatego; przez to samo nie...*⟩: Kiedy wzywam do niepodłego, od cudzoziemskich zasad niezależnego poszukiwania własnego prawodawstwa, nie przeto wpływów jakich zaprzeczam. *Lel. Polska III, 350.* **14. n.** ma, *przestarz.* **n.** masz (czego) ⟨*coś nie istnieje*⟩: Nie ma już dla niego nadziei. *Makusz. Król 24.* Ujrzysz pan to, czego u nas nie ma nigdzie w kraju jeszcze, unikaty! *Krasz. Opow. 79.* **15. n.** ma, *przestarz.* **n.** masz (kogo) ⟨*ktoś jest nieobecny; nie istnieje, nie żyje*⟩: I ślady się zmazały! Las zarasta krzewina! Potok, drzewa zostały; ciebie nie masz Justyno! *Karp. Zab. VII, 74.* **16. n.** ma co ⟨*wyrażenie wzmacniające o charakterze ekspresywnym, niekiedy ironicznym*⟩: Nie ma co, nieźle się pan zabawia z rudowłosą wdową. *Strug Krzyż II, 101.* **17. n.** ma co, czego (lub inne formy) + bezokolicznik ⟨*nie istnieje, nie wchodzi w rachubę powód, przedmiot tego, co oznacza dany bezokolicznik*⟩: Bez wykształcenia nie ma czym żyć na świecie. *Dąbr. M. Noce II, 159.* Nie ma co zwłóczyć! Ja jadę natychmiast. Co będzie można, zrobię. *Jun. Dworek 103.* **18. n.** ma co a. czego (z opuszczonym bezokolicznikiem) ⟨*nie ma powodu, nie warto, nie trzeba*⟩: Nie zapieraj się, nie ma czego. *Skiba Poziom. 120.* **19. n.** ma czego (np. śmierci, zarazy) na kogo ⟨*forma złorzeczenia*⟩: Śmierci na ciebie nie ma, stara czerepo! *Bogusz. Kura 226.* **20. n.** ma (ani) śladu, za grosz, na lekarstwo, znaku czego ⟨*coś nie występuje, nie przejawia się w najmniejszym nawet stopniu*⟩: Nie masz w nim za grosz Polaka. *Sienk. Pot. I, 220.* Już ziarna nie ma ani na lekarstwo. *Orkan Pomór 47.* **21. n.** ma gdzie + bezokolicznik ⟨*nie dysponuje się miejscem odpowiednim dla czego*⟩: U nas ciasnota, nie ma gdzie przenocować, ani koni gdzie postawić. *Fel. E. Syb. III, 204.* **22. n.** ma jak co a. gdzie ⟨*jest najlepsze; jest najlepiej*⟩: Już to nie ma, panie, jak dom, wygody: wszędzie dobrze, ale w domu najlepiej. *Bał. Radcy 48.* Dość lat po świecie chodzę i widziałem różności, ale nie masz jak w Pradze na Karlovym Moście! *Gałcz. Ślub. 58.* **23. n.** ma komu (co zrobić) ⟨*brak jest osoby, która by wykonała daną czynność*⟩: Wracam wieczorem do cichego domu, nie ma jak dawniej przywitać mnie komu. *Fredro A. Poez. 75.* **24. n.** ma do kogo ust otworzyć ⟨*brak jest osoby, z którą można by porozmawiać*⟩. **25.** Czego (tu) **n.** ma, **n.** było ⟨*wszystkiego jest w obfitości*⟩: Pamiętam i te lasy piękne [...] czego w nich nie było! Rosły tam i jabłka dzikie i gruszki i maliny pachnące, a w barciach gnieździły się pszczoły. *Jun. Dworek 16.* **26.** Jak **n.** ma tak **n.** ma (kogoś, czegoś) ⟨*ktoś, coś nie nadchodzi; czyjaś nieobecność przeciąga się zbyt długo*⟩: Mieliśmy całą rodziną iść do teatru, a tu ojca jak **n.** ma tak **n.** ma. Czekamy na przystanku od pół godziny, a tramwaju jak **n.** ma, tak **n.** ma. **27.** *pot.* Już (cię) **n.** ma ⟨*dosadna forma usuwania, odpędzania kogo*⟩: Wracajcie, skądżeście przyszły. Już was nie ma — rzekł ostro. *Pytl. Pożegn. 36—37.*

nieagresja *polit.* Pakt o nieagresji ⟨*pakt podpisany przez dwa państwa, zawierający obustronne zobowiązanie niewystępowania zbrojnego przeciw sobie*⟩.

niebaczny 1. n-e słówko, słowo; **n-e** kroki ⟨*nierozważne, nieopatrzne, nieostrożne*⟩: Była to jego pierwsza odpowiedzialna posada, bał się więc ją utracić, narażając się komuś niebacznym słówkiem. *Melc. Statek 57.* **2. n.** na prośby, na przestrogi ⟨*nie mający względu na co*⟩: Jeszcze milczysz? Niewzruszona, smutna, niebaczna na me prośby. *Zap. G. Dzień 175.*

niebezpieczeństwo 1. Bezpośrednie, groźne, poważne, straszne, wielkie **n. 2. n.** c z e g o: **n.** powodzi, wojny, utraty życia. **3. n.** d l a k o g o: **n.** dla mieszkańców, dla pracowników. **4. n.** od kogo a. ze strony kogo: **n.** od Krzyżaków (ze strony Krzyżaków) wisiało w dawnych wiekach nad Polską. **5.** Najeżony niebezpieczeństwami (np. o podróży). **6.** Być, znaleźć się w niebezpieczeństwie (życia). **7.** Grozić niebezpieczeństwem. **8.** Narazić, wystawić kogo, co na **n. 9.** Ściągnąć **n.** na kogo (na siebie). **10.** Ujść, uniknąć niebezpieczeństwa. **11. n.** grozi, zagraża komu: Gdyby której z nich groziło niebezpieczeństwo, matka za córkę, a córka za matkę poświęciłaby życie. *Prus Emanc. II, 139.* **12. n.** wisi, zawisło nad kimś.

niebezpieczny 1. n-a choroba, rana. **2. n.** człowiek. **3. n-e** położenie: Znaleźć się w niebezpiecznym położeniu; wyprowadzić kogo, co z niebezpiecznego położenia. **4. n-e** zwierzę. **5. n.** dla kogo, dla czego: Zabieg **n.** dla chorego; przestępca **n.** dla otoczenia. Mężczyzna **n.** dla kobiet ⟨*łatwo podbijający serca kobiet*⟩.

niebieski 1. n. kolor, ołówek, oczy itp. ⟨*barwy błękitnej*⟩. **2.** *rzad.* **n-a** krew ⟨*przenośnie o arystokratycznym pochodzeniu*⟩: Zawsze umiał przybrać taki ton arystokratyczny, że nikt nie byłby śmiał przypuścić, iż w jego żyłach nie płynie krew niebieska.

Rog. J. Bohat. I, 83. **3.** Śnić o niebieskich migdałach ⟨*oddawać się marzeniom, nie myśleć o niczym konkretnym; roić*⟩. **4. n.** ptak, ptaszek ⟨*człowiek żyjący cudzym kosztem, nieodpowiedzialny, próżniak, darmozjad*⟩. **5.** *rzad.* **n-e** sklepienie ⟨*firmament*⟩: Tysiąc złotych gwiazd zdobi niebieskie sklepienie. *Dmoch. Rym. 4.* **6. n-a** wstęga ⟨*przenośnie o orderze noszonym na niebieskiej wstędze, np. order Orła Białego za czasów Stanisława Augusta*⟩.

niebiesko n. od dymu (papierosów). Na **n.** ⟨*na kolor niebieski*⟩: Pomalować ściany na **n.**

niebiosa 1. Wynosić, wychwalać pod **n.**, pod niebiosy ⟨*bardzo wychwalać; zachwycać się*⟩: Nadzwyczajny człowiek... Wszyscy go szanują i wychwalają pod niebiosy. *Ritt. Dom. 11.* **2.** Zstąpić z niebios ⟨*o siedzibie Boga, bóstw, świętych*⟩.

niebo 1. n. jasne, pogodne, zachmurzone; wyiskrzone gwiazdami ⟨*sklepienie niebieskie, firmament*⟩. **2.** Ołowiane **n.** ⟨*zasłonięte warstwą ciemnych chmur*⟩: Nad głowami wisiało posępne, ołowiane niebo, dziko szumiały bory. *Reym. Now. V, 92.* **3.** Błękit nieba. **4.** Łaskawe **n-a** ⟨*Bóg; los*⟩: Od wszystkich tych ciężkich prób ochroniły nas jednak łaskawe nieba. *Lam J. Kron. 26.* **5.** Dary nieba ⟨*pożywienie*⟩: Do kraju tego, gdzie kruszynę chleba podnoszą z ziemi przez uszanowanie dla darów nieba... Tęskno mi, Panie... *Norwid Wyb. 23.* **6.** Wielkie **n-a**! O **n-a**! O wielkie **n-a**! ⟨*wykrzyknienie mające wyrażać przerażenie, zdumienie; używane również żartobliwie, ironicznie*⟩: Wielkie nieba! Obraziłem młode i płoche dziewczę! *Żer. Grzech. 15.* **7.** *pot. żart.* **n.** w ustach, w gębie ⟨*o czymś smacznym*⟩. **8.** Jak Bóg na niebie ⟨*na pewno, bez wątpienia, naprawdę*⟩: „Czy tylko prawda? Czy ty nie zwodzisz sam siebie?" „Prawda, zawołał Robak, jak Pan Bóg na niebie!" *Mick. Tad. 175.* **9.** Pod **n.** ⟨*wysoko, wysoki*⟩: Któryś mi zastąpił drogę. Chłopisko pod niebo. Źle. Już mnie macnął ostrzem. *Wikt. Papież 148.* W samo południe wrócili z lasu, wioząc pod niebo wyładowaną furę gałęzi. *Sewer Biedr. 131.* **10.** Pod otwartym niebem, pod gołym niebem ⟨*na świeżym powietrzu, na dworze, nie pod dachem*⟩: Przed budynkiem, pod otwartym niebem, czerniało duże boisko, a pośrodku stał ogromny, dębowy walec do młócenia zboża. *Sier. Now. 223.* **11.** Być lepszym od kogo; przewyższać, przerastać, przenosić kogo albo co o całe **n.**, różnić się całym niebem ⟨*być od kogo albo od czego pod jakimś względem lepszym, górować nad kim albo nad czym*⟩: Ona o całe niebo go przewyższa! *Kunc. Dni 222.* **12.** Być w niebie ⟨*czuć się bardzo szczęśliwym, być bardzo zadowolonym, cieszyć się czymś, radować się*⟩. **13.** Dostać się, pójść do nieba; połączyć się z kim w niebie ⟨*według niektórych religii: znaleźć się po śmierci w krainie szczęśliwości*⟩. **14.** Dziury w niebie nie ma, nie będzie; dziura w niebie nie zrobi się ⟨*nic się nie zmieni, nic ważnego lub złego się nie stanie, nie wydarzy się*⟩: Dziury w niebie nie będzie, jak jednego kpa zabiją. *Sienk. Now. II, 217.* **15.** Jest komu dobrze jak w niebie; ktoś czuje się, ma się jak w niebie ⟨*komuś jest bardzo dobrze; ktoś czuje się szczęśliwy*⟩. **16.** Pojawić się, ukazać się na niebie (o gwiazdach, kometach, samolotach itp.) ⟨*w przestrzeni na tle firmamentu niebieskiego*⟩. **17.** Poruszyć **n.** i ziemię ⟨*użyć wszelkich możliwych środków*⟩: Poruszyła niebo i ziemię, aby przyjść w pomoc synowi, o którego zdrowie i życie drżała. *Łoz. Wł. Praw. II, 321.* **18.** Przychylić, uchylić komu nieba ⟨*uczynić kogo szczęśliwym, być dla kogo dobrym, serdecznym, spełniać czyjeś zachcianki, odgadywać czyjeś myśli, pragnienia*⟩: Niech wam Bóg da zdrowie!... Niech wam nieba przychyli — błogosławiła ich głośno. *Sier. Dno 280.* **19.** To **n.** i ziemia ⟨*o ludziach albo rzeczach zupełnie do siebie niepodobnych, różniących się kontrastowo*⟩: Gdy sobie przypomnę początek i to, co do dziś zrobiono, to niebo i ziemia. *Żukr. Zioła 95.* **20.** Różnić się o całe **n.**, jak **n.** i ziemia ⟨*zupełnie się różnić*⟩. **21.** Spaść, spadać z nieba, jak z nieba, jak gdyby z nieba: a) ⟨*o ludziach, rzeczach: zjawić się nieoczekiwanie, a w samą porę*⟩: Toś mi z nieba spadł, jak mnie Bóg miły! *Sienk. Wołod. I, 28*; b) ⟨*o ludziach: być niezorientowanym, nie wiedzieć, o co chodzi*⟩: Co się stało?... Gdzie pan Henryk? — Cóżeś ty, z nieba spadł? — To nie wiesz, że już od poniedziałku nie ma go u nas? *Hertz B. Termin. 76.* **22.** Nic z nieba nie spada, nie spadnie ⟨*nic nie przychodzi łatwo, bez trudu, bez wysiłku, na wszystko trzeba zapracować*⟩: Żadne zwycięstwo nie spadło gotowe z nieba. Każde było wywalczone kosztem ciężkich zmagań. *Andrz. Wojna 7.* **23.** Świecić na niebie (o słońcu, gwiazdach). **24.** Wynosić kogo albo co pod **n.** ⟨*chwalić kogo albo co, zachwycać się kim albo czym*⟩: Jeszcze raz przyrzekam, że zasługi twoje pod niebo wyniosę i sejmowi do nagrody przedstawię. *Sienk. Pot. IV, 100.* **25.** Żeby kije z nieba leciały ⟨*mimo najbardziej nie sprzyjających warunków, największych przeszkód*⟩: On tu dziś nad wieczorem musi być! I będzie, żeby kije z nieba leciały. *Żer. Śnieg 3.* **26. n.** się przeciera, wypogadza się; zachmurza się; zaciąga się chmurami. **27. n.** się otwierało, otwiera, otworzyło ⟨*szczęście stało się bliskie, dostępne*⟩: Jagience zaś zrazu całkiem zaćmiło się w oczach, bo jej się zdało, że już się niebo przed nią otwiera. *Kaczk. Olbracht. I, 293.*

przysł. **28.** Niech się dzieje wola nieba, z nią się zawsze zgadzać trzeba (*Fredro A.*).

niebytność Pod **n.**, w **n.** czyją; w niebytności czyjej *przestarz.* ⟨*w czasie, podczas nieobecności czyjej*⟩: Pod niebytność mą przybył z daleka w drzwi niestrzeżone gość niespodziewany. *Staff L. Poezje I, 256.* W niebytność Wojskiego Woźny po kryjomu kazał stoły z wieczerzą powynosić z domu. *Mick. Tad. 17.* W niebytności pana zwykł sam przyjmować i zabawiać gości. *Mick. Tad. 13.*

niecenzuralny 1. n-a książka ⟨*niezgodna z wymaganiami cenzury*⟩: Wyłowili u mojego ciotecznego brata [...] niecenzuralną książkę, jakąś zresztą niewinną socjologię, ale z notatkami na marginesach... *Dąbr. M. Noce IV, 104.* **2. n-e** słowa ⟨*nieprzyzwoite, sprośne*⟩: Wygrażałem mu pięścią i wykrzykiwałem różne polskie i węgierskie niecenzuralne słowa. *Róż. Kart. 11.*

niechcący ⟨*mimowolnie*⟩ **1. n.** (po)trącić kogo, powiedzieć co. **2. n.** naumyślnie ⟨*niby, pozornie niechcący*⟩.

niechcenie Od niechcenia, z niechcenia, jak od niechcenia itp. ⟨*niechcący, mimowoli, przypadkiem; niedbale, pobieżnie; bez wysiłku, z łatwością; lekko*⟩:

W szkole uczył się znakomicie. Wszystko przychodziło mu łatwo i jakby od niechcenia. *Krzyw. I. Dzieci 8.*

niechęć 1. Nieprzezwyciężona **n. 2.** Wzajemne **n-i. 3. n.** d o k o g o, d o c z e g o: **n.** do pracowników; do wysiłku. **4.** Z niechęcią (robić co, zgodzić się na co) ⟨*niechętnie*⟩. **5.** Czuć, powziąć, żywić do kogo **n.**: Powziął ku niemu takową niechęć, iż gdy go jawnie prześladować nie mógł, w każdej okoliczności dawał mu poznać nieprzyjaźń swoją. *Kras. Życia X, 164.* **6.** Okaz(yw)ać komu **n. 7.** Pałać niechęcią do kogo. **8.** Ściągnąć na siebie czyją **n. 9.** Wylać na kogo, wywrzeć na kim swą **n.**

niechętny 1. n-a rozmowa. **2. n-e** spojrzenie, **n-e** słowa: Jeszcze nie pozwalała sobie na robienie wyrzutów [...] Ale zaczęły już padać słowa niechętne, nie dające się nigdy cofnąć. *Nałk. Z. Mił. 162.* **3. n.** k o m u, c z e m u; częściej: d l a k o g o, d l a c z e g o; względem kogo, czego: Być komu niechętnym ⟨*odczuwać niechęć do kogo, nie sprzyjać*⟩: Tych, co mi byli niechętni, przymusiłem, że otwarcie przede mną stanęli. *Słow. Listy I, 380.*

niechlubny n-a śmierć: Zginąć śmiercią niechlubną.

niechlujny 1. n-e ubranie; **n-e** pomieszczenie. **2. n-a** szata zewnętrzna (książki). **3.** *przen.* **n.** przekład ⟨*niestaranny, zawierający liczne błędy*⟩: Niechlujne przedwojenne przekłady nigdy nie dawały czytelnikom pojęcia o jego [Tołstoja] sztuce pisarskiej. *Pomian. Widow. 188.*

niechodliwy *pot.* **n.** towar ⟨*nie mający zbytu, nie znajdujący nabywców, trudny do sprzedania*⟩.

niechybny 1. n. cios, strzał ⟨*celny*⟩: Strzał był niechybny. Wilk skulił się, wyprężył jakby do skoku, aż wreszcie padł nieżywy. *Brzech. Kleks 14.* **2.** Oko **n-e** (mieć) ⟨*niezawodne, nieomylne*⟩: Oko mam niechybne, i poznałem ich, jak tylko weszli. *Reym. Now. V, 19.* **3. n-a** ślepota, zagłada (grozi komu). **4. n-a** śmierć (wisi nad kim): Dziś, jutro, nie wiem kiedy, ale śmierć wisi nad nim niechybna. *Marc. Pisma I, 189.*

niecić *książk.* **1. n.** ogień, ognisko ⟨*rozpalać, zapalać*⟩. **2. n.** pożar, łuny: Niebo, nim rzuci pioruny, pierwej łyska, grzmi, sępi i swe nieci łuny. *Zabł. Zabob. 30.* **3.** *przen.* ⟨*wzniecać, wzbudzać, powodować*⟩: **n.** anarchię, wojnę, boje; **n.** miłość, nadzieję, pocieszenie, wątpliwości, radość. **4. n.** zarzewie buntu, walki itp. ⟨*zachęcać, nawoływać do buntu, walki itp.*⟩: Niedołężność i nadużycia władców, a stąd trapiące naród klęski, wstrząsały raz po raz spokojność publiczną, niecąc zarzewia buntów. *Mech. Wym. I, 47.*

niecierpliwość 1. Gorączkowa, paląca **n.** Gest niecierpliwości: Z gestem niecierpliwości skrobał się po głowie. *Jun. Mazur. 131.* **2.** Z niecierpliwością (czekać czego, na co; wyglądać, oczekiwać kogo). **3.** Drżeć z niecierpliwości. **4.** *przestarz.* Okazywać **n.** Przywieść do niecierpliwości: A gdy i potem jeszcze naglił, do takiej mnie na koniec niecierpliwości przywiódł, iż dość żwawo zacząłem mu przedkładać, jak takowymi sposoby na zawsze mnie od domu swojego odstręczy. *Kras. Podstoli 94.* **5. n.** ogarnia, trawi kogo; miota, rzuca kim.

niecierpliwy 1. n. n a c o ⟨*nie znoszący cierpliwie czego, niewytrzymały na co*⟩: **n.** na ból, na długie czekanie. **2.** *daw.* **n.** czego ⟨*nie mogący doczekać się czego, żądny czego; nie chcący znosić czego*⟩: Dembowski, zawsze niecierpliwy powstania, zawzięcie do niego pobudzał. *Kamień. Pam. 83.* **3. n.** gest, ruch, spojrzenie ⟨*wyrażający zniecierpliwienie*⟩: Niekiedy prostowała się i niecierpliwym gestem wznosiła lewą dłoń, aby odgarnąć z czoła cieńsze, spadające włosy. *Krucz. Sidła 6.* **4. n-a** uwaga: Ktoś go potrącił, robiąc niecierpliwą uwagę o nieprzytomnych gapiach, którzy plączą się ludziom pod nogami. *Meis. Sześciu 54.*

niecny 1. Człowiek **n.**, **n.** zdrajca ⟨*pozbawiony zasad moralnych, postępujący haniebnie*⟩. **2. n.** czyn, postępek ⟨*haniebny*⟩: Splamił swe ręce niecnym postępkiem. *Orzesz. Na dnie 315.* **3. n-e** pobudki postępowania, **n-e** zamiary ⟨*podłe, nikczemne*⟩: Cynicznie przyznaje się do niecnych pobudek swego postępowania. *Rocz. Lit. 1938, s. 62.* **4. n-e** życie: Nareszcie umarł tak szkaradnie, jak się można było spodziewać po niecnym jego życiu. *Sztyrm. Paliw 253.*

nieczuły 1. n. n a c o ⟨*nie reagujący na bodźce zewnętrzne*⟩: Źrenica **n-a** na światło. **2. n.** na działanie czego ⟨*odporny*⟩: Spoiwo ceramiczne [...] jest nieczułe na działanie wody, oleju i temperatury. *Tryl. Szlif. 16.* **3. n.** na cierpienia czyje, na łzy ⟨*obojętny, nielitościwy, nie współczujący*⟩. **4. n.** na piękno ⟨*niewrażliwy, nie odczuwający piękna*⟩. **5.** Wzrok **n.** ⟨*zimny, obojętny*⟩. **6. n.** jak drewno ⟨*pozbawiony czucia*⟩: Przewrócił się i w ziemię schowawszy twarz gniewną, zamknąwszy oczy, leżał nieczuły jak drewno. *Mick. Tad. 243.* **7.** Być nieczułym na co ⟨*nie reagować na co, być obojętnym, przyjmować co obojętnie*⟩: Powoli zatracał swą ambicję i stawał się nieczuły na uszczypliwe docinki kolegów, na okazywaną mu wzgardę i niechęć. *Morc. Ptaki 231.*

nieczynny 1. n-a cegielnia, fabryka, winda ⟨*unieruchomiona, nie funkcjonująca*⟩. **2.** Gazy **n-e** ⟨*szlachetne*⟩. **3.** Wulkan **n.** ⟨*nie będący w stanie czynnym*⟩. **4.** Przejść w stan **n.** ⟨*na emeryturę*⟩: Otrzymał on papióreczek ważki o przejściu w stan nieczynny. *Goj. Ziemia 158.*

nieczysto Walczyć **n.** ⟨*w boksie, zapaśnictwie: stosując ciosy, chwyty niedozwolone*⟩.

nieczysty 1. n-a bielizna ⟨*brudna, zbrudzona*⟩. **2. n.** duch; siła, moc **n-a** ⟨*diabeł, szatan*⟩. **3. n.** interes; **n-e** sprawy, zamiary ⟨*podejrzany(-e); nieuczciwy(-e)*⟩: Sfałszował weksle, miał jakieś nieczyste sprawy przy kartach, wyrzucono go z klubu. *Boy Flirt III, 49.* **4. n-e** powietrze; źródło **n-e** ⟨*zanieczyszczone, zepsute, zakażone*⟩. **5. n-a** rasa, krew ⟨*mieszana*⟩. **6.** Ręce **n-e** ⟨*nie umyte*⟩. Mieć **n-e** ręce ⟨*być nieuczciwym, brać łapówki, kraść*⟩. **7. n-e** sumienie ⟨*poczucie, świadomość dokonanego przestępstwa, przewinienia, zła wyrządzonego komuś*⟩: Nieczyste sumienie kazało mu się mimowolnie czegoś obawiać i mieć bacznie na ostrożności. *Łoz. Wal. Dwór 57.* **8.** Zarabiać w **n.** sposób: Ja panu nie będę pomagać w zarobieniu w nieczysty sposób kilku czy kilkunastu tysięcy franków. *Pytl. Pożegn. 164.*

nieczytelny 1. pismo **n-e**; tekst **n.** ⟨*nie dający się odczytać*⟩. **2.** Obraz, plakat **n.** ⟨*niezrozumiały, niekomunikatywny*⟩.

niedaleko 1. n. c z e g o: a) ⟨*w przestrzeni: blisko, w pobliżu czego*⟩: Spotkałem go **n.** domu; b) ⟨*o małym odstępie czasu*⟩: Już było niedaleko świąt, gdy musiałem zmienić plan wywczasów. *SL.* **2. n.** o d k o g o, o d c z e g o lub d o k o g o, d o c z e g o: Mieszka **n.** od nas. - Byli już niedaleko od wrót. *Sienk. cyt. PJ 10, 119.* Dzieci mają **n.** do szkoły. **3. n.** szukając ⟨*zwrot poprzedzający przytoczenie jakiegoś oczywistego przykładu, rzeczy powszechnie znanej, wiadomej, z łatwością dającej się wymienić*⟩: Niedaleko szukając wielki Newton. Odkrył prawa ciążenia, siedząc w ogrodzie. *Winaw. Roztw. 87.* **4.** Niedalej jak wczoraj, w ubiegłym tygodniu itp. ⟨*właśnie wczoraj, dopiero wczoraj*⟩: Ot, niedalej jak wczoraj wieczorem złapałem ciocię Irenę na gorącym uczynku. *Tyg. Ilustr. 138, 1870.* **5.** *przen.* **n.** zajechać z czym, **n.** zaprowadzić: Panie inżynierze, z pańską dialektyką niedaleko byśmy zajechali. Wbrew pańskim słowom robotnicy i część chłopstwa ponoszą główny ciężar odbudowy. *Twórcz. 1, 1954, s. 123.*

niedawny 1. Do niedawna ⟨*jeszcze w niedalekiej przeszłości, do chwili zupełnie bliskiej teraźniejszości*⟩: Jedynym mankamentem tego rozległego zieleńca był do niedawna brak przejść poprzecznych. *Stol. 38, 1950.* **2.** Od niedawna ⟨*od krótkiego czasu; krótko*⟩: Od niedawna działają urzędy konserwatorów. *Boy Znasz. 13.*

niedbalstwo 1. Przez **n.** ⟨coś się robi, staje, dzieje⟩: Najlepsze zabudowania przez niedbalstwo walą się, przez niepilność ogniem płoną. *Lel. Dzieje 65.* **2.** Zarzucać komu **n.**: Zarzucano mu niedbalstwo i mówiono o nim: próżniak. *Gałaj. Rodz. 95.*

niedbały 1. n. n a c o: Szczęście czyniło ją niedbałą, na to, co sobie kto pomyśli. *Nałk. SPP.* **2. n.** gest, ruch, ton; **n-a** poza ⟨*nonszalancki(-a)*⟩. **3. n.** ojciec; **n-a** matka ⟨*nietroskliwy(-a), niestarowny(-a)*⟩. **4. n.** pracownik ⟨*niestaranny, niedokładny*⟩. **n-a** robota ⟨*niestaranna, nie wykończona, byle jaka*⟩. **5.** Strój **n.** ⟨*niestaranny, byle jaki, nieodpowiedni*⟩: Od dworaków opuszczona Helena, w stroju niedbałym [...] tak szerzy skargi płaczliwe na swe losy nieszczęśliwe. *Niemc. Śpiewy 20.* **6. n.** uczeń ⟨*niepilny, leniwy*⟩. **7. n-a** wymowa ⟨*niestaranna*⟩.

niedługi 1. W niedługim czasie; po niedługim czasie ⟨*niebawem, wkrótce*⟩: Po niedługim czasie wydaliła się [z sali sejmowej] większa część posłów. *Szajn. Szkice III, 159.* **2.** Za niedługą chwilę ⟨*niebawem*⟩: Za niedługą chwilę ma zobaczyć twarz człowieka z tamtych (dawnych) czasów. *Żer. Prom. 49.*

niedobór 1. n. budżetowy; **n.** w kasie. **2. n.** c z e g o: **n.** witamin w organizmie. **3.** *indyw.* **n.** sztuk ⟨*brak odpowiedniego doboru sztuk*⟩: Od niejakiego czasu repertuar teatralny odznacza się haniebnym niedoborem sztuk *Prz. Tyg. Życia 9, 1785.* **4.** Coś daje **n-y** ⟨*coś daje straty, deficyt*⟩: Gospodarka nieboszczyka króla [...] dawała same niedobory. *Ask. Poniat. 80.* **5.** Pokryć **n.** a. **n-y. 6.** Unikać niedoboru ⟨*unikać strat, deficytu*⟩: Dzięki umiejętnej gospodarce finansowej [...] uniknięto niedoboru i zapewniono sobie fundusze na dalsze prowadzenie budowy. *Tyg. Ilustr. II, 1900.*

niedobry 1. n-e buty (na kogo) ⟨*nie pasujące, niewygodne*⟩. **2. n.** człowiek ⟨*nieżyczliwy, zły*⟩. **n-e** dzieci ⟨*nieposłuszne; niewdzięczne*⟩. **3. n.** humor, nastrój ⟨*niewesoły*⟩. **4. n.** interes ⟨*niekorzystny*⟩. **5. n.** napój, **n-a** potrawa ⟨*niesmaczny(-a)*⟩. **6. n-a** nowina, wieść ⟨*nie zapowiadająca nic dobrego, niepomyślna*⟩. **7.** Powietrze **n-e** ⟨*niezdrowe*⟩. **8. n-a** strona czego ⟨*zła, niebezpieczna*⟩: Każdy wyścig ma tę niedobrą stronę, że można na nim kark skręcić. *Prus Now. IV, 24.* **9.** Waga **n-a** ⟨*nierzetelna*⟩. **10. n.** n a c o ⟨*nieodpowiedni, nieprzydatny, niestosowny*⟩: Materiał **n.** na suknię. Mąka **n-a** na chleb. Zostawić niedobrą pamięć: Zostawił w Londynie niedobrą pamięć. Długów około 30 fr. i powiastkę, że uciekł. *Lel. Listy II, 158.* **11.** Dzieje się z kim coś niedobrego ⟨*niezwykłego*⟩: Spostrzegł, że z ojcem dzieje się coś niedobrego. Podleśny nigdy nie mówił tak dużo ani w taki sposób. *Prus Dzieci 63.* **12.** Coś się święci niedobrego ⟨*niepomyślnego*⟩: Przecie sami jesteśmy, możemy więc mówić swobodnie... Coś się tu niedobrego święci! *Jeż Uskoki II, 59.*

przysł. **13.** Powiedziały jaskółki, że niedobre są spółki.

niedobrze 1. Czuć się **n.** ⟨*czuć się źle pod względem fizycznym, niezdrowo, słabo*⟩: Czuł się niedobrze. W skroniach mu huczało. *Braun Lewanty 86.* **2.** Dzieje się **n.** ⟨*sprawy układają się niepomyślnie*⟩: Radco sędziwy, niedobrze się dzieje, ale rozpaczy oddać się nie godzi. *Mick. Graż. 29.* **3.** Wiedzie się komu **n.** ⟨*ktoś jest w złym położeniu materialnym*⟩. **4.** Jest komu **n.**, skrótowo: **n.** komu; robi się, zrobiło się komu **n.** ⟨*ktoś odczuwa mdłości, nudności, zbiera mu się na wymioty*⟩. **5.** Jest z kim **n.** ⟨*ktoś znajduje się w bardzo krytycznej sytuacji (zwykle pod względem zdrowia)*⟩: Towarzyszu Markowski, niedobrze z wami. Was trzeba ratować. *Braun Lewanty 348.* **6.** Mieć **n.** w głowie ⟨*nie być przy zdrowych zmysłach*⟩. **7.** *przen.* Coś **n.** pachnie ⟨*jest podejrzane; jest nie w porządku, wygląda niepomyślnie*⟩: Urzędnik powiedział, że wszystko to niedobrze pachnie i że według niego Ksawery chce zlikwidować swoje interesy. *Brand. K. Antyg. 353.* **8. n.** komu patrzy z oczu ⟨*ktoś wygląda na człowieka złego, nieuczciwego, nie budzącego zaufania*⟩. **9. n.** rozumieć co ⟨*nie tak, jak trzeba*⟩. **10. n.** wyglądać ⟨*niezdrowo*⟩: Niedobrze pani wygląda — rzekł Karol ze szczerym współczuciem. *Gomul. Ciury III, 75.* **11.** Sprawa wygląda **n.** ⟨*niepomyślnie*⟩.

niedoczekanie *pot.* **n.** twoje, wasze, jego itp.; albo skrótowo: **n.** ⟨*pogróżka zapowiadająca przeszkodzenie czyimś zamiarom, uniemożliwienie komu doczekania się realizacji jakichś zamierzeń, planów; nie doczekasz się, nie doczekacie się itp.*⟩: A może myślisz, że dam grunt sprzedać?... Niedoczekanie wasze! *Prus Plac. 128.*

niedola 1. n. ludzka. **2.** Dola i **n.**: Przechodzić wspólną dolę i niedolę. **3.** Dni niedoli: Skończyły się dni szczęścia, zaczęły niedoli, jak tamte szybko zbiegły, te pójdą powoli. *Fredro A. Odl. 252.* **4.** Użyć czyjej niedoli. **5.** Znosić niedolę: Zamknięta w odludnym zamku w Głazowie, przez cztery blisko lata znosiła mężnie swoją niedolę. *Śniad. Listy 160.*

niedorzeczność 1. *mat.* Sprowadzenie do niedorzeczności ⟨*jedna z metod dowodzenia twierdzeń*⟩. **2.** Mówić, powiedzieć **n. 3.** Popełnić **n.**: Takiej niedorzeczności nigdy zdrowy umysł ludzki nie popełnił. *Śniad. SW.* **4.** Pleść, napleść **n-i**: To głupia mistyfikacja; ktoś ci naplótł niedorzeczności, a tyś dobrodusznie mu uwierzył. *Krasz. Brühl 298.*

niedorzeczny 1. n-e gadanie ⟨*bez sensu, głupie*⟩. **2. n.** w c z y m ⟨*nielogiczny, nierozsądny*⟩: Nie masz śmieszniejszego stworzenia, jak człowiek uczony w mowie i piśmie, a niedorzeczny w postępkach. *Śniad. SW.* **3.** Wpaść na **n.** pomysł ⟨*wpaść na bezsensowny, niemądry pomysł*⟩: W moich łowach bibliotecznych trafiłem raz na encyklopedię [...] i wpadłem na niedorzeczny pomysł, aby co dzień uczyć się po kolei dziesięciu terminów. *Kow. A. Rogat. 143.*

niedostatecznie n. (dostać, mieć itp.) z czego; zdawać **n.** ⟨*zasłużyć na złą ocenę, dostać, mieć dwójkę*⟩: Niedostatecznie z łaciny i z rachunków, dostatecznie z polskiego. Co to ma znaczyć? *Kow. A. Rogat. 140.*

niedostateczny Stopień **n.**, nota **n-a** ⟨*stopień, nota stwierdzające, że egzamin lub poziom wiadomości z jakiegoś zakresu nie odpowiada najniższym wymaganym warunkom (dwójka)*⟩.

niedostatek 1. Dotkliwy **n. 2. n-i** artystyczne ⟨*niedociągnięcia*⟩: Przekład mimo swych niedostatków artystycznych ma wartość jako praca dokonana przez filologa. *Sienk. Wiad. II, 95.* **3.** *przestarz.* **n.** c z e g o ⟨*nie wystarczająca, nie zadowalająca ilość (liczba) czego potrzebna do jakiegoś celu; brak czegoś*⟩: **n.** światła; książek, żywności, pieniędzy. **4.** Cierpieć **n.** czego ⟨*odczuwać brak czego*⟩: Staliśmy pod gołym niebem, cierpiąc nieraz niedostatek żywności. *Niemc. Sieciech. 44.* **5.** Być, żyć w niedostatku ⟨*w biedzie*⟩: Narzeka, że dnia wczorajszego nie schodziło im na niczym, a dziś w wielkim są niedostatku. *Tremb. Proz. 198.* **6.** Doświadczać niedostatku. **7. n.** dokucza komu.

niedostawać Niedostaje k o m u — c z e g o ⟨*brakuje*⟩: Niemczyzny chciałbym przypilnować, chociaż czasu niedostaje. *Mick. Listy I, 32.*

niedostępny 1. n-e skały, góry, knieje ⟨*do których nie ma przystępu*⟩. **2. n-a** cena ⟨*wygórowana, nieprzystępna*⟩. **3.** Kobieta **n-a** ⟨*surowych zasad moralnych, niełatwa do zdobycia*⟩. **4. n.** dla kogo, dla czego; *rzad.* komu, czemu (*daw.*) ⟨*nieuchwytny dla kogo, czego; niezrozumiały dla kogo*⟩: Pewne rzeczy będą dla niej niedostępne. *Nałk. SPP.* **n.** dla słuchu, dla oka, dla obserwacji (a. *rzad.* oku, obserwacji); **n.** dla umysłu ludzkiego. **5.** Ktoś jest **n.** ⟨*ktoś jest trudny w obejściu, w obcowaniu z innymi, z którym trudno się porozumieć, dumny, wyniosły, hardy*⟩: Był to człowiek **n.** - W istocie rzeczy był to niedostępny bufon, dowodem czego są wydane przez niego okólniki do artystów treści niezbyt poważnej. *Ower. Ramp. 372.*

niedostrzegalny n. gołym okiem: Analiza mikroskopowa jest to badanie szczątków gołym okiem niedostrzegalnych. *Szaf. W. Lod. 111.*

niedosyt ⟨*stan nienasycenia, poczucie braku, pragnienia; niezaspokojenie, brak*⟩ **1. n.** c z e g o: **n.** wiedzy, wrażeń. **2.** *meteor.* **n.** wilgotności ⟨*różnica między prężnością pary wodnej nasycającej powietrze w danej temperaturze i prężnością aktualnie panującą*⟩. **3.** Uczucie niedosytu: Wychodziłem z uczuciem niedosytu — nie pozostało mi w pamięci ani jedno płótno. *Prz. Kult. 51—52, 1955.* **4.** Czuć, odczuwać **n.**

niedoszły 1. n. bohater, inżynier, mąż, samobójca itp. ⟨*który miał być, ale nim nie został*⟩. **2. n-e** małżeństwo ⟨*małżeństwo, które nie zostało zawarte*⟩. **3.** *daw.* Lata **n-e** ⟨*wiek młodociany*⟩. **4.** *daw.* Płód **n.** ⟨*płód niedonoszony, przedwczesny*⟩.

niedościgły, niedościgniony 1. Cel **n. 2. n.** ideał, mistrz, wzór: Bezwzględna sprawiedliwość pozostaje ciągle jeszcze niedoścignionym ideałem. *Tyg. Ilustr. 46, 1899.* Dla młodego pokolenia poetyckiego mistrzem niedoścignionym staje się [...] wirtuoz formy, Juliusz Słowacki. *Wojeń. T. Hist. lit. II, 224.* **3. n-a** tajemnica: Z uszanowaniem spoglądał Maruda na to dziecko umiejące czytać; dla niego samego litery książki stanowiły jakąś niedościgłą tajemnicę. *Dygas. Gorz. I, 13.*

niedościgniony p. **niedościgły**

niedowarzony ⟨*nie mający gruntownego wykształcenia, gruntownych wiadomości, odznaczający się brakiem zdecydowanego, jasnego poglądu na świat; świadczący o niedojrzałości*⟩ **1. n.** młokos. **2. n.** dowcip. **3. n-a** głowa ⟨*o człowieku niewykształconym, niedoświadczonym*⟩: Młodym i niedowarzonym głowom, nie znającym swego, a zapatrującym się tylko na zachodnie narody, duby smalone się tylko plotą o rzeczach, o których ani się śniło ich ojcom. *Kaczk. Gniazdo 51.*

niedozwolony ⟨*zakazany jakimś przepisem, zaleceniem itp.; zabroniony*⟩ **1. n-a** działalność. **2. n-a** książka: Wykradał niedozwolone książki i odpowiadał niegrzecznie rodzicom. *Krzyw. I. Gorzk. 71.* **3. n.** zabieg ⟨*zabieg przez osobę do tego nieuprawnioną*⟩: Poddać się niedozwolonemu zabiegowi. Dokonać, przeprowadzić **n.** zabieg. **4. n.** dla dzieci, dla młodzieży (np. o filmie).

niedużo n. brakuje do czego, aby, a... ⟨*niewiele*⟩: Gdy ujrzał Marysię płaczącą, jakiś żal ścisnął mu serce i niedużo brakowało, a byłby się sam rozpłakał. *Mort. Wawrzek 94.*

niedwuznaczny 1. Robić co w sposób **n.** ⟨*wyraźny, nie nastręczający wątpliwości*⟩: Zosia, a szczególnie jej ojciec w niedwuznaczny sposób okazywali mi życzliwość. *Prus Now. III, 304.* **2.** *przestarz.* Opinia **n-a** ⟨*opinia niepodejrzana, nieposzlakowana*⟩: Posiada opinię niedwuznaczną. *Orzesz. SW.*

niedyskrecja 1. Popełnić niedyskrecję: Popełnił niedyskrecję i wyśpiewał jej o powrocie Joanny. *Breza Uczta 78.* **2.** Obawiać się niedyskrecji: Boję się pisania biografii, obawiam się niedyskrecji. *Tyg. Ilustr. 43, 1899.* **3.** Przepraszać za niedyskrecję.

niedyskretny 1. n. człowiek ⟨*wdzierający się w cudze tajemnice; niedelikatny, nietaktowny*⟩. **2. n-e** pytanie, **n-a** ciekawość: Widząc głęboki smutek mego przyjaciela, nieraz się z niedyskretnym wyrwałem pytaniem o jego przyczynę. *Pług Zagon I, 16.* **3. n-e** usta ⟨*nie umiejące zachować milczenia, dochować tajemnicy*⟩: Prześladował żonkę wspomnieniami jej lat panieńskich, jej miodowych miesięcy, jej wstydliwej skromności, a pani uderzała go wtedy kłębkiem nici w ręce lub dłońmi zamykała mu niedyskretne usta. *Jordan Pam. I, 53.*

niedyspozycja 1. Chwilowa, lekka **n.**: Nie mogłem przybyć z powodu lekkiej niedyspozycji. *SW.* **2. n.** żołądka, jelit. **3.** Być w niedyspozycji: Odłóżmy tę wizytę na inny raz. Jestem jakoś w niedyspozycji. *Prus Wiecz. 52.*

niedziela 1. n. mięsopustna, zapustna, przewodnia, palmowa. **2.** Wielka **n.** ⟨*Wielkanoc*⟩. **3.** Całą niedzielę ⟨*w ciągu całej niedzieli*⟩. **3a.** Co **n.** *rzad.* co niedzielę, co niedzieli: Co **n.** wyjeżdżał na ryby. - Posyłałby po nich co niedzielę konie. *Dąbr. M. SPP.* **4.** W niedzielę ⟨*podczas niedzieli*⟩: Pamiętam było to w niedzielę 12 czerwca 1960 roku. **5.** Z niedzieli na niedzielę: Z niedzieli na niedzielę wybierał się w odwiedziny. *SPP.* **6.** *pot.* Ciele-mele na niedzielę ⟨*pogardliwie o kimś niezaradnym, nieenergicznym*⟩: Wprawdzie Maria oddaje zarobione szyciem pieniądze matce, ale Maria zawsze była takie ciele-mele na niedzielę. *Goj. Dziew. 130.* **7.** *żart.* Sobota spod niedzieli wygląda ⟨*część ubioru, która powinna być całkowicie przykryta, wystaje spod wierzchniego okrycia*⟩.
przysł. **8.** Lada dzień po niedzieli.

niedzielny 1. n-e ubranie ⟨*świąteczne*⟩: Jest odświętnie od niedzielnych ubrań, jest kolorowo od chorągwi. *Bogusz. Polon. II, 79.* **2. n-e** nabożeństwo. **3.** Numer **n.** (gazety): Redakcja Kuriera Codziennego zapowiada znaczne rozszerzenie pisma i wprowadzenie nowych rubryk. Numery niedzielne będą wychodzić w podwójnej objętości. *Tyg. Ilustr. 7, 1904.* **4.** *przestarz.* Sobotnim ściegiem na niedzielny targ ⟨*pośpiesznie, niedbale*⟩. **5.** *reg.* Po niedzielnemu ⟨*niedzielnie, odświętnie, świątecznie*⟩: Ubrała się odświętnie, Gustlika wystroiła po niedzielnemu. *Morc. Wyrąb. I, 15.*

niedźwiedzi 1. Barłóg **n. 2. n-a** skóra, **n-e** sadło ⟨*z niedźwiedzia*⟩. **3. n-a** przysługa ⟨*nie w porę wyświadczona, niezręczna, przynosząca szkodę temu, komu chciano się przysłużyć*⟩: Wyświadczył Strinbergowi niedźwiedzią przysługę, mimo najszlachetniejszych pragnień. *Przybysz. Współ. I, 157.* **4.** Ruchy **n-e** ⟨*ociężałe, niezgrabne*⟩. **5. n-a** siła ⟨*ogromna, wielka*⟩: Bary szerokie, ramiona jak pniaki. Znać, że siła w nim niedźwiedzia. *Wikt. Papież 140.*

niedźwiedź 1. n. biały ⟨*największy ssak drapieżny północy*⟩. **2. n.** brunatny (pospolity). **3. n.** morski ⟨*kot morski, foka z rodziny uchatek*⟩. **4. n.** szary, siwy (in. grizzly) ⟨*niebezpieczny niedźwiedź o cenionym futrze, żyjący w Ameryce Północnej w okolicach górskich*⟩. **5.** Być, okazać się niedźwiedziem; zachowywać się jak **n.** ⟨*o człowieku niezgrabnym lub nieokrzesanym*⟩. **6.** Poruszać się jak **n.** ⟨*niezgrabnie, ociężale*⟩. **7.** To prawdziwy **n.**! ⟨*o człowieku niezgrabnym, ciężkim*⟩.
przysł. **8.** Niedźwiedź łapę tylko ssie, a zimą syt bywa. **9.** Jeszcze niedźwiedź w lesie, a już skórę targują.

nieforemny 1. n-a postać, **n.** kształt ⟨*niekształtna(-y), niezgrabna(-y), nieregularna(-y)*⟩. **2.** *mat.* **n-a** bryła, figura geometryczna ⟨*nie mająca wszystkich boków równych*⟩.

niefortunny 1. n. dzień, los, obrót sprawy; **n-e** wydarzenie; życie ⟨*nieszczęśliwy(-e)*⟩: Dzień ów był dla mnie bardzo niefortunny, i rzeczywiście, nic mi się nie wiodło. *Wodz. Wspom. 97.* Resztę zdrowia zrujnuje, patrząc na niefortunne życie córki. *Chodź. Pisma I, 245.* **2. n.** gracz ⟨*gracz nie mający szczęścia, pechowy gracz*⟩. **3. n.** przykład ⟨*nieodpowiedni, nietrafny, chybiony*⟩. **4. n.** przygoda, próba, wyprawa ⟨*nieudana*⟩: Zawsze gotowymi się okazywali podzielać z nim choćby najniefortunniejsze przygody. *Rzew. H. Zamek 217.*

niegaszony Wapno **n-e** ⟨*nie wymieszane z wodą, nielasowane*⟩.

niegodny 1. n. sposób ⟨*podły, zły, nieszlachetny*⟩: Zapomniawszy o ludzkości, zysku tylko, choć przez najniegodniejsze sposoby, szukamy. *Kras. Podstoli 181.* **2. n.** c z e g o ⟨*niewart czego, nie zasługujący na co*⟩: **n.** litości. **3.** Być niegodnym czego ⟨*nie zasługiwać na co, być niewartym czego*⟩: Jestem źle urodzony, więc niegodny zasiąść do stołu z możnymi. *Wikt. Papież 165.* **4.** Coś jest, wydaje się **n-e** kogo; coś uchodzi za rzecz niegodną kogo ⟨*jest niewłaściwe, niestosowne, uchodzi za rzecz nieodpowiednią, niestosowną dla kogo*⟩: To jest niegodne uczciwego człowieka. *SW.* Uprawianie sportu uchodziło bowiem za rzecz niegodną rzetelnego „humanisty". *Jasien. Świt 19.*

niegodziwość Popełnić **n.** ⟨*popełnić czyn niegodziwy, nikczemność, podłość, nieuczciwość, występek*⟩: Z uczuciem popełnionej niegodziwości Teofil ruszył w swoją drogę. *Par. Niebo 61.*

niegrzeczność 1. n. w obejściu ⟨*brak grzeczności*⟩. Mówić **n-i** ⟨*słowa, wypowiedzi niegrzeczne*⟩: Ona była zuchwała, ta dziewczyna, mówiła jakieś niegrzeczności. *Nałk. Z. Dom kob. 54.* **2.** Płacić, zapłacić niegrzecznością: Przykro jej, że będzie musiała niegrzecznością zapłacić za uprzejmość sąsiada. *Zap. G. Mił. 67.* **3.** Znosić czyje **n-i** ⟨*zachowanie, słowa niegrzeczne*⟩.

niegrzeczny 1. n-e dziecko ⟨*nieposłuszne, niesforne, grymaśne; krzykliwe, hałaśliwe*⟩. **2. n-e** słowa ⟨*nieuprzejme, grubiańskie, szorstkie, ordynarne*⟩. **3. n-e** zachowanie, postępowanie ⟨*nieuprzejme, niedelikatne, gburowate*⟩. **4. n.** d l a k o g o: Dziecko **n-e** dla rodziców. **5.** Być dla kogo **n.**: Wiesz dobrze, że nigdy nie byłem dla rodaków niegrzeczny. *Mick. Listy I, 456.* **6.** Zbyć kogo niegrzecznym słowem.

niehigieniczny 1. n-e ubranie ⟨*nie odpowiadające wymaganiom higieny*⟩. **2. n-e** warunki ⟨*niezgodne z zasadami higieny, niezdrowe*⟩: Sypiać w warunkach niehigienicznych. Utrzymywać zwierzęta hodowlane w warunkach niehigienicznych. **3.** Prowadzić **n-e** życie, **n.** tryb życia: Przyzwyczaił on się pić szampańskie wino z koniakiem [...] przy tym nie wysypiał się i prowadził bardzo niehigieniczne życie. *Chłęd. Pam. II, 113.*

nieinterwencja ⟨*niemieszanie się do cudzych spraw, nieingerowanie w nie*⟩: Polityka, zasada nieinterwencji.

niejaki 1. n. pan X, Y ⟨*o ludziach: mało znany, bliżej nie znany, jakiś*⟩: Ciotka Zofii wyszła potem za mąż za fabrykanta z Radomia, niejakiego pana Wernera. *Perz. Las 173.* **2.** Od niejakiego czasu ⟨*od pewnego czasu*⟩: Od niejakiego czasu zająłem się żywiej porządkowaniem moich rękopismów. *Mick. Listy I, 277.* **3.** *książk.* Przez czas **n.** ⟨*przez pewien czas*⟩: Udał się naprzód morzem do Egiptu, gdzie przez czas niejaki z tamtejszymi mędrcami obcował. *Kras. Życia VIII, 51.* **4.** Mówić z niejaką trudnością ⟨*z nieznaczną*⟩: Mówił wolno, jakby go bolało gardło, z niejaką trudnością przełykając ślinę. *Twórcz. 5, 1953, s. 48.*

niejawny *praw.* Posiedzenie **n-e** ⟨*w sądownictwie: posiedzenie bez wzywania stron*⟩.

niekłamany ⟨*nie udany, szczery, prawdziwy*⟩ **1. n-a** chęć: Mieć niekłamaną chęć czego. **2. n.** radość: Przywitać kogo z niekłamaną radością. **3. n-a** sympatia, **n.** zachwyt: Okazywać komu niekłamaną sympatię.

niekoniecznie 1. n. przyjemne towarzystwo ⟨*nie całkiem, niezupełnie*⟩. **2.** *pot.* Z czymś (jest) **n.** ⟨*niedobrze*⟩: Przypomina sobie, co gadają. Że z tym małżeństwem jakoś niekoniecznie. *Bogusz. Kura 153.*

niekorzystnie 1. Coś **n.** odbija od czego: Upokarzało mnie, iż tak niekorzystnie odbija zewnętrzność moja od zewnętrzności mego otoczenia. *Zag. Chochl. 117.* **2.** Coś **n.** odbija się na kimś, na czymś. **3. n.** świadczy o czym ⟨*niedobrze*⟩: Twardawa pieczeń i mdłe jarzyny świadczyły **n.** o talentach kulinarnych gospodyni. **4.** Wpływać **n.** na kogo, co: Chłopak dostanie się w złe towarzystwo, co wpłynie niekorzystnie na jego wychowanie. *Chłęd. Odr. 267.* **5.** Wyglądać **n.** ⟨*źle, brzydko*⟩: W tej sukni wygląda **n.**

niekorzystny 1. n. interes ⟨*nieintratny*⟩. **2. n-e** położenie geograficzne ⟨*niedogodne*⟩. **3.** W niekorzystnym świetle (przedstawić kogo, co) ⟨*w niepochlebnym, w złym świetle*⟩. **4. n-a** umowa, zamiana; **n-e** zobowiązanie ⟨*nie przynosząca(-e) korzyści*⟩. **5. n-e** warunki ⟨*niepomyślne*⟩: Polska krytyka literacka zaczynała swą działalność po wojnie w warunkach bardzo niekorzystnych. *Mark. H. Kryt. 7.* **6. n.** wpływ na kogo, na co ⟨*szkodliwy*⟩. **7. n-e** wrażenie ⟨*złe, niepochlebne*⟩: Zrobił niekorzystne wrażenie. *Prus Lalka III, 144.* **8. n-a** zmiana ⟨*zmiana na gorsze*⟩.

niekorzyść 1. Na (czyją) **n.** ⟨*z (czyją) szkodą, stratą, krzywdą; niekorzystnie, niepomyślnie, nieprzychylnie, niepochlebnie, ujemnie*⟩: Los Jakuba, od chwili gdy opuścił piwnicę na Kruczej, można było uważać za przesądzony na jego niekorzyść. *Brand. K. Sams. 158.* **2.** To przemawia na jego **n.** ⟨*przeciw niemu*⟩.

niekrępujący n. pokój, **n-e** wejście: Znalezienie w Rzymie „przyzwoitego i niekrępującego pokoju przy rodzinie" — nie jest dla cudzoziemca sprawą łatwą. *Brand. M. Spot. 39.*

niekrwawy 1. n-a walka ⟨*nie wymagająca rozlewu krwi, nie pociągająca za sobą rozlewu krwi; bez krwawa*⟩. **2.** Ofiara **n-a** ⟨*ofiara nie połączona z za bijaniem istot ofiarnych; także o mszy*⟩.

niekryjący Farba **n-a** ⟨*farba przezroczysta*⟩.

nieletni 1. n. przestępca ⟨*małoletni, niepełnoletni*⟩ **2.** Sąd dla nieletnich.

nielotny 1. Ciała **n-e**; **n-e** farby olejne, lakiery ⟨*nie ulatniające się*⟩. **2.** Dzień **n.** ⟨*dzień nie nadający się do latania, nie sprzyjający lataniu*⟩: Dwa dni następne były właściwie nielotne: niski pułap chmur śnieżyce i wichura, przy wyjątkowo złej widoczności nie pozwoliły rozwinąć działań lotniczych. *Meis Warsz. 129.* **3. n-a** myśl ⟨*pozbawiona bystrości, niebystra*⟩: Oczekiwał raczej [...] drwinek na temat powolnego sposobu mówienia, zająkiwania się, nielotnej myśli. *Melc. Statek 31.* **4.** Umysł **n.** ⟨*niebystry niepojętny*⟩. **5. n-a** zwierzyna ⟨*ptaki nie umiejące (jeszcze) latać*⟩.

nieludzki 1. n. głos, krzyk ⟨*niewłaściwy człowiekowi; okropny*⟩: Krzyczał nieludzkim głosem. *SW* **2. n-a** kara ⟨*okrutna, sroga*⟩. **3.** Moc, siła **n-a** ⟨*ogromna, wielka*⟩: Wiedzą, że siłę masz nieludzką możesz każdemu [...] kości przetrącić... *Krah. Zdrada 58.* **4. n-e** traktowanie ⟨*traktowanie okrutne, nielitościwe*⟩. **5. n.** wysiłek woli ⟨*nadludzki, ogromny wielki*⟩: Powściągnął się nieludzkim wysiłkiem woli. *Brand. M. Dom 96.*

nie lża Nie lża *daw.* ⟨*nie wolno, nie można, nie na leży, nie ma sposobu*⟩: Do Tigranesa i Kergolaja także nie lża mu było powracać, bo go tam ubrano i uzbrojono, a nie widziano go potem na wojnie. *Kaczk. Olbracht. III, 57.*

nieład 1. Nieopisany, okropny **n.** ⟨*nieporządek*⟩. **2. n.** artystyczny ⟨*niesymetryczny, pozornie nieporządny, ale harmonijny układ przedmiotów*⟩: Stawał przed bogatymi wystawami sklepów, patrząc [...] na rozrzucone w artystycznym nieładzie bogactwa. *Sewer Zyzma 2.* **2a. n.** wewnętrzny ⟨*chaos, nieporządek, zamęt wewnętrzny*⟩: Nie granice i nie sąsiedzi, tylko nieład wewnętrzny przyprawił nas o utratę politycznego bytu. *Bobrz. Dzieje II, 305.* **3.** W nieładzie ⟨*w nieporządku, w zaniedbaniu*⟩: Ubranie, włosy w nieładzie. Wojsko cofa się w nieładzie ⟨*chaotycznie, w popłochu*⟩. **4. n.** powstał, panuje gdzie.

niełaska 1. Być w niełasce, popaść w niełaskę u kogo: Znasz zapewne charakter pana Senatora. Wiesz, że już był w niełasce u Imperatora. *Mick. Dziady 137.* **2.** Ściągnąć na siebie czyją niełaskę ⟨*niechęć, gniew*⟩. **3.** Zdać kogo, zdać się na czyją łaskę i niełaskę, być na czyjej łasce i niełasce ⟨*uzależnić kogo, uzależnić się od kogo (czego) całkowicie*⟩: Oleńka była w Kiejdanach, na łasce i niełasce straszliwego magnata. *Sienk. Pot. III, 16.* **4.** *daw.* Poddać się (komu) na łaskę i niełaskę ⟨*poddać się, nie stawiając żadnych warunków*⟩: Poddać się na łaskę i niełaskę nieprzyjaciela. *SW.* **5.** Żyć w niełasce: Nie mogła znieść jego gniewu. Nie była w stanie żyć dłużej w niełasce. *Żer. Char. 93.*

niełaskaw Jesteś, pan (pani) jest na mnie (nas) **n. (n-a)**; także bez czasownika *być*: pan (pani) na mnie (nas) **n. (n-a)** ⟨*zwrot grzecznościowy: nie odwie-*

dzasz, nie chcesz mnie (nas) odwiedzać⟩: Pan na nas jakoś niełaskaw. *SW.*

niełaskawy n. dla kogo ⟨*nieprzychylny, nieprzyjazny*⟩: Los okazał się dla mnie **n.**

niełatwy 1. n-a sprawa, **n-e** zadanie ⟨*dość trudna (-e)*⟩. **2.** Być niełatwym w pożyciu ⟨*z którym trudno żyć, trudno się porozumieć; być przykrym, ciężkim w pożyciu*⟩: Pol opowiada, że poeta litewski [Mickiewicz] był niełatwym w pożyciu, cierpkim, a często nawet grymaśnym. *Chmielow.* w: *Niwa VI, 1874, s. 180.*

niemiecki 1. Język **n. 2.** *hist.* Prawo **n-e**; kolonizacja, osadnictwo na prawie niemieckim ⟨*prawo przeniesione do Polski z XIII i XIV w. z Niemiec (głównie z Magdeburga), nadawane nowo zakładanym lub dawnym wsiom i miastom polskim*⟩. **3.** Niemiecka Socjalistyczna Partia Jedności (w NRD). **4.** Po niemiecku: a) ⟨*posługując się językiem niemieckim, w języku niemieckim*⟩: Rozmawiać po niemiecku; b) ⟨*w sposób właściwy Niemcom, z niemiecka*⟩: Nosił się [...] po niemiecku, miał na głowie pudrowaną fryzurę, przy boku zamiast pałasza szpadę z porcelanową rękojeścią. *Chodź. Pisma III, 176.* **5.** Z niemiecka ⟨*w sposób charakterystyczny dla Niemców, na modłę niemiecką; po niemiecku*⟩: Niektórzy książęta stali się tak dalece Niemcom przychylni, że się kuso z niemiecka stroili. *Lel. Dzieje 99.* **6.** Nauczyć się, nauczyć kogo po **n.**, umieć po **n.** ⟨*nauczyć się, umieć władać językiem niemieckim*⟩. **7.** *rzad.* Być na niemieckim kazaniu, przysłuchiwać się czemu jak niemieckiemu kazaniu ⟨*słuchać czego nic nie rozumiejąc; nie orientować się w sytuacji*⟩: Mów no po ludzku, człowiek siedzi jak na kazaniu niemieckim. *Reym. Ferm. II, 55.*

niemile 1. n. dotknięty, zaskoczony czym: Rozżalony był mocno i niemile dotknięty moim postępkiem. *Lam J. Głowy III, 63.* **2. n.** co wspominać.

niemiło (zwykle w połączeniu z czasownikiem *być)* Jest gdzie a. komu **n.** ⟨*nieprzyjemnie*⟩: Jeżeli komu w chacie mojej niemiło, może sobie milszej gościny poszukać. *Orzesz. Bene 55.*

niemiłosiernie 1. n. brzydki, głupi, chudy; **n.** krzywić się, wrzeszczeć, łgać (o kimś); piec, palić (o słońcu); trząść (o pojeździe) ⟨*okropnie*⟩. **2.** Tłuc, bić kogo **n.** ⟨*tłuc, bić kogo bez litości, bez miłosierdzia, bezwzględnie, nielitościwie*⟩: Tłukł go niemiłosiernie. Za byle co łoił mu skórę. *Kłos. Wiosna 30.*

niemiły 1. n-e położenie, spotkanie, wrażenie; **n-a** sytuacja, **n-a** woń ⟨*nieprzyjemne(-a), przykre(-a)*⟩. **2. n.** d l a k o g o, c z e g o: **n-e** dla mnie spotkanie. Dźwięk **n-y** dla ucha. **3. n.** komu ⟨*nie lubiany, nie kochany przez kogo*⟩: Ten był mu ze wszystkich najbardziej niemiły, jako syn dawnego kolegi. *Par. Niebo 23.* **4.** Życie jest komu **n-e** ⟨*komuś nie chce się żyć; ktoś nie dba o życie*⟩: Dlaczego ty zadajesz się z takimi chuliganami, czy tobie życie niemiłe? *Goj. Dziew. I, 220.*

niemoc ● ⟨*brak sił, osłabienie*⟩ **1. n.** fizyczna, moralna, duchowa. **2.** Czuć w sobie **n.**: Czuł w sobie dziwną niemoc; nie chciało mu się o niczym myśleć, wystarczało mu tylko, że żył. *Pap. Szczury 118.* **3.** Popaść w **n.** (również *przen.*): Turcja, po ostatniej z Rosją wojnie, w zupełną popadła niemoc i rozprzężenie. *Alc. Rzecz 181.* **4. n.** ogarnia kogo: Ogarnęła go niemoc podobna tej, która naszła go przed godziną w szałasie. *Andrz. Ład 191.*

● *przestarz. dziś gw.* ⟨*choroba*⟩. **5.** Ciężka **n.**; **n.** obłożna, śmiertelna. **6. n.** płciowa, męska (termin dziś jeszcze żywy) ⟨*impotencja*⟩. **7. n.** płuc, nóg itd. **8.** Niemocą złożony, zdjęty ⟨*chory*⟩: Od dłuższego czasu leżał złożony niemocą. *Husz. Impert. 59.* **9.** Wpaść w ciężką **n.**: Aleksander gdy się w rzece Cydnie kąpał, z przeziębienia wpadł w ciężką niemoc. *Kras. Życia IX, 124.* **10.** Trawi kogo **n.**: Z przykrością przekonywał się, że jeszcze jest słaby, że go trawi jakaś niemoc, że gorączka wraca. *Morc. Ptaki 88.*

niemocny 1. n. w c z y m ⟨*nie mający wprawy, biegłości w czym; słabo się w czym orientujący; nie uzdolniony do czego*⟩: **n.** w łacinie, w matematyce. **2. n.** w garści, w krzyżu ⟨*mający słabe ręce, słaby krzyż*⟩.

niemowlę 1. Od niemowlęcia, *daw.* z niemowlęcia ⟨*od okresu niemowlęctwa*⟩: Sam go też sobie prawie od niemowlęcia wychowywał. *Dąbr. M. Noce II, 146.* **2.** Niemowlęciem stracić co, umrzeć itp. ⟨*stracić co, umrzeć itp. w okresie niemowlęctwa, będąc małym dzieckiem*⟩: Niemowlęciem straciłem matkę, a zaraz w rok otrzymałem macochę. *Łoz. Wal. Dwór 435.*

niemowlęctwo 1. Od niemowlęctwa ⟨*od wieku niemowlęcego, od pierwszych lat życia*⟩: Znałem go prawie od niemowlęctwa. **2.** *przen.* Być w niemowlęctwie ⟨*w zaczątkach*⟩: Za Piastów literatura polska była jeszcze w niemowlęctwie. *SW.* **3.** Umrzeć w niemowlęctwie ⟨*umrzeć w pierwszych latach życia, w wieku niemowlęcym*⟩: Troje dzieci, bezpośrednio ode mnie młodszych, zmarło w niemowlęctwie. *Pigoń Komb. 99.* **4.** Wyjść z niemowlęctwa: Wyszedłszy z niemowlęctwa, chowałem się u kobiet, bo te najlepiej dbają o wygody dziecinne. *Kraj. Zdarz. 3.*

niemożliwość Do niemożliwości ⟨*tak, że już więcej nie można, bardzo; nie do wytrzymania, nie do zniesienia*⟩: Przesadza do niemożliwości. *SW.*

niemożliwy 1. n. sknera, pijak; **n.** tryb życia (prowadzić) ⟨*okropny*⟩. **2. n.** d o c z e g o ⟨*którego nie można wykonać, zmienić, znieść itp. (na oznaczenie czynności lub stanu)*⟩: Ogarniało go wzruszenie coraz mocniejsze, niemożliwe do opanowania. *Krzywosz. Jula 86.* **3.** Coś jest rzeczą niemożliwą, a. jest **n-e** ⟨*nie może się stać, nie może być wykonane*⟩: Jest rzeczą niemożliwą wdać się w jakąkolwiek polemikę z powyższymi wywodami, gdyż są to jakieś dowolne impresje, nie mające absolutnie żadnego związku ze źródłami. *Lab. Studia 263.* **4. n-e**, żeby, aby... a. skrótowo: **n-e** ⟨*jest rzeczą nieprawdopodobną*⟩: Niemożliwe chyba, aby skończył tylko cztery klasy. *Goj. Dziew. I, 137.* **5.** Ktoś jest **n.** w domu, w szkole, w towarzystwie itp. ⟨*jest nieznośny*⟩.

niemożność 1. n. c z e g o: **n.** opłacenia, znalezienia, zastosowania czego, przystosowania się do czego (np. do warunków). **2.** *daw.* Do niemożności ⟨*tak, że już więcej nie można, bardzo; do niemożli-*

wości⟩: Do niemożności zaciekawiało go, kim jest ten mój współpracownik. *Orzesz. Listy II/1, 193.*

niemy 1. n. od urodzenia ⟨*nie mogący mówić na skutek kalectwa*⟩. **2. n-a** prośba, rozpacz, skarga, tęsknota; **n-e** przerażenie; **n.** gest, wyrzut, zachwyt ⟨*nie wyrażone słowami, nie do wypowiedzenia*⟩: Stanął w niemym zachwycie. *SL.* Zwrócił ku niej twarz z niemym wyrzutem. *Meis. Wraki 181.* Podnosił ramię i wykonywał ręką niemy gest groźby. *Orzesz. Mirt. 25.* **3.** *daw.* **n.** n a c o ⟨*który nie chce, nie może mówić*⟩: Niemym był na te zarzuty. *Troc.* **4. n.** z c z e g o: **n.** z żalu, z rozpaczy. **5.** *muz.* **n-a** klawiatura ⟨*nie wydająca żadnego dźwięku, służąca do opanowywania techniki gry*⟩. **6.** *daw.* Mapa **n-a** ⟨*mapa nie opatrzona w napisy, w objaśnienia*⟩. **7. n.** świadek ⟨*człowiek przyglądający się czemu z daleka, biernie, nie mogący z jakichś przyczyn brać czynnego udziału w czym*⟩.

nienaganny 1. n-a forma wypowiedzi; **n-a** francuszczyzna, polszczyzna ⟨*bezbłędna*⟩. **2. n-e** postępowanie, sprawowanie, życie ⟨*któremu nic nie można zarzucić, przyzwoite*⟩. **3. n.** strój ⟨*zgodny z wymaganiami mody, przyzwoity*⟩: Imponował nam przy tym nienagannym strojem. *Boy Słowa 209.*

nienasycony 1. Żarłok **n.** ⟨*który się nie może nasycić, wiecznie głodny*⟩. **2.** *przen.* Chciwiec **n.** Serce **n-e** ⟨*niezaspokojone*⟩.

nienaturalny 1. n-e gesty, **n.** śmiech ⟨*nienormalne (-y), sztuczne(-y)*⟩. **2.** Śmierć **n-a** ⟨*spowodowana zabójstwem, samobójstwem lub wypadkiem*⟩.

nienawiść 1. Bezsilna, dozgonna, dzika, fanatyczna, głęboka, głucha, gwałtowna, mściwa, namiętna, nieprzejednana, nieubłagana, skryta, ślepa, śmiertelna, wściekła, zaciekła, zacięta, zapamiętała, zapiekła, zawzięta, zażarta, zimna, żywiołowa **n.**; **n.** klasowa, narodowa, osobista, plemienna, rasowa. **2. n.** do kogo, do czego; *rzad.* dla kogo, dla czego; *przestarz.* ku komu, ku czemu; względem kogo, przeciw komu: Ogarnęła ją bezsilna nienawiść do człowieka, który tak sobie potrafił z niej zażartować i wyprowadzić w pole. *Perz. Raz 58.* **n.** do występku. - Dziś nawet dziwić się nie można nienawiści szlachty naszej ku panom. *Krasz. Latarn. III, 9.* Trudno zrozumieć, do jakich granic dochodzi nienawiść i pogarda kresowych Amerykanów względem Indian. *Sienk. Listy I, 142.* Na dworze wiedeńskim istniała głucha i zawzięta nienawiść przeciw Prusom. *Sokoł. A. Dzieje I, 80.* **3.** Jad, orgia, otchłań, pożoga, szał nienawiści. **4.** Budzić w kim; chować, czuć do kogo; hamować, łagodzić, powziąć ku komu, podsycać, podżegać, przysięgać komu, rozpętać, siać, szerzyć, ściągać na siebie, uśmierzać, wzniecać, zapalać, żywić dla kogo **n. 5.** *daw.* Podać kogo w **n.** ⟨*znienawidzić kogo*⟩: Już z dawna związki powinowactwa z domem Batorych i wydany wyrok śmierci na Samuela Zborowskiego podały go były w podejrzliwą nienawiść u szlachty. *Mech. Wym. I, 535.* **6.** Darzyć kogo, płonąć, ziać nienawiścią. **7.** Folgować nienawiści. **8.** *przestarz.* Mieć do kogo **n.** lub kogo w nienawiści ⟨*nienawidzić kogo*⟩: To pan Jan dobrym za złe płaci, bo on wcale do mnie nie ma nienawiści. *Sienk. Dram. 162.* Miał mnie w osobliwej nienawiści. *Rosen Wspom. 21.* **9.** Trwać, zapamiętać się w nienawiści. **10.** Odnosić się z nienawiścią do kogo, czego. **11. n.** miota kim, ogarnia kogo, pali, zaślepia kogo, wybucha, wzbiera, wygasa.

nieobecność 1. Pod czyją **n.**, podczas, w czasie czyjej nieobecności, w czyjej nieobecności ⟨*wtedy, gdy kto jest nieobecny, gdy kogo nie ma*⟩: Znów przyszła, pod nieobecność Piotra nakarmiła Pawła. *Jackiew. Jan 280.* **2.** Świecić nieobecnością ⟨*być nieobecnym*⟩: Przy kolacji krzesło sąsiada zostało puste. Także blondynka i fabrykant likierów świecili nieobecnością. *Kunc. Twarz 129.* **3.** Usprawiedliwiać, wytłumaczyć swą **n. 4.** Usprawiedliwiać się, tłumaczyć się nieobecnością.

nieobliczalny 1. n. człowiek ⟨*który nie wiadomo jak się zachowa, jak postąpi*⟩. **2. n-e** komplikacje, skutki ⟨*niespodziewane, nieprzewidziane*⟩: Jeżeli Lipecki naprawdę zawiązał romans z Zofią, to mogło to pociągnąć za sobą nieobliczalne komplikacje. *Perz. Las 148.* **3.** Być, stawać się, wydawać się nieobliczalnym ⟨*nie panować nad sobą, nie liczyć się z niczym; być, stawać się, wydawać się niepoczytalnym*⟩: Niech się pan nie gniewa. Widzi pan, jam taka narwana! [...] Jestem chwilami nieobliczalna. *Morc. Inż. 113.*

nieoddanie Pożyczać, pożyczka itp. na wieczne **n.** ⟨*pożyczać itp. bezzwrotnie, nie otrzymując lub nie oddając pożyczonej rzeczy*⟩: Pożyczał na wieczne nieoddanie — a to jedno usprawiedliwiało pustkę w jego kieszeniach. *Zap. G. Dzień 46.*

nieodpowiedzialny 1. Człowiek **n.** ⟨*na którym nie można polegać*⟩. **2.** *przen.* **n-e** wybryki. **3.** Dłużnik **n.** ⟨*którego nie ma na czym poszukiwać*⟩. **4.** Być nieodpowiedzialnym za swoje postępki ⟨*nie ponosić konsekwencji za swoje postępki*⟩: Czy pan się czuje chory i nieodpowiedzialny za swoje postępki? *Strug Krzyż II, 205.*

nieodrodny Być nieodrodnym dzieckiem, synem epoki, wieku itp. ⟨*postępować w myśl haseł, założeń danej epoki; odzwierciedlać poglądy charakterystyczne dla danego wieku*⟩: Linde był nieodrodnym dzieckiem epoki Oświecenia. *Dor. Leks. 17.*

nieograniczony 1. Na czas **n.** ⟨*bez określonego terminu*⟩: Wypożyczyć co na czas **n. 2. n.** kredyt ⟨*do sumy dowolnej*⟩. **3.** Władza **n-a** ⟨*absolutna*⟩. **4.** Samowola, swoboda, wolność **n-a** ⟨*niczym nie skrępowana; całkowita, zupełna*⟩: Samowola dziedzica była nieograniczona; był on panem życia i śmierci swych poddanych. *Byst. Dzieje I, 258.*

nieokreślony 1. n. kolor ⟨*niewyraźny, niezdecydowany, nie dający się wyraźnie określić*⟩: **n.** kolor oczu. Tło obrazu nieokreślonego koloru. **2.** Osoba nieokreślonego wieku ⟨*nie wiadomo, ile lat mająca*⟩. **3.** W nieokreślonym terminie ⟨*w dowolnym terminie*⟩. **4.** Na czas **n.**, na **n.** przeciąg czasu ⟨*na czas nie dający się określić*⟩: Wyjechać na czas **n.**

nieostrożność Popełnić **n.**, wywołać co, zrobić co przez **n.** Coś powstaje, wynika z nieostrożności: Pożar powstał z nieostrożności.

niepalący ⟨*taki, który nie pali tytoniu*⟩: Wagon, przedział dla niepalących.

niepamięć 1. Do niepamięci ⟨*bez pamięci, bardzo, ogromnie, szalenie*⟩: Spytko rozmiłowany w tobie do niepamięci. *Krech. Lux* w: *Tyg. Ilustr. 38, 1900.* **2.** *przestarz.* Od niepamięci ⟨*od bardzo dawna*⟩. *SFA.* **3.** Pójść w **n.**: Początkowa jawna niechęć Indian do mnie i do naszej wyprawy poszła jak gdyby w niepamięć. *Fiedl. A. Rio 131.* **4.** Coś odchodzi w **n.**: Już tamte lata odchodzą w niepamięć. *Jastr. Poemat 25.* **5.** Pokryć niepamięcią: Śmierć jedynie mogła je pokryć niepamięcią... *Sienk. Pot. VI, 217.* **6.** Puścić w **n.**: Puśćmy w niepamięć, to co zaszło między nami. *SW.* Puścić w **n.** krzywdy, urazy. **7.** Wydobyć z niepamięci ⟨*z zapomnienia*⟩: Brodziński [...] nie tylko wszystkich znakomitszych poetów i mówców samodzielnie zgłębił i przedstawił, ale nadto wielu podrzędnych z niepamięci wydobył. *Chmielow. Studia 151.*

niepamiętny 1. n. c z e g o a. n a c o ⟨*niepomny*⟩: Ludzie już całkiem zapomnieli o jej nieszczęściach i sądzili, że i ona niepamiętna jest już tych trumien, wynoszonych z domu. *Goj. Ziemia 125.* Niepamiętny na doznane dobrodziejstwo. *SPP.* **2.** Od niepamiętnych czasów, lat ⟨*od dawna*⟩: Było mu dobrze z tymi obcymi ludźmi, jakby ich znał i kochał od niepamiętnych lat. *Żer. Przedw. 134.* Ziemia dobrzyńska była w posesji polskiej od czasów niepamiętnych. *Narusz. Hist. IV, 161.*

nieparlamentarny Słowo **n-e**; wyraz **n.**, wyrażenie **n-e** ⟨*nieprzyzwoite*⟩: Lubił gadać, śmiać się z byle czego, używał wyrazów absolutnie nieparlamentarnych. *Żer. Dzieje II, 244.*

niepełny 1. Księżyc **n.** ⟨*nie będący w pełni*⟩: Wyszli na dziedziniec. Wysoko ślizgał się niepełny księżyc. *Przem. Jakobin 48.* **2.** Zdanie **n-e** ⟨*w którym brakuje jakiegoś członu łatwo domyślnego z kontekstu; eliptyczne*⟩.

niepewność 1. n. jutra ⟨*obawa, strach przed przyszłością, przed tym, co ma nastąpić*⟩: Żyć w niepewności jutra. **2.** Być, (po)zostawać w niepewności ⟨*w nieświadomości o tym, co ma nastąpić*⟩. **3.** Pozostawić kogo w niepewności: Pozostawił mnie w niepewności czy pochwala mój trud, czy też uważa go za puste marnotrawstwo czasu. *Par. Godz. 58.* **4. n.** dręczy kogo.

niepewny 1. n. człowiek ⟨*na którego liczyć nie można, nie zasługujący na zaufanie*⟩. **2. n-e** czasy ⟨*niespokojne, burzliwe*⟩: Chciał wpaść do matki, która, z powodu niepewnych i strasznych czasów, nie miała o niego chwili spokoju. *Sienk. Quo III, 136.* **3. n.** głos ⟨*w którym nie ma pewności*⟩: (Wy)powiedzieć co niepewnym głosem. **4. n.** interes ⟨*wątpliwej rentowności; podejrzany*⟩. **5. n-e** jutro, **n.** los ⟨*nie znana, nie ustalona, nie zabezpieczona przyszłość*⟩: Coraz mnie siły opuszczają i jutro dla mnie niepewne. *Groza Wład. I, 8.* Jej sprawa jest bardzo poważna, a los niepewny... *Strug Krzyż III, 160.* **6. n.** krok ⟨*chwiejny*⟩: Iść, stąpać niepewnym krokiem. **7.** Mina **n-a** ⟨*nie wyrażająca pewności; wyrażająca niepewność*⟩. **8. n.** c z e g o ⟨*niespokojny o co, nie mający pewności co do czego*⟩: **n.** jutra; **n.** życia. **9.** Na **n-e** ⟨*nie mając pewności co do przyszłości; zdając się na los szczęścia; na ryzyko*⟩: Legiony szły dalej na niepewne, ale dla ojczyzny warto było wiele zaryzykować. *Bobrz. Dzieje III, 23.* **10.** Być niepewnym swego losu; o przyszłość kogo: W tułaczce tej towarzyszył mu papież, równie jak cesarz niepewny swego losu w buntowniczym Rzymie. *Lab. Studia 312.* O czym też myśli kobieta niepewna o przyszłość dzieci i która nie wie, czym jutro nakarmić pupilki? *Prus Emanc. I, 224.* **11.** *daw.* Ktoś jest niepewnej wiary ⟨*ktoś nie wzbudza w pełni zaufania*⟩: Andrzej, siedzący na Połocku, lubo zatwierdzony na księstwie przez Jagiełłę, był księciem niepewnej dla Jagiełły wiary. *Proch. Król I, 33.*

niepłonny *książk.* Mieć niepłonną nadzieję ⟨*mieć niedaremną, pewną nadzieję*⟩: Senat widząc, że ze szlachtą nie poradzi, żądał aby mu kandydatów przedstawiła niepłonną mając nadzieję, że z kandydatami snadziej mu będzie rzecz całą ubić. *Moracz. Dzieje V, 79.*

niepodległościowy 1. Działacze **n-i**. **2.** Hasła **n-e** ⟨*wolnościowe*⟩. **3.** Organizacja **n-a** ⟨*mająca na celu walkę o niepodległość*⟩. **4.** Ruch **n.** ⟨*związany z walką o niepodległość; wolnościowy*⟩.

niepodległość 1. n. kraju, ojczyzny. **2.** Walka, wojna o **n.** **3.** Obronić, zachować **n.** **4.** Odzyskać **n.** **5.** Stracić, utracić **n.** **6.** Walczyć o **n.**, wywalczyć **n.**: Bolesław Krzywousty nie dał się zmusić do uznania zwierzchnictwa cesarskiego i wywalczył Polsce pełną niepodległość. *Piw. Hist. 17.*

niepodobieństwo 1. Do niepodobieństwa ⟨*do stanu niemożliwego, w sposób nieprawdopodobny*⟩: Wróciłyśmy do Grodna [...] zmęczone do niepodobieństwa i na czas jakiś do wszelkiego zajęcia niezdatne. *Orzesz. Listy II/1, 62.* **2.** Coś jest, wydaje się, zdaje się niepodobieństwem ⟨*rzeczą niemożliwą do wykonania*⟩: Ucieczka zdawała się niepodobieństwem, z tyłu odcięta była droga. *Krasz. Baśń 223.* **3.** *daw.* Mieć co za **n.** ⟨*traktować co jako rzecz nieprawdopodobną*⟩: Czemużby mieć Lecha bytność na świecie za niepodobieństwo? *Jezier. Rzepicha 46.*

niepodobna n. (jest), było (zwykle z bezokolicznikiem) ⟨*nie można, nie sposób, niemożliwe*⟩: Niepodobna było z zimną krwią wpatrywać się w jej rysy. *Padal. Pok. 25.* **n.** tego słuchać. *SPP.*

niepokój 1. Ciągły, gorączkowy, nieustanny, rosnący, stały, wyraźny **n.** **2. n.** o k o g o, o c o: **n.** o syna, o żonę; **n.** o powodzenie wyprawy. **3.** Wzrok pełen niepokoju. **4.** Budzić, wzbudzać, wywoływać **n.** **5.** Żyć w (ciągłym) niepokoju: Żyła w nieustannym gorączkowym niepokoju i nie mogła sypiać po nocach. *Perz. Raz 19.* **6. n.** dręczy, trawi kogo; **n.** miota kim, wzrasta w duszy, wkrada się do serca. **7. n.** maluje się (na czyjej twarzy): Na jego twarzy malował się jakiś dziwny niepokój, to bladł, to czerwieniał. *Kaczk. Grób II, 228.* **8. n.** ogarnia, przejmuje, nurtuje kogo. **9. n.** czyj udziela się komu.

niepomny *przestarz.* dziś *podn.* **n.** c z e g o a. n a c o; **n.**, ż e... ⟨*niepamiętny*⟩: Takeś twojej tak świeżej niepomna przysięgi? *Mick. Tad. 343.* Znowu wierzył i ufał, jak dziecko, niepomny na wszystko, co było kiedykolwiek. *Strug Chim. II, 128.*

niepoprawny 1. n-a forma językowa; **n.** zwrot ⟨*błędna(-y)*⟩. **2. n.** przestępca ⟨*który nie chce się poprawić,* *zatwardziały*⟩. **3. n.** optymista, romantyk ⟨*trzymający się czego z uporem wbrew faktom*⟩.

nieporozumienie 1. Gorszące, małe, przykre, tragiczne, zabawne **n. 2.** Majątkowe **n.** ⟨*spór*⟩. **3.** Małżeńskie, rodzinne **n.** ⟨*sprzeczka*⟩. **4. n.** między kim a (i) kim: **n.** między mężem a żoną, **n.** między sąsiadami, przeciwnikami. **5. n.** o k o g o, o c o: Doszło między nimi do nieporozumienia o dzieci. **n.** o pieniądze, o drobiazg. **6. n.** z k i m, z c z y m: Zwykłe nieporozumienie z klientem o kości. *Bartk. SPP.* **7.** Coś jest nieporozumieniem: Miewała to wrażenie, że miłość Pawła jest jakimś nieporozumieniem. Kochał ją jakby na swoje nieszczęście i wbrew sobie. *Nałk. Z. Mił. 133.* **8.** Przychodzi, przyszło do nieporozumienia: Przyszło do nieporozumienia między nimi. *SW.* **9.** Usunąć, wyjaśnić, wywołać, załagodzić, załatwić, zażegnać **n.**: Nieporozumienie z panem Kropkowskim zostało zażegnane. *Dąbr. M. Znaki 118.* **10.** Żyć w nieporozumieniu ⟨*w niezgodzie*⟩: Żyć w nieporozumieniu z nim dłużej nad dwie godziny — przechodziło jej siły. *Orzesz. Niemn. III, 39.* **11. n.** powstało, wywiązało się. **12. n-a** ustają między kim a kim: Rozumiem, iżby na koniec czas było, aby wszelkie nieporozumienia raz przecie między wami ustały. *Skarb. Starosta 137.* **13. n.** wynika, wynikło; zachodzi, zaszło: Zdaje się, że tu zaszło nieporozumienie, powstałe z podobieństwa nazwisk, które autor przytacza. *SW.*

nieposłuszeństwo 1. Jawne **n. 2. n.** komu a. wobec kogo: **n.** rodzicom, przełożonym a. wobec rodziców, przełożonych. **3.** Karać (surowo) **n. 4.** Okazywać **n.**: Jego wpływ na uczniów jest tego rodzaju, że — wstydziliby się okazywać mu nieposłuszeństwo. *Gomul. Wspom. 163.*

niepowodzenie 1. n-a życiowe. **2. n.** w czym: **n.** w grze, w miłości, w organizowaniu czego. **3.** Nękany niepowodzeniami. **4.** Zrażać się, nie zrażać się niepowodzeniami: Należy do ludzi, co nieprędko się zrażają niepowodzeniami. *Chłęd. Album 199.*

niepowściągliwy 1. Temperament **n.** ⟨*niepohamowany, niepowstrzymany*⟩: Odznaczał się temperamentem dzikim, niepowściągliwym i złośliwością przykrą dla otoczenia. *Dygas. Piszcz. II, 93.* **2. n.** w c z y m: **n.** w jedzeniu i piciu. **n.** w mowie: Zacny ale niepowściągliwy w mowie Ursyn, nieraz, skoro się czuł obrażonym, dotykał najlepszych przyjaciół epigramatami. *Koźm. Pam. III, 7.* **3.** Być języka niepowściągliwego ⟨*nie móc się powstrzymać od złośliwości, przycinków, złośliwej krytyki*⟩: Umiejąc się dopatrzeć wszędzie ludzkiej ułomności, a będąc języka niepowściągliwego, raz nawet mocny gniew króla Władysława ściągnął na siebie. *Bartosz. Hist. 85.*

niepoznaka 1. Dla niepoznaki ⟨*tak, żeby nie można było poznać, dla zatarcia śladów, dla odwrócenia uwagi*⟩: Kazał sobie dla niepoznaki obciąć wypielęgnowaną brodę. *Grąb. Na służbie 214.* **2.** *rzad.* Do niepoznaki ⟨*tak, że trudno poznać, nie do poznania*⟩: Co ważniejsza skurczyły się do niepoznaki kabzy stałych i przygodnych bywalców [Zakopanego]... *Malcz. R. Od cepra 203.*

niepoznanie 1. Do niepoznania ⟨*tak, że nie można poznać, nie do poznania*⟩: Biedna kobiecina w ciągu kilku miesięcy zmieniła się i zestarzała do niepoznania. *Prus Now. II, 62.* **2.** *przestarz.* W niepoznaniu ⟨*nie dając się poznać; skrycie, tajnie, incognito*⟩: Rozeszła się pogłoska, że i król szwedzki w niepoznaniu na polu elekcyjnym się znajdował. *Mieczk. Obrazy 11.*

niepożyty 1. n. starzec ⟨*wytrzymały na przeciwności, silny*⟩. **2. n-a** natura (o kimś). **3.** Siła **n-a** ⟨*trwała, niewyczerpana, intensywna*⟩. **4. n-a** wartość, pracowitość. **5. n-e** zasługi (położyć około czego). **6.** *daw.* **n.** czym. **7. n.** trudami, syt laurów i znoju. *Wor. SW.* **8. n.** w nieszczęściu ⟨*nie załamujący się, niezachwiany*⟩.

nieprawda 1. *euf.* To **n.**! ⟨*to kłamstwo!*⟩. **2.** To **n.**, że... ⟨*nie jest prawdziwe, nie jest zgodne z prawdą*⟩. **3.** *daw.* Zadać nieprawdę komu ⟨*stwierdzić, że ktoś kłamie, nie ma racji, zarzucić komu kłamstwo*⟩: Nie strzymywałbym nawet tak długo uwagi czytelnika nad „Marią" Malczewskiego, gdyby mi nie szło o zadanie nieprawdy tej krytyce, która przed kilku laty [...] wspomniane dzieło w tak omylnym świetle ukazała publiczności. *Mochn. Lit. 93.*

nieprawdopodobieństwo 1. n. artystyczne. **2.** Zupełne **n. 3. n.** opowiadania. **4.** Do nieprawdopodobieństwa ⟨*nieprawdopodobnie, nadzwyczajnie*⟩: Wypudrowana do nieprawdopodobieństwa. *Kurek Ocean 250.* Coś jest, wydaje się (zupełnym) nieprawdopodobieństwem.

nieprawy Syn **n.**, dziecko **n-e** itp. ⟨*nieślubny(-e)*⟩: Ty, kobieto, zawsze będziesz tylko jego kochanką, a twój syn nieprawym dzieckiem. *Prus Emanc. I, 241.*

nieprzebity 1. n-a gęstwa, **n.** gąszcz ⟨*ścisła(-y), gęsta(-y), nie do przebicia*⟩: Koło nas naokół była gęstwa nieprzebita drobnych zarośli. *Sienk. Now. IV, 98.* **2. n-a** ciemność ⟨*ciemność nie dająca się przeniknąć wzrokiem; nieprzenikniona*⟩.

nieprzechodni 1. Pokój **n.** ⟨*przez który nie trzeba przechodzić w celu dostania się do innego pomieszczenia*⟩. **2.** *jęz.* Czasownik **n.** ⟨*czasownik nie rządzący dopełnieniem, nie mający strony biernej*⟩.

nieprzyjaciel ● ⟨*wróg, przeciwnik*⟩ **1.** otwarty, nieubłagany, skryty, śmiertelny **n. 2.** Zabity, zawzięty **n.** (czego). **3.** Porobić, zrobić sobie nieprzyjaciół. ● ⟨*wojsko nieprzyjacielskie*⟩. **4.** Porazić, rozgromić nieprzyjaciela, ruszyć na nieprzyjaciela; zadać straty nieprzyjacielowi. **5. n.** atakuje, cofa się, wycofał się, pierzcha, zbliża się, wypada z zasadzki itp.

nieprzyjacielski 1. Szeregi **n-e**, wojsko **n-e. 2.** Kroki **n-e** rozpocząć, zawiesić itp. ⟨*zacząć, zawiesić itp. działania zaczepne, wojenne*⟩: Pierwszym stanowczym czynem było zawieszenie kroków nieprzyjacielskich podpisane w Wiedniu. *Schmitt Dzieje I, 97.* **3.** *przestarz.* Wkroczyć w zamiarach nieprzyjacielskich ⟨*nieprzyjaznych, wrogich*⟩: Witold [...] w przymierzu z Krzyżakami wkroczył w roku 1390 w zamiarach nieprzyjacielskich do Litwy i nad rzeką Wilią zadał dotkliwą klęskę wojsku Skirgiełły. *Stad. Syn. 80.* **4.** *rzad.* Po nieprzyjacielsku ⟨*wrogo, nieprzyjaźnie, zaczepnie, jak nieprzyjaciel*⟩: Dwór austriacki [...] odmówiwszy konfederacji przytułku w swych dzierżawach, zaczął się z nią po nieprzyjacielsku obchodzić. *Schmitt Dzieje II, 367—368.*

nieprzyjaźń 1. Otwarta **n. 2.** (Być) w nieprzyjaźni z kim: Dawno WM. Pan z nim w nieprzyjaźni? *Boh. Figl. 130.* **3.** Zrobić co z nieprzyjaźni ku komu: Oświadczył im wprost bez ogródki [...] że z samej nieprzyjaźni ku Zygmuntowi przyjąłby ofiarowaną koronę. *Proch. Król II, 73.*

nieprzyjemność 1. Drobna, gruba, wielka **n.** ⟨*przykrość*⟩. **2.** Mieć **n-i** z kim ⟨*doznawać od kogo, z powodu kogo przykrości*⟩: Eugenia miała nieprzyjemności z tą panią, u której mieszkała w pensjonacie. *Ritt. Most, 109.* **3.** Mieć (wiele) nieprzyjemności. **4.** Narażać, narazić kogo (się) na **n-i**: Trzeba być ostrożnym. Nie można się narażać na nieprzyjemności. *Ritt. Most 74.* **5.** Znosić **n-i. 6. n.** spotyka kogo: Cóż u licha! wyglądasz tak, jakby cię nieprzyjemność spotkała?... *Prus Dusze 210.*

nieprzystępny 1. n-a dolina, skała ⟨*do której nie ma dostępu*⟩. **2. n.** człowiek ⟨*niełatwy w stosunkach z ludźmi; wyniosły, sztywny, dumny*⟩. **3. n-e** ceny ⟨*zbyt wysokie*⟩. **4. n.** d l a k o g o: **n.** dla ludzi; *przen.* Coś jest **n-e** dla kogo ⟨*za trudne*⟩: Narzekała na brak lektury, ponieważ książki męża były dla niej nieprzystępne. *Dygas. Now. V, 76.* **n.** czemu: *przen.* Sam zostałem, nieprzystępny skrusze. *Asnyk Poezje I, 100.*

nieprzytomność 1. Do nieprzytomności ⟨*do utraty przytomności*⟩: Pobity do nieprzytomności. Spić się, upoić się do nieprzytomności. **2.** Popaść w zupełną **n.**; trwać w zupełnej nieprzytomności: Już trwała w zupełnej nieprzytomności, jej śmierć odbywała się jakby bezosobowo. *Nałk. Z. Niecierp. 129.* **3.** Znajdować się w stanie nieprzytomności: Nieważne jest oświadczenie woli, złożone przez osobę znajdującą się w stanie nieprzytomności. *Kod. zobow. 15.*

nieprzytomny 1. n-e oczy, spojrzenie, **n.** wzrok ⟨*oczy, spojrzenie, wzrok człowieka pozbawionego przytomności lub takie, jak u człowieka nieprzytomnego; wzrok błędny, mętny, rozbiegany, nieuważny*⟩: Z trudem odrywała nieprzytomne oczy od książki. *Dąbr. M. Noce II, 8.* **2.** *przen.* **n.** z czego: **n.** z trwogi, z radości, z wrażenia: Jakie toalety, jakie brylanty, jakie kwiaty! Jestem jeszcze nieprzytomna z wrażenia! *Reym. Now. IV, 268.* **3.** Leżeć **n.**: Miałem przez kilka tygodni wściekłą gorączkę, leżałem nieprzytomny. *Reym. Now. V, 251.*

niepyszny Jak **n.** ⟨*zawstydzony, zmieszany, upokorzony*⟩: Odszedł jak **n.** Dotknięty do żywego, najokropniej rozczarowany, jak niepyszny powrócił. *Lamus 3, 1909, s. 420.*

nierad Rad **n.** ⟨*wbrew własnej woli, z konieczności, chcąc nie chcąc*⟩: Nie mam już synów. Rad nierad sam, starzec, w bój iść muszę. *Staff L. Poezje II, 331.*

nierówność 1. n. społeczna, majątkowa. **2. n-i** terenu ⟨*wypukłości i wklęsłości powierzchni*⟩. **3. n-i** bruku. **4. n.** w c z y m: Praca niniejsza wykazuje [...] nierówności w traktowaniu przedmiotu. *Bujak Gal. I, 7.* **5.** *mat.* Znak nierówności ⟨*znak mniejszości (oznaczany: $<$) lub znak większości (oznaczany $>$)*⟩.

nierówny 1. n. teren, grunt ⟨*nie mający równej powierzchni*⟩. **2. n.** podział ⟨*niejednakowy, różny co do wielkości, ilości*⟩: Wychował się poza nawiasem oświeconego i zamożnego towarzystwa i doświadczył na sobie skutków nierównego podziału dóbr materialnych i duchowych. *Rudniań. Technol. 217.* **3. n-a** walka, **n.** bój itp. ⟨*walka, bój, w których jedna ze stron walczących jest silniejsza, ma przewagę nad przeciwnikiem*⟩: Poległ ofiarną śmiercią w nierównym boju. *Brück. Kult. IV, 63.* **4.** Być nierównym; być nierównego usposobienia; odznaczać się nierównym usposobieniem ⟨*być zmiennym, niezrównoważonym*⟩: Odznaczał się usposobieniem nierównym, zmiennym. *Gomul. Ciury III, 39.*

nieruchomość ⟨*dobra nieruchome*⟩: Podatek od nieruchomości. Zarząd nieruchomości komunalnych. Posiadać **n.**

nieruchomy 1. Mienie **n-e,** własność **n-a** itp. ⟨*majątek, mienie, własność itp., w skład których wchodzą dobra nieprzenośne, jak: domy, place, lasy itp.*⟩. **2. n-a** postać (osoby siedzącej, stojącej) ⟨*nie poruszająca się*⟩.

nierząd ● ⟨*bezrząd, anarchia, dezorganizacja*⟩ **1. n.** w kraju. **2.** Polska nierządem stoi ⟨*określenie rządów magnacko-szlacheckich w Polsce przedrozbiorowej*⟩. ● ⟨*rozpusta, prostytucja*⟩ **3.** Uprawiać **n.**: Osoby uprawiające nierząd zawodowo podlegają stałej kontroli lekarskiej. *Wiedza 432, s. 14.* **4.** Namawiać kogo do nierządu. **5.** Oddawać się nierządowi.

nieskończoność 1. n. przestrzeni, czasu; *przen.* **n.** uczucia. **2.** W **n.**, rzadziej: do nieskończoności ⟨*przez (na) nieograniczenie długi czas, bardzo długo, bez końca; bez przerwy, ciągle, wiecznie*⟩: Coś przeciąga się, wlecze do nieskończoności. **3.** Iść w **n.**

nieskończony 1. n-e owacje ⟨*nie kończące się, długotrwałe*⟩. **2.** Przestrzeń **n-a**; wszechświat **n.** ⟨*nie mające(-y) końca, nieograniczona(-y), niezmierzona(-y)*⟩. **3. n-e** widnokręgi (rozsnuwać, roztwierać przed kim).

niesława Okryć (się) niesławą: W wyobraźni widziałem już pułk unieruchomiony, wycofany z frontu, okryty niesławą. *Meis. Warsz. 68.*

niesmak 1. n. w ustach ⟨*nieprzyjemny, zły smak*⟩. **2.** *przen.* **n.** do kogo, do czego: Czuję do siebie żal i **n. 3.** Coś zostawia w kim **n.**: Wszystko, co nas z daleka wprawia w zachwycenie, przejada się bardzo prędko, a czasem i niesmak zostawia. *Prus To i owo 131.* **4.** *przestarz.* Być, iść, pójść komu w **n.** ⟨*nie podobać się, nie przypadać komu do gustu; być komu nie w smak*⟩: Wyznam ci, bracie, że mi w niesmak już idzie poselstwo Papieża. *Słow. Mind. 36.* **5.** Patrzeć na co, przyjmować co z niesmakiem. **6. n.** (uczucie niesmaku) ogarnia kogo.

niesnaski ⟨*nieporozumienia, poróżnienia, niezgoda, waśń, zatargi, spory, sprzeczki, kłótnie*⟩ **1. n.** domowe, familijne, rodzinne, małżeńskie. **n.** religijne. **2.** Poważne, przykre **n. 3. n.** między kim a kim, wśród kogo: **n.** między braćmi a. wśród braci; między mężem a żoną. **4.** Siać, wzniecać **n.**: Wzniecasz niesnaski, kłócisz brata z siostrą. *Fredro A. Damy 235.* **5. n.** powstają, wybuchają (gdzie, między kim a kim, wśród kogo).

niespodzianka 1. Miła, przyjemna, prawdziwa; przykra **n. 2.** Być pełen niespodzianek: Niepodobna go poznać do głębi, jest pełen niespodzianek. *Strug Krzyż II, 155.* **3.** Doznać niespodzianki. **4.** Przygotować, sprawić, zrobić niespodziankę: Ojciec nie wie, kiedy przyjedziesz? — Nie. Chcę mu zrobić niespodziankę. *Meis. Sześciu 191.* **5.** A to **n.**! **6. n.** czeka kogo, spotkała kogo.

niespokojność *przestarz.* ⟨*niepokój, zaniepokojenie, zdenerwowanie*⟩ **1.** Być, zostawać w niespokojności. **2. n.** ogarnia, dręczy, trapi, trawi kogo.

niespokojny 1. n. charakter, umysł, temperament ⟨*wzniecający niepokój; będący ciągle w ruchu; ruchliwy, żywy, zmienny, niezrównoważony, awanturniczy, burzliwy*⟩. **2. n-e** czasy ⟨*burzliwe, pełne wydarzeń, zamieszek, niebezpieczeństw, wojen itp.*⟩: Czasy były wtedy niespokojne, las pełen uzbrojonych band. *Bocheń. Praw. 178.* **3. n-a** linia, zarys, kontur, obraz, kształt itp. ⟨*linia, zarys, kontur, obraz, kształt odznaczający się brakiem harmonii, ładu, symetrii, umiaru, porządku itp., nieharmonijny, nierówny, rozchwiany, zmienny, niewyraźny, pogmatwany, przerywany, kręty*⟩. **4. n-e** morze ⟨*burzliwe*⟩. **5. n-e** myśli (chodzą komu po głowie). **6. n-e** ruchy, **n.** krok, wzrok, **n-e** spojrzenie, **n.** oddech, **n-e** bicie serca ⟨*wyrażające(-y) niepokój, będące(-y) objawem niepokoju*⟩. **7. n.** o k o g o, o c o ⟨*przejęty niepokojem, zaniepokojony*⟩: **n.** o dziecko; **n.** o przyszłość, o losy czyje. **8.** Być niespokojnym o kogo ⟨*niepokoić się*⟩: Trzy dni już nie był w domu, jestem o niego bardzo niespokojny. *Reym. Ziemia II, 119.*

niesporo 1. Komuś jest **n.** ⟨*komuś nie spieszy się, ktoś ociąga się z czym*⟩: Wieczorem konie były gotowe do drogi, ale watażce niesporo było odjeżdżać. *Sienk. Ogn. III, 26.* **2.** Robota idzie **n.** ⟨*marudnie, nieskładnie*⟩.

niesprawiedliwość 1. Czarna, krzycząca **n.** (*l. Mojż. IV, 10*). **2. n.** społeczna. **3.** Czynić komu **n. 4.** Dopuścić się niesprawiedliwości. **5.** Doznać niesprawiedliwości: Wiele już doznał przeciwieństw i niesprawiedliwości od złych ludzi. *Skarb. Starosta 81.* **6.** Popełnić, wyrządzić **n. 7. n.** dzieje się, panuje, staje się.

niesprawiedliwy 1. n-e prawo ⟨*nie czyniące zadość sprawiedliwości*⟩. **2. n.** sędzia ⟨*stronniczy*⟩. **3.** Wyrok **n.** ⟨*krzywdzący*⟩. **4. n.** wobec kogo ⟨*nie postępujący sprawiedliwie*⟩: Jestem zły i niesprawiedliwy wobec tych, którzy mi nic nie zawinili. *Nałk. Z. Dzień 122.*

niestrawność n. żołądka. Dostać niestrawności. Chorować, cierpieć na **n.**

niestrudzony 1. n. badacz, organizator, bojownik ⟨*nie ustający w pracy, w działaniu, nie zważający na trudy; niezmordowany, gorliwy, wytrwały, pilny*⟩. **2. n-a** działalność, praca, walka ⟨*ustawiczna, wytrwała*⟩. **3. n.** w czym: **n.** w pracy, w gorliwości.

niestworzony *pot.* **n-e** rzeczy, bajdy, dziwy itp.: Cóżeś ty nam za bajdy niestworzone opowiadał? *Winaw. Znajom. 79.*

nieswojo 1. Czuć się **n.** ⟨*nienaturalnie, obco, dziwnie*⟩: Czuł się głupio, nieswojo i było mu przykro. *Krah. Zdrada 229.* **2.** Jest komu, zrobiło się komu **n.**: Nagle, nie wiadomo czemu — zrobiło jej się jakoś nieswojo. *Goj. Stol. 222.*

nieswój 1. Wtrącać się w **n-e** rzeczy, sprawy ⟨*w sprawy, które do kogoś nie należą, które nie powinny go obchodzić*⟩: Cicho tam siedź i nie wtrącaj się w nieswoje rzeczy. *Sienk. Wołod. I, 199.* **2.** Ktoś jest, czuje się **n.** ⟨*niezupełnie zdrowy, osowiały, nie w humorze*⟩: Coś mu dolega, bo jest jakiś nieswój. Unikał towarzystwa ludzi, bo wśród nich czuł się skrępowany i nieswój. *Bał. SW.*

nieszczęście 1. Straszne, wielkie **n. 2.** Otchłań, ogrom nieszczęścia. **3.** Brzemię, nawała, pasmo nieszczęść: Upadać pod brzemieniem nieszczęść. **4.** Jak **n.**, jak półtora nieszczęścia, jak siedem, sto nieszczęść ⟨*drugi człon wyrażenia porównawczego podkreślający intensywność lub natężenie w znaczeniu ujemnym tego, o czym mowa w pierwszym członie wyrażenia*⟩: Brzydki był jak nieszczęście. *Chłęd. Pam. I, 154.* Wygląda jak półtora nieszczęścia. **5.** Na **n.**, trzeba nieszczęścia, że..., **n.** chciało, że... ⟨*niepomyślnym zbiegiem okoliczności, na domiar złego*⟩: Trzeba nieszczęścia, że właśnie przedwczoraj jedno z dzieci, to średnie, zachorowało. *Mort. Wawrzek 177.* **6.** Mieć **n.** zrobić co, być gdzie itp. ⟨*zrobić co wywołując niekorzystne dla siebie następstwa; znaleźć się w przykrym położeniu wskutek niepomyślnego zbiegu wydarzeń*⟩: Miał nieszczęście popaść w niełaskę... *Krasz. Brühl 355.* Dokuczali wszystkim, kto tylko miał nieszczęście bytować w tej dzielnicy. *Żer. Uroda 53.* **7.** Mieć szczęście w nieszczęściu. **8.** Nie ma nieszczęścia ⟨*coś nie jest rzeczą przykrą, szkodliwą*⟩: Jakby się nie udało, to też nie ma nieszczęścia... *Dygas. Kielc. 23.* **9.** Przynieść komu, sprowadzić na kogo, na czyją głowę; wróżyć, zwiastować, zażegnać **n. 10.** Doświadczyć, doznać nieszczęścia. **11.** Nie poddawać się nieszczęściu; zapobiec nieszczęściu. **12.** Litować się nad czyim nieszczęściem. **13.** Uchronić od nieszczęścia. **14.** Popaść w **n.** Odstąpić, opuścić kogo, pocieszyć, (po)ratować kogo, współczuć komu w nieszczęściu. **15.** Wybawić z nieszczęścia. **16.** Pogodzić się z nieszczęściem. **17. n.** dotyka, dotknęło kogo, nawiedza kogo, przydarzyło się komu, przygniata kogo, przytrafiło się komu, spada na kogo, na co, spotkało kogo, trapi kogo, uderza (w kogo), wisi nad kim, wali, zwala się na kogo: Wszelkiego rodzaju nieszczęścia zwaliły się na utrapioną rodzinę. *Krasz. Siekierz. 9.* **18.** Stało się (wielkie) **n.**

przysł. **19.** Nieszczęścia chodzą po ludziach. **20.** Nieszczęścia chodzą w parze.

nieszczęśliwy 1. n. wypadek; **n-e** usposobienie, **n-e** małżeństwo. **2.** Pod nieszczęśliwą gwiazdą (rozpoczynać co). **3. n.** w c z y m: w małżeństwie, w miłości.

nieścigniony 1. *daw.* **n.** okiem ⟨*sięgający, rozpościerający się tak daleko, że nie można dojrzeć końca*⟩: Nic nie przerywa widoku tej nieścignionej okiem równiny. *Balіń. M. Pisma III, 167.* **2. n.** pamięcią ⟨*odbywający się, dziejący się bardzo dawno; taki, którego już nikt nie pamięta*⟩: Przez lat [...] pięćdziesiąt z górą pisząc się hrabiami, Sulimowscy byli już najpewniejsi, że ich komesostwo sięgało nieścignionych pamięcią czasów. *Krasz. Jabł. I, 83.*

nieść 1. n. k o g o, c o — n a c z y m, w c z y m p o d c z y m ⟨*iść trzymając kogo, co na czym itd.*⟩ **n.** ciężar, worek na plecach; **n.** dziecko na rękach; **n.** torbę w ręku, książkę pod pachą. **2. n.** co do us

⟨*kierować*⟩: **n.** jedzenie, szklankę, łyżkę itp. do ust. **3.** Mówić, gadać, co ślina do ust, do gęby (*daw.* w gębę) niesie ⟨*mówić, gadać bez zastanowienia*⟩: Gada, co mu ślina w gębę niesie. *Narusz. Wiersze I, 232.* **4.** *książk.* **n.** brzemię lat ⟨*być starym*⟩. **5. n.** jaja, jajka ⟨*o samicach ptaków, zwłaszcza o kurach: składać jaja*⟩. **6. n.** modlitwę ⟨*modlić się*⟩. **7. n.** komu pociechę, pomoc, ukojenie, ulgę itp. ⟨*śpieszyć komu z pomocą, pociechą itp.; pocieszać, pomagać, koić*⟩: Byli wszędzie nierozdzielni, nieśli sobie zawsze wzajemną pomoc i słowem, i czynem. *Korz. Krewni 23.* **8.** *daw.* **n.** prośbę do kogo ⟨*prosić o co*⟩. **9. n.** zniszczenie ⟨*powodować*⟩. **10. n.** życie w ofierze ⟨*poświęcać życie*⟩. **11.** Działo, strzelba (daleko) niesie ⟨*bije, strzela*⟩. **12.** Fala niesie (łódkę, pnie drzew), ⟨*unosi*⟩. **13.** Koń lekko niesie ⟨*ma lekki chód, bieg*⟩. **14.** Same nogi kogo niosą: a) ⟨*ktoś idzie bez wysiłku, nie czując zmęczenia*⟩: Nie czuł potrzeby wypoczynku. Nogi same go niosły. *Pap. Szczury 158*; b) ⟨*ktoś idzie w jakimś kierunku bezwiednie, mimowolnie*⟩: Szedł jak ogłuszony, nie rozpoznając dobrze kierunku. Same nogi niosły go przed siebie, byle dalej od zatłoczonej sali świetlicowej. *Braun Lewanty 394.* **15.** Wiatr niesie chmury ⟨*pędzi*⟩. **16.** Wieść, fama niesie ⟨*głosi*⟩. **17.** Wóz, bryczka dobrze, lekko niesie ⟨*lekko się porusza, bez wstrząsów*⟩: Mała, prosta bryczka bez resorów, z siedzeniem na pasach, niosła jak kolebka. *Żer. Uroda 26.* **18.** Iść, jechać, gdzie oczy niosą, rzadziej: gdzie nogi niosą ⟨*iść, jechać nie określając z góry przyszłego miejsca pobytu, bez celu*⟩: Szła prosto przed siebie jak lunatyczka, nie zważając, dokąd niosą ją nogi. *Meis. Sams. 141.* **19.** Niesie, niosło skąd wonią, wilgocią, zapachem itp. ⟨*coś wydaje zapach, woń itp.; czuć zapach, wilgoć, woń itp.*⟩: Z wykopów niosło duszną, zgniłą wilgocią, ziemia wyglądała jak chora. *Brand. K. Obyw. 347.* **20.** Gdzie cię (was) niesie? ⟨*z odcieniem zniecierpliwienia: dokąd się śpieszysz, pędzisz*⟩: Gdzież to was niesie w takiej paradzie? *Zap. G. Dul. 124.* **21.** *posp.* Gdzie cię diabli niosą ⟨*dokąd się wybierasz: gdzie się pakujesz*⟩. **22.** Licho kogo niesie ⟨*ktoś przychodzi nie w porę, niepożądany*⟩: A tam kogo licho niesie? *Rog. J. Bohat. I, 183.*

nieść się 1. n. się c z y m — o d c z e g o, n a d c z y m, p o c z y m ⟨*rozprzestrzeniać się, rozchodzić się*⟩: Powietrzem niesie się zapach wilgotnej ziemi. *Żukr. Piór. 54.* Mgła niesie się tumanami od łąk. Od ogrodu niosły się okrzyki dzieci. Dym niesie się nad ogniskiem. Głos niesie się po polu. **2.** Kury się niosą ⟨*składają jaja*⟩.

nieśmiałość 1. Dziewczęca, wrodzona **n. 2.** Przełamać, przezwyciężyć **n. 3. n.** nie pozwala komu co zrobić: Wrodzona nieśmiałość nie pozwalała mu wypowiedzieć słowa prośby. *Brand. M. Pocz. 72.*

nieśmiertelność 1. n. duszy: Że Słowianie w nieśmiertelność dusz wierzyli, widzimy z obrządków pogrzebowych — palili lub grzebali ze zmarłym najmilsze mu przedmioty za życia. *Berw. Pow. I, 206.* **2.** Pozyskać, zdobyć **n.**; przejść do nieśmiertelności: Ulica Głęboka pozyskała literacką, jeśli nie nieśmiertelność, to przynajmniej popularność, dzięki Włodzimierzowi Wolskiemu, który napisał powieść pt. „Domek przy ulicy Głębokiej". *Gomul. Hist. ulic 33.* **3.** Zasłużyć na **n.** ⟨*na sławę wieczną*⟩.

nieświadomość 1. Z nieświadomości (zrobić co) ⟨*z nieznajomości czego*⟩: Ludzie heroiczni czynią źle nie ze złej woli [...] ale z nieświadomości, z głupoty. *Sinko Lit. I/1, 106.* **2.** Być w zupełnej nieświadomości czego ⟨*niewiedzy*⟩: Tutaj cicho jak w grobie. Jesteśmy w zupełnej nieświadomości tego, co się dzieje. *Klaczko, Zapomn. 3.* **3.** Utrzymywać kogo w nieświadomości co do czego. **4.** Zapaść w **n.** ⟨*stracić świadomość*⟩: Przymknął oczy i znowu zapadł w nieświadomość. *Sier. Now. 137.*

nietakt ⟨*brak taktu; niestosowny, niewłaściwy postępek świadczący o braku taktu*⟩ **1.** Gruby **n.**; **n.** towarzyski. **2.** Dopuścić się nietaktu. **3.** Popełnić **n. 4.** Coś uchodzi, jest uważane za **n.**: We Włoszech dyskusja jest rzeczą najważniejszą i przerywanie kłótni uchodzi tu za nietakt. *Brand. M. Spot. 16.*

nietolerancja n. religijna, rasowa, wyznaniowa. Walczyć z nietolerancją.

nietykalność n. osobista. **n.** senatora, trybuna itp. ⟨*przywilej członków parlamentu, polegający na tym, że nie mogą być pociągani do odpowiedzialności karnej za swoją działalność w izbach ustawodawczych lub poza nimi w związku z wykonywaniem mandatu*⟩.

nieudolność 1. Kompletna, wyjątkowa, zupełna **n. 2. n.** polityczna. **3. n.** c z e g o: **n.** formy; **n.** przemówienia. **4. n.** d o c z e g o a. w c z y m: **n.** do kierowania czym; **n.** w prowadzeniu wojny. **5.** Kicz wyjątkowej nieudolności. **6.** Okazać, wykazać (zupełną) **n.**

nieufność 1. n. do kogo, do czego a. w stosunku do kogo: Nieufność do otoczenia kazała mu być ostrożnym. *SPP.* **2. n.** w c o: **n.** we własne siły. **3.** Votum nieufności ⟨*dokonanie ujemnej oceny czyjej działalności, np. przez członków związku, stowarzyszenia itp. lub przez parlament w stosunku do rządu, ministra, itp.*⟩: Stawiam wniosek o votum nieufności dla przewodniczącego! *Dąbr. M. Noce III/2, 267.* **4.** Budzić, wzbudzać **n.** w kim. **5.** Nabrać nieufności do kogo: Po kilku dotkliwych doświadczeniach życiowych nabrał pewnej nieufności do ludzi, zwłaszcza mało znajomych. *Krzyw. I. Siew. 204.* **6.** Żywić **n.** do czego. **7. n.** topnieje między kim a kim: I jak na wiosnę śniegi tają, tak między nimi poczęła topnieć nieufność, i czuli się bliżsi siebie niż przed chwilą. *Sienk. Pot. I, 275.*

nieutulony 1. n. żal ⟨*nie dający się ukoić*⟩: W nieutulonym żalu wzdycham do rodzicielskiego domu. *Krasiń Modl. 285.* **2. n.** w żalu: Nieutulona w żalu po śmierci męża. *Węg. SW.* **3. n.** po stracie kogo ⟨*niepocieszony*⟩: Nieutulony po stracie Barbary, król szukał zapomnienia. *Janow. Warsz. 52.*

nieuwaga Przez nieuwagę: Zrobić co przez nieuwagę. Korzystać, skorzystać z czyjej nieuwagi. - Korzystając z ogólnej nieuwagi, pomknął na poddasze. *Sier. Now. 158.*

niewart 1. Nic **n. 2. n.** c z e g o: Niewart takiego szczęścia, jakie go spotyka. *SW.* **3.** Coś jest **n-e** złamanego szeląga, niucha tabaki, torby sieczki ⟨*nie przedstawia żadnej wartości*⟩: Wiesz co, bracie, pesymizm — to brednie, torby sieczki niewarta paplanina pusta. *Rodoć Sat. 141.* **4.** Ktoś **n.** jest komu butów wyczyścić: Widząc, że lada baletmistrz, który [...] niewart był mi butów wyczyścić, lepiej się ma ode mnie, rzuciłem zawód choreografa. *Prus Now. I, 58.* **5. n.**, że go święta ziemia nosi.

niewdzięczność 1. ludzka **n. 2.** Nakarmić kogo, odpłacić komu (czarną) niewdzięcznością: Matka mnie najwięcej kochała. Czy mogłem jej za taką miłość czarną niewdzięcznością odpłacić? *Przem. Jakobin 82.* **3.** Doznać od kogo, doświadczyć niewdzięczności: Panował dotąd w Czechach Udalryk, którego przed laty Bolesław Chrobry osadziwszy na tronie, wiarołomnej od niego niewdzięczności doznał. *Narusz. Hist. I, 194.*

niewiadoma *przen.*: W chwili kapitulacji Niemcy przedstawiały jeszcze wielką niewiadomą. *Wiedza 555, s. 66.*

niewiadomość 1. *daw.* Pozostawać w zupełnej niewiadomości o czym ⟨*nic nie wiedzieć o czym*⟩: Kończę rok dwudziesty czwarty i dotąd pozostałem w zupełnej niewiadomości o rodzicach moich! *Wilk. P. Poran. II, 117.*

przysł. **2.** Niewiadomość grzechu nie czyni.

niewiadomy 1. Człowiek niewiadomego nazwiska. **2.** Udać się w niewiadomym kierunku ⟨*udać się w nieznanym kierunku*⟩: Wyniósł się ze wsi na parę ładnych miesięcy, udając się w niewiadomym kierunku. *Mort. Wiano 107.*

niewiasta (wychodzące z użycia) **1. n.** publiczna ⟨*prostytutka*⟩.

przysł. **2.** Ani na wsi, ani w mieście nie trzeba wierzyć niewieście (Nie wierz niewieście, choć ma lat dwieście).

niewid *daw.* Pleść troje niewidy a. troje niewidów ⟨*mówić od rzeczy, mówić trzy po trzy; zmyślać, bajać*⟩: Pleciesz troje niewidy i łudzisz mię darmo. *Piotr. Satyr 119.*

niewidoczny n. dla kogo, czego: **n.** dla oka.

niewieści 1. Stan, świat, ród, rodzaj **n.** ⟨*ogół kobiet, niewiasty*⟩: Wszędzie ułani rej prowadzili i cały ród niewieści lgnął do nich jak muchy. *Sztyrm. Pow. I, 77.* **2.** *przestarz.* Po niewieściemu ⟨*tak jak kobieta*⟩: Mamyż my to tak cierpieć i po niewieściemu, jak baby z płaczu zawodzić, ręce łamać? *Krasz. Baśń 85.*

niewiniątko 1. Robić z siebie, udawać **n.** Robić co z miną niewiniątka: Lis pokręcił ogonem i z miną niewiniątka zezem obserwował czubate kokosze. *Rodz. Dew. 185.* **2.** Zrobić minę niewiniątka: Zrobiłem minę niewiniątka, udając, że nie rozumiem, o co chodzi. *Hertz Samow. 186.*

niewinny 1. n. jak dziecko. **2. n-e** bakterie ⟨*nieszkodliwe*⟩. **3.** Buzia **n-a** ⟨*wyrażająca niewinność*⟩. **4.** Krew **n-a** ⟨*krew człowieka bez winy*⟩. **5. n-a** męka ⟨*męka nie zasłużona, nie usprawiedliwiona*⟩. **6. n-e** zabawy, żarty ⟨*przyzwoite, skromne*⟩.

niewłaściwość 1. n. postępowania a. w postępowaniu. **2.** Popełnić **n.** ⟨*coś niewłaściwego, nieodpowiedniego*⟩.

niewłaściwy 1. n. c z e m u, k o m u ⟨*taki, który nie wynika z czyich właściwości, jest sprzeczny z czyim charakterem*⟩: Tylko względem niej jednej zdobywała się na akcenty tkliwości, tak niewłaściwe jej naturze. *Dąbr. Ig. Matki 31.* **2. n-e** miejsce ⟨*nie to, co zwykle, nie swoje*⟩: Położyć co na niewłaściwym miejscu. **3. n-e** postępowanie, zachowanie ⟨*nieodpowiednie*⟩: Gdy ta lub owa gazetka wytknie komuś jego niewłaściwe postępowanie, robi się w kraju alarm. *Bojko Pisma 134.* **4. n-e** ręce ⟨*nieodpowiednie*⟩: Zaczynam lękać się, ażeby piękne te pamiątki nie przeszły w niewłaściwe ręce. *Prus Lalka I, 74.*

niewola 1. Ciężka, wieloletnia **n. 2. n.** chłopska, pańszczyźniana ⟨*poddaństwo, pańszczyzna*⟩. **3. n.** ekonomiczna ⟨*zależność ekonomiczna, brak samodzielności gospodarczej*⟩: Cała ziemia przeszła w ręce nielicznych obywateli, a wszyscy inni Spartanie wpadli w niewolę ekonomiczną u tych bogaczów. *Ziel. T. Rzym. 216.* **4. n.** kobiet, niewiast ⟨*brak równouprawnienia kobiet z mężczyznami*⟩: Zawsze i wszędzie chcę i będę zwalczała niewolę, upokorzenie kobiet i uzurpowanie pierwszeństwa mężczyzn. *Tyg. Ilustr. 34, 1904.* **5.** *daw.* Po niewoli ⟨*nie z dobrej woli, pod przymusem, wbrew własnej woli, czy chce, czy nie chce*⟩: Urodzony z hrabiny galicyjskiej, należy po niewoli do pańskiego obozu. *Sienk. Wiad. II, 199.* **6.** Co mnie (tobie, jemu itd.) za **n.** ⟨*nikt mnie (ciebie, jego itd.) nie zmusza, nie ma przymusu*⟩: Ujął się w boki — Dość mam tych mądrali! Co mnie tu próżno siedzieć za niewola? *Konopn. Balcer 116.* **7.** Popaść, pójść, uprowadzić do niewoli a. w niewolę: Krzyżak, zwaliwszy włócznią Kiejstuta z konia, wziął go żywcem w niewolę. *Narusz. Hist. V, 250.* **8.** Siedzieć, zatrzymać (kogo) w niewoli. **9.** Uciec, wydobyć się, wykupić, wypuścić z niewoli. *przen.*: Kłosista niwa, zbóż aromaty brały mi duszę w słodką niewolę. *Gomul. Pieśni 172.* **10.** Gotować komu niewolę. **11.** Trzymać zwierzę w niewoli ⟨*w klatce, w pomieszczeniu zamkniętym*⟩. **12.** Wrócić z niewoli. **13.** Wykupić kogo z niewoli (np. tureckiej w dawnych wiekach). **14.** Wywieść, wyzwolić z niewoli egipskiej ⟨*wyzwolić ze szczególnie ciężkiej, beznadziejnej niewoli; wyprowadzić z bardzo trudnej sytuacji, z sytuacji bez wyjścia*⟩: Dobrze bijcie! a wyzwolcie nas raz już z tej egipskiej niewoli. *Gocz. Wspom. II, 25.* **15. n.** spada na kogo, na co (np. na kraj).

niewolić *książk.* **1. n.** k o g o — d o c z e g o ⟨*zmuszać*⟩: Widzi on to pewno, jaką niedorzeczność popełnia matka, niewoląc Zosię do takiego małżeństwa. *Kaczk. Murd. I, 186.* **2. n.** kobietę ⟨*zmuszać do stosunku płciowego*⟩: Nie z takimi miałem do czynienia, a nie niewoliłem żadnej. *Sienk. SW.* **3. n.** k o g o, c o — d o k o g o, d o c z e g o ⟨*zjednywać, zyskiwać*⟩: Jego rozum, wytworne, skromne obejście niewoliły do siebie dziewczę. *Dygas. Molk. 25.* Czułem niezwyczajną jakowąś moc niewolącą serce moje. *Kras. Podstoli 19.*

niewolnik 1. Handel niewolnikami. **2.** Brać, wziąć niewolników (*daw.* niewolnika) ⟨*brać jeńców, brać do niewoli*⟩: Generał ciężko ranny w nogę, nie zsiadł z konia, dopóki nie owładnął miastem, w którym wziął niewolnika i działa. *Smol. W. Dąbr. 48.* **3.** Być niewolnikiem kogo; mieć w kim niewolnika ⟨*być oddanym komu; mieć w kim człowieka oddanego, służalczego*⟩: Chciałaby imość dobrodzika piętnowaneo dla się mieć w nim niewolnika, żeby [...] z trzeiczków wypijał, i proch z śladów zbierał. *Zabł. irc. 83.* **4.** Być niewolnikiem czego ⟨*ulegać czemu*⟩: 'y wszyscy jesteście niewolnikami waszych przywizeń, kaprysów, uczuć. *Prus Dusze 187.*

iewód ⟨*wielka sieć rybacka, ciągniona zwykle na wóch łodziach*⟩ **1.** Ciągnąć, zaciągnąć; prowadzić; zucić, zarzucić; założyć, zapuścić **n. 2.** Łowić ryby iewodem. **3.** Naganiać ryby w **n.**

iewyczerpany ⟨*nieprzebrany, którego nie można yczerpać*⟩ **1. n-e** bogactwo, zapasy, zasoby czego. . **n-a** fantazja, miłosierdzie, słodycz itp. **3. n-a** studia, **n-e** źródło czego: Dzieła Kochanowskiego są akże dla mnie niewyczerpanym źródłem pociechy. *'low. Listy I, 189.* **4. n.** w c z y m: **n.** w koncepach, w pomysłach.

iewygoda 1. Wielkie, największe **n-y**; **n-y** życiowe. . **n-y** c z e g o: **n-y** podróży. **3.** Doznawać, doświadzać niewygód. **4.** Narażać na **n-y. 5.** Dzielić z kim -y. Przywyknąć do niewygód. **6.** Znosić **n-y**: Nie szczędzał się bynajmniej i równo z drugimi znosił szystkie niewygody. *Kras. Życia IX, 136.*

iewyraźnie Ktoś się czuje **n.**, komuś jest **n.**, komuś obi się **n.**: a) ⟨*ktoś odczuwa obawę, niepokój, tremę, iepewność*⟩: Henryk jak zwykle czuł się u teściów rochę niewyraźnie. *Krucz. Sidła 143*; b) ⟨*ktoś czuje ię źle, niedobrze, jest niezdrów*⟩: Czułem się jakoś iewyraźnie, ciągotki mnie brały, a pod sam wieczór dawało mi się, że i temperatura mi się podniosła. *1ort. Spow. 46.*

iewyraźny 1. *żart.* **n.** blondyn ⟨*niezupełny*⟩. **2. n.** ień ⟨*trudny do rozpoznania, niewidoczny zamazay*⟩. **3. n-a** figura; **n.** typ ⟨*o człowieku: podejrzany, iepewny*⟩. **4.** Być jakiś **n.** ⟨*czuć się nieswojo, być ażenowanym*⟩: Stary subiekt istotnie był jakiś niewyraźny i swemu pryncypałowi nie patrzył w oczy. *'rus Lalka 313.* **5.** Mieć minę niewyraźną ⟨*niepewą, podejrzaną*⟩: Minę miał bardzo niewyraźną, toteż an Smolicki [...] od razu powiedział: — Oho, znów oś przeskrobałeś! *Perz. Uczn. 94.*

iewyrobiony 1. n-e ciasto ⟨*ciasto źle wymieszane, rzez to nie wyrośnięte, mało pulchne, zakalcowate*⟩. **. n.** gust, język ⟨*nie wykształcony, surowy*⟩. **3. n.** owarzysko ⟨*nieobyty, nieokrzesany, niedoświadczoy*⟩: Niewyrobiona towarzysko głupia smarkata adła ofiarą pierwszych napotkanych pięknych wąów i dała sobie zawrócić głowę. *Dąbr. Ig. Matki 57.*

iezadowolenie 1. Ciągłe, ogólne, wewnętrzne, wiecze, żywe **n. 2.** Objaw, oznaka, pomruk, wyraz, wyuch niezadowolenia. **3.** Okrzyki, szmery niezadowolenia. **4.** Z niezadowoleniem (spojrzeć na co, na ogo; przyjąć co). **5.** Budzić, okazywać **n.**: Wszystim okazywał niezadowolenie, a przez to narażał iebie i innych na niepotrzebne sprzeczki. *Tyg. lustr. 181, 1863.* **6.** Objawić, ukryć, wyrazić **n. 7.** Nywoł(yw)ać (ogólne) **n. 8. n.** rośnie, wybucha.

iezależność 1. n. materialna, moralna. **2. n.** państwowa, **n.** polityczna (państwa). **3. n.** o d k o g o, d c z e g o: **n.** od rodziny, od innego państwa. **4.**)dzyskać, stracić, utracić, zacho(wy)wać **n.**: Boesław Śmiały postanowił przywrócić Polsce dawną świetność, a to znaczyło przede wszystkim — odzyskać, raz już osiągniętą i utraconą niezależność od Niemiec. *Dąbr. M. Stan. 8.* **5.** Wywalczyć sobie **n.**

niezależny 1. Charakter, człowiek **n.** ⟨*samodzielny*⟩: On ma charakter niezależny, nigdy nikomu nie schlebiał, prędzej da się zarąbać, niż powie to, czego nie myśli. *Nałk. Z. Gran. 82.* **2.** Kraj **n.** ⟨*niepodległy, suwerenny*⟩. **3.** Myśl **n-a** ⟨*nieskrępowana, wolna*⟩: [W XVIII w.] ścigano śmielsze objawy myśli niezależnej, upatrując w niej niebezpieczeństwo dla wiary panującej i moralności. *Smol. W. Przewrót 351.*

niezawisłość ⟨*niezależność, niepodległość, samodzielność*⟩ **n.** majątkowa, narodowa. **n.** państwa. **n.** przekonań, sądu: Rzadko który z piszących potrafi utrzymać niezawisłość sądu. *Tyg. Ilustr. 150, 1870.*

niezdatny 1. n. d o c z e g o: Ziemia niezdatna do uprawy. **n.** do pracy. **2. n.** do niczego. **n.** do służby wojskowej. **3. n.** n a c o: Skóra niezdatna na zelówki.

niezgoda 1. n. między kim (a kim): **n.** między ojcem a synem; **n.** między braćmi. **2.** Zarzewie niezgody (rozdmuchać). **3.** Ziarno niezgody (zasiać). **4.** Być w niezgodzie z czym ⟨*nie zgadzać się, popadać w sprzeczności*⟩: Dwa kurantowe, w szafach zamknięte zegary dziwaki stare, dawno ze słońcem w niezgodzie, południe wskazywały często o zachodzie. *Mick. Tad. 156.* **5.** Coś stoi w niezgodzie z czym: Uprzątnąwszy na razie to, co z zamierzonym kierunkiem nauczania świeckiego i duchem czasu w jaskrawej stało niezgodzie, zajęła się Komisja reformą akademii. *Smol. W. Pisma II, 122.* **6.** Siać, szerzyć, wywoływać niezgodę. **7.** Wnieść niezgodę dokąd (do rodziny). **8.** Żyć w niezgodzie: Wygląda on na człowieka, który żyje w ustawicznej niezgodzie z sobą samym. *Sienk. Mieszan. 124.* **9. n.** powstaje między kim a kim.

przysł. **10.** Strzeż się niezgody, unikniesz szkody. **11.** Wolność niezgodą ginie.

niezły 1. n. człowiek ⟨*mający dość dobry charakter*⟩. **n.** fachowiec ⟨*umiejący coś; wcale dobry*⟩. **2. n.** interes ⟨*zyskowny*⟩. **3. n.** kawałek drogi ⟨*spory*⟩. **4. n-a** kuchnia ⟨*dająca smaczne potrawy*⟩. **5. n.** numer, numerek ⟨*o człowieku mającym złe skłonności, niezbyt dobrze się prowadzącym; gagatek, ziółko*⟩: Toście się w końcu znaleźli? A myśmy chcieli już zawiadomić milicję! Niezły z was numerek! Gdzieście się podziewali? *Brand. K. Obyw. 422.* **6. n-a** pamięć ⟨*zadowalająca*⟩. **7. n-a** partia ⟨*o małżeństwie: korzystne*⟩. **8. n.** trunek; **n-e** wino ⟨*o wcale dobrym smaku*⟩. **9. n-a** tusza ⟨*niemała*⟩. **10. n.** wzrost ⟨*dość wysoki*⟩. **11. n.** zarobek ⟨*dość dobry, niezgorszy, nienajgorszy*⟩.

nieznany 1. Autor **n.** ⟨*anonimowy*⟩. **2. n.** dla kogo: Martwe znasz prawdy nieznane dla ludu. *Mick. Ball. 11.* **3.** Jechać, płynąć itp. w **n-e**, ku nieznanemu ⟨*nie wiedząc dokąd, bez określonego celu podróży*⟩: Nie chciałem jechać w nieznane, tułać się po obcej ziemi. *Korcz. Jerzy Trzy 55.* Siadłem do wagonu kolei, pędząc ku nieznanemu, przyznaję się — z biciem serca! *Krasz. Kartki 4.*

niezręczność n. towarzyska. Popełnić **n.**: Po raz drugi dziś Bystrzyński popełnił niezręczność. *Perz. Las 42.*

nieżywy 1. Leżeć, paść jak **n. 2.** Znaleźć kogo nieżywego: Wpadłszy do pokoju, ludzie znaleźli go bez czucia, nieżywego. *Słow. Proz. 498.*

nigdy 1. n. a **n.**; **n.** przenigdy ⟨*w żadnym czasie, w żadnym razie*⟩: **n.** a **n.** na to się nie zgodzę. **2.** Jak **n.** ⟨*oznacza szczególny stopień nasilenia czego*⟩: Ożywiony jak **n. 3.** Jakby, jak gdyby **n.** nic ⟨*jakby nigdy nic się nie stało; obojętnie, spokojnie*⟩: Wchodzę do pokoju jakby nigdy nic. *SPP.* **4. n.** w życiu: a) ⟨*ani razu w ciągu swego życia*⟩: Na Sanie kończył się jej świat, nigdy w życiu nie była dalej. *Par. SPP*; b) ⟨*w żadnym razie, zupełnie nie, za żadne skarby nie*⟩: Nie pozwolę na to **n.** w życiu. **5.** *pot.* Na święty **n.** ⟨*w bliżej nie określonym terminie; w żadnym czasie, nigdy*⟩.

niknąć 1. n. przy kim, przy czym ⟨*tracić na efekcie, wartości, znaczeniu*⟩: Tak, niewątpliwie, Blizbor nikł trochę przy swojej aż takiej żonie. *Nałk. Z. Mił. 36.* **2. n.** w oczach ⟨*z dnia na dzień gorzej wyglądać*⟩: W ostatnim miesiącu coś mu się takiego zrobiło, że co dzień siły tracił, w oczach nikł... *Prus Now. II, 86.*

nimb 1. n. bohaterstwa, sławy. **2. n.** nad głową świętego ⟨*aureola*⟩. **3.** *przen.* Otoczyć kogo nimbem, roztoczyć nad czyją głową **n.**; być otoczony nimbem czego: Został samotny, jak zawsze i wszędzie, otoczony pustką i tym nimbem przeklętym jakiejś zgrozy i strachu. *Reym. Now. IV, 107.* Otoczony nimbem sławy.

niski 1. n-e ciśnienie krwi ⟨*niewielkie; niżej normy*⟩. **2. n.** głos żeński ⟨*alt*⟩. **3. n.** głos męski ⟨*bas*⟩. **4. n-a** izba ⟨*niewysoka*⟩. **5. n.** lot (ptaka) ⟨*blisko powierzchni ziemi*⟩. **6. n-e** łąki, tereny ⟨*nisko położone, niżej zwykłego poziomu*⟩. **7. n.** mężczyzna ⟨*niewielkiego wzrostu*⟩. **8.** Niższe, najniższe posługi ⟨*prace służebne, głównie w gospodarstwie domowym, wymagające dużego wysiłku fizycznego*⟩: Żywi u siebie wychowankę siostry, której każe spełniać najcięższe i najniższe posługi. *Poręb. Studia 238.* **9. n.** poziom czegoś ⟨*stan czego, pod omawianym względem lichy, niedostateczny, zły*⟩: Najniższy poziom kulturalny spotykamy w lasach dziewiczych dorzecza Amazonki. *Czekan. Człow. 259.* **10. n.** procent ⟨*niewielki*⟩. **11. n-e** progi ⟨*skromna siedziba, ubogie warunki bytowe*⟩: Proszę do chaty, w niskie progi. *Sienk. Pot. III, 24.* **12. n.** pułap (w lotnictwie) ⟨*niewielka wysokość*⟩. **13. n-e** słońce ⟨*chylące się ku zachodowi, znajdujące się tuż nad horyzontem*⟩. **14.** Najniższy sługa ⟨*zwrot grzecznościowy przy powitaniu, pożegnaniu, w zakończeniu listu*⟩: Kończę wyznaniem, żem jest Waszej Książęcej Mości najniższym sługą. *Węg. Organy 144.* **15.** *sport.* **n.** start ⟨*gdy zawodnik oczekując sygnału zajmuje pozycję przykucniętą*⟩. **16. n-a** stopa życiowa ⟨*liche warunki bytowe, małe spożywanie dóbr wytwórczych*⟩. **17.** *techn.* **n-e** temperatury ⟨*temperatury wyrażające się dużą liczbą stopni poniżej zera*⟩. **18. n.** ukłon ⟨*ukłon, w którym kłaniający się nisko się pochyla, ukłon wyrażający szacunek lub uniżoność*⟩. **19. n-e** wynagrodzenie ⟨*małe, niewielkie, skromne*⟩. **20. n.** wzrost ⟨*mały, mniejszy niż przeciętny*⟩.

nisko 1. Niżej podpisany ⟨*pisze się w tekście o osobie, która tekst podpisała*⟩. **2.** Niżej wymieniony ⟨*pisze się w tekście o osobie lub rzeczy, która następnie będzie wymieniona*⟩. **3.** Cenić coś lub kogoś **n.** ⟨*traktować coś jako mało ważne, mało wartościowe; w stosunku do osób chodzi o wartość moralną lub umysłową*⟩: Zbyt nisko ocenialiśmy najstarsze epoki własnych dziejów. *Jasien. Świt 248.* **4.** Opuścić się **n.** Schylić się, skłonić się, ukłonić się **n. 5.** Stać **n.** ⟨*o pieniądzach, o wszelkiego rodzaju papierach wartościowych: mieć małą cenę, małą wartość*⟩: Jeżeli dziś dają [...] za kamienicę wiele pieniędzy, to tylko dlatego, że pieniądze nisko stoją. *Prus Kron. IV, 80.* **6.** *daw.* Urodzić się **n.** ⟨*pochodzić ze stanu nieszlacheckiego*⟩: Wielu [...] bohaterów było, co nisko się urodzili, a wysoko o własnych siłach doszli. *Krasz. Nowe I, 146.*

nitka 1. Nawlec nitkę (w igłę). **2.** Srebrne, złote **n-i**; *przen.* Srebrne nitki (we włosach) ⟨*pojedyncze siwe włosy*⟩. **3. n.** dymu (z papierosa). **4.** *przen.* **n.** żalu. **5. n.** Ariadny; skrótowo **n.** ⟨*ślad, wskazówka pozwalająca zorientować się w zawikłanej sytuacji; z mitu greckiego o Ariadnie, Minotaurze i Tezeuszu*⟩. **6.** Do (suchej) nitki, skrótowo: do nitki ⟨*do cna, do ostatka, całkowicie*⟩: Oprócz zmoknięcia do nitki nic się jej złego nie stało. *Niemc. Jan 9.* Przemoknąć do suchej nitki. **7.** Rwać co (np. postronki) jak nitki. **8.** *książk.* Przeciąć nitkę żywota ⟨*spowodować śmierć czyją*⟩: Parki niełaskawe przecięły srebrną nitkę jej żywota. *Słow. Ballad. 177.* **9.** Nie (po)zostawić na kim suchej nitki ⟨*uczynić kogo przedmiotem krytyki, potwarzy, plotki*⟩: Zaraz po upadku powstania napisał Koźmian artykuł pt. „Kilka słów o Lelewelu i rewolucji 1830 r.“, w którym nie pozostawił na nim suchej nitki. *Bar Kum. 202.* **10.** *przestarz.* Zgrać się do nitki ⟨*zupełnie; przegrać wszystko*⟩. **11.** Życie zawisło na nitce. Życie jego wisiało na nitce ⟨*o kimś, kto omal nie stracił życia*⟩: Była chwila, w której życie to zawisło na nitce. Uratował mnie wtedy Karol. *Sienk. Dram. 12.*

niuch 1. n. tabaki. **2.** *przestarz.* Na **n.** tabaki ⟨*bardzo mało, znikoma ilość*⟩: Ani na jeden niuch tabaki grosza ode mnie nie dostaniesz. *Żmich. Pow. 167*, **3.** *pot. żart.* Mieć niucha, mieć dobrego niucha ⟨*trafnie coś przewidzieć, bystro orientować się w sytuacji*⟩.

niwa *przen.* **1. n.** szkolna, pedagogiczna, dyplomatyczna itp. ⟨*dziedzina pedagogiki itp.*⟩. **2.** Na niwie czego a. jakiej (pracować, działać; coś powstaje, wyrasta itp.) ⟨*w dziedzinie czego*⟩: Na niwie świata wyrosły i dojrzały nowe idee naukowe, filozoficzne, artystyczne i społeczne. *Prus Now. III, 81.* **3.** Pracować na niwie naukowej.

nizać 1. n. perły na sznurek ⟨*nawlekać*⟩. **2. n.** paciorki różańca, różaniec, ziarnka koronki, koronkę ⟨*przesuwać paciorki różańca, ziarnka koronki; odmawiać różaniec, koronkę*⟩. **3. n.** zdrowaśki ⟨*odmawiać zdrowaśki na różańcu*⟩.

niż n. barometryczny ⟨*obszar niskiego ciśnienia*⟩ **n.** obejmuje, zalega (część kraju); przesuwa się, sięga do..., aż po...

noc 1. n. chmurna, czarna, gwiaździsta, księżycowa, mglista, nieprzenikniona, posępna, ponura. **2. n.** bezsenna. **3. n.** poślubna. **4.** Biała **n.** ⟨*krótkotrwała, widna noc w porze letniej na terenach podbiegunowych, kiedy Słońce nieznacznie tylko zachodzi za horyzont*⟩. **5.** *przen.* **n.** grobowa, nieprzespana, wiecz ı ⟨*śmierć*⟩. **6.** *przen.* **n.** okupacyjna ⟨*ciężki okres* *kupacji kraju przez nieprzyjaciela*⟩. **7. n.** polarna, ›dbiegunowa ⟨*kilka miesięcy trwająca noc na bie-* *ınie i w okolicach podbiegunowych*⟩. **8. n.** syl-estrowa ⟨*noc z 31 grudnia na 1 stycznia; zabawa* *tę noc*⟩. **9. n.** świętojańska ⟨*najkrótsza noc z 23* *ı 24 czerwca, przed dniem św. Jana, w czasie któ-* *j, według podań ludowych, można znaleźć przyno-* *ący szczęście, rzekomo rozkwitający, kwiat papro-* ⟩. **10.** Wieczna **n.**: a) ⟨*ciemność na skutek braku* *b utraty wzroku; ślepota*⟩: Powiedz mi, mamo, co › są ślepce? — To biedni, którym umarły oczy. Noc h otacza wieczna i mroczy. *Staff. L. Poezje II, 317*;) ⟨*koniec funkcjonowania organizmu; śmierć*⟩. **11.** hmurny, ponury jak **n.** ⟨*bardzo chmurny, bardzo* *onury; w złym humorze*⟩: Do Kmicica nikt nie ›niał przystąpić ani pytać go o cokolwiek, bo młody ułkownik jechał chmurny jak noc. *Sienk. Pot. III,* ?. **12.** *daw.* Synowie nocy ⟨*poganie*⟩. **13.** Kraina ocy ⟨*śmierci*⟩. **14.** Co **n.**, co nocy, **n.** w **n.** ⟨*każdej* *ocy*⟩: Co nocy pod oknem się zjawia. *Bartk. SPP.* **5.** Do nocy, do późnej nocy, do późna w **n.** (sie-dzieć, pracować): Do późnej nocy czuwał. **16.** Od świtu do nocy, od rana do nocy ⟨*cały dzień*⟩: Pracuje iedaczka od rana do nocy, lata po lekcjach. *Dąbr.* *ę. Śmierć.* **17.** Na **n.** ⟨*na czas nocy*⟩: Przyjść, przy-ıchać do kogo, zostać u kogo na **n.** Wyjeżdżam dziś a **n. 18.** Na całą **n.**, przez całą **n.** ⟨*w ciągu całej no-* *y*⟩. **19.** Po nocy ⟨*po ciemku, wśród nocnych ciem-* *ości*⟩: Włóczyć się, wracać do domu po nocy. Po ocy nie mogłem trafić do drzwi. *SW.* **20.** Po nocach *nocami*⟩: W dzień śpią, po nocach grają w karty. Nie sypiać po nocach. **21.** W nocy, w **n.**, nocą ⟨*w cza-* *łe nocy; w dłuższym lub krótszym momencie nocy*⟩: isuje zawsze tylko w nocy. *Makusz. SPP.* W noc, dy drzemię, oko się nie zmruża. *Mick. SW.* W noc iepłą. *Bartk. SPP.* **22.** O dwunastej, pierwszej w no-y (nie: w **n.**). Pracowałem nocą; nieraz budzę się ocą ze snu. *SPP.* **23.** Późno w **n.** ⟨*w dłuższy czas po* *astaniu nocy*⟩: Późno w **n.** odjechał. **24.** Robić nocy dzień ⟨*w nocy pracować, w dzień spać*⟩. **25.** yczyć komu dobrej, spokojnej nocy. **26. n.** idzie, adchodzi, nastaje, robi się, zrobiła się, zapada, zbli-a się, zaskoczyła kogo w drodze; kończy się. **27.** *rzen.* **n.** obejmuje czyją głowę ⟨*ktoś traci przytom-* *ość, umiera*⟩: Rapier wysunął się z rąk nieszczęsne-o i noc objęła mu głowę. *Sienk. Pot. V, 53.*

ıocleg 1. Sala na noclegi (w schronisku). **2.** Przygo-ować, zdobyć **n. 3.** Przyjąć kogo na **n. 4.** Szukać oclegu. **5.** Zajechać gdzie na **n. 6.** Stanąć, zatrzy-nać się na **n.** a. *przestarz.* noclegiem. *przen.* Wszyst-im spać przyjdzie nad Letejskim brzegiem wiecz-ym noclegiem. *Gawiń. SW.* ⟨*umrzeć*⟩.

ıocny 1. Cienie **n-e. 2.** Cisza **n-a. 3. n.** strój ⟨*wkła-* *lany na noc*⟩. **4.** Dozorca **n.**, *daw.* **n.** stróż. **5. n-a** ampka, szafka. **6.** *astr.* Łuk **n.** ⟨*część równoleżnika* *eklinacyjnego znajdującego się pod horyzontem*⟩. **'. n-e** naczynie ⟨*nocnik*⟩. **8. n.** pociąg ⟨*kursujący* *v nocy*⟩. **9. n-a** zmiana ⟨*pracująca w nocy*⟩. **10. n-e** ycie (w mieście).

ıoga 1. Długie, krótkie, szczupłe, zgrabne **n-i** ⟨*koń-* *zyny*⟩. **2. n.** lewa, prawa; przednia, tylna (u zwierzę-ia). **3. n.** duża, mała, płaska, szeroka, wąska itp. *stopa*⟩. **4.** Tupot nóg. **5. n-i** cielęce, wołowe, bara-nie lub wieprzowe ⟨*potrawa*⟩: Spożywszy sumiennie w knajpie [...] porcję nóg wołowych i zapiwszy trze-ma kuflami piwa [...] udał się do swej kwatery. *Sienk. Uzup. II, 88.* **6.** Drewniana **n.** ⟨*proteza, kula*⟩: Idący na czele chłop olbrzymi stukał drewnianą nogą w luźne deski, którymi izba była wyłożona. *Sienk. Pot. III, 57.* **7.** Kozia **n.** ⟨*rodzaj strzelby*⟩: Sztucer sztucerem, a każdy z ichmościów wołał kozią nogę, z której przywykł na podorach do zajęcy pukać. *Konopn. Now. IV, 109.* **8.** *daw.* **n.** ludzka ⟨*czło-* *wiek*⟩: Nogi ludzkiej ani śladu; co tu u kogo wyże-brać było można? *Jeż Uskoki II, 20.* **9.** *sport.* **n.** ob-ciążona ⟨*noga, na której spoczywa ciężar ciała; prze-* *ciwieństwem jest noga wolna*⟩; **n.** odbijająca ⟨*którą* *zawodnik się odbija*⟩; **n.** wykroczna (zakroczna) ⟨*wy-* *sunięta do przodu (do tyłu)*⟩; **n.** zamachowa (wy-machowa) ⟨*wyrzucana przez skoczka w powietrze*⟩. **10.** *wulg.* Psia **n.**: a) ⟨*przekleństwo*⟩: Pieniądze, swoją drogą, przygotuj pan na jutro, bo z gospodarzem to psia... noga!... *Prus Dusze 43*; b) ⟨*wyzwisko*⟩: A nie pójdziecie wy mi stąd, psie nogi?... *Konopn. Now. II, 265.* **11.** Sarnia **n.** ⟨*dyscyplina*⟩: Czujności pryncy-pała i jego biegłości w używaniu sarniej nogi do-świadczyłem zaraz na trzeci dzień po wejściu do sklepu. *Prus Lalka I, 30.* **12.** *żart.* Trzecia **n.** ⟨*laska,* *kij*⟩. **13. n.** czcionki ⟨*koniec, dół pieńka czcionki* *przeciwny głowie*⟩. **14. n.** krzesła, łóżka, stołu itp. ⟨*ta część, na której się przedmiot (sprzęt) wspiera*⟩. **15.** Do nogi! ⟨*wykrzyknik, którym się przywołuje* *psa do siebie*⟩. **16.** Na drugą nogę! ⟨*wyrażenie uży-* *wane przez pijących wódkę, wino itp. przy wychyla-* *niu drugiego kieliszka*⟩: Mocny trunek! Teraz na drugą nogę, bo nie mogę połapać się w smaku. *Twórcz. 8, 1955, s. 62.* **17.** Ktoś lub coś na glinianych nogach ⟨*o kimś lub czymś pozornie silnym, mocnym,* *w rzeczywistości zaś nie mającym trwałych podstaw,* *o kimś lub o czymś kruchym*⟩. **18.** W nogi! skróto-wo: **n.**! ⟨*wyrażenie oznaczające ucieczkę, lub wy-* *krzyknik wzywający do ucieczki*⟩: Źle mi... zabieram manatki [...] i noga! *Zap. G. Mił. 138.* **19.** W nogach ⟨*wyrażenie oznaczające część łóżka, tapczanu, posła-* *nia itp., gdzie zwykle kładzie się nogi; przeciwień-* *stwo wezgłowia*⟩: W nogach matczynego łóżka sie-dział. *Konopn. Now. II, 251.* **20.** Cała nadzieja w no-gach ⟨*w ucieczce*⟩. **21.** Za wysokie progi na czyje **n-i** ⟨*o środowisku, do którego ktoś nie dorasta,* *zwłaszcza pod względem pochodzenia, pozycji spo-* *łecznej, majątkowej itp.*⟩: Skoro w naszej Rzeczy-pospolitej szlachcic królem obran być może, to nie masz za wysokich progów na jego nogi. *Sienk. Pot. VI, 35.* **22.** Wziąć **n-i** za pas; skrótowo: **n-i** za pas! ⟨*uciekać szybko, biec, umykać*⟩: Wziąwszy nogi za pas umykał jakby mu trzydzieści lat wieku ubyło. *Sienk. Ogn. IV, 24.* **23.** Bronić się rękami i nogami ⟨*bronić się kurczowo, uparcie, rozpaczliwie*⟩: Prze-żywał czasem chwile niepewności i wahań, były to jednak owe ciężkie godziny, przed którymi bronił się rękami i nogami. *Bar. Kum. 143.* **24.** *wulg.* Być nogą ⟨*lekceważąco o człowieku niezaradnym, nie-* *energicznym, ślamazarnym, niezręcznym*⟩. **25.** *karc.* Być bez nogi ⟨*przy grze w karty: mieć, wziąć o jed-* *ną lewę mniej niż się zapowiadało*⟩. **26.** Być komuś kulą u nogi ⟨*być komuś ciężarem, przeszkodą, zawa-* *dą*⟩: Ona stanie się jemu prędko ciężarem i kulą u nogi. *Orzesz. Prow. 217.* **27.** Mieć kulę u nogi ⟨*mieć przeszkodę, zawadę*⟩. **28.** Być jedną noga tutaj, a drugą gdzie indziej ⟨*być zaabsorbowanym i tym, co tutaj, i tym, co gdzie indziej; nie móc całkowicie się zająć ani tym, co tutaj, ani tym, co gdzie indziej*⟩: Rodzinę wyprawiłem od dawna [...] Sam jestem jedną nogą tutaj, drugą trzymam na stopniu wagonu. *Żer. Char. 126.* **29.** Być jedną nogą poza czymś, np. poza domem ⟨*być przygotowanym na to, że się lada chwila znajdzie poza czymś, np. poza domem; przestawać myśleć o czymś*⟩: Jedną nogą już jest poza domem. *Bogusz. Sab. 151.* **30.** Być, siedzieć jedną nogą w jakimś miejscu, np. w więzieniu ⟨*być przygotowanym na to, że się lada chwila znajdzie w tym miejscu, np. w więzieniu*⟩: Każdy z towarzyszy na wolności siedział jedną nogą w kryminale. *Past. Komuna 35.* **31.** Być już od rana, o wschodzie słońca itp. na nogach ⟨*wstać bardzo wcześnie*⟩: Godzina dziewiąta, ja od piątej na nogach... *Fredro A. Człow. 384.* **32.** Być cały dzień, nieustannie itp. na nogach ⟨*być wciąż w ruchu, chodzić bez przerwy*⟩: Rządcą tam był, pracował gorliwie, od świtu do nocy był na nogach. *Jun. Mazur. 38.* **33.** Być pod nogą czyją ⟨*pod czyją władzą*⟩. *SFA.* **34.** Chodzić przy nodze, za nogą ⟨*o psie: chodzić tuż przy panu, chodzić w ślad za panem*⟩: Wyuczał psy warować, aportować, szukać zguby, chodzić przy nodze itd. *Dygas. As 53.* **35.** Chwiać się, zachwiać się; kołysać się, słaniać się na nogach. **36.** Cisnąć kogo pod swą nogą a. komu pod nogi ⟨*poddawać swej władzy; zmusić kogo do uznania czyjej władzy; ukorzyć*⟩: Chciałby się jeden nad wszystkich posadzić i sobie równych cisnąć pod swą nogą. *Mick. Graż. 18.* **37.** Czołgać się za pańską nogą ⟨*poddać się czyjej władzy; ukorzyć się*⟩: Kto chce być sługą [...] niechaj na progach wybija pokłony, niech jak pies głodny czołga się bez końca za pańską nogą, która nim potrąca. *Ujej. Marat. 32.* **38.** Ziemia, grunt usuwa się komuś spod nóg; ktoś traci grunt pod nogami ⟨*ktoś traci oparcie, podporę, podstawę*⟩: Teraz spostrzegła [...] że w wielkim świecie usuwa jej się grunt pod nogami. *Prus Lalka I, 64.* **39.** Ziemia pali się komuś pod nogami: a) ⟨*komuś grozi, zagraża niebezpieczeństwo*⟩; b) ⟨*komuś bardzo się spieszy*⟩: Każe czekać — a tu jej ziemia pali się pod nogami. *Kaczk. Olbracht. III, 270.* **40.** *pot.* Wziąć **n-i** za pas, *przestarz.* umknąć **n-i** ⟨*uciec, umknąć, drapnąć*⟩. **41.** Tyle mnie (go) to obchodzi, co psa piąta **n.** ⟨*nic nie obchodzi*⟩. **42.** *wulg.* Działać, grać jak **n.**, jak **n-i** ⟨*działać, grać źle, niezdarnie*⟩: Podobnie jak w życiu i w sporcie trafiają się dni, kiedy najlepszym zawodnikom nic się nie udaje: grają „jak nogi", ku rozpaczy swoich kibiców. *Rudn. A. Sport. 17.* **43.** *rzad.* Grać, zagrać pod nogę ⟨*do tańca*⟩: Pod nogę! zagraj nam, Krzysiu, pod nogę. *Kaspr. Bunt 137.* **44.** Iść gdzie **n-i** niosą, poniosą ⟨*iść przed siebie, bez celu*⟩: Idąc, gdzie nogi niosą, zapuścił się w gęstą knieję. *Krasz. Ulana 42.* **45.** Iść, maszerować w nogę ⟨*iść, maszerować w takt, stąpając jednocześnie z innymi to lewą, to prawą nogą; stosować swoje kroki do kroków innej osoby*⟩: Żołnierze idący na końcu kolumny słyszą dźwięki orkiestry z pewnym opóźnieniem i to powoduje, że nie idą w nogę z tymi, którzy są na przedzie. *Płomyk 44, 1952.* **46.** Napój (wino, miód itp.) idzie w **n-i** ⟨*wino, miód itp. odbiera władzę w nogach, sprowadza niepewność w ruchach nóg, ociężałość*⟩: Sycony miód sfermentowany jako napój, po kilku latach nabierał ogromnej siły. Odznaczał się tym, że nie uderzał do

głowy, lecz szedł w nogi. Po kilku kieliszkach boha ter nie mógł się ruszyć z miejsca. *Prusz. Karabela 9* **47.** Jechać, wlec się itp. **n.** za nogą ⟨*iść, jechać itp bardzo powoli, wolno*⟩: Do domu wlokłem się wo no, noga za nogą, jak człowiek obarczony brzemie niem ponad siły. *Hulka Żyrar. 115.* **48.** Mieć dobr **n-i** ⟨*dobrze chodzić, być wytrzymałym w chodzeniu*⟩ Idźcie sami — ozwał się pan Zagłoba — młodziści i macie dobre nogi, a jam się już dosyć nadreptał *Sienk. Wołod. I, 145.* **49.** Mieć kogo u swoich nó ⟨*być uwielbianym*⟩: Puszczać się, szaleć, podróżo wać, pić szampana, mieć każdego, kogo się chce, swoich nóg, to mi dopiero życie. *Dąbr. M. Noc III/1, 281.* **50.** *pot.* Coś ma ręce i **n-i**; nie ma rą ani nóg ⟨*jest dobrze ułożone, skomponowane; jes niekompletne, niezdarnie ułożone, skomponowane*⟩ Tłumaczenie się nie ma rąk ani nóg. *Nowak. K. Ta było 86.* **51.** *iron.* Mieć cały rozum w nogach ⟨*dobrz tańczyć*⟩. **52.** Padać z nóg ⟨*być bardzo zmęczonym wyczerpanym*⟩: Przychodził tak zmęczony, że niema padał z nóg. *Huss. Mur 46.* **53.** Nie być nogą gdzi ⟨*nie być gdzie ani przez chwilę; nie być gdzie wcale*⟩ Pan Erast nogą nie był w Krakowie, i cały ten cza siedzi w Lublinie, z przyczyny, że się kocha w córc waćpaństwa. *Zabł. Doktor 285.* **54.** Nie ruszać (się nogą (np. z domu) ⟨*nie wychodzić nigdzie (np. z do mu)*⟩: Hrabia, który przepędzał zwykle prawie cał dzień poza murami zamku, nie ruszał się teraz nog z domu. *Wędr. 15, 1901.* **55.** Nie móc ruszyć an ręką, ani nogą; skrótowo: ani ręką, ani nogą ⟨*by bardzo zmęczonym, chorym*⟩: Pokłada się [...] ju ze dwie niedziele, a teraz ani ręką, ani nogą. *Żer Opow. II, 94.* **56.** **n-i** odejmuje, odjęło, odbier ⟨*o stanie, w którym się nie czuje władzy w nogach*⟩ Kołtun tłucze mi się po kościach, więc czasami od biera nogi. *Chodź. Pisma I, 369.* **57.** *przestarz.* Od powiadać z wolnej nogi ⟨*odpowiadać przed sądem nie będąc aresztowanym, więzionym; odpowiada z wolnej stopy*⟩: Izba poselska przybiera na się są downiczą powagę i aresztowanemu Krępowieckiem z wolnej nogi odpowiadać przed sądem pozwala *Węż. Powst. 151.* **58.** Odzyskać **n-i** ⟨*odzyskać władz w nogach, móc znowu chodzić*⟩: Wstała z krzesł i nogi odzyskała w jednej chwili. *Mick. Listy II, 390* **59.** Padać, upadać do nóg ⟨*zwrot oznaczający po witanie lub pożegnanie*⟩: Padam do nóg, Jaśni Oświeconego Księcia! *Sienk. Dram. 45.* **60.** Padać rzucać się do nóg ⟨*przyklękać u czyich nóg, obejmo wać czyje nogi; błagać, prosić kogo o co uniżenie w kornej pozycji*⟩: Jednego tedy dnia padłem do je nóg i wybłagałem, aby mi pozwoliła iść w świat p chleb. *Makusz. O dwóch 212.* **61.** Podcinać **n-i** ⟨*po zbawiać nogi władzy, wywoływać stan, w którym trudno, niemożliwie stać; pozbawiać sił*⟩: Smutn wzruszenie, jakiego dawno nie doznała w życiu tal czynnym i wypełnionym, podcięło jej nogi, aż przy siadła na skraju łóżka. *Goj. Ziemia 26.* **62.** (Po)dep tać co nogami ⟨*mieć za nic; lekceważyć*⟩: Dowie dziawszy się, jak król na sejmie jego wszystkie rad nogami podeptał i przywileje szlachty jeszcze tal znacznie rozszerzył, umarł z żalu. *Kaczk. Olbracht II, 186.* **63.** Podstawić, podciąć komu nogę ⟨*zaszko dzić komu*⟩: Nogę mi podstawiłeś. Jesteś łajdak *Pytl. Pożegn. 172.* **64.** *żart.* **n-i**, częściej: nóżki n stół (położyć) ⟨*zwrot używany często przy grz w karty, równoznaczny z wezwaniem do odkryci* kart, w ogóle zaś — do szczerego przedstawienia czegoś, ujawnienia, nie zatajania; zwrot oznaczający konieczność natychmiastowej zapłaty, wyłożenia gotówki⟩: Wysypał na stolik kilka rubli srebrnych i dwa oberżnięte dukaty [...] Jest co capnąć, aby było tylko czym. Jedź! i ja położę nogi na stół. Jedź! — odparł. *Wol. Dom. I, 195.* **65.** Porwać się, skoczyć, zerwać się na równe **n-i** (*przestarz.* równymi nogami) ⟨*gwałtownie wstać, podnieść się*⟩: Ktoś zadzwonił [...] skoczyła na równe nogi. *Dąbr. M. Noce IV, 437.* **66.** Powstać na **n-i** ⟨*podnieść się (z upadku)*⟩. **67.** Powłóczyć, ledwie powłóczyć nogami ⟨*ledwie iść*⟩. **68.** Przejść, dostać się suchą nogą ⟨*przejść, dostać się na drugi brzeg bez zamoczenia nóg, obuwia*⟩: Jak Wisła opadła!... Czy nie lęka się pani, abyśmy nie musieli przechodzić ją suchą nogą? *Prus Drobiaz. 53.* **69.** *przen. daw.* Wyjść z czego suchą nogą ⟨*wyjść z czego bez szwanku, bez straty, bez szkody*⟩: Zjechała mi na kark ogromna komisja i z wielką biedą wymknąłem się jeszcze suchą nogą z wszystkiego, tylko po dziś dzień pod surowym zostaję nadzorem. *Łoz. Wal. Dwór 118.* **70.** Przestępować z nogi na nogę (ze zniecierpliwienia). **71.** Postawić, trzymać co do góry nogami ⟨*na opak, odwrotnie*⟩. **72.** Przewrócić co do góry nogami: a) ⟨*rozrzucić co bezładnie, zrobić nieporządek*⟩: Przewracałem wszystko w moim kuferku do góry nogami. *Lam J. Głowy 20*; b) ⟨*przeszukać gruntownie, spenetrować*⟩: Gontar jak w wodę wpadł; całe miasteczko do góry nogami przewróciłem, ani sposobu było go znaleźć. *Rzew. H. Pam. 322.* **73.** Świat się do góry nogami przewraca ⟨*wszystko zmienia się całkowicie, gruntownie, wszystko idzie na opak*⟩: Pioruny biły w ojczyznę, świat się do góry nogami przewracał. *Chrzan. I. Lit. 429.* **74.** Chodzić do góry nogami ⟨*za wiele sobie pozwalać; dokazywać*⟩. **75.** *pot.* Schodzić, uchodzić, zrywać **n-i** ⟨*nachodzić się wiele, nie cofać się przed wysiłkiem, zadać sobie dużo trudu*⟩: Postanowiłem schodzić nogi do kolan, a ręce urobić po łokcie, aby powrócić do niej z dobytkiem. *Makusz. O dwóch 212.* **76.** Składać, złożyć co u nóg czyich ⟨*dawać w ofierze; ofiarowywać*⟩: Fortunę moją, życie, krew, wszystko składam u nóg waszej królewskiej mości! *Sienk. Pot. IV, 82.* **77.** Słać się, słaniać się pod **n-i**; padać do nóg, pod **n-i** ⟨*płaszczyć się, przypochlebiać, uniżać się*⟩: Pod nogi padał, kładł na drodze szaty i wonne miotał dla przysługi kwiaty. *Zab. XIV/2, 1776, s. 277.* **78.** Stać z bronią u nogi ⟨*być w pogotowiu*⟩: Twoja organizacja kazała ludziom stać z bronią u nogi. *Jackiew. Jan 162.* **79.** Stanąć nogą na czym ⟨*przybyć dokąd*⟩. **80.** Stawać, stanąć na **n-i**, na nogach ⟨*wyzdrowieć*⟩: Przychodziła do zdrowia, stawała na nogi, powolutku, chociaż ciała już nie nabrała, chuda została. *Goj. Dwoje 113.* **81.** Stać, stanąć na **n-i**, na nogach, na pewnych, mocnych, własnych nogach ⟨*umocnić się w interesach; dorobić się, usamodzielnić, uniezależnić się*⟩: On ciągle się na pana ogląda, nigdy na własnych nogach nie stoi i ciągle cudzym kosztem żyć pragnie. *Goł. Kwestia 12.* **82.** Stawiać na **n-i**, postawić na **n-i**: a) ⟨*skutecznie leczyć, przywracać siły*⟩: Chodźcie, napijcie się trochę miodu, to was postawi na nogi. *Iwasz. J. Mił. 195*; b) ⟨*zaalarmować, zarządzić stan pogotowia*⟩: Władze postawiły na nogi policję we wszystkich większych miastach północnej Hiszpanii. *Życie Warsz. 274, 1959*; c) ⟨*zerwać, zbudzić, zelektryzować, zmobilizować*⟩: Burzenie we drzwi postawiło ich wreszcie na nogi. Momentalnie wciągnęli spodnie, buty. *Żer. Rzeka 111*; d) ⟨*wspomóc, wesprzeć finansowo, podreperować materialnie*⟩: Dzisiejszy dzień zaliczał do najlepszych w swoim życiu i przełomowych — bo dzisiaj zrobił pierwszy wielki interes, który musiał go postawić na nogi. *Reym. Ziemia I, 435*; e) *przestarz.* ⟨*wystawić, ufundować*⟩: Nowe chorągwie stawią na nogi, więc będzie komu bronić nawet i tych krajów, które już pod moc nieprzyjacielską wpadły. *Sienk. Pot. I, 144.* **83.** *przestarz.* Coś ściele się do nóg a. pod **n-i** ⟨*coś przychodzi łatwo, bez trudu, dobrze się układa*⟩: Świat słał się do nóg młodemu paniczowi. *Choj. Alkh. I, 232.* **84.** Traktować kogo lub co przez nogę ⟨*traktować lekceważąco, pogardliwie*⟩: Postanowiłem wszystko razem traktować lekko i przez nogę. *Winaw. Roztw. 60.* **85.** Trzymać wojsko na nogach ⟨*trzymać wojsko w stanie pogotowia*⟩: Na każdy przypadek znaczne wojsko na nogach trzymał i na pierwszą wieść o zbliżaniu się polskich posiłków dobrze granice osadził. *Dzied. Lisow. II, 188.* **86.** Trzymać się na nogach ⟨*zachowywać pozycję stojącą*⟩. **87.** Ledwo się trzymać na nogach ⟨*nie móc ustać, chwiać się; przen. być w złym położeniu materialnym, mieć interesy w złym stanie*⟩. **88.** Trzymać się czego rękami i nogami ⟨*trzymać się czego z całych sił, kurczowo, rozpaczliwie, jak ostatniej deski ratunku*⟩: Zaczął szukać kariery, którą też znalazł i trzymał się jej rękami i nogami. *Kaczk. Teka 269.* **89.** Utykać na (prawą, lewą) nogę ⟨*kuleć*⟩. **90.** Walić się z nóg ⟨*nie móc utrzymać się na nogach ze znużenia, stracić siły; osłabnąć, upadać*⟩: Widząc ogromne znużenie, pod ciężarem którego pani Marta z nóg się waliła, zaczął ją sumiennie wyręczać w doglądaniu chorego. *Żer. Prom. 106.* **91.** Wybić, wyciąć, wystrzelać itp. do nogi, co do nogi ⟨*wybić, wyciąć itp. wszystkich bez wyjątku, do szczętu*⟩: Kiedy na wrogów rankiem szedł znienacka, wpadał na działa i siekł co do nogi. *Rom. Poezje IV, 191.* **92.** Wyciągać **n-i** ⟨*iść szybko, spieszyć się*⟩: Choć nogi ostro wyciągali, doścignąć go już nie mogli. Przepadł bez śladu. *Gomul. Róże 325.* **93.** *posp.* Wyciągnąć **n-i**; *przestarz.* zadrzeć **n-i** ⟨*umrzeć, polec*⟩: Pewno i tak znów rozchoruję się. Wyciągnąć nogi tu, czy gdzie indziej, wszystko mi jedno. *Wol. Bakał. 278.* Trzy razy aż pode drzwi to chłopstwo się wparło, ale za każdym razem trzech nogi zadarło. *Mick. Tad. 52.* **94.** Zadzierać **n-i**, np. w kabarecie ⟨*być tancerką, np. kabaretową*⟩: Zauważyła kwaśno, że jak ktoś zadziera nogi w kabarecie, nie potrzebuje do tego głosu. *Goj. Dziew. I, 225.* **95.** Założyć nogę na nogę. **96.** Zastawać, zastać kogo na nogach ⟨*zastawać, zastać kogo czynnym, przy pracy*⟩: Dzienny świt zastawał ich na nogach i na drodze. *Jeż Uskoki I, 135.* **97.** Zbierać **n-i** ⟨*biec, pędzić; uciekać*⟩: Ekonom fukał nań jeszcze w dalszym ciągu: — Gułaju jakiś, nicponiu jeden, dalej, zbieraj nogi, dymaj co tchu pod brodła i rozpędź świnie, co tam bobrują!... *Dygas. Now. VII, 186.* **98.** Zjeść kogo z nogami ⟨*zniszczyć kogo doszczętnie, z kretesem, zrujnować; przen. zmóc kogo*⟩: Panie dziedzicu, z nogami nas zjedzą te gościnnne konie — odzywał się stary Roch. *Dygas. Pióro 32.* **99.** Złamać, zwichnąć nogę. **100.** Zmień nogę! Zmienić nogę! ⟨*komenda, wezwanie, żeby iść w nogę*⟩. **101.** Zwalić kogo z nóg:

a) ⟨*powalić, obalić, przewrócić*⟩; b) (a.) ściąć kogo z nóg ⟨*pozbawić sił, przyprawić o chorobę; osłabić, wycieńczyć*⟩: Ogólne osłabienie ścięło go z nóg. *Sienk. Now. VI, 104.* **102.** Czyjaś **n.** nie przestąpi progu czyjego ⟨*ktoś nie przyjdzie do kogo, nie odwiedzi kogo*⟩: Przysięgam ci, że noga jego nie przestąpi więcej tego progu. *Morzk. Bożek 26.* **103. n.** się komu (powinie) powinęła, (pośliźnie) pośliznęła: a) ⟨*komuś się nie powiodło, nie udało, ktoś doznał niepowodzenia*⟩: Wkrótce powinęła mu się noga; jedna, druga i trzecia karta nie dopisała. *Korz. J. Spek. 167*; b) ⟨*ktoś upadł moralnie, zbłądził*⟩: Więc ma ginąć kobieta dobra i rozumna dlatego, że jej się noga powinęła? *Prus Emanc. I, 222.* **104.** Żywa **n.**, ani jedna **n.**, **n.** nie ujdzie ⟨*żaden człowiek, nikt nie wyjdzie cało, nie wyjdzie żywy, nie ocaleje*⟩: Chroń Boże, żeby się tutaj zapaliło; żywa noga nie wyjdzie z tej pułapki. *Chłęd. Pam. II, 331.* **105. n-i** komuś wrosły w ziemię ⟨*ktoś nie może ruszyć z miejsca, osłupiał*⟩: Chcę uciekać, ale nogi wrosły mi w ziemię... Chce mi się krzyczeć, a nie mogę dobyć ze siebie głosu. *Strug Krzyż II, 97.* **106.** Pies z kulawą nogą nie zainteresuje się, nie dowie, nie wspomni itp. ⟨*nikt się nie zainteresuje, nie dowie, nie wspomni itp.*⟩: Będziemy tam zupełnie sami — mówili — pies z kulawą nogą o nas nie zadba. *Prusz. Trzyn. 29.*

przysł. **107.** Jak wisieć, to za obie nogi ⟨*jak narażać się, to już na większe niebezpieczeństwo; jeśli już cierpieć, odpowiadać za co, to za ciężkie winy*⟩.

nominacja ⟨*mianowanie*⟩ **1. n.** n a k o g o: **n.** na porucznika, na profesora, na dyrektora. **2.** Dostać, otrzymać nominację.

nominalny 1. Wartość **n-a** (np. banknotów, papierów wartościowych itp.) ⟨*wartość emisyjna banknotów, papierów wartościowych itp. uwidoczniona na nich*⟩: W ciągu piątego roku istnienia Towarzystwa kurs listów dosięgnął wreszcie nominalnej wartości. *Smolka Lubec. I, 373.* **2.** *przestarz.* Katalog **n.** ⟨*katalog abecadłowy; katalog biblioteczny uszeregowany abecadłowo według nazw autorów i tytułów dzieł anonimowych i zbiorowych*⟩: Drezdeńska biblioteka roku 1763 cieszyła się, że [...] wygotowała katalog nominalny, czyli abecadłowy. *Lel. Bibliot. 213.* **3.** *jęz.* Zdanie, wyrażenie **n-e** ⟨*pozbawione łącznika w części orzeczeniowej*⟩: Zdrowy duch w zdrowym ciele [...] jest zdaniem tak zwanym nominalnym, pozbawionym łącznika. *Dor. Gram. I, 201.*

nonsens 1. Oczywisty **n. 2.** Stek nonsensów. **3.** Coś jest nonsensem. **4.** Mówić, opowiadać, wygłaszać **n-y.**

nora 1. Mysia **n. 2. n.** borsuka, lisa. **3.** Mieszkać w norze ⟨*w małym, ciasnym i lichym mieszkaniu*⟩. **4.** Wykurzyć lisa z nory ⟨*zmusić kogo do opuszczenia kryjówki, do ujawnienia się*⟩.

norma 1. n. pracy, wydajności. **2. n.** językowa ⟨*reguła*⟩. **3. n.** prawna ⟨*reguła, zasada postępowania uznana przez prawo za obowiązującą*⟩. **4.** *techn.* **n-y** techniczne ⟨*zbiór przepisów, obowiązujący lub zalecony, ustalający w sposób jednoznaczny technicznie i ekonomicznie cechy przedmiotów, sposoby postępowania, sposoby oznaczania lub porozumienia*⟩: Normy techniczne [...] charakteryzują zdolność produkcyjną maszyny, aparatu czy urządzenia. *Gosp. Plan. 2, 1954, s. 14.* **5.** Osiągnąć (w pracy) 150% normy. **6.** Pracować ponad normę ⟨*ponad ustaloną ilość, granicę*⟩. **7.** Przekraczać **n-y** (w pracy); wyrabiać normę; nie wyrabiać normy. **8.** Stać się normą ⟨*stać się czymś powszechnie, ogólnie przyjętym, obowiązującym; wejść w zwyczaj; rozpowszechnić się*⟩. **9.** Wrócić, wracać, powracać do normy ⟨*do stanu, wyglądu, poziomu itp. naturalnego, właściwego, przeciętnego, zwyczajnego*⟩: Wojna nie będzie trwała długo [...] Wał rosyjski przesunie się po polach wrogów, zmiażdży przeszkody jak marchew czy kukurydzę i wszystko wróci do normy. *Żer. Przedw. 19.*

normalizacja 1. n. budownictwa ⟨*ustalenie obowiązujących cech: materiałów, elementów, czynności itp.*⟩. **2. n.** stosunków ⟨*uregulowanie, unormowanie*⟩. **3.** Znak normalizacji ⟨*znak odbity na towarach znormalizowanych*⟩.

normalny 1. n. bieg, tryb czego; **n-a** kolej czego ⟨*zwykły(-a)*⟩: Mój przyjazd w niczym nie powinien zakłócać normalnego biegu prac instytutowych. *Żukr. Zioła 163.* Pobraliśmy się. I życie potoczyło się normalną koleją. *Iwasz. J. Odbud. 98.* **2.** Czas **n.** *geogr.* ⟨*czas strefowy, będący w powszechnym użyciu na pewnym obszarze*⟩. **3.** Człowiek **n.** ⟨*zdrowy, w przeciwieństwie do chorego umysłowo*⟩.

nos 1. n. cienki, długi, duży, garbaty, grecki, haczykowaty, krogulczy, krzywy, mały, orli, perkaty, płaski, prosty, rzymski, spiczasty, wydatny, zadarty, zakrzywiony, zgrabny itp. **2.** Czubek, koniec nosa. **3. n.** w **n.** ⟨*bardzo blisko siebie; tuż, tuż*⟩: Psy cmoktały kość, cmoktały, aż wreszcie zasnęły nos w nos. *Grabow. J. Opow. II, 114.* **4. n.** w **n.** (spotkać się z kim, natknąć się na kogo, zetknąć się z kim itp.) ⟨*niespodziewanie spotkać się, wpaść na kogo, zetknąć się z kim*⟩: Zetknął się niespodziewanie nos w nos ze stryjem Piotrem. *Zar. Ślad. 44.* **5.** *iron.* Podobny jak pięść do nosa, pasuje jak pięść do nosa ⟨*niepodobny, nie pasuje wcale*⟩: Do pańskiego siostrzeńca jest tak podobny, jak pięść do nosa... *Prus Kłop. 106.* **6.** Pod nosem, przed nosem: a) (bardzo blisko; tuż): Otworzymy mu przed nosem sklep konkurencyjny... *Prus Lalka III, 328*; b) ⟨*w obecności czyjejś*⟩: Ośmiela się mnie, mnie pod nosem zalecać się do osoby, którą od dawna za narzeczoną uważałem. *Fredro A. Jow. 222.* **7.** Bić, uderzać w **n.** ⟨*o zapachu, zaduchu itp.*⟩. **8.** Dłubać w nosie; rozbić sobie (komu) **n.**; wycierać, wysmarkać **n. 9.** *posp.* Dać co z nosa spadnie ⟨*coś zbywającego; niepotrzebnego, czego się nie potrzebuje, nie używa*⟩: Chłopi robią, jak chcą i kiedy chcą... na podatek oddają, co im z nosa spadnie... *Prus Far. III, 60.* **10.** Wziąć po nosie; dostać prztyczka w **n.** a. dać po nosie; dać prztyczka w **n.** itp. ⟨*dostać albo dać komuś nauczkę, być upokorzonym albo upokorzyć kogo*⟩: Będąc małym chłopczykiem, dostawałem nosa od moich najdroższych rodziców za rozmaite błędy dzieciaczka. *Wilk. A. Ram. 30.* **11.** Dmuchać komu w **n.**, pod **n.** ⟨*lekceważyć kogo, traktować pogardliwie*⟩: Pan kanclerz ani nie spojrzy na szlachcica, choć mu daleko do dmuchania komu pod nos. *Szujski Zbor. 52.* **12.** Zadzierać, podnosić itp. **n.**, nosa; *przestarz.* wyżej nosa gębę nosić ⟨*wynosić się nad innych, być dumnym, zarozumiałym*⟩: A ta panna młoda to zadzierała nosa!... *Słow. Ballad. 80.* **13.** Zagrać palcami na nosie ⟨*okazać lekceważenie komu; żartować, drwić z kogo*⟩: Zaśmiała się dziwacznie, pokazała język i zagrała palcami na nosie. *Dąbr. M. Noce III/1, 97.* **14.** Nie dać sobie grać na nosie ⟨*nie pozwolić komu wyzyskiwać się, lekceważyć, kierować sobą*⟩: Wyrabia się na charakter silny, nie dający grać sobie po nosie. *Chmielow. Powieśc. 122.* **15.** Iść na **n.** ⟨*poruszać się w terenie, nie posługując się mapą, kompasem itp.; dobrze orientować się w terenie*⟩. **16.** Idzie jak krew z nosa ⟨*o czymś, co przychodzi z trudem, z dużym wysiłkiem, ciężko*⟩: Poszła im ta robota jak krew z nosa: ojciec paznokieć zerwał, stłukli dwadzieścia kafli. *New. Pam. 31.* **17.** Kręcić nosem (na co), *przestarz.* Krzywić nosem na co ⟨*okazywać niezadowolenie; grymasić*⟩. **18.** Wierci w nosie, np. zapach, woń itp. ⟨*drażni ostro, niemile powonienie*⟩. **19.** Mieć **n.**, nosa; mieć dobrego nosa do czego; zaufać czyjemu nosowi; zdać się na czyj **n.** ⟨*mieć intuicję, przeczucie, zdolność przewidywania; zaufać czyjej intuicji, przeczuciu, zdolności przewidywania; zdać się na nie*⟩: Wiem, co mówię. Ja mam nosa! *Żukr. Zioła 19.* Ma nos do interesów. *SW.* **20.** *przestarz.* Mieć, dostać długi **n.** ⟨*być zmartwionym, bez humoru; doznać przykrości, zawodu*⟩: Widać to po was — odpowie on — bo nosy macie tak długie, że wam aż poniżej brody sięgają. *Kaczk. Swaty 68.* **21.** Mieć co przed nosem ⟨*być bardzo blisko czego*⟩: Przed wyniosłą fasadą niebotycznej katedry widzicie człowieka, który obserwuje ten gmach [...] i widzi oczywiście tylko te drobne szczegóły architektoniczne, które ma przed nosem. *Przych. Kult. 5.* **22.** Mieć czego po dziury w nosie, wyżej dziurek od nosa; być obsypanym czym po dziurki od nosa itp. ⟨*mieć nadmiar czego; znudzić się czym, zniecierpliwić*⟩: Wyżej dziurek od nosa ma tej abrakadabry. *Past. Lira 195.* **23.** Mieć kogo albo co w nosie; skrótowo: mieć w nosie ⟨*lekceważyć kogo albo co, nie przejmować się kim albo czym, nie liczyć się z kim lub z czym, mieć za nic*⟩: A do diabła, szlag to trafił, mam ich wszystkich w nosie. *Breza Uczta 31.* **24.** Mucha a. osa siadła komuś na nosie, coś ugryzło kogoś w **n.** ⟨*ktoś ma zły humor, ktoś jest niezadowolony*⟩: Mówił dużo i zajmująco, gdy mu jednak — jak to powiadają — mucha siadła na nosie, milczał, obrażał się i był opryskliwy. *Chłęd. Pam. I, 208.* **25.** *przestarz.* Wypędzać komu muchy z nosa ⟨*oduczać kaprysów*⟩. **26.** Mówić, gadać, fukać itp. przez **n.** ⟨*mówić, gadać, fukać z rezonansem nosowym, puszczając powietrze nosem*⟩: Ciągle jeszcze fukał przez nos z irytacją. *Brosz. Oczek. 233.* Głos miała niski, mówiła przez nos, jakby była zakatarzona. *Chor. Zazdrość 161.* **27.** Bąkać, burczeć, mruczeć, mamrotać itp. pod nosem ⟨*mówić, burczeć itp. cicho, niewyraźnie*⟩: Matka smażyła placki kartoflane, burcząc coś pod nosem. *Krah. Zdrada 159.* **28.** Mówić prosto w **n.** ⟨*mówić szczerze, bez owijania w bawełnę, bez ogródek*⟩: Mówiła mu prosto w nos, że nie ma wcale zamiaru wracać do „kraju", do „ojczystej" Warszawy. *Żer. Nawr. 245.* **29.** *przestarz.* Natrzeć komu pieprzu w **n.** ⟨*dokuczyć komu*⟩. **30.** Nie tabakiera dla nosa, lecz **n.** dla tabakiery ⟨*zwrot wyrażający niewłaściwy stosunek pomiędzy zobowiązanym do świadczenia usług a ich odbiorcą*⟩: U nas zawsze nie tabakiera dla nosa, lecz nos dla tabakiery istnieje. *Tyg. Ilustr. 42, 1899.* **31.** Nie wyściubiać, nie wychylić, nie wytknąć itp. nosa skąd; nie pokazać gdzie nosa itp. ⟨*nie oddalać się z pewnego terenu, nie wychodzić poza pewien obszar; stale przebywać w jednym miejscu, pomieszczeniu*⟩: Ja tam nawet i nosa nie pokażę. *Krasz. Jabł. I, 73.* **32.** Padać na **n.**, orać nosem (ze zmęczenia). **33.** Pilnować, patrzeć swego nosa ⟨*nie zajmować się cudzymi sprawami, nie wtrącać się w co niepotrzebnie*⟩: Nasrożył się i natarł na syna: — Pilnuj swojego nosa, a nie ludzkich banialuk. *Mort. Dni I, 24.* **34.** Pocałuj psa w **n.**, niech pocałują psa w **n.** ⟨*zwrot oznaczający lekceważący stosunek do kogoś*⟩. **35.** Pochlipywać, pociągać nosem ⟨*popłakiwać, wciągając nosem powietrze*⟩. **36.** Podpierać się nosem ⟨*wykonywać jakąś czynność z wielkim wysiłkiem; pracować ciężko w pozycji mocno zgiętej, pochylonej do ziemi*⟩: Jeżeli masz do mnie pretensję o tę książkę, że nie zmieniłem w czytelni, to zwyczajnie powiedz! Owszem, nosem się będę podpierał, a polecę. *Kunc. Dni 317.* **37.** *iron.* Podsunąć, podać pod **n.**: a) ⟨*podsunąć, podać w sposób szczególnie usłużny, oszczędzając najmniejszego wysiłku osobie, której się usługuje*⟩; b) ⟨*podsunąć, podać natarczywie, niecierpliwie*⟩: Podsunął mi niemal pod nos szeroką płachtę gazety. — Masz, czytaj! *Twórcz. 8, 1954, s. 135.* **38.** *przestarz.* Powąchać pismo nosem ⟨*zwrot oznaczający pogróżkę*⟩: Dziedzic skompromitowany, to ani kwestii, musi więc siedzieć cicho jak trusia, bo inaczej powącha pismo nosem. *Łoz. Wal. Dwór 29.* **39.** Przytrzeć komu nosa, utrzeć nosa ⟨*upokorzyć kogo, dać komu nauczkę*⟩: Wziął też doktor za swoje, utarłem mu nosa. *Zabł. Zabob. 100.* **40.** *wulg.* Ryć nosem, po ziemi itp. ⟨*przewrócić się, upaść na twarz*⟩: Ślizgały się nogi, że raz po raz któreś ryło nosem po ziemi. *Reym. Now. III, 247.* **41.** Sprzątnąć, porwać, chwycić, zabrać, zdmuchnąć itp. komu kogo albo co spod nosa, sprzed nosa ⟨*uprzedzić kogo; niespodziewanie pozbawić kogo czego, odebrać komu co (lub kogo)*⟩: Pannę sprzed nosa zdmuchnę ci jak swoją. *Chęc. Szlach. 57.* **42.** Śmiać się w **n.** ⟨*śmiać się, drwić z kogo jawnie, nie kryjąc tego przed osobą wyśmiewaną*⟩. **43.** Uciekać sprzed, spod nosa ⟨*nagle, w ostatniej chwili, niespodziewanie ruszać, odjeżdżać, odchodzić*⟩: Autobus uciekł nam sprzed nosa i trzeba było czekać. *Putr. Rzecz. 199.* **44.** Uśmiechać się pod nosem ⟨*uśmiechać się lekko, nieznacznie*⟩. **45.** Wetknąć, wsadzić **n.** w co, utonąć z nosem w czym, nie unosić nosa znad czego, nie odrywać nosa od czego (np. od książki) ⟨*być pochłoniętym czym, zająć się czym intensywnie*⟩: Kupili gazetę. Kunicki wetknął w nią nos na długo. *Berent Próchno 109.* Siedział zasłonięty foliantem, w którym dla krótkiego wzroku z nosem utonął. *Krasz. Opow. 197.* **46.** Wtykać, wściubiać, wścibiać, wsadzać itp. **n.** ⟨*interesować się czym; wtrącać się do nie swoich rzeczy, mieszać, zajmować się cudzymi sprawami*⟩: Wtykał nos na pańskie pokoje, więc mu pokazano jego właściwe miejsce. *Sow. A. Ścieg. 25.* **47.** Widzieć koniec swego nosa a. nie widzieć; nie patrzeć dalej nosa a. niż czubek, koniec swego nosa; nie sięgać poza koniec swego nosa itp. ⟨*być ograniczonym, być egoistą, interesować się tylko swoimi sprawami*⟩: W życiu godzi się patrzeć dalej niż na koniec własnego nosa i dla płytkich interesów osobistych nie poświęcać ogólnych. *Prus Kron. III, 217.* **48.** Wodzić nosem po czym ⟨*blisko bardzo przypatrywać się czemu, trzymać co blisko oczu*⟩: Wodząc nosem po papierze, pisał zawzięcie. *Zap. G. Kaśka 246.* **49.** Wodzić, prowadzić kogo za **n.** ⟨*narzucać komu swoją wolę; kierować, rządzić kim*⟩: Zygmunt nie da się wodzić za nos, choćby pomazanymi palcami. *Wikt. Papież 127.* **50.** Zamknąć, zatrzasnąć komu drzwi przed nosem ⟨*nie wpuścić kogo niemal już wchodzącego do mieszkania, do pokoju; nie wypuścić kogo, już wychodzącego, z mieszkania, z pokoju*⟩: Nim otworzyła usta, gospodyni zamknęła drzwi, po prostu przed nosem. *Goj. Rajs. I, 62.* **51.** Zwąchać, zwęszyć, przewąchać, poczuć itp. pismo nosem ⟨*przewidzieć sytuację, domyślić się czego*⟩: Słuchaj no, Józiak... tyś chłopak niegłupi i zwąchasz zaraz pismo nosem. *Wol. Dom. II, 129.* **52. n.** się komu wydłużył; ktoś odszedł, został z długim nosem ⟨*ktoś stracił humor, doznał zawodu*⟩: Siedziała w salonie z nosem żałośnie wydłużonym i robiła swoje wieczyste ząbki. *Dąbr. M. Noce II. 267.* **53.** Dwie dziurki w nosie i skończyło się ⟨*wyrażenie oznaczające koniec czego*⟩: Dwie dziurki w nosie i skończyło się. *Marc. Ideały 31.*

nosić 1. n. lekko ⟨*o biegu konia, lamy itp.: mieć lekki chód, bieg*⟩. *por.* nieść. **2. n.** ciężko ⟨*mieć ciężki chód, bieg, jak, np. koń perszeron itp.*⟩. **3. n.** c o: ⟨*ubierać się w co, chodzić w czym, używać jako ubrania, ozdoby*⟩: **n.** czapkę, kapelusz, buty, ubranie, pas, rękawiczki; biżuterię, obrączkę, perukę; żałobę. **4. n.** broń, rewolwer, szpadę, karabelę ⟨*mieć broń itp. przy sobie; trzymać przy sobie*⟩: Pan generał wie, że nie dla samej ozdoby karabelę noszę. *Rzew. H. Listop. I, 30.* **5.** *daw.* **n.** czyje kolory ⟨*być czyim rycerzem, sługą*⟩: Pani jedna z książęcego rodu rzuciła oczy na mnie, przybrała mię za rycerza swego, dała mi nosić swoje kolory. *Niemc. Kaz. 20.* **6. n.** imię, miano, tytuł itp. ⟨*nazywać się, mieć jakieś miano, nazwę, tytuł itp.*⟩: Okres [...] od śmierci króla do koronacji następcy nosi miano bezkrólewia. *Kutrz. Hist. 166.* **7.** Ktoś potrafił, umiał **n.** co; ktoś godnie nosił co ⟨*ktoś w sposób odpowiedni, należyty zaprezentował, wyraził coś*⟩: Urodę swoją pani Jasieńska potrafiła nosić. *Dąbr. Ig. Matki 345.* **8. n.** brodę, wąsy, długie włosy, zarost ⟨*mieć brodę itd.; nie golić się*⟩. **9. n.** charakter, znamię czego ⟨*mieć charakter, znamię czego*⟩: Forma [„Dziadów drezdeńskich"] nosi wyraźne znamię misterium operowego. *Kubac. SPP.* **10. n.** k o g o, c o — n a c z y m ⟨*iść trzymając, dźwigać*⟩: **n.** dziecko na rękach (na ręku). **n.** ciężary na plecach (na barkach); **n.** c o — n a c z y m ⟨*mieć na sobie*⟩: **n.** medalion na szyi, sygnet na palcu. **11. n.** kogo na rękach (ręku) ⟨*zaspokajać czyjeś życzenia, dogadzać komu, okazywać wyjątkowe uznanie, cześć*⟩: Cała Lauda na ręku go prawie nosiła, a okolica wydzierała go okolicy. *Sienk. Pot. I, 4.* **12. n.** c o — w c z y m: **n.** pieniądze, zegarek w kieszeni. **13. n.** co w sobie, np. zaród choroby ⟨*mieć co w sobie, być chorym*⟩: Stefania nosiła już wówczas w sobie zarody bardzo ciężkiej choroby płuc. *Chłęd. Pam. I, 235.* **14. n.** co w sercu, w duszy, w duchu ⟨*pamiętać o kim lub o czym, myśleć, marzyć o kim lub o czym, kochać co*⟩: Byłem z pozoru milczący i zalękniony, a w duszy nosiłem całe światy, którym królowałem wszechwładnie. *Gomul. Róże 68.* **15. n.** burzę w sobie, w sercu, w duszy itp. ⟨*przeżywać gwałtowne uczucie*⟩: Nikt by ani poznał jaką burzę w sobie nosi i co ją tu przygnało. *Goj. Ziemia 149.* **16.** *przestarz.* **n** w sobie płód (dziecko, nowe życie, brzemię) ⟨*by w ciąży*⟩: Nosi w łonie dziecko. *Rocz. Lit. 1938 s. 64.* **17. n.** żal w sercu (do kogo) ⟨*mieć, żywić, od czuwać żal do kogo*⟩. **18.** *nieos.* nosi kogo ⟨*ktoś cho dzi nie wiadomo gdzie, włóczy się*⟩: Skąd ja mam wiedzieć, gdzie starego nosi licho? *Dygas. Zając 90* **19.** Ziemia nosi kogoś ⟨*ktoś żyje na ziemi*⟩: Judas był największym łotrem i złodziejem, jakiego zie mia nosiła. *Chrzan. I. Lit. 211.* **20.** *posp.* Bodaj cie bie ziemia nie nosiła ⟨*bodajbyś nie żył*⟩: Bodaj ci święta ziemia nie nosiła!... *Prus Plac. 221.*

przysł. **21.** Nosił wilk (razy kilka), ponieśli i wilka

nosić się 1. n. się z czymś (z zamiarem, z myślą cze go itp.) ⟨*zamierzać co, żywić zamiar, dążyć do cze go*⟩: Przez długie chwile nosiłem się z zamiarem na pisania do Zosi. *Iwasz. J. Nowele 43.* **2. n. się** z god nością, górnie, wysoko ⟨*mieć jakiś charakterystycz ny sposób bycia*⟩: Komu mógł pomóc, to pomóg chętnie, tylko nosił się górnie. *Kaczk. Pam. 108.* **3** *przestarz.* **n. się** z czym jak paw z ogonem ⟨*zby troskliwie obchodzić się z czym, przejmować si czym zbytnio, starać się okazać coś wszystkim*⟩ **4.** *przestarz.* **n. się** po polsku ⟨*ubierać się*⟩.

nosowy Odgłos, ton **n.**, nuta **n-a** ⟨*głos człowiek mówiącego przez nos; jakikolwiek głos, odgłos, to itp., o barwie podobnej do głosu człowieka mówią cego przez nos*⟩: Zawodził nosowym głosem dziw nie smętną melodię. *Morc. Ptaki 99.*

nota 1. n. dyplomatyczna; pokojowa, protestacyjn ⟨*pismo urzędowe o treści politycznej jednego rząd do drugiego*⟩. **2. n.** redakcyjna ⟨*krótki tekst wprowa dzający czytelnika czasopisma w temat artykułu alb wyrażający stanowisko redakcji wobec treści arty kułu; także: skierowane do czytelników wezwanie d wzięcia udziału w dyskusji lub ankiecie*⟩. **3. n.** słown ⟨*nota stylizowana w trzeciej osobie, nie podpisana z zaznaczeniem, zwykle na początku tekstu, od kog nota wychodzi i do kogo jest skierowana (np. Mi nister... ma zaszczyt zawiadomić...*⟩. **4.** *księg.* **n.** me moriałowa a. księgowa ⟨*dokument zaksięgowani jakiegoś faktu, na który nie ma rachunku*⟩. **5. n** autora, wydawcy ⟨*przypisek, objaśnienie*⟩. **6.** Otrzy mać, uzyskać dobrą, złą notę; zasłużyć na dobrą złą notę ⟨*ocenę*⟩. **7.** Wymienić **n-y**; wystosować notę ⟨*pismo urzędowe*⟩.

notarialny Kancelaria **n-a**; biuro **n-e**.

notatka 1. n. prasowa ⟨*krótka wzmianka*⟩: Z nota tek prasowych i raportu okazywało się dalej, że częś członków wyprawy była zmuszona powrócić d Anglii. *Wojtk. Gen. 87.* **2.** Dać notatkę do gazety ⟨*wzmiankę*⟩. **3.** Robić **n-i**, prowadzić **n-i** ⟨*zapiski*⟩: W osobnym kajecie robił notatki, które wciąż odczytywał, aby je utrwalić w pamięci. *Par. Niebo 91.* **4.** Notatki z wykładów szkolnych prowadziłem bardz systematycznie i porządnie. *Zawidz. Wspom. 71.*

notować 1. n. kogo (w kartotekach, testamencie, herbarzu, dzienniku itp.) ⟨*zapisywać czyje nazwisko, wymieniać kogo (w kartotekach, herbarzu itp.)*⟩: W kartotece urzędu śledczego [...] notowany był pod pięciu nazwiskami. *Strug Krzyż II, 68.* **2. n.** c o: **n.** (na giełdzie) kurs, ceny towarów, papierów wartościowych, walut itp.; **n.** (na giełdzie) towary, papiey wartościowe, waluty itp. ⟨*wyznaczać na giełdzie bieżący kurs, bieżącą cenę towarów, papierów wartościowych, walut itp.*⟩: Londyńska giełda notowała oraz wyższy kurs surowca, metale drożały. *Wyg. Widz. 58.* **3. n.** co w pamięci ⟨*zapamiętywać co*⟩: Sułkowski zdawał się sobie notować to imię w pamięci. *Krasz. Brühl 90.* **4.** Być dobrze, wysoko, źle notowanym ⟨*mieć dobrą, złą opinię (jako specjalista)*⟩: Przypomniał sobie swoje pierwsze zwycięstwo nad pewnym głośnym, wysoko notowanym tenisistą. *Prom. Opow. 31.*

nowela n. do ustawy ⟨*przepis prawny wprowadzający zmiany do obowiązujących ustaw*⟩.

nowicjat ⟨*okres próbny w zakonie*⟩ **1.** Odbyć, przejść **n.**; *daw.* odprawić **n. 2.** Wyjść z nowicjatu.

nowina 1. Miła (niemiła), pomyślna (niepomyślna), radosna (smutna), ważna, wielka **n. 2.** Nie **n.** ⟨*coś nie jest rzeczą nową, niezwykłą dla kogo*⟩: Nie nowina to dla mnie. *SW.* **3.** Garść, lawina, potok nowin. **4.** Zwiastun nowin. **5.** Donosić, oznajmiać, przynosić, puszczać, rozgłaszać, wieścić, zwiastować nowinę. **6.** Dzielić się nowinami. **7.** Pytać o **n-y. 8. n-y** napływają, rozchodzą się. **9. n.** spada na kogoś, na co.

przysł. **10.** Na złą nowinę nigdy za późno.

nowinka 1. Przynosić **n-i**: Każdy przynosił z sobą nowinki, jakie otrzymywał z kraju. *Jordan Pam. II, 123.* **2.** Udzielać sobie nowinek: Damy zaś udzielały sobie różnych nowinek o skandalikach i najświeższych modach. *Bał. Dziady 26.* **3.** Dochodzą kogo **n-i**: Doszły mnie nowinki, że waść smalisz cholewy do panny Reginki, i myślisz o weselu. *Zabł. Zabob. 78.*

noworoczny 1. Numer pisma, gazety, tygodnika itd. **n.**: „Kurier Warszawski" wydał bogaty numer noworoczny. *Tyg. Ilustr. 2, 1900.* **2.** Zabawa **n-a. 3.** Życzenia, powinszowania **n-e**: Już ciebie muszę pożegnać i złożyć ci na koniec moje życzenia noworoczne. *Słow. Listy. I, 327.*

nowy 1. n-a broń ⟨*przedtem nie znana, świeżo wynaleziona*⟩. **2. n-e** buty, ubranie, **n.** kapelusz ⟨*świeżo wykonane, nie używane*⟩. **3. n.** kolega; **n.** pracownik, uczeń ⟨*po raz pierwszy spotykany, poznany; rozpoczynający co (pracę, naukę)*⟩. **4. n-a** moda, **n.** zwyczaj ⟨*świeża(-y)*⟩. **5. n-a** planeta ⟨*nowo odkryta*⟩. **6. n-e** pokolenie ⟨*następujące po dawnym*⟩. **7. n.** porządek (rzeczy) ⟨*inny niż przedtem*⟩. **8. n-e** prawo ⟨*nowo wprowadzone, zastępujące dawne*⟩. **9. N.** Rok ⟨*pierwszy dzień rozpoczynającego się roku; dzień 1 stycznia*⟩. **10.** *chem.* **n-e** srebro ⟨*stop miedzi, cynku i niklu*⟩. **11. n.** styl (kalendarzowy) ⟨*rachuba lat podług kalendarza gregoriańskiego, rozpoczynająca każdy nowy rok od dnia 1 stycznia*⟩. **12. N.** Świat ⟨*lądy Ameryki Północnej, Ameryki Południowej i Australii*⟩. **13. N.** Testament, **N.** Zakon ⟨*Pismo św. opisujące życie Chrystusa i podające jego naukę*⟩. **14. n-e** wydanie (książki). **15. n.** jak z igły: Gustu niewiele, ale przepych ogromny... Wszystko nowe jak z igły... *Krasz. Seraf. 187.* **16.** Od nowa ⟨*od początku, jeszcze raz, powtórnie, znów*⟩: Mogłabyś śmiało zaczynać życie od nowa. *Iwasz. J. Odbud. 22.* **17.** Od nowego wiersza (pisać, zaczynać zdanie). **18.** Na nowo ⟨*znów, powtórnie, od początku, od nowa; w nowy sposób*⟩: Dramat przełożony raz przez Kasprowicza, pięknie przełożył na nowo Artur Górski. *Boy Flirt IX, 127.* **19.** Po nowemu ⟨*w sposób nowy, inaczej niż dawniej; odmiennie, nowocześnie*⟩: Ziemię uprawia po nowemu, zgodnie z zaleceniami nowoczesnej nauki rolniczej. *Tryb. Rob. 273, 1954.* **20.** Coś jest nowego systemu, nowego typu: Broń była najnowszego systemu, celna, dalekonośna, odtylcowa. *Strug Ojc. 49.* **21.** Co (słychać) nowego?

przysł. **22.** Nowe sitko na kołek ⟨*wobec nowych przyjaciół, stosunków, zapominamy o dawnych*⟩.

nozdrza 1. n. tylne ⟨*otwory łączące jamę nosową z gardłem*⟩. **2.** Poruszać, rozchylić, rozewrzeć **n.**; chrapać, parskać, wietrzyć nozdrzami. **3. n.** drgają, pulsują, rozszerzają się. **4.** *daw.* Dopóki (póki) pary, tchu w nozdrzach ⟨*póki żyję, dopóki żyw*⟩: Póki mi tchu w nozdrzach, będę ci ojcem, sierotko. *Sienk. Na polu 230.*

nożny 1. Hamulec **n.** (w rowerze). **2.** Maszyna do szycia, tokarka **n-a** ⟨*poruszana, obracana za pomocą nóg*⟩. **3.** Piłka **n-a** (in. futbol) ⟨*gra polegająca na tym, że dwie partie grające starają się kopaniem piłki skórzanej wbić ją do bramki przeciwnika*⟩: Gromadka chłopców grała w piłkę nożną. *Brzoza Bud. 11.*

nożyce 1. n. ręczne, mechaniczne. **2. n.** ogrodnicze ⟨*sekator*⟩. **3. n.** cen ⟨*nierównomierne kształtowanie się (rozwarcie) cen artykułów przemysłowych i rolnych, zazwyczaj na niekorzyść rolnika*⟩: Dzięki władzy ludowej zniesione zostały tak zwane nożyce cen, które prowadziły do stałego podwyższania cen artykułów przemysłowych, z równoczesnym obniżeniem cen produktów rolnych. *Kalend. Rob. 1951, s. 290.*

przysł. **4.** Uderz w stół, a nożyce się odezwą.

nożyk n. do owoców (nie: dla owoców). **n.** do golenia.

nóż 1. n. ostry (jak brzytwa), tępy. **2.** Naostrzyć, wyostrzyć, stępić **n. 3. n.** stołowy; składany, sprężynowy; stalowy, nierdzewny. **4. n.** chirurgiczny, ogrodniczy, rzeźniczy, stolarski, wikliniarski itp. **5. n.** diamentowy ⟨*diament szlifowany zalutowany na trzonku stalowym, służący do dokładnej i wykańczającej obróbki*⟩. **6. n.** d o c z e g o: **n.** do krajania chleba, mięsa, wędliny; **n.** do rozcinania kartek. **7.** Jak nożem uciął, przeciął, rozciął ⟨*nagle, gwałtownie, znienacka, w jednej chwili, od razu*⟩: Jak nożem przeciął, nagle urwały się śpiewy i śmiechy. *Krzywosz. Rusał. 64.* **8.** Bić się na **n-e**: Nieraz bili się na noże o byle głupstwo. *New. Pam. 187.* **9.** Być, iść z kim na **n-e** ⟨*zostawać z kim w nieprzejednanie wrogich stosunkach*⟩: Ja też mam rozmaite potrzeby, a nie idę o to zaraz na noże. *Dąbr. M. Noce III/2, 17.* **10.** Dostać, godzić, pchnąć, zadźgać nożem. **11.** Dać gardło pod **n.**, paść pod nożem, złożyć głowę pod **n.** ⟨*oddać życie, zginąć, umrzeć; zostać zabitym*⟩: Zwierzęta padły tysiącami pod nożem oprawców. *Zap. G. Modl. 80.* **12.** Mieć **n.** na gardle ⟨*być w ciężkiej, przymusowej, tragicznej sytuacji, być czymś bardzo zagrożonym*⟩: Tyś tak strasznie zadłużony?... Teraz po prostu mam nóż na gardle. *Perz. Siostra 11.* **13.** Pchnąć nożem, wbić **n.**, utopić, zatopić komu **n.** w sercu ⟨*zranić kogo dotkliwie, dotknąć do żywego, zadać bolesny cios*⟩: Każde obce, zimne słowo noża pchnięciem dla mnie było. *Gomul. Mieszczka 208.* **14.** Skończyć, zakończyć, umrzeć, krzyczeć itp. pod nożem ⟨*umrzeć, skończyć itp. podczas operowania*⟩: Raz wraz mdlał z bólu, krzyczał pod nożem — wreszcie począł bronić się, bić, policzkować doktora. *Żer. Rzeka 93.* **15.** Wbić, wsadzić komu **n.** w plecy ⟨*napaść na kogo podstępnie, znienacka, zadać cios podstępny, od tyłu*⟩: Nie mogę z nim walczyć w ten sposób, żeby mu wbijać nóż w plecy. *Meis. Wraki 229.*

nóżka 1. n-i w iks ⟨*krzywe, wygięte wklęsło, na kształt litery x*⟩; **n-i** w zero ⟨*krzywe, wygięte wypukło, na kształt litery o, pałąkowate*⟩. **2.** *zool.* **n-i** ambulakralne ⟨*narządy poruszania się szkarłupni mające postać kurczliwych, wydłużających się wyrostków, rozszerzonych na końcach*⟩. **3. n-i** wołowe, baranie lub wieprzowe, skrótowo: **n-i**, nogi ⟨*potrawa: galareta z rozgotowanych nóg wołowych, baranich lub wieprzowych*⟩. **4.** Sarnia **n.** ⟨*dyscyplina*⟩. **5. n.** cyrkla ⟨*część cyrkla spiczasta, ruchoma, do opierania przy rysowaniu*⟩. **6.** *żart.* Na ciepłe **n-i** ⟨*z samego rana*⟩: Na ciepłe nóżki, z rana, nim z łóżka ostygną. *L.* **7.** Na trzecią nóżkę! ⟨*zwrot wyrażający zachętę do wypicia trzeciego kieliszka wódki*⟩: Coraz bardziej zwycięsko wychylano różnokształtne kieliszki. Na pierwszą, na drugą, na trzecią nóżkę! *Jaroch. Niemił. 140.* **8.** Grzebać nóżką (o koniu): Miał ślicznego kasztanka, który grzebał zgrabną nóżką. *Korz. J. Koll. 115.* **9.** Przebierać, wierzgać nóżkami; przestępować z nóżki na nóżkę; założyć nóżkę na nóżkę: Dziewczyna stała ze spuszczonymi oczkami [...] przestępując z nóżki na nóżkę. *Sienk. Ogn. I, 87.* **10.** *przestarz.* Padać, upadać, ścielić się do nóżek; całować, ściskać czyje **n-i** ⟨*zwrot oznaczający uniżone powitanie lub pożegnanie*⟩: Padam do nóżek.

przysł. **11.** Żeby kózka nie skakała, to by nóżki nie złamała.

nucić 1. n. cicho, półgłosem. **2.** *daw.* **n.** na fletni, fujarze itp. ⟨*przygrywać, wtórować na flecie, fujarze*⟩: Pod gęstym krzaczkiem siedząc w miłej parze, hoży pastuszek nuci na fujarze. *Kras. Mysz. 2.*

nuda 1. Zabójcza **n.**; wielkie, potworne **n-y**. **2.** (Wielka) **n.** z kogo ⟨*nudziarz*⟩. **3.** *pot.* **n-y** na pudy ⟨*wielkie, nieznośne nudzenie się*⟩. **4.** Przejmować nudą. **5.** Rozpraszać nudę. **6.** Robić co z nudy, z nudów: Tam, na popasie, z nudy rozważać począłem miny i mowy ludzi siedzących za stołem. *Mick. Wiersze 143.* **7.** Umierać z nudy, z nudów ⟨*nudzić się bardzo, w stopniu trudnym do zniesienia*⟩. **8.** Zabić, zabijać nudę, **n-y** ⟨*usiłować pokonać uczucie znudzenia, starać się zapełnić czym wolny czas*⟩: Wyszukiwali sobie zajęcia, aby zabić nudę. *Rudn. H. Płom. 167.* **9.** Zieje gdzieś nudą: W mojej uliczce ziało pustką i nudą, jak w małym miasteczku. *Życie Lit. 49, 1954.* **10. n.** cechuje co: Krajobraz, który przesuwa się przed naszymi oczami, cechują: nuda i jednostajność. *Brand. M. Spot. 51.* **11. n.** ogarnia kogoś: Gapił się w leniwo szemrzący strumyk. Coraz bardziej ogarniała Zbyszka nuda i senność. *Bron. J. Ogn. 26.*

nudności ⟨*stan poprzedzający wymioty; charakterystyczne niemiłe uczucie w dołku podsercowym i przełyku; mdłości*⟩ **1.** Mieć **n.**, doświadczać **n.**: Chora czuje się osłabiona, miewa nudności i ucisk w dołku. *Pol. Tyg. Lek. 44, 1953.* **2. n.** porwały kogo.

nudny 1. n. dla kogo: Asystowali przy tej operacji nudnej dla gościa. *Perz. SPP.* **2. n.** człowiek; **n-a** książka, rozmowa, **n-e** zajęcie. **3.** Być, wydawać się nudnym: Nie bądź nudny, wracam przecież o piątej. *Dąbr. M. Noce II, 153.*

nudzić 1. Ktoś, coś nudzi kogo: Malec miał mnóstwo zabawek, ale wszystkie nudziły go szybko. *Perz. Las. 102.* **2. n.** k o g o c z y m: **n.** kogo gadulstwem, prośbami: W rozmowach, ile możności, wystrzegać się tego potrzeba, żeby nie nudzić powieścią o domowych okolicznościach. *Kras. Podstoli 114.* **3.** *daw.* **n.** sobą a. sobie ⟨*odczuwać nudę, nudzić się*⟩: Chociaż dom wuja mego zawsze był otwarty, nudziłem jednak sobą. *Kraj. Zdarz. 36.* **4. n.** k o g o — o c o ⟨*nagabywać, uprzykrzać się*⟩: Nudziła go przecież całą zimę i wiosnę o ten kożuszek i buty. *Bogusz. Polon. IV, 338.* **5.** *daw.* **n.** po kim, za kim (czym) ⟨*tęsknić za kim, myśleć o kim (czym) z żalem, z tęsknotą*⟩: Józef nudzi po tobie i nikt miejsca twojego nie zastąpi w jego sercu. *Mick. Listy I, 193.* **6.** *nieos.* Nudzi kogo ⟨*ktoś odczuwa mdłości, jest komu mdło, niedobrze, zbiera mu się na wymioty, mdli kogo*⟩.

nudzić się 1. n. się piekielnie, śmiertelnie. **2. n. się** c z y m: **n. się** rozmową. **3.** *nieos.* Nudzi się komu ⟨*ktoś odczuwa nudę, nie ma co robić, czym się interesować*⟩: Zasiedział się do wieczora [...] zatrzymywany przez pana Antoniego, któremu się w Konstancinie trochę nudziło. *Dąbr. Ig. Matki 364.*

numer 1. n-y parzyste, nieparzyste (domów). **2. n.** loteryjny. **3.** Więzienny **n. 4. n.** autobusu, pociągu, samochodu, tramwaju; **n.** domu. **5.** Dom pod numerem. **6. n.** kołnierzyka, koszuli, obuwia ⟨*rozmiar*⟩. **7. n.** pisma, gazety ⟨*egzemplarz*⟩. **8. n.** telefonu. **9.** Ktoś jest dobrym numerem a. wygląda na dobry **n.** ⟨*ironicznie o człowieku mającym złą opinię, uważanym za zdolnego do różnych złych czynów*⟩: A na co ja wyglądam? [...] No... w każdym razie na dobry numer. *Zap. G. Malicz. 323.* **10.** Mieszkać pod numerem x ⟨*w domu, w mieszkaniu oznaczonym nr x*⟩. **11.** Nosić **n. 12.** Oznaczać numerem. **13.** Wykonać **n.** solowy (w widowisku, koncercie). **14.** Wyszedł, padł **n.** x (na loterii), (najwyższa) wygrana padła na **n.** x. **15.** Wziąć, zajmować **n.** (w hotelu) ⟨*pokój*⟩. **16.** *posp.* Zrobić, odstawić **n.** ⟨*zachować się, postąpić zręcznie*⟩: Ma chłop nerwy, pomyślałem, ani mu głos nie zadrga! Potrafi numer odstawiać jak trzeba. *Twórcz. 7, 1954, s. 58.* **17.** Ten **n.** nie przejdzie ⟨*to się nie uda, tego się nie da przeprowadzić*⟩.

nur, nurek 1. Dać nura, nurka: a) ⟨*zanurzyć się w wodzie całkowicie, skoczyć w wodę zanurzając się w niej*⟩: Wskoczyłem do wody i dałem nura, gdyż pływać umiałem doskonale. *Leśm. Przyg. 79.* Wieloryb dał nurka w wodę. *Cent. Wyspa 291*; b) ⟨*nagłym skokiem, biegnąc schronić się, skryć się gdzie; uciec, umknąć*⟩: Ej, zmykaj, bo cię zeklnę brzydko, i lepiej nura daj do bramy! *Past. Lira 174.* Dał nurka w gęste tłumy i znikł jak kamfora. *Choyn. Kuź. 15.* **2.** Nurkiem iść, płynąć ⟨*pod wodą*⟩: Skakał kryć się w Niemnie i nurkiem płynął na brzeg Księstwa Warszawskiego. *Mick. Tad. 38.*

nurek p. **nur**

nurkowy Futro **n-e** ⟨*z nurek*⟩: Bogate futro nurkowe odziewa ją niemal do stóp. *Zap. G. Ptak II, 137.*

nurt 1. Wartki, rwący, spokojny **n.** (rzeki): W połowie rzeki wartki nurt począł nas znosić. *Kow. A. Próba 29.* **2.** Toczyć swe **n-y** (o rzece); zginąć w nurtach rzeki. **3.** *przen.* Pogrążać się w **n.** życia: Pogrążał się z coraz większym zapamiętaniem w nurt ówczesnego artystycznego życia. *Wrocz. K.Wspom. 22.* **4.** Włączyć się w **n.** pracy: Nie ograniczały swej roli do małego światka własnej rodziny, ale włączyły się w nurt pracy społecznej. *Gaz. Kuj. 285, 1954.*

nurtować Nurtuje kogo coś (choroba, rozpacz, niezadowolenie itd.): Z trudnością panował nad nurtującym go niezadowoleniem. *Krzywosz. Jula 110.*

nuta 1. cała, niska, wysoka **n.** ⟨*dźwięk, ton muzyczny*⟩. **2.** *przen.* Tęskna, rzewna, smutna, serdeczna **n.** ⟨*ton, melodia*⟩: Serdeczna **n.** brzmi w czyim głosie. **3. n.** c z e g o ⟨*nastrój, ton*⟩: **n.** melancholii, smutku, serdeczności, tęsknoty. **4.** Brać wysokie **n-y**; pisać **n-y**; poddawać, poddać nutę; urwać, przerwać melodię w pół nuty. **5.** Znać **n-y** ⟨*uprawiać muzykę, grać*⟩. **6.** *przen.* Gadać, mówić, śpiewać na nutę jaką lub czego ⟨*w tonie, tonacji*⟩: Zaśpiewał na tak smutną nutę, że pan burmistrz uciekł. *Prus SPP.* **7.** Mówić, gadać, kłamać itp. jak z nut ⟨*mówić, gadać, kłamać, blagować itp. wprawnie, gładko, bez zająknienia*⟩: Zygmunt sypie nazwami, gada jak z nut, ani się zająknie. *Hertz B. Samow. 152.*

nutowy Papier **n.** ⟨*specjalnie liniowany papier używany do pisania lub drukowania nut*⟩.

nylonowy ⟨*zrobiony, wyprodukowany z nylonu — tworzywa, włókna, lub materiału*⟩: Włókna **n-e**; nitka **n-a**. Pończochy **n-e**.

O

obaczyć *przestarz.* dziś *reg.* Do obaczenia ⟨*do ponowego zobaczenia się, do widzenia*⟩: Bywaj zdrów, panie siostrzeńcze, do obaczenia w Krakowie. *Rzew. H. Zamek 134.*

obalić, obalać 1. o. k o g o, c o ⟨*znieść siłą; doprowadzić do upadku, spowodować upadek, zniesienie*⟩: **o.** gabinet, rząd, dynastię; **o.** prawo, ustawę, ustrój. **2. o.** argumenty, doktrynę, pogląd, twierdzenie, zarzut ⟨*uzasadnić błędność, wykazać bezpodstawność, niesłuszność argumentu itd.*⟩: Sypał jak z rękawa argumentami, że na podstawie stwierdzeń nie popartych dokumentami nie można obalać ustalonych w nauce poglądów. *Probl. 1954, s. 471.* **3. o.** testament, wyrok, kontrakt itp. ⟨*spowodować unieważnienie testamentu itd.*⟩: O obaleniu testamentu też nie ma mowy ani o tym, żeby miał być fałszywy, bo wszystko najformalniej zrobione. *Dąbr. M. Noce II, 128.* **4.** *reg.* **o.** kogo na ziemię ⟨*powalić, zwalić, przewrócić*⟩.

obarczać p. **obarczyć**

obarczony 1. o. dziećmi, liczną rodziną ⟨*mający na utrzymaniu dzieci, liczną rodzinę*⟩. **2.** *przestarz.* **o.** latami (laty), starością ⟨*dźwigający z trudem ciężar lat, starości*⟩: Hetman wielki pisał do polnego, że obarczony latami i syt sławy, nie będzie jej Żółkiewskiemu zazdrościć. *Proch. Żółk. 34.* **3.** *przestarz.* dziś *rzad.* **o.** cierpieniem, głuchotą, nieszczęściem itp. ⟨*dotknięty cierpieniem, głuchotą itp., cierpiący, głuchy itp.*⟩: Poznałem kiedyś starszego pana, obarczonego ciężką głuchotą. *Wieś 5, 1954.*

obarczyć, obarczać 1. o. k o g o — c z y m: **o.** funkcją, misją ⟨*powierzyć funkcję, misję*⟩. **2. o.** obowiązkami, pracą ⟨*obciążyć, przygnieść*⟩. **3. o.** podatkiem ⟨*obciążyć, nałożyć na kogo podatek*⟩. **4. o.** winą, zarzutami ⟨*obciążyć, przypisać komu winę, wystąpić z zarzutami przeciw komu*⟩. **5. o.** c o: **o.** pamięć ⟨*przeciążyć*⟩. **6.** Coś obarcza czyje sumienie (np. krzywda komu wyrządzona).

obawa 1. Bezpodstawna(-e), poważna(-e), uzasadniona(-e) **o.** (**o-y**). **2. o.** c z e g o: Przepędzał resztę życia w nieustannej obawie gorszej jeszcze przyszłości. *Kołł. SPP.* **3. o.** przestrzeni ⟨*agorafobia*⟩. **4. o.** o k o g o, o c o: **o.** ojca o syna. **5.** Być w obawie o k o g o, o c o. **6. o.** przed czym: Obawa przed wszelkim poruszeniem. *Orzesz. SPP.* **o.** przed odpowiedzialnością. **7.** Budzić, rozproszyć, uśpić obawę a. obawy. **8.** Mieć, żywić obawę a. obawy. **9.** *pot.* Nie ma obawy ⟨*coś się na pewno stanie*⟩: Ona już wyśpiewa wszystko, nie ma obawy. *Nowak. K. Tak było 139.* **10.** Robić co w obawie, z obawy czego; w obawie, z obawy, aby...: Nie mógł powstrzymać łez, wyciskanych bólem i — wstydząc się tej słabości — ocierał je ukradkiem w obawie, aby ich kto nie dostrzegł. *Meis. Sześciu 148.* **11.** Wypowiadać obawy: Nie śmiała głośno wypowiedzieć swych obaw, które nurtowały jej serce. *Sewer Nafta III, 50.* **12. o.** dręczy kogo, pierzcha, sprawdza się, ustaje: Dręczyły go najgorsze obawy i złe przeczucia. *Olcha Most I, 88.* **13.** Zachodzi **o.**, że...

obawiać się 1. o. się k o g o, c z e g o: Obawiano się go nieco w okolicy, bo przebaczać ani sobie, ani innym nie umiał. *Sienk. Pot. I, 48.* **o. się** choroby, podróży, złych wiadomości. **2. o. się** o k o g o, o c o: **o. się** o syna, o zdrowie, o życie. **3. o. się** własnego cienia ⟨*bać się wszystkiego bez powodu, być zastraszonym*⟩: Drżąc o swoją posadę Grzybiński własnego cienia się obawiał. *Perz. Uczn. 68.* **4.** Obawiam się, że (czy) ⟨*używane często w rozmowie dla wprowadzenia (w sposób uprzejmy) sądu odmiennego od sądu rozmówcy*⟩: Obawiam się, że źle mnie sądzisz. *Brand. K. Antyg. 235.* Obawiam się, że nie masz racji. *L.* **5.** Nie obawiaj się (nie obawiajcie się) ⟨*bądź spokojny, bądź pewny, możesz być pewny*⟩: Zakrzyczano ją: — Nie obawiaj się, Ignaś funduje wszystkim obiad w restauracji na Bielanach. *Goj. Dziew. II, 36.*

obcas 1. Niski, płaski, słupkowy, wysoki **o. 2. o.** szkolny ⟨*u dziewczęcych pantofli: niski, lekko podcięty*⟩. **3.** Pantofle na niskich (wysokich) obcasach a. na niskim (wysokim) obcasie. **4.** Bić obcasami

⟨*w tańcu uderzać obcasami do taktu*⟩. **5.** Nabić, ściąć, wykrzywić, zdeptać, przydeptać, zedrzeć **o-y.**

obces, obcesem *przestarz.* ⟨*obcesowo*⟩ **1.** Rzucić się na co obces. **2.** Obcesem natrzeć: Jazdy miał Sanguszko za mało i dlatego nie śmiał obcesem natrzeć, ale wszedł w lasy i zrobił zasadzkę. *Moracz. Dzieje IV, 256.*

obcesowo 1. Poczynać sobie, postąpić z kim **o.**: Oficer, przydzielony do niej dla obrony przed pijanymi, sam zaczął poczynać sobie z nią zbyt obcesowo. *Strug Krzyż II, 115.* **2.** Wpaść na k o g o, n a c o **o.**

obcęgi 1. o. profilowe, płaskie, **o.** do wyciągania gwoździ, **o.** do obcinania (**o.** tnące), **o.** do wyginania. **2.** Chwycić, ściskać co obcęgami. **3.** Trzymać co w obcęgach (np. rozpalone żelazo). **4.** Trzymać co (np. czyjeś dłonie, ręce) mocno jak w obcęgach.

obchodowy 1. Komitet **o.** (uroczystości, jubileuszu, rocznicy itp.). **2.** *ryb.* Pławnica **o-a** (in. obchodna) ⟨*sieć bawełniana do połowu łososi*⟩.

obchodzić, obejść 1. o. c o: **o.** teren czego ⟨*robić obchód czego, lustrować co*⟩: Nocny strażnik pełnił służbę, obchodząc teren fabryki. *Brand. K. Antyg. 261.* **2. o.** kraje ⟨*wędrować, przemierzać*⟩: Wiele się lądów zdeptało, wiele się krajów obeszło, a ziemia wciąż była polska pod każdą żołnierską podeszwą. *Bron. W. Bagnet 11.* **3. o.** prawo, przepisy, ustawę itp. ⟨*znajdować sposób bezkarnego niezastosowania się do obowiązującego prawa, ustawy itp.*⟩: Potrafił jak zręczny dyplomata lawirować między tysiącem trudności, obchodzić prawo, naginać je do siebie. *Szyman. W. Lichw. 187.* **4.** *daw.* Obchodzić gości ⟨*zwyczaj staropolski, według którego pan domu miał obowiązek co rano odwiedzać gości płci męskiej w ich pokojach*⟩: Wyszliśmy obchodzić gości i przyjmowaliśmy przyjeżdżających, którzy zeszli się tam, gdzie pannę młodą ubierano do ślubu. *Kras. Podstoli 118.* **5. o.** dożynki, rocznicę, święto, urodziny itp. ⟨*święcić, czcić, brać udział w obchodzie*⟩: Oto obchodzimy Dziady! *Mick. Dziady 14.* Wieczorem odbyły się zaręczyny, suto i huczno obchodzone. *Krasz. Sfinks I, 65.* **o.** srebrne, złote wesele. **6.** Coś kogo obchodzi; nie obchodzi ⟨*interesuje, zajmuje, dotyczy; nie interesuje itd.*⟩: Tyle ja ich tu obchodzę, co przeszłoroczny śnieg. Z żadnym nawet pogadać po ludzku nie sposób. *Jeż Rotuł. 432.* **7.** *przen.* Obejść kolejkę: Przy obiedzie, kiedy stary miodek kilka razy obszedł kolejkę, rozmowa się ożywiła. *Pług Zagon II, 212.*

obchodzić się, obejść się 1. o. się z kim w jakiś sposób ⟨*traktować kogo, postępować z kim w jakiś sposób*⟩: **o. się** z kim grzecznie; jak z dzieckiem; po ludzku; los, świat obszedł się z kim; życie obeszło się z kim łaskawie, łagodnie, surowo, okrutnie itp. **2. o. się** smakim ⟨*zadowolić się chęcią na co*⟩: Cóż to za bal dzisiaj?! Nic nie wiedziałem, mogłem się spóźnić i obejść się smakiem. *Grusz. Ar. Hut. 29.* **3.** Obchodzić się z aparatem, z bronią ⟨*umieć manipulować, posługiwać się aparatem, bronią*⟩: Uczył go obchodzenia się ze swoim aparatem fotograficznym. *Rus. Burza 107.* Umiał obchodzić się z bronią palną. *Zachar. Kres. 259.* **4. o. się** z ogniem: Z ogniem należy się obchodzić ostrożnie. *SW.* **5. o. się** b e z k o g o, c z e g o ⟨*(po)radzić sobie, dać sobie radę*⟩: Był muzykiem, bez którego żadna zabawa, żadne wesele obejść się nie mogło. *Lim. Pam. 295.* Doskonały wzrok pozwalał mi obchodzić się bez szkieł. *Lam J. Głowy IV, 54.* **6.** Nie obejdzie się, nie obeszło się bez czego ⟨*coś się na pewno stanie, zdarzy, będzie miało miejsce; coś musiało się stać, coś zaszło, zdarzyło się, coś było*⟩: Zatarasowali się w ulicy, a moi ich dobywali; nie obeszło się bez strzelaniny. *Sienk. Pot. I, 71.* **7.** Obeszło się bez czego ⟨*nie było czego; coś nie zaistniało, nie miało miejsca*⟩: Ach, dałby Bóg — westchnął wreszcie — żeby się bez wojny obeszło. *Żukr. Dni 5.* **8.** Obejdzie się bez czego; obejdzie się! ⟨*nie potrzeba czego; nie trzeba*⟩: Obejdzie się bez twojej pomocy. *SPP.* Obejdzie się! Nie potrzeba nam niczyich uwag! — krzyknął. *Łoz. Wal. Szlach. I, 78.*

obchód o. lekarski (w szpitalu). **o.** familijny, narodowy ⟨*uroczystość*⟩: Obchody familijne (w XVI w.), jak zrękowiny, śluby, chrzciny, a nawet pogrzeby, po odprowadzeniu nieboszczyka do grobu nie obyły się bez jadła i picia. *Moracz. Dzieje VI, 83.* Dzieje obchodów narodowych są w Polsce bardzo dawne. *Zakrz. St. Zagadn. 29.*

obciąć, obcinać (się) **1. o.** c o — c z y m ⟨*oberznąć, ostrzyc*⟩: **o.** gałęzie (drzew, krzewów); **o.** paznokcie, włosy; **o.** uszy (psu). **2. o.** płace, gaże, pensje, wydatki ⟨*zmniejszyć*⟩. **3. o.** skrzydła (loty) komu, czemu ⟨*zahamować, uniemożliwić działanie, funkcjonowanie kogo lub czego*⟩: Pozostaje przy swoich ideach, którym obcinam trochę skrzydeł. *Żer. Dzien. I, 158.* **4.** *łow.* **o.** zwierza, odyńca itd. ⟨*objąć obławą; otropić*⟩: W sześciu obcięliśmy odyńca z trzech stron w miocie. *Wodz. Wspom. 111.* **5.** *uczn.* **o.** (kogo) na egzaminie ⟨*dać na egzaminie ocenę niedostateczną; oblać, ściąć*⟩: Do teatru idą nieraz młodzieńcy, którzy doznali niepowodzeń w innych zawodach [...] obcięci na egzaminach. *Słonim. Walki 241.* Wszyscy energicznie uczą się, żeby przy egzaminach nie „obciąć się" i roku nie stracić. *Gomul. Wspom. 105.* **o.** się z czego. **o.** się z fizyki

obciągać p. **obciągnąć**

obciągnąć, obciągać (się) 1. o. co — czym ⟨*powlec, pokryć czym*⟩: Biedne psisko wyglądało jak szkielet obciągniony skórą. *Gomul. Kajet 102.* Podłoga niegdyś brudna [...] była teraz po starannym wymyciu obciągnięta farbą ciemnoorzechowego koloru. *Bog. Kapit. II, 128.* **2. o.** meble pluszem, rypsem itp. ⟨*obić pluszem itp.*⟩. **3. o.** ubranie: sweter, suknię, mundur, pas itp. ⟨*poprawić na sobie*⟩. **4.** *łow.* **o.** fladry ⟨*założyć fladry wokół miejsca, w którym otropiono zwierzynę; ofladrować*⟩: Wielki jest optymista ten p. nadleśniczy, jak to on chce nocą obciągnąć parę kilometrów ostępu fladrami, żeby wilki nie usłyszały? *Łow. Pol. 7, 1939.* **5. o.** brzytwę ⟨*zebrać drut z ostrza*⟩. **6. o.** zegarek, włos w zegarku ⟨*wyregulować*⟩. **7. o.** ściernicę ⟨*nadać powierzchni pracującej ściernicy wymagany kształt lub odpowiednie właściwości skrawcze*⟩: Zgrubne szlifowanie (silników samolotowych) może być wykonane ściernicą po obciągnięciu ostrym diamentem z większym posuwem, aby uzyskać dobre zdzieranie. *Kasper. Mechan. 184.* **8.** *uczn.* **o. się** papierosem ⟨*nieumiejętnie wypalić papierosa, zaciągnąć się papierosem*⟩.

obciążać p. **obciążyć**

obciążający Dowód, dokument, fakt **o.**, okoliczności, zeznanie **o-e** ⟨*dowód, dokument itd., które udowadniają oskarżenie*⟩: Złożył bardzo obciążające zeznania przeciwko wszystkim oskarżonym. *KPP. Wspom. 177.*

obciążony 1. *sport.* **o-a** narta ⟨*na której w danym momencie spoczywa więcej niż połowa ciężaru ciała*⟩. **2. o.** kompleksem niższości, przeszłością, tradycją itp. ⟨*cierpiący na kompleks niższości, mający znamiona, cechy przeszłości, tradycji*⟩: To ludzie kulturalni i subtelni, ale obciążeni potężnym kompleksem niższości. *Rocz. Lit. 1938, s. 85.* **3.** *daw.* Obciążony wiekiem, latami (laty) ⟨*dźwigający z trudem ciężar lat, starości*⟩: Obciążony laty i dolegliwościami po krótkiej chorobie skończył życie. *Kossak. Ksiądz 86.* **4.** Być obciążonym pracą ⟨*zajętym, obarczonym*⟩: Jest człowiekiem tak obciążonym pracą zarobkową, że nie zawsze postronnymi, choć bardzo sobie miłymi rzeczami zajmować się może. *Orzesz. Listy II/2, 254.*

obciążyć, obciążać 1. o. c o — c z y m: **o.** czym dzieło literackie, styl itp. ⟨*przeładować dzieło literackie, styl itp. jakimiś składnikami*⟩: Według mnie każdy pisarz musi być po trosze filozofem, co nie znaczy, że winien swe powieści czy opowiadania upstrzyć aforyzmami, czy też obciążyć refleksyjnym komentarzem. *Nowa Kult. 20, 1954.* **2. o.** pamięć ⟨*przeładować, przeciążyć pamięć jakimiś faktami, wiadomościami itp.*⟩: Nie to jest gruntem dzieła historycznego, co się w skróceniu zmieścić może w tablicach chronologicznych i co obciąża pamięć, lecz co bez jej obciążenia tkwi jako nabytek myśli. *Tyg. Ilustr. 126, 1870.* **3. o.** czyje sumienie ⟨*moralnie kogo obciążyć, uczynić winnym*⟩: Wiedziała ona, że ten, co narzeka, obciąża sumienie tego, który go słucha, obciąża tym bardziej, im mniej można mu pomóc. *Witkiew. S. Utwory 215.* **4. o.** k o g o — c z y m ⟨*obarczyć*⟩: **o.** kogo odpowiedzialnością, winą, zarzutami; **o.** sprawami, zadaniami itp.: Już tylko sobie powiedziałam: idź za dziećmi w ich rozwoju, a nie przed dziećmi [...] nie obciążaj ich sprawami starszych, niech mają prawo do dzieciństwa. *Wańk. Ziele 160—161.* **5. o.** zeznaniami kogoś ⟨*zezn(aw)ać na niekorzyść kogo*⟩: Fatalnie spisał się przy śledztwach, obciążając zeznaniami swymi mnóstwo kolegów i wyśpiewując wszystko, co wiedział [...] i czego w rzeczywistości wcale nie było. *Ask. Łukas. I, 256.* **6. o.** kogo klątwą ⟨*rzucić klątwę, pognębić klątwą*⟩.

obcierać, obetrzeć 1. o. c o — c z y m: czoło, twarz ręcznikiem, łzy — chusteczką, nos — palcem. **2.** *wulg.* Tyłek szkłem obciera ⟨*o kimś skąpym, przesadnie wyrachowanym*⟩. **3.** Coś obciera komu — co: kołnierzyk obciera komu szyję. Buty obcierają pięty.

obcinać p. **obciąć**

obciosany Grubo **o.** ⟨*nie wykończony precyzyjnie; prymitywny*⟩: Grubo obciosane bloki granitu.

obco 1. Brzmieć **o.** (o języku, melodii, nazwisku). **2.** Czuć się **o.** ⟨*czuć się nieswojo, samotnie*⟩: Czuł się tu w istocie trochę obco. *Dąbr. M. Noce II, 144.*

obcować o. z kim: a) ⟨*przestawać, żyć*⟩: Z ludźmi, mało obcował. *SPP*; b) *rzad.* ⟨*mieć stosunki płciowe; spółkować*⟩: **o.** z mężem, z żoną.

obcy 1. *med.* Ciało **o-e** ⟨*nie należące do organizmu, które się dostało z zewnątrz*⟩: Lancetem przekrajał palec i wyjął obce ciało. *Unił. Pam. 92.* **2. o.** człowiek, ludzie ⟨*nie należący do rodziny, do danego środowiska, nietutejszy, postronny*⟩: My ludzie nietutejsi, obcy. *Żer. Popioły II, 261.* **3. o.** dom ⟨*cudzy, nie nasz, nie własny*⟩: Przekonał się, że w obcym domu nie znajdzie tych wygód, co u siebie [...] Szczęśliwy czuł się tylko w swojej ustroni czarnoleskiej. *Wind. Koch. 120.* **4.** Elementy klasowo **o-e.** **5.** Grunt **o.**: Najbujniejsze drzewo usycha, jak je przesadzisz na grunt obcy. *Rzew. H. Zamek 140.* **6. o.** naród. **7. o-a** waluta ⟨*obcego kraju*⟩. **8. o.** wyraz ⟨*należący do innego języka*⟩. **9. o.** czemu ⟨*taki, który jest nieświadomy, nie znający czego*⟩: **o.** pięknu, **o.** wszystkiemu: Otóż to owoce zagranicznego wychowania! Młodzież powraca nam obca wszystkiemu, co nasze [...] z umysłem przykrajanym do niemieckiej lub francuskiej mody. *Krasz. Szalona 124.* **10. o.** k o m u a. d l a k o g o: Sprawy zupełnie mu obce. Człowiek dla mnie zupełnie obcy. **11.** Z obca ⟨*w sposób przypominający kogoś lub coś obcego; na wzór obcy*⟩: Są to — a jest ich bardzo wiele! — słowa polskie zabarwione tylko z obca pod wpływem ościennych pobratymczych narodów. *Brück. Cywiliz. 152.* **12.** Czuć się obcym: Jeszcze nie zżyła się z nami, czuje się obca. *Reym. Ferm. II, 195.* **13.** Coś jest **o-e** (nie jest **o-e**) k o m u, c z e m u ⟨*jest nieznane, nie jest znane*⟩: Kłamstwo jest obce mej duszy, o fałszu nic serce me nie wie. *Kaspr. Chwile 35.* Nie tylko muzyki wyuczono dziewczynę. Taniec i śpiew również jej obce nie były. *Gomul. Mieszczka 55.* **14.** Coś jest komu **o-e**, wydaje się komu **o-e**; staje się dla kogo **o-e** ⟨*coś jest, wydaje się komu dalekie, nie mające z nim nic wspólnego*⟩: Wszystko teraz było mu obce — cały świat, książki, idee. *Żer. Opow. II, 135.* Wszystko wydawało mu się obcym, odległym, czczym i znikomym. *Sienk. Quo III, 169.* Im bliżej był śmierci — tym bardziej obce stawało się dla niego wszystko, co go przywiązywało do świata. *Strug Ojc. 240.*

obczyzna 1. Na obczyźnie ⟨*za granicą, poza krajem*⟩: Żyć, umrzeć na obczyźnie. **2.** Emigrować na obczyznę. **3.** Tułać się po obczyźnie: Długo po obczyźnie się tułał, długo różnej biedy zażywał. *Jun. Mazur. 355.*

obdarto Chodzić **o.** ⟨*obszarpanie, nędznie, w łachmanach, w podartej odzieży*⟩.

obdarzać p. **obdarzyć**

obdarzony o. dobrą pamięcią, bystrym dowcipem, zdolnościami itp. ⟨*mający dobrą pamięć, bystry dowcip itp.*⟩: Obdarzony z natury najpiękniejszymi zdolnościami, uczył się doskonale. *Korz. J. Koll. 21.* Artysta obdarzony pięknym głosem, talentem. *SW.*

obdarzyć, obdarzać 1. o. k o g o — c z y m: **o.** dzieci słodyczami; **o.** kogo książką. **o.** uczuciem, sympatią, łaskami, względami itp. ⟨*polubić, pokochać; zaszczycić względami kogoś itp.*⟩: Sympatia jaką mnie obdarzał, wypływała nie tylko ze wspólnej pracy scenicznej, ale z przyjacielskiego stosunku, jaki go łączył z moim ojcem. *Ower. Ramp. 181.* **2. o.** spojrzeniem, uśmiechem, ukłonem ⟨*spojrzeć, uśmiechnąć się, ukłonić się (zwykle w sposób zwra-*

cający czyjąś uwagę)⟩: Nie obdarzyli go nawet spojrzeniem, ignorowali go zupełnie. *Bał. Dziady 251*. **3.** Obdarzać kogo zaufaniem ⟨*ufać komu*⟩: Obdarzał go zupełnym zaufaniem. *SPP*. **4.** Obdarzyć kogo synem ⟨*urodzić komu syna*⟩: Po roku pożycia obdarzyła go synem. *SW*. **5.** *przen*. Obdarza kogo — czym przyroda, natura; fortuna: Przyroda hojnie go obdarzyła i urodą i zdolnościami. *Lim. Pam. 29*. Fortuna obdarzyła go od razu: ręką umiłowanej gorąco, choć w skrytości, dziewki i wielkim, zawiść budzącym majątkiem. *Gomul. Miecz I, 196*.

obdzierać, obedrzeć 1. o. k o g o — z c z e g o ⟨*ogołocić*⟩: **o.** kogo z mienia, z ubrania; *przen*. ⟨*pozbawić kogo czego*⟩: **o.** ze złudzeń: Czuła w sobie jakby zdrożną a zastraszająco lubą gotowość, by świat cały i siebie do reszty obedrzeć z radości i ze złudzeń. *Dąbr. M. Noce II, 268*. **2. o.** k o g o ⟨*brać od kogo więcej niż się należy; wyzyskiwać, wykorzystywać*⟩: Obdarłszy uczciwie wędrowców, zgodził się na przenocowanie ich w swej izbie. *Żer. Przedw. 89*. **3. o.** kogo ze skóry ⟨*zabierać komu ostatni grosz, liczyć komu za co bardzo drogo*⟩: Tu w hotelu obdzierają człowieka ze skóry. *Lam J. Głowy III, 24*.

obecność 1. *daw*. Przypuścić kogo do obecności, przed **o.**; oddalić od obecności ⟨*przyjąć osobiście, dopuścić do towarzystwa; uwolnić się od czyjego towarzystwa*⟩: Wenus, której Kupido jakąś wyrządził sztukę, wygnała go z Cytery i oddaliła go od swej obecności. *Zab. XIII/1, 1776, s. 33*. **2. o.** (czyja) obowiązkowa, konieczna: Do uchwał Rady konieczna jest obecność przynajmniej połowy jej członków. **3.** Robić co w czyjej obecności: Proszę cię, Tadziu, nie używaj w mojej obecności karczemnych wyrazów. *Żer. Biała 95*.

obecny 1. W obecnej chwili ⟨*obecnie*⟩. **2.** *żart*. **o.**, ale nieprzytomny. **3.** Być obecnym na czym, przy czym; *daw*. czemu ⟨*brać udział osobiście, znajdować się gdzie a. przy czym*⟩: Być obecnym na lekcji, na zebraniu; przy czyjej śmierci. Król bywał zwykle obecny obradom senatorów. *Kaczk. Olbracht. II, 173*.

obedrzeć p. **obdzierać**

obejmować p. **objąć**

obejrzeć się Ani się obejrzeć ⟨*o sytuacji, w której czas mija komu bardzo szybko, niepostrzeżenie; szybko, prędko, niedługo, zaraz*⟩: Ani się obejrzysz, już jest obiad, a potem zaraz trzeba się przebierać i śpieszyć do fabryki. *Kowalew. M. Kamp. 140*.

obejście Ktoś jest miły, uprzejmy, przyjemny, ujmujący, nieprzyjemny, szorstki itp. w obejściu ⟨*w sposobie bycia, zachowania*⟩: Nauczycielem był okazały mężczyzna, nadzwyczaj miły w obejściu. *Żer. SPP*. Zgryźliwy, nie dowierzający i nieprzyjemny w obejściu nie miał przyjaciół. *Chłęd. Barok. 274*.

obejść p. **obchodzić**

obejść się p. **obchodzić się**

obelga 1. o. dotkliwa, wielka, ciężka. **2. o.** czynna ⟨*znieważające uderzenie, policzek*⟩. **3. o.** słowna, **o-i** słowne ⟨*zwymyślanie, znieważenie za pomocą słów grubiańskich, obelżywych; słowo, słowa obraźliwe*⟩: Arsenał obelg słownych był bardzo wielki i wymyślny. *Bystr. Dzieje II, 158*. **4.** Miotać, rzucać **o-i** na kogo, komu w twarz: Z zaciśniętymi usty przyjmował rzucane na niego obelgi. *Orzesz. SPP*. **5. o.** spotyka kogo: Szlachetny rycerzu z Lichtensteinu, jeśli was jakowaś obelga jako posła spotkała, mówcie, a srogiej sprawiedliwości wartko stanie się zadość. *Sienk. Krzyż. I, 87*.

oberwać, obrywać 1. o. c o ⟨*urwać*⟩. **o.** guziki (od palta). **2. o.** zarobki, premię itp. ⟨*uszczuplić, zmniejszyć, okroić zarobki, premię itp.*⟩: Temu chłopcu trzeba za niedbalstwo oberwać premię. *Kowalew. M. Kamp. 189*. **3.** *pot*. **o.** pałę, zły stopień ⟨*dostać zły stopień*⟩. **4. o.** cięgi, plagi, wały itp. ⟨*być bitym mocno*⟩: Bardzo często obrywać baty, ale to co się zowie baty. *Wikt. Burek 31*. **5. o.** klapsa, szturchańca, kuksańca itp. ⟨*być uderzonym*⟩: Często jeszcze od starego może szturchańca oberwie. *Kaczk. SPP*. **6. o.** nauczkę, skrótowo: **o.** ⟨*być zganionym, skarconym*⟩: Dobrze tak na zuchwalca!... Oberwałże burę! *Zabł. Zabob. 87*. **7. o.** ranę ⟨*być zranionym*⟩: Raz potłukając się w nocy z młodzieżą po ulicach, miał [...] jakąś dosyć ciężką ranę oberwać. *Moracz. Dzieje III, 195*. **8. o.** c o — z c z e g o: **o.** liść, owoc z drzewa. **9. o.** c z y m ⟨*być uderzonym*⟩: **o.** kijem, pięścią. **10. o.** po czym *daw*. przez co, w co ⟨*zostać uderzonym, dostać cięgi*⟩: Idź precz, jeżeli nie chcesz oberwać po grzbiecie! *Fredro A. Intr. 33*. I ten po łbie oberwał. *Rzew. H. Pam. 123*. **11. o.** przez łeb. *Jabł. SW*. Kto nie ustąpi z drogi mej Minerwie, kręconym z wierszy biczem w łeb oberwie. *L*. **12. o.** po łapie, po skórze, po uszach; **o.** po nosie ⟨*dostać nauczkę, zostać upokorzonym*⟩: Tu Aloys Smidt, pianista z Frankfurtu, bardzo po nosie oberwał. *Chopin Wyb. 84*. **13. o.** o d k o g o — z a c o ⟨*dostać burę za co*⟩: **o.** od matki za spóźnienie.

oberwać się 1. Chmura oberwała się ⟨*pada nawalny, bardzo silny, ulewny deszcz*⟩: Lało nieprzerwanie. — Czy się chmura oberwała? *Pięt. Młod. 60*. *przen*. Nad Nowowiejskim oberwała się po prostu chmura nieszczęść. *Sienk. Wołod. III, 115*. **2.** Komuś oberwało się za co ⟨*ktoś otrzymał za co burę, reprymendę*⟩: Oberwało mu się za niesubordynację.

obesłać, obsyłać 1. o. konkurs, wystawę, zawody itp. ⟨*wziąć udział w czym przez posłanie kogo lub czego, np. przedstawicieli na zawody, pewnych okazów na wystawę itp.*⟩: Kobiety obesłały wystawę. *Sienk. SPP*. **2.** *daw*. **o.** k o g o c z y m (ukłonami, darami itp.) ⟨*wysłać do kogo co, przesłać komu co; obdarzyć kogo czym*⟩: Zwierzyną sąsiadów obsyła. *Kras. SW*.

obetrzeć p. **obcierać**

obeżreć się, obżerać się *wulg*. **1. o. się** c z e g o: **o. się** owoców, słodyczy, smakołyków. **2. o. się** jak świnia.

obfitość 1. Ogromna, wielka **o. 2. o.** c z e g o: towaru, plonów; *przen*. **o.** myśli, wyrazów. **3.** Róg obfitości ⟨*symbol niewyczerpanych zasobów*⟩: Rozmowa idzie żwawo, dowcipy sypią się, jakby z rogu obfitości. *Chmielow. Fant. 12*. **4.** *daw*. Mieć czego w obfitości ⟨*obficie*⟩.

obfity 1. o. deszcz ⟨*występujący w dużej ilości*

duży⟩: Przybór z powodu obfitych deszczów. **2. o-e** jadło, **o.** posiłek ⟨*sute(-y)*⟩. **3.** *daw.* Kraj, rola, ziemia itp. **o-a** ⟨*urodzajny(-a), żyzny(-a), płodny(-a)*⟩. **4. o-e** kształty (o osobie) ⟨*bujne*⟩. **5. o-e** łupy ⟨*liczne, duże łupy*⟩. **6. o-e** żniwo ⟨*bogaty(-e)*⟩. **7.** Połów **o. 8. o.** w c o ⟨*obfitujący, bogaty, nieprzebrany*⟩: Okolica obfita we zboże. *Mick. SPP.* **o.** w myśli, słowa, porównania. *SW.*

obgadać, obgadywać 1. o. k o g o — p r z e d k i m ⟨*obmówić, oszkalować, oczernić kogo*⟩: Obgaduje mnie przed panną, że ja, panie, gracz, że ja, panie, koniarz. *Prus Kart. I, 38.* **2. o.** interes, sprawę ⟨*rozmawiając rozważyć co wszechstronnie; omówić, załatwić*⟩: Na ulicy trudno rozmawiać... wstąpmy na kieliszek wina, obgadamy sprawę. *Grusz. Ar. Tys. 75.* **3. o.** plan czego, warunki ⟨*omówić, rozważyć*⟩: Zaczął [...] obgadywać plan całej roboty. *Witkiew. S. Gier. 114.* Umowa zawarta, warunki obgadane. *Gomul. Wspom. 147.*

obiad 1. o. chudy, mięsny, obfity, postny, skromny, suty, smaczny, wyborny, wyśmienity; **o.** domowy, restauracyjny. **2.** *hist.* Obiady czwartkowe ⟨*obiady wydawane przez Stanisława Augusta Poniatowskiego dla wybitnych ludzi, uczonych, artystów, polityków itp., w czasie których omawiano aktualne ówczesne zagadnienia kulturalne, literackie itp.*⟩: Raz, na obiedzie czwartkowym, wyraził St. August życzenie, aby uczeni polscy opracowali życiorysy znakomitych godnych naśladowania dawnych Polaków. *Chrzan. I. Lit. 411.* **3. o.** galowy, wystawny. **4. o.** proszony ⟨*na który się jest zaproszonym lub zaprasza się kogo*⟩. **5. o.** na x osób. **6. o.** z dwóch, trzech dań. **7.** Po obiedzie; przed obiadem ⟨*po południu; przed południem*⟩: Po obiedzie zaczęły schodzić się z miasta do domu komornika rozmaite urzędowe i nieurzędowe figury. *Lam J. Głowy II, 122.* **8.** Musztarda po obiedzie ⟨*rzecz spóźniona, za późno przekazana, podana*⟩: Każdemu się, Panienko, zdarzy, że wysłany z listami do karczmy zajedzie... i musztardę [...] przywiezie panom po obiedzie. *Słow. Zawisza 25.* **9.** Być, zostać u kogo na obiedzie. **10.** Być bez obiadu ⟨*nie jeść, nie zjeść obiadu*⟩. **11.** *przestarz.* Dać, wydać **o.** ⟨*urządzić sute przyjęcie dla zaproszonych gości, często na czyją cześć*⟩: W r. 1828 wiele opowiadano w Warszawie o obiedzie wydanym u Potockiej na cześć Niemcewicza w dzień jego imienin. *Bar Kum. 56.* **12.** Przyrządzać, zrobić **o.**; zjeść **o.** (w domu, w restauracji). **13.** Coś jest, mieć co na **o. 14.** Nastawić **o.** Podać **o. 15.** Postawić komu **o.** ⟨*zaprosić kogo na o.; zapłacić w restauracji za zjedzony przez kogo o.*⟩: Gotów był sprzedać się każdemu, kto postawi obiad, byle się tylko uwolnić od ciągłej niepewności jutra. *Braun Lewanty 69.* **16.** Prosić do obiadu ⟨*do stołu*⟩. **17.** Prosić, zaprosić kogo na **o. 18.** Siedzieć przy obiedzie. **19.** Wydawać **o-y** (w jadłodajniach): Obiady wydaje się od godziny 13 do 17. **20.** Wystąpić z obiadem. Zasiąść do obiadu. **21. o.** składa się z czego. **o.** stygnie.

przysł. **22.** U skąpego zawsze po obiedzie ⟨*człowiek skąpy nigdy nie częstuje*⟩.

obiadowy 1. Pora **o-a**, *daw.* godzina **o-a**, czas **o.** ⟨*pora dnia, w której się zwykle je obiad*⟩: Czas był obiadowy [...] siedliśmy do okrągłego stołu. *Słow. Listy II, 259.* **2.** Przerwa **o-a** ⟨*przerwa w pracy przeznaczona na zjedzenie obiadu*⟩.

obicie o. papierowe ⟨*tapeta*⟩: Stolarz radził ściany pomalować, bo papierowe obicia musiałyby schnąć długo. *Sienk. Now. VI, 133.*

obić, obijać 1. Obić k o g o — c z y m ⟨*wytłuc, wychłostać*⟩: Obić kogo batem, nahajem, kijem itp. **2.** Obić komu gębę ⟨*wybić kogo po twarzy*⟩. **3. o.** c o — c z y m ⟨*pokryć*⟩: **o.** ściany boazerią; meble skórą, pluszem itp. **o.** drzwi żelazem, blachą. **4. o.** ziarno, zboże ⟨*bijąc pozbawić ziarno, zboże zewnętrznej osłony, wyłuskać*⟩: Nieustannie stukał kijem w stępie, obijając ziarna zboża z łusek i plew. *Was. W. Pierw. 152.* **5.** Obijać (sobie) boki ⟨*bić rękami o boki dla rozgrzewki*⟩: Podziwiał dorożkarzy, którzy zatknąwszy bat obok kozła obijali sobie rękoma boki na rozgrzewkę. *Prus Dusze 46.* **6.** Obijać gnaty, pięty ⟨*trudzić się długim chodzeniem; tułać się, tłuc się*⟩: Dalej obijał pięty przez długie godziny dnia. *Wikt. Papież 52.* **7.** Obijać czyjeś, jakieś progi ⟨*chodzić gdzie często, długo, wielokrotnie w jakiejś sprawie; wydeptywać ścieżki*⟩: Biegał po piętrach, wysiadywał godzinami w poczekalniach, wytrwale obijał progi niezliczonych biur. *Strug Krzyż II, 312.*

obić się, obijać się 1. o. się o uszy ⟨*o głosie, dźwięku: dojść, dolecieć do uszu; dać się słyszeć*⟩: Obił się brzęk dzwonków o uszy nasze — były to sanki podkomorzego. *Wilk. P. Wieś I, 72. przen.*: a) ⟨*usłyszeć co mimochodem; słyszeć coś nie zwróciwszy na to większej uwagi; słyszeć co się o czym mówi*⟩: Niektóre z wymienionych przez Joannę nazwisk polskich tancerzy w obcych baletach obiły mu się o uszy. *Breza Uczta 50*; b) ⟨*pozostać bez odpowiedzi; nie wywołać czyjejś reakcji*⟩: Siedział [...] w swoim krześle nieporuszony, a wszystkie prośby i nalegania obijały się o jego uszy, jakby o ucho sfinksa wykutego z granitu. *Korz. J. Krewni 212.* **2.** Ktoś obija się po (w) biurze, po (w) fabryce ⟨*nie pracuje, pozoruje pracę; nie ma nic do roboty*⟩. **3.** Obijać się z kąta w kąt ⟨*wałęsać się nic nie robiąc, łazić bez celu, próżnować*⟩. **4.** Coś obija się o kogo jak groch, niby groch o ścianę ⟨*coś pozostaje daremne, bezskuteczne, bezowocne, bez odpowiedzi, coś nie wywiera skutku; coś nie dociera do kogo, ktoś nie reaguje, nie zwraca na co uwagi*⟩: Stałe nalegania moje o doręczenie listów notyfikacyjnych obijały się o p. Dmowskiego, jak groch o ścianę. *Dłus. K. Wspom. 25.* Obelgi te Dżordżi z obojętnością przyjmował bezwzględną. Obijały się one o niego, niby groch o ścianę. *Jeż Uskoki I. 198.*

obiec, obiegnąć, obiegać 1. o. kogo, co oczyma, spojrzeniem, wzrokiem ⟨*ogarnąć, objąć kogo, co spojrzeniem, wzrokiem*⟩: Aroganckim wzrokiem obiegła pokój, skrzywiła się. *Gomul. Ciury I, 112.* **2.** Kielich, dzban itp. obiega stoły ⟨*kielich, dzban itp. przechodzi z rąk do rąk, jest posyłany wokoło*⟩: Pieśń brzmiała ciągle, dzban obiegał stoły. *Krasz. Poezje I, 83.* **3.** Planety obiegają Słońce, Księżyc obiega Ziemię ⟨*okrążają, okrąża*⟩. **4.** Plotka, wieść, żart obiega miasto.

obiecanka Zbyć kogo obiecankami.

obiecać, obiecywać 1. o. sobie co ⟨*przyrzekać, posta-*

nawiać sobie co; mieć nadzieję na co, spodziewać się⟩: Obiecała sobie powrócić do tej sprawy. *Goj. Rajs. I, 6.* **2.** Obiecywać sobie co po kim, po czym ⟨*oczekiwać, spodziewać się*⟩: Po tym młodzieńcu wiele sobie obiecuję. *Krasn. 68. SPP.* **3. o.** komu — co ⟨*d(aw)ać obietnicę, robić nadzieję na co*⟩: **o.** komu pomoc, nagrodę. **4. o.** poprawę ⟨*przyrzec, przyrzekać*⟩. **5.** Coś obiecuje (duże) zyski, (dobre) zbiory, (ładną) pogodę itp. ⟨*pozwala spodziewać się, zapowiada*⟩: Ranek był śliczny i obiecywał pogodę. *Korz. J. Wiz. 5.*

przysł. **6.** Kto wiele obiecuje, mało daje. **7.** Czego nie masz, nie obiecuj.

obiecujący 1. o. młodzieniec, muzyk, pracownik itp. ⟨*dobrze zapowiadający się*⟩. **2. o-e** spojrzenie, **o.** uśmiech ⟨*wymowne(-y), zalotne(-y), kokieteryjne (-y)*⟩.

obiecywać p. **obiecać**

obieg 1. *astr.* **o.** gwiazdowy ⟨*okres czasu potrzebny na powrót planety do gwiazdy, obok której znajdowała się poprzednio*⟩: **2. o.** Ziemi dookoła Słońca ⟨*krążenie*⟩. **3.** *anat. fizj.* **o.** krwi ⟨*krążenie krwi, system naczyń krwionośnych*⟩: **o.** krwi duży; mały a. płucny ⟨*circulus sanguinis major, c. s. minor*⟩. **4. o.** pary w mechanizmie maszyny parowej; **o.** wody w chłodnicy ⟨*krążenie*⟩. **5.** *ekon.* **o.** pieniężny, pieniądza ⟨*związany z wymianą towarów, usług wszelkiego rodzaju i innymi płatnościami; cyrkulacja pieniędzy*⟩. **6.** Być, znajdować się w obiegu *przestarz.* mieć **o.** ⟨*mieć ważność, być w powszechnym użyciu; kursować*⟩: Do r. 1300 była w obiegu tylko moneta denarowa, którą po r. 1300 zastąpiła czeska groszowa. *Brück. Kult. I, 365.* **7.** Puścić, posłać co w **o.**, obiegiem ⟨*posłać co wkoło, od jednego do drugiego*⟩: Puścił butelkę w obieg. *Dygas. Piszcz. I, 172.* **8.** Puścić, wprowadzić itp. w **o.** ⟨*przeznaczyć, przekazać do powszechnego użytku, rozprowadzić; podać do ogólnej wiadomości; obracać, operować czym*⟩: Gromadzę nowinki i puszczam to wszystko w obieg temu dla nauki, temu dla przestrogi. *Korz. J. Spek. 82.* **9.** Wycofać, usunąć itp. z obiegu ⟨*wyłączyć z użycia, pozbawić ważności*⟩: Wycofać monetę, banknoty z obiegu. **10.** Wyjść z obiegu ⟨*przestać być użytecznym, ważnym*⟩.

obiegać p. **obiec**

obiekcja ⟨*zastrzeżenie, wątpliwości*⟩: Mieć, przedstawić swoje obiekcje; *daw.* uczynić, zrobić obiekcję.

obiekt 1. Obiekty kolejowe, przemysłowe, wojskowe, zabytkowe ⟨*budowle, urządzenia*⟩. **2.** Żywy **o.** ⟨*osoba*⟩: Etnograf ma do czynienia przede wszystkim z żywym obiektem, historyk ze źródłem historycznym. *Bystr. Ludozn. 44.* **3. o.** badań, zainteresowań, drwin itp. ⟨*przedmiot*⟩.

obierać, obrać 1. o. c o: **o.** kartofle, owoce, jarzyny ⟨*zdejmować, usuwać łupinę, skórkę*⟩. **2. o.** c o — z c z e g o: **o.** rybę z ości ⟨*oczyszczać*⟩. **3. o.** k o g o z c z e g o ⟨*obedrzeć*⟩: **o.** kogo z ubrania, z grosza, z pieniędzy. **4.** Obrać kogo do nitki ⟨*zabrać komu wszystko doszczętnie, nic nie zostawiając*⟩. **5. o.** sobie c o — z a c o ⟨*wybrać co dla siebie; to, co najlepiej odpowiada; upatrzyć co sobie*⟩: Umiejętności, które prawda i błąd za schronienie lub plac szermierki obrały. *Mochn. SPP.* **6. o.** zawód ⟨*wyb(ie)rać*⟩: Mamy zagadnienia: jak powstaje zawód literata, jaka jest jego sytuacja, a przede wszystkim, jakie warunki skłaniają jednostki do obierania tego zawodu. *Bystr. Publ. 208.* **7. o.** kogo, kim a. na kogo ⟨*wybierać kogo za pomocą głosowania*⟩: Obrali go na przewodniczącego lub przewodniczącym zebrania. *SPP.* Został obrany prezesem wydziału historycznego-literackiego. *Hertz P. Słow. 69.* Przez kilkanaście lat obierany był wójtem w swej gminie. *Sewer Nafta III, 171.*

obierać się Palec się komu obiera ⟨*ropieje, obłazi ze skóry*⟩.

obietnica 1. Fałszywa, solenna, uroczysta, złudna **o** **2. o.** c z e g o: **o.** przyjazdu, pożyczki, poparcia. **3.** Dać, uczynić, zrobić obietnicę. **4.** Zbywać, zwodzić kogo obietnicami. **5.** Mieć czyją obietnicę: Mam jego obietnicę, że mnie odwiedzi. *SW.* **6.** Spełnić, złamać obietnicę. **7.** Wymóc na kim obietnicę czego: Wymogliśmy na nich obietnicę pisania. *Brosz. Feliet. 14.* **8.** Wywiązać się z obietnicy.

obijać p. **obić**

obijać się p. **obić się**

objadać się, objeść się 1. o. się po uszy. **2. o. się** czego, rzadziej czym: **o. się** słodyczy, owoców (słodyczami, owocami).

objaśniać, objaśnić 1. o. c o: **o.** lampę, świecę, pochodnię itp. ⟨*czynić jaśniejszym światło lampy, świecy, pochodni; zwiększać płomień, obcinając nadpalony knot świecy, lampy itp.*⟩: Ująwszy złote szczypce, objaśniał włókno lampy. *Makusz. Król 12.* **2. o.** c o k o m u ⟨*wykładać, wyłożyć; (wy)tłumaczyć*⟩: **o.** lekcję uczniom. Pisywał często drobne artykuły, w których objaśniał czytelnikom budzące wątpliwości formy językowe. *Dor. Rozm. I, 16.* **3.** *przestarz.* **o.** c o — c z y m ⟨*uzasadniać, (wy)tłumaczyć*⟩: Postępek swój objaśnia chwilowym rozdrażnieniem. *SW.* **4.** *przestarz.* **o.** kogo — co do czego, o czym, w czym ⟨*(po)informować*⟩: Objaśnij mnie w tej sprawie. *SPP.*

objaw 1. Niepokojące, niepożądane, niespodziewane, słabe, wyraźne objawy. **2.** Objawy chorobowe. **o.** gniewu, radości, strachu; wdzięczności, złego humoru. **3. o.** kryzysu (np. ekonomicznego). **4.** Wywołać **o. 5. o.** występuje, zjawia się.

objawiać, objawić (się) **1. o.** c o ⟨*okaz(yw)ać*⟩: **o.** chęć, niepokój, radość, uczucie, wolę, zainteresowanie. Zaczął objawiać złe skłonności i nałogi. *Święt. A. Asp. 260.* **2. o.** c o — c z y m ⟨*manifestować*⟩: Każdy z widzów z upodobaniem patrzy na grę tego artysty i chętnie szczerym oklaskiem objawia swe zadowolenie. *Kłosy 180, 1868.* **3.** Coś objawia się — czym: Zaczęto gwizdać [...] oznaki niezadowolenia objawiały się coraz bardziej wzrastającym hałasem. *Niemoj. Szach. 103.* Na znaczniejszych wzniesieniach pojawia się [...] u ludzi tzw. choroba górska, objawiająca się nudnościami i osłabieniem, krwotokami nosowymi i ustnymi. *Pud. Zwierz. 59.*

objawienie 1. Być, stać się dla kogo objawieniem: Stała się pani dla mnie objawieniem kobiety, którą można kochać najmocniej i szanować najsumienniej.

Weys. Józ. Puszcza 353. **2.** Pragnąć, oczekiwać, spodziewać się czego jak objawienia ⟨*pragnąć, oczekiwać, pożądać czego bardzo, usilnie, z utęsknieniem*⟩: Spodziewałem się twojego tu przyjścia, oczekiwałem go, pragnąłem jak objawienia. *Sewer Nafta III, 252.*

objawiony *kult.* **1.** Prawda, prawdy objawione ⟨*według wierzeń religijnych: prawdy podane do wierzenia, wyjawione przez Boga w sposób nadprzyrodzony*⟩. **2.** Wiara, religia, nauka, wiedza itp. **o-a** ⟨*wiara, religia itp. oparta na prawdach objawionych*⟩: Racjonalizm Spinozy [...] nie lekceważy nauk empirycznych, lecz służy walce z wiedzą objawioną. *Myśl. Filoz. 1, 1954, s. 320.*

objazd 1. o. służbowy. **2.** Być w objazdach: Generał Walter był w stałych objazdach. Od oddziału do oddziału. *Bron. J. Człow. 57.* **3.** Udać się, wybrać się, wyjechać, wyruszyć na **o.**: Wyjechał konno na objazd gospodarstwa. *Dygas. Listy 39.*

objazdowy Opera, wystawa **o-a**; teatr **o.** ⟨*wędrowne(-a, -y); ruchome(-a, -y)*⟩.

objażdżka *daw.* Na objażdżki ⟨*objeżdżając dokoła; kołując, wokoło, wkoło*⟩: Drogę deszcze popsuły; nagląc i łając, kazał na objażdżki nawracać. *Krasz. SW.*

objąć, obejmować 1. o. c o ⟨*przejąć, zająć; otrzymać, wziąć na siebie, przyjąć co*⟩: **o.** dowództwo, rządy, tron, władzę; **o.** funkcję, służbę, stanowisko, urząd. **2. o.** zakład ⟨*podjąć, podejmować prowadzenie zakładu; wziąć, brać w zarząd*⟩. **3. o.** k o g o, c o — c z y m, z a c o: **o.** kogo ramieniem; **o.** kogo za kolana, (rękami) za szyję. **4. o.** kogo, co okiem, spojrzeniem, wzrokiem itp. ⟨*zobaczyć daleko, wokoło; spojrzeć na kogo, na co ze wszystkich stron*⟩: Obejmował wzrokiem jej zgrabną postać. *Sewer Zyzma 401.* **5. o.** co myślą, uczuciem ⟨*ogarnąć, ogarniać*⟩: Nie mogła przez chwilę objąć myślą ani uczuciem tego, co usłyszała. *Dąbr. M. Noce III/2, 121.* **6. o.** co (wspólną) nazwą: Węglowodory zachowujące się podobnie jak etylen, obejmujemy wspólną nazwą węglowodorów nienasyconych. *Turk. Chem. VIII, 78.* **7. o.** amnestią. **8.** Ból, płomień, pożar obejmuje co ⟨*rozszerza się, rozprzestrzenia się na co*⟩: Nie można myśleć, bo ból obejmuje głowę. *Szmag. Dymy 49.* Płomienie objęły drewniane części rumowiska. *Śliw. A. Bat. 183.* **9.** Chęć czego, radość, strach, trwoga obejmuje kogo, co (czym) ⟨*opanowuje, przenika*⟩: Lodowaty strach przenikał do szpiku kości i mrozem obejmował serce. *Żer. Rzeka 86.* Gorączka obejmuje kogo ⟨*opanowuje*⟩: Kroplisty pot na czole i suche wraz wargi świadczyły [...] że go ponownie obejmowała gorączka. *Berent Diog. 144.*

objechać, objeżdżać 1. o. c o ⟨*jeździć po to, aby zlustrować, zwiedzić co*⟩: **o.** kraj, ziemie, miasta, wsie, dobra, pola; **o.** wojska, szeregi, stanowiska, pozycje, posterunki. **2.** *tryw.* **o.** kogo ⟨*(z)wymyślać, (s)krzyczeć kogo, (na)urągać komu; (ob)sztorcować, (z)besztać*⟩: Objechałem go za lenistwo. *SPW.*

objeść się p. **objadać się**

objeżdżać p. **objechać**

objęcia 1. Brać, (po)chwycić, porwać, wziąć kogo w **o.**: Ramiona rozwarła i w objęcia ją swoje pochwyciła. *Jeż Rotuł. 241.* **2.** Nie wypuszczać kogo z objęć. **3.** Paść w czyje **o.** a. paść sobie w **o.**: Obie padły w swoje objęcia i wiele łez było w tym uścisku. *Krasz. Poeta 152.* **4.** Pójść w czyje **o.**: Pójdź w moje objęcia! *Sienk. SPP.* **5.** *przen.* Rzucić się, popaść w **o.** kogo a. czego; wyrwać się z objęć kogo a. czego ⟨*ulec, poddać się, podporządkować się czyjej woli, władzy, wpływom, opiece itp.; wyzwolić się spod czyich wpływów, władzy, opieki itp.*⟩: [Witołd] dwakroć zdradził Litwę, rzucając się w objęcia Zakonu. *Smolka Szkice I, 40.* **6.** Trzymać się (kogo) w objęciach: Trzymali się długi czas w objęciach, to odsuwając się wzajem od siebie na odległość ramienia, to znów łącząc się w uścisku. *Sienk. Wołod. III, 81.*

objętość Niewielkiej, sporej, niemałej objętości ⟨*niewielkich, sporych rozmiarów*⟩: W ręku trzymała niemałej objętości wór podróżny. *Orzesz. Klat. 10.*

obkuty *uczn.* Być obkutym ⟨*umieć co świetnie, być dobrze przygotowanym (do lekcji, do egzaminu itp.); znać się doskonale na czym*⟩: Być obkutym na cztery nogi.

oblać, oblewać 1. o. k o g o, c o — c z y m: **o.** kogo wodą, perfumami. **o.** pierogi śmietaną. **2. o.** winem, szampanem, piwem itp. obiad, śniadanie, przekąskę, jakąś potrawę ⟨*uświetnić winem, szampanem obiad, śniadanie itp., podać wiele wina do obiadu, śniadania, do jakiejś potrawy; wypić wiele wina, piwa przy obiedzie, śniadaniu itp.*⟩: Dwunastu jajami zaczynał śniadanie, a piwskiem lichym oblewał biesiady. *Kleiner Lit. 53.* **3. o.** łzami kogo, co ⟨*zapłakać nad kim, nad czym z żalu, wzruszenia, radości itp.; opłakać kogo, co*⟩: Przyjście dziecka na świat obleli łzami radości. *SW.* **4. o.** kogo, co zimną wodą; jakby kto kogo zimną wodą oblał ⟨*ostudzić czyjś zapał, rozwiać czyjeś marzenia, złudzenia; rozczarować, zniechęcić, otrzeźwić, pohamować kogo*⟩: Oblał zimną wodą ochotę rycerzy. *Sienk. Krzyż. I, 73.* Jakby mnie kto zimną wodą oblał. Głębokie poczucie wyrządzonej niesprawiedliwości na wskroś mnie przeniknęło. *Żmich. Pow. 124.* **5.** *pot.* **o.** c o ⟨*uczcić co libacją, bibką, pijatyką itp., popić, wypić z jakiej okazji, z jakiego powodu, na jaką intencję*⟩: **o.** czyj przyjazd, przybycie, czyje imieniny, zdobyty tytuł. Muszę was kiedyś poprosić do siebie. Oblejemy nowe mieszkanie. *Otw. Nagr. 97.* **6.** *uczn.* **o.** kolokwium, maturę itp. ⟨*obciąć się na egzaminie*⟩: Pojutrze kolokwium [...] Chyba nie chcesz znowu trzy razy oblewać. *Lut. Sprawa 39.* **7.** Bladość oblewa czyją twarz ⟨*ktoś blednie*⟩. **8.** Deszcz oblał kogo ⟨*zmoczył*⟩. **9.** Krew oblała kogo ⟨*ktoś się skaleczył, zbroczył krwią*⟩. **10.** Zimny, śmiertelny pot kogo oblał ⟨*ktoś bardzo się spocił z przerażenia, ze strachu*⟩: Aż ją poty oblały ze strachu w tej ciemnicy. *Nałk. Z. Gran. 100.* **11.** Rumieniec (rumieniec wstydu) oblewa czoło, twarz itd. komu ⟨*ktoś się rumieni (ze wstydu)*⟩: Ciemny rumieniec oblewał mu czoło, policzki, uszy. *Andrz. Popiół 187.*

oblać się, oblewać się 1. o. się c z y m: **o. się** sosem. **o. się** łzami ⟨*wylać wiele łez; wybuchnąć płaczem, zapłakać*⟩: Oblawszy się łzami, podniosłem do Boga dziękczynną modlitwę. *Sztyrm. Katalept. II, 207.*

Z radości i żalu obfitymi się oblewał łzami. *Zab. XIII/1, 1776, s. 48.* **2. o. się** potem ⟨*pokryć się potem, spocić się*⟩: Gorący wiatr [...] sprawiał, że co krok oblewaliśmy się potem. *Kow. A. Grec. 108.* Porwawszy kamień, cisnął nim w głowę kasztelanicowi, aż ten się krwią oblał. *Rzew. H. Pam. 39.* **3. o. się** zimnym potem ⟨*spocić się pod wpływem strachu, przerażenia itp.*⟩. **4. o. się** rumieńcem, pąsem, szkarłatem, karminem, łuną itp. ⟨*zaczerwienić się mocno, spłonąć rumieńcem, stanąć w pąsach; zaczerwienić się, zapłonić się, poczerwienieć, spąsowieć*⟩: Oblała się łuną. Uszy, szyja, ręce całe różowe były jak jutrzenka. *Zap. G. Mił. 149.* **5.** *uczn.* **o. się** z czego ⟨*nie zdać egzaminu; obciąć się*⟩: Młodzież zdająca na Wydział Weterynaryjny SGGW i Wydział Akademii Medycznej „oblewa się" przeważnie z chemii. *Exp. 192, 1954.*

oblatać, oblatywać 1. *lotn.* Oblatywać maszynę (samolot) ⟨*latając nowym samolotem lub szybowcem wypróbować jego sprawność*⟩: Oblatywał piątą maszynę, wypuszczoną tego dnia przez wytwórnię. *Wiedza 438, s. 4.* **2.** *przen.* Oblata kogo tchórz ⟨*ktoś się boi, ma stracha*⟩: Okręt jest stary, kapitan boi się puszczać go na morze, bo nie wytrzyma fali morskiej. Pasażerów oblata tchórz. *Małysz. Listy 470.* por. oblecieć, oblatywać.

oblatany 1. *pot.* **o.** po świecie ⟨*bywały*⟩. **2. o.** jegomość, gość. **3.** *gw. warsz.* Być oblatanym w czym ⟨*być obeznanym, zaznajomionym z czym, dobrze wyuczonym, nauczonym czego*⟩: On jeden jest oblatany w sprawach handlowych. *Wyg. Jel. 44.*

oblatywać p. **oblatać**

oblatywać p. **oblecieć**

oblec, oblekać *przestarz.* w zn. *przen. książk.* **1. o.** c o ⟨*włożyć, wdziać*⟩: **o.** koszulę. **o.** szaty, mundur ⟨*włożyć na siebie szaty, mundur, ubrać się w szaty, mundur*⟩: Oblecz godowe szaty. *Rodz. Dew. 332.* **2. o.** ciało ⟨*przybrać cielesną, fizyczną postać, stać się cielesną postacią*⟩: Pan Tadeusz, który by wstał z półki, oblókł ciało i mówił do nas ze sceny najcudowniejszym polonezowym wierszem, to „Zemsta" Fredry. *Boy Flirt III, 92.* **3. o.** czyje ciało ⟨*przybrać na siebie czyją postać, przeistoczyć się, wcielić się w kogo, udać kogo*⟩: Ten aktor miał zdolność oblekania i ciała i duszy drugiego człowieka! *Boy Flirt V, 234.* **4. o.** suknię, szaty duchowne lub zakonne ⟨*zostać księdzem lub zakonnikiem (zakonnicą), obrać stan duchowny, zakonny*⟩: Młoda dziewica oblekała szaty zakonne. *Sztyrm. Katalept. II, 225.* **5. o.** jaką postać, kształt itp. ⟨*przybrać, wziąć na siebie jaką postać, kształt itp.*⟩: Cierpiąc skrycie męczeńską postać oblekła. *Świdz. Poezje 32—33.* **6. o.** c o — w c o: **o.** poduszkę w poszewkę ⟨*naciągnąć poszewkę na poduszkę*⟩. *przen.* **o.** co w jaką formę, kształt, postać itp. ⟨*nadać czemu jaką formę, kształt, postać; wyrazić co w jakiej formie, kształcie, postaci itp.*⟩: W krótsze i dłuższe wiersz swój oblekał miary. *Tysz. Amer. II, 127.* Prostą patriotyczną myśl poeta umie oblekać w prześliczne formy. *Bartosz. Hist. 251.* **7. o.** co w ciało ⟨*wcielić co w czyn, w życie, urzeczywistnić, zrealizować*⟩: Chcę słuszne i bezsporne postulaty oblec w ciało. *Lampe O nową 298.* **8.** *przestarz.* **o.** k o g o — c z y m, w c o lub **o.** c o — n a k o g o, k o m u ⟨*odziać, ubrać*⟩: Niewieścią oblokłem go szatą. *Zabł. Pasterz 299.* Oblókł go w białą szatę. *SW.* Oblókł na siebie nowe szatki. *SPP.* Oblekać koszulę choremu. *SWil.* **9.** *przestarz.* **o.** wilka w owczą skórę ⟨*kazać udawać komu niewiniątko*⟩.

I oblec się, oblekać się 1. *książk.* **o. się** czym ⟨*pokry(wa)ć się, okry(wa)ć się czym*⟩: **o. się** chmurami, śniegiem; **o. się** barwą; *przen.* **o. się** powagą, radością. **2. o. się** w ciało ⟨*urzeczywistnić się, zrealizować się; zostać urzeczywistnionym, zrealizowanym*⟩: **3.** *przestarz.* w zn. *przen. książk.* **o. się** w c o ⟨*odziać się, ubrać się*⟩: Kapłani oblekli się we włosienice. *Wuj. SW.* **4. o. się** w habit, suknię, szaty duchowne lub zakonne ⟨*zostać księdzem lub zakonnikiem (zakonnicą)*⟩: Pierwszy raz przed tobą, świeckim człowiekiem, odkryłem tę moją tajemnicę i przyczynę obleczenia się w habit. *Chodź. Pisma II, 166.* **5. o. się** w jaką formę, kształt, postać itp. ⟨*przybrać jaką formę, kształt, postać; zostać wyrażonym w jakiej formie, kształcie, postaci itp.*⟩: Pierwiastek epiczny z hymnów oblekał się w formy niezależnych już od nich i samoistnych opowiadań. *Radliń. Dzieje 31.* **6.** Myśl obleka się w czyn ⟨*przeistacza się, urzeczywistnia się*⟩. **7. o. się** w pozory cnoty ⟨*przyb(ie)rać pozory cnoty, ud(aw)ać cnotliwego*⟩. **8. o. się** w inną skórę, szatę ⟨*przybrać inny wygląd, zmienić postępowanie; zmienić się*⟩: Udaje teraz bezinteresownego, ale niech no mu tylko coś zapachnie, w inną skórę się oblecze. *Bliz. Dam. 115.* **9. o. się** w oślą skórę ⟨*być leniwym, niedbałym, nieposłusznym; nie chcieć się uczyć*⟩. **10. o. się** w owczą skórę ⟨*udawać człowieka łagodnego, niewinnego*⟩.

przysł. **11.** Pierwej sto godzin wyciecze, nim się niewiasta oblecze.

II oblec, oblegnąć, oblegać 1. o. k o g o, c o — c z y m ⟨*otoczyć wojskiem w celu zdobycia*⟩: **o.** fort, miasto, mury (miasta), obóz, warownię, zamek. Oblegam kogo wojskiem. *Kn.* **2. o.** kogo prośbami, pytaniami itp. ⟨*usilnie, ustawicznie lub gromadnie na kogo nastawać, niepokoić kogo prośbami, pytaniami itp.*⟩.

oblecieć, oblatywać 1. o. k o g o, c o ⟨*poodwiedzać, obejść, obiec*⟩: **o.** wszystkich znajomych. Obleciałem Mokotów, Wolę, Królikarnię. *Niemc. SW.* **2.** Wieść obleciała miasto, kraj ⟨*rozeszła się po mieście, po kraju*⟩: Wieść o tajemniczym wypadku obleciała lotem błyskawicy cały kraj. *Grabiń. Tor 295.* **3. o.** co okiem, wzrokiem, spojrzeniem ⟨*przyjrzeć się kolejno wielu rzeczom, spojrzeć, przenieść wzrok kolejno na wiele rzeczy lub osób; zlustrować, przepatrzyć co*⟩: Obleciała okiem pałającym wszystkie zakątki izby, policzyła garnki, sprzęty. *Krasz. Chata I—II, 188.* **4.** *pot.* Coś obleci; obleci: a) ⟨*coś jest całkiem niezłe, niczego sobie, takie sobie; ujdzie; wystarczy*⟩: Pyta [...] czy faktycznie bigos dobry. Zły nie był [...] powiedziałem: „Owszem, obleci!" *Wiech Śmiej I, 57;* b) ⟨*coś da się zrobić, wykonać; coś będzie zrobione, wykonane*⟩: Maszyna kosztuje miliony... a remont obleci za czwartą część. *Past. Trzeba 33.* **5.** Dreszcz obleciał kogo ⟨*wstrząsnął kim*⟩: Zimny dreszcz wszystkich obleciał. *Żer. Rzeka 58.* **6.** Jakieś uczucia (np. strach, lęk), myśli (np. czarne, panure) oblatują, obleciały kogo ⟨*opanowują, przejmują, opanowały, przejęły kogo*⟩: Aha... — komediancik grał odważnego, a teraz strach go obleciał. *Wikt. Miasto 343.* Zlękli się wszyscy, którzy to widzieli, każdego z ludzi obleciała trwoga. *Karp. Psalmy 127.* Czarne tylko oblatywały mię myśli, którym ledwie wszystkimi obegnać się mogłem siłami. *Tremb. Listy I, 130.* por. oblatać, oblatywać.

oblegać p. **II oblec**

oblekać p. **oblec**

oblekać się p. **I oblec się**

oblewać p. **oblać**

oblewać się p. **oblać się**

oblewany 1. *przestarz.* Basy, baty; bizuny, cięgi **o-e** (domyślne: krwią) ⟨*tęgie, mocne*⟩: Dobierz no się do skóry tych urwisów i wypal im po pięćdziesiąt bizunów oblewanych. *Łoz. Wal. Szlach. I, 102.* **2. o.** poniedziałek ⟨*drugi dzień świąt Wielkanocy, w którym panuje zwyczaj wzajemnego oblewania się wodą; lany poniedziałek*⟩: Dyngus i śmigus [...] przeniesione na ruchomy wprawdzie, ale kościelny już poniedziałek wielkanocny, i tak powstał „oblewany poniedziałek", gdzieniegdzie „świętym lejem" zwany. *Tyg. Ilustr. 15, 1900.*

obleźć, obłazić 1. Gąsienice oblazły drzewa; mrówki go oblazły, robactwo go oblazło ⟨*obsiadły(-o), opadły(-o) ze wszystkich stron*⟩. **2. o.** ze skóry, z sierści ⟨*zmieni(a)ć skórę (wy)linieć*⟩: Ręce mu ze skóry oblazły. Pies obłazi z sierści. **3.** Skóra, sierść obłazi komu a. z kogo ⟨*ktoś traci, zmienia skórę, sierść*⟩: Skóra mi z rąk oblazła. *SW.* Sierść koniowi obłazi. *SW.* **4.** Farba, lakier obłazi z czego ⟨*ściera się, odpryskuje*⟩. **5.** *żart.* Cóż cię to obłazi; cóż to mnie może obłazić ⟨*obchodzi, obchodzić; interesuje, interesować*⟩.

oblężenie 1. o. miasta, grodu, fortecy ⟨*otoczenie wojskiem w celu zdobycia*⟩. **2.** Stan oblężenia ⟨*podczas którego wprowadza się szereg praw wyjątkowych i obostrzeń wojskowo-administracyjnych dla ludności danego terytorium*⟩: Ogłosić, zarządzić, znieść stan oblężenia. **3.** Przystąpić do oblężenia. Odstąpić od oblężenia. Rozpocząć, wytrzymać, zwinąć **o. 4.** *przen.* Być, znajdować się w oblężeniu ⟨*być otaczanym przez tłum liczny i natarczywy*⟩: Sala znajdowała się w formalnym oblężeniu [...] chcąc posłyszeć głos mówcy złotoustego, przebojem się niekiedy do niej wdzierano. *Chmielow. Zarys 136.* **5.** Trzymać, wziąć kogo w **o.** ⟨*otaczać licznie i natarczywie*⟩: Madzia i dzieci wzięły mię przed wyjazdem w formadne oblężenie. *Orzesz. Pam. III, 105.*

obliczać, obliczyć 1. o. c o ⟨*przeliczać, przeliczyć; przerachow(yw)ać*⟩: **o.** cenę, dochód, stratę; głosy; **o.** szerokość, długość, wysokość czego. **2. o.** co na palcach, w pamięci. **3.** Obliczyć kasę ⟨*sprawdzić stan kasy*⟩: Uporządkowały towar, obliczyły kasę, zamknęły sklep. *Kurek Ocean 181.* **4. o.** co na co (na jakąś przybliżoną liczbę, na jakąś sumę) ⟨*określać co jakąś przybliżoną liczbą, oceniać na jakąś sumę*⟩: Bogactwo ropy naftowej oblicza się na miliardy ton. Szkody obliczają dziś już na miliony rubli. *Sienk. Chwila II, 61.* **5.** *przestarz.* **o.** kogo ⟨*robić z kim obrachunek, wyliczać co komu się należy lub ile jest winien*⟩: Cały dobytek Podhalan jest na opiece bacy [...] on oblicza juhasów z wydatku bryndzy, serów i masła. *Pol Obrazy II, 320.*

obliczalny *pot.* Człowiek **o.** ⟨*człowiek liczący każdy grosz; oszczędny, wyrachowany, skąpy*⟩: Nawet Lucynie kupował prezenty tylko dwa razy do roku: w dniu jej imienin i rocznicy ślubu. Należał do ludzi obliczalnych. *Brand. K. Obyw. 72.*

oblicze ● *książk.* ⟨*twarz*⟩ **1.** Ogorzałe **o. 2.** *przen.* **o.** króla, pana, władcy ⟨*często z szacunkiem o kimś wysoko postawionym, udzielającym posłuchania, audiencji*⟩: Gdzieżby cię puścili przed najjaśniejsze oblicze króla. *Wikt. Papież 143.* **3.** W obliczu czego ⟨*w jakiejś sytuacji, przy czym; wobec groźby, wobec niebezpieczeństwa czego*⟩: Dom stoi w obliczu klęski. *Dąbr. M. Noce II, 92.* Któżby żartować śmiał w obliczu śmierci! *Kaspr. Bunt. 168.* Znaleźć się w obliczu niebezpieczeństwa. **4.** W obliczu kogo: a) ⟨*w czyjej obecności*⟩: Nie wiadomo, czy nie stchórzymy w obliczu nieprzyjaciela. *Braun Lewanty 445*; b) ⟨*wobec kogo*⟩: Poprzysiągł w obliczu Boga i narodu. *Fel. A. Barb. 36.* **5.** W obliczu prawa ⟨*wobec prawa, w odniesieniu do prawa*⟩: W obliczu prawa wszyscy obywatele są równi. *Rzeczp. Krak. 18.* **6.** Stanąć, stawić się przed oblicze, przed obliczem kogo ⟨*przed kimś wysoko postawionym, udzielającym posłuchania, audiencji itp.*⟩: Zanoszą prośbę by przed twe oblicze stawieni byli. *Staff L. God. 53.* **7.** Wyczytać co z oblicza czyjego ⟨*z twarzy*⟩. **8.** Znieść, zniknąć z oblicza ziemi, Europy itd. ⟨*powierzchni*⟩: Wojna zniknie z oblicza ziemi, kraje się zwiążą węzły bratniemi. *Syrok. Rymy 4.*

● **9. o.** artystyczne, duchowe, ideowe, klasowe, kulturalne, narodowe, polityczne, społeczne (czego) ⟨*właściwy komu lub czemu charakter; cecha; strona, aspekt*⟩: Oblicze kulturalne wsi ulega szybkiej zmianie. *Bystr. Kult. 10.* **10. o.** kraju, miasta, państwa, świata, ziemi. **11. o.** kultury, pisma, szkoły, sztuki. **12.** Nadać, przekształcać, zmieniać **o.** czego. **13.** Objawić, obnażyć, odsłonić, ujawnić, ukazać prawdziwe **o. 14.** Przybrać, przyjąć, reprezentować, zatracać jakieś **o.**

obliczenie 1. Obliczenia astronomiczne. **2.** Obliczenia orientacyjne, prowizoryczne, prawdopodobne, przybliżone, szacunkowe. **3.** Skomplikowane, zawiłe obliczenia. **4.** Błąd w obliczeniu. **5. o.** głosów, strat. **6.** Coś jest nie do obliczenia: a) ⟨*czegoś jest bardzo dużo, mnóstwo, bez liku; coś jest ogromne, olbrzymie*⟩: A błędów gramatycznych... raz, dwa, trzy... nie do obliczenia. Dwója! *Goj. Dziew. I, 75*; b) ⟨*czegoś nie można przewidzieć, zaplanować*⟩: Szybko tam po sobie następujące wypadki były brzemienne w skutki nie do obliczenia. *Dzied. Oleśn. II, 179.* **7.** Coś wynika, wypada z obliczeń. **8.** Zawieść się w (swoich) obliczeniach ⟨*w swoich przewidywaniach*⟩: Zawiódł się w swoich rachubach i obliczeniach. *Rudn. H. Spart. 116.*

obliczony 1. o. n a c o (na jakiś czas, na jakąś ilość, liczbę) ⟨*planowany na określony czas; określoną ilość, liczbę czego*⟩: Wycieczka obliczona na trzy dni. Kino, teatr, widownia obliczone na 800 osób. **2. o.** na co (na czyj gest, na pokaz, na efekt, na sukces, na zbyt itp.) ⟨*wykonany z myślą o czym, przystosowany do czego*⟩: Zaczynał pisać sztuki teatralne obliczone na sukces. *Par. Alch. 12.* Silnik samochodowy obliczony na pracę w trudnych warunkach terenowych.

obliczyć p. **obliczać**

obliczyć się 1. o. się z c z y m ⟨*wziąć w rachubę, uwzględnić*⟩: **o. się** z kosztami; z zasobami; *przen.* **o. się** z siłami. **2.** Dobrze, źle się obliczyć ⟨*dobrze, źle coś rozważyć*⟩: Stadnicki źle się obliczył, trafił na większe siły niż przypuszczał. *Łoz. Wł. Praw. II, 351.* **3. o. się** z k i m ⟨*uregulować rachunki*⟩: **o. się** z dłużnikiem, z wierzycielem; *przen.* ⟨*załatwić z kim osobiste porachunki; ukarać kogo, zemścić się na kim*⟩: Z tobą obliczę się ekstra! My dla takich ptaszków mamy specjalne klatki! *Past. Komuna 17.*

oblig *ekon.* ⟨*skrypt dłużny, pisemne uznanie długu*⟩ **1. o.** państwowy, prywatny, publiczny. **2.** Egzekwować, realizować **o. 3.** Wydać, wystawić **o.**: Wydał siostrze oblig na dwadzieścia tysięcy rubli. *Orzesz. Eli II, 24.* **4.** Wypłacić, zapłacić komu **o.**: Gotowymi pieniędzmi zapłacę panu oblig. *Chodź. Pisma I, 243.* **5.** *daw.* Brać na siebie **o.** ⟨*zobowiązanie, obowiązek, powinność*⟩: Chciała mieć ode mnie przepisy względem wychowania młodego syna swego. Z chęcią ten oblig na siebie biorę. *Kras. Różne 226.*

obligacja 1. o. pożyczkowa, rządowa; **o-e** obiegowe. **2.** Kurs obligacji: Kurs obligacyj był niski, początkowo zaledwie 70—80⁰/₀ nominalnej wartości. *Bujak Społ. 139.* **3.** Amortyzacja, oprocentowanie obligacji. **4.** Wydać, wypuścić obligacje.

obligować *przestarz.* **o.** kogo ⟨*usilnie, bardzo prosić kogo; upraszać kogo*⟩: Obligował go, żeby został. *SW.*

obligowany *przestarz.* Być komu obligowanym ⟨*być komu zobowiązanym*⟩: Będę obligowany WM. Panu za jego fatygę. *Boh. Figl. 112.*

oblizać, oblizywać 1. Palce oblizywać (częściej: lizać) ⟨*zwrot wyrażający apetyt na co, zachwyt nad czym*⟩: Właśnie kilka dni temu spotkał na rogu Podwala faceteczkę... palce oblizywać... *Żer. Opow. II, 186.* **2.** *przestarz.* Oblizać co z czego ⟨*dostać czego trochę, niewiele*⟩: Zostawił [...] nieposlednią fortunę... — Zjesz waść diabła, nim z niej coś obliżesz *Łoz. Wal. Szlach. III, 65—66.*

oblizywać się, oblizać się 1. Oblizywać (rzadziej: oblizać) się na myśl o czym, do czego; aż się oblizywać; oblizywać się jak kot do sadła ⟨*mieć na co ogromną chęć; palić się do czego*⟩: Więc ona idzie za mąż [...] Ależ idzie, aż się oblizuje. *Prus Emanc. II, 154.* **2.** Oblizywać (rzadziej: oblizać) się po czym ⟨*być z czego zadowolonym; smakować w czym*⟩: Będziemy mieli pieśni tak słodkie, że wszystkie panny, mężatki i wdowy, a nawet zgrzybiałe babki będą się po nich oblizywały. *Wędr. 6, 1901.* **3.** *przestarz.* **o.** się smakiem ⟨*oczekiwać czego i nie otrzymać, doznać zawodu; obejść się smakiem*⟩.

oblubienica o. Chrystusa ⟨*mniszka*⟩.

obładować (się), obładowywać (się) 1. o. k o g o, c o — c z y m ⟨*obciążyć*⟩: **o.** osła, wóz towarem. **2. o.** żołądek ⟨*napełnić żołądek jedzeniem; także: za dużo zjeść, za dużo dać komu do zjedzenia; przejeść się, przekarmić*⟩: Obładowany obfitymi potrawami żołądek z trudem przyjmował nowe porcje. *Ward. Wyłom 202.* **3. o. się** — czym: a) ⟨*obciążyć się*⟩: **o. się** pakunkami; b) ⟨*przejeść się*⟩: Obładował się pączkami.

obładowywać (się) p. **obładować (się)**

obłapiać, obłapić 1. *przestarz.* dziś *gw.* **o.** kogo ⟨*otaczać ramionami; obejmować, ściskać*⟩: **o.** kogo wpół, za szyję, za nogi. Jeśli cię Krzyżak obłapi, a z przodu w gębę cię całuje, to z tyłu gotów cię w tym samym czasie nożem żgnąć. *Sienk. Krzyż. II, 61.* **2.** *daw.* Obłapiać kobietę ⟨*coire*⟩.

obłapić p. **obłapiać**

obłatać 1. o. k o g o ⟨*całkowicie naprawić komu ubranie*⟩: Były to dzieci umyte, ciche, obłatane i obcerowane. *Prus Emanc. II, 211.* **2. o.** komu boki, skórę itp. ⟨*obić kogo*⟩: Jakby ci złe słowo rzekła, takbym jej boki obłatał, żeby cię potem w ręce całować musiała. *Krasz. Chata III, 52.*

obława 1. Ognista **o.** ⟨*obława na dziki przy pomocy ludzi niosących tyki z płonącymi na końcu szczapami, obchodzących nawiedzone przez dziki pola i zbliżających się coraz bardziej do stada*⟩. **2. o.** ruchoma ⟨*obława, w czasie której naganka, zająwszy pewną część kniei, postępuje stopniowo ku stanowiskom strzelców*⟩. **3. o.** stała ⟨*obława, w czasie której pewna część kniei jest otoczona odpowiednią liczbą ludzi, strzegących, aby zwierz nie wymknął się poza linię (polowanie w tym obrębie odbywa się z psami)*⟩. **4. o.** n a k o g o, n a c o: a) ⟨*polowanie*⟩: **o.** na niedźwiedzia, na wilki; b) ⟨*pościg*⟩: **o.** na bandytę, na złodziei): Policja urządziła obławę na złodziei. **5.** *przestarz.* Obławą, obławami ⟨*gromadnie, tłumnie; hurmem, ławą*⟩: Szliśmy wciąż obławami to za taką partią, to za inną. *Żer. Echa 16.* **6.** *daw.* Polować na obławę ⟨*polować z naganką*⟩. **7.** Rozstawić, rozpuścić obławę ⟨*obławników, ludzi strzegących terenu obławy*⟩. **8.** Uczynić, zrobić obławę ⟨*uczynić, zrobić większe polowanie na grubszego zwierza z naganką*⟩: Zrobiono też obławę i na wilki. *New. Archip. 79.*

obłaz *daw.* ⟨*kołująca, omijająca droga; w górach: droga wymijająca żleby*⟩ **1.** Iść obłazem. **2.** Robić co bez obłazu ⟨*robić co niewiele myśląc, bez wahania, bez ogródek*⟩: Jego trzymając się ręki, na koniec do nóg padnie bez obłazu i jakie może oddaje mu dzięki. *Zab. XV/2, 1777, s. 229.*

obłazić p. **obleźć**

obłączny *daw.* dziś *rzad.* Koń **o.** ⟨*koń zaprzężony do wozu w hołoble z dugą*⟩.

obłąkanie ⟨*choroba umysłowa*⟩ **1.** (Mieć) **o.** w oczach, w twarzy, na twarzy, na obliczu: Patrzcie! na jego obliczu obłąkanie. *Słow. Sen 238.* **2.** Popaść w **o. 3.** Zrobić co w obłąkaniu: Musiano mnie pilnować, abym w obłąkaniu, którego bliski byłem, nie odebrał sobie życia. *Koźm. Pam. I, 292.*

obłąkany 1. Wzrok **o.**, twarz **o-a** ⟨*jak u człowieka chorego umysłowo*⟩. **2.** Dom, szpital, zakład obłąkanych a. dla obłąkanych ⟨*miejsca, gdzie chorzy psychicznie przebywają w celach leczenia*⟩.

obłęd 1. o. prześladowczy ⟨*mania persecutoria*⟩. **2. o.** opilczy ⟨*delirium tremens, biała gorączka*⟩. **3.** Napad, paroksyzm obłędu. **4.** Dostać obłędu. **5.** (Mieć) **o.** w oczach, w twarzy, na twarzy ⟨*(mieć) wyraz oczu, twarzy człowieka obłąkanego, mieć nieprzytomny, szalony, przerażony wyraz oczu, twarzy*⟩: Po drodze w lasach napotyka zbiegów. Wszyscy mają obłęd w oczach. *Kossak Z. Krzyż. I—II, 181.* **6.** Popaść, wpaść, zapaść w **o. 7.** Porazić obłędem. **8.** Symulować **o. 9.** *daw.* Być, trwać w obłędzie; wprowadzić kogo w **o.** ⟨*w błędzie, w błędnym mniemaniu; w błąd*⟩: Lud w oblędzie będący oświecić należy. *L.* Radzi by naród wprowadzić w obłęd co do istniejących między ich dworami a królem stosunków. *Schmitt Dzieje I, 235.* **10. o.** chwyta, porywa kogo.

obłok 1. Biały, ciężki, gęsty, gruby, kłębiasty, lekki, pierzasty, puchaty, puszysty **o.**: Między czubami drzew kłębiaste obłoki płynęły po niebie wolno — niczym kry po leniwej wodzie. *Borow. Świat 116. przen.* **o.** gołębi, wróbli, muszek; **o.** kurzawy; **o.** smutku, radości (w twarzy, w oczach). **2.** Góry, szczyty sięgające obłoków ⟨*bardzo wysokie, niebotyczne*⟩. **3.** Pod obłoki, w obłoki, rzadziej: w obłokach (z czasownikiem oznaczającym kierunek czynności z dołu do góry) ⟨*wysoko*⟩: Kędy świątynie miał władca pioruna [...] tam stos ogromny kładą pod obłoki. *Mick. Graż. 40.* **4.** Mieć **o.** przed oczami ⟨*mieć jakby mglistą zasłonę; mieć mętne spojrzenie; widzieć jakby przez mgłę*⟩. **5.** Pędzić obłoki ⟨*o wietrze*⟩. **6.** Pokrywać się, zaciągać się obłokami ⟨*o niebie*⟩. **7.** Spaść z obłoków ⟨*ocknąć się z marzeń, z zamyślenia*⟩: Po romansowych głowach snują się obrazy sielankowego szczęścia, które, jako marzenia chorobliwe, narażają nas tylko na spadanie z obłoków. *Bliz. Rozb. 61.* **8.** Wynosić, rzadziej: sławić (kogo, czyje zalety) pod obłoki ⟨*obsypywać kogo pochwałami; wychwalać, wysławiać*⟩: Pierwsi wynosili pod obłoki jego zdolności. *Narzym. Ojczym 58.* **9.** Zejść, zstąpić z obłoków ⟨*przejść ze świata marzeń, nierealnych myśli, projektów do życia realnego*⟩: Czyliż fałszywy wzbrania wam wstyd z obłoków zstąpić do ziemian? *Asnyk Poezje II, 102.* **10.** Obłoki kłębią się. **o.** ciągnie, mknie, płynie, przeciąga, przechodzi, sunie. **11. o.** przesłania, zasłania, zasnuwa, mroczy itp. komu oczy, wzrok ⟨*ktoś nie widzi; słabo, niewyraźnie widzi, ma mętne spojrzenie; ma oczy zaćmione smutkiem, znużeniem, łzami itp.*⟩: Fraszka moje oczy, prawda, że mi je często jakiś obłok mroczy. *Zabł. Sarm. 76.*

obłowić o. kieszenie ⟨*dostać, zdobyć, wygrać itp. dużo pieniędzy; wzbogacić się*⟩: Zwykłą koleją jedni z nich obłowili kieszenie, drudzy zgrali się do nitki. *Fisch Profile 87.*

obłożyć, okładać 1. o. c o — c z y m: **o.** chleb wędliną, jajkiem itd. ⟨*okryć, nałożyć na co*⟩. **2. o.** chorego poduszkami ⟨*kładąc dokoła, otoczyć*⟩. **3. o.** kotlet jarzynami ⟨*nałożyć dookoła*⟩. **4. o.** kanał, rurę, budynek, ścianę, sufit itp. (cegłą, drzewem, kamieniem itp.) ⟨*pokryć część lub całość danej konstrukcji cegłą, drzewem itp.*⟩. **5. o.** książkę, zeszyt (papierem a. w papier) ⟨*osłonić, zabezpieczyć okładkę papierem*⟩. **6. o.** (ubranie) futrem, aksamitem, pluszem itp. ⟨*przybrać, ozdobić brzeg ubrania lub jego części futrem, aksamitem itp.*⟩: Był w kożuszku szarym, okładanym czarnym barankiem i zapiętym na pętlice. *Zap. G. Pam. 109.* **7.** Okładać głowę czym ⟨*robić okłady*⟩: Całą noc miałem gorączkę, lodem głowę okładałem. *Ower. Ramp. 194.* **8. o.** kogo daniną, grzywną, podatkiem itp. ⟨*obciążyć kogo daniną, grzywną; nałożyć na kogo daninę, grzywnę itp.*⟩. **9. o.** kogo karą (karami) ⟨*ukarać kogo*⟩: Rozmaitymi karami okładają człowieka... *Prus Plac. 139.* **10. o.** kogo (co) aresztem ⟨*zaaresztować kogo (co)*⟩: Dobra jego w ziemiach zakonu krzyżackiego leżące obłożono aresztem. *Proch. Szkice 295.* **11.** *daw.* **o.** (prośbę, żądanie, podanie itp.) złotem ⟨*zapłacić, aby prośba, żądanie itp. zostały uwzględnione; poprzeć (prośbę, żądanie itp.) złotem*⟩: Musiał dobrze złotem obłożyć [...] prośbę. *Tyg. Ilustr. 173, 1863.* **11a.** Okładać kogo ⟨*zadać komu razy; uderzyć, wybić, wychłostać*⟩: Poczęła go okładać, gdzie popadło — po głowie, po ramionach, po nogach. *Zeg. Zmory 62.* **12.** Okładać kogo kijem, kułakami. **13. o.** kogo strzałami, bombami, ogniem itp. ⟨*ostrzelać kogo*⟩: A jakby przyszli Niemcy? — To bym dopiero obłożył ich pięknym artyleryjskim ogniem! *Prusz. Karabela 129.* **14.** *daw.* **o.** kogo policzkami ⟨*spoliczkować kogo*⟩: Kazała go policzkiem suflerowi obłożyć, a potem i sama poprawiła. *Lel. Listy I, 27.* **15.** *łow.* **o.** pole: a) ⟨*o psie: przeszukać teren polowania*⟩; b) ⟨*o gonionym zwierzu: krążyć koło miejsca, skąd go ruszono*⟩.

obłożyć się, okładać się 1. o. się — c z y m: **o.** się książkami, notatkami, skryptami itp. ⟨*położyć koło siebie dużo książek, notatek itp.; pogrążyć się w lekturze, w nauce*⟩: Obłożył się książkami, czytał, notował. *Olcha Most II, 86.* **2.** Okładać się pięściami ⟨*bić się nawzajem*⟩.

obłupiać p. **obłupić**

obłupić, obłupiać 1. o. c o — z c z e g o: **o.** drzewo z kory, jajko (z łupiny). **2. o.** kogo ze skóry: a) ⟨*zabrać komu, wyciągnąć od kogo mienie; wyzyskać kogo*⟩: Cały rok nas obłupiał ze skóry, to niechże teraz grosiki zapłaci. *Reym. Ziemia II, 3;* b) *przestarz.* ⟨*obić kogo mocno; zatłuc, zamęczyć kogo na śmierć*⟩: Najlepsze wrażenie uczyni śmierć owego Kmicica [...] Spodziewam się, że tam Kuklinowski już go ze skóry obłupił. *Sienk. Pot. III, 339.*

obmalować o. k o g o ⟨*przedstawić kogo w złym świetle; oczernić*⟩: Nie może być, żeby nasza Mirka taką była, jak ją nam złe języki obmalowały. *Krasz. SW.*

obmowa 1. Być wystawionym na obmowę: Przykro mi było za tę biedną dziewczynę, wystawioną na pośmiewisko i obmowę całego towarzystwa. *Zap. G. Znak 16.* **2.** Krzywdzić kogo obmową. **3.** Narażać się na obmowę: Prawdziwie żal mi pani, że się na obmowę naraża. *Zabł. Mężowie 27.* **4.** *daw.* Podawać (kogo a. się) w obmowę.

obnażać, obnażyć 1. o. ciało, ramiona, szyję ⟨*odsłonić, odkryć*⟩: Czy uważacie, jak ona bezwstydnie ramiona obnaża? *Dygas. Pióro 15.* **2. o.** głowę ⟨*zdjąć nakrycie, odkryć*⟩. **3.** Obnażyć miecz, sztylet ⟨*wyjąć z pochwy*⟩: Obnażyła sztylet złoty, aby się przyjrzeć jego ostrzu. *Leśm. Klech. 209.* **4.** *przen.* **o.** naturę w człowieku ⟨*ujawnić*⟩: Niebezpieczeństwo obnaża prawdziwą naturę w człowieku. *Żukr. Dni 42.* **5. o.** uczucia: Mistrzami jesteśmy w obnażaniu uczuć. Nic się przed nami nie ukryje. *Szan. Teatry 92.*

obnażyć p. **obnażać**

obniżać, obniżyć 1. o. ceny, koszty, zarobki; **o.** ciśnienie, napięcie, odporność, sprawność ⟨*zmniejszyć*⟩; *przen.* **o.** znaczenie, wartość, poziom czego; **o.** powagę czyją: Przekonałem się, że wierne tłumaczenie bajek obniża ich wartość. *Hertz B. Bajki 11.* **2.** *muz.* **o.** dźwięk; **o.** o półton, o ton ⟨*zmieniać tonację na niższą*⟩. **3. o.** głos ⟨*ściszyć*⟩: Obniżył głos do tajemniczego szeptu. *Zeg. Zmory 204.* **4. o.** poziom morza, temperaturę czego ⟨*uczynić, zrobić niższym*⟩. **5.** *jęz.* Obniżyć samogłoskę ⟨*wymówić daną samogłoskę przy niższym niż zwykle położeniu języka*⟩. **6. o.** komu stopnie, noty ⟨*w szkole: dawać komuś ocenę gorszą od dotychczasowej*⟩. **7.** Obniżyć wzrok ⟨*stracić częściowo zdolność widzenia*⟩: Obniżenie wzroku postępuje powoli i jest bardzo przykre z powodu rozlanego zamglenia przedmiotów oglądanych. *Abram. Okul. 342.*

obniżyć p. **obniżać**

obnosić o. kogo na językach ⟨*obgadywać*⟩: Podsunęła pajdę chleba, to znów tam dolała, aby [...] potem nie obnosili jej na językach po wsi, że choć bogaczka, a morzy głodem najemników. *Wikt. Burek 12.*

obnosić się o. się z c z y m ⟨*okazywać co demonstracyjnie, nie ukrywać czego*⟩: Nie mieli w zwyczaju obnosić się ze swym smutkiem czy radością pomiędzy ludźmi. *Brosz. Opow. 116.*

obnośny Handel **o.**, sprzedaż **o-a** ⟨*handel, sprzedaż, polegający(-a) na przenoszeniu towaru z miejsca na miejsce*⟩.

obojętnieć 1. o. n a c o: Osaczona wciąż mnóstwem trwóg i przywidzeń, obojętniała na sprawy domu. *Nałk. Z. Niecierp. 37.* **2. o.** d l a k o g o, d l a c z e g o: Obojętnieli też ludzie dla siebie, z każdym dniem bardziej. *Orkan Pomór 65.* Obojętniał dla interesów, był rozdrażniony. *Prus Lalka I, 227.* **3. o.** w c z y m: **o.** w przyjaźni, w miłości. *SW.*

obojętność 1. Kamienna, lodowata **o. 2. o.** d l a k o g o, d l a c z e g o; w o b e c k o g o, c z e g o a. w z g l ę d e m k o g o, c z e g o: Obojętność dla świata. *Bartk. SPP.* Obojętność wobec jego śmierci. *Iwasz. J. SPP.* Czuł względem niej zupełną obojętność. *SPP.* **3. o.** n a c o: **o.** na dobro publiczne. **4.** *chem.* **o.** gazów. **5.** Okazywać, udawać, zachować **o.**: Nie mogę zbyt często jej widywać, muszę udawać obojętność. *Weys. Józ. Sob. 9.* **6.** *daw.* Być w obojętności z kim: Król od lat kilku był w obojętności z wujem swoim. *Rzew. H. Listop. II, 220.*

obojętny 1. o. d l a k o g o, w z g l ę d e m k o g o, w o b e c k o g o ⟨*nieczuły, niewrażliwy*⟩: Ojciec zmienił się wtedy zupełnie, rzadko przychodził, był dla mamy opryskliwy, obojętny, nic go nie obchodziło, co się działo w domu. *Nałk. Z. Dom kob. 142.* **2. o.** k o m u ⟨*nic kogo nie obchodzący*⟩: Była mu obojętna ta sprawa. *Nałk. Z. SPP.* **3.** Ktoś komuś jest **o.**: Już po paru spotkaniach wyczuł, że jako mężczyzna jest jej raczej obojętny. *Jackiew. Wiosna 75.* **4.** Coś jest (nie jest) komu a. dla kogo rzeczą obojętną ⟨*coś nie ma znaczenia (ma znaczenie) dla kogo; coś nic kogo nie obchodzi (coś obchodzi kogo)*⟩: Sympatia ludzka nie jest mi rzeczą obojętną, i nie gniewałbym się wcale, gdyby na przykład pani, zamiast nienawidzić, lubiła mnie troszeczkę. *Urban. Księż. 194.* **5. o.** n a c o: Godzinę stał na ganku, obojętny na mróz. *Rodz. Dew. 84.* **6. o.** na wszystko. **7. o.** gest, ruch; stosunek do kogo, do czego; uśmiech, wyraz twarzy (mina) ⟨*wyrażający obojętność*⟩. **8.** *przen.* Przybierać obojętną maskę: Przybierali na twarz obojętną maskę, która miała ukryć buszującą w sercu hydrę zazdrości. *Gałaj. Rodz. 82.* **9. o-a** rozmowa, **o-e** słowa ⟨*banalna(-e), błaha(-e), nie interesująca(-e)*⟩: Zaczęliśmy jakąś obojętną rozmowę, która się kompletnie nie kleiła. *Dan. W. Not. 118.* **10. o.** świadek czego, widz ⟨*nie reagujący na to, co widzi, neutralny*⟩. **11.** *przestarz.* **o-a** ⟨*skrót wyrażenia: obojętna rzecz; obojętnie, bez znaczenia*⟩: Gdy chodzi o twórczość matematyczną, to nawet te zdolności, które wystarczają do pojmowania wykładu i rozwiązywania zadań, nie wystarczają; trzeba do tego osobnego daru, obojętna jak go nazwiemy. *Stein. Mat. 160.*

obolały 1. Cały **o.**: Leżałem bez siły, cały obolały, pobity znużeniem. *Żukr. Kraj. 54.* **2. o-e** ciało, **o.** krzyż, **o-e** nogi itd. **3. o.** na (całym) ciele: Mikołaj wrócił do domu blady, drżący, chory, obolały na całym ciele. *Zeg. Zmory 262.* **4.** *rzad.* Głos **o.** ⟨*głos wyrażający ból; smutny, żałosny, bolejący*⟩: Usuń się — powiedział głosem obolałym. — Mógłbyś uszanować nieszczęście! *Grabow. J. Opow. II, 113.*

obora 1. Wpuścić wilka do obory ⟨*dać komuś sposobność do wykonania czegoś złego*⟩.

przył. **2.** Niemiła księdzu ofiara, pójdź cielę do obory.

obosieczny 1. o. miecz, nóż ⟨*mający ostrze z obu stron, z dwu stron*⟩: W ręku jego błysnął nóż zakrzywiony, rodzaj krótkiego, obosiecznego miecza. *Orzesz. Mirt. 126.* **2.** *przen.* **o-a** robota: To wszystko było robotą bardzo obosieczną, kijem o dwóch końcach. *Ask. Uwagi 39.* **3. o-e** słowa: Słowa Basi były [...] dopiero początkiem tych rozlicznych przytyków, tych znaczących spojrzeń, mrugań oczyma, potrząsań głową, tych wreszcie słów obosiecznych, które musiała przenieść. *Sienk. Wołod. I, 137.*

obostrzać, obostrzyć 1. o. dozór, dyscyplinę, karność, kontrolę, post, prawo, ustawę ⟨*wzmagać, wzmóc, (u)czynić surowszym*⟩. **2.** *daw.* **o.** co jaką karą (np. grzywną, aresztem) ⟨*ustanawiać surową karę za co, okładać co grzywną, aresztem itp.*⟩.

obostrzony o. areszt: Otrzymał tydzień obostrzonego aresztu. *Grusz. Ar. Huzar 183.*

obostrzyć p. **obostrzać**

obowiązany 1. o. d o c z e g o: Kalias wodził rej w tej gromadzie ludzi, obowiązanych do posłuszeństwa. *Makowiec. Przyg. 114.* **2. o.** k o m u c o: Jestem ci obowiązany wdzięczność. *SPP.* **3.** Być obowiązanym ⟨*być wdzięcznym, zobowiązanym*⟩: Bardzo panu będę obowiązany za przysługę, jaką nam obojgu wyświadczasz. *Orzesz. Prow. 200.* **4.** Być obowiązanym co robić ⟨*mieć obowiązek*⟩: Jestem obowiązany wypełniać twoje rozkazy. *SPP*. Obowiązani jesteśmy pomagać sobie nawzajem. *SW*.

obowiązek ⟨*powinność, zobowiązanie*⟩ **1.** Ciężki, elementarny, miły, przykry, surowy, trudny, twardy **o.**: Ciężki to obowiązek brać cudze dzieci na wychowanie. *Rudn. H. Płom. 6.* **2.** Obowiązki domowe, małżeńskie, rodzinne. **3.** Obywatelski **o. 4.** *posp.* Psi **o.** ⟨*ciążąca na kimś niemiła, ale nieunikniona konieczność; mus narzucony komu z góry i nie podlegający dyskusji*⟩: Twoim psim obowiązkiem jest dotrzymywać wierności, boś tak obiecał przed ołtarzem. *Krzywosz. Jula 42.* **5.** Święty **o.** ⟨*nieodparta konieczność, powinność, od której nie wolno się uchylać*⟩: Obrona Ojczyzny jest najświętszym obowiązkiem każdego obywatela. *Konst. PRL 275.* **6. o.** k o g o, c z e g o: **o.** obywatela, ojca; **o.** gościnności, wdzięczności, wierności. **7. o.** wobec kogo, czego; względem kogo, czego; w stosunku do kogo, do czego: **o.** wobec a. względem ojczyzny, bliźnich, względem siebie samego. **o.** w stosunku do przyjaciół, do społeczeństwa. **8.** Poczucie obowiązku: Mieć poczucie obowiązku; nie mieć poczucia obowiązku. **9.** Wolny od obowiązków. **10.** Z obowiązkiem *daw.* pod obowiązkiem ⟨*z warunkiem, pod warunkiem obowiązania się do czego, przyrzeczenia czego*⟩: Przyjął kasztelanią, ale tylko z tym obowiązkiem, że w czasie wojny będzie czuwał nad królewskimi stacjami i bezpieczeństwem publicznym w powiecie. *Kaczk. Olbracht. III, 134.* **11.** Brać na siebie **o. 12.** Być w obowiązku: a) ⟨*służyć gdzie w charakterze pomocy domowej, gosposi itp.*⟩: Matka Romana Katelby, niestara jeszcze wdowa, była [...] w obowiązku, służyła gdzieś daleko we dworze za gospodynię. *Dąbr. M. Noce II, 80*; b) *daw.* ⟨*być na posadzie*⟩: Miał on w Wilnie swego w dzieciństwie niejako opiekuna, Rosjanina, w obowiązku przy poczcie będącego. *Lel. Nowos. 31.* **13.** Czuć się w obowiązku co robić: Czuł się w obowiązku podziękować przyjacielowi za życzliwość. *Wind. Koch. 29.* **14.** Dopełnić obowiązku. **15.** Lekceważyć obowiązki. **16.** Mieć obowiązki ⟨*mieć o kim myśleć, troszczyć się o kogo, łożyć na kogo*⟩: Ma duże obowiązki. **17.** Mieć **o.** czego a. co robić ⟨*być zobowiązanym; poczuwać się do obowiązku*⟩: Tylko rodzice mają obowiązek troszczenia się o potrzeby swych dzieci, obcy ludzie — nigdy. *Goj. Dziew. II, 16.* Krewni zabitego mieli obowiązek ścigać prawem zabójcę. *Łoz. Wł. Praw. I, 9.* **18.** Mieć obowiązki wobec kogo, względem kogo, *przestarz.* dla kogo ⟨*czuć się moralnie zobowiązanym wobec kogo; być zobowiązanym do szczególnych starań względem kogo*⟩: Nie mam żadnych obowiązków wobec społeczeństwa. *Brand. K. Sams. 127.* Dzieci mają względem rodziców obowiązki, równie jak rodzice dla dzieci. *Krasz. Czarn. 186.* **19.** Mieć, poczytywać, uważać co (sobie) za **o.**; mieć sobie co za **o.** czego, co robić ⟨*traktować co jako rzecz, do której jest się zobowiązanym*⟩: Uważała za swój obowiązek opiekowanie się chorym i samotnym nauczycielem. *Iwasz. J. Chopin 72.* Mam sobie za obowiązek sumienia uprzedzić ich o tym, jakie są moje zamiary. *Kaczk. Olbracht. III, 292.* **20.** Nakładać, wkładać na kogo **o. 21.** Poczuwać się do obowiązku. **22.** Podlegać obowiązkowi. **23.** Podołać, wydołać; sprzeniewierzyć się, uchybić, zadośćuczynić obowiązkom. **24.** Sprzeniewierzyć się, uchybić obowiązkom. **25.** Przejąć czyje obowiązki. **26.** Przyjąć na siebie **o.** czego. **27.** Przyjąć u kogo **o.** ⟨*iść do kogo do służby*⟩: Pytała klucznica Michalinę, czy która z dziewcząt ze dworu nie przyjęłaby u niej obowiązku. *Zar. Wędr. 249.* **28.** Rzucić **o.** ⟨*odejść ze służby*⟩. **29.** Spełnić, wypełnić **o.** ⟨*postąpić zgodnie z uznanym przez siebie nakazem wewnętrznym, zrealizować przyjęte na siebie zobowiązania względem kogo*⟩: Zazdroszczę mu tej chwili, gdy ginął wiedząc, że dobrze wypełnił swój obowiązek. *Jackiew. Jan 251.* **30.** Sprawować, wykonywać obowiązki kogo: Telimena sprawuje obowiązki pani, wita wchodzących, sadza, rozmową zabawia. *Mick. Tad. 143.* **31.** Uchylać się od obowiązku a. od obowiązków. **32.** Uwolnić, zwolnić kogo od obowiązku: Uwalniam cię od tego uciążliwego zapewne obowiązku. *Orzesz. SPP.* **33.** Wchodzić, wejść; wprowadzić kogo w obowiązki ⟨*w wykonywanie czynności, funkcji związanych z urzędem, stanowiskiem itp.*⟩: Po kolacji moja pracodawczyni z ogólnej rozmowy przeszła do wprowadzenia mnie w moje przyszłe obowiązki. *Jaroch. Liście 218.* **34.** Włożyć na kogo **o.** czego ⟨*zobowiązać kogo do czego*⟩. **35.** *przestarz.* Wymówić komu **o.** ⟨*wymówić pracę*⟩: W domu usłyszał lament. To Magda płacze, że gospodyni wymawia jej obowiązek. *Prus Plac. 206.* **36.** Wywiązać się z obowiązku. **37.** *przestarz.* Zaciągnąć obowiązki ⟨*przyjąć na siebie jakieś zobowiązania, zobowiązać się do czego*⟩: Zaciągnęliśmy względem ludzi pewne obowiązki. *Choj. Alkh. IV, 136.* **38.** Zaniedbywać **o-i** a. zaniedbywać się w obowiązkach. **39.** Zawiesić w obowiązkach. **40. o.** ciągnie, woła, wzywa kogo. **41. o.** spoczywa na kim; przechodzi, spada na kogo, **o.** (jaki) przypadł komu (w udziale). **o.** wymaga czego.

obowiązkowy 1. o-e dostawy (produktów). **2. o-e** lata służby wojskowej; **o-a** służba wojskowa. **3. o.** strój (w szkole, w wojsku, w dyplomacji) ⟨*obowiązujący*⟩. **4. o-e** wykłady. **5. o.** w c z y m ⟨*sumienny w pełnieniu obowiązków, gorliwy w czym*⟩: **o.** w pracy, w nauce.

obowiązujący 1. o-a cena ⟨*wyznaczona, ustalona przez władze*⟩. **2.** Prawo, przepisy **o-e** ⟨*trwające w swej mocy*⟩. **3.** Moc **o-a** (prawa, przepisu). Mieć, nadać czemu moc obowiązującą: Z chwilą utrwalenia jej na piśmie i nadania mocy obowiązującej przez władzę państwową, norma zwyczajowa stawała się normą prawną. *Jancz. Prawo 9.*

obowiązywać 1. Prawo, przepis, przyrzeczenie, słowo, traktat, uchwała, umowa, zakaz, zwyczaj obowiązuje ⟨*ma moc obowiązującą*⟩. **2.** Coś obowiązuje kogo do czego ⟨*nakłada na kogo obowiązek*⟩: Przywilej koszycki obowiązywał szlachtę do służby wojennej wewnątrz granic bez żadnego wynagrodzenia. *Szajn. Jadw. III, 152.* **3.** To nas do niczego nie obowiązuje ⟨*w niczym nas nie krępuje, do niczego nie zmusza*⟩.

obóz 1. o. cygański ⟨*zespół wozów i namiotów stanowiących stałe mieszkanie Cyganów*⟩. **2. o.** myśliwski ⟨*tymczasowe pomieszczenie składające się zwykle z namiotów; myśliwi biwakujący w takim pomieszczeniu*⟩. **3. o.** jeniecki ⟨*pomieszczenie przeznaczone do internowania jeńców; jeńcy zgrupowani w takim pomieszczeniu*⟩. **4. o.** śmierci, zagłady ⟨*obóz *masowego wyniszczania więźniów (obozy tego rodzaju zakładane były przez hitlerowców w czasie II wojny światowej)*⟩. **5. o.** treningowy, szkoleniowy ⟨*zgrupowanie sportowców w celach treningu, szkolenia*⟩: Niektóre ze zrzeszeń przeprowadziły już przedsezonowe obozy treningowe. *Sport. 32, 1954.* **6. o.** warowny ⟨*nowoczesna twierdza stanowiąca oparcie dla wojsk polowych*⟩: Jako pułkownik wojsk inżynierskich opracowuje Tadeusz Kościuszko plany fortyfikacyjne Filadelfii oraz buduje warowny obóz pod Saratogą. *Młyn. Dem. 23.* **7. o.** pracy ⟨*miejsce przymusowej pracy dla przestępców gospodarczych*⟩. **8. o.** demokratyczny, imperialistyczny, postępowy, reakcyjny, rewolucyjny; demokracji, socjalizmu ⟨*ugrupowanie, blok stronnictw lub państw*⟩. **9.** Leżeć, położyć, stać, stanąć obozem ⟨*o wojsku*⟩: Stanęło tu obozem wojsko narodowe kilka tysięcy głów liczące. *Baliń. M. Polska III, 1, 280.* **10.** Okopać się w obozie: Nie mogąc sprostać w otwartym polu przewadze nieprzyjaciela, Polacy okopali się w wielkim obozie. *Bobrz. Dzieje II, 151.* **11.** Rozłożyć się obozem; *przen.*: Jedni spacerują sobie niedzielnym, powolnym krokiem, inni rozłożyli się obozem na trawie, całe rodziny. *Bogusz. Wał. 53.* **12.** Rozbić, rozłożyć, założyć; wytyczyć; zwinąć **o.** **13.** Należeć do obozu jakiego ⟨*do zgrupowania, do stronnictwa*⟩: Należymy do obozu pokoju. *Nowe Drogi 5, 1952, s. 6.* **14.** Podzielić się, rozdzielić się na dwa obozy; rozbić się na obozy: Francja podzieliła się na dwa obozy, walczące z sobą namiętnie o sprawę kapitana Dreyfusa. *Boy Flirt IX, 45.* **15.** Przejść do przeciwnego obozu.

obrabiać, obrobić 1. o. co ⟨*ociosywać, nadawać czemu jakiś kształt*⟩: **o.** bursztyn, drzewo, kamień, żelazo. **2. o.** grunt, rolę, ziemię (*germ.*) ⟨*uprawiać grunt, rolę, ziemię*⟩: Tyle miał tylko roli, ile jego słudzy obrobić jej zdołali. *Moracz. Dzieje III, 318.* **3. o.** interes, sprawę itp. ⟨*działać w kierunku pozytywnego załatwienia jakiegoś interesu, sprawy itp.*⟩: Dano mu do obrobienia nader ważną finansową operację. *Niemoj. Szach 65.* **4.** *karc.* **o.** króla, damę itp. ⟨*w niektórych grach w karty: grać tak nieumiejętnie, że król, dama itp. partnerów zyskują większą wartość i stają się biorącymi*⟩: To wychodził z asa, obrabiając w ten sposób drugie króle pani Julii, to pasował, mając dobre karty do wistowania. *Dąbr. Ig. Matki 367.* **5.** *posp.* **o.** kogo ⟨*mówić o kim albo o czym niepochlebnie; obmawiać, obgadywać*⟩: Dalejże więc śmiało, panowie, obrabiajcie swego przeciwnika, który, nie będąc obecny, bronić się nie może. *Lubow. Sąd 176.* **6.** *posp.* **o.** a. obrobić kogo z czego ⟨*ogołacać z czego; okradać, ograbiać, obrabowywać*⟩: Obrobili go z portfela.

obracać, obrócić 1. o. co (w czym): Obracać koło, korbę, żarna ⟨*poruszać*⟩. **2. o.** co w palcach, w ręku, w dłoni; **o.** na wszystkie strony ⟨*trzymając co w ręku poruszać czym machinalnie, nerwowo; przyglądać się czemu ze wszystkich stron*⟩: Obracał w palcach zalakowaną kopertę, przyglądał się pieczęciom [...] i wahał się, czy ma ją otworzyć, czy też nie. *Meis. Sams. 88. przen.* Anka aż do zupełnego wyczerpania obracała w myślach swoją niesłychaną decyzję. *Przekr. 402—3, 1952.* **3.** Obrócić co na nice ⟨*wywrócić*⟩. **4. o.** co (np. popiersie) bokiem, przodem, twarzą, tyłem; (skrzynię) kantem. **5. o.** co gdzie; do kogo, do czego; ku komu, ku czemu; na kogo, na co; przeciw komu, czemu ⟨*zwrócić, skierować*⟩: **o.** głowę, twarz ku komu. **6.** *przestarz.* **o.** kroki (ku czemu, dokąd); *rzad.* **o.** dyszel, ster, żagiel, konie, **o.** drogę na co, ku czemu ⟨*iść, udawać się gdzie; jechać dokąd*⟩: Gdy stali, nie wiedząc, w którą stronę kroki obrócić, dobiegły ich nagle słodkie dźwięki serenady. *Gomul. Mieszczka 40.* **7. o.** oczy, spojrzenie, wzrok (na co, na kogo) ⟨*spoglądać (na co, na kogo), przypatrywać się (komu, czemu), zwracać na co uwagę*⟩: Obrócił oczy Bolesław na Wrocław, dziedzictwo brata Henryka. *Narusz. Hist. IV.* **8. o.** potęgę, siłę; oręż, miecz, szablę na kogo, przeciw komu ⟨*bić się z kim, zacząć z kim wojnę, wystąpić zbrojnie przeciw komu*⟩: Według przestróg, które miał hetman z tajemnej rady Dywanu, Turcy wszystką potęgę obrócą przeciwko rzptej. *Proch. Żółk. 129—130.* **9.** *przen. przestarz.* Obrócić myśli: Stuknął się w głowę i na całkiem inną drogę myśli obrócił. *Jun. Bracia 284.* **10. o.** słowo, mowę ku komu: Raczy niekiedy obracać ku mnie łaskawe słowo. *Choj. Alkh. IV, 105.* **11.** Obrócić zemstę na kogo: Na mnie obróć twoją zemstę, bom ja wszystkiemu winna, ale nie gub niewinnego! *Sztyrm. Katalept. II, 169.* **12.** Obracać czym: Obracać igłą, szydełkiem, kopią itp. narzędziem ⟨*posługiwać się czym, robić co za pomocą igły, szydełka itp.*⟩: Znajdowały się tam trzy czy cztery kobiety inne, obracające również szydełkiem lub iglicą. *Orzesz. Eli II, 292.* **13.** *pot.* Obracać językiem ⟨*mówić*⟩: Przed samym wieczorem [...] przyszedł, a raczej przywlókł się, stary Pypeć. Nieosobliwie trzymał się na nogach, a językiem ledwie obracał. *Jun. Antrop. 106.* **14.** Obracać pieniędzmi itp. ⟨*mieć do swojej dyspozycji pieniądze itp., puszczać je w obieg, manipulować nimi przy załatwianiu interesów*⟩: Obracał dużymi pieniędzmi i ludzie mieli go za bogatego. *Sienk. Połan. I, 74.* **15.** *pot.* **o.** (czym) x razy ⟨*odby(wa)ć drogę tam i z powrotem*⟩: Kolumna polskich aut wojskowych przyjechała z St. [Saint] Nazaire, by nas zabrać. Potem obróciła jeszcze parę razy i wzięła wszystkich. *Koźn. Rok 83.* Tymi końmi możesz pięć razy obrócić, a jednak nie zmęczą się. *SW.* **16. o.** c o n a c o ⟨*brać, zużytkować na co, przeznaczać, poświęcać na co*⟩: Jeśli zdołał uszczknąć chwilkę czasu, obracał ją na studiowanie nowego zawodu. *Rus. Człow. 54.* **17. o.** co na swoją korzyść ⟨*czynić co z czego, zmieniać co w co, na co; przemieniać, przeistaczać*⟩: Na Skalnym Podhalu wycięte obszary częściowo zaorywano, częściowo obracano na pastwiska. *Radw. Świat 41.* **18. o.** c o w c o: **o.** co w gruzy, perzynę, proch, popiół itp. ⟨*niszczyć co całkowicie, czynić z czego ruinę, gruzy*⟩: Lawina lotniczych bomb i armatnich pocisków w gruzy obracała całe dzielnice miasta. *Stol. 35, 1950.* **19. o.** co w żart, śmiech itp. ⟨*nie traktować czego poważnie, nie brać pod uwagę, nie przywiązywać do czego znaczenia*⟩: Gniewam się! Wszystko obracasz w żart. *Winaw. Znajom. 15.* **20. o.** wniwecz: a) ⟨*powodować niepowodzenie czego, pozbawiać co znaczenia, wagi*⟩: Ta dziewczyna często bezwiednie wniwecz obracała wszelkie postanowienia młodego. *Wikt. Zbunt. 40*; b) *daw.* ⟨*niweczyć, rujnować, burzyć*⟩: Księstwo [Mazowieckie] wniwecz pożogami i rabunkami obróciwszy, miasto jego stołeczne Płock wzięli i spalili. *Narusz. Hist. IV, 338.* **21.** *daw.* Obracać kogoś kijem ⟨*bić*⟩: Często mię kijem na wszystkie strony obracano bez żadnej litości. *Zab. III/1, 1780, s. 186.*

obracać się, obrócić się 1. o. się (do kogo, do czego) bokiem, plecami, twarzą, tyłem; na prawo, na lewo, na północ, na wschód itp.; w lewo, w prawo; w koło, w kółko ⟨*okręcać się, zwracać się; okręcić się, zwrócić się*⟩: Chciałam go pocałować, obrócił się tyłem! Takież to przywitanie? *Zabł. Amf. 139.* Stach obrócił się na pięcie i poszedł przed siebie. *Worosz. Mazur 88.* **2. o. się** za kimś: Obrócił się parokrotnie za piękną kobietą, pełen radości i podziwienia. *Nałk. Z. Romans 66.* **3.** Obrócić się na drugi bok; obracać się z boku na bok ⟨*przewrócić się, odwrócić się*⟩: Obrócił się na drugi bok i znów zamknął oczy. *Grabow. J. Opow. II, 69.* **4.** *przen.* Rozmowa, literatura, itp. obraca się koło kogo, czego: Nie zwracała uwagi na ich rozmowy, obracające się zawsze dokoła mężczyzn. *Putr. Rzecz. 168.* W społeczeństwie stanowym literatura najczęściej obraca się koło tematów z życia wyższych sfer społecznych. *Bystr. Publ. 107.* **5.** Coś obraca się, (obróciło się) przeciw komu ⟨*coś staje się wbrew przewidywaniom niekorzystne dla kogo, wychodzi komu na złe, daje niepożądane rezultaty*⟩: Nie pogniewaj się, Panie Ojcze, ale słowo twoje przeciw tobie samemu się obróci. *Parn. Orły 538.* **6.** *przen.* Koło fortuny się obraca (obróci): Wszystko to minie; nadejdą dni triumfu, powrócą dni chwały i cnoty. I jeszcze parę razy koło fortuny się obróci. *Boy Mar. 66.* **7.** *przestarz.* Obraca się, obróciło się komu na który rok, krzyżyk ⟨*ktoś ma określoną liczbę lat, zaczyna któryś rok lub dziesiątek lat*⟩: Choc mu na szósty obracało się krzyżyk, to tańczył całą noc na czele młodzieży. *Moracz. Dzieje IX, 129 130.* **8. o. się** w c o ⟨*przeistoczyć się, przemienić się w co*⟩: I w cóż się obróciły wszystkie twoje przysięgi? Złamałeś je bez najmniejszego wyrzutu sumienia. *Bełc. Król 264.* **9. o. się** w perzynę, popiół itp. ⟨*ulegać całkowitemu zniszczeniu, stawać się ruiną, popiołem itp.*⟩: Marnowały się przeróżne śliczne statki, trzaskało wszystko w ogniu, do cna ginęło i w popiół się obracało. *Dygas. Now. V, 206.* **10.** *rzad.* **o. się** w słuch ⟨*słuchać bardzo uważnie*⟩: Naraz do ucha mego dochodzi szmer z korytarza drugiego piętra. [...] Cały w słuch się obracam. *Dąbr. Ig. Śmierć 88.* **11. o. się** wniwecz: a) ⟨*tracić znaczenie, wagę, doznawać niepowodzeń*⟩: Państwo Łokietka otaczali dookoła wrogowie, których rachuby polityczne obracały się wniwecz, jeżeli Polska miała naprawdę przemienić się w jednolity, a przez to potężny organizm państwowy. *Zachor. Dzieje 372*; b) *daw.* ⟨*niszczyć, rujnować się*⟩: Miałem czterech synów [...] Pomagali mi oni w pracach moich, teraz spuścić się na najemników muszę i wszystko się wniwecz obraca. *Zab. I/2, 1776, s. 97.* **12.** Obracać się w towarzystwie, w jakim kole, gdzie ⟨*bywać gdzie; znajdować się gdzie*⟩: Mając tych samych przyjaciół, obracając się w tych samych kołach artystycznych, musieli się zetknąć. *Iwasz. J. Chopin 49.* Gdzie się dzisiaj Wicek obraca? *Bartk. SPP.*

obracany o. stołek, taboret itp. ⟨*obrotowy*⟩: Odwróciła się do niego razem z krzesłem, bo to było obracane czarne krzesło od pianina. *New. Pam. 15.*

obrachunek 1. Dzienny, miesięczny **o. 2. o.** kosztów własnych **3. o.** z c z e g o: **o.** z ostatniego okresu. **4. o.** z kim: Po obrachunku z żoną przekonał się, że ma około dwudziestu pięciu rubli pieniędzy. *Prus Plac. 81.* **5.** *przen.* **o.** sumienia. **6.** Mieć z kim obrachunki ⟨*żywić względem kogo urazę za co, chęć pomszczenia czego*⟩: Ze mną są ludzie laudańscy, którzy [...] mają z tobą obrachunki za rozbój i za krew niewinnie przelaną. *Sienk. Pot. I, 114.* **7.** Zrobić **o.** (czego) (również *przen.*).

obrachunkowy Okres, rok **o.**: Tematem korespondencji bankowej może być między in. uzgadnianie salda przy końcu okresów obrachunkowych. *Śred. Koresp. 136.*

obrać p. **obierać**

obrady 1. Ustawiczne **o. 2. o.** sejmu, sejmowe; parlamentarne. **3. o.** n a d c z y m: **o.** nad projektem ustawy. **4.** Tok obrad. Sala obrad. Protokół z obrad. **5.** Otworzyć, prowadzić, przewlec, zagaić, zamknąć, zawiesić, zerwać **o. 6.** Przewodniczyć obradom. Wziąć co pod **o.**: Kiedy wzięto pod obrady prawa i przywileje szlacheckie, zaczęły się burze w senacie. *Kaczk. Olbracht. II, 176.* **7. o.** odbywają się, toczą się: W kole poselskim toczyły się dalsze obrady nie ujęte w porządek dzienny ani żaden przepis parlamentarny. *Moracz. Dzieje VII, 292.*

obrany o. z rozumu, z uczucia ⟨*pozbawiony*⟩: Chybaby z rozumu byli obrani, żeby lekko porzucać mieli tutejsze widome korzyści dla nieznanego losu. *Dąbr. M. Ludzie 188.* Kobieto! — zawołał — czyś ty zupełnie z uczucia obrana? *Zap. G. Ptak II, 162.*

obrastać, obrosnąć 1. o. c z y m a. w c o: **o.** mchem (o pniu drzewa), sitowiem (o stawie, jeziorze). **2. o.** w majątek, dobrobyt itp. ⟨*bogacić się*⟩: Ojciec dzierżawił młyn parowy i obrastał w majątek. *Pięt. Wspól. 46.* **3. o.** w pióra, w piórka, w pierze ⟨*poprawiać sobie byt; osiągać dobrobyt, znaczenie*⟩: Nasze kółko teatralne obrastało w pierze. Sława jego rosła. *Twórcz. 4, 1954, s. 140.* **4. o.** w sadło, w tłuszcz ⟨*bogacić się, robić majątek*⟩: Równocześnie zaś zachodzi [...] fakt „obrastania w tłuszcz" części starych kułaków. *Ekon. 3, 1953, s. 27.* **5. o.** w wady, przyzwyczajenia, obyczaje itp. ⟨*nabierać pewnych wad, przyzwyczajeń, obyczajów itp., przyswajać je sobie na stałe; stawać się jakim*⟩: W ciągu paru lat obrósł w spokój statecznego męża. *Konw. Władza 446.*

obraz 1. o. barwny, blady, jaskrawy; **o.** olejny, pastelowy; **o.** historyczny, rodzajowy. **2.** Święty **o.**; obrazy świętych. **3. o.** szkoły holenderskiej, włoskiej. **o.** pędzla Chełmońskiego, Matejki. **4.** Piękny, śliczny jak **o.** ⟨*o kim lub o czym bardzo pięknym*⟩: Był to chłopiec może dwudziestoletni, śliczny jak obraz, wesoły i nadzwyczaj lgnący do ludzi. *Prus Now. III, 20.* **5.** *przestarz.* Błędny **o.** ⟨*fatamorgana*⟩: Pamiętasz skwarów stepowych igrzysko, te cudne błędne pustyni obrazy, których cień miły podróżnego nęci. *Słow. Poem. I, 133.* **6.** *mat.* **o.** geometryczny a. funkcyjny ⟨*geometryczna interpretacja pojęć matematycznych, wynik geometryczny dokonanego przekształcenia matematycznego*⟩. **7.** *przestarz.* **o.** niknący ⟨*obraz rzucony na ekran przez aparat projekcyjny*⟩: Pogadankę moją będę ilustrował obrazami niknącymi. *Winaw. Roztw. 19.* **8.** *fiz. fot.* **o.** rzeczywisty, nierzeczywisty, pozorny, utajony. **9.** Żywy **o.**

⟨*rodzaj inscenizacji; grupa osób malowniczo ustawiona, zwykle odpowiednio przebrana, przedstawiająca jakąś scenę*⟩: W czasie jednej z uroczystości w Puławach przedstawiano w żywym obrazie wjazd baszy tureckiego do Mekki. *Bystr. Dzieje I, 138.* **10.** Ktoś jest żywym obrazem kogo ⟨*jest bardzo do niego podobny*⟩: Starszy syn jest istnym (a. żywym) obrazem swojego ojca. *SW.* Oddany był [...] nade wszystko wychowaniu córki, którą już i z tego względu niezmiernie kochał, iż była żywym matki swej obrazem. *Korz. J. Wdow. 272.* **11.** Galeria, zbiór obrazów. **12. o.** c z e g o: *przen.* **o.** epoki, przeszłości, życia społecznego. Miejsce było nad wyraz piękne — obraz cichości i spokoju. *Żer. Uroda 37.* **13. o.** wypadków ⟨*opis wypadków*⟩: Usiłowałem odtworzyć sobie, na podstawie przeczytanych rewelacji, pełny obraz wypadków, jakie zaszły w czasie mojej podróży. *Brand. K. Troja 209.* **14. o.** nędzy i rozpaczy ⟨*widok wzbudzający litość, ukazujący nieszczęście, nędzę*⟩. **15.** Na **o.**; na **o.** i podobieństwo kogo, czego (*1. Mojż.*): Na obraz pierwszych miesięcy Rafał spędził lat cztery. *Żer. SPP.* **16.** Namalować **o.**; oprąwiać, restaurować obrazy. **17.** Przedstawić, skreślić **o.** czego. **18.** Patrzeć, wpatrywać się w kogo jak w **o.**: a) ⟨*patrzeć, wpatrywać się w kogo z zachwytem, nie odwracając oczu*⟩: Kiedy mówił, wpatrywano się w niego jak w obraz i każde jego zdanie troskliwie zapisywano w pamięci. *Dygas. Pióro 14*; b) ⟨*uwielbiać, bardzo kochać kogo; świata poza kim nie widzieć*⟩: Ojciec patrzy w nią jak w obraz, na wszystko pozwala, na wszystko się zgadza. *Przyj. 17, 1953.* **19.** Wyświetlać obrazy: Co drugie kino wyświetla obrazy, w których bohaterem jest cowboy. *Balc. Ocz. 76.* **20.** Oczom czyim przedstawił się następujący **o.** ⟨*ktoś zobaczył rzecz następującą*⟩.

przysł. **21.** Był obraz, ale oblazł ⟨*o kimś, kto dawniej był piękny*⟩.

obraza 1. o. czynna, słowna; śmiertelna **o.** ⟨*zniewaga*⟩. **2. o.** k o g o, c z e g o ⟨*ubliżenie komu, czemu; zniewaga kogo, czego*⟩: **o.** milicjanta na służbie; **o.** czci. **3. o.** boska ⟨*postępowanie niezgodne z nakazami moralnymi, budzące zgorszenie; grzech*⟩: Krzyki, pomstowanie, zgorszenie, obraza boska! *SW.* Dziewki dworskie powciągali do izby dla rozpusty... Tfu! Obraza boska. *Sienk. Pot. I, 51.* **4.** Kamień obrazy ⟨*powód, przyczyna obrazy, obrażenia się*⟩: Nie przyjąć ich zaproszenia byłoby dla nich kamieniem obrazy. *SW.* **5.** Darować komu obrazę. **6.** Schować obrazę do kieszeni ⟨*puścić obrazę mimo uszu, nie reagować*⟩. **7.** Ścierpieć obrazę, nie ścierpieć obrazy.

obrazek 1. Święty **o.** a. **o.** świętych: Włos [...] dziwnie ozdabiał głowę, bo od słońca blasku świecił się jak korona na świętych obrazku. *Mick. Tad. 13.* **2.** Książka z obrazkami ⟨*z rycinami, z ilustracjami*⟩. **3.** Ktoś jest piękny jak **o.**, wygląda jak **o.** a. jak z obrazka ⟨*o kimś bardzo ładnym, pełnym uroku, wdzięku*⟩: Cóż to za piękna para!... Trzeba przyznać, że wyglądają jak wymarzeni, jak z obrazka. *Goj. Rajs. I, 70.* **4.** Patrzeć, wpatrywać się w kogo jak w **o.** a. jak w święty **o.** ⟨*patrzeć, wpatrywać się w kogo z zachwytem, nie odrywając oczu*⟩: Taki na gębie ładny, że dziewczyny w niego jak w obrazek patrzyły. *Jun. Bracia 182.* **5.** Epicki, dramatyczny, idylliczny, obyczajowy **o.** ⟨*rodzaj utworu literackiego*⟩: Napisał obrazek dramatyczny wierszem, jak zwykle dźwięcznym i rytmicznym. *Wędr. 43, 1901.*

obraźnik *pot. żart.* Syn, córka obraźnika ⟨*osoba skłonna do obrażania się, obrażająca się*⟩: Niechże się Irena tak zaraz nie obraża! Przecież nie jest córką obraźnika. *Bogusz. Kura 170.*

obrączka 1. Ślubna **o. 2. o.** złota a. ze złota. **3. o.** aluminiowa, blaszana ⟨*opaska aluminiowa, blaszana z odpowiednim napisem, zakładana na nogi ptakom (zwykle ptakom przelotnym) w celu przeprowadzenia obserwacji*⟩. **4.** *przestarz.* Wino z obrączką ⟨*gęste wino z obwódką na powierzchni, będące dowodem jego wysokiej jakości*⟩: Zetknąwszy się ze znakomitym przyjacielem (znowu przy bańce maślaczu z obrączką) [...] *Prus Now. III, 141.*

obrączkować o. ptaki. Obrączkowanie ptaków ⟨*zakładanie obrączki metalowej na nogę ptaka w celu przeprowadzenia obserwacji nad przelotami ptaków*⟩.

obrączkowy 1. *daw.* Dukat, pieniądz **o.** ⟨*dukat, pieniądz z nie obciętą obrączką*⟩: Wypłacono mu sto obrączkowych dukatów, zostawionych mu w testamencie przez wychowawcę i dobrodzieja. *Kosiak. Now. 94.* **2.** Złoto **o-e** ⟨*złoto dukatowe, czyste*⟩. **3.** *daw. żart.* Rok **o.** ⟨*cały, okrągły rok*⟩: Jadł z kuchni Bolesława najwymyślniej, u siebie na wsi przez rok obrączkowy jaglaną kaszę... *Czartk. Tulcz. 216.* **4.** *astr.* **o-e** zaćmienie Słońca.

obręb 1. Poza **o.**, poza obrębem; w **o.**, w obrębie czego ⟨*poza co, poza czym; w zakres, w zakresie czego; w sferę, w sferze czego*⟩: W obrębie, poza obrębem miasta, społeczeństwa, wiedzy. Pozytywizm wykluczał z obrębu dociekań filozoficznych zagadnienia metafizyczne, jako wychodzące poza obręb tego, co zmysłami i rozumem poznać możemy. *Chmielow. Zarys. 207.*

przysł. **2.** Złej tanecznicy przeszkadza i obręb u spódnicy ⟨*nieumiejętnemu pracownikowi wszystko przeszkadza, we wszystkim znajduje wymówkę*⟩.

obręcz 1. Żelazna **o. 2.** Nabić, wbić **o.** (na beczkę); pobić **o.** (na beczce). **3.** Obić, spiąć, ściągnąć (naczynie) obręczami. **4.** *anat.* **o.** barkowa ⟨*obojczyk wraz z łopatkami*⟩. **5.** Jechać na obręczy ⟨*jechać na rowerze z przebitą dętką*⟩: Niedaleko przed Wałbrzychem przebił dętkę, a spodziewając się, że do mety jest już blisko jechał jakiś czas na obręczy. *Prz. Sport. 69, 1950.* **6.** *przestarz.* Otoczyć, opasać kogo, co obręczą ⟨*dokoła, w krąg*⟩: Obyczajem tatarskim (wrony) opasały szaraka obręczą. *Dygas. SW.*

obrobić p. **obrabiać**

obrobić się *pot.* **o. się** z czym ⟨*wykonać całą przewidzianą pracę, zrobić wszystko, co jest lub było do zrobienia*⟩: Terka jak się obrobi, to choć i w powszedni dzień szafranową jedwabną chustkę zakłada. *Zar. Grusze 51.*

obrok 1. Dać, podsypać koniom obroku. **2.** Wziąć na pański **o.** ⟨*na utrzymanie*⟩: Wszyscy literaci byli z natury swej chudzi i wypasali się dopiero, gdy ich na pański obrok wzięto. *Krasz. Nowe II, 150.* **3. o.** moralny, religijny itp. ⟨*pokarm dla umysłu, korzyść moralna; nauka, napomnienie*⟩.

obrona **1.** Rozpaczliwa, zacięta **o.** *wojsk.* **o.** przeciwgazowa, przeciwchemiczna, przeciwlotnicza, przeciwatomowa. **3. o.** k o g o, c z e g o: **o.** oskarżonego; **o.** kraju, miasta. **4. o.** praw, swobód (obywatelskich); **o.** (swego) stanowiska, poglądu. **5. o.** pracy magisterskiej, doktorskiej itp. ⟨*udział w dyskusji na temat napisanej przez siebie pracy naukowej; rodzaj egzaminu*⟩. **6. o.** p r z e d k i m, p r z e d c z y m: **o.** przed nieprzyjacielem; **o.** przed napadem. **7. o.** p r z e c i w c z e m u: **o.** przeciw napaści. **8.** We własnej obronie (użyć broni, zabić kogo). **9.** Stanąć, stawać, występować, wystąpić w czyjej obronie ⟨*bronić kogo przed napaścią, ujmować się za kim, ochraniać, osłaniać kogo*⟩: Koledzy darzyli go sympatią. Nieraz w ciężkiej chwili stawali w jego obronie. *Kłos. Wiosna 7.* **10.** Mieć co, powiedzieć co na obronę ⟨*móc użyć czego jako racji usprawiedliwiającej*⟩: Ze swej strony musiała rzeczywiście wiele zrobić, by Manię do tego pójścia nakłonić. Borykała się z panią Renatą, uparta i pochmurna, mając na swoją obronę brak sukni. *Nałk. Z. Mił. 96.* Co możesz powiedzieć na swoją obronę? *SW.* **11.** *przestarz.* Mieć obronę w kim ⟨*być skutecznie chronionym, wspieranym przez kogo, zwłaszcza w ciężkiej sytuacji*⟩: Póki na świecie nauk szczątek będzie, ogłaszać Muzy nie przestaną wszędzie, od Stanisława Augusta że czczone, miały w nim zaszczyt, i wszelką obronę. *Zab. VIII/1, 1773, s. 30.* **12.** Powierzyć komu obronę czego. **13.** *praw.* Podjąć się obrony, prowadzić obronę kogo (o adwokacie). **14.** Służyć za obronę naturalną, zapewnić czemu obronę (o rzece, górach, bagnach).

obronnie Wyjść z czego **o.** ⟨*wyjść z jakiejś trudnej sytuacji cało, szczęśliwie; wyjść obronną ręką*⟩: Chyba mrzonką nie była kula dzisiejsza i obława urządzona na mnie, z której dzięki pani wyszedłem na razie obronnie. *Grusz. Ar. Tys. 267.*

obronny **1.** Linia **o-a**. **2.** *praw.* Mowa **o-a** ⟨*przemówienie w sądzie broniące oskarżonego; obrona*⟩: Jego [Waryńskiego] mowa obronna (adwokata się zrzekł) jest dokumentem wielkiej historycznej wagi. *Schmitt Dzieje II, 207.* **3.** Siły **o-e** kraju. Wojna **o-a**. Zamek **o.** ⟨*warowny*⟩. **4. o.** c z y m: Miasto obronne murem; zamek obronny fosą i zwodzonym mostem. **5.** Wyjść z czego obronną ręką ⟨*wyjść z jakiejś trudnej sytuacji, opresji, z tarapatów cało, szczęśliwie, bez wielkiej szkody*⟩: Bizancjum obronną ręką wyszło z najazdów barbarzyńskich w V stuleciu. *Wiedza 17, s. 2.* **6.** Zająć pozycję obronną.

obrońca **1. o.** sądowy. **o.** uciśnionych. **o.** ojczyzny, wiary. **2.** Ruch obrońców pokoju. **3.** *praw.* **o.** z wyboru, z urzędu: Oskarżony może mieć obrońcę z wyboru lub z urzędu. *Konst. PRL 269.*

obrosnąć p. **obrastać**

obrośnięty Człowiek **o.**, twarz **o-a** ⟨*człowiek nie ogolony, pokryty zarostem, włosami; twarz nie ogolona*⟩.

obrotny Człowiek **o.** ⟨*człowiek odznaczający się sprytem, zaradnością; przebiegły, przedsiębiorczy*⟩.

obróbka **1. o.** cieplna (metalu). **2. o.** drzewa, szkła, papieru. **3.** Wziąć kogo pod obróbkę ⟨*zwymyślać kogo, nagadać komu, wytknąć komu jego wady: obgadać kogo*⟩.

obrócić p. **obracać**

obrócić się p. **obracać się**

obrót **1. o.** koła, śruby, wskazówek zegara. **2. o.** w tańcu: Zrobiłem kilka obrotów, aż tu moja tancerka się odzywa: „Dość! Niech mnie kawaler posadzi. Kawaler nie umie walca". *Hertz B. Samow. 124.* **3. o.** Ziemi około osi. **4.** Oś obrotu. **5.** *mat.* **o.** figury ⟨*ruch, przy którym punkty figury zakreślają okręgi o ośrodkach położonych na wspólnej prostej (osi obrotu)*⟩. **6.** *ekon. handl.* **o.** czekowy, pieniężny, towarowy. **7.** Inny, nieoczekiwany, niepożądany, niespodziewany, szczęśliwy, zły itp. **o.** (sprawy, rozmowy, rzeczy) ⟨*przebieg tok sprawy itp.*⟩. **8. o.** na lepsze ⟨*zwrot*⟩. **9.** Coś bierze, wzięło, przybiera pomyślny, zły itp. **o.** ⟨*zwykle o sprawie, rozmowie*⟩: Gdybyś miał odwagę cywilną powiedzieć im w oczy słowa prawdy, to niejedna sprawa inny by obrót wzięła. *Bojko Dusze 20.* Rozmowa przybrała [...] tak nieoczekiwany obrót, że nie wiedziałem, co odpowiedzieć. *Wyg. Kotl. 12.* **10.** Brać, wziąć kogo w obroty ⟨*zmuszać do czego, stawiać w przykrej sytuacji; poddawać gwałtownemu, energicznemu działaniu; bić, znęcać się*⟩: Z miejsca wziął Pietrka w obroty. *New. Chłopiec 148.* **11.** *przestarz.* Być, znaleźć się w obrotach, wpaść w obroty ⟨*być, znaleźć się w trudnej sytuacji, w opałach, tarapatach*⟩: Pewno w niemałych być musiałeś obrotach; już ja myślałem, że cię zgoła zabito. *Kaczk. Murd. II, 91.* **12.** *łow.* Dawać obroty ⟨*o gonionym zwierzęciu: utrudniać pościg przez zbaczanie, zawracanie w biegu; uciekać nie po prostej linii*⟩: Zając zwijał się dzielnie, ciągle dawał psom obroty. *Dygas. Zając 39.* **13.** Nadać czemu (np. sprawie) inny itp. **o.** **14.** Mieć X zł obrotu miesięcznie, rocznie (o przedsiębiorstwie). **15.** Powiększyć, zwiększyć obroty (handlowe, pieniężne): Oba kraje postanowiły zwiększyć obroty handlowe. **16.** *techn.* Pracować, poruszać się itp. na małych, wolnych; wysokich, dużych, pełnych obrotach ⟨ *o silnikach, maszynach, pojazdach poruszanych silnikami: działać, poruszać się przy małej liczbie obrotów w stosunku do możliwości danego urządzenia (powoli); działać, poruszać się przy dużej, największej liczbie obrotów, możliwej w danym urządzeniu (szybko)*⟩: Po kilku przerzutach śmigło skoczyło i silnik zaczął pracować na wolnych obrotach. *Meis. Wilk. 118.*

obrus Biały, śnieżny, śnieżnej białości **o.** Nakryć **o.** Zasłać stół obrusem: Stół długi białym obrusem przykryto. *Żmich Pog. 53.*

obruszać się, obruszyć się **o. się** na kogo ⟨*wzburzyć się, rozgniewać się*⟩: Obruszyła się na mnie i powiedziała mi, żebym pilnował tego, co do mnie należy. *Bał. Dziady 95.*

obrywać p. **oberwać**

obrządek **1. o.** religijny ⟨*forma zewnętrzna religii, ceremoniał*⟩. **2. o.** rzymskokatolicki, bizantyjskosłowiański, ormiański itp. ⟨*odgałęzienie zachowujące (przy wspólności dogmatów) odrębną liturgię i prawo kanoniczne*⟩. **3.** *pot.* Mieć, robić **o.** koło czego ⟨*zajmować się czym; wykonywać codzienne prace gospodarskie*⟩: Żona miała obrządek koło gospodarstwa. *SW.* Sama koło całego domu obrządek robiła. *Jun. Bracia 249.* **4.** Odprawić **o.** czego ⟨*dokonać ce-*

remonii czego⟩: Nim się zaczną igrzyska i uciechy na przybycie wasze zgotowane, dozwól królu bym wraz z wami odprawił obrządek pasowania na rycerstwo giermka mego, Niemirę. *Niemc. Kaz. 93.*

obrządzać, obrządzić 1. o. inwentarz, świnie ⟨*oporządzać, oporządzić*⟩: Muszę obrządzić mego konia. *Sienk. SW*. Poszedł obrządzać świnie. *Reym. SPP.* **2.** Obrządzić koło czego ⟨*zrobić porządek*⟩: Obrządziłem już wszystko koło gospodarstwa. *SPP.*

obrządzić p. **obrządzać**

obrzęd 1. Obrzędy rodzinne, doroczne; kościelne: Z obrzędów rodzinnych największym wzięciem cieszyło się wesele, a z obrzędów dorocznych dożynki — dwie tradycyjne rewie najpyszniejszych strojów ludowych. *Seweryn Rozdr. 82.* **2. o.** koronacyjny: Cały rytuał obrzędu koronacyjnego królów polskich odbywał się po łacinie. *SRG 199.* **3. o.** c z e g o: **o.** wyklinania; *żart.* **o.** grzybobrania *(Mick.).* **4.** Dokonać, dopełnić obrzędu. Sprawować obrzędy.

obrzęk o. twarzy; obrzęki pod oczami. **4. o.** robi się komu, występuje: Po wyrwaniu zęba wystąpił obrzęk.

obrzucać, obrzucić 1. o. k o g o, c o c z y m: **o.** kogo kamieniami. **2. o.** kogo błotem, oszczerstwami, potwarzami, oskarżeniami itp. ⟨*rzucać na kogo oszczerstwa, oczerniać, szkalować, zniesławiać kogo; zarzucać co komu, oskarżać kogo o co*⟩. **3.** *przestarz.* **o.** kogo ekskomuniką ⟨*rzucać na kogo klątwę kościelną; wyklinać kogo*⟩. **4. o.** kogo kwiatami ⟨*wyrażać komuś uznanie, uwielbienie, miłość itp., ofiarowując mu kwiaty, zasypując go kwiatami*⟩: Ochotników (polskich) obrzucano kwiatami, ściskano za ręce. *Gąs. W. Hist. armii 180.* **5. o.** kogo obelgami, przekleństwami ⟨*lżyć kogo, przeklinać kogo*⟩. **6. o.** (kogo lub co) okiem, wzrokiem, spojrzeniem ⟨*oglądać (kogo lub co) szybko, rozglądać się po czymś*⟩: Obrzucił mnie oczyma od góry do dołu butnie i hardo. *Przybysz. Współ. I, 40.* **7. o.** kogoś pytaniami ⟨*zadawać komuś mnóstwo pytań, zasypywać pytaniami*⟩: Wszyscy w zawody jęli cisnąć się do niego i wyciągać ręce, i ściskać, i całować, i witać słowy, i obrzucać pytaniami. *Łoz. Wal. Szlach. II, 57.* **8. o.** co światłem, blaskiem, promieniami itp. ⟨*o słońcu, lampie itp.: rzucać blask, refleks; oświetlać, opromieniać, rozjaśniać*⟩: Zachodzące słońce obrzuciło złotem zieleń wzgórza. *Sewer Pam. 135.* Nocna lampka obrzuca mdłym światłem pokój. *Dyak. SPP.* **9.** *łow.* **o.** knieję, ostęp, ostoję naganką ⟨*otaczać, obstawiać*⟩: Ostoję, w której niedźwiedź zaległ, obrzucało się gęstą naganką. *Hop. Jęz. 34.* **10. o.** mur wapnem, tynkiem ⟨*zaprawiać; wyprawiać*⟩. **11. o.** płaszcz futerkiem ⟨*obszywać*⟩. **12. o.** szwy ⟨*obszywać brzegi materiału, kanty szwów nićmi; wykończać szwy*⟩. **13. o.** szydełkiem ⟨*obdziergiwać*⟩: Te falbany (powłoczek) panny teraz właśnie obrzucają szydełkiem. *Hof. Kl. Dziennik 50.*

obrzucać się, obrzucić się 1. o. się błotem, wyzwiskami itp. ⟨*obrzucać się wzajemnie oszczerstwami; oczerni(a)ć się, (o)szkalować się wzajemnie; zarzucać, zarzucić coś jeden drugiemu, oskarżać, oskarżyć o co jeden drugiego*⟩: Chłopcy zaczynają obrzucać się najgorszymi wyzwiskami. *Brzoza Dzieci 140.* **2. o. się** wzajemnie spojrzeniami ⟨*(po)patrzeć jeden na drugiego, przyglądać się, przyjrzeć się sobie wzajemnie*⟩: Niby to wszyscy trzej przepowiadali sobie jeszcze lekcje, ale właściwie siedzieli tylko nad książkami, raz po raz obrzucając się pogardliwymi spojrzeniami. *Perz. Uczn. 57.*

obrzucić p. **obrzucać**

obrzucić się p. **obrzucać się**

obrzydliwość 1. Nudny (aż) do obrzydliwości. **2.** Mierzi coś kogo do obrzydliwości: Wsadzał go do bryczki i traktował go per „wy", już jako kolegę w pracy, co go mierziło do obrzydliwości. *Iwasz. J. Księżyc 290.* **3.** Mieć **o.** do czego. **4.** Nie móc patrzeć na co bez obrzydliwości. **5. o.** bierze ⟨*o stanie, kiedy ktoś doznaje uczucia obrzydzenia, odrazy*⟩: Aż obrzydliwość brała patrzeć na ten wielki brzuch i na te cienkie nogi. *Sienk. Quo II, 116.*

obrzydliwy *posp.* Być obrzydliwym ⟨*łatwo się czym brzydzić*⟩: A w ogólności się nie boję, tylko obrzydliwy jestem. Mysza, karaluch czyli tyż pluskwa apetyt mnie psuje. *Wiech. Śmiej I, 30.*

obrzydzenie 1. o. d o k o g o, d o c z e g o: Po przepiciu miał obrzydzenie do wszelkiego jadła. **2.** Budzić, wzbudzać **o. 3.** Doznać czego (np. mdłości) z obrzydzenia. **4.** *przestarz.* Mieć co w obrzydzeniu ⟨*brzydzić się czym*⟩: Mięso mieli w obrzydzeniu, od ryb się wstrzymywali. *Moracz. Dzieje I, 46.* **5. o.** ogarnia kogo.

obsada 1. o. personalna; **o.** sztuki teatralnej, orkiestry symfonicznej ⟨*personel; zespół osób wyznaczonych do wykonywania czego*⟩: Sztuka idzie w nowej obsadzie. *SPW.* **2. o.** roli w sztuce teatralnej, **o.** katedry uniwersyteckiej ⟨*powierzenie roli; wyznaczenie na stanowisko*⟩: Obsada ról bywa często dramatem zakulisowym, z którym się plączą intrygi, komeraże i pokątne zabiegi. *Kotarb. J. Świat. 176.* **3. o.** noża, pistoletu ⟨*trzonek, kolba*⟩.

obsadny *karc.* **1.** Gra **o-a** ⟨*gra dążąca do pozostawienia przeciwnika bez należytej liczby lew*⟩. **2.** Karta **o-a** ⟨*karta mocna, pewna*⟩.

obsadzać, obsadzić 1. o. k o g o, c o: **o.** aktora w sztuce, w roli ⟨*wyznaczyć aktora do wykonania roli w sztuce*⟩: Obsadza ją początkowo w farsach, by się nauczyła mówić prozę na scenie. *Ower. Ramp. 272.* **2. o.** sztukę, rolę ⟨*powierzyć dobranym aktorom, aktorowi wykonanie ról, roli w sztuce*⟩: W przyszłym tygodniu ma być dany Faust, z trzema rolami obsadzonymi przez debiutantów. *Sienk. Wiad. I, 186.* **3. o.** stanowisko, urząd itd. ⟨*wyznaczyć kogo na stanowisko, urząd itd.; powierzyć komu jakąś pracę; zadanie*⟩: W myśl instrukcji personalnej [...] stanowiska dyrektorskie w zakładach znajdujących się pod zarządem państwowym obsadzane są przez władze nadrzędne. *Wilczek Nr 16, s. 67.* **4.** *ryb.* **o.** stawy, wody ⟨*wpuścić narybek (do stawu), zarybić staw*⟩: [W kwietniu] rozpoczyna się tarło karpia. Na jeziorach otoczyć opieką tarliska, obsadzać wody otwarte narybkiem. *Kalendarz Leśny s. 29.* **5. o.** *daw.* osadzać, osadzić c o — c z y m: **o.** drogę drzewami; skarpę krzewami; rabaty kwiatami ⟨*(za)sadzić dokoła, wzdłuż itp.*⟩: Powóz jego wjechał na szeroką drogę, dwoma gęstymi rzędami starych kasztanów osadzoną. *Orzesz. Eli II, 34.* **6. o.** c o n a c o a. n a c z y m ⟨*przytwierdzić co do czego, umocować; osadzić*⟩: Mała kosa, obsadzona na krótkim kosisku, czyni wrażenie dużego sierpa. *Zapał. Pam. II, 175.* **7. o.** siekierę na toporzysku. **8.** *wojsk.* **o.** co wojskiem, działami ⟨*otoczyć wojskiem, działami, obwarować, oblec*⟩: Polacy nabrali większej jeszcze otuchy do boju, zaczęli sypać równoległe szańce i obsadzać je działami. *Moracz. Dzieje IX, 24.* **9. o.** co kim ⟨*zasiąść dookoła, obsiąść; zająć miejsca*⟩: Uczony z trudnością przecisnął się przez obsadzone tłumami schody i z wysiłkiem dotarł do sali, w której czekała na niego katedra. *Śliw. A. Lel. 116.*

obsadzić p. **obsadzać**

obsadzony *przen. rzad.* **o.** rodziną, dziećmi ⟨*obarczony, obciążony*⟩: Z rozpaczy, jak mówiono, choć kąta prawie nie miał, choć obsadzony rodziną [...] ożenił się. *Krasz. Opow. 275.*

obsączyć o. grunt ⟨*osuszyć grunt zakładając dreny; zdrenować*⟩.

obserwacja 1. Obserwacje astronomiczne, biologiczne, lotnicze. **2. o.** k o g o, c z e g o: **o-e** gwiazd. Jej dar obserwacji rzeczy drobnych, gestów, barw i kształtów był zadziwiający. *Hertz P. SPP.* **3. o-e** nad kim, nad czym: **o-e** nad życiem. **4.** Brać, wziąć kogo, co pod obserwację ⟨*obserwować; śledzić; rozciągać kontrolę nad kimś lub nad czymś*⟩: Wziął syna jeszcze pod ściślejszą obserwację, niż dotąd. *Jun. Wod. 99.* **5.** Być pod obserwacją ⟨*pod nadzorem*⟩: Był pod obserwacją, szpiegowany na każdym kroku. *Smolka SPP.* Ojciec był pod obserwacją policji. *New. Archip. 164.* **6.** *med.* Być, pozostawać na obserwacji ⟨*być izolowanym i poddanym specjalnym badaniom lekarskim w celu rozpoznania choroby*⟩: Jest w szpitalu [...] musi jeszcze jakiś czas być na obserwacji. *Płomyk 15, 1953.* **7.** Notować **o-e** ⟨*spostrzeżenia*⟩: Zaraz pod parkanem był ogródek z działkami doświadczalnymi, na które przychodziły dziewczęta z zeszytami i notowały swoje obserwacje. *Róż. Kart. 14.* **8.** Robić nad czym obserwacje.

obserwować 1. o. k o g o, c o ⟨*przypatrywać się; badać*⟩: **o.** defiladę, popisy akrobacyjne (lotników) itp.; czyje zachowanie. **o.** zjawiska: W sąsiedztwie wulkanów czynnych czy wygasłych obserwujemy zjawiska będące przejawem działalności wulkanicznej. *Sams. Geol. 16.* **2.** *przestarz.* **o.** posty, przepisy religijne; regulamin ⟨*zachowywać posty, przestrzegać przepisów religijnych, regulaminu*⟩: Obserwował pilnie przepisy religijne. *Rzew. H. Pam. 75.* Obserwowała ściśle regulamin klasztorny, posuwając gorliwość swoją do przesady. *Zap. G. Dzień 116.*

obsłonka, osłonka Bez obsłonek, bez osłonek ⟨*nie maskując niczym, nie ukrywając, nie obwijając w bawełnę; bez ogródek; prosto z mostu*⟩: Obiecałam przedstawić jej sprawę bez osłonek. *Świet. A. Nałęcze 143.* Opisywać, pokazywać itp. bez obsłonek (rzadziej: bez osłonek): Gdy wcześniejsi poeci widzieli w życiu wiejskim tylko sielankę, Konopnicka pokazała bez obsłonek właściwe oblicze tego życia. *Radio i Świat 18, 1953.*

o(b)smażany, o(b)smażony 1. o-e w cukrze (owoce, orzechy) ⟨*smażone w syropie*⟩. **2. o-e** w oliwie lub na maśle (karczochy, kotlety) ⟨*przysmażone po wierzchu ze wszystkich stron*⟩.

obstać o. za kogo, co ⟨*wystarczyć, starczyć za kogo, co; zastąpić kogo lub co*⟩: Cóż on bez niej znaczył na świecie? Ta kobieta za dziesięciu parobków mu obstoi. *Żer. Opow. II, 185.*

obstalunek 1. Buty, ubranie na **o.** ⟨*na zamówienie*⟩. **2.** Dostać **o.** ⟨*zamówienie*⟩. **3.** Porobić obstalunki. **4.** Przyjąć **o.** na co. **5.** Sprawić sobie co; (z)robić, wykonać co na **o.**: Haftowała ciągle i wykonywała na obstalunki najpiękniejsze roboty. *Wilk. P. Poran. II, 242.*

obstawa ⟨*ludzie stanowiący ubezpieczenie, ochronę kogoś lub czegoś*⟩ **1. o.** policyjna: Przekradali się przez gęstą obstawę policyjną, aby zdobyć środki żywności. *Brand. M. Spot. 87.* **2.** Stanowić obstawę: Chłopcy stanowili obstawę, dziewczęta rozrzucały pliki ulotek. *Czesz. Pokol. 129.*

obstawać 1. o. przy czym ⟨*upierać się przy czym, trzymać się czego uparcie*⟩: Obstawać (uparcie) przy swoim, przy swej decyzji, przy swoim poglądzie. **2.** *daw.* **o.** za kim, za czym ⟨*trzymać czyjąś stronę, bronić kogo lub co*⟩: Waćpannę takem już polubił, że za nią jako za własną córką będę obstawał. *Sienk. Ogn. II, 49.*

obstawiać, obstawić 1. o. k o g o, c o — k i m ⟨*otoczyć kogo kim; osaczyć kogo kim*⟩: Jestem obstawiony szpiclami, śledzą mnie... *Morc. Pokład 570.* Czy już wszystkie obstawione rogatki? *Mick. Fragm. 341.* **2. o.** konia (w totalizatorze) ⟨*postawić najwięcej stawek na konia*⟩: Silnie obstawiony faworyt przyszedł dopiero trzeci. **3.** *sport.* **o.** bramkę, kosz itp. ⟨*ubezpieczyć*⟩. **4.** *sport.* **o.** zawodnika ⟨*utrudniać mu należyte wykonywanie zadań*⟩.

obstrzał, ostrzał ⟨*ostrzeliwanie*⟩ **1. o.** artyleryjski. **2.** Pod **o.** (dostać się, wziąć co): Ze wszystkich stron słyszę strzelaninę — muszę dobrze uważać, aby nie dostać się pod obstrzał. *Cent. Foka 207.* Niemcy wzięli dzielnicę pod koncentryczny obstrzał artyleryjski, prowadząc go z baterii ustawionych na Pradze, na Bielanach i na Woli. *Czesz. Pokol. 226.* **3.** Pod o(b)strzałem (być, znaleźć się, robić co): Pośpiesznie stukały siekiery. Saperzy pod ostrzałem z tamtego brzegu budowali gorączkowo most. *Was. W. Rzeki 598.* **4.** *przen.* Być pod o(b)strzałem krytyki, opinii: Zaśniedzieli urzędnicy, tonący w papierkach, są pod obstrzałem naszej opinii publicznej. *Państwo 6, 1955, s. 931.*

obsyłać p. **obesłać**

o(b)sypać, o(b)sypywać 1. o. c o: **o.** kartofle, buraki, rośliny okopowe ⟨*obrzucić, obrzucać ziemią*⟩: Przy chatach gospodynie i dziewuchy obsypywały buraki i kartofle. *Prus Plac. 74.* **2. o.** k o g o, c o — c z y m: **o.** kogo lub co gradem kul, kamieni, razów itp. ⟨*wiele razy obstrzelić, uderzyć kamieniami*⟩: Połowa naszych wojowników [...] miała zaczaić się na wzgórzach ponad obozem i w razie przebudzenia się wrogów i ich alarmu obsypać dwa namioty Ruxtona gradem kul. *Fiedl. A. Biz. 44.* **3. o.** kogo — kwiatami ⟨*obrzucić, zarzucić*⟩: Publiczność o(b)sypała primabalerinę kwiatami. **4. o.** kogo, co oklaskami, obelgami, grzecznościami, pocałunkami itp. ⟨*wiele razy oklaskiwać kogo, lżyć, powiedzieć wiele grzeczności, pocałować itp.*⟩: Obsypano mówczynię, rzęsistymi oklaskami. *Święt. A. Nałęcze 41.* Obsypawszy gradem obelg, otworzyła przed nią drzwi na rozcież. *Reym. Kom. 331.* Pospólstwo osypywało nas gradem obelg i połajanek. *Kowalew. Z. Wspom. 88.* Co chwila osypywał rączkę dziewczyny cichymi pocałunkami. *Padal. Opow. II, 116.* **5. o.** kogo szczęściem ⟨*obdarzyć hojnie*⟩. **6. o.** kogo złotem, klejnotami ⟨*obdarzyć kogo bogactwem*⟩: Jeszcze przyjdzie taki czas, że cię złotem obsypię! *Gomul. Ciury III, 28.*

o(b)sypać się, o(b)sypywać się 1. o. się — c z y m: **o.** się grzecznościami, złorzeczeniami, obelgami itp. ⟨*wiele razy powiedzieć sobie wzajemnie grzeczności, złorzeczenia itp.*⟩: Kłócili się co dzień, obsypywali się gradem złorzeczeń, a mimo to w stanowczych chwilach solidaryzowali się najzupełniej. *Gąs. W. Pig. 52.* **2.** Drzewa, krzewy o(b)sypują się kwieciem, owocami itp. ⟨*pokrywają się*⟩: Bogato obsypały się krzaki czeremchy białymi gronami kwiatów. *Was. W. Rzeki 156.* Ledwo tarń osypała się śnieżystym kwiatem, myśl twa już dalej leci i tęskni za latem. *Staff L. Poezje II, 135.* **3.** Niebo o(b)sypuje się gwiazdami: Zgasły dnia blaski, niebo gwiazdami się osypało. *Chodź. Pisma I, 24.* **4.** Coś o(b)sypuje się (z czego): Mur, gruz z muru, śnieg z dachu (z drzewa), ziemia o(b)sypuje się ⟨*osuwa się, oblatuje*⟩: Gdzie ze wzgórza osypała się ziemia, widać nagie korzenie. *Prus Kart. II, 57.* **5.** Kwiaty, liście o(b)sypują się z drzewa; nasiona o(b)sypują się ⟨*sypią się, opadają*⟩: Owoce kronselskiej łatwo osypują się z drzew. *Pomol. 85.*

o(b)sypany o. c z y m ⟨*pokryty*⟩: Łąka o(b)sypana kwieciem a. kwiatami. Drzewa o(b)sypane owocem a. owocami; śniegiem. Ciało o(b)sypane krostami. Twarz o(b)sypana pryszczami. Smukłe i wiotkie, osypane nadzwyczajnymi klejnotami, bardzo wydekoltowane wydawały się Emanuelowi nimfami, istotami nieziemskimi. *Iwasz. J. Nowele 75.*

o(b)sypywać p. **o(b)sypać**

o(b)sypywać się p. **o(b)sypać się**

o(b)szczekać, o(b)szczekiwać 1. Oszczekać, oszczekiwać kogo ⟨*o psie*⟩: Pies wyskoczył z budy i szarpiąc łańcuch, oszczekiwał gościa. *Twórcz. 9, 1952, s. 72.* **2.** *przen. wulg.* Obszczekać, obszczekiwać; *przestarz.* oszczekać, oszczekiwać kogo ⟨*obmówić, oczernić kogo*⟩: Człek rad by się z takim ostatnim kęsem podzielić, a on obszczekuje cię jak pies. *Żuł. Rzeka 13.* Pamiętasz, jak oszczekałeś Mieszka przed księdzem? *Gomul. Wspom. 58.*

obszerność W całej obszerności ⟨*dokładnie, wyczerpująco; w sposób najpełniejszy*⟩: Mam na nich znowu przygotowaną gorszą jeszcze filipikę, gdzie niektórych zasługi w całej obszerności roztrząsam i oceniam. *Mick. Listy I, 435.*

obszyć, obszywać 1. o. c o — c z y m ⟨*obramować, okolić*⟩: **o.** chustkę koronką, koszulę haftem. **2.** *pot.* **o.** kogo ⟨*szyć, łatać komu bieliznę, ubranie*⟩: Matka obszywa go i opiera.

obuch 1. *przen.* Pod obuchem czego ⟨*pod groźbą, pod naciskiem*⟩: Przemawiał w taki sposób, aby pocieszyć i pokrzepić krewniaka swego, upadłego pod obuchem opinii. *Dygas. Gorz. II, 137.* **2.** Bić, uderzyć obuchem w głowę (w łeb), dostać jak obuchem w głowę (w łeb) ⟨*poruszyć kogo do głębi, wstrząsnąć kim, otrzeźwić; otrzeźwieć*⟩: I pomyśleć, żem pędził z Warszawy jak na skrzydłach, żem chciał wcielić w czyn wszystkie zasłyszane tam słowa: Postęp! Wolność! [...] Z punktu dostałem w łeb obuchem! *Aud. Zbieg. 63.*

obuć, obuwać *przysł.* Kiedy luty, obuj buty.

obudzać się p. **obudzić się**

obudzić 1. o. kogo o jakiejś godzinie: Obudź mnie o 5 rano. **2.** Coś kogo obudziło (ze snu): Obudziło go pukanie do drzwi. Obudził mię krzyk jakiś, wołania. *SW.* **3. o.** c o — w k i m ⟨*wywołać, wzbudzić*⟩: **o.** w kim gust, namiętność, podejrzenia, świadomość (narodową), wspomnienia, zamiłowanie do czego: Gust do nauk przyrodniczych obudził w niej stary nauczyciel jej brata. *Prus Emanc. I, 51.* Jego zachowanie w ostatnich dniach mogło obudzić w Tomczyńskim podejrzenia. *Breza Uczta 215.* Przycisnąłbym ją do serca i może mój głos obudziłby w niej jakie milsze wspomnienie... *Słow. Proz. 506.*

obudzić się, obudzać się 1. Coś się w kim obudziło ⟨*powstało, zrodziło się*⟩: W Kucharzewskim obudziła się ambicja — postanowił za wszelką cenę egzamin złożyć i promocję dostać. *Gomul. Wspom. 105.* **2.** Obudziła się (w kim) myśl, niechęć, sympatia, zazdrość, żal: Pomiędzy nimi od razu najżywsza się obudziła sympatia. *Kaczk. Grób II, 278.* We mnie, patrząc na to wszystko, obudził się tylko żal wewnętrzny. *Gosz. Dziennik 230.* **3.** Obudziło się podejrzenie.

oburącz Chwycić kogo, co, za co; objąć się, ująć się, kogo za co, trzymać co, trzymać się czego **o.** ⟨*trwać przy czym usilnie, nie chcieć czego stracić*⟩: Trzymał się życia oburącz. *Sinko Lit. II/1, 19.*

oburzenie 1. o. n a c o, n a k o g o: na niesprawiedliwość, na zepsucie obyczajów; na zdrajców. **2. o.** czym: **o.** niewdzięcznością, postępowaniem (czyim): Oburzenie jego postępowaniem było powszechne. **2a.** Święte **o.** ⟨*wielkie, ogólne oburzenie, zwykle wywołane postępkiem natury moralnej, obyczajowej*⟩: Był to wyraźny zamach na króla. Londyn i Anglia cała zawrzała świętym oburzeniem. *Koźn. Rok 116.* **3.** Z oburzeniem (mówić co a. o czym, odrzucić propozycję): Odrzuciła podobną propozycję z oburzeniem. *SW.* Mówiła prędko, namiętnie, z wielkim ogniem w twarzy, z oburzeniem w głosie. *Konopn. Now. III, 89.* **4.** Czuć **o.** (dla czego). **5.** Dać wyraz swemu oburzeniu. **6.** Nie posiadać się, wzdrygać się z oburzenia: Na samo wspomnienie tego nędznika cała moja dusza wzdryga się z oburzenia. *Gaj. z Błoc. Pam. 390.* **7.** Wywołać, wzbudzić **o.**: Scena ta wywołała powszechne oburzenie. *SW.* **8. o.** ogarnia, porywa kogo, powstaje; dochodzi do najwyższego stopnia.

obusieczny Miecz **o.** *p.* obosieczny: Starożytny oręż polski był prosty i obusieczny, nazywał się mieczem. *SRG 465.*

obuwie 1. o. skórzane, płócienne, gumowe. Nowe; stare, podarte **o. 2.** Fabryka obuwia. **3.** Ktoś nie jest wart rozwiązać rzemyka u czyjego obuwia ⟨*ktoś jest nic niewart w porównaniu z daną osobą, stoi o wiele niżej pod jakimś względem*⟩: Ona niewarta rozwiązać rzemyka u obuwia mojego. *Lam J. Głowy II, 78.*

obwarować, obwarowywać 1. o. c o — c z y m ⟨*umocnić, ufortyfikować; zabezpieczyć*⟩: **o.** miasto (murem), **o.** obóz. Gdyby brzeg rzeki obwarować bulwarami, powstałaby tam najpiękniejsza część miasta. *Prus Lalka I, 107.* **2. o.** prawa ⟨*zabezpieczyć prawa*⟩: Zrozumiano potrzebę staranniejszego obwarowania praw ludności miejskiej i kmiecej. *Lim. Społ. XVIII, 32.* **3. o.** co prawem, ustawą, zapisem.

obwiesić, obwieszać *daw.* **owiesić, owieszać 1. o.** c o — c z y m: Obwiesić ściany dywanami, obrazami. Obwiesić mundur, pierś orderami. **2.** *przestarz.* **o.** skrzydła ⟨*być zrezygnowanym, spuścić nos na kwintę, osowieć*⟩. **3.** *przestarz.* Obwiesić kogo ⟨*odebrać życie komu przez powieszenie, powiesić kogo*⟩: Sułtan [...] oświadczył, że ktokolwiek odradzałby mu wojnę z Polską, każe go obwiesić. *Proch. Żółk. 232.*

obwieszczenie 1. Rządowe, urzędowe **o. 2. o.** c z e g o: **o.** wyroku. **3. o.** o c z y m: **o.** o szczepieniach ochronnych. **4. o.** w prasie. **5.** Rozplakatować, rozlepić **o. 6. o.** pojawiło się, ukazało się (na murach, w dziennikach).

obwieszony o. c z y m: Drzewo obwieszone owocami. Pierś **o-a**; mundur **o.** orderami; *przen.* **o.** tramwaj: Ludzie tłoczyli się na jezdni [...] biegnąc i cisnąc się do obwieszonych tramwajów. *Brand. K. Obyw. 332.*

obwieścić, obwieszczać *książk.* **1. o.** k o m u — c o ⟨*ogłosić; zakomunikować*⟩: **o.** nowinę. Obwieszczono mi tę wiadomość. *SPP.* Huk dział obwieścił światu, że nowy król stanął na zamku. *Śliw. A. Bat. 74.* **2.** *daw.* **o.** kogo ⟨*powiadomić kogo*⟩: Obwieścił wszystkich urzędników, ażeby wolę jego pełnili. *Narusz. Hist. II, 264.*

o(b)wijać, o(b)winąć 1. o. k o g o, c o — c z y m, w c o, o k o ł o c z e g o ⟨*okręcać, okręcić; otulać, otulić; zawijać, zawinąć*⟩: **o.** sobie szyję szalikiem. Owinął chmielinę około tyki. *SW.* Odwróciła się w stronę dziecka, zaczęła je owijać w duży, czarny pled ciepły jak wojłok. *Szew. Kleszcze 218.* **2. o.** kogo (o)koło palca a. koło małego palca ⟨*podporządkować kogo swojej woli, uzależnić od siebie; wziąć pod pantofel*⟩: Kto jeno chce, to mnie około palca obwinie. *Kaczk. Olbracht. I, 189.* Nie dała się żadnemu mężczyźnie koło palca owijać, o nie! *Kunc. Dni 239.*

obwijak *rzad.* ⟨*pas tkaniny służący do obwijania; owijacz, obwiązka*⟩: Ogromne chłopy, barczyste, a przy tym smukłe [...] na mocnych a smukłych nogach, zgrabnie ubranych w obwijaki — robią wrażenie rzymskich gladiatorów. *Siedl. M. Paryż 20.*

o(b)winąć *p.* **o(b)wijać**

o(b)winięcie 1. Na o(b)winięcie palca ⟨*bardzo mało; odrobinę, trochę*⟩: Miłujeszże mnie choć na obwinięcie palca? *Sienk. Pot. I, 25.* **2.** Nie wziąć, nie zostawić na o(b)winięcie palca: Przysięgał, że wszystko wydał uczciwie, dla siebie nie wziął na owinięcie palca. *Żer. Uroda 316.*

obwodowy 1. Ulica itp. **o-a** ⟨*okrężna, biegnąca naokoło czego, okalająca co, tworząca obwód zamknięty; obwodnica*⟩: Dom mojej matki stał na brzegu miasteczka, przy ulicy obwodowej. *Prus Now. III, 5.* **2.** Komisja **o-a** ⟨*wyborcza*⟩.

obwołać (się), obwoływać (się) 1. o. c o ⟨*obwieścić co, ogłosić co wołaniem, oznajmić dokoła*⟩: Rozległy się okrzyki, którymi obwoływali swoje usługi albo towary wędrowni rzemieślnicy i handlarze. *Warsz. młod. 49.* Straże na zamku zbaraskim obwoływały północ. *Sienk. Ogn. II, 248.* **2. o. się** (częściej *ndk*) ⟨*wołać do siebie wzajemnie; nawoływać się*⟩: Gęsto rozstawiona pikieta obwoływała się czujnie. *Konopn. Now. IV, 112.* **3. o.** kogo kim ⟨*wybrać kogoś na jakieś stanowisko, mianować; ogłosić wybór kogo*⟩: Kozacy podnieśli go na rękach obwołując hetmanem swoim. *Korzon. Woj. II, 413*; *przen.* ⟨*nazwać publicznie, uznać za kogo; okrzyczeć kogo kim*⟩: Obwołał Dekerta faryzejskim podszczuwaczem ludu. *Berent Diog. 114.* Jakąś niezdarną książkę ulepi, a jego konfratry obwołają go wielkim uczonym. *Kaczk. Teka 62.* **4. o. się** k i m: (Witold) kazał się możnym bojarom obwołać królem Litwy i Rusi. *Bobrz. Dzieje I, 208.*

obwoływać (się) p. **obwołać (się)**

obwódka 1. Czarna **o.** (klepsydry). **2.** Obwódki (dokoła) oczu: Pobladła twarz i otoczone ciemnymi obwódkami oczy świadczyły o nieprzespanej nocy. *Krzywosz. Jula 69.* **3.** Czapka z obwódką (z) futra ⟨*czapka z obramowaniem futrzanym*⟩.

obycie (się) 1. o. towarzyskie ⟨*umiejętność znalezienia się, zachowania się w towarzystwie; ogłada*⟩. **2.** Mieć **o.**, nie mieć obycia ⟨*posiadać umiejętność (nie posiadać umiejętności) zachowania się; umieć (nie umieć) znaleźć się w towarzystwie*⟩: Zbyt mało ma obycia salonowego. Jak na ich gust, zbyt mało szyku. *Przem. Jakobin 42.* **3.** Nabrać obycia ⟨*ogłady*⟩: Gładkości pewnej nabrał i obycia. *Jun. SW.* **4. o. (się)** z k i m, z c z y m: a) ⟨*otarcie między ludźmi, obejście się, ogłada*⟩: Sposób jego wyrażania się zdradzał wykształcenie i obycie się z ludźmi. *Niemoj. Szach. 64*; b) ⟨*oswojenie się, otrzaskanie z czym*⟩: Woda była naszym żywiołem i obycie z nią należało do podstaw indiańskiego wychowania. *Fiedl. A. Biz. 94.* Obycie się z niebezpieczeństwem i nagłością wypadków, przywróciło mi wkrótce całą energię. *Przyb. Upiory II, 170.* **5. o.** w c z y m: Nawet zawodowi sędziowie grodzcy nie byli uczonymi prawnikami; nabywali oni biegłości w prawie w sposób praktyczny, przez obycie w sądzie. *Bystr. Dzieje II, 317.*

obyczaj 1. Dawny, stary, staropolski **o.**; **o.** ludowy, polski, słowiański itd. ⟨*sposób postępowania w danej okoliczności; zwyczaj ludowy, polski, słowiański*⟩. **2. o.** przodków. **3.** Inne czasy, inne obyczaje.

4. Dobre, prostackie **o-e** ⟨*sposoby zachowania się, maniery, obejście*⟩. **5.** Dworność, grubość obyczajów: Nienawidził barbarzyństwa, grubości obyczajów, złych form towarzyskich. *Krzywosz. Życie I, 20.* **6.** Prawość, skromność, rozluźnienie, zepsucie obyczajów ⟨*sposobu życia, prowadzenia się, sprawowania się*⟩. **7.** Człowiek czystych, surowych obyczajów. **8.** Człowiek, osoba itp. lekkich obyczajów ⟨*osoba prowadząca się niemoralnie; w węższym znaczeniu o kobiecie: prostytutka, kobieta sprzedajna*⟩: W oficynach mieszkały dziewczęta lekkich obyczajów. *Jastr. Mick. 82.* Był to człowiek słynny z wesołości i lekkich obyczajów. *Sienk. Krzyż. I, 83.* **9.** Burzyć, naśladować, odnowić, pielęgnować (dawne), przyjąć (czyje), wprowadzić (nowe), zarzucić (stare) **o-e**. **10.** Mieć **o.**, znać czyj **o.** ⟨*przyzwyczajenie, nawyk*⟩: Trytony, tak samo jak żaby, należą do gromady zwierząt ziemnowodnych i mają podobne obyczaje. *Dyak. Przyr. 544.* Był po prostu nowicjuszem, nie znał obyczajów starego dziwaka. *Par. Niebo 135.* **11.** Zaszczepić w kim (dobre) obyczaje. **12. o.** każe: We dworze przyjęto gości, jak polski obyczaj kazał. *Tyg. Ilustr. 186, 1863.*

obyć się, obywać się 1. o. się b e z k o g o, c z e g o ⟨*da(wa)ć sobie radę, radzić sobie bez kogo lub czego*⟩: Dziwili się niepomiernie, że oficerowie obywają się bez ordynansów. *Prusz. Trzyn. 295.* **2.** Nie obyło się bez czego (rzadko: nie obędzie się; częściej: nie obejdzie się; *por.* obejść się) ⟨*coś musiało nastąpić*⟩: Gdy zbliżyła się chwila rozstania, nie obyło się bez płaczu. *Goj. Dom 100.* **3. o. się** byle czym, lada czym ⟨*poprzesta(wa)ć na byle czym*⟩: W domu obywała się byle czym, kuchnią niewiele lepszą od chłopskiej, ubraniem nicowanym [...] byle oszczędzić. *Reym. Ferm. I, 111.* **4.** Obyć się z kim, z czym ⟨*przyzwyczaić się do kogo, do czego; oswoić się, otrzaskać się, zżyć się z kim, z czym*⟩: Żebyś się z naszym życiem oswoił i obył. *Krasz. SW.*

obyty 1. o. towarzysko ⟨*umiejący się zachować, towarzysko wyrobiony, mający dobre maniery*⟩: Widać było, że są to ludzie świetnie obyci towarzysko. *Unił. Człow. 85.* **2. o.** z c z y m a . w c z y m ⟨*obeznany z czym, oswojony z czym, przyzwyczajony do czego*⟩: **o.** ze sceną. Byli to ludzie z wojną obyci i nie było nawet między tymi ochotnikami ani jednego, prócz wyrostków, który by prochu nie wąchał. *Sienk. Pot. III, 84.* **3. o.** w świecie, w towarzystwie itp. ⟨*taki, który bywał w świecie, w towarzystwie, i w związku z tym jest towarzysko wyrobiony; bywały*⟩: Był człowiekiem kulturalnym, miłym w obejściu, życzliwym, wykształconym i obytym w towarzystwie. *Michal. Książ. 69.* **4.** Żołnierz obyty w boju ⟨*otrzaskany, obznajmiony z bojem*⟩.

obywać się p. **obyć się**

obywatel 1. o. polski, francuski, angielski itp. ⟨*osoba mająca obywatelstwo polskie, francuskie itp.*⟩. **2. o.** miasta, województwa: 18 marca 1848 roku w Berlinie, ku zdumieniu statecznych obywateli miasta, wybuchła rewolucja. *Osm. Not. 32.* **3. o.** świata, Europy ⟨*ktoś, kto nie czuje się związany z żadnym krajem, żadnym społeczeństwem, kto wszędzie czuje się dobrze; kosmopolita*⟩. **4.** *żart.* **o.** świeżego powietrza ⟨*lekkoduch*⟩. **5. o.** ziemski ⟨*właściciel majątku ziemskiego; ziemianin*⟩: W owym czasie starał się o Zofię zamożny obywatel z Lubelskiego. *Perz. Las 60.* **6. o.** ⟨*oficjalna forma tytułowania kogo w rozmowie, używana czasem, jako bardziej demokratyczna, zamiast formy pan*⟩: Obywatelu poruczniku, plutonowy Aworski melduje swoje przybycie! *Twórcz. 7, 1954, s. 110.*

obywatelski ⟨*właściwy obywatelowi kraju; patriotyczny*⟩ **1.** Prawa, wolności **o-e**; duch **o.**, godność **o-a. 2. o.** dom, **o-a** rodzina ⟨*ziemiański(-a)*⟩. **3.** Komitet, sąd **o.**, straż **o-a** itp. ⟨*komitet, sąd, straż itp. zorganizowane z osób prywatnych, ochotników, nie fachowców do pomocy odnośnym władzom albo jako instytucje tymczasowe*⟩: Straż obywatelska stała szpalerem od kościoła przez rynek, ulicę Nową aż do sali Lamberta. *Rybka S. Pęta 57.* **4.** Milicja **O-a** ⟨*MO oficjalna nazwa milicji w Polsce Ludowej*⟩: Milicja Obywatelska wykonywa w zakresie ścigania przestępstw polecenia sądu i prokuratora. *Kod. post. karn. 7.* **5.** Po obywatelsku ⟨*tak jak na obywatela przystało*⟩: Marszałek ziemi wołyńskiej [...] o stratach materialnych myślący w chwili, kiedy bój się toczy w prowincji jego pieczy i obronie powierzonej — trochę nie po obywatelsku wygląda. *Rol. Trzy 175.*

obywatelstwo 1. o. honorowe ⟨*tytuł nadawany przez władzę państwową lub samorządową obywatelowi obcego państwa lub innego miasta, zwykle jako nagroda za zasługi; obywatelstwo tytularne*⟩. **2.** Prawo obywatelstwa: Przynależność do państwa określa się jako prawo obywatelstwa. *Kutrz. Wstęp 28.* **3.** Nadać, przyznać komu **o.** (jakiego) kraju: Po wyzwoleniu Stanów Zjednoczonych — Kongres mianuje Tadeusza Kościuszkę generałem-brygadierem, przyznaje mu obywatelstwo kraju oraz odznacza go orderem Cyncynata. *Młyn. Dem. 23.* **4.** Przyjąć **o.** jakiego kraju (np. polskie, francuskie). **5.** *przen.* Zyskać, zdobyć, mieć itp. prawo obywatelstwa a. **o.** ⟨*zyskać, zdobyć, mieć itp. rację bytu, prawo, możność istnienia; przyjąć się, upowszechnić się*⟩: Aby teoria zyskała sobie prawo obywatelstwa w świecie naukowym, musi tłumaczyć, czyli obejmować wszystkie fakty zaobserwowane bez wyjątków. *Świat Człow. 40.*

obżerać się p. **obeżreć się**

ocalić, ocalać 1. o. c o — z c z e g o ⟨*uratować, wynieść cało z niebezpieczeństwa*⟩: **o.** co z pożaru, z powodzi. Współczesna nasza praca nad literaturą wciąż jeszcze rozwija się i długo się zapewne rozwijać będzie pod znakiem ocalania z pogromu zabytków. *Wóyc. K. Poet. 1.* **2.** Ocalić godność, honor, reputację ⟨*uchronić, zachować*⟩. **3.** Ocalić komu życie ⟨*uratować*⟩: Zapomniał o tym, że tylekroć ocaliła mu życie. *Mark. W. Mity 221.* **4. o.** k o g o, c o — o d c z e g o ⟨*uchronić, uratować*⟩: **o.** od hańby, od pogromu, od śmierci, od zagłady, od zepsucia, od zniszczenia: Ach! zgińmy lepiej, zabijmy się same, śmierć nas od hańby ocali. *Mick. Ball. 17.* Popadł w tak ciężką chorobę, że już lekarze tracili nadzieję ocalenia go od śmierci. *Łoz. Wal. Dwór 422.*

ocalenie Droga ocalenia ⟨*sposób*⟩: Jest jeszcze inna ocalenia droga [...] można się ukryć. *Słow. Poem. I, 116.*

ocean 1. Bezbrzeżny, bezkresny, otwarty, pełny; groźny, rozszalały **o.** **2.** Fale, tonie, wody; nieskończoność, ogrom oceanu. **3.** *przen.* **o.** czego ⟨*wielka ilość, mnóstwo, bezmiar*⟩: **o.** krwi; **o.** mądrości; **o.** czułości, piękności, szczęścia: Uważaliśmy go za ocean mądrości. *Sienk. SW.* Chwilami zdawało mu się, że nie dotyka ziemi, że zniknął świat rzeczywisty i że otacza go bezdenny ocean piękności i szczęścia. *Prus Dzieci 200.* **4.** Przepłynąć **o.**, wypłynąć na **o.**, żeglować po oceanie. **5. o.** burzy się, grzmi, huczy, kipi, ryczy itp.: Pusto tam, dziko i tylko ocean huczy, wyrzucając na brzeg wielkie wodorosty. *Sienk. Koresp. I, 233.*

ocena 1. Gruntowna, mylna, niepochlebna, nieprzychylna, obiektywna, pełna, pochlebna, przychylna, subiektywna, trafna, ujemna, wnikliwa, wyczerpująca, życzliwa **o.** ⟨*ocenienie, opinia, krytyka*⟩. **2. o.** bardzo dobra, dobra, dostateczna, niedostateczna; oceny okresowe ⟨*stopnie szkolne*⟩. **3.** Kryteria oceny; miara, skala ocen. **4. o.** kamieni (kosztownych) ⟨*oszacowanie, otaksowanie, wycena*⟩. **5.** Być jakim (surowym) w ocenie kogo lub czego; Najsurowszy sędzia dla siebie samego, był, jak już powiedziałem, niezmiernie surowym w ocenie swoich najbliższych. *Przybysz. Współ. I, 130.* **6.** Dać, przedstawić do oceny: Jak napiszę, to dam panu do oceny. *Perz. Las 45.* **7.** Dokonać oceny (czego). **8.** Napisać ocenę (pracy, dzieła) ⟨*krytykę, recenzję*⟩. **9.** Nie wdawać się w ocenę czego. **10.** Poprosić o ocenę czego (np. ze strony rzeczoznawców). **11.** Poddawać ocenie co ⟨*wydawać sąd o czymś; poddawać krytyce coś*⟩: W swoim pięknym i wartościowym szkicu o „Silviludiach" Krzyżanowski kilkakrotnie poddaje surowej, lecz słusznej ocenie przekłady utworów Sarbiewskiego dokonane przez Syrokomlę. *Rocz. Lit. 1937, s. 162.* **12.** Spotkać się z oceną: Książka spotkała się z życzliwą oceną (krytyki). **13.** Stawiać oceny ⟨*stawiać stopnie*⟩: Większość lekcji poświęcał w tym czasie repetycjom: wzywał do tablicy przeciętnie trzech do pięciu uczniów w ciągu godziny i przepytywał ich z gruntowną dokładnością, nie stawiając ocen. *Brand. K. Obyw. 271.*

oceniać, ocenić 1. o. c o n a i l e ⟨*określać wartość materialną czego; szacować, taksować*⟩: **o.** szkody na wiele milionów. Na sto drachm oceniono dom. *Makowiec. Dios. 64.* **2. o.** k o g o, c o ⟨*wydawać opinię o kim lub o czym, wypowiadać sądy wartościujące; osądzać, kwalifikować; uznawać wartość kogo lub czego; doceniać*⟩: Przywykli oceniać ludzi po ich cechach zewnętrznych. *Hertz P. Sedan 149.* **3. o.** czyje wysiłki, zasługi. **4. o.** książkę, sztukę. **5. o.** czyją życzliwość ⟨*doceni(a)ć*⟩. **6. o.** grozę położenia, niebezpieczeństwo ⟨*zorientować się w położeniu, w niebezpieczeństwie*⟩: Jednym rzutem oka ocenił niebezpieczeństwo. *Sewer Biedr. 191.*

ocet 1. o. drzewny ⟨*o. surowy, produkt suchej destylacji drewna*⟩. **o.** owocowy, spirytusowy, stołowy, toaletowy, winny. **2.** Marynata w occie. **3.** To sam **o.**! ⟨*to strasznie kwaśne*⟩. **4. o.** siedmiu złodziei; ktoś lub coś kwaśne jak **o.** siedmiu złodziei ⟨*o czymś bardzo kwaśnym; w znaczeniu przenośnym o kimś bardzo zgorzkniałym, wiecznie niezadowolonym lub o czymś świadczącym o niezadowoleniu, złym humorze itp.*⟩: Kwaśna niby ocet siedmiu złodziei. *Grabow. J. Opow. II, 144.* **5.** Wyglądał jak po wypiciu octu siedmiu złodziejów. *Święt. A. Dryg. 196.* **6.** Napoić kogo octem i żółcią ⟨*sprawić komuś zawód, krzywdę, sprawić komuś przykrość, ból*⟩: Gorzki mi był twój napitek, gorzki chleb! Żółcią i octem mnie tu napojono! *Sienk. Pot. I, 76.* **7.** *przen.* Zaprawić co octem: Potrafią najeżyć swój uśmiech szpilkami, a słodycz zaprawić octem. *Prusz. Karabela 154.*

ochłoda 1. Dla ochłody ⟨*dla ochłodzenia się, dla orzeźwienia*⟩: Czasem dla ochłody i na okrasę przyniesie baba ze wsi dzbanek kwaśnego mleka... *Sewer Nafta I, 45.* W cieniu dla ochłody siedzieć. *SW.* **2.** *przestarz.* Zażyć ochłody: Pragniesz może ochłody w miłym zażyć wietrze? *Hul. SW.*

ochłodnąć 1. Ochłodło powietrze ⟨*oziębiło się powietrze, ochłodziło się*⟩: Powietrze ochłodło po deszczu. *Fel. E. Syb. I, 300.* **2.** *przen.* Stosunki między kimś ochłodły ⟨*stały się mniej zażyłe, oziębły*⟩: Skutkiem fatalnych nieporozumień stosunki między nimi ochłodły. *Prus Now. I, 299.* **3.** Gniew czyj ochłódł, uczucie czyje ochłodło. **4. o.** z c z e g o, *przestarz.* w c z y m (o uczuciach): **o.** z przerażenia, ze strachu, z gniewu. Kwiryna ochłodła z gniewnego uniesienia. *Goj. Rajs. I, 78.* Ochłódłszy z trwogi [...] padła zmorzoną twarzą na ziemię i spała twardo aż do dnia. *Zmor. Podania 130.* Ochłodnie w gniewie i ubłagać da się. *Przyb. SW.*

ochłonąć 1. o. z c z e g o (o uczuciach): **o.** ze strachu, z przerażenia, z gniewu; ze zdumienia: Ochłonąwszy z gniewu, przeprosiłem ojca i mamę i wszystko było dobrze. *Słow. Listy I, 42.* **2.** *przestarz.* **o.** w czym ⟨*ostygnąć*⟩: Mąż ochłonął nieco w miłości. *Prus SPP.* **3.** Gniew, zapał ochłonął: Te odwiedziny wystarczyły zupełnie, aby w sercu pana Szczęsnego ochłonęły zapały dla sąsiadki. *Dygas. Piszcz. I, 148.*

ochoczy 1. o. do czego ⟨*chętny, skory*⟩: **o.** do rozmowy, do zabawy, do nauki, do pracy. **2.** Młodzież **o-a** ⟨*skłonna do zabawy*⟩: To była młodzież [...] wesoła, grzeczna, ochocza, a od panien toby ich kijem nie odpędził. *Bał. Ryby 62.* **3.** Zabawa **o-a** ⟨*wesoła, raźna, skoczna*⟩. **4.** Ochoczym sercem (przyjąć kogo, co; zgodzić się na co) ⟨*chętnie, z ochotą*⟩.

ochota 1. Niekłamana, nieposkromiona, niepowstrzymana, nieprzeparta, niezmierna, szczera **o.** **2. o.** c z e g o; Przyszła mi ochota wyjazdu. *SW.* **3. o.** d o c z e g o: **o.** do pracy, do nauki, do tańca, do życia: Zaczęła grać skoczną polkę; ale nikt nie miał ochoty do tańca. *Pług Zagon II, 231.* **4. o.** n a c o ⟨*chęć na co*⟩: **o.** na jabłka; na pogawędkę. **5.** Pełen ochoty. **6.** Bez ochoty (robić co): Idą cisi i spokojni jak mary bezwolne, bez ochoty — bez protestu. *Szmag. Dymy 20.* **7.** Dla ochoty (robić coś): Po jednym przetańcowaniu stanąłem przed kapelą i dla ochoty zaśpiewałem starą jak świat piosneczkę. *Kaczk. Murd. I, 148.* **8.** Z ochotą (co robić): Przystanę na to z ochotą. *SW.* **9.** Doda(wa)ć ochoty: Skrzypki! cymbały! grajcie, ochoty dodawajcie! *Groza Starosta 36.* Ochoty dodawali sobie okrzykami. *Jeż SW.* **10.** Mieć ochotę na co, do czego a. co robić ⟨*odczuwać żywą chęć na co, pociąg, skłonność do czego*⟩: Nie miał ochoty do amorów, co gniewało

Joannę. *Chłęd. Neapol 106.* **11.** Mieć ochotę śmiać się, płakać, pójść gdzie itp.: Kiedy zaczynają o interesach, mam ochotę wiać, gdzie pieprz rośnie. *Dąbr. M. Noce II, 207.* **12.** Nabrać, nabierać ochoty. **13.** Odebrać komu ochotę do czego. **14.** Nie ochota (komu co robić) ⟨*ktoś nie ma ochoty na co, ociąga się z czym*⟩: Hance nie ochota wyjść za próg domostwa, kiedy taka słota. *Tuwim Jarm. 44.* **15.** Poczuć ochotę (do czego). **16.** Stracić ochotę. **17.** Zdradzać ochotę (na co): Wyraźnie zdradzał ochotę na pogawędkę. *Andrz. Wojna 162.* **18.** *daw.* Wyprawić ochotę ⟨*ucztę, biesiadę*⟩: Pewnego razu, na parę dni przed nadciągnięciem króla i hetmanów, Sapieha wyprawił wspanialszą niż kiedykolwiek ochotę. *Sienk. Pot. V, 160.* **19.** Wzbudzić w kimś ochotę do czego. **20. o.** bierze kogo: Bierze mię wielka ochota nawymyślać mu ⟨*korci mię*⟩. *SW.* **21. o.** odbiega, odchodzi, odeszła (kogo), przychodzi: Długo nic pisać nie mogłem, przed dwoma miesiącami przyszła znowu ochota. *Mick. Listy II, 159.* **22. o.** ogarnia kogo: Ogarnęła ją nieprzeparta ochota snu. *Gomul. Obraz. 92.*

przysł. **23.** Bez ochoty niespore roboty.

ochotnik 1. Walczyć jako **o.**: Ostatniej wojny walczył jako ochotnik na froncie francuskim. *Pięt. Łuna 35.* **2.** Werbować ochotników: Werbował tajemnie ochotników, obiecując łupy i wielkie nagrody. *Kub. Szlice I, 315.* **3.** Zgłosić się, pójść, zrobić co itp. na ochotnika ⟨*zgłosić się, pójść, zrobić co itp. dobrowolnie, samorzutnie, bez przymusu, z własnej woli*⟩: Babinicz poszedł na ochotnika prochami kolubrynę rozsadzać. *Sienk. Pot. III, 314.*

ochrona 1. o. prawna. sądowa. **2. o.** c z e g o: **o.** mienia społecznego: Jednym z czołowych zadań socjalistycznego ustawodawstwa karnego jest odpowiednia organizacja ochrony mienia społecznego. *Państwo 4—5, 1955, s. 661.* **3. o.** pracy ⟨*wszechstronna opieka nad pracownikiem, zagwarantowana przez ustawy i przepisy prawne*⟩. **4. o.** przyrody (zwierząt, roślin) ⟨*zabezpieczenie przyrody przed zniszczeniem; opieka nad przyrodą; tworzenie rezerwatów roślinnych i zwierzęcych*⟩. **5. o.** o d c z e g o: **o.** od zimna, od deszczu: Dla ochrony od zimna nosił ciepłą koszulkę. **6. o.** p r z e d k i m, p r z e d c z y m: Ochrona słabszych przed silniejszymi. **7.** Znaleźć gdzie ochronę ⟨*zabezpieczenie, schronienie*⟩: Uszłe przed mieczem szczątki rozproszone w lasach i bagnach znalazły ochronę. *Niemc. SW.*

ochrzcić 1. o. kogo z wody ⟨*o. kogo przez pokropienie wodą w wypadku niemożności udzielenia sakramentu przez kapłana*⟩. **2.** *żart.* **o.** mleko, wino itp. ⟨*dolać do mleka, wina wody, rozcieńczyć mleko, wino wodą*⟩. **3. o.** kogo lub co ⟨*nadać komu lub czemu jakąś nazwę, imię, przezwisko; przezwać kogo albo co*⟩: Platon ochrzcił Homera ojcem tragedii. *Kubac. Kryt. 75.*

ochyba *daw.* dziś *gw.* ⟨*rzecz niepewna*⟩: Bez ochyby ⟨*niechybnie, niezawodnie; na pewno, bez wątpienia*⟩: Zginie bez ochyby. *Bogusł. W. Cud 57.*

ociągać się 1. Iść ociągając się ⟨*iść niechętnie, bez pośpiechu*⟩: Szła ociągając się, noga za nogą. *Gomul. Ciury I, 46.* **2. o. się** z c z y m ⟨*zwlekać z czym, odwlekać, odkładać co na potem*⟩: **o. się** z odejściem; z wyjawieniem, z wypowiedzeniem czego. Nie ociągał się z posłaniem po doktora. *Dąbr. M. SPP.* **3. o. się** z robotą ⟨*pracować niechętnie, bez pośpiechu*⟩: Służba ociągała się z robotą, ale spieszyła po odebranie pensji. *Prus Emanc. I, 183.*

ociekać, ociec, ocieknąć 1. o. c z y m ⟨*oblać się, zalać się, spłynąć czym*⟩: **o.** krwią, potem, wodą. Ociekał krwią, był już zapewne ranny śmiertelnie, śmierć miał w spojrzeniu i wyrazie. *Ask. Poniat. 224.* **2.** *przen.* **o.** złotem: Posiadał rząd usarski bajecznie bogaty, cały bowiem ociekał złotem i iskrzył się ogniem szlachetnych kamieni. *Łoz. Wł. Praw. I, 127.*

o ciemku *daw.* ⟨*po ciemku, bez światła*⟩: o ciemku zaczęła się ucierać jazda z jazdą i grały z obudwu stron działa. *Moracz. Dzieje VIII, 143.*

ocieni(a)ć o. c o — c z y m ⟨*osłonić cieniem czego, zacienić*⟩: Ocieniając dłonią oczy, spojrzał na rzekę. *Unił. Człow. 46.*

ocieniany, ocieniony 1. o. c z y m ⟨*osłaniany, osłonięty cieniem czego*⟩: Dom **o.**; weranda **o-a** (drzewami). Chata jego, ocieniona szeroką jabłonią i pełna gniazd gołębich, i śpiewająca od świerszczów ustronna była i spokojna. *Słow. Anh. 235.* **2.** Lampa **o-a** abażurem: Blask lampy ocienionej żółtym abażurem padał na biurko. *Pytl. Pożegn. 226.* **3.** Oczy **o.** brwiami, łukiem brwi ⟨*okolone*⟩: Zachwyciła [...] płonącymi czarnymi oczyma, wspaniale ocienionymi podwójnym łukiem prawie zrośniętych, przepysznych, bardzo ciemnych brwi. *Parn. Orły 110.* **4.** Twarz **o-a** koronkami, włosami: Ujrzała w wodzie swoje odbicie, a obok swojej twarzy ocienionej koronkami — twarz Wiliama. *Iwasz. J. Mił. 46.* Anielska twarz matki, o rysach pięknych, słodkich i smętnych, ocieniona jasnym włosem. *Lam J. Głowy I 12.*

ocieplić, ocieplać 1. o. mieszkanie ⟨*ogrzać mieszkanie*⟩: Dał mu z swojej drwalni tyle rąbanego drzewa ile się tylko na taczkę zmieściło i kazał mu śpiesznie ojcowe mieszkanie ocieplić. *Wilk. P. Poran. II 14.* **2. o.** koloryt ⟨*nadać kolorytowi ciepły ton, użyć ciepłych barw*⟩: Artysta np. malował obraz w kolorycie chłodniejszym, a ocieplił później koloryt przez złotawe zabarwienie werniksu. *Wiedza 569 s. 16.*

ocieplić się, ocieplać się Powietrze ociepla się ociepliło się. *żart.* Jak się ociepli ⟨*nigdy*⟩.

ocierać, otrzeć 1. o. c o — (czym) ⟨*wycierać, wytrzeć (o)suszyć*⟩: **o.** łzy, oczy; nos (chusteczką). *przen.* Otrzeć łzy ⟨*pocieszyć się szybko po stracie kogo*⟩ Będzie czym łzy otrzeć (zostały po nieboszczyku pieniądze). *SW.* **2. o.** c o — c z y m ⟨*ścierać, zetrzeć naskórek, do krwi; (s)kaleczyć*⟩: Otrzeć sobie nogi ciasnym obuwiem. Onuce zwinęły się w grube węzły i ocierają stopy. *Czesz. Pokol. 6.* **3. o.** konia siodłem. **4. o.** c o — z c z e g o: a) ⟨*ścierać, zetrzeć*⟩: **o.** pot z czoła; b) ⟨*usuwać, usunąć z czego warstwę czego*⟩ **o.** ramę z kurzu. **o.** nogi (o słomiankę) ⟨*oczyszczać oczyścić; wycierać, wytrzeć*⟩. **o.** łokieć, ubranie (o ścianę) ⟨*ubrudzić*⟩. *por.* obcierać, obetrzeć.

ocierać się, otrzeć się 1. o. się z c z e g o ⟨*wycierać się, wytrzeć się*⟩: **o. się** z błota. **2. o. się** o kogo ⟨*dotykać, dotknąć, przesuwając, poruszając się*⟩: Ocie raliśmy się o siebie ramionami. *Par. Wios. 125.* **3. o. się** o k o g o, o c o (*daw.* z kim): a) ⟨*przejść, przejechać, przelecieć itp. w pobliżu kogo, czego; spotkać się z kim, czym, zetknąć się z kim, czym*⟩: Na skręcie ulicy prawie się o mnie otarła kareta. *Bełc.Tarło 155*; b) ⟨*mieć do czynienia z kim, z czym; bywać u kogo, utrzymywać stosunki towarzyskie z kim, stykać się*⟩: Ma szerokie stosunki na świecie, ociera się o trony, z monarchami i możnymi tego świata jest za pan brat. *Prz. Tyg. Życia 1876, s. 78.* **4. o. się** o c o: a) ⟨*być, przebywać gdzie krótko, zabawić gdzie niedługo*⟩: Ci tylko ocierali się o jakiś wyższy zakład naukowy, którzy mieli żyłkę literacką. *Prus Kart. I, 112*; b) ⟨*mieć wspólne cechy z czym, być podobnym do czego*⟩: Grano jedną z tych komedii, ocierających się o dramat, co wycisnęło im łzy z oczu. *Goj. Dziew. II, 15*; c) ⟨*zapoznać się z czym*⟩: Otarcie się o życie i obyczaje dworskie wdrożyło go w sekreta najwykwintniejszej światowości. *Szajn. Szkice I, 257.* **5.** Otrzeć się o miasto, o Warszawę ⟨*przejąć modę, zwyczaje, sposób bycia itp. miejski, warszawski*⟩: Poczciwe domatorki, co się jeszcze nie otarły o Warszawę. *L.* **6. o. się** o śmierć, niebezpieczeństwo, nieszczęście, sąd itp. ⟨*być bliskim śmierci, niebezpieczeństwa, uwięzienia itp., patrzeć na czyją śmierć, niebezpieczeństwo, więzienie itp.*⟩: Jego wystąpienia były mocne i śmiałe, nieraz ocierał się o prokuraturę. *Jackiew. Górn. 42.* **7.** Słowo, wieść, wiadomość itp. ociera się o uszy ⟨*słyszy się wieść, słowo itp.; dowiaduje się jakiej wiadomości itp.; słowo, wieść obija się o uszy*⟩: Mój kmotrze, nie żyje się od wczora, słucha się, gada, toć zawsze coś niecoś o uszy się otrze. *Lem. Bajki 86–87.* **8. o. się** w świecie, po miastach ⟨*nabierać, nabrać ogłady, kultury; wyrabiać się, wyrobić się; okrzesać się*⟩: Można by Stellę za naszego organistę wyswatać. Człowiek porządny i po miastach się otarł. *Wędr. 21, 1901, s. 403.*

ociężały 1. o. chód, bieg, krok ⟨*ciężki, nieruchawy, powolny*⟩. **2.** *daw.* Droga **o-a** ⟨*ciężka, trudna do przebycia*⟩: Jedziemy [...] po drodze niekiedy ociężałej, nie najgorszej jednak. *Lel. Listy I, 333.* **3. o-a** głowa; **o-e** oczy, powieki ⟨*ciążące; opadające*⟩. **4. o.** umysł ⟨*ciężki, powolny*⟩. **5. o.** c z y m ⟨*obarczony*⟩: **o.** latami. **6. o.** w c z y m: Ziemia ociężała w bogactwie swych płodów. *Konopn. SPP.* **7.** Czuć się ociężałym: W Koborowie karmiono obficie i wykwintnie, toteż Dyzma przy czarnej kawie, na którą przeszli do gabinetu, czuł się niezwykle ociężały. *Mostow. Kariera 41.*

ociosany Z gruba, z grubsza **o-a** twarz, figura, postać itp. ⟨*twarz, figura, postać itp. niekształtna, ciężka, gruba, toporna*⟩: Twarze ich były brzydkie, kanciaste, jakby z gruba ociosane. *Morc. Inż. 51.*

oczarować o. k o g o — c z y m ⟨*wzbudzić czyj zachwyt*⟩: Julka oczarowała mnie, ale zdawało mi się, że nikt tego zakochania się nie widzi. *Słow. Proz. 500.* Oczarowała biesiadników swą urodą. *SW.* Oczarował nas swą wymową. *SW.*

oczekiwać 1. o. k o g o, c z e g o ⟨*czekać na kogo lub na co*⟩: Zygmunt, którego uprzedziłem telegraficznie o moim powrocie, oczekiwał mnie na dworcu. *Hertz P. Sedan 241.* **2. o.** listu od kogo. **3. o.** n a k o g o, n a c o: **o.** na kolegę, na przybycie kogo. **4. o.** c z e g o p o k i m, p o c z y m a. o d k o g o, o d c z e g o ⟨*spodziewać się czego, być przygotowanym na co*⟩: Kineaszowi cała ta wyprawa zamorska bardzo się nie podobała i nie oczekiwał po niej nic dobrego. *Ziel. T. Rzym. 81.* Tego od ciebie nie oczekiwałem.

oczekiwanie 1. o. c z e g o: **o.** czegoś nadzwyczajnego. *Sienk. SW.* **2. o.** n a k o g o, n a c o: **o.** na przyjaciółkę, na kolegę; na pociąg, na tramwaj; na sposobność, na audiencję. **3.** W oczekiwaniu odpowiedzi, na odpowiedź lub oczekując odpowiedzi. **4.** Wbrew oczekiwaniom: Wbrew wszelkim jego oczekiwaniom młody autor z miejsca począł sobie zyskiwać szeroką popularność. *Brosz. Opow. 108.* **5.** *daw.* Odpowiedzieć czyim oczekiwaniom ⟨*spełnić czyje pragnienia, marzenia; zadowolić kogo, sprawić komu radość*⟩: Sejm Czteroletni nie odpowiedział oczekiwaniom przodujących umysłów. *Popł. Pisma II, 37.* **6.** Coś przechodzi wszelkie, najśmielsze oczekiwania ⟨*coś wypada nadspodziewanie dobrze, układa się nad wyraz pomyślne*⟩: Dzień okazał się istotnie wspaniały, przeszedł wszelkie oczekiwania. *Pięt. Białow. 109.* **7.** Ktoś przeszedł oczekiwania lub wszelkie oczekiwania ⟨*ktoś zachwycił, sprawił niespodziankę swoim wyglądem, zachowaniem, zdolnościami itp.*⟩: Artystka przeszła wszelkie oczekiwania, dowiodła potężnych zdolności, zjednała sobie i zachwyciła wszystkich. *Sienk. Sprawy 192.* Spełniać, zawieść czyje oczekiwania: Sceny kulminacyjne [...] nie spełniają oczekiwań, finał zaś dramatu jest zanadto deklamacyjny. *Rocz. Lit. 1932, s. 46.* Nie zawiódł oczekiwań ojcowskich i zdał do IV klasy szkoły powszechnej. *Wrocz. K. Wspom. 16.*

oczko 1. Małe oczka (rzadziej: oczki). **2.** Oczka rozbiegane, latające ⟨*oczka ruchliwe, niespokojne, nie zatrzymujące się przez dłuższy czas na jednym przedmiocie*⟩: W drzwiach stanął stary Rajwas o. przebiegłym spojrzeniu rozbieganych mysich oczek. *Ward. Wyłom 8.* **2a. o.** w **o.** jak papa ⟨*zupełnie podobny do niego, wykapany papa*⟩. **3.** *techn.* Magiczne **o.** *p.* oko. **4.** *ogr.* **o.** martwe, śpiące, żywe ⟨*pączek na zrazie przeznaczonym do zaszczepienia*⟩. **5.** *zool.* Pawie **o.** ⟨*rybka hodowana w akwarium; pochodzi z wód słodkich wysp południowoamerykańskich*⟩. **6.** *bot.* Jawor oczkowy a. jawor „ptasie oczko" ⟨*jawor, którego drewno ma zawiły układ włókien, obrzęki i ciemne żyłki, przez co przy skrawaniu ma bardzo ładny i oryginalny rysunek*⟩. **7.** *zool.* Strzyżyk wole **o.** ⟨*bardzo mały ptaszek z rodziny strzyżyków*⟩. **8.** Oczka sieci. **9.** Oczka tłuszczu; oczka na rosole. **10.** Pierścionek z oczkiem lub bez oczka ⟨*pierścionek z oprawionym drogim kamieniem lub jego imitacją*⟩. **11.** Grać w **o.** ⟨*rodzaj gry hazardowej w karty*⟩: Poszedł do stodoły; kanonierzy na kocu grali w oczko. *Żukr. Dni 270.* **12.** Mieć **o.** na kogo: a) ⟨*interesować się bardzo kim; starać się, ubiegać się o czyje względy*⟩: Na młodego chłopca mają oczko dwie kobiety. *Boy Flirt IX, 76*; b) ⟨*mieć kogo pod obserwacją, uważać na kogo, pilnować kogo*⟩. **13.** Podnosić **o.** ⟨*zarabiać rząd sprutych oczek w pończosze*⟩: Maszynki elektryczne do podnoszenia oczek [...] wykonuje warsztat ślusarski. *Przyj. 15, 1953.* **14.** Pruć, spuszczać; załapywać, zrobić oczka: Robi na drutach sweter [...] Lecz coś nie idzie praca Hanusi:

zrobi pięć oczek — cztery spruć musi. *Świerszcz. 44, 1950.* **15.** Puszczać, sypać, robić **o.** albo perskie **o.** ⟨*mrugać oczkiem porozumiewawczo, kokieteryjnie*⟩: Zaczął szczypać urzędniczki i puszczać do nich oczka. *Rudn. A. Niekoch. 43.* Sypała perskie oczko. *Reym. Now. V, 114.* **16.** Robić słodkie oczka ⟨*być dla kogo specjalnie miłym, przymilać się komu, mizdrzyć się do kogo*⟩: Panna Robertin słodkie do niego robiła oczki. *Andrzej. A. Ram. I, 54.* **17.** Strzyc, strzelać, rzucać oczkiem, oczkami ⟨*spoglądać z zainteresowaniem na kogo, na co; ciekawie, zalotnie rozglądać się; często zwracać spojrzenie w czyją stronę*⟩: Dziewczęta ciekawie strzygły oczkami na Antka. *Brand. K. Obyw. 402.* **18.** Świdrować oczkami ⟨*przyglądać się komu; obserwować kogo badawczo, uważnie, przenikliwie*⟩: Panienka też była pełna fantazji; od pierwszej chwili przyjazdu poczęła w Braunie świdrować oczkami, aż posępny Niemiec rozruszał się, jakoby go kto ogniem przypiekł. *Sienk. Pot. VI, 64.* **19.** Wpaść w **o.** komu ⟨*podobać się komu, wzbudzić w kim zainteresowanie*⟩: Wpadła panu w oczko, co? Nieszpetna, co prawda, ale dla mnie niesympatyczna. *Orzesz. Niemn. I, 48.* **20.** Zmierzyć kogo oczkami ⟨*bardzo uważnie, badawczo komuś się przyjrzeć*⟩: Zmierzył mnie swoimi małymi, przenikliwymi oczkami. *Niemoj. Szach 89.* **21.** Oczka błyszczą, zabłysły komu. **22.** Oczka się komu kleją ⟨*zamykają się; komuś chce się spać*⟩: Danusi pod koniec poczęły się oczka kleić, a główka chwiać w obie strony. *Sienk. Krzyż. I, 28.* **23. o.** puściło ⟨*oczko spruło się*⟩: Na pończosze jest mała dziurka [...] boję się, czy oczko nie puści dalej. *Bogusz. Świat 106.*

oczyścić, oczyszczać 1. o. c o: *zootechn. łow.* **o.** byka, kozła, konia itp.: a) ⟨*wykastrować*⟩; b) **o.** dzika, zająca, ptaka ⟨*po zabiciu usunąć z niego wnętrzności; wypatroszyć*⟩. **2. o.** dobra, majątek, hipotekę itp. ⟨*pozbyć się długów obciążających majątek, dobra itp.; doprowadzić do takiego stanu, by dobra, majątek itp. dawały dochód*⟩: Bankier na gwałt oczyszczał hipoteki zięcia. *Choj. Alkh. IV, 204.* Majątek po śmierci ojca z długów oczyściłam. *Prus Now. II, 98.* **3. o.** kraj od nieprzyjaciela, wroga itd. ⟨*uwolnić, oswobodzić*⟩. **4.** *pot. środow.* **o.** mieszkanie ⟨*usunąć co z mieszkania; pozbyć się rzeczy, za których posiadanie lub przechowywanie grozi więzienie, kara śmierci*⟩: Jeden z działaczy aresztowany na ulicy. Zdążyliśmy oczyścić mieszkanie. Trzeba poroznosić „bibułę". *Krzyw. I. Siew 5.* **5. o.** powietrze ⟨*odświeżyć*⟩. **6. o.** ranę ⟨*przemyć, zdezynfekować*⟩. **7. o.** spirytus ⟨*rafinować*⟩. **8. o.** teren pod budowę ⟨*przygotować*⟩. **9. o.** zboże ⟨*usunąć łuski, wyłuskać czyste ziarno*⟩: Oczyszczony z łupy jęczmień mielą na mąkę bardzo miałką i przedziwnej białości. *Piotr. R. Pam. III, 109.* **10. o.** c o — z c z e g o ⟨*usunąć brud, kurz itp. z czego; wyczyścić co*⟩: **o.** obuwie, ubranie z błota, z kurzu; **o.** ściany z pajęczyny. Oczyszczał swój wiotki paltocik ze śniegu. *Prus SPP.* **11. o.** język z barbaryzmów, błędów itp. ⟨*usunąć błędy, barbaryzmy itp., dbając o poprawność języka*⟩: Cała twórczość Naruszewicza, powoli oczyszczającego swój język z barbaryzmów i baroku saskiego, pokazuje nam kierunek przemian. *Pam. Lit. 1950, s. 627.* **12. o.** k o g o z c z e g o a. o d c z e g o ⟨*usprawiedliwić, uwolnić*⟩: Próżno się z swojej chce oczyszczać winy. *Karp. SPP.* Oczyścić kogo od zarzutu.

oczywisty 1. Dowód **o.** ⟨*przekonywający, namacalny, widoczny, niewątpliwy*⟩: Pytał wreszcie, czy pan Wolski może złożyć jakiś dowód rzeczowy, oczywisty, to, co się nazywać może dowodem prawdy, dla obalenia jeśli nie dowodów, to poszlak winy. *Żer. Uroda 324.* **2.** *filoz.* Fakt **o.** ⟨*którego prawdziwość narzuca się bez uzasadnienia*⟩. **3.** Twierdzenie **o-e. 4.** *daw.* Świadek **o.** ⟨*naoczny*⟩: Jako świadek oczywisty tych dziejów, mam to sobie za powinność, ażebym, ile możności, czytelników z błędu wywiódł. *Kras. Hist. 11.* **5.** Iść, lecieć na oczywistą śmierć ⟨*pewną*⟩: Wyście na oczywistą śmierć, na pewne jatki lecieli z takim okrzykiem i ochotą, jakoby na wesele. *Sienk. Wołod. I, 82.* **6.** Rzecz **o-a**; skrótowo: oczywista ⟨*rzecz jasna, nieodparta, pewna, namacalna; oczywiście, rozumie się, naturalnie*⟩: Mówiła w wielkim sekrecie, że to jest rzecz oczywista; że się w kimś kocha na stacji Piotr Płaksin, telegrafista. *Tuwim Sokr. 97.* Czytywano oczywista kalendarze. *Bystr. Kult. 368.*

odąć (się), odymać (się) 1. o. policzki, usta, wargi ⟨*wydąć*⟩: Dziewczyna odęła usta żałośnie. *Rodz. Dew. 3.* **2.** Kogoś odęło ⟨*brzuch, żołądek czyjś rozszerzył się nadmiernie, spuchł z przejedzenia, z zbyt dużej ilości wypitego napoju, na skutek zaburzeń chorobowych*⟩: A takie miała pragnienie, że nieraz się nad rowem położywszy, piła a piła aż ją odęło całą. *Konopn. Now. I, 131.* **3. o. się** na kogo ⟨*nadąsać się*⟩: Widziałem, jakeś się na niego odęła. *Sienk. Na polu 99.*

odbębnić, odbębniać *przen.* **o.** lekcję, robotę, zajęcia ⟨*wykonać coś bez zapału, z niechęcią, niedbale*⟩: Co ich może obchodzić budowa, jak oni tu się nie czują gospodarzami tylko gośćmi? Odbębni taki robotę i idzie spać albo na wódkę... *Twórcz. 7, 1953, s. 72.*

odbicie 1. o. fali, głosu. **2. o.** światła ⟨*odblask, refleks*⟩. **3. o.** w c z y m ⟨*obraz odbijanego przedmiotu na gładkiej powierzchni*⟩: **o.** (np. twarzy, całej postaci) w lustrze, w wodzie, w szybie wystawowej. **4.** *filoz.* Teoria odbicia ⟨*według filozofii marksistowskiej teoria poznania, która uznaje realność bytu niezależnego od poznającego podmiotu*⟩: Fundamentem teorii poznania materializmu dialektycznego jest teoria odbicia. *Schaff Zagadn. 27.* **5.** Być czyim odbiciem ⟨*być bardzo podobnym do kogo, przypominać swoim wyglądem kogo*⟩: Pani jest żywym odbiciem mojej ukochanej Soledad! *Borow. Opow. 75.*

odbić, odbijać 1. o. c o: **o.** antał, beczkę, pakę itd. ⟨*otworzyć, otwierać*⟩: Odbili dwa antały gandawskiego piwa. *Malew. Żel. 8.* Odbijał jakąś pakę z wielkim hałasem. *Iwasz. J. Księżyc 130.* **2. o.** ataki ⟨*uderzeniem odtrącić, odeprzeć, odpierać; odparow(yw)ać*⟩. **3. o.** druki, odezwy, x egzemplarzy dzieła ⟨*(wy)drukować*⟩. **4. o.** jeńców, więźniów ⟨*uwolnić, uwalniać*⟩. **5. o.** miasto, wieś ⟨*walcząc, zdoby(wa)ć powtórnie, odebrać, odzysk(iw)ać*⟩. **6.** *przen.* Odbijać naturę ⟨*oddawać, wyrażać naturę*⟩: Prawda czy piękna, czy obrzydliwa jest zawsze prawdą, bo odbija naturę. *Sienk. Szkice I, 71.* **7.** *przestarz.* Odbijać pieniądze ⟨*bić pieniądze*⟩: Gdańska mennica zawsze była czynną i odbijała pieniądze, mające po jednej stronie herb miasta [...] a na prawej stronie wizerunek panującego króla polskiego. *Balin. M. Polska I, 868.* **8. o.** piłkę (np. rakietą, głową) ⟨*odtrącić, odtrącać*⟩. **9.** Odbić skałę, tynk ⟨*odłamać, odtłuc*⟩. **10. o.** ślady ⟨*odcisnąć, odciskać ślady*⟩. **11. o.** światło, głos ⟨*zwrócić, zwracać pod kątem załamania się*⟩. **12. o.** o d c z e g o ⟨*odpłynąć, odpływać*⟩: Łódź, okręt odbija od brzegu, wybrzeża. **13.** *rzad.* **o.** od drogi ⟨*zejść, schodzić; zboczyć, zbaczać z drogi*⟩. **14.** O d b i ć k o m u — k o g o (żonę, męża, dziewczynę) ⟨*uwieść, zabrać*⟩: Szczęśliwsi rywale odbili mu bogdankę... *Czerwień. Poezje 158.* **15.** Odbić (komu kogo) w tańcu ⟨*odebrać (zgodnie ze zwyczajem w dawnych tańcach figurowych)*⟩: Podbiegła doń owa rezolutna panieneczka, którą poprzednio odbił mu w tańcu Pietrusiński. *Worosz. Mazur 72.* **16.** O d b i ć (k o m u) c o — o d c z e g o ⟨*zbić, stłuc, uszkodzić*⟩: Odbić komu nerki. Odbić ciało od kości. **17.** Odbić sobie co (czym, na kim) ⟨*powetować, wynagrodzić sobie stratę*⟩: Trzeba przecież te straty na kimś odbić. *Małc. Gran. 93.* Stary, chcąc choćby winem odbić wydane pieniądze, wypił łakomie. *Sewer Biedr. 78.* **18. o.** c o — n a k i m (złość, gniew, krzywdy itp.) ⟨*wyładow(yw)ać na kim złość, gniew itp.; mścić się na kim*⟩: Kiedy z guzami powrócił do domu, to het! to odbijał na żonie. *Kaczk. SW.*

odbić się, odbijać się 1. o. się o d c z e g o: a) ⟨*odejść, odchodzić; oddalić się, oddalać się od czego*⟩: **o. się** od stada (np. o owcy); b) ⟨*oderwać się skokiem od ziemi, podskoczyć; odskoczyć od czego*⟩: Odbił się od ziemi i śmignął wysoko do góry. *Grabow. J. Opow. II, 58.* Piłka odbiła się od ściany. *SPP.* **2.** *rzad.* **o. się** o uszy ⟨*obić się o uszy, zasłyszeć*⟩: Nie było bez tego, żeby te i owe babie szepty nie odbiły się o jej uszy — nie dbała o nie. *Zar. Grusze 21.* **3. o. się** w c z y m ⟨*odzwierciedlać się*⟩: Noc była śliczna i przechodząc przez mosty widzieliśmy księżyc odbijający się w Sekwanie. *Słow. Listy I, 49.* Odbity w Wiśle Kraków płynął jak dziecinne, pozłacane cacko. *Gałcz. Wit 11.* **4. o. się** jak groch o ścianę ⟨*pozosta(wa)ć bez odpowiedzi, nie wywołać reakcji u kogo*⟩: Wszystkie nasze usiłowania odbijały się, jak groch o ścianę, o twardą mózgownicę Kazia. *Berent Fach. 22.* **5.** Coś się odbija na kim, na czym ⟨*pozostawia ślad, uwidocznia się; występuje na czym; wpływa, daje się odczuć*⟩: Odbił się na nim ten wpływ. *SW.* Wielka czułość odbiła się na jej twarzy. *Rodz. SW.* Odbije się to na jego zdrowiu, kieszeni. *SW.* **6.** Odbija się komu ⟨*o charakterystycznym odgłosie wydanym pod wpływem gazów idących z żołądka*⟩: Piłem wódkę, strasznie mi po niej odbiło się. *Zabł. Zabob. 51.*

odbijać p. **odbić**

odbiór 1. o. bagażu, należności. **2.** *rad.* **o.** radiowy ⟨*odbieranie fal radiowych*⟩: Odbiór radiowy jest teraz o wiele słabszy niż w zimie: musimy odbiornik przełączać na dużą antenę. *Cent. Wyspa 224.* **3.** Pokwitować **o.** czego. Zgłosić się po **o.** czego.

odbitka 1. o. artykułu naukowego lub literackiego ⟨*artykuł odbity ze składu drukarskiego dla większej całości, posiadający własną paginację i często własną kartę tytułową*⟩. **2. o.** hektograficzna ⟨*powielona na hektografie*⟩. **3.** *druk. fot.* **o.** stykowa ⟨*otrzymana przez bezpośrednie zetknięcie emulsji papieru z emulsją negatywu i naświetlenie papieru przez ten negatyw*⟩: Papiery (fotograficzne) chlorosrebrowe, zwane też gazowymi, przeznaczone są do odbitek stykowych. *Szmid. Fot. 22.* **4. o.** szczotkowa ⟨*odbitka korektowa składu drukarskiego wykonana przy użyciu prasy ręcznej*⟩.

odbyć, odbywać 1. o. c o: **o.** defiladę ⟨*wziąć, brać udział w defiladzie*⟩: Odbyliśmy dwie defilady przed generałami francuskimi, których kepi kapało od złota. *Prusz. Trzyn. 122.* **2. o.** drogę ⟨*przeby(wa)ć drogę*⟩: Szedł mocując się z wichrem i deszczem, przeklinając sprawę, co go do odbywania tej drogi zmuszała. *Gomul. Ciury I, 70.* **3. o.** drzemkę ⟨*zdrzemnąć się; drzemać*⟩. **4. o.** kurację ⟨*podd(aw)ać się kuracji; przeprowadzić, przeprowadzać*⟩. **5. o.** straż, wartę ⟨*mieć straż*⟩: Zawołaj rycerza, który dziś straż odbywa. *Słow. Maria 80.* **6. o.** studia ⟨*studiować*⟩: Studia agronomiczne odbywał w jednym z zakładów zagranicznych. *Zap. G. Krzyż 47.*

odchodne Na **o.**, na odchodnym ⟨*odchodząc, opuszczając coś, przy odejściu, przy rozstaniu*⟩: Słuchaj — poprosiła Joasia na odchodnym. — Jutro po spacerze — dobrze? Zejdziemy się i pogadamy. *Dąbr. M. Noce III/1, 116.*

odchodzić, odejść 1. o. o d k o g o, o d c z e g o ⟨*oddalać się, oddalić się*⟩: **o.** od okna. **2.** Ciało odeszło od kości ⟨*odstało, odpadło*⟩. **3. o.** od rzeczy ⟨*mówić nie na temat, odbiegać od tematu*⟩: Ale odszedłem od rzeczy; gadatliwy jestem zwyczajnie jak stary. *Dzierzk. Pow. II, 291.* **4. o.** k o g o, o d k o g o ⟨*porzucać, opuszczać kogo, pozostawiać samego*⟩: Odszedłem cię, zdradziłem — wielkie winy moje. *Karski Poezje 62.* **5. o.** od rozumu, zmysłów, przytomności, **o.** od siebie ⟨*tracić jasność umysłu, świadomość, przytomność z powodu jakiegoś silnego wzruszenia*⟩: Odchodził od zmysłów z trwogi o przyjaciela. *Żółk. W. Droga 48.* Cierpię tak, że chwilami odchodzę od przytomności. *Prus Emanc. I, 263.* Odchodziłem prawie od siebie na ten widok. *Niemc. SW.* **6. o.** na emeryturę ⟨*zostać emerytowanym*⟩. **7. o.** w przeszłość ⟨*mijać bezpowrotnie, kończyć się*⟩: Dni i wydarzenia przewijające się na jej stronicach odeszły w bezpowrotną przeszłość. *Ludzie KPP 5.* **8. o.** ze służby ⟨*opuścić ją*⟩. **9. o.** ze świata ⟨*umierać, umrzeć*⟩: Odchodził ze świata nie dowiedziawszy się, co jest świat. *Słow. Listy I, 468.* **10.** Autobus, pociąg, statek odchodzi (skąd, o godzinie) ⟨*odjeżdża*⟩. **11.** Kogo coś odchodzi ⟨*coś mija, przechodzi, ustępuje*⟩: Jak poczuje kolację, zaraz go spanie odejdzie. *Żukr. Kraj. 48.* Chęć go odeszła. Siły go odeszły. *SW.* **12.** *pot.* Odchodzi coś ⟨*jest coś sprzedawane, coś ma zbyt*⟩: Handel księgarski śpi prawie zupełnie. Odchodzą tylko mapy, księgarze więc je na gwałt sprowadzają. *Tyg. Ilustr. 137, 1870.* Handel, robota, zabawa, wódka odchodzi *gw. miejska* ⟨*handel itp. odbywa się, dokonywa się intensywnie, z rozmachem; wódka jest nabywana, pita w dużych ilościach*⟩: Robota odchodziła — jak mówili — „całą parą“. *Gaz. Rob. 293, 1954.*

odchylenie o. lewicowe, prawicowe ⟨*odstąpienie od zasadniczej linii politycznej*⟩.

odciąć, odcinać 1. o. c o — (czym) ⟨*odsiec; odkroić*⟩: **o.** ucho (szablą). **o.** kawał mięsa (nożem). **2. o.** c o — k o m u, c z e m u ⟨*zahamować*⟩: **o.** dowóz żywności. **o.** wodę i żywność miastu. **3. o.** odwrót ⟨*zagrodzić, uniemożliwić; przeciąć*⟩: Dwie ciężarówki zajęły wieś odcinając odwrót [...] Byłem w potrzasku. *New. Chłopiec 178.* **4. o.** k o g o, c o — o d c z e g o ⟨*oddzielić, odseparować, odosobnić*⟩: Zapomniał o tym, iż prawie rok spędził w odcięciu od świata. *Strug Pocisk. 171.*

odciąć się, odcinać się 1. o. się o d c z e g o ⟨*oddzielić się, odseparować się od czego*⟩: Nie dzieliłem się tymi myślami z nikim, nie działałem nigdzie, nie było zebrań, nie znałem gwaru dyskusji, odciąłem się zupełnie od polityki. *Sokoln. Cztern. 309.* Stał się samotnikiem. Odciął się od świata; ma dla niego wzgardę i nienawiść. *Kleiner Słow. I, 109.* **2.** Odcinać się na tle czego, od tła ⟨*zarysowywać się wyraziście, wyodrębniać się*⟩: Grupa drzew niewysokich a krzaczastych odcinała się na szarym tle zmroku, jak wielka czarna plama. *Orzesz. SW.* **3. o. się** k o m u: a) ⟨*o zwierzęciu, zwłaszcza dzikim: (o)bronić się kłami*⟩: Wilk odcina się, jak może, czasem skaleczy charta. *SW*; b) ⟨*o człowieku: odpowiedzieć przycinkiem na przycinek; dać komu odprawę*⟩: Nigdy się sam nie obrażał, kiedy się mu kto odcinał. *Rzew. SW.*

odciąg *żegl.* Postój na odciągu in. postój na szpryng ⟨*postój na kotwicy przy jednoczesnym umocowaniu liny biegnącej od rafy do szakli kotwiczej, pozwalającej na ustawienie statku w żądanej pozycji*⟩.

odciągany o-e mleko ⟨*od którego oddzielono śmietanę za pomocą wirówki*⟩.

odciągnąć, odciągać 1. o. c o: **o.** kurek ⟨*odwieść*⟩. **2. o.** śmietanę ⟨*oddzielić od mleka*⟩: Byłam w mleczarni, widziałam tam dużo baniek z mlekiem i maszyny, które odciągają śmietanę. *Świerszcz. 49, 1952.* **3. o.** kogo na bok ⟨*odwieść, odprowadzić*⟩. **4.** *przen.* **o.** k o g o o d c z e g o ⟨*odwieść od czego, zniechęcić, oderwać, odsunąć od czego*⟩: Wieczne spory i swary odciągały ludzi od pracy. *Wyg. Jel. 238.* Fabrykuje piwo bawarskie, jak powiada, w celu, ażeby ludzi odciągnąć od wódki, a przyzwyczajać do mniej mocnych trunków. *Dyb. B. Syl. I, 251.*

odcień 1. o. głosu ⟨*modulacja, cieniowanie*⟩: Bogata skala odcieni głosu. **2. o.** koloru ⟨*półton*⟩. Materiał w odcieniu niebieskim, zielonym, pomarańczowym itp. Kolor z odcieniem jakim: Kolor czerwony z odcieniem koralowym. **3.** Z odcieniem czego (powiedzieć co): Powiedział to z odcieniem lekceważenia, niepokoju, zniecierpliwienia itp. (w głosie). **4.** *przen.* **o.** znaczenia a. znaczeniowy ⟨*nieznaczna odmiana znaczenia*⟩: Szeroko rozwinięta synonimika ułatwia wyrażenie subtelnych odcieni znaczeniowych, ale także delikatnych odmianek zabarwienia uczuciowego. *Klem. O różnych 26.* **5.** Coś ma jakiś **o.**: Znajduję [...], że powinna pudrować włosy, bo mają odcień wcale nie piękny. *Lam J. Kariery 123.* **6.** Mienić się odcieniami (kolorów, tęczy): Czas jakiś patrzyli na taniec jasnych pasm wody, mieniącej się wszystkimi odcieniami tęczy. *Niedź. Grzech 141.* **7.** Nabrać odcienia czego: W języku dzisiejszym *dostojny* nabrało odcienia szczególnej uroczystości. *Dor. Jęz. 45.* **8.** Przybrać **o.**, wpadać w **o.** jaki: Jego blada zwykle twarz przybrała odcień zielonkawy. *Jackiew. Jan 249.* Włosy jej były krucze, wpadające w odcień niebieski. *Żer. Char. 20.*

odcierpieć o. karę ⟨*odbyć wyznaczoną karę całkowicie*⟩.

odcięty o. o d c z e g o ⟨*odosobniony, odseparowany*⟩: Wieś odcięta od świata. Z biura monarchy wyszedł rozkaz wywiezienia jej na pustynię wschodnią, gdzie, odcięta od ludzi, istniała kolonia trędowatych. *Prus Far. II, 222.* Przez stratę Prus Królewskich była Polska odcięta od morza. *Lel. SW.*

odcinać p. **odciąć**

odcinać się p. **odciąć się**

odcinek 1. o. kontrolny (biletu) ⟨*część odrywana przy wejściu*⟩. **o.** zameldowania ⟨*część dokumentu oddzielana, stanowiąca dowód zameldowania*⟩. **2. o.** drogi. **o.** robót. **3.** *wojsk.* **o.** frontu. **4.** *mat.* **o.** kuli a. kulisty ⟨*każda z dwóch części, na które dzieli kulę przecinająca ją płaszczyzna nie przechodząca przez środek kuli; czasza*⟩. **5.** Powieść w odcinku: Część rękopisu oddana do składania, drukowanie powieści w odcinku, podobne okoliczności stają się ostrą podnietą, która wydobywa z pisarza utajoną energię. *Par. Alch. 115.* **6.** *przen.* Na odcinku czego: Na odcinku naukowych badań nad sztuką ludową mamy do zanotowania duże bogactwo dorobku faktograficznego. *Starzyń. Bad. 86.* **7.** Działać, pracować, występować na jakimś odcinku ⟨*na jakimś stanowisku, w jakiejś dziedzinie*⟩: Pracował ciężko na najgorszych odcinkach. *Brzoza SPP.*

odcisk 1. o. kopyt, stóp, palców ⟨*ślad*⟩. **2. o.** na palcu ⟨*nagniotek*⟩. **3.** Usunąć, wyciąć **o.**

odczepić się o. się o d k o g o: a) ⟨*oderwać się; uwolnić się od kogo*⟩: Ledwiem się zdołał od niego odczepić. *SW*; b) ⟨*zostawić kogo w spokoju; usunąć się, oddalić się*⟩: Odczepcież się ode mnie z tymi zwierzeniami. Mam tego zupełnie dość. *Iwasz. J. Odbud. 56.*

odczepka *pot.* Dla odczepki, na odczepkę ⟨*na odczepnego*⟩: Marianek im się naprzykrzał, zwłaszcza milczącemu Jankowskiemu [...] Tamten oganiał się, a dla odczepki polecał chłopakowi to czy tamto naszykować. *Bogusz. Kura 41.* Na odczepkę smyrgnął mu jakiś kęs. *Witk. SPP.*

odczepne Na **o-e** a. na odczepnego ⟨*tak, aby uwolnić się od kogo lub czego, pozbyć się; dla pozoru*⟩: W rzeczywistości chodziło o okup. Dała mu na odczepne zegarek. *Rychl. Człow. 81.*

odczuć, odczuwać 1. o. c o ⟨*doznać, doznawać wrażenia, uczucia czego*⟩: **o.** głód, ból, dolegliwości, **o.** niechęć, niepokój, przyjaźń (do kogo), samotność; upokorzenie itp.: Zmarszczył brwi. Odczuł jakiś niewytłumaczony niepokój, niechęć, prawie wrogość do tej kobiety. *Meis. Sześciu 194.* **2. o.** czyją nędzę, niedolę, nieszczęście, zmartwienie ⟨*współczuć czyjej nędzy, niedoli itp.*⟩: Im kto bardziej kocha życie i kocha ludzi, tym silniej odczuwa ich nędzę. *Nałk. W. Pisma. 346.* **3. o.** c o — c z y m ⟨*wyczuć, zrozumieć*⟩: Trudno wyrazić słowami to, co tylko sercem odczuć można. *Zapał. Pam. II, 34.* **4.** Dać, dawać odczuć co komu ⟨*zaznaczyć, podkreślić, dać do zrozumienia co komu*⟩: Kapitan zawsze się nim opiekował i mimo wrodzonej szorstkości dawał mu niejednokrotnie odczuć, że go lubi. *Meis. Arkt. 80.* **5.** Dać, dawać się odczuć: a) ⟨*stać się dotkliwym, dojmującym, dokuczać, doskwierać*⟩: W oblężonym mieście dawał się odczuwać brak żywności; b) ⟨*stać się widocznym, dominującym, uwydatnić się*⟩: W głosie dał się odczuć ton doznanego zawodu. *Kow. W. Rodz. 20.*

odczyniać, odczynić o. urok (uroki), czary ⟨*według dawnych wierzeń ludowych: niszczyć, niweczyć siłę czarów; zdejmować urok z kogo (lub z czego); odczarować*⟩: Może pan rzucać urok, to może pan także położyć ręce na mojej głowie i odczynić urok. *Żer. Przep. 64.*

odczyścić, odczyszczać o. nasiona, zboże ⟨*oddzielić plewy od nasion; wiać*⟩: Jeżeli ze względu na rozkład robót zachodzi potrzeba wcześniejszego omłotu, pozostawia się nasiona wraz ze strączynami, odczyszczając je dopiero przed siewem. *Upr. rośl. II, 531.*

odczyt 1. Błędny, zły **o.** (tekstu, rękopisu) ⟨*odczytanie*⟩. **2. o.** z dokładnością do 0,01 milimetra. **3.** Publiczny **o.** ⟨*prelekcja*⟩: Od kilku tygodni mam publiczne odczyty o cywilizacji w Polsce. *Krasz. Koresp. 389.* **4. o.** o k i m, o c z y m: **o.** o Mickiewiczu, o Sienkiewiczu; **o.** o sztuce meksykańskiej. **5.** Mieć, wygłosić **o. 6.** Pójść na **o. 7.** Być na odczycie.

oddać, oddawać 1. o. c o d o c z e g o, n a c o, w c o ⟨*powierzyć, powierzać; da(wa)ć*⟩: **o.** co do naprawy, do roboty, do szycia; na przechowanie; w depozyt, w komis, w dzierżawę, w zastaw. **2. o.** co pod zarząd ⟨*dać, przekazać*⟩: Po zniesieniu jezuitów Komisja Edukacyjna szkoły ich i rezydencją bobrujską oddała pod zarząd akademików. *Łukasz. Hist. IV, 49.* **3. o.** (komu — co) do rąk własnych ⟨*wręczyć*⟩. **4. o.** (komu) co ⟨*przekazać co (komu) w określonym celu; wyrzec się czego, zrzec się na czyją korzyść; poświęcić co dla kogo lub czego*⟩: Miał zamiar ją adoptować i oddać jej po śmierci cały swój majątek. *Święt. A. Obraz II, 97.* **5. o.** co za bezcen ⟨*sprzedać bardzo tanio*⟩: Muszę ci ustąpić jeden z moich faetoników i czwórkę koni, bo mam tego aż nadto, i za bezcen ci oddam. *Pług Zagon II, 191.* **6. o.** co do grosza; **o.** z procentem; ratami ⟨*o pieniądzach: zwrócić, zwracać*⟩: Niech tylko spadek wygra, to wszystkim odda co do grosza. *Reym. Now. V, 51.* Nie certuj się! Wypłacą ci stypendium, to mi ratami oddasz. *Lut. Sprawa 41.* **7. o.,** co się komu należy ⟨*potraktować kogo w sposób właściwy, tak jak się należy*⟩: Oddanie każdemu, co mu się należy, było nie lada pracą dla wyspecjalizowanych w tym mistrzów ceremonii. *Boy Mar. 266.* **8.** *przen.* **o.** co słowami ⟨*wyrazić, wyrażać; wypowiedzieć, wypowiadać*⟩. **9. o.** buławę ⟨*powierzyć*⟩: Wiem, że oddaję buławę w godne ręce. *Przem. Jakobin 54.* **10. o.** ciało, zwłoki ziemi ⟨*pochować kogo*⟩: Pozostałych zwłok mojego ciała nie umieszczajcie w złocie ani srebrze, ale je oddajcie ziemi. *Kras. Życia X, 15.* **11.** *żegl.* **o.** cumy ⟨*odcumować*⟩: [Lodołamacz] oddał cumy i wypłynął poza falochron. *Meis. Wraki 135.* **12.** *żart.* **o.** dług naturze ⟨*załatwić potrzebę naturalną; wypróżnić się*⟩. **13.** *przestarz.* **o.** (komu) dobranoc, dzień dobry itp. ⟨*powiedzieć komu dobranoc, dzień dobry*⟩: Poszła [...] oddać mu dobry dzień. *Korz. J. Spek. 116.* **14. o.** ostatnie tchnienie ⟨*umrzeć*⟩: Kiedy znękana życiem niby torturą, oddawała ostatnie tchnienie, istotnie świętymi łzami zlewała główki córek. *Dygas. Now. V, 95.* **15. o.** komu głos ⟨*pozwolić komu mówić; dopuścić do głosu, udzielić głosu*⟩: Sędzia oddał głos obrońcy oskarżonego. *Par. Król 147.* **16. o.** głowę, kark, gardło, szyję (pod miecz, pod topór) ⟨*dać się zgładzić, umrzeć, zginąć*⟩: Jak stoimy przed tobą, raczej pod miecz kark oddamy, niż pod jarzmo takiej niewoli. *Smolka Szkice I, 10.* **17. o.** hasło ⟨*odpowiedzieć na hasło umówionym odzewem*⟩: Cóżeś robił, kiedy ci król odmawiał oddania hasła? *Pam. Radziw. 106.* **18. o.** honory (wojskowe), *daw.* salutację ⟨*salutować wyższego rangą wojskowego*⟩: Żołnierze mimo woli odstępują o krok, wyprostowują się i przybierają pozycję do oddania honorów wojskowych. *Żer. Śnieg 109.* **19. o.** jedzenie, krew, lekarstwa ⟨*wydalić z siebie ustami, zwracać; (z)wymiotować*⟩: Miecznik po owym uderzeniu obuszkiem leżał dni kilkanaście, krew od czasu do czasu ustami oddając. *Sienk. Pot. VI, 53.* **20. o.** list, paczkę na pocztę ⟨*nadać na pocztę; wysłać pocztą list, paczkę itp.*⟩: Trzeba by dowiedzieć się, gdzie mieszka, napisać list rekomendowany, oddać go na pocztę. *Prus Lalka III, 220.* **21. o.** miasto nieprzyjaciołom ⟨*poddać; opuścić bez walki*⟩. **22. o.** mocz, kał, ⟨*wydalić z siebie mocz, kał; załatwić potrzebę naturalną*⟩. **23. o.** pieniądze (do banku, na procent) ⟨*złożyć, zdeponować*⟩. **24. o.** (komu) pieniądze ⟨*zwrócić*⟩: Pieniądze od kogo mógł pożyczał, ale nigdy ich nie oddawał. **25. o.** (komu, czemu) pierwszeństwo (prym) ⟨*wysunąć kogo, co na pierwsze miejsce; wyróżnić, przełożyć nad kogo, co*⟩: Rozpoczęto więc tańce, oddając pierwszeństwo — według zwyczaju — państwu młodym. *Ward. Wyłom 33.* **26. o.** (komu) wet za wet, oko za oko ⟨*nie darować komu; zemścić się na kim*⟩: Chciałem ci oddać wet za wet, zniewagę zgładzić zniewagą. *Bełc. Kmita 92.* **27. o.** (komu) pochwałę, hołd, atencję, wdzięczność itp. ⟨*wyrazić, okazać komu jakieś uczucia, podziw, wdzięczność itp.*⟩: Głośne pochwały, oddawane niezrównanym wdziękom wojewodziny, skłoniły króla do ponowienia sobie jej miłego widoku. *Szajn. Szkice I, 164.* **28. o.** pokłon komu ⟨*skłonić, pochylić się w hołdzie przed kim*⟩: Za zbliżeniem się królowej wszystkie chorągwie głęboki oddawały jej pokłon. *Szajn. Jadw. II, 272.* **29.** *daw.* **o.** posłuszeństwo komu ⟨*oddać się pod czyje rozkazy, pod czyją władzę*⟩: Nakazał rycerstwu, pod Oryninem zebranemu oddać posłuszeństwo Stefanowi Potockiemu. *Proch. Żółk. 106.* **30. o.** komu przysługę, usługę, usługi ⟨*przysłużyć się komu w czym*⟩: Ty masz takie poczciwe serduszko, żeś gotowa dla oddania komuś usługi Bóg wie co zrobić. *Zap. G. Żab. 55.* **31. o.** komu lub czemu niedźwiedzią przysługę ⟨*zaszkodzić komu*⟩: Niedźwiedzią przysługę ojczyźnie oddaje, kto dziś posłów znieważa. *Sienk. Pot. I, 252.* **32. o.** (komu) ostatnią posługę, przysługę ⟨*pochować zmarłego, sprawić pogrzeb*⟩: Zwykł był oddawać ostatnią przysługę zmarłym. *Pigoń Komb. 77.* **33. o.** rękę komu ⟨*o kobiecie: poślubić kogo, wyjść za mąż*⟩: Nigdy się nie dowiemy [...] komu oddała rękę i jak się jej małżeńskie pożycie układało. *Jasien.*

Świt. 30. **34.** *książk. poet.* **o.** serce komu ⟨*zakochać się w kim, pokochać kogo*⟩: Wolno kobiecie, która nie żyje z mężem i stara się o rozwód, oddać serce innemu. *Sienk. Wiad. II, 243.* **35. o.** (komu, czemu) sprawiedliwość, *przestarz.* słuszność ⟨*osądzić, ocenić co bezstronnie; przyznać rację*⟩: Muszę ci oddać sprawiedliwość [...] owszem, masz szerokie zainteresowania. *Kunc. Dni 191.* Programowi twemu nawet nieprzyjaciele oddają słuszność! *Sienk. Dram. 88.* **36. o.** salwę, strzał (lepiej: dać salwę, strzał) ⟨*wystrzelić z broni palnej*⟩: Tłum bezrobotnych wybił szyby w gmachu województwa i policja oddała salwę, zabijając trzech ludzi. *Brand. K. Sams. 21.* **37.** *daw.* Oddawać komu swoje służby ⟨*zwrot grzecznościowy wyrażający gotowość do usłużenia*⟩: Pozdrowiono je słowami: — Służby moje waszmościankom oddaję. *Gomul. Mieszczka 58.* **38. o.** towar po cenie... (cenach...) ⟨*odstąpić, odsprzedać towar po cenie*⟩: Towar swój oddała kramom po byle jakich cenach, a kobietom zredukowanym całkiem na kredkę. *Goj. Ziemia 164.* **39.** *przestarz.* **o.** ukłon ⟨*ukłonić się*⟩: Księżna Czartoryska, przystąpiwszy do króla, głęboki mu ukłon oddała. *Was. S. Przyp. 42.* **40. o.** uśmiech komu ⟨*odwzajemnić*⟩: Czuł, że chce, że chce ze wszystkich sił oddać ten uśmiech, odwzajemnić go ostatkiem żywego wzruszenia. *Krucz. Sidła 292.* **41. o.** uścisk komu ⟨*odwzajemnić*⟩: Ręka Maryni ścisnęła nerwowo dłoń Połanieckiego, ów zaś oddał jej ten uścisk. *Sienk. Połan. II, 180.* **42. o.** wizytę ⟨*rewizytować, odwiedzić kogo*⟩: Nie było niemal dnia bez gratulacyjnych wizyt, które trzeba było oddawać. *Dąbr. Ig. Matki 104.* **43. o.** władzę w czyje ręce ⟨*przekazać*⟩: Społeczna produkcja wymaga społecznej własności środków produkcji. Musi przeto nastąpić przewrót, który władzę odda w ręce robotników, w ręce proletariatu. *Tatar. Hist. III, 68.* **44. o.** życie za kogo, za co ⟨*stracić życie; umrzeć za kogo, za co*⟩: Za jednych oddałbym życie, dla drugich żałowałbym sznurka na stryczek. *Święt. A. Bajki 132.* **45. o.** (część, pewną liczbę lat) życia za co ⟨*okupić osiągnięcie czego za cenę skrócenia życia*⟩: Liszt miał podobno powiedzieć, że za skomponowanie takiej rzeczy, jak Etiuda E-dur [Chopina], oddałby cztery lata życia. *Iwasz. J. Chopin 38.* **46. o.** kogo do bursy, do gimnazjum, do szkoły; do handlu, do rzemiosła, do terminu; do szpitala ⟨*umieścić gdzie; skierować do czego*⟩: Jego oddano do bursy przy gimnazjum realnym w P., gdzie spędził trzy lata. *Brand. K. Antyg. 221.* Oddano go do rzemiosła i handlu, ale w żadnej pracy Reymont długo miejsca nie zagrzał. *Jakub. Lit. XI/1, 53.* Nigdy by im na myśl nie przyszło oddać go do szpitala. *Par. Niebo 247.* **47. o.** kogo na męki, na łup, na pastwę, *daw.* na pośmiech itp. ⟨*wydać kogo na męki, na łup, na pastwę, na pośmiewisko itp.*⟩: Oddany na męki przyznał się do winy. *Ptaś. Miasta 390.* **48.** *daw.* **o.** kogo pod miecz ⟨*stracić, kazać zabić*⟩. **49. o.** kogo pod sąd ⟨*wytoczyć komu sprawę sądową*⟩: Oskarżono go o szerzenie buntu w kompanii i oddano pod sąd doraźny. *Grąb. Na służbie 222.* **50. o.** kogo policji, pod straż ⟨*spowodować czyje aresztowanie, uwięzienie*⟩: Kładzie na obydwie łopatki łotra spod ciemnej gwiazdy i oddaje go policji. *Fiedl. A. Kan. 140.* Lękając się, by więzień nie uszedł, oddał go pod straż. *Wójc. Klechdy I, 35.* **51.** *daw.* **o.** kogo w niewolę, w poddaństwo, w jasyr ⟨*pozbawić kogo wolności, uczynić niewolnikiem, czyim poddanym*⟩. **52.** *książk.* **o.** kogo w ręce sprawiedliwości ⟨*kazać aresztować*⟩. **53.** *przestarz.* **o.** w sołdaty, w rekruty ⟨*skierować pod przymusem do wojska*⟩: Mnie wypchnięto ze wsi rodzinnej, oddano w rekruty, wzięto dziadowiznę! *Tyg. Ilustr. 194, 1863.* **54.** *przestarz.* **o.**, oddawać córkę w zamęście, małżeństwo, za kogo a. komu ⟨*wydać córkę za mąż*⟩: Córkę swą oddaję w zamężcie (zamęście). *Gomul. Miecz. II. 154.* **55.** *daw.* Coś oddaje czym ⟨*o zapachach: pachnie, wonieje, zalatuje*⟩: Czy mi się zdaje, czy ten eliksir winem węgierskim oddaje? *Zabł. Zabob. 94.*

oddać się, oddawać się 1. o. się (całą duszą) c z e m u ⟨*poświęcić się (całkowicie) czemu*⟩: **o. się** pisaniu, pracy, studiom; rozmyślaniom, rozpaczy; rozpuście. **2. o. się** komu ⟨*poświęcić się komu całkowicie; zaufać, zawierzyć komu; zdać się na kogo*⟩: Powróciła [...] do brata i oddała mu się duszą całą, czyniąc zadość w ten sposób potrzebie serca. *Jeż Rotuł. 326.* Tak cały ludziom się oddał, że zupełnie o sobie samym zapomniał. *Pług Zagon I, 276.* **3. o. się** (mężczyźnie) ⟨*o kobiecie: mieć (z mężczyzną) stosunek cielesny*⟩: Kochała go i oddała mu się bez pamięci. *Sewer Biedr. 185.* **4.** *przestarz.* **o. się** Bogu ⟨*być gotowym na śmierć*⟩: Rębacz od stu diabłów! oddaj się Bogu, jak dobył karabeli. *Dzierzk. Obrazy 171.* **5.** *daw.* **o. się** śmierci ⟨*zginąć, umrzeć dobrowolnie*⟩: Niejedna z przywiązanych małżonek, ze zgonem męża śmierci się oddawała i zwłoki jej wraz z mężowymi płomień unosił. *Lel. Polska IV, 35.* **6. o. się** pod czyje rozkazy; *daw.* **o. się** w posłuszeństwo ⟨*pozwolić sobą dysponować*⟩: Bezkrytyczne oddanie się do dyspozycji Towiańskiemu naraziło na szwank autorytet Mickiewicza. *Wojeń. T. Hist. lit. II, 27.* Siedzę w domu, oddałem się pod rozkazy mamy i postępuję wedle jej wskazówek. *Krasz. Pam. 163.* Domagają się, żeby nasz hetman ich prowadził: jemu jednemu z zupełną ufnością oddadzą się w posłuszeństwo. *Rzew. H. Zamek 120.* **7.** *przen.* **o. się** na łaskę czego ⟨*zdać się na co*⟩: Po odbyciu tarła węgorze giną z wycieńczenia, młode zaś węgorzyki [...] oddają się na łaskę prądów morskich. *Probl. 1954, s. 338.* **8.** *przestarz.* **o. się** na usługi komu ⟨*być do czyjej dyspozycji, ofiarować komu swoje usługi*⟩: Oddaję się cały na pańskie usługi. *Bełc. Wiz. 45.* **9.** *daw.* **o. się** na kogo ⟨*zdać się na kogo*⟩: W Paryżu [...] żadna matka dziecięcia nie karmi, wszystkie się oddają na mamki. *Krasz. Kartki 761.* **10. o. się** w niewolę komu ⟨*pozbawić się dobrowolnie wolności, własnej woli*⟩: Oddał się [...] w niewolę człowiekowi więcej niż niepewnemu, półbandycie, który zostanie lada dzień całkowitym bandytą. *Strug Pocisk 271.* **11. o. się** w ręce władz ⟨*być gotowym do poniesienia odpowiedzialności za popełnione przestępstwo, przyznając się do niego*⟩: Powinien pan oddać się w ręce władz — powiedział twardo — są to władze pańskiego kraju, przeciw któremu pan zgrzeszył. *Brand. K. Antyg. 265.* **12.** *daw.* **o. się** za żonę, w stan małżeński komu ⟨*poślubić kogo, wyjść za mąż*⟩: Nie chcąc się mu oddać w stan małżeński, zakonne sobie obrała życie. *Mac. Piśm. III/1.*

oddal *książk. poet.* ⟨*daleka przestrzeń, bezkres; dal, oddalenie*⟩ **1.** Lecieć w **o.**; wołać z oddali: Aeroplan, najpiękniejszy ptak biały leci w oddal, ponad chmur szarzyznę. *Pawl. Pocał. 23.* Wciąż jeszcze wołasz na mnie z tej wielkiej oddali, gdzieśmy się pożegnali. *Jastr. Rzecz 30.* **2.** W oddali ⟨*bardzo daleko, w oddaleniu, w dali*⟩: Chmurni podnosili się z posłania i z nienawiścią spoglądali na szarzejącą w oddali a tak upragnioną ziemię. *Sier. Now. 127.* **3.** Z oddali ⟨*z daleka, z dala*⟩: Z oddali rozległ się gwizd syreny kolejowej. *Otw. Czas 37.*

oddalać p. **oddalić**

oddalenie 1. W oddaleniu ⟨*daleko, w oddali*⟩: Smutnymi oczami spogląda na znikający w oddaleniu pociąg. *Zap. G. Kaśka 196.* **2.** Stać w oddaleniu ⟨*stać w odległości*⟩: Skłonił mu się pięknie [...] i stanął w oddaleniu należytym, mnąc kapelusz w rękach. *Krucz. Paw. 40.* **3.** *przen.* Trzymać kogo w oddaleniu ⟨*nie dopuszczać do poufałości*⟩: Było w księciu Jeremim coś, co mimo wrodzonej mu łaskawości trzymało ludzi w oddaleniu. *Sienk. Ogn. I, 84.* **4.** Z oddalenia ⟨*z daleka*⟩: Nisko na zrębach tych skał wisiały kępy kosodrzewiny, podobne z oddalenia do mchu. *Żer. SW.*

oddalić, oddalać 1. o. c o: *praw.* **o.** powództwo, skargę, wniosek ⟨*nie uwzględnić, odrzucić*⟩. Sąd oddalił powództwo. **2. o.** kogo od czego ⟨*odsuwać dalej*⟩: To oddalało go od upragnionego celu. **3.** *przen.* **o.** kogo od kogo ⟨*powodować brak zażyłości, serdeczności w stosunku do kogo*⟩: Moje małżeństwo oddaliło mnie od rodziców. *Zap. G. Pam. 85.* **4.** Oddalić kogo ⟨*zwolnić kogo z pracy; odprawić, wydalić*⟩: **o.** służącą, kucharza. *przestarz.* **o.** kogo ze szkoły ⟨*wydalić, usunąć*⟩.

oddanie 1. Bezgraniczne, ślepe, wierne **o.** (komu) ⟨*przywiązanie do kogo; poświęcenie dla kogo*⟩. **2.** Robić co z oddaniem: Patrzył jej w oczy z niewysłowionym oddaniem. *Borow. Świat 119.* **3.** Pożyczyć co komu na wieczne **o.** ⟨*pożyczyć co komu, nie licząc na zwrot*⟩: Pożyczyli mu sumę dwanaście tysięcy talarów [...] niby to na sześć miesięcy, ale jak snadno było przewidzieć, na wieczne oddanie. *Moracz. Dzieje IV, 247.*

oddany 1. Szczerze **o.** ⟨*formułka grzecznościowa kończąca list*⟩. **2. o.** sercem ⟨*szczerze, serdecznie kochający*⟩: Będę się poczytywała za oddaloną, niemniej sercem oddaną siostrę Pani. *Orzesz. Listy II/2, 287.* **3. o.** komu, czemu ⟨*zajęty zupełnie kim, czym; opiekujący się kim, czym, poświęcający się dla kogo albo czemu*⟩: Oddana dzieciom, poza nimi nic nie widziała. *SW.* Sympatyczna, skromna kobieta, oddana tylko wychowaniu swych dwóch synków, nie lubiła świata. *Chłęd. Pam. II, 296.* **4. o.** nauce. **5. o.** samemu sobie ⟨*pozostawiony bez opieki; samotny*⟩: W dziesiątym już roku oddany prawie samemu sobie, zahartowałem się zaraz za młodu na wszystkie przeciwności dalszego życia. *Bog. Kapit. II, 21.*

oddawać p. **oddać**

oddawać się p. **oddać się**

oddech 1. Chrapliwy **o. 2.** Gorący **o.**: Towarzysz za mną gorącym oddechem oblewał mi ucho i szyję. *Dan. Wraż. 27.* **3. o.** miarowy, równy; **o.** przyspieszony. Regularny **o.**, **o.** rytmiczny; **o.** słaby. Szybki **o.**, **o.** świszczący; **o.** urywany. **4.** *med.* **o.** oskrzelowy ⟨*oddychanie z charakterystycznym głośnym, szorstkim szmerem występującym jako objaw zapalenia płuc, zapalenia opłucnej i gruźlicy; oddychanie, w którym wdech i wydech są sobie równe pod względem czasu trwania*⟩. **5.** Ostatni **o.** ⟨*chwila śmierci, skonanie*⟩: Marylo moja! kiedy przeszłe bole z ostatnim puszczę w niepamięć oddechem, niech boski pokój widzę na twym czole. *Mick. Wiersze 135.* **6.** *przen.* Szeroki; wolny **o.**: Pięknej potoczystości Orzechowskiego, szlachetnego wdzięku Górnickiego, szerokiego oddechu Skargi nie miał kto przejąć. *Par. Alch. 165.* Dzieci ich przeganiane z ulicy na podwórze, z podwórza na ulicę miały wolny oddech jeno w okolicach śmietników. *Goj. Ziemia 201.* **7.** *techn.* Oddechy od formy ⟨*dziurki w formie na odlew, którymi odchodzą gazy, tworzące się przy wlewaniu roztopionego kruszcu*⟩. **8.** Z zapartym oddechem ⟨*będąc przejętym, zaciekawionym, w napięciu uwagi, powstrzymując się nawet od oddychania*⟩; Ludzie patrzyli z zapartym oddechem, jak pięła się wolno ku górze. *Goj. Rajs. I, 186.* **9.** Wziąć **o.**; zaczerpnąć oddechu ⟨*nabrać, nabierać powietrza do płuc; odetchnąć*⟩: Z trudem łapał oddech płucami, które już nie na długo miały mu służyć. *Par. Zegar. 103.* **10.** *sport.* Łapać, złapać drugi **o.** ⟨*przy długotrwałych wysiłkach przezwyciężyć uczucie zmęczenia, poczuć przypływ nowych, świeżych sił*⟩: Dopiero pod koniec obozu w Cetniewie złapałem drugi oddech, doszedłem do jakiej takiej formy. *Przekr. 538, 1955.* **11.** *teatr.* Mówić na oddechu ⟨*mówić oddychając głęboko, miarowo, utrzymując wciąż dostateczny zapas powietrza, odnawiając je w sposób nie męczący dla mówiącego i niedostrzegalny dla słuchacza*⟩: Można mieć ślicznie postawiony głos i mówić „na oddechu", a przy tym np. szeplenić. *Jęz. Pol. 1935, s. 79.* **12.** Tłumić, tracić, utrudniać, wstrzymywać **o. 13.** Coś zapiera, zatrzymuje, tamuje **o.**: Coś podsuwało się do jej gardzieli i zapierało oddech. *Żer. SPP.* **14.** Braknie, brakowało komu oddechu ⟨*ktoś nie może odetchnąć, nabrać powietrza do płuc*⟩: Od pośpiechu mówić nie mogę. Braknie mi oddechu. *Staff L. God. 84.* **15. o.** zamiera (komu) w krtani: Tak groźno spojrzał na nowo przybyłego, że biedakowi aż oddech zamarł w krtani. *Łoz. Wal. Dwór 42.*

oddechowy 1. Ćwiczenie **o-e** ⟨*polegające na głębokim wdychaniu i wydychaniu powietrza*⟩: Krzyś wstał o siódmej, gimnastykował się, robił ćwiczenia oddechowe i polewał się zimną wodą. *Krzyw. I. Gorzk. 123.* **2.** Aparat **o.** ⟨*aparat umożliwiający oddychanie tlenem w warunkach kiedy nie można go pobierać z powietrza, stosowany w medycynie, do cucenia zatrutych gazami itp.*⟩: Konstrukcji aparatów oddechowych jest wiele a z nich największe zastosowanie mają aparaty tlenowe. *Budr. Górn. 124.*

oddolny *pot.* ⟨*pochodzący od szerokich mas narodu, społeczeństwa; nie od kierownictwa*⟩ **1. o-a** krytyka, inicjatywa. **2. o-a** nacjonalizacja zakładów przemysłowych. **3. o-a** wynalazczość (robotników).

oddychać, odetchnąć 1. o. ledwie, z trudnością; szybko, wolno; regularnie, rytmicznie; gwałtownie **o.**; **o.** nosem, ustami, pełną piersią. **2.** Jeszcze oddycha ⟨*jeszcze zipie, jeszcze żyje*⟩; już przestał oddychać ⟨*już nie żyje*⟩. **3.** *przen.* Oddychać czym

⟨*tchnąć, promienieć; odznaczać się czym*⟩: **o.** radością, rozkoszą, serdecznością, szczęściem. **4.** *daw.* Oddychać niechęcią, nienawiścią, zemstą (do kogo, ku czemu) ⟨*być niechętnym, chcieć się zemścić, pałać zemstą*⟩: Ogół panów koronnych oddychał [...] niechęcią ku zatargom z pogaństwem. *Szajn. Dziej. I, 79.* **5.** *przen.* **o.** powietrzem (atmosferą) świeżym, innym itp. ⟨*znaleźć się, być w innych warunkach, w innym środowisku, gdzie indziej, niż przedtem*⟩. **6.** *daw.* Oddychać snem ⟨*spać, odpoczywać we śnie*⟩: A Książę dotąd snem twardym oddycha. *Mick. Graż. 28.* **7.** *przen.* Coś oddycha (czym) oparem, dymem, wonią itp. ⟨*coś wydziela opary, woń; nad czymś unosi się mgła, dym itp.*⟩: Wiatr zamarł i w ciszy głębokiej Wisła matowa, szareńka, oddychała lekkuchnym oparem. *New. Pam. 355.* **8.** *daw.* Oddychać co ⟨*wdychać co; upajać się czym*⟩: Grubsze straci przesądy i rozumu przetrze, kto ma szczęście fernejskie oddychać powietrze. *Tremb. Polit. 158.* **9.** *przen.* Odetchnąć z ulgą: Pani Barbara była nawet gotowa sama z nią jeździć na bale i zabawy, odetchnęła jednak z ulgą, kiedy się bez tego obeszło. *Dąbr. M. Noce II, 26.*

oddychanie 1. *biol.* Oddychanie skórne ⟨*proces wymiany tlenu i dwutlenku węgla odbywający się przez skórę*⟩. **2.** Oddychanie wewnętrzne a. tkankowe ⟨*proces polegający na przyswajaniu przez tkanki ciała tlenu z krwi naczyń włoskowatych i wydzielaniu dwutlenku węgla*⟩. **3.** Oddychanie zewnętrzne a. płucne ⟨*proces wymiany tlenu i dwutlenku węgla odbywający się w pęcherzykach płucnych*⟩. **4.** Sztuczne oddychanie ⟨*zabieg polegający na rytmicznym, mocnym uciskaniu klatki piersiowej (faza wydechu) i szybkim jej rozszerzaniu (faza wdechu) w celu przywrócenia prawidłowego rytmu oddechowego, stosowany w wypadkach utonięcia, uduszenia, porażenia itp.*⟩.

oddział ⟨*zespół ludzi, wydzielona jednostka wojskowa lub jakiejś organizacji mająca do wykonania określone zadanie*⟩ **1. o.** czołowy, kadrowy, oblężniczy, ochotniczy, partyzancki, powstańczy, sanitarny, szturmowy, wojskowy, wywiadowczy itp. **2. o.** czołgów, piechoty; **o.** harcerzy, saperów, spadochroniarzy, strzelców. **3. o.** policji, żandarmerii. **4.** *hist.* **o.** nieregularny ⟨*nie wchodzący w skład stałej armii, doraźnie formowany*⟩. **5.** *daw.* **o.** janczarów, husarzy, kuszników, kosynierów, rajtarów itp. **6. o.** banku ⟨*filia*⟩: Oddział Banku Narodowego w Toruniu. **7. o.** chirurgiczny, chorób dziecinnych (dziecięcych), kobiecy, psychiatryczny, wewnętrzny, zakaźny ⟨*część szpitala*⟩. **8.** *przestarz.* **o.** (szkoły) ⟨*klasa*⟩: Ta szkółka ma dwa oddziały. *SW.*

oddźwięk 1. Żywy **o. 2.** Coś ma, wywołuje, znajduje **o.** (w kim, w czym): Najbardziej nawet genialna myśl nie obleczona w słowo nie jest w stanie wywołać najmniejszego oddźwięku. *Dobos. Jęz. 31.* Hasło znalazło oddźwięk w szerokich masach. *SWP.*

odegrać, odgrywać 1. o. hymn, jakiś utwór ⟨*wykonać hymn, utwór muzyczny na instrumencie*⟩: Na zakończenie wieczoru odegrał preludium szopenowskie. *Sienk. Połan. III, 92.* **2. o.** płytę gramofonową; odegrać co z płyt, z taśmy magnetofonowej ⟨*odtworzyć, przekazać uprzednio nagrany na płytę, taśmę utwór muzyczny, nagraną audycję itp.*⟩. **3. o.** komedie ⟨*przedstawi(a)ć siebie fałszywie, maskować się; maskować kłamstwo*⟩: On często odgrywa takie komedie, przybiera dobroduszne tony jak nasz pastor i robi z siebie poczciwca. *Melc. Statek 98.* **4. o.** rolę ⟨*spełnić czyją funkcję, wejść w czyje kompetencje, uprawnienia*⟩: Wszystkie damy są zainteresowane pańskimi cierpieniami i założę się, że niejedna chciałaby odegrać rolę pocieszycielki. *Prus Lalka III, 284.* **5. o.** podrzędną rolę (w czym) ⟨*nie mieć znaczenia; nie brać udziału w czym; być mało ważnym*⟩: Wynika jasno, że w sztabie Ramorina dwa ścierały się prądy, i że sam generał, jako cudzoziemiec, podrzędną tylko w tej walce odgrywał rolę. *Sokoł. A. Dzieje III, 400.* **6. o.** rolę nieczystą, sromotną itp. ⟨*postąpić, postępować nieuczciwie, nieetycznie, niehonorowo*⟩: Odgrywał bardzo nieczystą rolę w udzielaniu koncesji na kolej czerniowiecką i był jednym ze smutnych bohaterów w finansowym skandalu. *Chłęd. Pam. II, 34.* **7. o.** rolę wielką, ważną itp. (w czym lub gdzie) ⟨*mieć duże znaczenie, wpływ na co; być ważnym czynnikiem (w czym); spełni(a)ć doniosłe zadanie*⟩: Mazowsze od początku panowania Kazimierza Jagiellończyka nie odgrywało poważniejszej roli. *Dąbr. J. Dzieje 392.* **8. o.** sztukę ⟨*wykonać utwór sceniczny; dać przedstawienie*⟩: Najpierw śpiewał chór, potem odegrano jednoaktową sztukę o walce partyzanckiej z hitlerowcami. *Róż. Kart. 84.* **9. o.** k o g o ⟨*udawać kogo, pozować na kogo*⟩: Pańska żona włóczy się z kochankami, a pan odgrywa głupiego. *Perz. Raz 296.* **10. o.** partię w kręgle, partię szachów itp. ⟨*wziąć udział w grze w kręgle, w szachy itp.*⟩: W niedzielę i święta musiał odwiedzić ogródek [...] tam odegrać parę partyj w kręgle. *Korz. J. Krewni 250.* **11. o.** przegraną, stratę ⟨*wygrać, odbić sobie przegraną sumę w innej grze*⟩: Siadaj z nami, panie Pawle! Masz podobno do odegrania trzydzieści dukatów. *Korz. J. Spek. 205.*

odegrać się, odgrywać się 1. o. się n a k i m ⟨*zemścić się na kim*⟩: Odegrałaś się na mnie [...] Wiecznie chodzicie ze sobą. Na spacery, do kina. *Past. Trzeba 59.* **2. o. się** w c z y m ⟨*powetować sobie co*⟩: [Reakcja] wzmacniając terror i oszczerczą propagandę, liczyła na odegranie się w wyborach do Sejmu Ustawodawczego. *Barb. Nauka 167.*

odejmować p. **odjąć**

odejść p. **odchodzić**

odemglający Urządzenie **o-e** ⟨*urządzenie stosowane w pomieszczeniach fabrycznych w celu usunięcia mgły, powstałej wskutek nagromadzenia się pary wodnej*⟩.

odeprzeć, odpierać 1. o. k o g o, c o (czym) ⟨*odepchnąć, odrzucić*⟩: **o.** nieprzyjaciela; **o.** atak, gwałt, szturm itp.; Sierakowski, zajmując korzystną pozycję, odpierał przez kilka godzin nieprzyjaciela i zadał mu wielkie straty. *Sokoł. A. Stycz. 245.* Daliście się zagnieździć (H)anibalowi, kiedy gwałt gwałtem odpierać było trzeba. *Kras. Rozm. 59.* **2. o.** ciosy, razy itp. ⟨*odbi(ja)ć, odd(aw)ać; odtrącić, odtrącać*⟩: Rzucił nań Ajaks dzidę, lecz się nie przedarła do ciała, bo miedź gruba silny raz odparła. *Dmoch. SW.* **3. o.** zarzut, zarzuty ⟨*zbić, zbijać*⟩. **4.** *daw.* **o.** c o ⟨*otworzyć*⟩: Gdy usłyszysz sowy hukanie, furtv odeprzyj, a gdy to sprawisz, rzuć z okna baszty wstążkę białą. *Krech. Lux* w: *Tyg. Ilustr. 33, 1900.* **5.** Odeprzeć komu (tylko w czasie przeszłym) ⟨*odpowiedzieć na czyje odezwanie się lub pytanie; odrzec, odciąć się komu*⟩: Głupi jesteś — odparł mu opryskliwie Kazik. *Perz. Uczn. 50.*

oderwać, odrywać 1. o. c o — o d c z e g o: a) ⟨*ciągnąc lub szarpiąc odłączyć to, co przytwierdzone, umocowane itp. do czego; wyrwać, urwać część czego; odedrzeć, oberwać*⟩: **o.** guzik od płaszcza; listwę od ściany; znaczek pocztowy od koperty; b) ⟨*odjąć, usunąć co od czego lub z czego; zdjąć, zabrać*⟩: Pił kawę małymi łykami, nie odrywając kubka od ust. *Hertz P. Sedan 146.* Nie mogła odejść z tego miejsca, nie mogła nóg od chodnika oderwać. *Goj. Dziew. II, 80.* **2. o.** uwagę, oczy, spojrzenie, myśl itp. od czego ⟨*przestać uważać, patrzeć na co, myśleć o czym; odwrócić od czego uwagę, oczy, myśl itp.*⟩: Zląkł się, usiłował oderwać oczy od strasznej twarzy. *Strug Krzyż III, 42.* Chwała Bogu, że zdrowsza i że ludzi widuje, jeśli to jej myśl odrywa od tylu smutnych zdarzeń. *Krasiń. Listy I, 125.* **3.** Niepodobna, nie móc oderwać oczu (wzroku); trudno oderwać oczy (wzrok); nie odrywać oczu (wzroku) od kogo lub czego ⟨*patrzeć na kogo lub na co bez przerwy, uporczywie; nie móc się napatrzeć do syta*⟩: Zbierał nieme hołdy wszystkich pań, które oczu od niego oderwać nie mogły. *Perz. Las 119.* **4. o.** kogo od kogo (od czego) ⟨*oddalić, odłączyć kogo od kogo (od czego); rozłączyć z kim (z czym), zabrać w inne miejsce*⟩: Potrzeba Marynię oderwać od Edmunda [...] Zabronić mu bywać u nas. *Sarn. Dwor. 47.* Psy oderwały od stada dużego warchlaka i pogoniły go, pomijając linię strzelców. *Wodz. Wspom. 116.* **5. o.** k o g o o d c z e g o (od jakiejś czynności) ⟨*spowodować przerwanie czyjego zajęcia, pracy itp.; odwołać, odciągnąć kogo od czego*⟩: **o.** kogo od książek, od pracy, od lekcji. **6.** *przen.* **o.** c o o d c z e g o: a) ⟨*odłączyć przemocą co od czego; pozbawić czego*⟩: Wróciliśmy na ziemie piastowskie, oderwane przed wiekami od polskiej macierzy. *Piw. Hist. 7*; b) ⟨*rozdzielić, rozłączyć co; przeprowadzać podział*⟩: Oderwania logiki od metafizyki dokonał Arystoteles, uczyniwszy metodę dialektyczną i dedukcyjną przedmiotem odrębnego badania. *Czeż. Log. 208.*

oderwać się, odrywać się 1. o. się o d c z e g o ⟨*urwawszy się odpaść*⟩: Guzik, tasiemka oderwała się od koszuli. *SW.* **2. o. się** o d k o g o, o d c z e g o ⟨*oddalić, odłączyć się, odsunąć się od kogo, od czego; rozłączyć, rozstać się z kim*⟩: Stare wrony błyskawicznie oderwały się od konaru i rzuciły się na łeb w powietrze. *Zar. Ziarno 27.* Zwlekał z wyjazdem, nie mogąc się oderwać od swojej uroczej urzędniczki. *Perz. Las 64.* **3. o. się** od jakiejś czynności ⟨*przerwać sobie wykonywaną czynność; porzucić chwilowo zajęcie, pracę itp.*⟩: Bogumił Niechcic, jak tylko oderwał się od pola, podwórza i folwarku, stawał się roztargniony. *Dąbr. M. Noce II, 100.* **4. o. się** od roboty, od książki. **5.** Nie móc się **o.**, trudno się **o.** od czego ⟨*być czymś zaabsorbowanym, pochłoniętym*⟩: Odkrył na nowo urok literatury pięknej, wzruszały go poezje, nie mógł się oderwać od staroświeckich powieścideł. *Strug Krzyż II, 184.* Wzywany do Krakowa, odpowiadał, że nie ma czasu, że nie może oderwać się od nawału zajęć i pracy. *Sewer Nafta II, 93.* **6.** *przen.* **o. się** od mas, od społeczeństwa: Stanowiliśmy jakby świat maleńki, od reszty społeczności oderwany i w sobie zawarty. *Sienk. Now. III, 53.* **7. o. się** od rzeczywistości, od życia, od ziemi itp. ⟨*nie myśleć o istniejącej rzeczywistości, o realnych warunkach; być myślą poza tym, marzyć*⟩: Wróciła z koncertu rozkołysana muzyką i jak gdyby oderwana od życia. *Perz. Raz 253.* Pani gardzi pospolitymi sprawami codziennego życia i rada by się od ziemi oderwać. *Urban. Księż. 150.* **8.** Oczy czyje nie mogą się **o.** (od czego) ⟨*patrząc na co uporczywie, ktoś nie może oczu odwrócić; nie może napatrzeć się do syta*⟩: Oczy moje, mimo woli jak przykute, pochłaniają tę drobniutką postać i oderwać się od niej nie mogą. *Zap. G. Dzień 151.* **9.** *przen.* Myśl czyja odrywa się od czego: Myśl jego co chwila odrywała się od uczonej treści książki. *Orzesz. Wesoła 254.*

oderwanie W oderwaniu od czego ⟨*tracąc łączność; odrębnie, osobno, rozłącznie*⟩: Człowiek [...] nie może być badany w oderwaniu od społeczeństwa. *Zakrz. St. Zagadn. 83.*

oderwany 1. *mat.* Liczba **o-a** ⟨*liczba niemianowana, przy której nie podaje się jednostek*⟩. **2.** Pojęcia, rzeczy **o-e** ⟨*abstrakcyjne*⟩. **3.** *przestarz. jęz.* Rzeczownik **o.** ⟨*rzeczownik będący nazwą pojęcia, czynności lub stanu*⟩. **4. o.** o d c z e g o ⟨*odłączony*⟩: **o.** od kraju, rodziny. **5. o.** od rzeczywistości, od życia ⟨*nie mający kontaktu z rzeczywistością, z życiem; odosobniony, nierealny*⟩: Literatura nie jest czymś oderwanym od życia społecznego, lecz jest jedną z jego funkcyj. *Bystr. Publ. 65.*

odesłać, odsyłać 1. o. (co) pocztą ⟨*zwrócić przesyłając pocztą*⟩: **o.** książkę, list, pieniądze pocztą. **2. o.** k o g o, c o — d o c z e g o ⟨*skierować, wskazać dokąd się zwrócić*⟩: **o.** czytelnika do pewnego miejsca w dziele, do innego dzieła. **3. o.** sprawę do innej instancji ⟨*skierować*⟩: Sąd kasował wyrok i odsyłał sprawę z powrotem do I instancji. *Breyer Spór 45.* **4. o.** kogo precz, *wulg.* do diabła ⟨*kazać odejść komu; wyprosić, wyrzucić kogo za drzwi*⟩: Widząc, że zbyt przy tym dokazują i broją, pleban wszystkich odesłał precz, a sam został tylko z trzema wędrownymi żakami. *Grusz. An. Żak. 58.* **5.** Odsyłać kogo skąd dokąd: Odsyłano go z pokoju do pokoju, czekał cierpliwie, zdany na łaskę sekretarek. *Brand. K. Obyw. 384.* **6. o.** kogo z kwitkiem ⟨*odmówić komu załatwienia czego; nie przyjąć, odprawić z niczym*⟩: We wtorek jadę do Lausanny i tam będę siedział, aż póki albo miejsce otrzymam, albo z kwitkiem mnie odeszlą. *Mick. Listy II, 207.*

odetchnąć p. **oddychać**

odezwa 1. o. wyborcza: Na kilka dni przed wyborami mury domów i parkany pokryły się tysiącami odezw wyborczych, manifestów, proklamacji. *Nowak S. Wspom. 135.* **2. o.** d o k o g o: do ludności, do robotników, do narodu. **3.** Wydać odezwę; zwrócić się do kogo z odezwą: Po obaleniu despotyzmu w Rosji w marcu 1917 r. pierwszy rewolucyjny rząd zwrócił się do narodu polskiego z odezwą, zawierającą uznanie naszego prawa do samoistności. *Choł. Duch 24—25.* **4. o.** wzywa kogo do czego:

Odezwa wzywała do świętowania pierwszego maja. *Krzyw. I. Siew 313.*

odezwać się, odzywać się 1. o. się głośno, półgłosem, szeptem; nieśmiało, łagodnie, ostro, z przekąsem itp. ⟨*przemówić; powiedzieć co*⟩: Odezwałem się nieśmiało, że pierwszy raz w życiu siedziałem na koniu i wcale nie umiałem jeździć. *Lam J. Głowy I, 127.* **2.** Nie **o. się** ani słowem (do kogo) ⟨*zachować milczenie; nie chcieć mówić*⟩. **3.** *pot.* Nie odzywać się do kogo ⟨*nie chcieć z kim rozmawiać (w wyniku sprzeczki, obrazy itp.)*⟩: Przez kilka dni nie odzywała się do niego. **4. o. się** d o k o g o ⟨*wystąpić z czym, zwrócić się, zgłosić; zaapelować, odwołać się do kogo o co*⟩: Czemuż nie odezwała się do mnie o pomoc? Byłbym dał duszę, a przysłał jej co by chciała! *Krasz. Sfinks I, 265.* **5.** *przestarz.* Odzywać się o kim, o czym ⟨*wypowiadać o kim, o czym swoje zdanie, opinię itp.*⟩: Dawni znajomi i towarzysze prac w wspólnej organizacji jak najpochlebniej się o nim odzywali. *Dan. W. Not. 455.* **6.** *daw.* **o. się** o rękę, **o. się** do (kobiety) ⟨*oświadczyć się*⟩: Stara nasza przyjaźń dostatecznie mnie upoważnia do odezwania się o rękę panny Dahlman dla mego krewnego. *Choj. Alkh. IV, 104.* **7.** *daw.* **o. się** za kim ⟨*ująć się, wstawić się za kim*⟩: Zdziwiło go, że kobieta ani odezwała się za ciężko pobitym Jędrkiem. *Prus Plac. 240.* **8.** Coś odzywa się (czymś) ⟨*o głosach, dźwiękach itp.: daje się słyszeć, dźwięczy, rozbrzmiewa*⟩: Odezwały się dzwony; dźwięki poloneza. W gabinecie co chwila odzywał się telefon. *Pytl. Pożegn. 66.* Ukryty w mroku, odezwał się nagle karabin maszynowy, zakrztusił się krótką serią i umilkł. *Ziel. S. Świt. 21.* Puszcza nie odzywała się żadnym ludzkim ni zwierzęcym głosem. *Sienk. Wołod. II, 17.* **9.** Coś odzywa się komu ⟨*odpowiada na wołanie, odkrzykuje*⟩: Już słowik w sadzie zaczął swe pieśni, gaj mu się cały odzywa. *Karp. Siel. 34.* **10.** Coś odezwało się, odzywa się w kim ⟨*ktoś odczuł coś, doznał czego*⟩: Ból w kolanie znowu się odezwał. Czuł się słaby i bardzo wycieńczony. Głód odezwał się w nim z niezmierną siłą. *Makowiec. Dios. 81.* Chwilami odzywał się w nim jakiś cichy i głęboki żal do niej za obojętność. *Reym. Ferm. II, 184.* **11.** Ktoś odezwał się w kim, coś odezwało, odzywało się w kim ⟨*ktoś oddziałał na kogo, wywarł wpływ; coś oddziałało na kogo, wywarło wpływ, stało się dominujące (w danej chwili; ktoś doszedł a. coś doszło w kim do głosu*⟩: Odezwał się w nim sknera. - Marzycielska natura moja znowu odzywała się we mnie. *Orzesz. Pam. III, 87.* **12.** Odezwie, odzywa się w kim czyja krew ⟨*zaznaczy się w kim jego pochodzenie (od kogo), wezmą górę cechy właściwe danej rodzinie*⟩: Krew ojca odezwie się z pewnością prędzej czy później. *Ritt. Jakub. 102.* **13.** Odzywały się głosy (za czym lub przeciwko czemu) ⟨*ktoś przychylał się do czego, aprobował co lub był przeciwny*⟩: Pomiędzy szlachtą odzywały się także głosy przeciwko szafowaniu nobilitacyj. *Lim. Społ. XVIII, 313.* **14.** Serce się odezwało, odzywa ⟨*u kogoś uczucie dochodzi do głosu, ktoś kieruje się w postępowaniu uczuciem, sercem*⟩: Nareszcie pozwoliła odezwać się swemu sercu. Zakochała się. *Kosiak. Rick II, 80.*

odęty o. jak indyk. **o-a** gęba, mina, **o-e** wargi.

odgłos 1. Cichy **o.** ⟨*głos dolatujący skąd*⟩. **2.** Powszechny, żywy **o.** ⟨*reakcja na co*⟩. **3. o. (o-y)** c z e g o: **o.** bębnów, dział, kroków, piorunów, rozmów; **o.** młotów, siekier itp.: Na odgłos strzału wybiegł z mieszkania. **4.** Odgłosy natury, ptaków, zwierząt: Rozproszyli się po lesie, strojąc się w kwiaty, nasłuchując odgłosów natury, szukając kwitnących polan. *Grusz. Ar. Tys. 143; przen.* Odgłosy prasy, życia, wojen: Dowodem kultu Woltera są odgłosy prasy postępowej z okazji triumfalnego pogrzebu filozofa w Paryżu. *Smol. W. Przewrót 396.* W całym domu jest cisza. Za oknem wszystkie odgłosy życia tłumi sypiący śnieg. *Żukr. Kraj. 180.* Odgłosy wojen lub zapowiedzi wojenne trwożyły mieszkańców. *Śliw. A. Lel. 26.* **5.** *daw.* **o.** o c z y m ⟨*wieść o czym, pogłoska, wiadomość*⟩: Odgłos o małżeństwie Orzechowskiego rozbiegł się po Krakowie, skąd gruchnął na całą Polskę i dalej jeszcze. *Moracz. Dzieje IV, 195.* **6.** *daw.* Na czyj **o.** ⟨*na czyje wezwanie, apel (do kogo)*⟩: Na odgłos Dąbrowskiego pospieszyli wnet z kraju — pomimo kordonów i przeszkód rozmaitych — dawni wojskowi polscy. *Sokoł. A. Dzieje I, 115.* **7.** Budzić **o.**; nie budzić w kim odgłosu: Czuł, że słowa brata nie budzą w nim odgłosu. *Krech. Lux* w: *Tyg. Ilustr. 46, 1900.* **8.** Chwytać odgłosy (rozmów): Słyszał gwar, chwytał chciwie odgłosy rozmów, głosy szorstkie i słowa chropawe. *Jackiew. Górn. 167.* **9.** *przestarz.* Mieć, znaleźć **o.** (gdzie) ⟨*wywołać reakcję, poruszyć kogo*⟩: Wypadek ten znalazł odgłos w prasie. *SPW.* **10.** *daw.* Mieć powszechny **o.** ⟨*mieć powszechną opinię, sąd, zdanie (o czym)*⟩: Pan Herburt miał powszechny odgłos mądrego i cnotliwego męża. *Rzew. H. Zamek 213.* **11.** Zadudnić odgłosem czego: Miasto spało osnute ciszą. Czasem nocny patrol policji głucho zadudnił odgłosem kroków. *Pytl. Pożegn. 158.* **12. o.** (odgłosy) czego dochodzi, dolatuje skąd; rozchodzi się, rozlega się gdzie: Odgłosy miasta mało tu dochodziły, cisza rozlewała się dokoła. *Orzesz. SPP.* Ze wszystkich stron dolatywały odgłosy siekier, pił i dłut, pracujących przy budowie. *Strug Ojc. 300.* Zatętniało na bruku, odgłos rozchodzący się od uderzeń podków o kamienie, rozlegał się głucho po ulicach. *Sewer Poboj. 85.*

odgórny ⟨*pochodzący od instytucji, władzy rządzącej*⟩: **o-e** dyrektywy, zarządzenie.

odgradzać (się), odgrodzić (się) o. (się) murem (chińskim murem) od czego ⟨*oddzielić (się), odseparować (się)*⟩: Odgrodził się od społeczeństwa chińskim murem obojętności. - Kamienne milczenie murem odgradzało ich od reszty ludzkości. *Goj. Krata 34.*

odgrywać p. **odegrać**

odgrywać się p. **odegrać się**

odgrzebać, odgrzebywać 1. o. c o s p o d c z e g o ⟨*odkopać*⟩: Psy te [bernardyńskie] [...] wsławiły się odgrzebywaniem spod śniegu podróżnych, zbłąkanych w górach szwajcarskich. *Dayk. Przyr. 83.* **2.** *przen.* **o.** co w pamięci ⟨*przypomnieć, przypominać sobie o czym*⟩: **o.** w pamięci wspomnienia. **3.** *przen.* **o.** c o — z c z e g o ⟨*wydobywać z czego (na jaw); przypominać*⟩: Białe to były jeszcze kruki w Polsce te rękopisy klasyków łacińskich, od niedawna z zapomnienia odgrzebywane. *Smolka Szkice*

I, 76. Ażeby odgrzebać z grobu zamarłą przeszłość, trzeba przede wszystkim odgrzebać z ksiąg zapylony, stary język. *Prz. Tyg. Życia 4, 1875.*

odgrzewany o-e dowcipy ⟨*powtarzane wielokrotnie*⟩.

odgważdżać p. **odgwoździć**

odgwizdać, odgwizdywać 1. *rzad.* **o.** arię ⟨*gwiżdżąc wykonać arię*⟩. **2. o.** zawody ⟨*zagwizdać, dając znać o zakończeniu zawodów*⟩: Sędzia odgwizdał zawody. *Rudn. A. Sport. 51.*

odgwoździć, odgważdżać *przestarz.* **1. o.** armatę, działo itp. ⟨*wyjąć z zapału armaty, działa itp. gwóźdź unieszkodliwiający je*⟩. **2. o.** beczkę ⟨*usunąć czop z beczki, odkorkować ją*⟩: Gerwazy [...] z Soplicowskiej piwnicy dobywa beczki starej siwuchy, dębniaku i piwa. Jedne wnet odgwożdżono, a drugie ochoczo szlachta, gęsta jak mrowie, porywają, toczą do zamku. *Mick. Tad. 236.*

odjazd 1. o.! ⟨*nakaz ruszenia z miejsca, oddalenia się; sygnał pozwalający na ruszenie w drogę danego środka lokomocji*⟩: Wyszedł już dyżurny ruchu [...] Dał znak: — odjazd! — maszyniście. *Świerszcz. 49, 1950.* **2. o.** pociągu, statku, autobusu. **3.** Sygnał odjazdu; znak do odjazdu. **4.** Gotowy do odjazdu (np. o pociągu). **5.** Śpieszyć się, nie śpieszyć się z odjazdem: Prosić miłego gościa, żeby się z odjazdem nie śpieszył, jest to mu dać poznać, iż bytność jego w domu naszym pożądana. *Kras. SW.*

odjąć, odejmować 1. o. k o g o, c o — k o m u ⟨*odebrać co, pozbawić czego*⟩: Dzieci swe kochała ponad wszystko i oto jedno z nich zostało jej odjęte. *Goj. Ziemia 89.* Ręka mimo woli szukała miecza, który mu odjęto. *Sienk. Pot. IV, 245.* **2. o.** dowództwo: Chciano mu odjąć dowództwo, a zaklinano jenerała Chłapowskiego, aby dla dobra sprawy narodowej przyjął naczelnictwo. *Gocz. Wspom. II, 49.* **3.** Komuś odjęło rozum, zmysły itp. a. wzruszenie, radość, gniew itp. odjęły komu głos, mowę, zmysły, władzę w członkach itp. ⟨*ktoś na skutek silnego wzruszenia stracił rozum, zmysły, mowę; nie mógł wydobyć z siebie głosu; wzruszenie itp. pozbawiło kogoś rozumu, zdolności mówienia, poruszania się itp.*⟩: I chyba rozum mi odjęło, że się na to zgodziłam! *Bogusz. Kura 157.* Czapliński zerwał się z miejsca i aż mu mowę ze złości odjęło. *Sienk. Ogn. I, 20.* Wzruszenie odjęło mu głos. *Par. Niebo 112.* **4. o.** apetyt komu: Nie poszedł na wieczerzę, bo wewnętrzny niepokój odjął mu apetyt. *Pług Zagon II, 197.* **5. o.** sen: Niespokojny jestem; nie tak jednak, aby mi to sen odejmowało. *Słow. Listy I, 346.* **6. o.** jakąś część ciała, np. nogę, rękę itp. ⟨*odciąć, amputować*⟩: Wiedziała, że mu odjęto zranioną rękę — ale nie oglądała go jeszcze kaleką. *Strug Ojc. 269.* **7. o.** lata ⟨*odliczyć, odliczać*⟩: Lata, które sobie kobieta odejmuje, nie idą na marne! dodaje je innym kobietom. *Wróble 52, 1932.* **8.** Odejmować sobie, odejmować sobie od ust ⟨*skąpić sobie wszystkiego zwłaszcza jedzenia, żyć bardzo oszczędnie, wyrzekać się czego na rzecz kogo*⟩: Rodzice odejmowali sobie od ust, by ją ładnie i modnie ubierać. *Nałk. Z. Romans 27.* Zacni ci i uczciwi ludzie odejmowali sobie, aby mu nie zbywało na pomocy lekarskiej. *Korz. J. Krewni 367.* **9.** *przestarz.* **o.** życie sobie a. komu ⟨*odebrać życie sobie a. komu, popełnić samobójstwo albo dokonać zabójstwa*⟩: Łbem o mur tłukł, jej i sobie życie chciał odejmować. *Dąbr. M. Znaki 35.* Jak, jakby ręką odjął ⟨*o chorobie, bólach itp.: ustąpić całkowicie, natychmiast, z miejsca, od razu*⟩: Dopiero, jak się ożenił, wszystkie choroby jakby ręką odjął. *Bał. Ryby 52.*

odjechać, odjeżdżać 1. o. c z y m, n a c z y m, w c z y m: **o.** autem, powozem, na rowerze, na koniu [ale: **o.** konno], na bryczce, na wozie; w aucie, w powozie. **2. o.** o d k o g o, o d c z e g o — d o k o g o, d o c z e g o: **o.** od rodziny, od przyjaciół; do rodziców, do kraju, do domu. **3.** *daw.* **o.** kogo ⟨*opuścić, zostawić, porzucić, osamotnić kogo wyjeżdżając*⟩: Władek Żeleński dziś nas odjechał. *Lamus 4, 1909, s. 602.* Michał pełen dobrych nadziei odjechał ojca. *Rzew. H. Listop. I, 43.*

odjeść się Nie móc się **o.** ⟨*jedząc nie móc się nasycić, zadowolić, nie móc oderwać się od jedzenia*⟩: W istocie pieczeń była wyborna, nie można się jej było odjeść. *Lam J. Rozmait. 90.*

odjezdne 1. Na odjezdnym ⟨*na chwilę przed odjazdem*⟩: Wsiadła do automobilu, mówiąc na odjezdnym do przyjaciółki, że wraca do domu. *Żer. Nawr. 191.* Na odjezdnym taką mi pan dał naukę. *Kaczk. Bitwa 103.* **2.** Być na odjezdnym. Napić się na odjezdnym.

odjeżdżać p. **odjechać**

odkasać, odkasywać *rzad.* **o.** poły, rękawy ⟨*odwinąć; spuścić*⟩: Gdy już wymierzył mi całą uczciwą należytość, odkasał na powrót poły i rękawy i rzekł mi [...] — Wstań, wasze! *Łoz. Wal. Szlach. III, 22.*

odkażający środki **o-e**: a) ⟨*środki fizyczne, jak: wysoka temperatura, światło słoneczne, para itp.*⟩; b) ⟨*środki chemiczne o właściwościach bakteriobójczych*⟩.

odkładać, odłożyć 1. o. c o ⟨*położyć na uboczu*⟩: **o.** książkę, pióro. **2. o.** słuchawkę ⟨*położyć na widełki telefonu*⟩: Cicho stuknęła słuchawka [aparatu telefonicznego] odłożona na widełki. *Bogusz. Aniel. 36.* **3. o.** skibę ⟨*odwracać ziemię (na drugą stronę) za pomocą pługa*⟩. **4. o.** pieniądze, skrótowo: **o.** ⟨*zbierać, oszczędzać pieniądze, zwykle w jakimś określonym celu*⟩: Oszczędza na każdym kroku. Żyje bardzo skromnie, aby odłożyć choć trochę pieniędzy co miesiąc. *Płomyk 1, 1952.* On ma znaczne dochody i już zapewne coś odłożył na czarną godzinę. *Prus Przem. 254.* **5. o.** tłuszcz, sole itp. ⟨*o organizmach żywych: gromadzić, skupiać sole, tłuszcze itp.*⟩. **6. o.** dzień wyjazdu, podróż, ślub, uroczystość itp.; **o.** (co) na drugi dzień, z dnia na dzień ⟨*odwlekać, odwlec, odraczać, odroczyć*⟩. **7. o.** co na stronę ⟨*nie brać czego pod uwagę; nie przywiązywać do czego znaczenia*⟩: Korzystając z tego, żem moje poselstwo odłożył na stronę, znieważył mnie. *Sienk. Pot. III, 325.*

odkosz 1. Dać, dawać komu odkosza ⟨*odmówić wyjścia za mąż za kogo*⟩: I będziesz wdzięczną swej matce potem [...] żeś zaślubiła worek ze złotem, dawszy odkosza poecie. *Asnyk Poezje I, 155.* **2.** *daw.* Wziąć odkosza ⟨*spotkać się z odmową wyjścia za mąż*⟩.

odkrycie 1. Doniosłe, genialne, wielkie **o. 2. o.** naukowe; **o.** w jakiejś dziedzinie (np. w dziedzinie chemii, fizyki). **3. o.** c z e g o: **o.** Ameryki, **o.** radu. **4.** Uczynić, zrobić **o.**

odkryć, odkrywać 1. o. c o: **o.** głowę ⟨*zdjąć z głowy np. czapkę, kapelusz itp.*⟩: Zabrzmiały dźwięki hymnu narodowego. Ludzie odkryli głowy. *Andrz. Popiół 323.* **2. o.** nowy ląd, nową planetę, nowy pierwiastek ⟨*dokonać odkrycia czego; wynaleźć co nowego*⟩. **3.** *przestarz.* **o.** przyłbicę ⟨*wystąpić jawnie*⟩. **4. o.** spisek, czyje zamiary ⟨*ujawnić, wykryć*⟩. **5. o.** c o k o m u a. p r z e d k i m ⟨*ujawnić, dać poznać co, zwierzyć się z czego*⟩: **o.** swoje zamiary. Oto jedyna i właściwa chwila, by odkryć mężowi tajemnicę. *Par. Niebo 112.* Jeśli moje mam ci odkryć zdanie, oskarżeniu zmarłego nie śmiem wierzyć, panie! *Fel. A. Barb. 75.* **5a. o.** komu a. przed kim swe serce ⟨*wyjawić komu swe zamierzenia, uczucia; zwierzyć się ze swych zamiarów, zmartwień, uczuć*⟩. **6. o.** c o w k i m, w c z y m ⟨*spostrzec, zauważyć kogo, co; zaobserwować co w kim, w czym; dopatrzyć się czego; wykryć, wyśledzić*⟩: Ten obraz widzę już trzeci raz i coraz nowe odkrywam w nim szczegóły. *Prus Dusze 71.* Ujrzawszy ją po kilku dniach rozstania, odkrywam w niej jakiś nowy urok. *Sienk. Bez dogm. II, 130.* **7. o.** w kim wady, zalety.

odkryty 1. o-e auto; **o.** kocz, powóz, wagon itp. ⟨*bez osłaniającej budy, dachu itp.*⟩: Zobaczyłam szybko toczący się ku dworowi odkryty koczyk, czterema zaprzężony końmi. *Orzesz. Pam. III, 78.* **2.** Miejsce, pole itp. **o-e**, teren **o.** ⟨*otwarte(-y), nie osłonięte(-y), wystawione(-y) na działanie czynników atmosferycznych*⟩: Tak odkryte, wzniesione, jak i nisko położone, dolinne miejsca nie są odpowiednie pod truskawki. *Zaliw. Krzewy 70.* **3. o-e** morze ⟨*morze o wolnej przestrzeni wodnej, bez wysp i półwyspów; pełne, otwarte morze*⟩: Zdobyczne wyprawy hiszpańskie i portugalskie zachęciły inne narody i na odkrytych morzach pojawiły się okręty angielskie, holenderskie i francuskie. *Radlicz. Geogr. VIII, 12.* **4.** Pod odkrytym niebem ⟨*na dworze, nie pod dachem, nie w domu*⟩: Urządzić zabawę pod odkrytym niebem. **5.** Z odkrytą głową ⟨*bez nakrycia głowy, bez czapki, kapelusza, chustki itp.*⟩: Iść z odkrytą głową.

odkrywać p. **odkryć**

odkrywkowy Kopalnia **o-a** ⟨*w której eksploatacja kopalin odbywa się na otwarej przestrzeni, pod gołym niebem*⟩.

odkup *praw.* Prawo odkupu ⟨*warunek w umowie kupna-sprzedaży, mocą którego sprzedawca rezerwuje sobie prawo nabycia sprzedanej rzeczy w określonym czasie za zwrotem ceny sprzedaży lub za umówionym wynagrodzeniem dodatkowym*⟩: Sprzedający może sobie zastrzec prawo odkupu rzeczy. *Kutrz. Wstęp 106.*

odkupić, odkupywać 1. o. c o ⟨*wynagrodzić komu stratę czego, kupując taki sam przedmiot jak ten, który został zniszczony, zgubiony, zepsuty*⟩: **o.** zagubioną książkę. *SW.* Ten talerz, com przy obiedzie stłukła, w tej chwili odkupiłam. *Dąbr. Ig. Felka 190.* **2. o.** grzechy, winę, zbrodnię ⟨*zmaz(yw)ać*⟩: Ojcze! choćbyś miał piorun, to ja go zagaszę krwią moją i sam jeden tę winę odkupię! *Słow. Maz. 236.* Zbrodnię swą odkupuje na polach bitew. *Bobrz. Dzieje III, 154.* **3. o.** co od kogo ⟨*kupić od kogo to, co on niedawno nabył dla siebie i z czego rezygnuje*⟩: Odkupił od gospodyni opału za piętnaście groszy. *Breza Mury 312.*

odkupienie Znak, znamię odkupienia ⟨*krzyż (narzędzie i symbol męki Chrystusa)*⟩.

odlać, odlewać 1. o. kartofle (ziemniaki), marchew itp. ⟨*wylać wodę, w której gotowały się kartofle, marchew itp.*⟩. **2. o.** co (np. figurkę) z brązu, z metalu. **3. o.** działo, dzwon ⟨*lejąc wykonać, ulać*⟩. **4.** *daw.* **o.** baty, plagi itp. ⟨*wymierzyć; mocno wybić, wybić na odlew*⟩: Odlano mu przed aktem oczyszczenia 50 batów. *Smol. W. SW.*

odlecieć, odlatywać 1. Ptak odlatuje (z domyślnym lub wyraźnym okolicznikiem: na lato, na zimę, na północ, na południe itp.) ⟨*o ptaku wędrownym: zmienia miejsce zamieszkania z powodu warunków klimatycznych*⟩. **2.** Samolot odlatuje ⟨*odjeżdża*⟩: Samolot nie przyleciał z Warszawy z powodu mgły, a tym samym nie odleci z Krakowa. *Boy Flirt V, 141.* **3.** *pot.* Sen odlatuje kogo ⟨*ktoś nie może zasnąć*⟩: Piąta to noc, jak odleciał ją zupełnie sen. *Parn. Aecjusz 212.* **4.** Spokój, wstyd odlatuje kogo ⟨*ktoś nie ma spokoju, wstydu*⟩: Odkąd jednegom obraził z aniołów, odleciał spokój precz. *Bał. Poezje 36.* Ten bezczelnik, lica moje widząc blade, rozumiał, że mnie z barwą zarazem różaną odleciał wstyd. *Słow. Maz. 213.*

odległość 1. Duża, jednakowa, mała, niewielka, wielka, znaczna **o. 2.** *astr.* **o.** kątowa, **o.** zenitalna ⟨*odległość ciał niebieskich od zenitu*⟩. **3. o.** względna planet od Słońca ⟨*stosunek odległości planet od Słońca do promienia orbity Ziemi*⟩; astronomiczna jednostka odległości ⟨*średnia odległość Ziemi od Słońca, którą się mierzy odległość ciał systemu słonecznego*⟩. **4.** *fiz.* **o.** ogniskowa ⟨*odległość ogniska od zwierciadła lub soczewki*⟩. **5.** *geogr.* **o.** południkowa ⟨*szerokość geograficzna*⟩; **o.** równikowa ⟨*długość geograficzna*⟩. **6.** *mat.* **o.** sferyczna ⟨*odległość mierzona na powierzchni kuli*⟩: **7. o.** c z e g o — o d c z e g o lub d o c z e g o (zależnie od kierunku): **o.** wsi od miasta lub do miasta; **o.** od domu. **8.** *mat.* **o.** dwóch punktów ⟨*długość odcinka, łącząca te punkty*⟩; **o.** dwóch figur geometrycznych ⟨*długość najkrótszego odcinka łączącego punkty tych figur*⟩; **o.** punktu od prostej ⟨*długość odcinka prostopadłej opuszczonej z punktu na prostą*⟩; **o.** prostych równoległych ⟨*stała odległość punktów jednej z równoległych od drugiej*⟩. **9. o.** czasu ⟨*oddalenie, sięgające w przeszłość, dawność, zamierzchłość*⟩: Nie brak dzieł, którym odległość czasu nie odebrała wartości i które dziś nawet wyżej cenimy, niż je umieli ocenić współcześni. *Bystr. Dzieje I, 426.* **10. o.** między c z y m a c z y m: **o.** między Warszawą a Krakowem. **11.** Na **o.** (gdy się mówi o ruchu w kierunku czegoś): Lot na **o.**, rozmowa na **o. 12.** Na **o.** czego (ramienia, kroku, strzału itp.) ⟨*tak daleko, jak długie jest co (ramię, krok itp.), jak daleko co sięga (ramię, strzał itp.)*⟩: Przypuścił ich na odległość strzału i nagle raźnym parzył ogniem. *Dzied. Lisow. II,*

88. **13.** W odległości (x kroków, metrów, kilometrów, mil itp.): Górna krawędź reklamy powinna się znajdować w odległości [nie: na odległość] 20 mm od górnej krawędzi szyby wagonu. *(KJMK) SPP.* **14.** W małej (dużej, przyzwoitej, średniej itp.) odległości od kogo a. czego ⟨*niedaleko (daleko, dość daleko, niezbyt daleko itp.) od kogo a. czego*⟩: Mieszkamy w niewielkiej odległości od stacji kolejowej. **15.** Mierzyć, przebyć, skrócić **o. 16.** Robić co na **o.**, z odległości ⟨*robić co, będąc daleko, z dala, z daleka*⟩: Zbliżyć się do kogo, do czego (np. do zwierzęcia) na małą odległość. Strzelali do siebie z odległości 25 kroków. *SW.* **17.** Trzymać kogo, trzymać się w (pewnej, określonej, wyraźnej itp.) odległości ⟨*ustosunkowywać się, odnosić się do kogo oficjalnie, chłodno; odnosić się z rezerwą*⟩: Sztywny jest, zimny, ostrożny, trzyma się ciągle w pewnej odległości od wszystkich, jakby się lękał i sam spoufalić, i do poufałości ośmielić. *Krasz. Seraf. 71.* **18. o.** maleje, wynosi, zmniejsza się ⟨*dystans, odstęp*⟩: Odległość między El-Fachen a Medinet wynosi w prostej linii około czterdziestu pięciu kilometrów. *Sienk. Pust. I, 46.*

odległy 1. o. kraj; **o-e** miasto, miejsce ⟨*daleki(-e), oddalony(-e)*⟩. **2. o.** głos, dźwięk, tętent, strzał, **o-e** kroki itp. ⟨*dochodzący(-e) z daleka*⟩: Zwróciła jej uwagę niezbyt odległa kanonada i krzyki. *Pytl. Fund. 48.* **3. o.** krewny; **o-a** rodzina; **o-e** pokrewieństwo ⟨*daleki(-a, -e), nie bezpośredni(-a, -e)*⟩. **4. o-a** przeszłość, **o-e** wieki, wspomnienie ⟨*dawna(-e); zamierzchła(-e)*⟩: Ma Kombornia za sobą odległą przeszłość: co najmniej ze sześć wieków istnienia. *Pigoń Komb. 12.* Jakieś stare, bardzo odległe wspomnienie drgnęło w pamięci. *Andrz. Wojna I, 107.* **5. o.** spacer; **o-a** przejażdżka, wycieczka ⟨*na dużą odległość; daleki(-a)*⟩. **6. o-e** wiadomości, wieści, plotki itp. ⟨*dochodzące z daleka, od dalekich ludzi*⟩: Dochodziły go i skądinąd wieści mętne, odległe i stłumione. *Żer. Uroda 210.* **7. o.** od czego (o x km, kroków itp.) ⟨*oddalony*⟩: Wieś odległa od miasta o 5 km. - Na ścieżce wiła się żmija, jej żądło było odległe o dwa palce od nogi dziecka. *Par. Niebo 11.* **8.** *przen.* Sprawa **o-a** ⟨*nie mająca z czymś bezpośredniego związku*⟩: Ta osobliwa lekcja polegała bowiem na tym, że mówiła głównie uczennica, i to o sprawach dość odległych od przedmiotu studiów. *Krzyw. I. Bunt 7.* **9.** *daw.* **o.** o d c z e g o — c z y m ⟨*oddzielony*⟩: Leniwą jagniąt trzodę nagłym gnała krokiem w gaik, polem od chaty odległy szerokim. *Zab. XII/1, 1775, s. 33.*

odlewać p. **odlać**

odlewany *przestarz.* **o-e** batogi, powrozy ⟨*tęgie, z mocą wymierzone*⟩.

odliczać, odliczyć 1. o. c o: **o.** krople, pieniądze ⟨*wziąć z czego licząc*⟩. **2. o.** na palcach: Skończyliśmy zatem z literaturą i nauką — odliczał na palcach. — No, a malarstwo? *Berent Próchno 119.* **3. o.** c o k o m u — o d c z e g o, z c z e g o ⟨*odejmować, odjąć część należności*⟩: Odliczono mu z pensji x zł na składki ubezpieczeniowe. **4. o.** komu ileś batów, bizunów, rózeg itp. ⟨*uderzać kogo ileś razy, wymierzać komu ileś uderzeń*⟩: Trzeba by wam odliczyć po bizunów dwieście. *Bogusł. W. Cud 78.* **5. o.** (do dwóch, do czterech) ⟨*stojąc w szeregu liczyć na przemian: jeden, dwa (trzy, cztery) w celu ustawienia kolumny parami lub czwórkami*⟩: Padła komenda „odlicz", po szeregach potoczyło się chrapliwe „raz, dwa, raz, dwa..." *Przem. Jakobin 25.*

odlot 1. o. c z e g o: **o.** ptaków (bocianów, jaskółek, kaczek itp.). **2. o.** samolotu ⟨*odjazd*⟩. **3.** Zabierać się do odlotu: Wędrowne ptactwo zabierało się do odlotu. *Reym. SPP.*

odludzie Mieszkać, siedzieć, stać (o budowli) na odludziu: Siedzieli na odludziu zupełnie, przywykli do cichej swej pustyni. *Krasz. Int. 91.*

odłam 1. o. głazu, lodu, skały a. skalny. **2.** *geol.* **o.** muszlowy, **o.** ziarnisty. **3** *przestarz.* **o.** pocisku (np. granatu): [Chłopicki] był raniony odłamem granatu i uniesiony z pola bitwy. *Sokoł. A. Dzieje III, 160.* **4.** *przestarz.* **o.** czasu ⟨*okres czasu*⟩: Przypominam sobie, że w odłamie czasu między kampanią krymską i wojną włoską bawiłem [...] w klasie trzeciej. *Prus Kart. I, 137.* **5.** *przen.* **o.** społeczeństwa, studentów, artystów; **o.** modernizmu, romantyzmu.

odłamek 1. o. szkła, bursztynu, kamienia, skały. **2. o.** pocisku (np. bomby, granatu); **o.** ⟨*kawałek żelaza oderwany od pocisku w czasie eksplozji*⟩: Przywiozą zranionego odłamkiem pocisku na ćwiczeniach. *Meis. Żąd. 183.* **3.** *przen.* **o.** całości ⟨*część*⟩.

odłączenie o. kościoła od państwa.

odłączyć, odłączać o. dziecko od piersi, **o.** dziecko ⟨*przestać karmić dziecko mlekiem matki*⟩: Żona moja zdecydowała się odłączyć syna małego. *Zal. M. Pam. 266.*

odłogowy 1. System **o.**, gospodarka **o-a** ⟨*prymitywny, przemienny sposób uprawy ziemi polegający na pozostawieniu ziemi ornej w stanie nie zasianym, bez uprawy na rok lub kilka lat*⟩. **2.** Rolnictwo **o-e** ⟨*prowadzone systemem odłogowym*⟩.

odłożyć p. **odkładać**

odłóg 1. *daw.* Puszczać ziemię (grunt, ogród, step, rolę itp.) w **o.** ⟨*zostawiać ziemię bez uprawy, aby wypoczęła i wydała później lepsze plony*⟩: Gdzie człowiek w odłóg puszcza step, tam rozpoczyna stepowy płodozmian na nowo gospodarstwo swoje. *Pol Obrazy I, 247.* **2.** Uprawiać, zagospodarowywać, zaorywać odłogi. Zostawić ziemię odłogiem.

odma 1. o. jednostronna, obustronna. **2. o.** opłucnowa, otrzewnowa, chirurgiczna. **3.** Dokonać odmy. Dopełniać, zakładać, zdejmować odmę.

odmach *daw.* Robić co bez odmachu ⟨*robić co bez namysłu, bez skrupułu*⟩.

odmachać, odmachnąć 1. o. robotę ⟨*szybko zrobić, wykonać*⟩. **2. o.** kawał drogi ⟨*przejść prędko*⟩.

odmalować (się), odmalowywać (się) 1. o. kogo a. co w czarnych (jasnych) kolorach, barwach; **o.** kogo a. co czarnymi (jasnymi) barwami, farbami ⟨*źle (dobrze) kogo albo co przedstawić*⟩: Mąż mi pana odmalował w najczarniejszych kolorach. *Winaw. Znajom. 79.* **2.** Coś (jakieś uczucie, znużenie itp.) odmalowuje się na czyjej twarzy, w czyich oczach ⟨*ujawnia się, jest widoczne*⟩: Posiadał twarz bardzo wyrazistą, na której każde uczucie odmalowywało się momentalnie. *Perz. Cud 214.* Drgnął, przerażenie odmalowało się w jego oczach. *Sier. Now. 134.*

odmawiać, odmówić 1. o. c z e g o (komu): **o.** przyjęcia (czego), pożyczki, towarzystwa, wyjazdu. **2. o.** komu natchnienia, polskości, talentu, rozumu, zasług itp. ⟨*nie przyznawać, że ktoś ma natchnienie, jest polskim (np. pisarzem), ma talent, rozum itp.*⟩. **3. o.** k o m u k o g o ⟨*namową odciągać kogo od kogo; namawiać do opuszczenia, odstąpienia kogo*⟩: On mi chorych odmawia, lekarstwa za okno wyrzuca, intryguje... *Prus Now. I, 209.* **4. o.** sobie czego ⟨*wyrzekać się czego, rezygnować z czego*⟩: Nie odmawiał sobie nigdy satysfakcji powiedzenia mu małej nauczki moralnej. *Kosiak. Now. 114.* **5.** Nie **o.** komu niczego ⟨*spełniać czyje wszystkie życzenia*⟩: Mąż mój, kochając mnie szalenie, nie odmawiał mi niczego. *Bliz. Dam. 61.* **6. o.** komu (z domyślnym lub wyraźnym dopełnieniem: ręki), *daw.* **o.** kogo ⟨*nie chcieć wyjść za kogo za mąż, dać komu kosza, rekuzę*⟩: Posłałam już odpowiedź, w której odmawiam mu ręki mojej córki. *Orzesz. Pam. I, 308.* **7. o.** pacierz ⟨*wypowiadać*⟩. **8.** *daw.* **o.** wiersz, bajki, pozew: Słuchał z największą cierpliwością woźnego odmawiającego z pamięci pozew. *Moracz. Dzieje IX, 123.* **9.** *pot.* Odmówić wizytę, spotkanie ⟨*unieważnić to, co było umówione*⟩: Poszedł [...] aby telefonicznie odmówić wizytę weterynarza. *Tryb. Rob. 265, 1954.* **10. o.** k o g o o d c z e g o ⟨*namową odciągać od czego*⟩: Odmawiała Jacka od tego zamiaru, chłopiec obstawał przy swoim. *Morc. Ptaki 188.* **11.** Ktoś odmawia posłuszeństwa ⟨*ktoś nie jest posłuszny, nie wykonuje rozkazu*⟩: Gdy hetman w. lit[ewski] Michał Pac kazał stanąć wojsku w szyku i ruszyć, wojsko odmówiło posłuszeństwa. *Korzon Woj. II, 413.* **12.** Serce, ręce, palce, nogi, nerwy, głowa itp. odmawiają posłuszeństwa ⟨*nie funkcjonują normalnie*⟩: Byłby uciekał ze wszystkich sił, ale nogi odmówiły mu posłuszeństwa. *Sienk. Quo II, 20.*

odmęt 1. Odmęty mórz; *przen.* **o.** walki, wojny; smutku, żalu. **2.** Ciskać, rzucać (kogo) w **o.** (czego): Bojowa furia niesie go i ciska w odmęty strasznej, nieubłaganej walki. *Reym. SPP.* **3.** *daw.* Łowić ryby w odmęcie ⟨*wykorzystywać dla osobistych korzyści ogólne zamieszanie, chaos, zamęt*⟩: Zmieniał sposób myślenia; i gdy kraj nierządem ginął, łowił ryby w odmęcie. *Mech. Wym. I, 362.* **4.** Rzucić się w **o.**: (czego): Rzucić się w odmęt walki, życia. **5.** Wprowadzić, wtrącić kogo w **o.**: Taka więc przeciwność rzeczy wprowadziła mnie w takowy odmęt i zawikłanie, iż nie wiedziałem, czego się trzymać. *Kras. Lucjan 119.* **6.** Wydobyć, wyrwać kogo z odmętu.

odmiana 1. Nagła **o. 2. o.** fortuny, krajobrazu, pogody. **3.** *bot. zool.* **o.** kwiatów, roślin, zwierząt. **4.** *przestarz.* **o.** Księżyca ⟨*faza*⟩: Za każdą odmianą księżyca wykonywali wspaniałe tańce wojenne. *Prus Now. IV, 40.* **5.** *jęz.* **o.** wyrazów (rzeczowników, zaimków, czasowników itp.) ⟨*fleksja*⟩. **6.** Odmiany (np. regionalne) języka ogólnonarodowego. **7. o.** na lepsze, na gorsze ⟨*zwrot ku...*⟩. **8.** Bez odmiany ⟨*nie zmieniając, nie zmieniając się; tak samo*⟩: Po czerwcowych deszczach ustaliła się piękna pogoda i trwała bez odmiany do końca żniw. *Dąbr. M. Noce II, 93.* **9.** Dla odmiany, na odmianę ⟨*nie tak jak poprzednio, lecz...; nie to co poprzednio, lecz...; dla rozmaitości*⟩: Zrób dziś na obiad co innego dla odmiany. *SW.* Dziś doskwierał mu na odmianę żołądek. *Kurek Ocean 234.* **10.** Coś jest odmianą czego ⟨*coś jest odrębną postacią czego*⟩: Opera jest liryczną odmianą tragedii. *Kubac. Pierw. 34.* Odmianą języka literackiego jest język naukowy. *Klem. O różnych 28.* **11.** Przynieść odmianę ⟨*zmianę pogody*⟩: Ze zwózką trzeba się było śpieszyć, każda chwila była na wagę złota, wiatr mógł przynieść odmianę. *Dąbr. M. Noce IV, 33.* **12.** Sprawiać odmianę, odmiany ⟨*powodować zmiany*⟩: Dzielnym umysłu wzruszeniem sprawiasz niezwykłe w mym sercu odmiany. *Kras. Wojna 127.*

odmieniać, odmienić 1. o. na lepsze: Nie wiedział, co robić, żeby życie odmienić na lepsze. *Kunc. Zagr. 26.* **2.** Odmienić stan ⟨*wyjść za mąż; ożenić się*⟩: Słyszałam, że pan myśli stan odmienić, że się okrutnie kocha, ma się wkrótce żenić. *Niemc. Powrót 46.* **3. o.** wyraz (rzeczownik, czasownik) ⟨*nadawać formy właściwe danej kategorii gramatycznej*⟩.

odmieniać się, odmienić się Odmieniać się przez przypadki, liczby, tryby, czasy itp. ⟨*o wyrazach: przybierać formy właściwe danej kategorii gramatycznej*⟩.

odmienić p. **odmieniać**

odmienny 1. Rzecz **o-a; o.** sposób myślenia ⟨*inna (-y), różna(-y)*⟩: Czuł wszelako niejasno, że nie pragnąć własności a nie szanować cudzej — to dwie rzeczy odmienne. *Dąbr. M. Noce II, 266.* **2. o-a** płeć: Miłość sama w sobie, jako wzajemny pociąg istot odmiennej płci, nie jest jeszcze szczęściem. *Sienk. Połan. III, 113.* **3.** *przestarz.* Stan **o.** ⟨*ciąża*⟩: Była w stanie odmiennym i to ją żenowało. *Żer. Prom. 53.* **4.** Części mowy **o-e** ⟨*mające odmianę, odmieniające się*⟩: Przymiotniki, tak jak rzeczowniki, należą do części mowy odmiennych i mają właściwą sobie deklinację. *Szober Gram. 209.* **5.** *przestarz.* **o-e** losy ⟨*zmienne*⟩: Trwał spór straszliwy, a odmienne losy coraz się w inną stronę nakłaniały. *Kras. Wojna 136.*

odmierzać, odmierzyć 1. o. czas ⟨*mierzyć*⟩: Gdzieś w głębi tyka powoli zegar i leniwie odmierza czas. *Morc. Urodzaj 122.* **2. o.** baty, ciosy, razy itp. ⟨*dawać, odliczać baty itp.; bić*⟩: Pedantycznie odmierzał ciosy, raz prawą, raz lewą ręką. *Korcz. Jerzy Trzy 12.* **3. o.** słowa ⟨*ostrożnie, wolno mówić zastanawiając się; ważyć słowa*⟩: Ciężkie, głośne, starannie odmierzone słowa rzuca w przestrzeń. *Gomul. Wspom. 87.* **4. o.** takt ⟨*wybijać takt; taktować*⟩: Jeszcze chwilę odmierzał dłonią swój wesoły takt. *Brosz. Oczek. 75.*

przysł. **5.** Jaką miarką mierzysz, taką ci odmierzą.

odmierzony o. ruch, krok itp. ⟨*rytmicznie jednostajny, miarowy*⟩: Powoli odmierzonym krokiem oddalał się. *Wikt. Miasto 204.*

odmierzyć p. **odmierzać**

odmowa 1. Stanowcza **o. 2. o.** c z e g o: **o.** zeznań, wykonania rozkazu. **3.** Dostać, otrzymać odmowę:

Oświadczy się niezawodnie i nie dostanie odmowy, nie dostanie z pewnością. *Jun. Mazur. 152.* **4.** Spotkać się z odmową: Spotkał się [...] z jej odmową tak stanowczą, że zrozumiał, iż tej sprawy nie warto było poruszać. *Perz. Las 181.*

odmówić p. **odmawiać**

odmrożenie 1. Głębokie, lekkie, powierzchowne **o. 2. o.** rąk, nóg, nosa, uszu, policzków. **3.** Nabawić się odmrożenia.

odnaleźć, odnajdować, odnajdywać 1. o. k o g o, c o: Wyznaczona jest olbrzymia nagroda za odnalezienie zaginionych podróżników. *Cent. Wyspa 16.* U profesora Bohdana Łepkija odnalazł najpiękniejszy chyba zbiór starych ikon ukraińskich. *Prusz. Karabela 177.* **o.** smak czego, swą zgubę, właściwą drogę, wspólnych znajomych. **2. o.** kogo, co wzrokiem ⟨*rozglądając się spostrzec kogo, co wśród innych*⟩: Przybyła szybko rozejrzała się po kuchni, odnalazła wzrokiem Sierakowską. *Twórcz. 5, 1954, s. 52.* **3.** *przen.* **o.** k o g o w k i m, c o w c z y m: Jakiż on dzisiaj, czy odnajdę dawnego mojego chłopca w dojrzałym człowieku. *Twórcz. 2, 1954, s. 17.* Starali się odczytać nazwy mijanych miejscowości, odnajdowali w nich wspomnienia, które ich odmładzały. *Par. Niebo 276.*

odnawiać, odnowić 1. o. kapelusz, obraz, pokój ⟨*odświeżyć, odrestaurować*⟩. **2. o.** umowę, przymierze, sojusz itp. ⟨*zawrzeć kontrakt, umowę, przymierze itp. na nowo, na dalszy okres czasu*⟩: W r. 1401 odnowiono unię polsko-litewską (tzw. unia wileńsko-radomska). *Piw. Prusy 24.* **3. o.** proces, przywilej, rokowania, śluby ⟨*wznowić*⟩. **4. o.** znajomość. **5.** *rzad.* **o.** zapasy czego ⟨*brać na nowo określoną ilość czego, dobierać*⟩: Lokomotywa, która przejechała długą drogę nie odnawiając zapasu węgla, postradała część swojej energii. *Witkow. A. Zar. fiz. 81.*

odniesienie W odniesieniu do... ⟨*w porównaniu z czym; w stosunku do czego*⟩: W dziele Kołłątaja pisanym przed rokiem 1805 [...] nie może naturalnie nie być błędów w odniesieniu do dzisiejszego stanu umiejętności. *Nałk. W. Pisma 321.*

odnieść, odnosić 1. o. c o: **o.** paczkę, list itd. ⟨*zanieść*⟩: **o.** list na pocztę. **2. o.** pożyczoną książkę ⟨*zwrócić*⟩. **3.** *rzad.* **o.** łódkę ⟨*odsunąć, zabrać*⟩: Tymczasem fale daleko już łódkę odniosły. *Hertz B. Samow. 171.* **4. o.** korzyść, pożytek, zysk (z czego); **o.** sukces, tryumf, zwycięstwo ⟨*osiągnąć*⟩: Widzę, iż z nauk twoich rzetelny odniosłeś pożytek. *Niemc. Sieciech. 27.* Wojowniczy król Karol XII tak długo odnosił sukcesy, aż zapędził się na śnieżne pola Ukrainy. *Piw. Odra 149.* Pod Grunwaldem połączone siły słowiańsko-litewskie odniosły wspaniałe zwycięstwo. *Baran. Hist. IX, 182.* **5. o.** obrażenia, rany, uszkodzenie ⟨*doznać czego*⟩: Kilku naszych odniosło rany, ale żaden na szczęście nie poległ. *Fiedl. A. Biz. 225.* Barka syrakuzańska odniosła w drodze parę uszkodzeń, nieznacznych wprawdzie, ale wymagających naprawy. *Makowiec. Przyg. 115.* **6.** Coś odnosi skutek ⟨*coś daje pożądany wynik, doprowadza do zamierzonego celu; skutkuje*⟩: Słowa odniosły skutek piorunujący. *Par. Troj. 23.* **7. o.** wrażenie ⟨*mieć*⟩: Paweł odnosił wrażenie, że Bronka wyczuwa jego niepokój. *Brand. K. Obyw. 69.* **8.** Odnosić na konto, na koszty itp. czego ⟨*zapisywać, zaliczać na dane konto, koszty itp.*⟩: Przy stosowaniu w fabryce wydziałowego rozrachunku gospodarczego, na koszty danego wydziału księgowość wydziałowa odnosi całość robocizny. *Skrzyw. Przem. II, 43.* **9. o.** c o d o c z e g o ⟨*doszukać się przyczyn, początku czego w czym, przypisać co czemu, powiązać z czym; zastosować do czego, porównać z czym*⟩: Pozostało [...] dużo dawnych praktyk, które możemy odnieść do pogańskich jeszcze czasów. *Bystr. Kult. 165.* Wszystko do siebie odnosi ⟨*stosuje, bierze*⟩. *SW.*

odnieść się, odnosić się 1. Coś odnosi się do kogo, do czego ⟨*dotyczy kogo, czego; stosuje się do kogo, do czego*⟩: To się do ciebie nie odnosi. Komplement odnosił się nie tyle do samej Grodzickiej, co do jej broszki. *Par. Niebo 185.* **2. o. się** do kogo, do czego ⟨*zwrócić się, odwołać się*⟩: **o. się** do wyższej instancji.: Jak pan nie chce sam decydować, proszę się odnieść do dyrektora Fabiana. *Meis. Sams. 117.* **3. o. się** do kogoś, do czegoś jak... ⟨*ustosunkować się*⟩: Pan jeden odniósł się do nas jak do ludzi. *Żukr. Zioła 13.* Prasa [...] odniosła się do przedstawienia krytycznie. *Teatr 21, 1952, s. 20.*

odnoga 1. o. morska; **o.** oceanu ⟨*część morza, oceanu wrzynająca się głęboko w ląd*⟩. **2. o.** rzeki ⟨*łacha*⟩. **3. o.** gór ⟨*boczny, mniejszy grzbiet łańcucha górskiego*⟩.

odnosić p. **odnieść**

odnosić się p. **odnieść się**

odnośnie o. d o k o g o, c z e g o (nie: **o.** kogo, czego) ⟨*w stosunku, w odniesieniu do kogo, do czego; jeżeli chodzi, chodziło o...; wobec, względem kogo, czego; w porównaniu z kim, z czym*⟩: Fredro był, odnośnie do swego czasu, na wskroś nowożytnym człowiekiem. *Kaczk. Pam. 60.*

odnowić p. **odnawiać**

odojcowski 1. Krewny **o.** ⟨*krewny wywodzący się z linii ojca*⟩. **2.** *jęz.* Nazwisko **o-e** ⟨*od imienia lub nazwiska ojca*⟩.

odosobnienie 1. *praw.* Miejsce odosobnienia ⟨*więzienie; obóz*⟩: Prokurator [...] zarządza zwolnienie z miejsca odosobnienia. *Kod. karny 140.* **2.** W odosobnieniu: a) ⟨*na osobności; w oddaleniu od czego; w samotności, w zamknięciu*⟩: Niektórzy rozmawiali ze sobą, inni czytali gazety, ale przeważnie siedzieli w odosobnieniu. *Strug Krzyż I, 160.* Klasztor leży w dostatecznym odosobnieniu [...] są tam podziemia i zakamarki, w których będzie można się ukryć. *Sow. A. Ścieg. 152.* Żyła w zupełnym odosobnieniu, niezwykle skromnie. *Parn. Aecjusz 181*; b) *przestarz.* ⟨*oddzielając co od czego, nie uwzględniając zależności od czego*⟩: P. Tyszyński uważa utwory literackie w odosobnieniu od wszelkich innych objawów życia społecznego, które tylko przypadkowo uwzględnia. *Chmielow. Niwa VI, 1874, s. 508.*

odosobniony 1. o. fakt, przykład, wypadek; **o-e** zjawisko ⟨*pojedynczy(-e), poszczególny(-e)*⟩. **2. o-e** miejsce ⟨*znajdujące się na osobności, oddalone od* *czego, mało dostępne⟩*. **3.** Życie **o-e** ⟨*samotne, bez kontaktów z otoczeniem, społeczeństwem*⟩. **4. o.** od czego ⟨*oddalony, odcięty, pozbawiony kontaktów z otoczeniem*⟩: **o.** od świata, od towarzystwa, od społeczeństwa. **5.** Być, zostać odosobnionym ⟨*opuszczonym, pozostawionym samemu sobie*⟩: I ja tu w Lausannie jestem tak odosobniony, jak ty w Coquimbo, tylko że trochę bliższy swoich. *Mick. Listy II, 249*. Został ze swym zdaniem odosobniony. *SW*.

odór 1. Ckliwy, mdły, drażniący, duszny, nieznośny, ostry **o. 2. o.** czego: Zza płotów budowlanych wionęło dusznym odorem rozkopanej gliny. *Brand. K. Obyw. 253*. **3.** Wydawać, wydzielać **o. 4. o.** unosi się (w powietrzu): W powietrzu unosi się jeszcze swąd pożaru i słodkawy, trupi odór. *Morc. Ptaki 100*.

odpadać, odpaść 1. o. od czego ⟨*oddzielać się, odrywać się*⟩: Tynk odpada (od ściany); obcas odpada od buta; ciało odpada od kości. **2. o.** od wiary ⟨*odstępować*⟩. **3.** *żegl.* **o.** od wiatru ⟨*zmieniać kurs w kierunku oddalającym dziób statku od linii wiatru*⟩. **4. o.** przy egzaminie, przy wyborach ⟨*nie uzyskać dostatecznej oceny, liczby głosów*⟩. **5. o.** w przedbiegu ⟨*być zmuszonym do wycofania się*⟩: Startował młodziutki wtedy jeszcze Karliczek. Odpadł on w przedbiegu na 100 (m) wznak. *Sport. 71, 1954*. **6.** *przestarz.* Odpada kogo chęć, ochota, gust do czego (np. do jedzenia, do tańca) ⟨*opuszcza, odchodzi*⟩: Mamie mojej podobno odpadł gust do podróży. *Słow. Listy II, 30*. **7.** Ręce komu odpadają ⟨*ktoś jest zmęczony, przepracowany*⟩: Matka krzyczy na Teodora [...] A najlepiej, jak węgla z piwnicy naznosi, bo matce już ręce odpadają. *Bogusz. Wał. 14*.

odpadek 1. Odpadki kuchenne. **2.** Odpadki użytkowe. **3.** Zbiórka odpadków.

odpalić, odpalać 1. o. papierosa ⟨*przypalić*⟩. **2.** *pot.* **o.** komu: a) ⟨*odpowiedzieć komu ostro, stanowczo, zdecydowanie, odciąć się*⟩: Ha! obraziłem ciebie [...] chciałbyś mi ostrym słówkiem odpalić wet za wet. *Słow. Kord. 248*; b) *gw. miejska* ⟨*podzielić się z kim czymś, dać komu co*⟩: Odpal kilka sztuk papierosów. - Zdobycz natychmiast odpala drugiemu. *Dan. Wraż. 94*. **3. o.** konkurenta ⟨*odmówić konkurentowi, dać mu odkosza*⟩: W liczbie [...] najsurowszych sędziów znajdowali się dwaj odpaleni konkurenci pani Małgorzaty. *Prus Lalka II, 164*.

odparcie *przen.* Nie do odparcia ⟨*którego zbić nie można; któremu nie można zaprzeczyć*⟩: Argumenty nie do odparcia.

odparować, odparowywać 1. o. cios, uderzenie ⟨*odeprzeć, odbić uderzenie; obronić się przed uderzeniem*⟩. *przen.* Nie umiał się ostro względem niego postawić i żartów jego odparować. *Spas. SW*. **2. o.** atak.

odpaść p. **odpadać**

odpędzać, odpędzić 1. o. kogo, co — od kogo, od czego: **o.** wroga, nieprzyjaciela; muchę, psa. Od zdobyczy odpędzał głodnych towarzyszy zębami. *Wikt. SPP*. **2. o.** kogo od siebie jak psa. **3.** *przen.* **o.** senność, smutek, wspomnienia, złe myśli. **4. o.** głód ⟨*zjeść cokolwiek w celu usunięcia uczucia głodu; zaspokoić głód*⟩: Uskarżali się na głód, który ten bułką, ten fajką, a ten szklanką piwa, jak mógł, odpędzał. *Korz. J. Wdow. 328*.

odpiąć, odpinać o. co — od czego, z czego: **o.** bluzkę, płaszcz; **o.** guziki. Odpiął kwiatek od klapy surduta. *SPP*. Odpina z guzika niebieską klapę kieszeni. *Peip. Lat. 208*.

odpierać p. **odeprzeć**

odpis 1. Uwierzytelniony **o. 2. o.** czego: **o.** aktu, dokumentu; **o.** z czego: **o.** z akt (sprawy); z oryginału, z kopii (dzieła). **3.** *księg.* **o.** na straty, na amortyzację. **4.** Sporządzić, zrobić **o.**

odpłacić, odpłacać 1. o. komu czym — za co ⟨*odwzajemnić się*⟩: **o.** komu tym samym, dobrym za złe, sercem, (za) grzeczność grzecznością. **2.** Odpłacać tą samą, podobną, równą monetą ⟨*zachowywać się względem kogoś tak jak ten ktoś zachowuje się względem nas*⟩: Kto się dąsa, nie może nikomu brać za złe, że mu odpłaca podobną monetą. *Lam J. Kron. 89*. **3. o.** pięknym, za nadobne ⟨*oddać wet za wet, zrewanżować się, odwdzięczyć się lub zemścić się*⟩: Przyjął dar z uprzejmym życzeniem, aby mu rychło zdarzyła się sposobność odpłacenia pięknym za nadobne. *Ziel. T. Rzym 155*.

odpływ 1. *przen.* **o.** złota, srebra (z banku, z kraju); **o.** energii. **2.** Naczynie z odpływem ⟨*z otworem*⟩: Jeżeli chcemy zmierzyć objętość bryły, która nie mieści się w menzurce, używamy tzw. naczyń z odpływem. *Fot. Fiz. VI, 16*.

odpocząć, odpoczywać 1. o. od czego: Chciałbym raz odpocząć od tej wrzawy. *SPP*. **2. o.** po czym: Idźcie teraz odpocząć po tej drodze. *Żer. Śnieg 85*. Czy odpoczywasz po obiedzie? *SW* ⟨*sypiasz, zażywasz wczasu*⟩. **3.** Dać **o.** czemu: Dać odpocząć mięśniom, umysłowi. **4. o.** w Bogu, w mogile, w grobie ⟨*umrzeć*⟩: W Bogu pustelnik odpoczywał stary, zająłem po nim domek opuszczony. *Groza Poezje 48*.

odpoczynek 1. Zasłużony **o. 2.** Wieczny, wiekuisty itp. **o.** ⟨*spokój po śmierci; śmierć*⟩: Znalazła odpoczynek wieczny w worku, na dnie Bystrzycy. *Jeż Rotuł. 286*. **3.** Miejsce wiecznego, wiekuistego odpoczynku ⟨*cmentarz, grób*⟩. **4. o.** po czym: **o.** po pracy. **5.** Mieć **o.**, nie mieć odpoczynku. **6.** Mówić, szeptać, odmawiać itp. wieczny **o.**, *daw.* wieczne odpocznienie ⟨*odmawiać modlitwę za zmarłych*⟩: Odmawiając wieczny odpoczynek, wyjęła prześcieradło z bieliźniarki i zakryła nim nieboszczyka. *Goj. Rajs. II, 130*. **7.** Nie dawać komu odpoczynku ⟨*zmuszać kogo do pracy bez przerwy; nie dawać spokoju, niepokoić*⟩: Nie dawaliśmy ani chwili odpoczynku zalegającym w opłatach członkom rozmaitych towarzystw. *Sienk. Listy I, 3*. **8.** Zażywać odpoczynku.

odpoczywać p. **odpocząć**

odpoczywanie, *daw.* **odpocznienie** wieczne **o.** ... (pierwsze wyrazy modlitwy za zmarłych) ⟨*stan błogosławiony, spokój po śmierci*⟩: Ta nieszczęsna nie będzie już cierpieć [...] wieczny jej pokój, wieczne odpoczywanie. *Goj. Rajs. II, 195*.

odpokutować, odpokutowywać 1. o. c o c z y m: ⟨*odcierpieć, przypłacić czym*⟩: **o.** nieostrożność chorobą. *SW.* **2. o.** c o lub z a c o: **o.** winy lub za winy.

odporność 1. Duża, wielka, znaczna; nabyta, wrodzona **o. 2. o.** n a c o: **o.** na zimno. **3. o.** wobec czego a. przeciw czemu: **o.** organizmu wobec drobnoustrojów a. przeciw drobnoustrojom. **4.** Odznaczać się odpornością (na co): Brązy ołowiowe odznaczają się wielką odpornością na ścieranie z powodu małego współczynnika tarcia. *Lips. Odlewn. 16.* **5.** Osłabiać **o.**

odporny 1. Sojusz, traktat **o.**; przymierze **o-e** ⟨*zapewniający(-e) wzajemną obronę na wypadek zaatakowania jednej ze stron*⟩. **2.** Przymierze zaczepno-odporne. **3.** *daw.* Bitwa, walka **o-a** ⟨*prowadzona w obronie w granicach własnego kraju*⟩; broń **o-a**, wojska **o-e** ⟨*służące do obrony*⟩: Walka toczyła się na przemian zaczepną i odporną bronią. *Mech. Wym. II, 24.* **4. o.** n a c o: Roślina odporna na suszę; metal odporny na działanie kwasów; organizm odporny na choroby. **5. o.** wobec a. względem kogo: Wobec kobiet odporny. *Nałk. SPP.*

odpowiadać, odpowiedzieć 1. o. bezczelnie, grubiańsko, hardo, impertynencko, niechętnie, niegrzecznie, szczerze, nieszczerze, wymijająco; chórem, półgębkiem, półsłówkami; jak z nut; piąte przez dziesiąte ⟨*da(wa)ć odpowiedź; odburknąć*⟩. **2. o.** na egzaminie (źle, dobrze). **3. o.** n a c o: **o.** na pytanie, na indagacje. **4. o.** na apel, na wezwanie ⟨*wyrażać, wyrazić gotowość wzięcia udziału, uczestniczenia w czymś; postępować, postąpić, zachow(yw)ać się zgodnie z wezwaniem*⟩. **5. o.** na listy ⟨*odpis(yw)ać*⟩. **6. o.** na obrazę, na zaczepki ⟨*reagować*⟩: Była ogromnie rzewliwa, nie umiała stawić się ludziom, odciąć językiem, odpowiadała jeno łzą cichą na wszelką obrazę. *Dygas. Marg. 138.* **7. o.** na ukłon, na pozdrowienie ⟨*oddawać ukłon; kłaniać się, pozdrawiać*⟩: Od czasu do czasu odpowiadał na czyjś ukłon, najczęściej przytykając dwa palce do ronda kapelusza. *Bart. L. Ludzie 94.* **8.** Odpowiedzieć na wyzwanie (do pojedynku, do rozprawy, orężnej) ⟨*przyjąć wyzwanie, wyrazić gotowość pojedynkowania się, orężnego rozprawienia się*⟩: Przyrzekam, że jeżeli zostanę przy życiu, powrócę tu natychmiast i każdemu odpowiem na jego wyzwanie. *Czyń. Jakob. 139.* **9. o.** na zarzuty: Odpowiada spokojnie na zarzuty pełne jadu. *Mac. Piśm. III/2, 371.* **10. o.** k o m u, c z e m u: **o.** egzaminatorowi, **o.** pytającemu. **11. o.** komu ustnie, pisemnie. **12.** Odpowiadać duchowi czasu, epoki ⟨*pasować do epoki*⟩: Pojmowanie historii przez Taine'a odpowiadało w dość znacznej mierze duchowi jego epoki. *Tatar. Hist. III, 164.* **13.** Odpowiadać pokładanym nadziejom ⟨*spełniać nadzieje*⟩: Generał ten [Chłopicki] obdarzony prawdziwym instynktem wojownika [...] zdawał się odpowiadać pokładanym w nim nadziejom. *Gemb. Uzbr. 388.* **14.** Odpowiadać warunkom ⟨*spełniać warunki*⟩: Chcąc zostać członkiem spółdzielni, trzeba odpowiadać warunkom ustawowym, lub też warunkom statutowym. *Jancz. Prawo 265.* **15.** Odpowiadać rzeczywistości, naturze, przyzwyczajeniu, faktycznemu stanowi rzeczy itp. ⟨*być zgodnym z rzeczywistością, z naturą, z faktycznym stanem rzeczy itp.*⟩: Wypadki późniejsze dowiodły, że pogląd Lelewela na pomoc zagraniczną [...] odpowiadał bolesnej rzeczywistości. *Śliw. A. Lel. 348.* **16.** Coś nie odpowiada czemu ⟨*nie jest zgodne z czym, nie pasuje do czego*⟩: Treść nie odpowiada tematowi, założeniu. *SW.* To, co on mówi, nie odpowiada prawdzie. **17. o.** c z y m: **o.** echem ⟨*odbić głos, zawtórować*⟩: Rycerz uderza w trąbkę [...] Cisza, bór tylko echem odpowiada. *Rom. Popiel 47.* **18. o.** c z y m — n a c o: **o.** grzecznością na grzeczność. Dzieciak odpowiadał na taki poczęstunek płaczem. *Prus SPP.* **19. o.** c z y m — (za co): **o.** majątkiem, głową, życiem itp. ⟨*być gotowym do zadośćuczynienia za coś majątkiem, do przypłacenia czegoś głową, życiem*⟩: Odpowiada całym swym majątkiem. *SPP.* Nie wypuszczajcie nikogo... Głową odpowiecie... *Krech. Lux* w: *Tyg. Ilustr. 34, 1900.* **20. o.** przed kim, przed czym (za co) ⟨*być pociągniętym do odpowiedzialności, zdać sprawę, wytłumaczyć się z czego*⟩: **o.** przed narodem, przed sądem. Każde z nas odpowiada przed światem za swoje postępki. *Zap. G. SPP.* **21. o.** z wolnej stopy ⟨*odpowiadać przed sądem, nie będąc uprzednio aresztowanym*⟩: Nie dało się przeprowadzić, by odpowiadała z wolnej stopy. *Breza Uczta 115.* **21a. o.** względem kogo ⟨*być odpowiedzialnym za co, ponosić konsekwencje czego*⟩: Jeżeli kilka osób dało lub przyjęło zlecenie wspólnie, odpowiadają względem drugiej strony solidarnie. *Kod. zobow. 145.* **22. o.** z a k o g o, z a c o ⟨*być odpowiedzialnym za kogo, za co*⟩: Odpowiesz mi za niego. *SW.* Rodzice odpowiadają za wychowanie dzieci. Ja za niego odpowiadam ⟨*ręczę*⟩. Ja za wszystko odpowiadam ⟨*biorę wszystko na siebie, na swoją odpowiedzialność, na swoje ryzyko*⟩. On za nic nie odpowiada. **23. o.** za łotrostwo, za przewiny jakie ⟨*ponosić karę, ponosić konsekwencje*⟩: Jeśli ciebie złapią, z jakiejże racji ja mam odpowiadać za twoje łotrostwa? *Żer. Dzieje II, 98.* **24.** Aparat, telefon odpowiada, nie odpowiada ⟨*reaguje, nie reaguje na sygnał*⟩: Wreszcie uzyskała połączenie i po chwili usłyszała od telefonistki, że telefon nie odpowiada. *Perz. Raz 150.* **25.** Działo, artyleria, nieprzyjaciel odpowiada ⟨*strzela*⟩: Działa na zamku słabo odpowiadały, bo już tylko na sześć dni zostało amunicji. *Kub. Szkice I, 134.* **26.** Echo odpowiada komu ⟨*powtarza, odbija głos, dźwięk*⟩: Daleko pies naszczekiwał, od strony lasu odpowiadało mu basem echo. *Żukr. Dni 159.* **27.** Klawisz odpowiada, nie odpowiada ⟨*wydaje odpowiedni, właściwy dźwięk, ton, nie wydaje odpowiedniego, właściwego dźwięku, tonu*⟩: Fortepian był rozstrojony i dwanaście klawiszów wcale nie odpowiadało. *Lam J. Rozmait. 37.* **28.** Ministrant, organista itp. odpowiada ⟨*wypowiada (śpiewa) ustaloną przepisami formułę*⟩: Jął [...] odmawiać przepisane modły. Odpowiedział mu organista. Zahuczały organy. *Morc. Wyrąb. I, 105.*

przysł. **29.** Łacniej pytać, niż odpowiadać.

odpowiedni 1. *mat.* **o-e** boki, **o-e** kąty dwu trójkątów przystających ⟨*boki leżące naprzeciw równych kątów, kąty leżące naprzeciw równych boków*⟩. **2. o-a** chwila, pora, **o.** czas; w odpowiedniej chwili, porze, w odpowiednim czasie ⟨*najstosowniejsza, najwłaściwsza, najbardziej dogodna chwila, pora, najlepszy czas; w najstosowniejszej, najwłaściwszej, naj-*

bardziej dogodnej chwili i porze; w najlepszym czasie⟩. **3.** Człowiek **o.** ⟨*stojący na wysokości zadania, mający odpowiednie kwalifikacje; człowiek, na którego można liczyć, pewny, zaufany*⟩: Do każdej roboty trzeba ludzi odpowiednich. *Prus Kron. IV, 72.* **4.** *daw.* List **o.** ⟨*w średniowieczu, w XVI, XVII w. w stosunkach międzynarodowych, list zawierający groźby wszczęcia zdecydowanych kroków, powzięcia ostatecznych decyzji, jeżeli przeciwnik nie uzna wysuniętych żądań; w dawnej Polsce także list z pogróżkami zapowiadający zemstę rodu za doznaną krzywdę*⟩. **5. o.** paragraf ⟨*stosowny, właściwy, odnośny*⟩. **6. o-a** rubryka: Wpisać co w odpowiednią rubrykę. **7. o.** poziom, na odpowiednim poziomie ⟨*odpowiadający dostatecznie wysokim wymogom; ktoś lub coś na poziomie*⟩. **8. o.** sposób leczenia ⟨*właściwy*⟩. **9. o-e** towarzystwo: a) ⟨*dobrane, o podobnych upodobaniach*⟩; b) ⟨*pejoratywnie: marne, niewłaściwe towarzystwo*⟩. **10. o-a** władza ⟨*kompetentna*⟩: Należy uzyskać pozwolenie odpowiedniej władzy i zająć się zbieraniem składek. *Sienk. Wiad. I, 11.* **11.** Na odpowiedniej stopie ⟨*na przyzwoitej stopie, na wysokiej stopie; dostatnio*⟩: Zostawszy pomocnikiem zawiadowcy, powinienem żyć na odpowiedniej stopie. *Reym. Ferm. II, 174.* **12.** *daw.* **o.** komu, czemu ⟨*odpowiadający komu; godny kogo, czego*⟩: Urząd odpowiedni zdolnościom czyim. *SW.* **13. o.** d l a k o g o: Zawód odpowiedni dla kobiety. **14. o.** d o c z e g o (nie: dla czego): Grunt odpowiedni do uprawy (buraków cukrowych). Wzrost odpowiedni do służby w milicji. Chwila odpowiednia do pogawędki. **15. o.** n a c o: Suknia odpowiednia na wieczorowe przyjęcie. **16.** Dostać się w **o-e** ręce ⟨*dostać się w ręce fachowe, dostać się pod właściwe, odpowiednie kierownictwo*⟩: Powinienem zrobić wszystko, co w mojej mocy, aby przewodnictwo dostało się w odpowiedniejsze ręce. *Sienk. Koresp. II, 20.* **17.** Mieć **o-e** kwalifikacje. **18.** Znaleźć coś odpowiedniego ⟨*znaleźć coś, co by najbardziej odpowiadało, dogadzało, znaleźć co korzystnego*⟩: Odsiedziawszy się w tej okolicy i rozpatrzywszy się dobrze, nietrudno mu będzie potem znaleźć coś odpowiedniego do kupienia na własność. *Kaczk. Grób II, 162.* Znaleźć odpowiednią pozycję dla czego: Podwinąwszy nogi pod siebie, próbował zasnąć, ale nie mógł znaleźć odpowiedniej pozycji dla głowy. *Perz. Las 231.*

odpowiednik 1. Dać **o.** czemu: Boy stara się nadać patynę archaiczną językowi, ażeby dać odpowiednik stylowi Montaigne'a. *Rocz. Lit. 1932, 192.* **2.** Coś jest odpowiednikiem czego: Wentylatory są odpowiednikiem pomp odśrodkowych. *Leszcz. Technol. 82.* **3.** Mieć **o.** w czym: Wielu form trybów i czasów występujących w sanskrycie, grece, łacinie, jęz. germańskim itd. nie znajdujemy u Słowian, inne zaś nowo wytworzone postaci nie mają odpowiedników w tamtych językach. *Prace Filol. XV/1, 263.* **4.** Przyjąć coś za **o.** czego: Polski 11-zgłoskowiec należy przyjąć za stały odpowiednik rosyjskiego pięciostopowego jambu. *Waż. Hum. 68.*

odpowiednio 1. o. d o c z e g o: **o.** do okoliczności (postępować); **o.** do stanu (żyć). **2.** Ożenić się **o.** ⟨*ożenić się dobrze, stosownie do swojej pozycji, wymagań itp.*⟩: Postanowił ożenić się odpowiednio. *Żer. Opow. II, 17.* **3. o.** rozłożyć zajęcia; **o.** ubrać się ⟨*właściwie, umiejętnie; stosownie*⟩. **4.** Zachować się, znaleźć się **o.** ⟨*przyzwoicie, jak należy*⟩: Czy będzie umiał odpowiednio się znaleźć czy dobre sprawi wrażenie? *Hertz B. Termin. 14.* **5.** Żyć **o.**, żyć **o.** do swego stanu ⟨*dobrze, dostatnio*⟩.

odpowiedniość 1. Ścisła **o. 2.** *mat.* **o.** doskonała, **3. o.** c z e g o: **o.** charakterów ⟨*zgodność*⟩; **o.** linii, przedmiotów, rozmieszczenia czego ⟨*symetryczność, harmonijność*⟩. **4. o.** zachodzi między czym a czym: Między miarą pracy a miarą wynagrodzenia za pracę zachodzi ścisła odpowiedniość. *Państwo 4—5, 1955, s. 635.*

odpowiedzialność 1. Ciężka, wielka **o. 2. o.** cywilna ⟨*obowiązek wynagrodzenia szkody lub straty, wyrządzonej innym osobom*⟩. **3. o.** karna, sądowa ⟨*odpowiedzialność przed sądem za czyn przestępczy*⟩. **4. o.** konstytucyjna ⟨*przewidziane konstytucją postawienie w stan oskarżenia przed sejmem członków rządu*⟩. **5. o.** parlamentarna ⟨*odpowiedzialność rządu i ministrów przed sejmem*⟩. **6. o.** moralna, osobista, społeczna. **7. o.** zbiorowa, łączna ⟨*odpowiedzialność całego rodu lub grupy osób, do którego należy przestępca*⟩. **8.** Poczucie odpowiedzialności. **9.** Spółka z ograniczoną lub nieograniczoną odpowiedzialnością ⟨*w której wspólnicy odpowiadają częścią swego majątku lub całym majątkiem*⟩. **10. o.** czego (gdy się wymienia następstwa odpowiedzialności): Pod odpowiedzialnością kary sądowej. *SPP.* **11. o.** p r z e d k i m, p r z e d c z y m lub w o b e c k o g o, w o b e c c z e g o: **o.** przed sejmem lub wobec sejmu. **o.** przed sądem. **12. o.** z a k o g o, z a c o: **o.** za dzieci. **o.** kolei, poczty za przesyłki zaginione. **13.** N a **o.** c z y j ą: Powierzam ci to na twoją odpowiedzialność. *SW.* **14.** Dać co, przesłać na swoją **o.** ⟨*na swoje ryzyko*⟩. **15.** Pod odpowiedzialnością ⟨*pod groźbą ukarania*⟩: Pod wszelką odpowiedzialnością lub karą policyjną zabrania się chodzić lub wydeptywać trawę. *Prus Drobiaz. 60.* **16.** Brać, wziąć, przyjąć na siebie **o.**, brać, wziąć na swoją **o.**: ponosić **o.** (za co) ⟨*zobowiązać się do czego, ręczyć za kogo, za co; ponosić konsekwencje, odpowiadać*⟩: Wszyscy [...] ponosimy odpowiedzialność za losy naszej Ojczyzny i za losy świata. *Andrz. Pokój 24.* **17.** Obarczać, obciążać kogo odpowiedzialnością. **18.** Pociągnąć kogo do odpowiedzialności ⟨*wytoczyć komu sprawę, proces przed sądem; zmusić, wezwać kogo do usprawiedliwienia się, postawić kogo w stan oskarżenia przed sądem*⟩: Za złożenie jakichkolwiek fałszywych zeznań pociągnięci zostaniecie do odpowiedzialności sądowej. *Braun Lewanty 10.* **19.** Poczuwać się do odpowiedzialności. **20.** Przejąć się odpowiedzialnością czego. **21.** Składać, złożyć, spychać, zepchnąć, zwalać, zrzucać, zrzucić **o.** na kogo; zrzucić, zdjąć z siebie **o. 22.** Uchylać się od odpowiedzialności: Uchyla się od odpowiedzialności człowiek słaby, bierze ją na siebie bez zastrzeżeń silny. *Kleiner Mick. II/1, 281.* **23.** Usunąć się, usuwać się; uwalniać, uwolnić się; uwolnić kogo od odpowiedzialności. **24. o.** ciąży, spoczywa, spada na kogo.

odpowiedzialny 1. o-e obowiązki; **o-e** stanowisko, zadanie. **2. o-a** rola (w teatrze). **3.** Redaktor **o. 4. o-a** siła ⟨*siła fachowa, mająca odpowiednie kwalifikacje*⟩: Wspólnymi siłami znaleziono ową nauczycielkę, a gdy przybyła do Serbinowa, pani Barbara rzekła: — Zdaje mi się, że to będzie odpowiedzialna siła. *Dąbr. M. Noce II, 40.* **5. o.** przed kim, przed czym a. wobec kogo, wobec czego: Rząd odpowiedzialny przed sejmem. **o.** przed prawem a. wobec prawa; **o.** przed opinią publiczną a. wobec opinii publicznej. Uważał siebie za pana samowładnego, odpowiedzialnego tylko wobec sumienia własnego. *Jeż Rotuł. 501.* **6. o.** za kogo, za co: Dowódca odpowiedzialny za żołnierzy. Kierownik odpowiedzialny za dział produkcji. **7.** Czynić kogo odpowiedzialnym za co: Czynili go odpowiedzialnym za drobne usterki i wielkie przewinienia. *Tryb. Rob. 268, 1954.* **8.** *gw. miejska* Mieć **o.** brzuszek, być odpowiedzialnym w pasie ⟨*mieć okazały brzuszek; być tęgim w pasie*⟩: W sobie podufała, na gębie czerwona, w pasie odpowiedzialna, a kto brzydszej nie widział, to żeby mu oczy wylazły. *Jun. Bracia 273.*

odpowiedzieć p. **odpowiadać**

odpowiedź 1. o. cięta, dwuznaczna, głupia, kategoryczna, mądra, negatywna, nieprzychylna, odmowna, ostateczna, pozytywna, powściągliwa, przychylna, sprytna, stanowcza, stereotypowa, sucha, szczera, śmiała, trafna, twierdząca, ustna, uszczypliwa, wyczerpująca, wymijająca, zdawkowa, zuchwała. **2. o.** listowna; **o.** na piśmie, pisemna. **3. o.** od kogo: **o.** od brata, od przyjaciela; od instytucji. **4. o.** na co: **o.** na pozdrowienie; na ukłon; **o.** na krytykę, na zarzuty; **o.** na list. **5.** W odpowiedzi na co (na list, na pismo), lepiej: odpowiadając na co (na list, na pismo): W odpowiedzi na pismo Wasze donoszę... lepiej: odpowiadając na pismo Wasze donoszę... *SPP.* **6.** *daw.* Być w odpowiedzi: a) ⟨*być odpowiedzialnym za co*⟩: Za szkodę bydlęcia pan był w odpowiedzi. *Kras. Życia VIII, 50*; b) być z kim w odpowiedzi ⟨*w niezgodzie, w naprężonych stosunkach*⟩. *SW.* **7.** Dać **o.**; dawać niejasne odpowiedzi. **8.** Coś jest odpowiedzią na co: Odpowiedzią na drugi rozbiór Polski było powstanie narodowe w r. 1794. **9.** Mieć (gotową), znaleźć na wszystko **o.** ⟨*być bystrym w odpowiedziach, prędko odpowiadać na niespodziewane zarzuty lub pytania, umieć się wytłumaczyć ze wszystkiego lub wykręcić, znaleźć zawsze wymówkę*⟩: Na każdą rzecz ten człowiek ma odpowiedź. *Żer. Uroda 298.* Ma zawsze gotową odpowiedź. *SW.* **10.** Mieszać się, plątać się, wikłać się w odpowiedziach. **11.** Namyślać się (długo) nad odpowiedzią. **12.** Otrzymać, usłyszeć **o. 13.** *daw.* Pociągnąć do odpowiedzi ⟨*pociągnąć do odpowiedzialności za przestępstwo*⟩: W następnym znów roku superintendent Skarżyński odbiera niezwykle surowy list od Komisji z żądaniem eksplikacji natychmiast, z groźbą „pociągnięcia do odpowiedzi". *Korzon Wewn. IV, 196.* **14.** Przygotować matującą **o.** ⟨*w grze w szachy: przygotować posunięcie dające mata*⟩: Na wszelkie możliwe szachy, które grożą białemu przed wstępem należy przygotować matującą odpowiedź. Takie odpowiedzi noszą nazwę przygotowanego mata. *Wrób. Taj. 32.* **15.** Spotkać się z przychylną, z nieprzychylną odpowiedzią. **16.** Wysłuch(iw)ać odpowiedzi. **17.** Zdobyć się na **o. 18.** Zostawić co bez odpowiedzi: Pamflet Orzechowskiego wywołał w nim [Fryczu-Modrzewskim] najgłębsze wzburzenie. Tej sumy oszczerstw, insynuacji i wykrętności nie mógł mimo całego wstrętu do polemiki zostawić bez odpowiedzi. *Kot Frycz 222.* **19.** Zwlekać z odpowiedzią.

przysł. **20.** Kto bredzi, nie ma odpowiedzi. **21.** Jakie pytanie, taka odpowiedź.

odpór 1. Mężny, zbrojny **o. 2.** *daw.* **o.** słowny ⟨*replika*⟩. **3.** Mieć w sobie **o.**, nie mieć w sobie odporu ⟨*umieć, nie umieć przeciwstawić się czemu*⟩: Kto nie jest prawdziwym robotnikiem, twierdził, ten nie ma w sobie odporu i da się wziąć na wędkę. *Brand. K. Troja 152.* **4.** *przestarz.* Dawać **o.**: Mocna załoga dzielny dawała odpór i zmusiła napastników do odstąpienia. *Baliń. M. Polska III/1, 175.* **5.** Napotkać, (na)trafić na **o.**: Sobieski, nie bacząc na słabość swego wojska, postanowił rozdzielić je na kilka partii i [...] tak manewrować, by wróg [...] wszędzie natrafił na odpór. *Śliw. A. Sob. 74.* Nigdzie jednak nie napotkano na zbrojny odpór. *Proch. Król I, 67.*

odprawa 1. o. produkcyjna; **o.** kierowników, oficerów itp. ⟨*zebranie instruujące, narada*⟩: W bieżącym roku we wszystkich województwach odbędą się [...] odprawy dyrygentów, na których będą poruszone najaktualniejsze zagadnienia z zakresu metody nauczania. *Życie Śpiew. 4, 1949, s. 13.* **2.** Harda, grzeczna, niegrzeczna, ostra, stanowcza, zasłużona **o.** ⟨*ostra odpowiedź, replika; pospolicie: utarcie komu nosa*⟩: Obszedłem się z nim po grubiańsku. Powinienem był dać odprawę ostrą, ale w delikatniejszej formie. *Lam J. Rozmait. 147.* **3.** Spotkała go zasłużona odprawa. **4. o.** celna ⟨*czynności władz celnych związane z przewozem towarów przez granicę*⟩. **5. o.** inwalidzka, pośmiertna ⟨*odszkodowanie za zwolnienie z pracy; jednorazowe wynagrodzenie wypłacane przy opuszczaniu pracy*⟩. **6. o.** samolotu ⟨*załatwienie formalności urzędowych zezwalające na odlot (za granicę)*⟩. **7. o.** statku ⟨*postępowanie władz w porcie morskim mające na celu stwierdzenie 1) czy statek ma właściwe dokumenty dla wejścia lub wyjścia z portu, 2) czy nie ma ładunków zakazanych lub podlegających ocleniu, 3) czy stan sanitarny statku zgodny jest z przepisami*⟩. **8.** *daw.* **o.** posłów ⟨*posłuchanie pożegnalne udzielane posłom*⟩: Mustaff-aga ostentacyjnie przyjęty, czekał w Warszawie na odprawę posłów moskiewskich. *Kub. Szkice I, 227.* **9.** Dać komu odprawę: a) ⟨*odesłać kogo z niczym*⟩; b) ⟨*dać nauczkę, posp. utrzeć nosa*⟩: Kuszel niegrzeczną dał mu odprawę, bo wprost z namiotu wyjść kazał. *Niemoj. J. Wspom. 169*; c) *przestarz.* ⟨*odmówić wyjścia za mąż za kogo*⟩: Panna Klara [...] siała dzisiaj rutkę, jak to przepowiedziała podkomorzyna, której synowi niegrzeczną dała niegdyś odprawę. *Wilk. P. Wieś II, 21.* **10.** *łow.* Dać psom odprawę ⟨*dać nagrodę psom biorącym udział w polowaniu za dobrą pracę*⟩: Dajcież pieskom odprawę, aby na drugi raz także dobrze goniły. *Kaczk. Teka 303.* **11.** *przestarz.* Dostać, otrzymać od kogo odprawę; doznać odprawy ⟨*spotkać się z odmową wyjścia za mąż za kogo, dostać rekuzę*⟩: Ambroży idzie do Ramona w swaty, lecz doznaje brutalnej odprawy. *Poręb. Studia 159.* **12.** Wzywać kogo na odprawę ⟨*na naradę instruującą*⟩: Nadbiegł Górnicki i zameldował, że podchorąży jest wezwany na odprawę. *Żukr. Dni 266.* **13.** Coś znalazło ciętą odprawę ⟨*replikę*⟩: Jego artykuły wywołały nagonkę J. Śniadeckiego na romantyzm i metafizykę nie-

miecką, ale znalazły już ciętą odprawę. *Brück. Kult. IV, 387.* **14.** Należy się, przysługuje komu **o.** od pracodawcy ⟨*odszkodowanie, jednorazowe wynagrodzenie*⟩: W razie śmierci robotnika należy się rodzinie od pracodawcy odprawa [...] jeżeli robotnik przepracował przez 10 lat. *Szczur. Piek. 109.*
przysł. **15.** Dobra sprawa — prędka odprawa ⟨*prędki rezultat, prędki koniec*⟩. **16.** Jaka sprawa — taka odprawa.

odprawiać, odprawić *przestarz.* lub *daw.* **1. o.** c o: **o.** cenzurę ⟨*dokonywać, dokonać cenzury; cenzurować*⟩: Cenzurę odprawiał najpierw uniwersytet, bywał i Lelewel cenzorem. *Brück. Kult. IV, 358.* **2. o.** chrzest, ślub, wesele ⟨*chrzcić, wydawać za mąż*⟩: Śluby — wesela odprawiano po dawnemu, przez swatanie niewiasty u rodziców. *Brück. Kult. I, 388.* Gdy się matce trochę lepiej zrobiło, zaczęto się naradzać, jakie by imię wybrać dla mnie i kiedy chrzest odprawić. *Żmich. Pow. 26.* **3. o.** drogę, podróż, wojaż ⟨*podróżować, odbywać podróż*⟩: Odprawiam teraz drugi mój do Paryża wojaż, w którym od lat sześciu już przebywam. *Polak w Paryżu 3.* **4.** *żart.* **o.** drzemkę poobiednią ⟨*drzemać po obiedzie*⟩: Od dziesięciu lat jeszcze mi się to nie przytrafiło, żeby wtedy, kiedy ja odprawiam poobiednią drzemkę, ktoś śmiał dzwonić. *Bał. Ryby 7.* **5. o.** dyskusje, dysputy, konferencje, rady, sesje, synody ⟨*odbywać*⟩: Co tygodnia odprawiał sesje ze wszystkimi oficjalistami, sam osobiście każdej niedzieli po południu. *Łus. Pam. 140.* **6.** Odprawić elekcję ⟨*dokonać elekcji*⟩: Akt w senatu radzie przeszedł od wszystkich zgodnie potwierdzony, by [...] za życia króla elekcję odprawić. *Szujski Lubom. 268.* **7.** Odprawić gościa, gości ⟨*pozbyć się gościa, gości*⟩: Przed chwilą odprawiły ostatniego swojego gościa. *Kaczk. Grób. II, 198.* **8. o.** igrzyska, zabawy rycerskie ⟨*brać udział w zawodach, turniejach rycerskich*⟩: Odprawiono przy tej okoliczności karuzel, czyli zabawy rycerskie. *Baliń. M. Polska I, 549.* **9. o.** ingres, wjazd triumfalny, uroczysty, triumf ⟨*wjeżdżać uroczyście, triumfalnie*⟩: Ów, po ukończeniu wojny [...] wrócił do Rzymu, gdzie Klaudiusz, jak wiesz, pozwolił mu odprawić triumf. *Sienk. Quo I, 11.* **10. o.** jarmarki ⟨*odbywać, urządzać jarmarki*⟩: Obok zwykłych targów odprawiano doroczne jarmarki. *Brück. Walka 186.* **11. o.** jutrznię, mszę, nabożeństwo, rekolekcje. **12. o.** konie ⟨*odesłać*⟩: Bogumił odprawił konie, po drodze zdmuchnął u siebie lampę, która gasła, i wrócił. *Dąbr. M. Noce II, 116.* **13.** Odprawić konkurenta, odprawić z harbuzem ⟨*odmówić ręki starającemu się, nie dać zgody na ślub*⟩: Ponieważ [...] przesiadywał w domu magnata, ubocznie nie odmawiał sobie rozkoszy ogłaszania Kazimierza za odprawionego konkurenta. *Choj. Alkh. I, 179.* **14. o.** konkury ⟨*zabiegać, starać się o rękę panny*⟩: Odprawia konkury jak za pańszczyzną i patrzy tylko, jakby się wyrwać od panny na lampartkę. *Bał. Dom 11.* **15.** Odprawić koronację ⟨*odbyć koronację, koronować się*⟩. **16.** *rzad.* **o.** kuczki ⟨*siedzieć zamyślonym, boczyć się, stroić fochy*⟩. **17. o.** kurację ⟨*kurować się, odbywać, przeprowadzać kurację*⟩: Odprawiał swoją coroczną hydropatyczną kurację w Kaltenlentgeben. *Chłęd. Pam. II, 39.* **18. o.** kwarantannę ⟨*odbywać kwarantannę, poddawać się kwarantannie*⟩: Oglądałem lazaret za murem, gdzie kwarantannę odprawiają. *Staszic Dzien. II, 114.* **19. o.** łowy, polowanie ⟨*polować w większym gronie myśliwych zgodnie z ustalonymi zwyczajami łowieckimi*⟩: Dzień przyszedł, w którym znowu polowanie mieli odprawiać rycerze. *Kras. Osjan. 171.* **20. o.** medytacje ⟨*medytować, rozmyślać*⟩: Tuż przed nią stał fotel [...] na którym staruszek odprawiał swe poranne medytacje i drzemkę poobiednią. *Gomul. Róże 65.* **21.** Odprawić mobilizację ⟨*dokonać mobilizacji, przeprowadzić mobilizację*⟩: Mobilizację odprawiono we wzorowym porządku. *Brück. Kult. IV, 129.* **22. o.** musztrę ⟨*musztrować, ćwiczyć*⟩: Czy deszcz, czy śnieżyca, czy zawierucha, kazał na koń wsiadać żołnierzom, odprawiał z. nimi musztry i marsze. *Kaczk. Olbracht. III, 82.* **23. o.** nocleg ⟨*spędzać noc; nocować*⟩: Po szóstym noclegu odprawionym doszedł z wojskiem granic Pomorza. *Jezier. Rzepicha 379—378.* **24. o.** pielgrzymkę ⟨*pielgrzymować, odbywać pielgrzymkę*⟩. **25. o.** pochody ⟨*odbywać, podejmować marsze, wyprawy*⟩: Pojadę [...] z żołnierzami pochody odprawiać, granicy po żurawiemu strzec, z wiosną w trawach buszować. *Sienk. Wołod. I, 84.* **26. o.** pociągi (dziś żywe) ⟨*wysyłać pociągi*⟩: Codziennie odprawiano pociągi, które niesłychanie długo przebywały w drodze. *Wyg. Widz. 66.* **27. o.** pojedynek między sobą ⟨*pojedynkować się*⟩: Ustawicznie o swojej odwadze gada, o doskonałości w fechtowaniu i pojedynkach, które odprawił w Paryżu. *Czart. Panna 118.* **28. o.** popas ⟨*popasać, odpoczywać*⟩: Gdym dalej opisując podróż, zastanowił się nad ową nędzną karczmą, gdziem ostatni popas odprawiał [...] *Kras. Podstoli 246.* **29.** Odprawić poselstwo ⟨*spełnić, wypełnić misję poselską, posłować*⟩: Po odprawionym świetnym poselstwie do papieża, Wenecji i cesarza, wracał Ossoliński z plonem zawartych sojuszów. *Tyg. Ilustr. 199, 1863.* **30. o.** post, spowiedź ⟨*pościć, wyspowiadać się*⟩. **31.** Odprawić potyczkę, utarczkę, bitwę, wojnę, powstanie itp. ⟨*stoczyć potyczkę, utarczkę, bitwę itp.*⟩: Daleko więcej bitew odprawił, niżeli miał włosów na głowie. *Kaczk. Olbracht. I, 66.* **32. o.** powinność, robociznę ⟨*odrabiać robociznę, pańszczyznę*⟩: Kmieć dobrze się mający, że przez czeladź powinność odprawia, nie ma przeto Pan przyczyny naglić go samego do roboty. *Kras. Podstoli 181.* **33. o.** roki ⟨*sprawować, odbywać sądy*⟩: Janusz I, czyli Jan Starszy, zjechawszy 1407 r. z Radą swoją dla odprawiania roków, postanowił niektóre na piśmie przydatki do ustaw. *Baliń. M. Polska I, 609.* **34. o.** rozmowy ⟨*rozmawiać, pertraktować; organizować dialogi, dyskusje*⟩: Oprócz popisów dorocznych zaprowadzili pijarzy w kolegium tak zwane „rozmowy", odprawiane przez elewów w języku polskim publicznie. *Smol. W. Przewrót 48.* **35. o.** rytuał powitania ⟨*uroczyście, w sposób konwencjonalny witać kogo*⟩: I oto [pies] z zapałem odprawia cały odwieczny psi rytuał powitania. *Zar. Ziarno 56.* **36. o.** sądy, sejmy ⟨*odbywać*⟩: Sądy ziemskie odprawiano w Radzynie. *Baliń. M. Polska I, 700.* **37. o.** służbę wojenną ⟨*wojować*⟩: [...] oddał przedniejsze chorągwie w pułk Tomasza Zamojskiego, który osobiście służbę wojenną na kresach odprawiał. *Proch. Żółk. 110.* **38 o.** straż, czaty, wartę ⟨*pełnić straż; czuwać, pilnować*⟩: Już to drugi raz tego samego wieczora widział on go odprawiającego czaty koło podkomorzanki. *Kaczk. Grób II, 113.* **39. o.** święto, sobótki, sabaty itp

⟨obchodzić święto, sobótki, sabaty itp.; świętować⟩: Widziałem miejsca, w których się zabawiał, miejsca, gdzie wdzięczne sobótki odprawiał. *Kras. Wiersze 168.* **40. o.** towar (za granicę) (dziś żywe) ⟨*dopełniać formalności celnych, clić*⟩: Urząd celny odprawia towar, oznaczając ilość odprawionego towaru na odwrocie zaświadczenia celnego. *Maz. Plan. 75.* **41.** Odprawić zjazd ⟨*odbyć zjazd, zjechać się*⟩: Postanowiono na św. Marcin odprawić nowy zjazd w Wiślicy. *Smolka Szkice I, 244.* **42.** Odprawić żałobę ⟨*odbyć żałobę w sposób przepisany*⟩: Władysław, odprawiwszy żałobę po umarłej żonie Judycie, zamyślać począł o innym małżeństwie. *Narusz. Hist. II, 44.* **43. o.** kogo ⟨*zwalniać kogo ze służby, z pracy, z posady, ze stanowiska; dawać dymisję, udzielać dymisji*⟩: Parobka odprawił onegdaj za krnąbrność i nieposłuszeństwo. *Krucz. Paw. 39.* **44. o.** kogo ręką, ruchem ręki ⟨*odsyłać, wyprawiać, oddalać bez słowa, wyłącznie za pomocą gestu*⟩: Pachołka skinieniem ręki odprawił. *Gomul. Miecz I, 168.* **45.** Odprawić kogo z niczym, z kwitkiem ⟨*odmówić czyjej prośbie, zbyć niczym proszącego*⟩: Urzędnicy zbyli go sucho i odprawili z kwitkiem. *Demb. L. Wspom. I, 310.* Obaczycie, że to wszystko w śmiech tylko obrócą, nażartują się z was do woli i odprawią was z niczym. *Boguśl. W. Henryk 86.*

odprężać, odprężyć 1. o. myśli ⟨*dawać odpoczynek myślom, uspokajać myśli*⟩: Chwila muzyki odpręża myśli, ucisza gwar słów. *Par. Alch. 92.* **2. o.** nerwy ⟨*uspokajać, koić nerwy*⟩: Wyjął wreszcie symfonię VIII Beethovena, pogodną, odprężającą nerwy. *Twórcz. 7, 1953, s. 45.*

odprowadzać, odprowadzić 1. o. c o: **o.** pieniądze ⟨*przekazywać, przelewać, wpłacać pieniądze*⟩: **o.** pieniądze do banku. **2. o.** wodę, jakąś ciecz, gaz itp. z gruntu, z kopalni itp. ⟨*usuwać, skierowywać wodę, jakąś ciecz, gaz itp. z jednego miejsca na inne za pomocą rowu, rury itp.*⟩: Lecieli [...] przez strumienie o bagnistych brzegach i proste rowy, odprowadzające wodę z łąk. *Malew. Żel. 7.* **3. o.** kogo dokąd ⟨*towarzyszyć komu do danego miejsca*⟩: **o.** gościa do przedpokoju, do progu; **o.** koleżankę do domu. **4. o.** kogo do szpitala, do więzienia ⟨*prowadząc odstawiać kogo do szpitala, do więzienia*⟩: Skazanych na galery odprowadzono do więzień. *Kaczk. Teka 180.* **5. o.** kogo na bok ⟨*odwieść, prowadząc oddalić*⟩: Przepraszam was, kumie Szczepanie — dodał Paweł, odprowadzając go nieco na bok — że z wami otwarcie i bez ogródki porozumieć się muszę. *Wol. Dom. I, 129.* **6. o.** kogo na cmentarz, na miejsce wiecznego spoczynku, do krainy cieniów ⟨*iść za zmarłym, za trumną zmarłego na cmentarz, brać udział w pogrzebie*⟩: Całe wojsko, w pełnym rynsztunku, odprowadzało Patroklosa do krainy cieniów. *Par. Troj. 61.* **7. o.** kogo na dworzec, na kolej, na lotnisko ⟨*towarzyszyć komu w drodze na dworzec itp.*⟩. **8.** *przen.* **o.** kogo, co spojrzeniem, oczyma ⟨*kierować spojrzenie, wzrok za kimś lub za czymś się poruszającym, oddalającym*⟩: Psy odprowadzały oczyma każdą łyżkę niesioną z talerza do ust. *Sienk. Listy IV, 190.* **9.** *daw.* **o.** k o g o — o d c z e g o ⟨*odwieść, odciągnąć, skłonić do porzucenia czego*⟩: **o.** kogo od zamysłu. *L.* Przekonała się [...] że dobra żona może mężczyznę od wielu wad i nałogów odprowadzić. *Sztyrm. Katalept. II, 88.* **10. o.** k o m u — c o ⟨*prowadząc odstawić, przyprowadziwszy oddać*⟩: **o.** psa zaginionego właścicielowi. *SW.* Odprowadzono mu skradzionego konia. *SW.*

odpukać, odpukiwać o. w nie malowane drzewo, skrótowo: **o.** ⟨*czyniąc zadość przesądowi zapukać kilka razy w nie malowaną część drewnianego sprzętu, co ma zapobiec niepożądanej a możliwej sytuacji, zdarzeniu*⟩: Nie pleć głupstw — obaj spluwają od uroku, Antoni dla pewności chce jeszcze odpukać w nie malowane drzewo. *Żukr. Dni 100.*

odpust *kult.* **1. o.** zupełny ⟨*całkowite darowanie przez Kościół kary doczesnej*⟩. **2. o.** od kary i winy. **3.** Nabożeństwo z odpustem. **4.** Ruch jak na odpuście: W naszym sklepie ruch jak na odpuście. *Prus Lalka I, 171.* **5.** Dostąpić odpustu. **6.** Kupić co na odpuście ⟨*na kiermaszu urządzonym z powodu odpustu*⟩. **7.** Nada(wa)ć odpusty: Papież ogłosił wojnę krzyżową i pielgrzymom do Prus nadał te same odpusty i przywileje, co pielgrzymom do Palestyny. *Moracz. Dzieje I, 139.* **8.** Sprzedawać odpusty: Gdy papież zarządził sprzedawanie odpustów na budowę kościoła św. Piotra, Sadoleto bardzo był temu przeciwny. *Chłęd. Odr. 329.* **9.** Udzielić choremu odpustu: W czasie ciężkiej choroby, grożącej niebezpieczeństwem śmierci, wolno każdemu kapłanowi udzielić choremu błogosławieństwa apostolskiego, wraz z przywiązanym doń odpustem zupełnym. *Sakr. V, 44.*

odpustowy 1. Kram **o. 2. o-a** uroczystość. **3.** Literatura **o-a** lub straganowa ⟨*wydawnictwa przeznaczone dla mało wybrednych czytelników*⟩.

odpuścić, odpuszczać 1. o. komu winy ⟨*darować, puścić w niepamięć, w zapomnienie*⟩. **2. o.** komu z serca ⟨*wybaczyć*⟩: Z serca odpuszczam ci wszystko, boś już winy zmazał. *Sienk. Pot. IV, 98.* **3.** Boże (Panie) odpuść ⟨*godny pożałowania, litości; w sposób godny pożałowania, litości (zlituj się!), do niczego, źle*⟩: I inwentarz był. Był, ale jaki! Panie odpuść. *Jun. Bracia 53.* **4.** Niech mu, im itp. Bóg odpuści ⟨*wybaczy*⟩: Księża nasi w zaślepieniu ciągle krzyczą na nas. Arystokraci organem Zamojskiego nas czernią. Demokraci studenci! niech im Bóg odpuści, łają, nie wiedząc, co czynią. *Mick. Listy II, 469.* **5.** Odpuść mnie grzesznemu ⟨*słowa modlitwy*⟩. **6. o.** kogo (!) ⟨*puścić kogo, zwolnić kogo*⟩: **o.** kogo z lekcji, ze służby; *rus. por.* odpustit' kogo (Krasn. 70). **7.** *przestarz.* **o.** do kogo ⟨*pozwolić odejść do kogo, oddalić się*⟩: Wypraszała się biedna, niech ją w jednej koszulinie tylko do ojca odpuści. *Brück. Kult. I, 289.* **8.** *przestarz.* **o.** od roboty ⟨*uwolnić, uwalniać*⟩: Jak wołu w jarzmie dziś ją pędzała ani na minutę od roboty nie odpuszczając. *Orzesz. Cham 44.* **9.** *rzad.* Mrozy odpuszczają ⟨*zmniejszają się*⟩: Mrozy już u nas odpuściły, a mnie się zdaje, że już się wiosna zaczyna. *Słow. Listy II, 38.*

odpychający 1. o-a duma, obojętność; **o-a** twarz; **o-e** słowa ⟨*odstręczająca(-e)*⟩. **2.** Bije od kogo **o.** chłód: Od całej postaci sztywno siedzącej bił odpychający chłód. *Brzoza Bud. 167.*

odrabiać, odrobić 1. o. co artystycznie, ładnie, prześlicznie, zgrabnie, solidnie, starannie; dokładnie, z dokładnością ⟨*wykon(yw)ać*⟩: Był to model transatlantyckiego motorowca, którego każdy drobiazg został odrobiony z niezwykłą dokładnością. *Płomyk 8, 1952.* **2. o.** lekcje, zadanie, ćwiczenia itp. ⟨*wykon(yw)ać zadanie, ćwiczenia itp., (na)uczyć się zadanych lekcji itp.*⟩: Lekcje miał starannie odrobione. *Par. Niebo 247.* Nieustępliwie, codziennie odrabiała ze mną ćwiczenia. *Solski Wspom. I, 29.* **3. o.** błędy, skutki ⟨*naprawić*⟩: Nie ma co biadolić, trzeba ruszyć trochę głową i wziąć się do roboty, zacząć odrabiać błędy. *Twórcz. 1, 1956, s. 180.* Dzięki twojej nieopatrzności, przy powitaniu klapnąłem jej impertynencję i zapewne długo będę musiał odrabiać skutki. *Prus Przem. 258.* **4.** Coś się nie da odrobić ⟨*naprawić*⟩: Przecież ja nic takiego złego nie zrobiłam, a co się stało, to się już w żaden sposób odrobić nie da. *Dąbr. Ig. Felka 67.* **5.** *przestarz.* **o.** podwodę, szarwark ⟨*wykonać świadczenie takie jak pańszczyzna itp.*⟩: Mój ojciec był na ten czas sołtysem wsi, przez włościan wybranym, nie był przeto obowiązany odrabiać pańszczyzny. *Decz. Żyw. 64.* Zaprzęgał [konia] do rozklekotanej furki, aby odrobić którąś tam z kolei podwodę. *Czesz. Pocz. 39.* **6. o.** zaległości ⟨*wykonać pracę zaległą*⟩: Jako człowiek punktualny, musi pierwej odrobić biurowe zaległości. *Prus Now. III, 44.*

odrastać, odrosnąć, odróść **1.** Drzewo, roślina odrasta. **2.** Włosy odrastają. **3.** Jeszcze nie odrósł od ziemi ⟨*jeszcze nie przestał być dzieckiem, jeszcze nie jest dorosły*⟩: Sama chce gospodarzyć, a jeszcze to od ziemi nie odrosło. *Krasz. Chata III, 57.* **4.** Zaledwie odrósł od ziemi ⟨*zaledwie przestał być dzieckiem, jest jeszcze bardzo młody*⟩: Ledwie to od ziemi odrosło, a już z pyskiem na mnie. Kubek jak jego ojciec. *Reym. Fron. 109.*

odraza **1.** Głęboka, instynktowna, nieprzezwyciężona, wielka **o. 2.** Z odrazą (robić co): Nudził się w zadymionych redaktorskim cygarem pokoikach, z odrazą słuchał co dzień takich samych warszawskich nowin i starych dykteryjek. *Strug Chim. I, 11.* **3.** Odwrócić się z odrazą od kogo. **4.** Budzić odrazę do kogo, w kim. **5.** Czuć odrazę do kogo, do czego. **6.** Mieć odrazę do kogo, czego, *daw.* od kogo, czego ⟨*czuć wstręt, niechęć do kogo, czego*⟩: Matka miała żywiołową odrazę do czytania. *Krzyw. I, Bunt 37.* **7.** Napełniać kogo odrazą: Perspektywa jakiejkolwiek rozmowy napełniała go odrazą. *Perz. Las 35.* **8.** Coś rodzi w kim ku komu, czemu odrazę. **9.** Wzbudzać w kim odrazę: Prawie pacholęcy wiek narzeczonego wzbudzał w niej odrazę ze wzgardliwym lekceważeniem połączoną. *Orzesz. Bene 149.*

odrażający **1. o-a** postać, powierzchowność, twarz; **o.** wygląd ⟨*budząca(-y) odrazę*⟩: Natura w ogólności przywiązała piękność do wszystkiego, co jest dobrem; a złemu odrażającą postać nadała. *Brodz. Estet. 57.* **2. o.** zaduch ⟨*wstrętny*⟩.

odrębność **1. o.** językowa, narodowa, wyznaniowa ⟨*inność, różność, odmienność*⟩. **2. o.** psychiczna ⟨*indywidualność*⟩: Pisze na ogół bardzo dobrze, z niewątpliwym talentem literackim, posiada wyczucie ludzi i umiejętność pokazania ich odrębności psychicznych. *Rocz. Lit. 1934, 216—217.* **3. o.** c z e g o: narodowości, prawa, wyznania. **4.** Mieć poczucie swej odrębności: Każdy naród, o ile ma świadomość swej indywidualności, a nawet tylko poczucie swej odrębności, ma prawo do samodzielnego życia, do swobodnego rozwoju. *Popł. Pisma I, 68.* **5.** Zatracić **o.**, nie zatracić odrębności: Siła lat spędził pośród puszcz słowiańskich, przecież nie zatracił dotąd odrębności południowca. *Kossak Z. Krzyż. I—II, 35.*

odręczny **1. o-e** adnotacje; **o.** rysunek, szkic ⟨*wykonane(-y) własną ręką*⟩: Ofiarował mi drukowany egzemplarz tej obrony, znaleziony w papierach po sen[atorze] Nowosilcowie, z tegoż odręcznymi adnotacjami na marginesach. *Krzywosz. Życie 3.* **2.** *daw.* **o.** bój ⟨*bój prowadzony z bliska, wręcz*⟩: Między ramionami strzelców wybłysły nastawione drzewce, gotowe siec, kłuć, miażdżyć łby w odręcznym i pojedynkowym boju. *Konopn. Now. IV, 120.* **3. o.** dług, **o-a** pożyczka, sprzedaż ⟨*doraźny(-a), drobny(-a)*⟩: Przez proste podatkowanie i odręczne krótkoterminowe pożyczki niepodobna było dostarczyć skarbowi [za Stanisława Augusta] zasobów, niezbędnych do stawienia czoła potężnym finansom państw ościennych. *Smol. W. Pisma III, 43.* **4.** List **o.**; pismo **o-e** ⟨*pisany(-e) ręcznie; osobisty(-e)*⟩: Tegoż dnia otrzymał Sapieha pismo odręczne monarchy, wyrażające „podziękowanie i pełne uznanie" prezesowi Wystawy i jego współpracownikom. *Kien. Sapieha 443.* **5.** *daw.* Śmierć **o-a** ⟨*śmierć zadana ręką*⟩: Ci, którzy śmierci odręcznej uszli. *Jeż cyt. Dor. Jęz. 227.*

odrętwienie **1.** Być pogrążonym w odrętwieniu: W jakimś szczególniejszym pogrążony odrętwieniu, zdawał się nie mieć najmniejszej świadomości o chwili obecnej, nie widzieć i nie słyszeć zgoła, co się dzieje dokoła niego. *Łoz. Wal. Szlach. I, 42.* **2.** Budzić, wyrwać kogo z odrętwienia: [Leon Sapieha] budził kraj z odrętwienia, przygotowywał odrodzenie gospodarcze kraju. *Kien. Sapieha 27.* **3.** Ocknąć się, otrząsnąć się z odrętwienia. **4.** Popaść, wpaść, zapadać, zapaść w odrętwienie. Ku wieczorowi robiło się coraz gorzej i chwilami zapadałem w jakieś odrętwienie. *Dąbr. Ig. Śmierć 61.* **5.** Wprawić kogo w **o. 6.** Znajdować się w stanie odrętwienia: W czasie takiego snu [zimowego] zwierzę znajduje się w stanie odrętwienia, nadzwyczaj podobnego do śmierci. *Dyak. Las 242.*

odrobić się Niesposób się **o.**, nie móc się **o.** ⟨*nie móc wykonać podjętej pracy*⟩: O Bugajowej szkoda gadać, ona w domu u siebie odrobić się nie może. *Bogusz. Kura 181.*

odrobienie Nie do odrobienia: Dla ludzi jest tylko jeden fakt nie do odrobienia: śmierć... *Krzywosz. Jula 78.*

odrobina, odrobinka **1. o.** c z e g o: **o.** chleba, kartofli, mięsa; *przen.* **o.** dobrej woli, grzeczności, prawdy, szczęścia, zazdrości: Niepospolicie zdolny ten aktor mógłby przy odrobinie dobrej woli i... pracy dojść w rolach takich do wybitnych rezultatów. *Loren. Dwadz. 64.* **2.** Nie ma w tym ani odrobiny prawdy. *SPW.* Rzecz pewna, że nie może być przywiązania bez odrobinki przynajmniej zazdrości. *Rzew. H. Listop. I, 340.* **3.** Odrobinę, odrobinkę ⟨*trochę, troszeczkę*⟩: Spóźniłeś się odrobinę. *SPP.* Zaczekaj odrobinę. *SW.*

odrodzenie 1. o. umysłowe. **o.** organizmu. **o.** nauk i sztuk. **2.** Czasy, doba, epoka odrodzenia: Zainteresowania językiem ojczystym jako zwierciadłem kultury narodowej wysuwają się na pierwszy plan w epoce odrodzenia. *Jęz. Pol. 1939, s. 121.* **3.** Styl Odrodzenia: Z Kapitolu został zrąb muru, na którym Michał Anioł zbudował pałac w stylu Odrodzenia. *Sienk. Chwila II, 167.*

odrośl *leśn. ogr.* Wypuszczać, wytwarzać odrośle: Kruszyna w młodości rośnie szybko. Po ścięciu wytwarza z pni i korzeni szybko rosnące odrośle. *Przew. leśn. 39.*

odróść p. **odrastać**

odróżnienie W odróżnieniu ⟨*w przeciwieństwie, inaczej niż:..*⟩: Nazywano u Słowian „kmieciami" wszystkich mieszkańców wolnych, w odróżnieniu od niewolników, kupionych lub połapanych na wojnie. *Gorz. Chłop. 6.*

odruch 1. Instynktowny, mimowolny, naturalny **o.** ⟨*impuls*⟩: W chwilach radości zwracał się do kogoś najbliższego w naturalnym odruchu. *Braun Lewanty 334.* **2.** *med. psych.* **o.** bezwarunkowy ⟨*reakcja fizjologiczna będąca elementarną formą przystosowania się organizmu do środowiska; odruch wrodzony*⟩; **o.** warunkowy ⟨*odruch nabyty przez doświadczenie: stale powtarzająca się reakcja organizmu na działanie takiej samej podniety*⟩. **3. o.** w o b e c k o g o, c z e g o. **4.** Kierować się odruchami: Był to chłopiec młody, kierował się raczej odruchami niż rozumem. *Ziel. S. Świt. 141.*

odrywać p. **oderwać**

odrywać się p. **oderwać się**

odrzeć, odzierać 1. o. k o g o, c o — z c z e g o ⟨*ogołocić, pozbawić czego*⟩: **o.** meble z obicia. **o.** kogo z ubrania. **2. o.** kogo z mienia ⟨*ograbić, złupić; obrabować, okraść*⟩: Odzierał je z ojcowskiego mienia korzystając z tego, że miał za sobą literę prawa i szczególny zbieg okoliczności. *Orzesz. Pam. II, 225.* **3.** *przen.* **o.** z czci, z wdzięków, ze złudzeń. **4. o.** kogo ze skóry, do ostatniej skóry ⟨*doprowadzić kogo do ubóstwa, do ruiny majątkowej, zabrać komu pieniądze, mienie, wyzyskać kogo pod względem materialnym*⟩: Nie tylko uciemiężał swoich poddanych, ale zaprowadzanymi cłami odzierał do ostatniej skóry każdego, kto tylko z jego krajem zostawał w handlowych stosunkach. *Moracz. Dzieje IV, 94.* **5.** Krzyczeć, ryczeć, piszczeć itp. jakby kogo odzierano ze skóry ⟨*krzyczeć, ryczeć, piszczeć itp. bardzo głośno, rozpaczliwie*⟩: Próbował go odciągnąć od okna, ale uparciuch uczepił się rączkami za gzyms i piszczał, jakby go odzierano ze skóry. *Sier. Now. 142. por.* obdzierać, obedrzeć.

odrzucać, odrzucić 1. o. cięcie, uderzenie, cios ⟨*parować; oddawać*⟩: Gracz był i znał się na bitwie, odrzucił więc moje cięcie z taką siłą od razu, że mi aż szabla wypadła z ręki i szybę w oknie wytłukła. *Kaczk. Mąż 30.* **2. o.** dar, ofiarę ⟨*nie przyjmować, nie przyjąć*⟩: Drżał z obawy, że mogą odrzucić jego ofiarę. *Olcha Most II, 45.* **3. o.** głowę, rękę ⟨*zmieni(a)ć położenie; odchylać, odginać, odgiąć*⟩: Zanim włożył czapkę, miał zwyczaj odrzucać w tył głowę, aby poprawić włosy. *Par. Niebo 269.* Rękę miał jedną odrzuconą w bok, drugą wyciągniętą wzdłuż ciała. *Grusz. An. Od Karpat 189.* **4.** *przen.* Odrzucić maskę ⟨*przestać się maskować*⟩: Odrzucił maskę noszoną tak cierpliwie lata całe, twarz jego zmieniła się wraz z nagłą zmianą położenia. *Morzk. Bożek 110.* **5. o.** ofertę, projekt, poprawkę, propozycję ⟨*nie przyjąć, nie akceptować*⟩. **6. o.** piłkę ⟨*rzucić napowrót*⟩. **7. o.** poły, wyloty ⟨*poprawi(a)ć, poda(wa)ć do tyłu*⟩: Stary cześnik podał jej ramię i z krygami, muskaniem wąsa oraz odrzucaniem wylotów wiódł ją uroczyście przez tłum. *Żer. Popioły I, 53.* **8. o.** prośbę ⟨*nie uwzględnić*⟩. **9. o.** towar (wybrakowany) ⟨*nie przyjąć*⟩. **10. o.** warunki ⟨*nie aprobować, nie zgodzić się na warunki*⟩: Odrzucił warunki i postanowił bronić się do ostatniej kropli krwi. *Sienk. Pot. V, 177.* **11. o.** włosy ⟨*odgarniać, odgarnąć włosy*⟩: Odrzucił włosy z jasnego czoła żywym, pięknym ruchem. *Konopn. Now. IV, 111.* **12. o.** wojsko, armię, nieprzyjaciela itp. ⟨*zmuszać, zmusić do cofania się*⟩. **13.** *przen.* **o.** złudzenia ⟨*wyzby(wa)ć się złudzeń*⟩. **14. o.** co na bok ⟨*przestawać się czym zajmować, interesować, nie zwracać na co uwagi; nie myśleć o czym; nie trzymać się czego, przesta(wa)ć mieć wzgląd na co*⟩: Mściwością uniesiona odrzucała na bok wszystkie względy roztropności. *Kalin. St. Aug. I, 102.* **15. o.** k o g o, c o — o d c z e g o: ⟨*cisnąć od siebie, odbić*⟩: Fala go odrzuciła od brzegu. *SW.* **16.** Coś odrzuca kogo od kogo lub od czego ⟨*ktoś ma wstręt do kogo, czego, kogoś coś nudzi, zniechęca, odpycha*⟩: Coś nieludzkiego jest w tym człowieku. Nigdy mnie jeszcze od nikogo tak nie odrzuciło od razu jak od niego. *Kaczk. Murd. I, 222.*

odrzut *przestarz.* Dać komu **o.** ⟨*o wojsku, armii itp.: odeprzeć atak, natarcie; zmusić do cofnięcia się*⟩: Mógł dać dragonom silny odrzut, ale w regularnym starciu świeżo zebrana jazda nie mogła wytrzymać długiego natarcia umiejętnie ćwiczonej kawalerii pruskiej. *Żer. Popioły I, 284.*

odsadzać, odsadzić 1. o. k o g o o d k o g o, o d c z e g o: a) ⟨*oddalać*⟩: Para tęgich koni ruszyła kłusem i odsadziła nas od razu o kilkanaście kroków od cholerzyńskich ludzi. *Dasz. Pam. I, 102;* b) *przestarz.* ⟨*odsuwać, usuwać od czego*⟩: Mamelukowie w Egipcie odsadzili przyrodzonych swoich panów od wszelkich godności. *SW.* **2. o.** dziecko (od piersi), cielę (od krowy), szczeniaka (od suki) itp. ⟨*pozbawiać pokarmu matki*⟩: Odsadzanie cielęcia powinno się odbywać stopniowo i ostrożnie. *Konopiń. Żywienie 439.*

odsadzać się, odsadzić się o. się od nieprzyjaciela ⟨*odrywać się, oddalać się*⟩: Jeziorański usiłował forsownym marszem odsadzić się od nieprzyjaciela. *Sokoł. A. Stycz. 268.*

odsadzić p. **odsadzać**

odsądzić, odsądzać o. k o g o o d c z e g o ⟨*pozbawić czego, zabrać co, nie pozwolić na co wyrokiem sądowym, mocą ustawy itp., pozbawić prawa do czego*⟩: Gdyby się okazał winnym, ma być na zawsze odsądzony od piastowania jakiegokowiek urzędu lub dostojeństwa. *Schmitt Dzieje I, 151.* **o.** kogo od rozumu, od talentu itp. ⟨*odmówić komu rozumu, talentu itp.*⟩.

odsetek ⟨*procent*⟩. **1. o.** c z e g o: białych ciałek krwi; mieszkań; mieszkańców, analfabetów. **2. o.** (czego) wynosi.

odsetki ⟨*procent od kapitału*⟩. **1. o.** od kapitału, od (określonej) sumy. **2.** Wypłacać **o.**

odsiadywać, odsiedzieć o. wyrok, *daw.* wieżę ⟨*przebywać w więzieniu na mocy orzeczenia sądu*⟩.

odsiebka *reg.* Tańczyć na odsiebkę ⟨*tańczyć w lewo, na lewo*⟩: A zawracaj od komina, czapka na bok, ostra mina [...] pomaluchnu, ano wkoło, potem raźno na odsiebkę. *Len. T. Wyb. 122.*

odsiebny *anat.* Mięsień **o.** ⟨*odciągający, odwodzący od osi ciała*⟩.

odsiecz 1. Dać, nieść komu **o.**: Dać odsiecz miastu. **2.** Pociągnąć, pośpieszyć, przyjść, skoczyć, wyruszyć na **o.**: Sobieski postanowił wyruszyć na odsiecz oblężonemu Wiedniowi. *Baran. SPP*; *przen.* Archeologia i językoznawstwo przyszły dziejopisom na odsiecz i pomogły rozjaśnić zagmatwany i mętny tekst kronikarskiego przekazu. *Jasien. Świt 73.* **3.** Nadciągnąć, przebyć, przyjść, śpieszyć z odsieczą; *przen.* Natan się zmieszał i zarumienił. Daniel w tej chwili przyszedł mu z odsieczą. *Sewer Zyzma 227.*

odsiedzieć p. **odsiadywać**

odskocznia Coś jest, staje się odskocznią dla kogo, czego; do czego ⟨*o czymś, co jest punktem wyjścia, podstawą, pobudką do czego*⟩: Odskocznią dla nowej poezji romantycznej był neohellenizm. *Sinko Hell. 7.* W ręku Hohenzollernów ziemia lubuska stała się odskocznią do operacji militarnych i politycznych mających na celu zagarnięcie Pomorza i Śląska. *Wiedza i Życie 1954, s. 498.*

odsłaniać, odsłonić 1. o. firankę, zasłonę ⟨*odsuwać; usuwać*⟩. **2. o.** głowę ⟨*zdejmować nakrycie głowy*⟩. **3. o.** piersi, ramiona, szyję ⟨*odkrywać*⟩. **4. o.** pomnik, popiersie, tablicę pamiątkową itp. ⟨*skończony i ustawiony na przeznaczonym miejscu pomnik w sposób uroczysty przekazywać społeczeństwu*⟩. **5.** *książk.* **o.** przyłbicę ⟨*mówić kim się jest, dawać się poznać, ujawniać się*⟩: Gdy tereny będą wyłapane i zgodzone, wtedy dopiero odsłonimy przyłbicę. *Sewer Nafta III, 88.* **6. o.** komu swe serce ⟨*otwierać; wyznawać szczerze wszystko, zwierzać się ze swych trosk, uczuć*⟩.

odsłonięty o-a ławka, altana itp. ⟨*nie zacieniona, będąca w słońcu*⟩: Usiedli na jakiejś ławce odsłoniętej, bo czuli potrzebę pławienia się w słońcu. *Reym. Now. I, 48.*

odstać się Co się stało, to się nie odstanie (odstać się nie może) ⟨*nie może być zmienione, cofnięte*⟩.

odstawić, odstawiać 1. o. c o — n a c o lub d o c z e g o: Odstawić filiżankę na kredens. Odstawić wagony na bocznicę. **o.** co na bok, na swoje miejsce. **2. o.** lek, lekarstwo, zastrzyki itp. ⟨*przestać choremu dawać leki, zastrzyki itp.*⟩: Jeden chory uporczywie krwawił z nosa, co ustąpiło dopiero po odstawieniu leku. *Pol. Tyg. Lek. 35, 1954.* **3.** *przen.* **o.** kogo od czego (np. od stanowiska, władzy): Jękiem rozpaczy ozwało się całe czynownictwo [...] nagle odstawione od władzy. *Ask. Uwagi 127.* **4. o.** co dokąd ⟨*odwieźć, odtransportować, dostarczyć coś do miejca przeznaczenia; dostarczyć do punktu skupu*⟩: Odstawił towar do spółdzielni. Do końca zmiany urobek był zawsze uprzątnięty, odstawiony do wagoników na chodniku. *Morc. Ptaki 223.* **5. o.** k o g o ⟨*zawieźć, zaprowadzić kogo gdzieś; doprowadzić siłą, pod eskortą*⟩: Uciekał także do wojsk Kościuszki, ale i stamtąd odstawiono go, jako małoletniego, do domu. *Sienk. Leg. 14.* **6.** *pot.* **o.** k o g o, c o ⟨*zagrać rolę, udać kogo, co*⟩: Wszystkich carów odstawiał Solski; szalenie lubił korony i gronostaje. *Warsz. młod. 227.* **7.** *pot.* **o.** robotę ⟨*wykonać*⟩: Fajno robotę odstawiliśmy, nie? *Kowalew. M. Kamp. 351.*

odstawka *pot.* iść, pójść; posłać, puścić w odstawkę (rus.) ⟨*zwolnić kogo z pracy, odsunąć od zajmowanego stanowiska, urzędu, pełnionych obowiązków; dostać dymisję; być niepotrzebnym; zostać zdyskwalifikowanym*⟩: On na Wielkanoc zostanie rotmistrzem, a potem może i służbę porzuci, ale pójdzie w „odstawkę" z mundurem. *Weys. Józ. Puszcza 94.*

odstąpić, odstępować 1. o. o d c z e g o ⟨*zaniechać czego, wycofać się z czego, wyrzec się czego*⟩: Odstąpić od zamiaru, od myśli zrobienia czego. **2. o.** od ceny ⟨*opuścić z ceny*⟩. **3. o.** (od) Kościoła, religii, wiary itp. ⟨*oderwać się od Kościoła, porzucić swoją religię, wiarę, przystać do nowego Kościoła, wiary; stać się odszczepieńcem*⟩: Plemię to słowiańskie wolało się raczej dać wytępić, niźli odstąpić od wiary przodków i chrzest przyjąć. *Berw. Pow. I, 156.* **4. o.** od umowy ⟨*wycofać się z umowy*⟩: Przy zawarciu umowy każda ze stron może sobie zastrzec prawo odstąpienia od umowy. *Kod. zobow. 27.* **5. o.** od wojny ⟨*zaniechać, zaprzestać*⟩: Mistrz pod Brodnicą ofiarował królowi korzystne dla Polski warunki, byle odstąpił od wojny. *Proch. Król I, 552.* **6. o.** k o g o ⟨*zostawić kogo samego, bez pomocy, oparcia*⟩: Przez cztery dni nic nie wziął do ust, lekarze go odstąpili, uważając śmierć za niechybną. *Chłęd. Odr. 271.* **7.** Nie odstępować kogo na chwilę, ani na chwilę ⟨*towarzyszyć komu stale, wszędzie, nie pozostawiając go samego ani na chwilę*⟩: Zygmunt August nie odstępował na chwilę umierającej. *Szajn. Szkice I, 220.* **8. o.** k o g o, c o k o m u ⟨*zrzec się na czyją korzyść; odprzedać*⟩: Uwiódł jakąś biedną dziewczynę, a gdy ją sobie sprzykrzył, odstąpił ją komu innemu. *Przybysz. Współ. II, 102.* Ojciec odstąpił mi szufladkę w swoim biurku, abym mogła tam przechowywać listy stryja. *Kow. A. Rogat. 122.* Odstępować komu bilet do teatru. **9.** Myśl o kim nie odstępuje kogo: Myśl o tobie nie odstępowała mię. *Słow. Listy I, 190.* **10.** Poczucie czego nie odstępuje kogo: Poczucie nieustannego ryzyka nie odstępowało Gustawa ani na krok. *Krzyw. I. Siew 331.* **11.** Szczęście nie odstępuje kogo: Zawdzięczał swoje powodzenie wielkiemu szczęściu, które go prawie nigdy nie odstępowało. *Chłęd. Odr. 224.*

odstęp 1. Duże, małe odstępy. **2.** odstępy między wierszami. **3.** odstępy między szeregami. **4. o.** czasu. **5.** W równych, jednakowych odstępach: Szli w czwórkę gęsiego, w równych od siebie odstęach. *Otw. Czas 5.* W równych odstępach czasu robić co).

odstępne 1. Płacić, zapłacić **o. 2.** Dać x zł odstępnego.

odstępować p. **odstąpić**

odstrzał *łow.* **o.** łowny ⟨*odstrzał w okresie maksymalnego rozwoju zwierzęcia*⟩; **o.** redukcyjny ⟨*mający na celu zmniejszenie ilości zwierzyny*⟩; **o.** selekcyjny ⟨*odstrzał chorych zwierząt*⟩.

odstukać, odstukiwać *pot.* **o.** c o, **o.** w nie malowane drzewo ⟨*stuknąć kilkakrotnie w co drewnianego, co jakoby ma zapobiec, według przesądnych, czemuś niepożądanemu, złemu; odpukać*⟩: Ja, gdyby mnie pytali, co nie daj Boże — odstukał trzy razy — będę milczał jak grób. *Pytl. Fund. 233.*

odsyłać p. **odesłać**

odszczekać, odszczekiwać 1. *pot.* **o.** k o m u ⟨*odpowiedzieć niegrzecznie, opryskliwie; odciąć się*⟩: Rozgniewał się i zaczął odszczekiwać. *Gomul. Ciury II, 37.* **2.** *hist.* dziś *posp.* **o.** oszczerstwo, potwarz, pozew itp. ⟨*odwołać oszczerstwo, potwarz itp.; dawniej: odwołać oszczerstwo przez powiedzenie odpowiedniej formułki spod ławy wobec sądu i poszkodowanego*⟩: Potwarca pod ławą jako pies potwarz odszczekał. *Chodź. Pisma III, 228.*

odszkodowanie 1. o. wojenne, **2. o.** c z e g o: Odszkodowanie strat. **3. o.** z a c o: Odszkodowanie za straty, za uszkodzony towar, za doznaną krzywdę. **4.** Otrzymać, wypłacić, zapłacić **o.**

odsznurować o. usta ⟨*przestać milczeć*⟩: Cóż, niemy posągu? Wszak słyszałaś, co mówił! Odsznurujże usta! *Zabł. Mężowie 22.*

odszpuntować o. antałek, beczkę ⟨*wyjąć szpunt z antałka, z beczki, otworzyć antałek, beczkę*⟩: Odszpuntował beczkę z piwem. *Prus Plac. 155.*

odśrodkowy 1. Ruch **o. 2.** *przen.* Dążenia, tendencje **o**-e: W społeczeństwie, które straciło zupełnie orientację polityczną [...] powstawały lub łatwo się szerzyły różne dążenia rozbieżne, odśrodkowe. *Popł. Pisma II, 424.*

odświeżać, odświeżyć 1. o. gardło ⟨*orzeźwiać*⟩: Jedli pachnące jabłka, soczyste pomidory i, odświeżywszy zeschnięte gardła, znowu śpiewali. *Rudn. H. Płom. 209.* **2. o.** meble ⟨*odrestaurowywać*⟩. **3. o.** pieczywo ⟨*przywracać świeżość*⟩. **4. o.** powietrze ⟨*zmieniać, zastępować zepsute powietrze świeżym*⟩: Chłopcy, fora z klasy! Trzeba odświeżyć powietrze. *Hertz B. Samow. 56.* **5. o.** ubranie, mundur ⟨*odnawiać, nadawać pozór świeżości*⟩: Telefonował, że przyjdzie, musi czekać na ubranie, które dał do odświeżenia. *Unił. Człow. 85.* **6. o.** twarz ⟨*orzeźwiać*⟩: Salvatora odeszło zmęczenie [...] Wiatr poranny odświeżał mu twarz. *Stryjk. Bieg 123.* **7.** *przen.* **o.** wspomnienia, stosunki: Pragnę tam zobaczyć dawnego kolegę z uniwersytetu i odświeżyć wspomnienia minionych dni. *Brand. K. Troja 131.* **8. o.** co w pamięci ⟨*przypominać sobie*⟩.

odtłuszczający Dieta, kuracja **o-a.** Przeprowadzić kurację odtłuszczającą.

odtrąbić *pot.* Robić co na odtrąbiono ⟨*byle jak*⟩.

odtrącać, odtrącić 1. o. kogo, co gwałtownie, silnie; **o.** kogo łokciami ⟨*odpychać*⟩: Łukasz odtrącił ją silnie, aż się na ścianę zatoczyła. *Orkan Pomór 132.* Kobiety wydzierały się, odtrącały mężczyzn łokciami, piszczały, ale dawały się prowadzić. *Stryjk. Bieg 280.* **2.** *przen.* **o.** kogo od siebie: Odtrącasz mnie od siebie dlatego, że utraciłem majątek. *Orzesz. Na dnie I, 36.* **3. o.** myśl: Z pogardą odtrącał myśli nasuwane mu przez próżność i ambicję. *Sewer Zyzma 254.* **4. o.** co (komu) z czego, na rachunek czego ⟨*odciągać, odejmować, odliczać*⟩: Z obu koncertów odtrąciwszy koszta, nie było 5-ciu tysięcy. *Chopin Wyb. 58.* Prawie wszystkim odtrącała jakieś sumy na rachunek lichwiarskich procentów. *Prus Lalka III, 165.*

odurzenie 1. Całkowite, tępe, zupełne **o.**; *przen.* miłosne, rozkoszne **o. 2.** Stan odurzenia. **3. o.** c z y m: odurzenie winem, narkotykami. **4.** Robić co jak w odurzeniu: Jak w odurzeniu leżał czas pewien, ociężały mu powieki, i zdawało mu się, że cała krew w nim stężała. *Wilk. P. Poran. II, 95.* **5.** Zapaść w **o.**: Po zastrzyknięciu morfiny, której dał sporą dozę, chora w jakiś czas potem uspokoiła się i zapadła w półsenne odurzenie. *Bał. Dziady 244.* **6.** Żyć w odurzeniu: Żył [...] w ciągłym odurzeniu, nieustannym pijaństwie bez wytrzeźwienia. *Krasz. Ulana 53.*

odwaga 1. Bezprzykładna, niesłychana, nieustraszona, szalona **o.**; **o.** posunięta do zuchwalstwa. **2. o.** c z e g o: Odwaga mówienia ludziom prawdy była jego wielką zaletą. *SPP.* **3. o.** d o c z e g o: Do tych rzeczy trzeba odwagi. *Dąbr. M. SPP.* **4. o.** w o b e c k o g o, c z e g o: Zabrakło mu wobec niego odwagi. *SPP.* **5.** Człowiek nieustraszonej odwagi. **6.** Przypływ odwagi. **7.** Z odwagą: a) ⟨*z brawurą*⟩: Z niesłychaną odwagą napadł obóz nieprzyjacielski. *SW*; b) ⟨*mężnie, z determinacją*⟩: Z odwagą przyjęła nieszczęście. **8.** Nie grzeszyć odwagą (nadmiarem odwagi): Wilk, choć silny i bezczelny, zażarty w potrzebie, nie grzeszy nadmiarem odwagi. *Dyak. Las 38.* **9.** Krzepić w kim odwagę. **10.** Mieć odwagę: Jest pewna odwaga w powiedzeniu: moja bezwzględna wina! — i kto tę odwagę ma, temu jeszcze coś zostało. *Sienk. Uzup. II, 106.* **11.** Mieć odwagę (co robić) ⟨*odważyć się, wykazać odwagę w realizacji czego*⟩: Ma odwagę przyznać się do wszystkiego, co zrobił. *Krzyż. J. Romans 161.* Nie mieć odwagi powiedzieć komu czego. **12.** Natchnąć kogo odwagą. **13.** Odebrać, odjąć stracić odwagę. **14.** Odznaczać się odwagą. **15.** Osłabić czyją odwagę. **16.** *daw.* Przyjąć co na swoją odwagę ⟨*przyjąć co na swoje ryzyko, na swoją odpowiedzialność*⟩: Odparcie batalionu [...] musiałem, chcąc nie chcąc, przyjąć na swoją odwagę i odpowiedzialność. *Sztyrm. Paliw. 237.* **17.** *przestarz.* Tchnąć w kogo odwagę a. komu w serce. **18.** Uzbroić się w odwagę. **19.** Wlać w czyje serce odwagę. **20.** Wziąć na odwagę. **21.** Zebrać odwagę: Zebrała wszystką odwagę, żeby przemóc opanowujące ją niezdecydowanie. *Olcha SPP.* **22.** Zebrać się, zdobyć się na odwagę. **23.** Odwagi! ⟨*zwrot wykrzyknikowy mający na celu podniesienie kogoś na duchu i dodanie sił do znoszenia przeciwności*⟩: Kiedy policjanci wprowadzili Jakuba, z ostatnich rzędów rozległ się głos: Odwagi, Gold! *Brand. K. Sams. 62.* **24. o.** wstępuje komu w serce, unosi (za daleko) kogo: Mówią, że gdzie bój krwawy, gdzie rzeź niebezpieczna, tam cię, panie, unosi odwaga zbyteczna. *Niemc. Różne 416.*

odwalać, odwalić 1. Odwalać drogę ⟨*oczyszczać, torować*⟩: Śnieg spadł nocą, łopatami trzeba było drogę odwalać. *Brand. K. Człow. 317.* **2. o.** gruz, kamień ⟨*odrzucać; odpychać*⟩; *przen.* **o.** kamień z serca ⟨*przynosić ulgę*⟩. **3.** *posp.* **o.** kilometry ⟨*przebywać*⟩: Przemykają się gęsiego, odwalają kilometry aż do białego dnia. *Żukr. Kraj. 208.* **4.** *posp.* **o.** robotę, sprawy ⟨*wykonywać coś z konieczności, na odczepnego, byle jak, aby prędzej, nie wkładając wysiłku*⟩: Poszedłem [...] do biura wcześniej. Chciałem odwalić wszystkie ważniejsze sprawy. *Rus. Ziemia 107.* **5. o.** skibę ⟨*odwracać*⟩: Lemiesz skibę odwala czarną, a oracz idzie i piosnkę śpiewa. *Konopn. Poezje I, 204.* **6. o.** c o — k o m u ⟨*odcinać, odrąbywać*⟩: Odwalił jednym zamachem łeb niedźwiedziowi. *Sienk. SPP.* **7.** *uczn.* **o.** c o — o d k o g o a. z k o g o, z c z e g o ⟨*ściągać, przepisywać od kogo co*⟩: W dziele tym Rogalski „odwala" z Salvandy'ego po prostu całe stronice, nigdzie go zresztą nie cytując. *Boy Mar. 238.* **8.** *posp.* **o.** k o g o ⟨*odtrącać kogo, odrzucać starającego się; odmawiać komu*⟩: Odwaliłaś oczywiście Fernanda. Dlatego, że jest bogaty, poczciwy i patrzy na wszystkie twoje wybryki przez palce. *Iwasz. J. Lato 40.* **9.** *posp.* Odwalać k o g o ⟨*udawać, naśladować, odstawiać kogo*⟩: A jak się toto kryje, jak świętego odwala! *Jaroch. Niemił. 209.* **10.** *wulg.* Odwalaj pan! ⟨*wynoś się, idź precz, już cię nie ma*⟩: Ale Ignaś zażegnał awanturę: Panie, my tu jesteśmy w swojej kompanii, odwalaj pan! *Goj. Dziew. II, 37.*

odwalać się, odwalić się *wulg.* **o. się** o d k o g o ⟨*zostawiać kogo w spokoju*⟩: I odwal się pan, pókim dobry, goście czekają. *Andrz. Popiół 168.* Jak się ode mnie nie odwalicie, to jak Boga kocham — odwinął rękę, zobaczyli, że ściska w niej duży kamień. *Żukr. Kraj. 196.*

odwalić p. **odwalać**

odwar o. ziół, z ziół ⟨*wyciąg (płyn) z gotowanych w wodzie ziół o właściwościach leczniczych*⟩: Przykładał różne maście na rany, pił odwar z ziół, sobie wiadomych. *Żer. Rzeka 151.*

odwet 1. o. z a c o: Odwet za doznane krzywdy, za klęskę. **2.** Na **o.**, w **o.**, odwetem ⟨*oddając wet za wet, w zamian*⟩: Zrobić komu na odwet. *SW.* W odwet za zamach na dwóch policjantów niemieckich [...] rozstrzelano 100 Polaków. *Lampe O nową 121.* Odpłacić komu odwetem. *SW.* **3.** Chęć, żądza odwetu.

odwiać, odwiewać o. ziarno ⟨*wiejąc oddzielić ziarno od plew*⟩.

odwieczerz *gw.* Na **o.**, po **o.** ⟨*pod wieczór, przed wieczorem*⟩: Trzeciego dnia po odwieczerz zbudziła się babka nagle z długiego majaczenia. *Zeg. Zmory 475.*

odwiedzać, odwiedzić 1. o. k o g o: Odwiedzać chorego, przyjaciół. **2. o.** jakie strony, okolicę itp. ⟨*wstępować, przybywać gdzie*⟩: Dawno już myślał, aby odwiedzić te strony. *Iwasz. J. Panny 9.* **3.** Odwiedzać teatry ⟨*bywać w teatrach*⟩: Mimo że odwiedzanie teatrów stało się prawie mrzonką, oboje moi rodzice, szczególnie zaś ojciec, gorliwie interesowali się życiem kulturalnym i artystycznym kraju. *Solski Wspom. I, 21.* **4.** *żart.* Odwiedzać knajpy, szynki.

odwiedziny 1. Być w odwiedzinach u kogo. **2.** Przyjechać, wybrać się w **o.** a. z odwiedzinami do kogo. **3.** Zapowiedzieć (swe) **o.**

odwieść, odwodzić 1. o. kogo, co na bok, na stronę ⟨*odprowadzić*⟩: Zamiast uderzyć włócznią w tarczę na znak alarmu, odwiódł Winicjusza na bok. *Sienk. Quo III, 172.* **2. o.** k o g o o d c z e g o ⟨*przekonać go, aby zaniechał czego; wyperswadować mu co*⟩: Im bardziej chciano go odwodzić od jakiegoś przedsięwzięcia, tym mocniej się zacinał. *Kub. Szkice I, 6.* Wszystkie usiłowania Jędrzeja, aby go odwieść od tego zamiaru, nie przyniosły żadnego skutku. *Kaczk. Grób II, 309.* Odwodzono ich od tego kroku. *Żer. SPP.* **3. o.** kurek ⟨*odciągnąć*⟩: Odwiódł kurek od strzelby i wszedł w gęstwinę. *Fiedl. A. Biz. 171.*

odwiewać p. **odwiać**

odwijany o. kołnierz, mankiet itp. ⟨*wykładany kołnierz, mankiet itp.*⟩: Miał [...] na sobie krótki żupan z odwijanymi połami, ze złotogłowiu. *Szajn. Szkice II, 123.*

odwilżyć, odwilżać *żart.* **o.** gardło ⟨*wypić jakiś napój, zwłaszcza alkoholowy*⟩: Dozorca [...] ciął sobie w karcięta z pachołami i gardło odwilżał. *Gomul. Mieszczka 101.*

odwlec, odwlekać 1. o. c o np. **o.** chwilę czego, odpowiedź, termin ⟨*przesunąć co w czasie, spowodować opóźnienie czego*⟩: Ty chciałbyś ślub przyśpieszyć, a Julia odwlec. *Święt. A. Nałęcze 33.*

przysł. **2.** Co się odwlecze, to nie uciecze.

odwłoka 1. *daw.* Bez odwłoki ⟨*nie zwlekając*⟩: Przychodź, o śliczna wiosno! przychodź bez odwłoki! *Zab. I/1, 1775, s. 185.* **2.** Pójść w odwłokę ⟨*opóźnić się, odwlec*⟩: Sprawa, leniwie prowadzona, poszła w odwłokę, i grabieżcy przy zabranych gruntach utrzymali się. *Gomul. Hist. ulic 49.* **3.** Puścić, puszczać w odwłokę ⟨*zgodzić się, by sprawa się odwlokła, spowodować zwłokę*⟩: Wtedy ta rozumna i wszystko przewidująca kobieta [...] tę sprawę puściła w odwłokę. *Kaczk. Olbracht. II, 4.*

odwodowy *wojsk.* **o.** hufiec, **o-a** jazda, **o-a** kompania itp. ⟨*zapasowy(-a), rezerwowy(-a)*⟩: Rozwidniło się i gwizdki oficerów zaczęły budzić śpiących w kartoflisku piechurów odwodowej kompanii. *Ziel. S. Świt. 7.*

odwodzić p. **odwieść**

odwołać, odwoływać 1. o. kogo na bok, na stronę ⟨*wziąć na stronę*⟩: Odwoławszy Szczepana na bok, począł mu szeptać coś długo na ucho. *Pięt. Młod. 125.* **2.** *przen.* Odwołuje co kogoś: Ważne powody odwołują mnie na pewien czas do domu. *Sienk. Dram. 101.* **3. o.** kogo ze stanowiska ⟨*zwolnić; wezwać do powrotu (zwłaszcza o przedstawicielu dyplomatycznym)*⟩: Po kilku dniach kierownika rozbiórki odwołano ze stanowiska. *Pytl. Listy 54.* **o.** konsula, urzędnika, posła, przedstawiciela, wysłannika itp. **4. o.** c o np. **o.** obietnicę, posiedzenie, przedstawienie, rozkaz, sesję, testament, wykład, wyrok ⟨*cofnąć; odroczyć, zawiesić, wstrzymać, przełożyć na inny termin, odłożyć*⟩. **5. o.** zeznania, łgarstwo, potwarz ⟨*cofnąć; odszczekać*⟩.

odwołać się, odwoływać się 1. o. się d o k o g o, d o c z e g o, *daw.* n a c o ⟨*zwrócić się do kogo, czego jako do rozjemcy, wyższej instancji*⟩: Towarzystwo ma w ustawie prawo odwoływania się do ogółu. *Sienk. Uzup. II, 14.* W knajpie odwoływano się do niego, jako do powagi sięgającej gruntu rzeczy. *Dygas. Warsz. 221.* Ci, którzy się na dawne czasy odwołują, śmieją twierdzić niebacznie, iż ojcowie nasi odstręczali od nauk płeć niewieścią. *Kras. Podstoli 52.* **2. o. się** d o c z e g o, do czyjej pomocy ⟨*zwrócić się o instrukcje, pomoc, wsparcie itp.*⟩: Odwołać się do czyjego uczucia, rozumu, szlachetności itp. Wreszcie Calonne nie miał od kogo już pożyczać. Musiano więc odwołać się do pomocy notablów. *Lim. Społ. XVIII, 108.*

odwołanie 1. Aż do odwołania (robić co): Politykę zagraniczną, aż do odwołania ja prowadzę. Pozwól, że nie przyjmę twojej sugestii. *Putr. Wrzes. 186.* **2. o.** o d c z e g o: Odwołanie od orzeczenia, od wyroku. **3.** Wnieść, złożyć **o.**

odwoływać p. **odwołać**

odwoływać się p. **odwołać się**

odwód 1. Mieć w odwodzie kogo (co) ⟨*dysponować kim, czym jako rezerwą*⟩: U wyjścia z lasu Wołosi jeszcze raz próbowali nam drogę zastąpić, a nad Prutem zebrali się wraz z szeklerami i mając Tatarów w odwodzie, bitwę nam dali. *Kaczk. Olbracht. III, 11*; *przen.* Mieć w odwodzie poważne argumenty. **2.** Stać w odwodzie: Nasz postój w pierwszej linii był co najmniej dwukrotnie dłuższy niż pułków niepolskich, choć w odwodzie staliśmy równie długo jak oni. *Prusz. Trzyn. 124.* **3.** Stać odwodem, *daw.* na odwodzie: Krzyżactwo, długiej niecierpliwe bitwy, na wierzchu góry stojący odwodem ostatni hufiec pędzą w środek Litwy. *Mick. Graż. 36.* Goworek, wojewoda sandomierski, stał na odwodzie dla posiłków. *Narusz. Hist. III, 88.*

odwracać, odwrócić 1. o. c o o d k o g o, c z e g o; d o k o g o, c z e g o; z a k i m, z a c z y m: Poruszyła się niespokojnie i odwróciła nieco twarz od niego. *Prus SPP.* Było w niej coś, co przyciągało spojrzenia kobiet, a mężczyznom kazało odwracać za nią głowy. *Żuł. Rzeka 49.* **2.** *przen.* **o.** oczy od czego; nie **o.** oczu od czego ⟨*nie chcieć czego widzieć, nie chcieć zajmować się czym; zwracać na co uwagę, zajmować się czym*⟩: Pochłonięty wielką polityką zewnętrzną i olbrzymimi planami wojen, Batory nie odwracał oczu od stanu wewnętrznego kraju. *Śliw. A. Bat 207.* **3. o.** oblicze od kogo ⟨*nie sprzyjać komu, nie popierać kogo*⟩: Nareszcie fortuna wojenna zaczęła odwracać swe oblicze od stronników Leszczyńskiego. *Tyg. Ilustr. 49, 1900.* **4. o.** (od kogo, czego) nieszczęścia, niebezpieczeństwa ⟨*zażegnywać*⟩: Politykiem był [Łokietek] słabym, nie umiał przewidywać, nie zdołał odwrócić od siebie i państwa nieszczęścia. *Zachor. Dzieje 409.* **5. o.** co (na drugą stronę) ⟨*przekręcać, przewracać*⟩: odwracać siano na drugą stronę. **o.** co do góry nogami, również *przen.* ⟨*zupełnie przeinaczać*⟩.

odwracać się, odwrócić się 1. o. się (c z y m) d o k o g o, d o c z e g o; o d k o g o, o d c z e g o: Odwróciła się plecami do komina. *Prus SPP.* **2. o. się** (do kogo) bokiem, przodem, tyłem: Odwracał się bokiem chcąc iść; lecz go wstrzymała Telimena okiem i twarzą, jak Meduzy głową. *Mick. Tad. 227.* **3. o. się** na bok: Dwie noce z rzędu spędzone w wagonie zmogły go, odwrócił się na drugi bok i zasnął mocno. *Iwasz. J. Nowele 67.* **4.** *przen.* **o. się** o d k o g o, c z e g o ⟨*zrażać się do kogo, czego; odstępować, opuszczać kogo, co; zrywać z kim; odsuwać się od kogo, czego*⟩: Położenie wojenne zdecydowało o tym, że wreszcie ten odłam rycerstwa krakowskiego, który zwalczał Leszka i Henryka, odwrócił się od Łokietka. *Zachor. Dzieje 345.* Odwracając się [...] od swego świata, odwracali się od świata w ogóle. *Jackiew. Wiosna 63.* **5.** *książk.* Serce czyje odwróciło się od kogo ⟨*ktoś stracił uczucie, sympatię dla kogo*⟩: Wszystkie serca odwróciły się były od Radziwiłła. *Sienk. SW.*

odwrotnie o. proporcjonalny ⟨*o stosunku, którego składniki mają się względem siebie przeciwnie*⟩: Objętość gazu jest odwrotnie proporcjonalna do ciśnienia wywieranego na gaz. *Pleś. Chem. 81.*

odwrotny 1. *przestarz.* Droga **o-a** ⟨*powrotna*⟩: Nic w drodze odwrotnej do Struhy nie zaszło, zwróciłi tylko jej uwagę pastuszkowie wiejscy, ukazujący się, to znikający w lesie. *Zal. Br. Litw. 123.* **2.** *mat.* Działanie **o-e** ⟨*odejmowanie, dzielenie, pierwiastkowanie lub logarytmowanie rozpatrywane w stosunku do dodawania, mnożenia i potęgowania*⟩. **3.** Odwrotną pocztą ⟨*przez tę pocztę, która zaraz powraca; szybko, natychmiast*⟩: Proszę o wykonanie mego zamówienia możliwie odwrotną pocztą. *Śred. Koresp. 70.* Odwrotną pocztą nadeszła polecona karta od Obtulskiego. *Perz. Las 204.* **4. o.** skutek ⟨*przeciwny temu, co się przewidywało, zamierzało*⟩: Jednakże to doświadczenie, na razie przynajmniej, odniosło wręcz odwrotny skutek. *Perz. Uczn. 186.* **5. o-a** strona czego: Odwrotna strona materiału. Protest powinien być spisany na odwrotnej stronie weksla lub na osobnej karcie połączonej z wekslem. *Jancz. Prawo 453.*

odwrócić p. **odwracać**

odwrócić się p. **odwracać się**

odwrót 1. Planowy **o.** ⟨*wycofywanie się wojska*⟩. **2. o.** c z e g o: Odwrót armii, oddziału. **3.** Na odwrocie czego ⟨*na odwrotnej stronie*⟩: Podać adres na odwrocie koperty. **4.** Na **o.**: a) ⟨*z odwrotnej strony, odwrotnie, na wspak*⟩: Czytać na odwrót; b) ⟨*na wywrót, na lewą stronę*⟩: Wdziać, włożyć co (np. sweter) na odwrót; c) ⟨*odwrotnie, przeciwnie*⟩: Nie był pewien, czy oni mu pomogą wyciągnąć Michasię ze sklepu, czy też ją na odwrót jeszcze dłużej tu zatrzymają. *Dąbr. M. Noce II, 104.* **5.** (Być) w odwrocie ⟨*cofać się*⟩: Na tym wzgórzu kierdel owiec zbity, stłoczony, zastrachany, na miejscu drepcący pomylonymi kopytkami — pasterze w ucieczce, w odwrocie. *Zeg. Uśm. 280.* **6.** Dać rozkaz, hasło do odwrotu ⟨*do wycofania się*⟩. **7.** Trąbić do odwrotu a. na **o. 8.** Nakazać; przeciąć (komu) **o.**: Rozłucki wysunął się z załamania muru i przeciął im odwrót. *Żer. Uroda 302.* **9.** Osłaniać, zasłaniać czyj **o.** **10.** Zabezpieczyć; zamknąć sobie **o.** **11.** Zmusić kogo do odwrotu. **12.** *przen.* **o.** (od czego) następuje: Po roku 1890 następuje w literaturze polskiej odwrót od metody realistycznej. *Jakub. Lit. XI/1, 20.*

odwyrtka *gw.* Na odwyrtkę ⟨*na odwrót, na zmianę, na przemian*⟩: W nocy burza, w dzień ulewa i tak na odwyrtkę. *New. Archip. 49.*

odymać (się) p. **odąć (się)**

odzew *książk.* **1.** Głuchy, uporczywy **o.** **2.** *przen.* żywy **o.**: Powstanie 1794 r. na Śląsku — to żywy odzew polskiego ludu śląskiego na insureckję kościuszkowską. *Nowe Drogi 7, 1953, s. 101.* **3.** Dawać **o.**, odpowiadać na **o.**: Dziewczyna ponowiła wołanie, a konie dawały odzew coraz głośniejszym, coraz bliższym rżeniem. *Pol Obrazy I, 225.* Wystrzelił z obu luf i znowu zadął. Tym razem mnogie głosy odpowiedziały na odzew. *Choj. Alkh. IV, 73.* **4.** *przen.* Budzić **o.**: Urodzonym komikiem okazał się młody aktor p. Kurnakowicz, którego każde niemal otworzenie ust budziło odzew śmiechu. *Boy Flirt VI, 154.* **5.** Znajdować, znaleźć **o.** ⟨*życzliwe przyjęcie, zrozumienie*⟩: Hasło odbudowy stolicy znalazło odzew w całym kraju.

odziany *łow.* **o.** ptak, **o-e** zwierzę ⟨*ptak mający upierzenie, zwierzę pokryte futrem*⟩: O ptaku z piękną suknią mówimy, że jest ubrany (np. zimorodek jest ubrany lub odziany). *Hop. Jęz. 87.* Byliśmy w puszczy na początku jesieni, kiedy żubr niezupełnie jeszcze odziany. *Tyg. Ilustr. 202, 1863.*

odzienie **1.** **o.** letnie, zimowe; świąteczne; wierzchnie; spłowiałe, znoszone, zszarzane. **2.** *przestarz.* **o.** klasztorne ⟨*habit*⟩.
przysł. **3.** Jakie odzienie, takie uczczenie. *por.* Jak cię widzą, tak cię piszą. **4.** Odzienie nie dla mody, ale dla wygody.

odzierać p. **odrzeć**

odzież **1.** **o.** ciepła zimowa. **2.** **o.** ciężka ⟨*futra, palta, jesionki, płaszcze, ubrania męskie, kostiumy damskie i inne wierzchnie okrycia*⟩. **3.** **o.** codzienna, odświętna, świąteczna. **4.** **o.** lekka ⟨*wszelka bielizna osobista damska i męska, letnie suknie damskie i ubiory letnie dziecięce*⟩. **5.** Licha, znoszona **o.** **6.** **o.** ochronna, robocza. **7.** **o.** służbowa ⟨*uniform*⟩. **8.** Wierzchnia **o.** **9.** **o.** więzienna. **10.** **o.** zakonna. **11.** **o.** żałobna. **12.** Nosić **o.**

odznaczać, odznaczyć **1.** **o.** c o ⟨*oznaczać, zaznaczać*⟩: **o.** co na papierze, na mapie. Odznaczyli sobie przy końcu zagonów miejsca na altanki. *Goj. Dzień 160.* **2.** **o.** c o o d c z e g o ⟨*znacząc oddzielać*⟩: Ziemia, jak oko sięgało, pokrajana była w zagony, a te pasy podłużne, gdzieniegdzie zygzakowate, biegły w różnych kierunkach, odznaczając jedno pole od drugiego. *Gomul. Kajet 11.* **3.** Odznaczyć k o g o — z a c o — c z y m ⟨*wyróżnić (w formie odznaczenia, medalu, krzyża itp.)*⟩: Trzykrotnie raniony we Francji, dwukrotnie odznaczony za dzielność bojową, skończył wojnę jako kapitan. *Fiedl. A. Biz. 242.* W r. 1952 [...] Umiński odznaczony został Krzyżem Odrodzenia Polski. *Twórcz. 8/1953, s. 168.*

odznaczać się, odznaczyć się **1.** Odznaczać się c z y m ⟨*wykazywać pewne cechy, wyróżniać się czym*⟩: Odznaczać się urodą, zdolnościami, zaletami charakteru. **2.** Odznaczyć się czym (na jakimś polu, w jakiejś dziedzinie) ⟨*dać się poznać, wyróżnić się, wsławić się*⟩: Odznaczyć się męstwem (na polu bitwy, na wojnie). Odznaczyć się na polu naukowym. *SW.*

odznaczenie **1.** Wysokie **o.** wojskowe, państwowe: Walczył pod Lenino i wyniósł stamtąd dwie rany oraz wysokie odznaczenie wojskowe. *Meis. Sześciu. 134.* **2.** Dostać, otrzymać, zdobyć **o.**: Dzieła Berenta i Dąbrowskiej zyskały wielkie uznanie krytyki i zdobyły [...] najwyższe odznaczenie: państwową nagrodę literacką. *Rocz. Lit. 1934, s. 88.* **3.** Wręczyć komu **o.** **4.** Ukończyć szkołę z odznaczeniem.

odznaczyć p. **odznaczać**

odznaczyć się p. **odznaczać się**

odznaka **1.** **o.** honorowa, lotnicza, sportowa, turystyczna. **2.** **O.** Przodownika Pracy. **3.** Złota **O.** Szybowcowa: Poza czterema Polakami, zdobyli Złote Odznaki Szybowcowe z trzema Diamentami również: trzej Francuzi, jeden Szwajcar i jeden Anglik. *Skrzydl. Pol. I, 1956.* **4.** **o.** z a c o np. **o.** za osiągnięcia (na jakimś polu), za zasługi, za (długoletnią, sumienną) pracę. **5.** Nosić odznakę. **6.** Przyznać komu odznakę.

odzwierciedlenie *książk.* Coś jest odzwierciedleniem czego ⟨*odbiciem, przedstawieniem, obrazem*⟩: Pisma Reja są doskonałym odzwierciedleniem obyczajów szlachty polskiej, i to właśnie nadaje im niepospolitą wartość. *Chrzan. I, Lit. 76.*

odzyskać, odzyskiwać **1.** **o.** c o ⟨*przyjść znowu do czego, pozyskać na powrót*⟩. **o.** przytomność, siły, spokój, sprawność umysłową, zdrowie; stanowisko; wolność, niepodległość. **2.** **o.** c o — o d k o g o, o d c z e g o (nie: na kim, na czym): Odzyskać od Krzyżaków [nie: na Krzyżakach] zagrabione przez nich ziemie polskie. *SPP.*

odzywać się p. **odezwać się**

odżałować **1.** **o.** c o ⟨*przeboleć*⟩: Odżałował już tę stratę. *SPP.* **2.** **o.** c z e g o ⟨*bez żalu dać czego na co, nie pożałować czego na co; nie szczędzić*⟩: Lepiej więc raz na taki wydatek pieniędzy odżałować, niżeli na insze zbytki. *Kras. Podstoli 144.* **3.** *daw.* **o.** k o g o ⟨*odbyć żałobę, opłakać*⟩: Bohuna odżałowała już dawno, a teraz wszystko składało się tak dzięki hojności namiestnika, że Rozłogi [...] mogła już uważać za swoje i swoich synów. *Sienk. Ogn. I, 111.* **4.** Nie móc **o.**, że... ⟨*nie móc przeboleć, że...*⟩: Miał zamiar poświęcić się karierze artystycznej, i odżałować nie mógł, że się tak nie stało. *Perz. Raz. 304.*

odżegnać, odżegnywać **1.** **o.** czarta, duchy, zmory ⟨*w wierzeniach ludowych: znakiem krzyża lub jakimś zaklęciem odwrócić działanie czarta, złych duchów, zmor itp., oddalić, odegnać czarta, duchy, zmory itp.*⟩: Precz potem odżegnano duchy czarne, uroki i złe wszelkie od niego. *Krasz. Baśń 243.* **2.** *przestarz.* **o.** klęski ⟨*zażegnać klęski*⟩: W czasie rewolucji 1868 r. posłany był w charakterze gubernatora do

Katalonii, dla odżegnania tamże klęsk idących z burzą. *Poręb. Studia 203.* **3.** *przestarz.* **o.** rokosz ⟨*zażegnać rokosz*⟩: Sejm 1607 roku miał być wyjątkowo ważny [...] Odżegnać miał zwłaszcza rokosz. *Gomul. Miecz I, 40.*

odżegnać się, odżegnywać się o. się o d k o g o, c z e g o: a) ⟨*z jakichś powodów (zwykle moralnych) wyrzec się kogo lub czego; wyprzeć się jakichś związków z kim lub czym*⟩: O niczym nie chciała wiedzieć, odżegnywała się od wszystkiego. *Morc. Ptaki 23.* Pochodziła z rodziny bogatych fabrykantów, ale odżegnywała się od niej. *Twórcz. 4, 1953, s. 132*; b) *przestarz.* ⟨*uwolnić się od kogo lub czego; opędzić się*⟩: Rzadkie licho — i staremu nieraz w głowie zakręci. Piękna, że odżegnać się od niej nie można. *Święt. A. Obraz. II, 138.* Kto przeczyta książkę Pańską [...] nie potrafi się odżegnać od uczucia zgrozy. *Sienk. Uzup. II, 146.*

odżegnywać p. **odżegnać**

odżywianie 1. Dobre, złe **o.** **2.** Sztuczne **o.** ⟨*za pomocą zgłębnika, przetoki żołądkowej itp. wlewanie dożylne lub do odbytnicy odpowiednich substancji odżywczych*⟩.

ofensywa 1. o. powietrzna. **2. o.** c z e g o np. **o.** armii, wojsk pancernych; *przen.* **o.** faszyzmu, kapitalizmu. Bardzo specyficzny na Śląsku rozwój stosunków gospodarczych w okresie kapitalizmu, nieodłącznie związany z agresywną ofensywą pruskiej Hakaty, rozbudził i ubojowił świadomość klasową i narodową ludu śląskiego. *Nowe Drogi 7, 1955, s. 101.* **3. o.** n a c o np. **o.** na jakiś kraj, na jakieś miasto; *przen. sport.* **o.** na bramkę przeciwnika. **4.** *sport.* Być w ofensywie: Drużyna „Górnika" była często w ofensywie. *Sport 2, 1954.* **5.** Przejść do ofensywy: Chińska armia ludowa przeszła do ofensywy. *Pokój 45.* **6.** Rozpocząć ofensywę: Rosjanie na szerokim froncie rozpoczęli ofensywę. *Brand. K. Antyg. 353.* **7. o.** rusza, rozwija się, załamuje się, trwa: W styczniu roku 1945 ruszyła ofensywa. *Meis. Warsz. 16.*

oferta 1. Korzystna **o.** **2.** *daw.* **o.** kościelna ⟨*ofiara kościelna*⟩. **3. o.** n a c o: Oferta na budowę mostu, na dostawy dla wojska, na urządzenie kina. **4.** Napisać, przyjąć, składać, złożyć ofertę: Niech zaraz jutro obaj spólnicy napiszą ofertę, bo pojutrze najdalej trzeba będzie zacząć wykopy. *Brzoza Bud. 24.* Potrzebują podobno bufetowych na dworcach, jutro składam ofertę. *Brand. K. Obyw. 259.* **5.** *żart.* Przedłożyć (kobiecie) ofertę współżycia ⟨*wystąpić z propozycją małżeństwa*⟩: Małżeństwo za spółkę handlową uważał, przeto, rozważywszy warunki, przedłożył panience ofertę współżycia. *Bartk. Opow. 166.* **6.** *daw.* Przyrzekać ofertę ⟨*przyrzekać dar, ofiarę na cele kultowe*⟩: Ofertę z gromnicy przyrzeka farze i obrazek nowy. *Bork. L. Cymb. 20.*

ofiara 1. o. błagalna, dziękczynna; całopalna, krwawa ⟨*rzecz (w dawnych wiekach osoba) ofiarowana bóstwu; obiata*⟩. **2. o.** święta ⟨*msza*⟩. **3. o.** c z e g o a. z c z e g o ⟨*dar*⟩: Składam ci ofiarę z serca swojego. *SPP.* **4.** *kult.* **o.** chleba i wina ⟨*w religii chrześcijańskiej: Sakrament ciała i krwi Chrystusa*⟩. **5. o.** c z e g o np. **o.** intrygi, nieostrożności, wypadku, zabobonu, żywiołu ⟨*osoba stająca się pastwą czego, bezbronna wobec czego, najczęściej wobec przemocy, kataklizmu itp.*⟩. **6. o.** n a c o ⟨*datek, dar*⟩: Ofiara na powodzian, na budowę szkół; na kościół, na cel społeczny. **7.** Ofiary w ludziach: Katastrofa kolejowa pociągnęła mnóstwo ofiar w ludziach. *SPW.* **8.** *posp.* **o.** jedna, **o.** losu, ⟨*safanduła, ślamazara, niezdara, niedorajda, fajtłapa, oferma*⟩. **9.** Brać ofiarę po ofierze ⟨*zabijać; powodować śmierć czyją, pozbawiać kogo życia*⟩: Głód w puszczy począł królować, śmierć brała ofiarę po ofierze z leśnych ostępów. *Ejs. Pusz. 35.* **10.** *przen.* Da(wa)ć głowę w ofierze ⟨*ponieść, ponosić śmierć*⟩: W jasyrze tureckim najpiękniejsze lata trawią, głowę za kraj dają w ofierze. *Rol. Nowe 91.* **11.** Ktoś jest gotowy do ofiar ⟨*do poświęceń; do świadczeń pieniężnych*⟩: Naród jest gotów do ofiar, pieniędzy nikt nie żałuje... *Żukr. Dni 41.* **12.** Nieść, składać ofiary (bogom): W obrzędach swoich nieśli oni bogom całopalenia i krwawe ofiary. *Pol Obrazy I, 141.* **13.** Nieść, ponieść, złożyć co w ofierze ⟨*poświęcać, poświęcić; ofiarować komu co*⟩: Zerwał ze zdrajcami, spalił za sobą mosty, chciał teraz służyć ojczyźnie, ponieść jej w ofierze siły, zdrowie, gardło. *Sienk. Pot. III, 35.* Jeżeli potrafię złożyć całe swoje życie w ofierze słusznej sprawie, to chyba okaże się, że mam serce. *Krzyw. I. Bunt. 11.* **14.** Okupywać, okupić co ofiarami. Okupić niepodległość największymi ofiarami. **15.** Paść ofiarą (czego) ⟨*stać się pastwą czego*⟩: Skaliste urwiska tatrzańskie prawie co roku są niemymi świadkami katastrof, których ofiarą padają taternicy i to nieraz najwybitniejsi spośród nich. *Żuł. W. Trag. 10.* Padł ofiarą swego zawodu. *Przybysz. SPP.* **16.** Ponieść, ponosić ofiary ⟨*straty*⟩. **17.** Przyjąć ofiarę ⟨*przyjąć wsparcie*⟩: Byłbym bogaty, gdybym ofiary przyjmował, które mi proponowano. *Lel. Listy II, 49.* **18.** Przynosić co w ofierze ⟨*w darze*⟩: Żebrak wam piosnkę przynosi w ofierze. *Mick. SW.* **19.** *pot.* Robić z siebie ofiarę ⟨*nieszczęśnika*⟩: Nie rób z siebie ofiary. **20.** Rzucić się na swą ofiarę; upatrzyć sobie w kimś ofiarę ⟨*(na) istotę słabszą, będącą celem ataku*⟩. **21.** Składać hojne ofiary ⟨*datki, świadczenia*⟩: Składano hojne ofiary na wojsko i wojnę. *Brück. Kult. III, 188.* **22.** Składać co na ofiarę lub w ofierze ⟨*ofiarować co*⟩: U starożytnych Greków młodzieńcy wstępując w wiek męski, udawali się do sławnej świątyni Apollina w Delfach i tamże ostrzygłszy sobie przodek głowy [...] włosy składali na ofiarę bóstwu. *Mac. Pam. I, 219.* **23.** Spełnić, uczynić z siebie ofiarę ⟨*poświęcić się*⟩. **24.** *pot.* Stać, zachowywać się jak **o.** ⟨*jak skazaniec, jak delikwent*⟩. **25.** Stać się czyją ofiarą ⟨*pastwą*⟩: Mimo spokojnego temperamentu, uczciwych zasad, przywiązania do męża i dziecka stała się dobrowolną ofiarą uwodziciela. *Święt. A. Piękna 102.* **26.** Zbierać ofiary ⟨*dary*⟩: Utworzył się komitet dla zbiórki ciepłej odzieży i po mieszkaniach chodziły panie zbierające ofiary w naturze i w pieniądzach. *Hulka Żyrar. 204.* **27.** Zrobić dla kogo ofiarę z czego ⟨*poświęcić co dla kogo*⟩: Starosta był człowiekiem honoru, szacował i miłował szczerze brata, umiał być mu wdzięcznym, i bez wahania zrobiłby dla niego ofiarę z życia i majątku. *Rzew. H. Listop. I, 281.* **28.** Ofiary posypały się ⟨*datki, dary*⟩. **29.** Życie jest pasmem ofiar ⟨*wyrzeczeń, poświęceń*⟩: Opowiedziała mi swoje życie. Jest ono jednym pasmem ofiar, poświęceń i tytanicznej, zdumiewającej pracy. *Gomul. Obraz. 141.*

ofiarność 1. Chwalebna **o.**; **o.** publiczna: W ofiarności publicznej mały brał udział i miał opinię zimnego dusigrosza. *Prus Dzieci 8.* **2. o.** społeczeństwa; **o.** Warszawy. **3. o.** n a c o: Ofiarność na cele społeczne. **4.** Korzystać z ofiarności czyjej. **5.** Odwoływać się do czyjej ofiarności.

ofiarować, ofiarowywać 1. o. c o k o m u, c z e m u a. d l a k o g o ⟨*złożyć w darze, podarować*⟩: Był kutwą niezdolnym do ofiarowania szeląga biedakowi. *Par. Alch. 78.* Zbiory swoje dawnych monet ofiarował Muzeum Narodowemu. Czerwony Krzyż ofiarował odzież dla powodzian. **2. o.** cierpienie, stratę Bogu ⟨*złożyć w ofierze, poświęcić*⟩. **3. o.** komu swe dzieło ⟨*poświęcić, przypisać, dedykować*⟩. **4. o.** k o m u — c o np. **o.** komu koronę, pożyczkę; przyjaźń, stanowisko, swe usługi, swoje pośrednictwo ⟨*zaproponować*⟩. **5. o.** co na rzecz czego, na co ⟨*przeznaczyć*⟩: Ofiarował na rzecz stowarzyszenia bibliotekę dzieł popularnych. *Bał. Dziady 168.* [Modrzejewska] cały dochód ze swoich poznańskich występów [...] ofiarowała na budowę teatru. *Solski Wspom. I, 168.* **6. o.** komu co na imieniny ⟨*dać, podarować*⟩. **7. o.** c o — z a c o: a) ⟨*złożyć w ofierze, gdy się wymienia intencję ofiary*⟩: Ofiarował to wszystko za swoje dawne przewinienia. *SPP*; b) ⟨*przeznaczyć, deklarować*⟩: Pełnomocnicy kilku wielkich dzienników paryskich ofiarowywali znaczne sumy za prowadzenie stałego felietonu. *Par. SPP.* **8. o.** cenę za towar ⟨*zaproponować*⟩. **9. o.** życie za kogo ⟨*położyć, oddać*⟩.

ofiarować się, ofiarowywać się 1. o. się (co zrobić): a) ⟨*oświadczyć się z gotowością do czego*⟩: Z rycerską galanterią ofiarowaliśmy się spełnić życzenie płci słabej i pięknej. *Orzesz. Bieguny 11*; b) ⟨*ślubować co*⟩: Na intencję wyzdrowienia ofiarowałem się iść pieszo do Częstochowskiej. *Reym. Fron. 223.* **2. o. się** k o m u — z c z y m np. **o. się** komu z pomocą, z pożyczką, z usługami ⟨*wyrazić gotowość uczynienia czego, przyjścia z pomocą itp.*⟩. **3. o. się** za ojczyznę, za kraj ⟨*poświęcić się, oddać się na zgubę*⟩.

oficer 1. o. służbowy. **2. o.** łącznikowy, sztabowy, wachtowy. **3. o.** nawigacyjny. **4. o.** policyjny. **5. o.** rezerwy ⟨*przeniesiony do rezerwy*⟩. **6. o.** zawodowy ⟨*pełniący służbę zawodowo*⟩. **7. o.** Wojska Polskiego, Milicji Obywatelskiej, Straży Ogniowej. **8. o.** lotnictwa, łączności itp. **9.** Otrzymać awans (awansować) na oficera; zostać oficerem.

oficerki *pot.* Buty-**o.**: Na ganku ukazał się młody chłop, ubrany w zgrabny kożuszek kryty zielonym suknem i w buty-oficerki. *Brand. M. Pocz. 34.*

oficerski 1. o-a czapka, **o.** mundur. **2.** Dystynkcje, oznaki **o-e**. **3.** Kasyno **o-e** ⟨*przeznaczone dla oficerów*⟩. **4.** Ranga, szarża **o-a**. **5.** Szkoła **o-a** ⟨*kształcąca oficerów*⟩: Po odsłużeniu służby czynnej postanowił pójść do szkoły oficerskiej dla podoficerów. *Rudn. A. Żołn. 117.* **6.** Dać słowo **o-e**: Daję słowo oficerskie, że będę o tym milczał, co powiesz, że nie zrobię z wiadomości udzielonej żadnego użytku. *Żer. Sułk. 97.* **7.** Zdobyć szlify **o-e** ⟨*otrzymać awans na oficera*⟩: Po dwudziestu latach służby w warowni kamienieckiej zdobył sobie szlify oficerskie. *Rol Nowe 131.* **8.** *przestarz.* Po oficersku ⟨*jak na oficera przystało*⟩: Sprawić się po oficersku. *SW.*

oficjalnie 1. Być z kim **o.** ⟨*w poprawnych, urzędowych, niezażywnych, niepoufałych stosunkach*⟩: Z matką... staraj się być jak najbardziej oficjalnie. Matka to lubi. *Krzyw. I. Bunt 137.* **2.** Przyjąć kogo, traktować kogo **o.** ⟨*uprzejmie, ale niezbyt przychylnie*⟩: Najstarszy czeladnik [...] przyjął go dość chmurnie i oficjalnie. *Korz. J. Krewni 261.* **3.** Zatwierdzić kogo, co; znieść co **o.** ⟨*urzędowo*⟩: Został oficjalnie zatwierdzony na swoim dawnym stanowisku profesora zwyczajnego literatury porównawczej. *Jackiew. Wiosna 107.* Otrzęsiny, aczkolwiek zgodne z duchem czasu, były barbarzyńskim błazeństwem [...] nasz uniwersytet pierwszy je uznał za takie i zniósł oficjalnie. *Ptaś. Żak. 109.*

oficjalny 1. o-a część uroczystości ⟨*część uroczystości, w której np. wygłasza się okolicznościowe przemówienia, dekoruje odznaczeniami itp.*⟩: Odegranie hymnu górniczego rozpoczęło oficjalną część uroczystości. *Gaz. Rob. 288, 1954.* **2.** Człowiek **o.** ⟨*sprawujący urząd, będący na urzędzie, występujący urzędowo*⟩: W oczach ludzi oficjalnych szkodziło mu jego prostota wzięcia, jego nieład życiowy, jego wieczna cyganeria, jego długi. *Boy Balz. 75.* **3.** Figury, sfery **o-e**; świat **o.** ⟨*osobistości urzędowe*⟩: O dziewiątej rano przybywać poczęły oficjalne figury, a o dziesiątej ukazały się pierwsze powozy, wiozące wysokich gości, którzy mieli być widzami tej uroczystości. *Rosen Wspom. 186.* **4. o.** komunikat; **o-a** relacja; **o-e** sprawozdanie ⟨*urzędowy(-a, -e)*⟩: W porównaniu z suchymi notatkami kronikarzy czy oficjalną relacją protokołów sądowych materiał etnograficzny zaczerpnięty z literatury pięknej jest obszerny, barwny, daleko bardziej wszechstronny. *Bystr. Ludozn. 72.* **5. o.** symbol państwa ⟨*urzędowy*⟩: Godła państwowe są oficjalnym symbolem państwa. *Rozmar. Prawo 242.* **6.** Być oficjalnym ⟨*być sztywnym w obejściu, nienaturalnym*⟩: Był oficjalny i sztuczny do niemożliwości. *Rudn. A. Żołn. 30.* **7.** Witać kogo z oficjalną uprzejmością: Urzędnik witał gościa ze zgorzkniałą oficjalną uprzejmością. *Choyn. Kuź. 50.* **8.** Przyjmować, składać **o-e** wizyty: Dopiero po wręczeniu głowie państwa listu uwierzytelniającego, przedstawiciel występuje na zewnątrz w charakterze urzędowym, składa i przyjmuje oficjalne wizyty itd. *Ehrl. Prawo 168.*

oficyna o. boczna, poprzeczna ⟨*skrzydło domu, gmachu*⟩: Sala baletowa mieściła się w bocznej oficynie w podwórzu Teatru Wielkiego. *Ower. Ramp 312.*

oganiać 1. o. komary, muchy ⟨*odpędzać*⟩: Siedziała na murawie, oganiając komary gałązką świerczyny. *Żer. Opow. II, 132.* **2. o.** k o g o — o d c z e g o ⟨*odpędzać co — od kogo*⟩: Oganiać chorego, dziecko śpiące od much.

oganiać się 1. o. się o d k o g o, o d c z e g o, p r z e d k i m, p r z e d c z y m ⟨*odpędzać kogo, co od siebie*⟩: Oganiać się od much, od komarów; przed muchami, przed komarami. Energicznie oganiał się batem od psów. *Reym. Now. II, 225*; *przen.* **o. się** przed biedą: Człowiek nie doje, nie dośpi, haruje jak wół i jak może ogania się przed biedą.

:eym. Now. III, 236. **2. o. się** c z e m u — (czym): *Ausiał się już na wszystkie strony oganiać kijem ..] oskakującym go psom. *Krasz. Sfinks I, 52; rzen.* Cywilizacja nowożytna naraziła jednostkę na ieprzerwaną konieczność oganiania się morzu otrzeb. *Żer. Dzien. II, 420.*

gar ⟨*pies gończy używany do polowania*⟩ **1.** Granie garów ⟨*głosy ogarów, wydawane podczas gonienia wierzyny*⟩: Zwierz się broni i zapewne kaleczy: ród ogarów grania słychać coraz to częściej jęk siego konania. *Mick. Tad. 120.* **2.** Puścić, wypuścić; apuszczać ogary: Polować jedzie i na zwierza gruego zapuszcza ogary. *Zabł. Mężowie 35.* **3.** Ogary aszczekują, ujadają; gonią, napędzają (myśliwemu) wierzynę.

garek o. cygara, papierosa; knota, świecy ⟨*niedoałek*⟩: Nie zamiatana podłoga zarzucona była ogarami papierosów, niedopałkami zapałek. *Witkiew. . Gier. 70.* Ogarek świecy na kraju stołu dogorywa. *'ap. G. Ptak II, 27.*

garnąć, ogarniać 1. o. k o g o, c o — c z y m *objąć*⟩. **2. o.** kogo, co dłońmi, ramieniem, ramioami, uściskiem ⟨*ująć kogo, co w ramiona, otoczyć, pasać ramionami; objąć*⟩: Ogarnął ją jednym ramieniem, przytulając mocno. *Szew. Kleszcze 222.* Kobieta klęka, pochyla się nisko, ramionami ogarąć chce ziemię. *Szmag. Dymy 116.* Ogarnął go mocym uściskiem, przytulił do umęczonej piersi. *Wikt. Burek 208.* **3. o.** kogo, co okiem, spojrzeniem, wzroiem ⟨*objąć zasięgiem wzroku, polem widzenia; zoaczyć daleko, wokoło; obejrzeć całą postać, spojzeć wokół czego*⟩: Ze szczytu wzgórz mógł ogarnąć wzrokiem szeroki horyzont. *Żukr. Dni 62.* Ogarnął ą całą płomiennym spojrzeniem. *Tyg. Ilustr. 8, 1900.* **4. o.** co rozumem ⟨*pojąć umysłem*⟩. **5. o.** co pamięcią ⟨*objąć pamięcią, przypomnieć sobie co*⟩: Począłem pilnie rozglądać się w swych stronach i wparywać się w przeszłość, o ile ją zdołam dokładnie amięcią ogarnąć. *Tyg. Ilustr. 177, 1863.* **6. o.** co ercem ⟨*objąć uczuciem*⟩. **7. o.** przedmiot (nauki) aki, sprawę, sytuację ⟨*poznać, opanować co; zorienować się w czym*⟩: Ile to człowiek musiał się uczyć, le ogarnąć przedmiotów, ile egzaminów pozdawać. *Kurek. Grypa 81.* Lubecki ogarnął od razu [...] sytuację, zrozumiał ją najzupełniej. *Smolka Lubec. , 217.* **8. o.** k o g o, c o: a) ⟨*otoczyć (często zbrojnie) ze wszystkich stron; oblec, obstąpić, okrążyć, osaczyć*⟩: Oddział rzucił się jak burza, ogarnął piechotę, otoczył ją pierścieniem. *Sienk. Pot. IV, 261;* b) *daw.* ⟨*zmieścić, pomieścić kogo, co*⟩: Dom więcej przybyłych ogarnąć nie może. *Kras. Podstoli 202.* **9.** Coś ogarnia (ogarnęło) kogo, co ⟨*o chorobach, zjawiskach, żywiołach; ideach, akcjach, poczynaniach jakich itp.: obejmuje swym zasięgiem, rozszerza się, rozprzestrzenia się na co; o stanach fizjologicznych, o uczuciach, doznaniach, nastrojach itp.: opanowuje kogo*⟩: Akcja tego utworu ogarnia swym zasięgiem wiele osób, zdarzeń a nawet krajów. *Rocz. Lit. 1934, s. 204.* Aresztowania ogarnęły pół miasta. *Brand. K. Troja 8.* Dyskusja nabrała rumieńców, poczęła ogarniać coraz szersze kręgi zagadnień. *Pięt. Współ. 59.* Epidemia ogarnęła cały kraj. Pożar ogarnął wszystkie budynki. Powódź ogarnęła pola, łąki i lasy. *Bardz. SW.* Skryło się słońce, ogarnęły nas ciemności. *Staszic Dzien. II, 125.* Niby wonna fala ogarnęły ją silne zapachy geranium i heliotropu. *Orzesz. Bene 132.* Ogarnęła go przeogromna cisza pól. *Reym. Now. V, 182.* Noc ziemię ogarnia ⟨*noc zapada, nastaje*⟩: Kędy noc ziemię ogarnie, tam idę szukając nocy. *Mick. Dziady 20.* Ogarnia kogo ciepło, gorąco, zimno; sen, słabość. Ogarnia kogo apatia, ból, litość, miłość, milczenie, obłęd, podziw, pragnienie czego, przeczucie, przerażenie, radość, rozpacz, smutek, śmiech, tęsknota, trwoga, uczucie, wstyd, wzruszenie, zachwyt, zapał, zdumienie, złość, zmęczenie, znużenie, żal, żałość, żądza. Na twarzy jej [...] z wolna rozlewał się wielki, czerwony rumieniec, który ogarnął czoło. *Braun Lewanty 372.* **10. o.** k o g o ⟨*zaopatrzyć kogo w porządną, przyzwoitą odzież, ubranie; ubrać, odziać, okryć schludnie kogo*⟩: Pierwej jednak należy umyć go i ogarnąć koniecznie... *Jeż Rotuł. 243.* **11.** *daw.* **o.** c o ⟨*wziąć w posiadanie co; zabrać, zagarnąć, zdobyć, uzyskać co, zawładnąć czym*⟩: Pozazdrościł bliźniemu roli i chciał wszystkie jej owoce dla siebie ogarnąć. *Kamień. Wyb. 34.* **12. o.** ognisko, żar, zarzewie ⟨*zabezpieczyć tak, żeby nie wygasło, podgarnąć, zgarnąć dookoła*⟩: Ogarnęła żar popiołem i siadła przed kominem. *Zar. Grusze 7.*

ogieniek Błędny **o.** — *p.* błędny. Błędny ogieniek [...] zapląsał! *Żer. Dzieje II, 153.*

ogień ● ⟨*płomień, również przen.*⟩ **1.** Ciepły, gorący, huczny, jasny, mały, nikły, obfity, ogromny, słaby, wątły, wielki **o. 2.** Błędny **o.** (częściej błędny ognik) ⟨*migotliwy, niebieski płomyk, ukazujący się najczęściej nad bagnami i torfowiskami*⟩: Błędne ognie latały między grobami i księżyc z wolna przedzierał się śród chmur. *Sztyrm. Katalept. I, 40.* **3.** Grecki **o.** ⟨*środek walki morskiej u starożytnych Greków: paląca się mieszanina siarki, kłaków, łuczywa smolnego i ropy naftowej*⟩. **4. o.** ofiarny, święty, wieczny, wieczysty, nie ustający ⟨*w czasach pogańskich: ogień palony na cześć jakiegoś bóstwa, (często) podtrzymywany nieustannie, bez wygaszania*⟩: Bóstwom ofiarne ognie palono. *Smolka Mieszko 20.* **5.** *przestarz.* **o.** niebieski ⟨*błyskawica, piorun*⟩: Gdy zaś piorun był przyczyną pożogi [...] powszechny przesąd pospólstwa nie dozwalał gasić niebieskiego ognia. *Krasz. Wilno II, 176.* **6. o.** piekielny, **o.** czyśćcowy itp. ⟨*ogień płonący (wg niektórych wyobrażeń religijnych) w piekle, w czyśćcu itp.*⟩. **7. o.** młodzieńczy a. **o.** młodości ⟨*zapał, gorący temperament*⟩. **8.** Słomiany **o.** ⟨*o krótkotrwałych, nagle powstających i szybko przemijających uczuciach, stanach psychicznych itp.; krótkotrwały zapał do czego*⟩: Miłość mężczyzn słomianym ogniem w sercach świeci, prędko wasz płomień zgaśnie, choć się prędko wznieci. *Rzew. J. Zabaw. 32.* **9.** Ognie sygnałowe. **10.** Ognie tryumfalne. **11.** Ognie świętojańskie, sobótkowe ⟨*ogniska palone, zwłaszcza w dawnych czasach, w noc z 23 na 24 czerwca, podczas uroczystości sobótkowych*⟩: Sobótek zajaśniały długim pasmem po górach ognie świętojańskie. *Damr. Niw. 67.* **12.** Ognie sztuczne (dawniej też: ognie fajerwerkowe, krotochwilne, ochotne, ucieszne) ⟨*rodzaj rac używanych do sygnalizacji; fajerwerki*⟩. **13.** Zimne ognie ⟨*rodzaj ozdób choinkowych po zapaleniu rozsiewających dookoła jasne, ale nie parzące iskry*⟩. **14. o.** w oczach ⟨*blask, błyski*⟩: Ręce mu się trzęsły, w oczach migotał zły ogień. *Żer. Opow. II, 40.* **15.** Blask, żar ognia. **16.** Fala, smuga, strumień ognia; grzywa, słup, ściana, wał ognia. **17.** Kult ognia. **18. o.** złota, klejnotów, kamieni ⟨*blask, połysk*⟩: Wielkość i ogień kamienia rozstrzygały właściwie o piękności klejnotów. *Chłęd. Pam. II, 325.* **19.** Ognie zorzy ⟨*blask, łuna*⟩: Wieczorem na bezchmurnym niebie zapalają się ognie zorzy polarnej. *Cent. Foka 95.* **20.** Odporny na **o.** (o wyrobach np. ze szkła). **21.** Na wypadek ognia ⟨*na wypadek pożaru*⟩: Dom był parterowy i drabina na wypadek ognia zawsze przy nim stała. *Makusz. Bezgrz. 119.* **22.** Prędki jak **o. 23.** Oczy pełne ognia ⟨*blasku*⟩: Wygląda pan jak samo zdrowie. Oczy pełne ognia, siła do pozazdroszczenia. *Breza Uczta 207.* **24. o.** i woda, **o.** z wodą ⟨*o dwóch przeciwstawnych zjawiskach, siłach, rzeczach, o dwóch niezgodnych charakterach; o dwóch osobach mających niezgodne, przeciwstawne charaktery, usposobienia*⟩: Zła jest niezgoda, ale gorszą zgodą chcesz nas pojednać, raczej ogień z wodą! *Mick. Graż. 16.* **25.** Kara ognia ⟨*w średniowieczu; spalenie na stosie*⟩. **26.** Próba ognia: a) ⟨*sprawdzenie, wypróbowanie w ogniu, w wysokiej temperaturze jakiegoś surowca, np. metalu*⟩: Tak jest [...] z narodowością polską, która się uszlachetnia i nabiera hartu przez swoje cierpienia jak stal przez próbę ognia. *Kamień. Wyb. 187*; b) ⟨*stosowany w średniowieczu sposób dowiedzenia niewinności, prawdomówności itp. przez przypalanie ciała ogniem*⟩: Próba ognia nakazywała oskarżonemu włożyć rękę do ognia, chwycić rozpalone żelazo lub przejść po rozpalonych pługach. *Śliw. S. Proces 20.* **27.** Ktoś z siarki i ognia; istny **o.** ⟨*ktoś bardzo żywy, energiczny, gwałtowny, porywczy, niepohamowany, mający bujny temperament*⟩: A to, widzę, z ognia i siarki szlachcic [...] Takiemu w drogę nie wchodź!... *Sienk. Pot. IV, 21.* **28. o.** wojny, walki, rewolucji ⟨*o szalejącej wokoło, obejmującej duże przestrzenie i liczne rzesze ludzi wojnie, walce, rewolucji*⟩: Rzeczpospolita stała w ogniu wojny domowej. *Śliw. A. Sob. 22.* **29. o.** niebezpieczeństw, grozy, walki itp. ⟨*o niebezpiecznych, groźnych, ciężkich warunkach, sytuacji, położeniu*⟩: W ogniu niedoli hartuje się człowiek jak stal. *Jun. Mazur. 361.* **30. o.** dyskusji, polemiki, sporu itp. ⟨*o bardzo ożywionej, namiętnej, burzliwej dyskusji, polemice, sporze; o nasileniu, szczytowym punkcie dyskusji, polemiki, sporu itp.*⟩: W ogniu dyskusji roztrząsano ważne sprawy, tyczące się polityki rewolucyjnej. *Bar Kum. 388.* **31. o.** dumy, gniewu, miłości, nienawiści, uniesienia, wstydu, zapału, żądzy; **o.** wiary. **32.** Twarz w ogniu ⟨*w rumieńcach*⟩. **33. o.** w gębie ⟨*uczucie gorąca, gorączka*⟩: Ręce i nogi mnie palą, mrowie chodzi po krzyżach, w gębie gorycz i ogień. *Sienk. Pot. VI, 28.* **34.** Z ogniem (robić co) ⟨*z zapałem, z pasją, z werwą, z energią*⟩: Uczył się z jakąś zajadłością, z pasją, z ogniem. *Krzyw. I. Siew 161.* Mówiła z ogniem, z temperamentem, z przymieszką natchnienia poetyckiego. *Wędr. 24, 1901.* **35.** Lękać się, obawiać się jak ognia, gorzej ognia; strzec się, wystrzegać się, unikać czego, stronić, uciekać od czego jak od ognia ⟨*bać się, lękać się bardzo, ogromnie, bezgranicznie; strzec się, wystrzegać się, unikać czego starannie, nadzwyczajnie, ze wszystkich sił*⟩: Był to jeden z najsurowszych nauczycieli, uczniowie bali się go jak ognia. *Perz. Uczn. 26.* Oddany spokojnemu używaniu życia i cichym pracom umysłowym, unikał po lityki jak ognia. *Brück. Lit. 128.* **36.** Buchać, buchną ogniem ⟨*palić się, zapalić się dużym płomieniem*⟩ Palący się stóg siana buchał ogniem; *przen.* Twar bucha ogniem ⟨*twarz płonie od gorączki*⟩: Oczy je błyszczały jak rozpalone węgle, a twarz buchała og niem i czerwieniała jak kawon. *Padal. Opow. II, 131* **37.** Być, stać, stawać w ogniu: a) ⟨*palić się, zapali się*⟩: Budynek stanął w ogniu; b) ⟨*rozpłomienić si blaskiem, łuną*⟩: Mignęła błyskawica jedna, druga trzecia — i całe niebo było w ogniu, ogłuszający ło skot zdawał się wstrząsać ziemią. *Jun. Antrop. 92* Niebiosa stały w ogniach, czerwona łuna opasywał widnokrąg. *Choj. Alkh. IV, 80.* **38.** Dać, podać **o.** ognia; pozwolić ognia, służyć ogniem ⟨*podać, pod sunąć komu zapaloną zapałkę, zapalniczkę (rzadziej papieros) itp. dla zapalenia papierosa, fajki itp.*⟩ Pozwólcie ognia, bo zapałek nie mogę się doszukać.. *Twórcz. 9, 1952, s. 69.* **39.** Dołożyć, dorzucić, pod rzucić, przyrzucić do ognia, na **o.** ⟨*do stosu palącego się, do paleniska*⟩. **40.** Gorzeć ogniem (o słońcu ⟨*świecić jaskrawym blaskiem*⟩: Zachodzące słońc gorzało złotym ogniem. *Sztyrm. Pow. II, 387.* **41** *przen.* Gorzeć, pałać, płonąć ogniem, świętym ogniem ⟨*o kimś: doznawać silnych przeżyć, rwać si do czego; o twarzy czyjej: ujawniać rumieńcem siln czyje przeżycia, czyjś zapał itp.*⟩: Ogniem, żarem lic płonie. *Wysp. Wes. 95.* **42.** Gotować, piec, smaży na małym, wolnym, średnim (na ostrym, silnym ogniu ⟨*gotować itp. w niezbyt wysokiej (w wysokiej temperaturze; na średnio gorącej (na dobrze rozgrza nej) kuchni*⟩: Na wrzącą wodę wsypać kaszę, goto wać na wolnym ogniu. *Czerny Kuch. 185.* Rybę [... maczało się w mące z solą i smażyło na dość ostrym ogniu. *Cent. Wyspa 247.* **43.** Piec przy ogniu, w ogniu (kartofle) ⟨*w popiele ogniska*⟩. **44.** Iskrzyć si ogniem ⟨*o oczach czyich: ujawniać energię, zapał namiętność, temperament*⟩: Oczy wielkie, czarne wypukłe iskrzyły się młodzieńczym ogniem. *Płu Zagon I, 46.* **45.** Lać **o.** (o słońcu) ⟨*żar*⟩: Słońce wy toczyło się na południe nieba i ogień lało z wyso kości. *Kosiak. Bud. 110.* **46.** *pot.* Mieć **o.**: a) ⟨*mie zapałki, zapalniczkę (do zapalenia papierosa)*⟩: Ni ma pan przypadkiem ognia?; b) ⟨*przejawiać zapał temperament*⟩: Znam tu jednego inżyniera, nazyw się Rodecki [...] Można by go wziąć zamiast Anto niewicza. Niewyrobiony [...] Ale zna się i ma ogień *Jackiew. Jan 297.* **47.** Opanować, stłumić, umiejsco wić, zgasić, zlokalizować **o.** ⟨*pożar*⟩; zalać **o.** ⟨*pło mień*⟩. **48.** Prażyć żywym ogniem (o słońcu, upale ⟨*przypiekać, bardzo mocno przygrzewać*⟩. **49.** Paś ofiarą ognia ⟨*pożaru; płomieni*⟩. **50.** Piec, palić smażyć kogo (żywym) ogniem, na (wolnym) ogni ⟨*przypiekać, osmalać kogo nad ogniem, torturowa ogniem*⟩: Jeńców smażono na wolnym ogniu, wydzie rano im języki, obcinano uszy. *Śliw. A. Bat. 124* **51.** Piec, prażyć ogniem, jak **o.** ⟨*o słońcu: mocn przygrzewać*⟩: Był gorący, jasny dzień; słońce praży ło żywym ogniem. *Siedl. M. Opow. 140.* **52.** Coś pie cze, pali kogo (żywym) ogniem, jak **o.** ⟨*komuś doku cza przejmujący, piekący ból*⟩: Dolegały bóle fizycz ne, paliły ogniem rany. *Żer. Uroda 143*; *przen.* Obl gały go myśli nie dające wytchnienia, palące żywy ogniem. *Nałk. Z. Niecierp. 224.* **53.** (U)piec dw pieczenie przy jednym ogniu ⟨*załatwić dwie spraw za jednym zachodem, zamachem, posunięciem*⟩: Pi kliście dwie pieczenię przy jednym ogniu, wyrzuciliście mnie z domu i z miasta z piętnem hańby. *Iwasz. J. Odbud. 68.* **54.** Upiec własną pieczeń przy czyim ogniu ⟨*załatwić co, osiągnąć korzyść czyim kosztem*⟩: Przy każdej sposobności starał się przy moim ogniu upiec własną pieczeń, prosił mnie aby [...] zbliżyć go do ministra finansów, urządzając dla niego obiad finansistów. *Chłęd. Pam. II, 179.* **55.** Podłożyć (pod coś), wzniecić **o.** ⟨*spowodować pożar*⟩. **56.** Postawić na ogniu, nastawić przy ogniu; przystawić do ognia, zdjąć z ognia ⟨*postawić na rozpalonej, gorącej kuchni, blasze kuchennej lub palniku (rzadziej: nad ogniskiem); zdjąć z gorącej płyty kuchenne*⟩: Zaparzano kawę i przystawiano garnuszki do ognia. *Goj. Dzień 83.* Przyniosła wiórów i nastawiła przy ogniu kolację. *Święt. A. Obraz. I, 135.* **57.** Coś poszło z ogniem ⟨*coś się spaliło*⟩: Oczaków poszedł z ogniem, a Rozłów z ziemią został zrównany. *Rol. Trzy 105.* **58.** Pójść, rzucić się, skoczyć dla kogo, za kogo, za kim, na czyjś rozkaz, skinienie — w **o.** (i wodę) ⟨*być gotowym dla kogo na wszystko, na największe ofiary; być gotowym oddać życie za kogo; uczynić, poświęcić wszystko dla kogo*⟩: Daje się wodzić tej dziewczynie i poszedłby w ogień za jej spojrzenie, za uśmiech, za dobre słowo. *Grusz. Ar. But. 105* **59.** Prosić, poprosić o **o.**, szukać ognia ⟨*prosić o zapałki, zapalniczkę itp.*⟩: Zgasł mi papieros, poproszę o ogień... *Tuwim Rzecz 89.* **60.** Puścić co z ogniem ⟨*podpalić, spalić co*⟩: Tłum drażni go docinkami [...] grożąc na domiar, że puści z ogniem cygańską sadybę. *Wędr. 23, 1901.* **61.** Rozdmuchać **o.** (również *przen.*). **62.** Rozkładać, rozłożyć **o.** ⟨*zapalać, zapalić ognisko*⟩: Późnym wieczorem rozkładali ogień koło koleby, która służyła im za schronienie. *Wiedza i Życie 1954, s. 97.* **63.** Rozpalić, *książk.* rozniecić **o.** (w kuchni, pod kuchnią, pod blachą, pod płytą, w piecu, na kominie). **64.** Rozpalić ognie ⟨*rozpalić ogniska*⟩: Rozpalone ognie na placu oświecały obraz pełen ruchu i życia. *Sewer Poboj. 91.* **65.** Skakać przez **o.** ⟨*przez palący się stos czego, przez ognisko*⟩. **66.** (S)krzesać, wykrzesać **o.**, skrzesać ognia (krzesiwem): Wykrzesali ogień, rozniecili go na przypiecku i zaczęli grzać się obydwa. *Fel. E. Syb. III, 204.* **67.** Stać w ogniu (o kraju, państwie) ⟨*być objętym przez wojnę, rewolucję, zamieszki wewnętrzne itp.*⟩: Całe Czechy stały w ogniu, rozniecionym przez wojnę husycką. *Baliń. M. Polska III/2, 164.* **68.** Stanąć w ogniu, w ogniach ⟨*zarumienić się gwałtownie, oblać się rumieńcem*⟩: Zośka stanęła w ogniach, by mak polny. *Konopn. Balcer 24.* **69.** Coś szerzy się jak **o.** ⟨*gwałtownie*⟩. **70.** Ubezpieczyć co od ognia ⟨*od pożaru*⟩: Ubezpieczyć dom, towary od ognia. **71.** Wpaść jak po **o.** ⟨*wpaść, przyjść, zjawić się gdzie na chwilę, na krótki okres czasu, przybywszy, odejść skąd szybko, nie zagrzać miejsca, spieszyć się; bawić, przebywać gdzie bardzo krótko*⟩: Wpadał jak po ogień, na jeden dzień. *Wańk. Ziele 194.* **72.** Zająć się ogniem, od ognia ⟨*zapalić się, być objętym płomieniem*⟩: Szopa zajęła się ogniem. Ubranie (na kim) zajęło się od ognia. **73.** Zaprószyć, zapuścić **o.** ⟨*podpalić co, spowodować pożar*⟩. **74.** Ziać, zionąć ogniem: a) ⟨*wyrzucać płomienie*⟩: Krater wulkanu ział ogniem; b) ⟨*strzelać intensywnie*⟩: Działa ziały ogniem na wieś. **75. o.** bije, bucha, uderza, występuje na kogo, komu na twarz ⟨*ktoś dostaje wypieków, rumieńców, kolorów; rumieni się, staje w pąsach*⟩: Na twarz dziewczęcia buchnęły ognie, serce zaczęło bić. *Sewer Nafta II, 193.* Permskiemu ognie wystąpiły na twarz i zaiskrzyły się oczy. *Prus SPP.* **76. o.** błyska, migocze (migoce), pląsa, rzuca blask, iskrzy, świeci, tańczy; bucha, buzuje (się), dopala się, gaśnie, słabnie, tli się, zamiera; grzeje, pali, parzy, piecze; hałasuje, strzela, syczy, szumi, trzaska, trzeszczy; obejmuje co, ogarnia, pnie się, pożera co, szaleje, szerzy się, trawi co ⟨*płomień*⟩. **77. o.** powstaje, wybucha, wzmaga się ⟨*pożar*⟩. **78. o.** pożera, trawi kogo a. czyje wnętrzności ⟨*ktoś doznaje silnego bólu fizycznego; ktoś przeżywa gwałtowne uczucia*⟩: Boli — okropnie boli [...] ogień trawi moje wnętrzności... *Wilk. P. Wieś I, 149.* **79.** Od powietrza, głodu, ognia i wojny zachowaj nas, Panie! ⟨*modlitwa błagalna z prośbą o odwrócenie klęsk żywiołowych*⟩.

● ⟨*strzał; strzelanina, ostrzeliwanie, kanonada*⟩ **80. o.** armatni, artyleryjski; karabinowy a. z karabinu; (z) broni ręcznej lub maszynowej; **o.** celny, chaotyczny, ciągły, częsty, morderczy, nieustanny, piekielny, przerywany, regularny, rzęsisty, silny, skoncentrowany, straszliwy; **o.** flankowy, zaporowy; **o.** nieprzyjacielski a. wroga. **81. o.** ręczny ⟨*ostrzeliwanie z broni ręcznej*⟩: Piechota pod zasłoną armat zstępuje coraz niżej, by rozpocząć ręczny ogień. *Sienk. Now. II, 216.* **82.** Chrzest ognia ⟨*wzięcie po raz pierwszy udziału w akcji bojowej, w walce, w działaniu*⟩: Sztandar ten chrzest ognia odbył. Podziurawiony kulami tureckimi i oblany krwią Uskoków stał się dla tych ostatnich poważniejszym i droższym. *Jeż Uskoki II, 195.* **83.** Nasilenie, siła ognia. **84.** Bić, nękać, niszczyć, razić odpowiadać ogniem. **85.** Brać, wziąć co pod **o.** ⟨*pod strzały, pod obstrzał*⟩. **86.** Być, znaleźć się w ogniu, pod ogniem. **87.** Prażyć ogniem (z dział). **88.** Przerwać **o.**, zaprzestać ognia. **89.** Rozpocząć **o.** (nie: otworzyć **o.**) z armat. *SPP.* **90.** *łow.* Zostać w ogniu ⟨*o zwierzynie: paść po strzale*⟩: Dobrze trafiony borsuk zostaje w ogniu. *Hop. Jęz. 44.* **91.** Ognia! ⟨*komenda, rozkaz strzelania; pal!*⟩: Zakomenderował: ognia! Padło 55 strzałów. *Sokoł. A. Stycz. 42.* **92. o.** bije, dudni, leje się, toczy się, zrywa się; cichnie, słabnie; góruje, przenosi.

przysł. **93** Nie kładź palca do ognia, to się nie sparzysz. **94.** Trudna zgoda z ogniem woda. **95.** Złodziej kąty zostawi, a ogień wszystko zabierze.

oglądać się, oglądnąć się 1. Oglądać się n a k o g o, c o ⟨*spodziewać się od kogo pomocy, liczyć na kogo, co, brać kogo, co w rachubę, pod uwagę; mieć co na względzie; zastanawiać się na czym*⟩: Teraz już wiem, że człowiek musi tylko na sobie polegać i na nikogo się nie oglądać. *Bogusz. Dzieci 28.* **2.** Oglądać się, nie oglądać się na jutro ⟨*myśleć, nie myśleć o przyszłości*⟩: Trzebiono u nas lasy gorliwie i bezmyślnie, bez oglądania się na jutro, powiadano sobie: nie było nas, był las; nie będzie nas, będzie las. *Dyak. Las 280.* **3.** Oglądać się na czyją łaskę ⟨*liczyć na czyją pomoc, wsparcie, datek*⟩: Wiecznie musi oglądać się na łaskę męża. *Zap. G. SPP.* **4. o. się** z a k i m, z a c z y m ⟨*rozglądać się za kim, za czym, szukać kogo, czego, upatrywać dla siebie kogo, co*⟩: Ślimakowi już nie wystarczali dzienni najemnicy i począł oglądać się za pomocnikiem stałym. *Prus Plac. 8.* Oglądał się na stare lata za jakąś posadą. *Par. Alch. 57.*

oględziny 1. o. sądowe. **2. o.** c z e g o: Oględziny domu, mieszkania. **3.** Być przedmiotem oględzin. **4.** Dokonać oględzin. **5.** Podlegać oględzinom.

ogłada 1. o. obyczajowa, salonowa, towarzyska; umysłowa; powierzchowna, zewnętrzna; europejska, światowa: Był człowiekiem światowym, pełnym wykwintnej grzeczności i salonowej ogłady. *Orzesz. Cnot. 25.* **2.** Mieć ogładę, nie mieć ogłady. **3.** Nabyć ogłady.

ogłos *rzad. przysł.* Ogłosu siła, rzeczy mało ⟨*hałasu, reklamy*⟩.

ogłosić, ogłaszać 1. o. c o, np. **o.** akt, ankietę, konstytucję, odezwę, przetarg, stan wojenny, stan wyjątkowy, strajk, uniwersał, upadłość, wyrok, zapowiedzi ⟨*podać do ogólnej wiadomości, obwieścić, opublikować*⟩. **2. o.** niepodległość, wolność; **o.** monarchię, republikę; **o.** jakieś państwo królestwem, rzecząpospolitą itp. ⟨*opublikować wiadomość o niepodległości, wolności; obwieścić o utworzeniu monarchii, republiki; ustanowić i proklamować królestwo, republikę itp.*⟩. **3.** *przestarz.* **o.** sławę czyją ⟨*wsławić kogo*⟩: Nowe dzieła twą sławę ogłoszą. *Kras. Osjan. 200.* **4.** Zegar ogłasza godzinę ⟨*wybija*⟩: Zegar ostrym, metalicznym dźwiękiem ogłosił trzecią po południu. *Orzesz. Klat. 320.* **5. o.** ustawę: Ustawa musi być ogłoszona, by obowiązywała [...] Od XIX wieku weszło w zwyczaj ogłaszanie ustaw w osobnych tzw. dziennikach ustaw. *Kutrz. Wstęp 13.* **6. o.** co w pismach ⟨*umieścić w prasie ogłoszenie, wiadomość, anons o czym*⟩: Ogłosiłem o zgubie w kilku pismach i obiecałem uczciwemu znalazcy dziesięć rubli nagrody. *Prus Now. III, 216.* **7. o.** k o g o, c o k i m, c z y m, z a k o g o, c o ⟨*uznać kogo, co — za kogo, co; stwierdzić publicznie, że ktoś jest tym, za kogo się go podaje*⟩: Żoną cię moją przed nimi ogłoszę. *Staff L. God. 39.* Ileż to razy powracali ci, których za zabitych ogłoszono. *Żer. Przedw. 39.* Ogłosił linię kolejową za otwartą. *SPP.* **8. o.** kogo królem, wodzem, następcą ⟨*obrać, mianować, ustanowić, wyznaczyć kogo królem, wodzem itp., podając to do ogólnej wiadomości; obwołać, okrzyknąć*⟩: W niecałe dziesięć miesięcy po zgaśnięciu ostatniego Jagiellończyka ogłoszono jego następcą Henryka Walezego. *Wind. Koch. 108.*

ogłosić się, ogłaszać się 1. o. się k i m ⟨*poda(wa)ć się za kogo, mianować się publicznie kim*⟩: Ogłosić się dyktatorem, królem, księciem, wodzem itp. **2. o. się** w gazecie, w kurierze ⟨*pod(aw)ać wiadomość o sobie za pośrednictwem prasy, radia, plakatów itp.*⟩: Pisywała listy do jakiegoś pana, co się ogłaszał w Kurierze, że się chce żenić. *Dąbr. Ig. Felka 65.*

ogłoszenie 1. Drobne **o.** ⟨*inserat*⟩. **2. o.** c z e g o ⟨*podanie do ogólnej wiadomości, opublikowanie*⟩: Ogłoszenie wyników wyborów, upadłości. **3. o.** w c z y m ⟨*inserat*⟩: Ogłoszenie w prasie, w gazecie. **4.** Biuro, tablica ogłoszeń. **5.** Dać **o.**: Wynajmę to mieszkanie [...] Trzeba zaraz dać ogłoszenie. *Dąbr. M. Znaki 117.* **6.** Rozlepić ogłoszenia: Szukali go, rozlepiali ogłoszenia, wyznaczali nagrodę za wskazanie jego kryjówki. *Meis. Sams. 134.*

ogłupiały 1. o-a mina: Z ogłupiałą miną i rozwartą gębą słuchał tej przemowy. *Groza Wład. I, 98—99.* **2. o.** z c z e g o: Może ją trochę wzruszał Ludwik, ogłupiały z miłości, jakiś bezbronny. *Kow. A. Rogat. 12.* **3.** Chodzić jak **o.**: Zahukana, łajana o byle co, chodziła jak ogłupiała. — Kołowacizny chyba dostanę. *Wikt. Wierzby II, 19.*

ogłuszający o. grzmot, hałas, jazgot, krzyk, łoskot, ryk, stuk, trzask, wystrzał; **o-a** detonacja, kanonada, salwa; **o-e** uderzenie: Uczułem ogłuszające uderzenie w tył głowy, od którego straciłem przytomność. *Poliń. Z walk 31.*

ogłuszony o. c z y m: **o.** ciosem; *przen.* Bezmyślnie patrzał przed siebie jakby ogłuszony i przygnieciony nawałem wrażeń. *Dygas. Now. VII, 10.*

ognik 1. o. papierosa, pochodni, świecy: W ciemności jarzyły się czerwone ogniki papierosów. *Braun Lewanty 390.* **2.** Figlarne, wesołe, złe itp. ogniki (w oczach) ⟨*błyski, iskierki*⟩: W oczach dziewczyny zaigrał diabelski ognik. *Czesz. Pokol. 146.*

ogniotrwały ⟨*odporny na działanie ognia, nie palący się; ognioodporny*⟩: Budynek, materiał **o.**; farba, szafa **o-a**; naczynia, tkaniny, wyroby **o-e**: Do budowy wielkich pieców używa się cegieł ogniotrwałych szamotowych. *Sypn. Metal. 103.*

ogniowy 1. *przestarz.* Broń **o-a** ⟨*palna*⟩. **2.** Próba **o-a** ⟨*czyjś pierwszy udział w akcji bojowej, w walce, w działaniu*⟩: Armia ta w wojnie obecnej poddaje się próbie ogniowej. Po raz pierwszy występuje do walki z potęgą europejską. *Tyg. Ilustr. 8, 1904*; *przen.* Przebyć próbę ogniową: Ja w moim swobodnym i hulaszczym życiu niejedną już ogniową przebyłem próbę i żadna jakoś nie oparzyła mnie bardzo. *Orzesz. Klat. 36.* **3.** *techn.* Cięcie **o-e** ⟨*przecinanie metalu płomieniem palnika acetylenowego*⟩. **4.** *bot.* Huba **o-a** ⟨*gatunek huby, rosnący zwłaszcza na drzewach owocowych*⟩. **5.** *przestarz.* Kasa **o-a**, porządek **o.**, ubezpieczenie **o-e** ⟨*ubezpieczenie od ognia*⟩. **6.** Oficer **o.** ⟨*oficer prowadzący ogień artyleryjski podczas walki*⟩: Granaty do pierwszego działa! — krzyknął oficer ogniowy. *Ziel. S. Świt. 57.* **7.** *górn.* Pole **o-e**: **a)** ⟨*teren kopalni, w którym przeprowadza się proces podziemnego gazowania węgla*⟩; **b)** ⟨*teren kopalni objęty pożarem*⟩. **8.** Próba **o-a** ⟨*badanie zawartości wełny w tkaninie wełnianej przez spalanie jej nitek*⟩. **9.** Sikawka **o-a** ⟨*do gaszenia ognia*⟩: Wyciągnęli sikawki ogniowe i zaczęli tryskać artylerzystom w oczy wodą. *Lim. Społ. XVIII, 162.* **10.** Siła **o-a** oddziału ⟨*ilość i jakość broni palnej w oddziale*⟩. **11.** *geol.* Skała **o-a** ⟨*powstała z zastygniętej magmy; magmowa*⟩. **12.** Stanowisko **o-e** ⟨*punkt, w którym ustawione jest działo, karabin maszynowy, moździerz itp.*⟩: Zajęliśmy stanowisko ogniowe w małym zagajniku. *Ziel. S. Świt. 9.* **13.** Straż **o-a**, *przestarz.* pogotowie **o-e** ⟨*organizacja ochotnicza lub instytucja zajmująca się gaszeniem pożarów; straż pożarna*⟩: Co najmniej cztery razy do roku nakazane były próby pogotowia ogniowego. *Bystr. Warsz. 157.* **14.** Sygnalizacja **o-a** ⟨*za pomocą ognia*⟩: Mieli [...] dawać baczenie na wszystkie strony i w razie niebezpieczeństwa ostrzec załogę strzałami z muszkietów lub sygnalizacją ogniową. *Sier. Ocean 13.* **15.** Towarzystwo **o-e** ⟨*instytucja ubezpieczająca na wypadek pożaru*⟩. **16.** Zapora **o-a** ⟨*przestrzeń gęsto ostrzeliwana, stanowiąca zaporę dla* *atakujących*⟩: Trzy warstwy zapór ogniowych broniły nieba nad Warszawą. *Meis. Warsz. 58.*

ognisko 1. o. artystyczne, religijne, umysłowe itp. ⟨*punkt centralny czego, centrum, ośrodek*⟩: Dwa były wtedy ogniska umysłowe [...] szukające pola do odznaczenia się i rozgłosu: Warszawa i Puławy. *Chmielow. Dram. 99.* **2. o.** artystyczne, muzyczne, plastyczne, szkoleniowe itp. ⟨*ośrodek kulturalny lub oświatowy upowszechniający jakąś dziedzinę sztuki czy nauki poprzez dokształcanie amatorów, rzadziej fachowców*⟩: Centralny Zarząd Szkół Artystycznych opiekuje się ogniskami artystycznymi. *Film 23, 1953.* **3.** *med.* **o.** chorobowe, gnilne, infekcyjne, martwicze, ropne, zapalne ⟨*miejsce objęte zmianami chorobowymi*⟩. **4. o.** domowe, rodzinne ⟨*dom jako symbol życia rodzinnego; gniazdo rodzinne; rodzina*⟩: Na progu dojrzałości stawali przed dylematem: ognisko rodzinne czy celibat. *Par. Alch. 59.* Opuścić, porzucić **o.** domowe. **5. o.** harcerskie. **6.** *techn.* **o.** kowalskie a. kuzienne ⟨*otwarte palenisko z miechem, służące do nagrzewania drobnych przedmiotów przed kuciem*⟩. **7.** *przestarz.* **o.** kuchenne ⟨*trzon kuchenny*⟩. **8.** Ogniska obozowe ⟨*paleniska pod gołym niebem*⟩. **9. o.** c z e g o ⟨*punkt centralny czego, miejsce, w którym coś się skupia, gromadzi,ześrodkowuje lub z którego rozchodzi się, promieniuje na otoczenie; centrum, ośrodek, siedlisko, skupisko; gniazdo, źródło, rozsadnik*⟩: **o.** cywilizacji, nauki, ogłady, przemysłu, rewolucji, ruchu politycznego, sztuki, walki, wiedzy, wojny; życia duchowego, towarzyskiego itp. **10.** *mat.* **o.** elipsy, hiperboli, paraboli. **11.** *fiz. fot.* **o.** soczewki. **12.** *geol.* **o.** trzęsienia ziemi ⟨*miejsce w głębi skorupy skalnej, w którym magma występuje w stanie płynnym*⟩. **13.** Grzać u ogniska co (np. ręce); grzać się przy ognisku, nad ogniskiem; (za)palić, rozpalić, rozniecić, rozłożyć **o.** zasiąść około ogniska: Jedni piekli kartofle, inni [...] suszyli skisły chleb, inni znowu po prostu grzali sobie u ognisk ręce. *Przem. Jakobin 19.* Zapalono ogniska — z dala widniały po górach tysiące punktów świetlanych. *Siedl. M. Głęb. 124.* **14.** Urządzić **o.** ⟨*ośrodek kulturalno-oświatowy*⟩: Urządzali pokazy artystyczne lub też wspólne ogniska, gdzie śpiewano piosenki, opowiadano o pracy w fabryce. *Twórcz. 7, 1952, s. 31.* **15.** Założyć **o.** domowe ⟨*ożenić się, założyć własne gospodarstwo*⟩. **16. o.** bucha, błyszczy, dymi, dogasa, kurzy się, pali się, świeci, tli się: Błękitnym dymem kurzą się po polach ogniska pasterzy. *Dygas. Now. VII, 171.*

ogniskować 1. o. c o, np. **o.** promienie. **2. o.** ruch umysłowy: Uniwersytet Jagielloński, jako instytucja naukowa, ogniskująca cały nasz ruch umysłowy, daje zwykle hasło do szerszego pulsowania wszystkich objawów intelektualnego życia Krakowa. *Tyg. Ilustr. 45, 1900.* **3. o.** na sobie uwagę ⟨*zwracać na siebie czyją uwagę*⟩: Ogniskował na sobie powszechną uwagę stolicy. *Ask. Poniat. 48.*

ogniskować się 1. o. się n a c z y m ⟨*skupiać się na czym*⟩: Zainteresowania Witkiewicza nie ogniskowały się na pewnej określonej dziedzinie, lecz odznaczały się rzadko spotykaną wszechstronnością. *Dz. Lit. Krak. 14, 1950.* **2. o. się** w k i m, w c z y m ⟨*skupiać się wokół kogo, czego*⟩: Całe życie kulturalne młodzieży widzewskiej ogniskowało się teraz w mieszkaniu rodziny Szubertów. *Rudn. L. SPP.*

ognisty 1. o. blask, słup; **o-a** błyskawica, kometa, łuna; **o-a** tarcza słońca ⟨*jak ogień, pełen(-a) ognia; płomienisty(-a)*⟩: Krwawo zachodziło słońce, rzucając na świat ogniste blaski. *Sewer Nafta III, 244.* Przewodnik ten ciemny na tle ciemności był dla nich jak ów słup ognisty, co prowadził dzieci Izraela do ziemi obiecanej. *Jeż Uskoki II, 147.* **2. o-a** strzelba, **o-e** działo itp. ⟨*broń palna; strzelba, działo nabijane, ładowane prochem lub innym materiałem wybuchowym*⟩. **3.** Chłopak **o.** ⟨*pełen temperamentu, namiętności, werwy*⟩. **4. o-a** czerwień ⟨*jaskrawa*⟩. **5.** *przen.* Deszcz **o.** ⟨*rozżarzone cząstki czego*⟩. Buchać deszczem ognistym ⟨*buchać płomieniem*⟩: Z kuźni [...] iskry deszczem ognistym buchają. *Reym. Now. I, 286.* **6.** *przestarz.* **o-a** góra ⟨*wulkan*⟩. **7.** *przen. książk.* **o.** grot ⟨*piorun*⟩: Gniewny Jowisz ognistym grotem powietrzne przeszywa szlaki. *Tremb. Różne 94.* **8. o.** kaznodzieja ⟨*przemawiający z zapałem, płomienny*⟩: Ognistym był kaznodzieją Skarga. *Mac. Piśm. I, 799.* **9. o-a** bomba, **o.** pocisk itp. ⟨*wypełnione materiałem wybuchowym, palące się w locie*⟩: Poległ stary Gedamin [Gedymin] raniony śmiertelnie ognistym pociskiem w szyję. *Baliń. M. Polska IV, 44.* **10. o-e** kwiaty, **o.** mak ⟨*koloru jaskrawo czerwonego*⟩. **11.** *daw.* **o.** lud, żołnierz, **o-e** wojsko; **o-a** służba ⟨*żołnierze uzbrojeni w broń palną, lub obsługujący działa; artyleria; służba w artylerii*⟩: Przy działach [...] służyli przeważnie Flamandowie do ognistej służby najprzydatniejsi. *Sienk. Pot. V, 22.* **12. o.** mazur, oberek ⟨*pełen werwy, żywy*⟩: Orkiestra [...] wygrywała czarujące Straussowskie walce i ogniste mazury i oberki. *Oppman Warsz. 91.* **13. o-a** melodia ⟨*skoczna*⟩. **14. o-a** miłość; **o.** afekt, pocałunek; **o-e** serce, spojrzenie, uczucie ⟨*namiętna(-y, -e)*⟩. **15. o-a** mowa ⟨*pełna zapału*⟩. **16. o.** mróz ⟨*bardzo ostry, srogi, siarczysty*⟩. **17.** *przestarz.* Woda **o-a** ⟨*wódka; napój wyskokowy, alkohol, trunek*⟩: **18. o-e** oczy, ślepia, źrenice ⟨*oczy pełne wewnętrznego ognia, blasku, oczy błyszczące, iskrzące się*⟩: Lew podniósł swój potężny łeb do góry i ognistymi ślepiami począł toczyć wokół. *Mark. W. Mity 145.* Młoda, wysmukła brunetka, z oczyma czarnymi jak węgiel, ognistymi jak iskra. *Bork. L. Paraf. 110.* **19. o.** rumak ⟨*bystry, żywy*⟩: Ogniste rumaki biły kopytami o ziemię, sypiąc snopy złocistych iskier. *Mark. W. Mity 65.* **20. o-e** rumieńce, wypieki; **o-a** wiewiórka, **o-e** włosy ⟨*jaskrawo czerwone*⟩. **21. o-e** słowa ⟨*pełne namiętności, zapału*⟩. **22. o-e** strumienie żelaza ⟨*rozżarzone, rozpalone jak ogień*⟩. **23. o.** taniec ⟨*żywy taniec, tańczony z werwą, z temperamentem*⟩. **24. o.** temperament, **o-e** usposobienie ⟨*żywy(-e), namiętny(-e)*⟩. **25. o-a** żagiew ⟨*płonąca ogniem*⟩: Wiatr wyrywał snopki z płonącego dachu i niósł ogniste żagwie w szerokim zasięgu. *Pigoń Komb. 105.* **26.** *przen.* Żar **o.**: Najmniejszy powiew nie chłodził, pola stały w żarze ognistym, spiekota zapierała dech. *Reym. Fron. 3.*

ogniwo 1. o. administracyjne, terenowe, związkowe; gospodarcze, organizacyjne, produkcyjne ⟨*podstawowa jednostka organizacyjna*⟩: W ustroju gospodarki planowej każde ogniwo gospodarcze planuje i wykonuje swój plan zgodnie z wytycznymi planu ogólnonarodowego. *Maz. Plan. 84.* **2.** *chem. fiz.* **o.** elektryczne lub galwaniczne ⟨*urządzenie służące do przetwarzania energii chemicznej w elektryczną*⟩. **3. o.** c z e g o: Ogniwa kajdan, łańcucha. *przen.* Ogniwa małżeńskiego pożycia; ogniwa przyjaźni, miłości, braterstwa. Ogniwo aparatu państwowego, władzy. **4.** Być ogniwem czego: Jesteśmy małym ogniwem ogromnego łańcucha organicznego, a ten tylko ogniwem całej budowy fizycznej kuli ziemskiej. *Śniad. J. SW.* **5.** Połączyć, skuć, spoić kogo ogniwem: Przyjaźń połączyła nas nierozerwalnym ogniwem. **6.** Stanowić **o.** łączące co z czym, pomiędzy kim i kim, czym i czym; stanowić **o.** czego: Ziemia Lubuska stanowiła ogniwo łączące Pomorze ze Śląskiem. *Wiedza i Życie 7, 1954, s. 497.* **7.** Zerwać ogniwa: Nie, kiedy szczęścia zerwane ogniwa, ja mam żyć? *Słow. SW.* **8. o.** pęka, rwie się, pryska: Pękło ostatnie ogniwo łączące mnie ze światem. *Jun. Dworek 134.*

ogolić 1. o. k o g o, c o — c z y m zob. golić. **2.** *przen. przestarz. żart.* **o.** k o g o ⟨*uczynić gołym kogo, biednym, ogołocić kogo, okraść, obedrzeć, obrać, wyzuć z czego, złupić; ograć (w karty)*⟩: Byłbym w kawiarni „Pod Sroczką" ogolił w preferansa tego studenta. *Dzierzk. Kug. 188.*

ogołocić, ogołacać 1. o. k o g o, c o z c z e g o: Ogołocony z zieleni krajobraz rumienił się i złocił w słabym grudniowym słońcu. *Dąbr. M. Noce III/1, 208.* **2. o.** z mebli, sprzętów. **3. o.** z mienia, pieniędzy, zasobów, zapasów. **4. o.** miasto z ludności, z wojska, z załogi. **5.** *przen.* **o.** kogo z honoru, z praw, z zaszczytów: Sainte-Beuve ogołaca Chateaubrianda ze wszystkich zalet. *Par. Alch. 299.*

ogon 1. Długi, krótki; kosmaty, kusy, obcięty, puszysty **o.** (zwierzęcia). **2. o.** chwytny (u małp). **3.** *techn.* Lisi **o.** ⟨*rodzaj piły mechanicznej*⟩. **4.** *bot.* Lwi **o.** ⟨*roślina z rodziny wargowych o wysokiej, pokrytej włoskami łodydze, ciemnozielonych liściach w kształcie serduszek i różowych kwiatach; rośnie przy drogach i na polach, pospolita w całym kraju*⟩. **5. o.** świński, wieprzowy, wołowy itp. ⟨*potrawa z ogona wieprzowego, wołowego itp.*⟩. **6.** *przen.* **o.** c z e g o, np. **o.** sukni, fraka. **7.** *astr.* **o.** komety ⟨*świetlista smuga pojawiająca się za kometą*⟩. **8. o.** latawca. **9. o.** samolotu. **10.** *pot.* Z ogonem ⟨*z okładem*⟩: Pięć kilometrów z ogonem. **11.** Chlastać się, fajtać, kiwać, machać, merdać, wywijać ogonem; spuścić, stulić, zwiesić **o.**; zadrzeć ogon(a) (o zwierzęciu); rozłożyć, rozpostrzec, roztaczać **o.** (o ptakach). **12.** Uciąć psu **o. 13.** *pot.* Chować, wtulić **o.** pod siebie ⟨*zachowywać się potulnie, tchórzyć, bać się, lękać się; trząść się ze strachu*⟩. **14.** *teatr. pogard.* Grać, śpiewać same ogony ⟨*grać, śpiewać niewielką, epizodyczną rolę, w której aktor czy śpiewak nie ma pola do popisu*⟩: Śpiewałem same „ogony", które siłą rzeczy nie dają artystycznego zadowolenia. *Święc. Kulis. 51.* **15.** Lądować na **o.**, unieść **o.** (o samolocie): W sobotę latałem trzy razy [...] lądowałem bardzo dobrze na ogon. *Scheur Pam. 42.* Samolot sunął gładko, unosząc ogon. Płozy lekko tarły po dobrze ubitym śniegu. *Meis. Arkt. 102.* **16.** Nie umieć psom ogonów wiązać ⟨*być niezdolnym do niczego*⟩. *SFA.* **17.** (Ktoś) nie wypadł, nie wyszedł, nie wyskoczył, nie wyleciał sroce spod (z) ogona ⟨*o kimś nie byle jakiego pochodzenia, rodu, o kimś pochodzącym z dobrej rodziny; nie byle kto*⟩: Nie wyskoczyłam widać sroce spod ogona, kiedy takiego brata mam... *Orzesz. Pierwot. 189.* **18.** *środ.* Odziedziczyć krowie, końskie ogony ⟨*odziedziczyć krowy, konie*⟩: Wyjeżdżam na wieś, gdzie posiadam, również po przodkach odziedziczone, dwie morgi gruntu i cztery krowie ogony. *Winaw. Roztw. 76.* **19.** Przyciąć komu **o.** ⟨*wystrychnąć kogo na dudka*⟩. *SFA.* **20.** Przyczepić się jak rzep do psiego ogona. **21.** Ruszyć rozumem, głową, językiem jak martwe (zdechłe) cielę ogonem ⟨*nie mieć konceptu*⟩: Ot, i poruszyła baba rozumem jak cielę ogonem. *Orzesz. SPP.* **22.** Spuścić **o.** ⟨*spuścić z tonu*⟩. *SPP.* **23.** Wlec się, iść, zostawać w ogonie czego ⟨*nie nadążać za rozwojem sytuacji, być zapóźnionym, zostawać w tyle, nie dotrzymywać kroku innym w określonej sytuacji, położeniu, warunkach*⟩: Życie przeszło nad nimi. A oni w ogonie tego życia się wleką, coraz to niżej spadając i społecznie i moralnie. *Rocz. Lit. 1932, s. 157.* **24.** Tworzą się ogony ⟨*tworzą się kolejki, ustawiają się kolejki*⟩: Muzea są pełne publiczności we wszystkie dni tygodnia, a w dni świąteczne tworzą się przed kasami prawdziwe „ogony" pragnących je zwiedzić. *Prz. Artyst. 5, 1952, s. 3.*

ogonek 1. Kusy, podniesiony, wyskubany, zadarty **o.**: Pies uganiał się za własnym kusym ogonkiem. *Bron. J. Dziad. 98.* **2. o.** liściowy: a) *bot.* ⟨*część liścia łącząca blaszkę liściową z łodygą, przytwierdzająca liść do łodygi*⟩; b) ⟨*u niektórych roślin, np. rabarbaru, jadalna część liścia*⟩. **3.** Kiwać, trząść; nakryć się ogonkiem (o zwierzętach): Wiewiórka, siadłszy na gałęzi, nakryła się figlarnie ogonkiem. *Sienk. Now. II, 10.* **4.** (Prze)czekać, stanąć w ogonku ⟨*w kolejce*⟩: Dziś w cukierni musiałem przeczekać w ogonku do telefonu pięć osób. *Tuwim Jarm. 172.* **5. o.** formuje się, tworzy się ⟨*kolejka*⟩: Przy kasie za mną utworzył się kilkudziesięcioosobowy ogonek. *Sokoln. Ctern. 89.*

ogoniasty 1. *przestarz.* Gwiazda **o-a** ⟨*kometa*⟩. **2. o-a** mila, wiorsta itp. ⟨*mila, wiorsta z okładem, z górą; więcej niż mila, wiorsta itp.*⟩: Z bliższych sąsiadów, w promieniu ogoniastej mili mieszkających, miałem jednego tylko znajomego. *Jordan Pam. I, 74.* **3.** *zool.* Płaz **o. 4. o-a** suknia, **o.** frak ⟨*suknia z trenem, frak z długimi połami*⟩.

ogorzały 1. o. od słońca, wiatru: Przewiani wiatrem, ogorzali od słońca, zasypialiśmy z widokiem rozległego nieba. *Kow. A. Rogat. 35.* Cała twarz jego była ogorzała od słońca i wiatru. *Tyg. Ilustr. 190, 1863.* **2. o-a** cera, twarz. **3.** *przestarz.* Dymem, piorunem **o.**: Lud w chodakach z łyka szytych, w chatach dymem ogorzałych, dranicami płasko krytych. *Pol SW.* Dąb piorunem niegdyś ogorzały [...] spuszcza ku ziemi uwiędłe konary. *Kras. Osjan. 184.*

ogólnik 1. Oklepane ogólniki ⟨*frazesy, komunały*⟩. **2.** Mówić ogólnikami: Mówi ogólnikami przybranymi w kwiecistą frazeologię. *Pam. Lit. 3—4, 1952, s. 910.* **3.** Wychodzi (nie wychodzi) ze sfery ogólników: To, co autorka mówi o woli i kształceniu uczuć, nie wychodzi ze sfery ogólników. *Sienk. Wiad. II, 214.* **4.** Zbyć kogo a. rzecz ogólnikami: Co się stało? — spytałem. — Ach, nic. Głupstwo. Nie ma o czym mówić — zbyto mnie ogólnikami. *Kowalew. S. Świat 85.*

ogólnokrajowy o. zjazd: Ogólnokrajowy Zjazd Polonistów był poważnym wydarzeniem w naszym życiu umysłowym. *Nowe Drogi 3, 1950, s. 100.*

ogólnokształcący 1. Szkolnictwo średnie **o-e**. Szkoła **o-a. 2.** Przedmioty **o-e.**

ogólność W ogólności ⟨*w całości, nie wchodząc w szczegóły, ogólnie biorąc, w ogóle, na ogół*⟩: Dzik w ogólności nie smakuje w kartoflach, jedynie głodem tropiony pożera je, i to w zimie. *Wodz. Wspom. 104.*

ogólny 1. Dobro **o-e** ⟨*dotyczące wszystkich, powszechne*⟩. **2.** Fizyka, geografia, historia itd. **o-a** ⟨*dział danej nauki traktujący o ogólnych, powszechnych zagadnieniach danej gałęzi wiedzy lub omawiający ogólnie, całościowo, nie szczegółowo pewne zagadnienia*⟩. **3.** Koszt **o.** ⟨*obejmujący ogół wydatków na co*⟩. **4. o-a** liczba, suma czego ⟨*ogół osób, przedmiotów jakiejś kategorii, grupy itp.; suma wszystkich pozycji szczegółowych*⟩: Rada Państwa obowiązana jest zwołać sesję również na pisemny wniosek jednej trzeciej ogólnej liczby posłów. *Konst. PRL 261.* Donieś, proszę, jaka jest ogólna suma długów. *Mick. Listy I, 381.* **5.** *mat.* Liczby **o-e** ⟨*liczby oznaczane za pomocą liter, zastępujące dowolnie pomyślane wartości*⟩. **6. o-e** osłabienie, przemęczenie itp. ⟨*całego organizmu*⟩: Odczuwać ogólne osłabienie. **7.** Nazwa, sąd, zdanie, pojęcie itp. **o-e** ⟨*dotyczące wszystkich przedmiotów danego rodzaju, obejmujące wszystkie cechy dla danej klasy przedmiotów*⟩: Negacją zdania ogólnego twierdzącego jest zdanie szczegółowe przeczące. *Czeż. Log. 86.* Paliwa niskowrzące (benzyna, benzol, spirytus) noszą ogólną nazwę lekkich. *Ignat. Maszynozn. 63.* W najogólniejszym sensie falą jest każde rozchodzenie się zjawiska. *Natan. Fale 5.* **8.** Czynić z kogo przedmiot ogólnych żartów, docinków ⟨*powszechnych*⟩: Przesądne wróżby panny Teodory czyniły z niej przedmiot ogólnych żartów i złośliwych docinków. *Orzesz. Z różnych II, 141.* **9. o.** pogląd ⟨*wypływający z uogólnienia faktów szczegółowych*⟩: Młody umysł nie jest zwykle w stanie ze szczegółowych faktów dojść do ogólnych poglądów. *Sienk. Szkice I, 194.* **10. o.** pokój, **o-a** sala, **o.** stół itp. ⟨*wspólny(-a) dla wszystkich, przeznaczony(-a) dla ogółu*⟩: Obiad spożyłem osobno, nie zaś przy stole ogólnym. *Leśm. Przyg. 16.* **11. o-a** rozmowa ⟨*pomiędzy wszystkimi uczestnikami*⟩: Ogólna rozmowa w salonie jakoś nagle przycichła. *Perz. Raz. 114.* **12. o.** ukłon, **o-e** powitanie, pożegnanie itp. ⟨*zwracający(-e) się do wszystkich*⟩: W tym ogólnym ukłonie badawczy wzrok zatrzymał na Piotrze. *Żer. Uroda 256.* **13.** Widok **o.** czego (np. miasta) ⟨*obejmujący całość czego, bez szczegółów*⟩. **14. o-e** wrażenie ⟨*powierzchowne, nie wynikające z dokładnej obserwacji czego*⟩: Na swój salonik obrała niewielki pokój, którego ogólne wrażenie było srebrzysto-szare. *Perz. Las 80.* **15.** Wykształcenie **o-e** ⟨*w zakresie szkoły średniej, nie specjalne*⟩. **16. o-e** zebranie ⟨*zebranie wszystkich pracowników jakiejś instytucji, wszystkich członków organizacji itp.*⟩: Zwołano [...] ogólne zebranie, na które stawili się wszyscy bez wyjątku. *Rudn. H. Płom. 75.* **17.** Sprawy natury ogólnej, ogólniejszej ⟨*sprawy dotyczące ogółu*⟩: Oprócz spraw natury ogólniejszej, miał Rzewuski zlecenie załatwić i sprawę prywatną króla. *Kraus. Repn. I, 140.* **18.** Na ogólne żądanie ⟨*na żądanie wszystkich*⟩: Koncert na ogólne żądanie powtórzono. *SW.* **19.** Zwracać ogólną uwagę ⟨*powszechną, wszystkich*⟩: Wydawało mu się, że zwraca ogólną uwagę. *Reym. Now. V, 233.*

ogół 1. Szeroki **o.** ⟨*całe społeczeństwo*⟩: Jego książka jest przeznaczona dla szerokiego ogółu. *Wierchy 1938, s. 221.* **2. o.** mieszkańców, czytelników; interesów, wydatków; wiadomości, zjawisk itp. ⟨*ogólna suma jednostek; wszystko razem; całokształt czego*⟩. **3.** Dobro ogółu: Szczęście jednostki musi być podporządkowane dobru ogółu. *Żer. Ludzie II, 161.* **4.** Na **o.** ⟨*ogólnie biorąc, nie wdając się w szczegóły; przeważnie, zazwyczaj*⟩: Ja to jeszcze rozumiem, ale na ogół jedno pokolenie nie rozumie drugiego. *Boy Znasz. 14.* **5.** W ogóle: a) ⟨*ogółem, w całości, w sumie*⟩: Dlaczego wszyscy w ogóle, a mama w szczególe, byliście przeciw mojemu wyjściu za mąż za niego? *Dygas. Now. III, 110.* Jeżeli w ogóle... ⟨*jeżeli zdarza się, że...*⟩: Mówił powoli, dobitnie, jeżeli w ogóle mówił, bo zwykle milczał. *Chłęd. Pam. II, 60;* b) ⟨*z przeczeniem: zupełnie, absolutnie, ani trochę*⟩: Psy w ogóle tej nocy nie szczekały. *Dąbr. M. Noce II, 70.* **6.** Być pożytecznym ogółowi: Wychowałam ich tak, aby [...] każdy z nich posiadał zawód, którym by i ogółowi był pożyteczny, i sobie byt niezależny własną pracą zapewnił. *Orzesz. Prow. 16.* **7.** Żyć dla ogółu ⟨*dla społeczeństwa*⟩: Przysięgli sobie żyć dla ogółu, jeżeli nie mogli żyć dla siebie. *Strug Pocisk. 124.*

ogórek 1. o. cierniowy ⟨*roślina z rodziny dyniowatych, jadalna; kolczoch*⟩. **2.** Kiszony kwaszony, małosolny, solony **o. 3.** Nos jak **o. 4.** Zakwasić **o-i.**

ogórkowy 1. Sos **o.**; sałata, zupa **o-a** ⟨*z ogórków*⟩. **2.** Krem **o.** ⟨*rodzaj kremu kosmetycznego*⟩. **3.** Okres, sezon **o.**, ⟨*okres letniego zastoju w pracy, w życiu kulturalnym miasta itp.*⟩: Niedługo skończy się sezon ogórkowy i zakipi na nowo życie. *Sienk. Chwila II, 93.*

ograbić, ograbiać o. k o g o, c o — (z c z e g o): **o.** kogo z resztek mienia. **o.** mieszkanie.

ograć, ogrywać 1. o. jaki instrument ⟨*wyrobić, wydoskonalić instrument muzyczny przez dłuższe używanie go, granie na nim*⟩: Nie wyjaśnioną jest rzeczą, czy skrzypce zyskują na wartości przez ogranie. *Reiss Skrzypce 11.* **2. o.** sztukę, utwór ⟨*grając często spowodować spowszednienie*⟩: Mają wciąż jeszcze prowincjonalny system repertuarowy: gra się nową sztukę aż do zupełnego jej ogrania. *Loren. Dwadz. 252.* Program [koncertu] nadto był zużytym, utwory zbyt już ograne i ośpiewane figurowały na afiszu. *Niwa VI, 1875, s. 503.* **3. o.** k o g o — w c o: a) ⟨*wygrać z kim*⟩: Ograć kogo w domino, w warcaby, w szachy; b) **o.** k o g o — w c o — (z c z e g o) ⟨*w grze hazardowej: wygrywając, ogołocić z pieniędzy*⟩: Ograć kogo w karty. Ogrywał kolegów z pieniędzy w „oczko". *Morc. Ptaki 226.* **4. o.** kogo na pewną kwotę: Lubił tylko grać w karty [...] i cały wieczór siedział [...] ogrywając na kilka guldenów swych partnerów. *Chłęd. Pam. II, 61.*

ograniczać, ograniczyć 1. o. c o ⟨*ujmować w granice, krępować granicami; uszczuplać, zmniejszać*⟩: **o.** czyje dochody. **o.** liczbę (kandydatów). **o.** potrzeby, wydatki. **o.** widoczność: Śnieg i ciemność ograniczały widoczność. *Braun Lewanty 427.* **o.** władzę. **2. o.** co czym ⟨*określać, obejmować granicami*⟩: Kolumna pisma z obu stron ograniczona jest pionowymi liniami. *Malin. SW.* Tam gdzie [rzeki] płyną po podłożu zbudowanym z twardych piaskowców, doliny ich są wąskie, ograniczone stromymi zboczami. *Wiedza 224, s. 32.* **3. o.** co do czego ⟨*redukować*⟩: Nie potrafiła ograniczyć tej znajomości do konwencjonalnych stosunków. *Perz. Las 75.*

ograniczać się, ograniczyć się 1. o. się czym ⟨*zadowalać się czym*⟩: Tym razem musiał ograniczyć się wielokrotnym uściskaniem ręki syna. *Prus SPP.* **2. o. się** do czego ⟨*sprowadzać swoje czynności, potrzeby do czego*⟩: Chopin ograniczył się jedynie do komponowania utworów na sam fortepian. *Iwasz. J. Chopin 6.* **3. o. się** na czym ⟨*poprzestawać na czym*⟩: Ograniczę się tu na wyliczeniu... *SW.* **4. o. się** w wydatkach ⟨*oszczędnie wydawać pieniądze, zmniejszać wydatki*⟩: Tłumaczył się on tym, że teatry mają duży deficyt, więc trzeba się ograniczać w wydatkach. *Ower. Ramp. 38.*

ograniczony 1. Człowiek umysłowo **o.** a. ograniczonego umysłu; człowiek o ograniczonym horyzoncie. **2. o-a** liczba biletów, miejsc ⟨*oznaczona z góry*⟩. **3.** W ograniczonym kółku ⟨*w ścisłym, szczupłym*⟩: Zebranie w ograniczonym kółku. *SW.* **4.** *mat.* Ciąg **o.**, funkcja **o-a** itp. ⟨*ciąg, funkcja zawarty(-a) między dwoma krańcami*⟩. Zbiór punktów **o.** ⟨*zbiór punktów zawartych w kole lub kuli*⟩. **5.** Coś jest **o-e** ⟨*coś jest zamknięte w szczupłych granicach, mające niewielki zakres, nie rozwinięte szeroko; ciasne, wąskie, niewielkie, niewszechstronne*⟩: To prawda, że dobra tego świata są ograniczone i ludzie zawsze muszą je sobie wydzierać. *Dąbr. M. Noce II, 249.* Skala wrażeń estetycznych człowieka pospolitego jest bardzo ograniczona i dopiero artysta rozwija jego wrażliwość, rozszerza horyzont jego wyobraźni. *Matusz. I. Twórcz. 22.*

ograniczyć p. **ograniczać**

ograniczyć się p. **ograniczać się**

ogrodniczy 1. o. nóż. **2.** Szkoła **o-a. 3.** Sztuka **o-a. 4.** Sklep **o. 5.** Wystawa **o-a. 6.** Zakład **o.**: Albo przyjmę obowiązek w jakim dużym zakładzie ogrodniczym, albo może też kiedy własny ogród założę. *Jun. Now. 186.*

ogrom 1. Niezmierzony **o. 2. o.** czego: Ogrom świata; *przen.* Ogrom klęski, nauki, roboty. **3.** Coś odznacza się ogromem ⟨*ogromnymi rozmiarami*⟩: Tu już jest las, zbiegowisko drzew najrozmaitszych, starych i wielkich, między którymi odznaczają się ogromem sokory. *Prus Kart. II, 57.* **4.** Przechodzić co ogromem ⟨*przewyższać rozmiarami*⟩: Postać jego zdawała się przechodzić ogromem zwykłe ludzkie rozmiary. *Sienk. Krzyż. I, 50.*

ogród 1. Dobrze utrzymany, zapuszczony **o. 2. o.** kwiatowy, owocowy, warzywny. **3. o.** publiczny ⟨*park*⟩. **4. o.** botaniczny ⟨*ogród, w którym hoduje się rośliny wszelkich gatunków dla celów naukowych, dostępny dla publiczności*⟩. **5.** Ogrody wiszące ⟨*słynne w starożytności ozdobne ogrody babilońskie, założone na wspartych o słupy terasach*⟩: Sławne wiszące ogrody babilońskie miały być dziełem Semiramidy. *Siem. L. Dzieła I, 98.* **6. o.** zimowy ⟨*specjalne oszklone pomieszczenie, w którym hoduje się rośliny normalnie rosnące w innym klimacie, często egzotyczne; rodzaj oranżerii*⟩. **7. o.** zoologiczny ⟨*zwierzyniec*⟩. **8.** Założyć **o.**

ogródek 1. o. jordanowski ⟨*teren zielony, przeznaczony na miejsce zabaw dla małych dzieci*⟩. **2. o.** meteorologiczny ⟨*miejsce na otwartej przestrzeni, gdzie rozmieszczone są przyrządy meteorologiczne*⟩. **3.** Rzucić kamień a. kamyk do czyjego ogródka ⟨*zrobić złośliwą aluzję na czyj temat przy jakiejś okazji, wypowiadając się w jakiejś sprawie*⟩: Weszła w ostatnich czasach w modę polemika autorów dramatycznych z recenzentami [...] Jest tam i kamień do mego ogródka. *Boy Flirt III, 131.*

ogródka *przestarz.* Bez ogródki a. bez ogródek ⟨*wprost, wręcz, nie obwijając w bawełnę*⟩: Chcecie, bym wam bez ogródki szczerą prawdę powiedział. *Niemc. SW.* Mówił jej wprost albo z ogródkami o Wokulskim. *Prus Lalka III, 119.*

ogródkowy 1. o. artysta ⟨*występujący w teatrzykach ogródkowych*⟩. **2.** Scena **o-a**, teatrzyk **o.** ⟨*urządzona (-y) w ogródku*⟩. **3. o-a** odpowiedź; **o-e** gadanie ⟨*nie wprost, niejasna(-e), oględna(-e)*⟩: Na co to ogródkowe gadanie, kiedy można prosto powiedzieć. *SW.*

ogrywać p. **ograć**

ogrzewanie Centralne **o.** ⟨*ogrzewanie gorącym powietrzem, wodą lub parą za pomocą systemu grzejników i rur połączonych ze wspólną kotłownią; urządzenie służące do takiego ogrzewania*⟩.

ohyda 1. o. czynu, postępowania ⟨*obrzydliwość, haniebność*⟩: Czy zdajesz sobie sprawę z ohydy swego czynu? *Wikt. Zbunt. 75.* **2. o.** rodu ludzkiego ⟨*zakała, wyrodek, wyrzutek*⟩. **3.** Dokonać ohydy ⟨*rzeczy wstrętnej, haniebnej*⟩: Jakżeżby sam dokonać potrafił takiej ohydy, takiej zbrodni, tak nędznego plugastwa! *Żer. Przedw. 243.* **4.** *przestarz.* Coś jest w ohydzie ⟨*coś budzi wstręt, obrzydzenie, odrazę*⟩: Panie Joachimie, powiedz, co tam w ohydzie, a co tam w estymie? *Kras. Sat. 85.* **5.** *przestarz.* Podać kogo, co w ohydę; wydać, wystawić co na ohydę ⟨*uczynić kogo, co ohydnym, wstrętnym; napiętnować kogo, co*⟩: Dosyć tych głupich swarów i tych obelg głupich, które nas tylko w ohydę podadzą. *Rap. Wit 82.* Wydanie na ohydę publiczną nałogu karciarstwa nie jest w naszych czasach wojną z wiatrakami. *Sienk. Szkice I, 189.* **6.** *przestarz.* Zdjąć, znieść ohydę ⟨*hańbę*⟩: Sejm zdjął ohydę z zatrudnień handlowych. *Korzon Wewn. II, 147.* Ubóstwa i publicznej ohydy żadną miarą znieść bym nie mógł. *Tremb. Listy II, 59.*

ojciec 1. Kochający, troskliwy; rodzony, własny; wyrodny **o. 2. o.** chrzestny ⟨*mężczyzna przedstawiający do chrztu osobę chrzczoną (najczęściej dziecko)*⟩. **3. o.** niebieski, przedwieczny, wszechmogący ⟨*Bóg*⟩. **4.** Przybrany **o.** ⟨*mężczyzna zastępujący dziecku ojca, wychowujący nie własne dziecko*⟩. **5. O.** święty ⟨*papież*⟩. **6.** Wykapany **o.** ⟨*o synu: taki jak ojciec, bardzo podobny do ojca*⟩. **7. o.** Adam ⟨*postać biblijna: pierwszy człowiek, przodek całej ludzkości*⟩. **8.** *kult.* Ojcowie jezuici, karmelici itd. ⟨*zakonnicy* *tych zakonów*⟩. **9.** **o.** komedii, historii, literatury, poezji ⟨*twórca, inicjator*⟩: Herodot jest ojcem historii, Homer poezji. *SW*. **10.** *kult*. **o.** Kościoła ⟨*autor dzieła teologicznego z okresu pierwszych wieków chrześcijaństwa*⟩. **11.** **o.** rodziny. **12.** **o.** żony ⟨*teść*⟩. **13.** *przen*. Gniazdo, ziemia ojców ⟨*ziemia przodków, ojczyzna*⟩: Tu ziemia Piastów, stare ojców gniazdo. *Rap. Maćko 23*. **14.** *kult*. Ojcze nasz ⟨*modlitwa zaczynająca się od tych słów; modlitwa Pańska*⟩. **15.** U Boga Ojca ⟨*zwrot wyrażający zdziwienie, wzmacniający wypowiedź*⟩: Przecież u Boga Ojca nikt nas tu nie zatrzyma. *Bog. Kapit. I, 109—110*. **16.** Być ojcem dzieciom ⟨*mieć dzieci*⟩: Był znacznie starszy od niego, żonaty i ojciec dzieciom. *Kaczk. Olbracht. I, 359*. **17.** Być komu a. dla kogo ojcem ⟨*opiekunem*⟩: Był prawdziwym ojcem dla swych robotników, dbał o nich jak o swoje własne dzieci. *Dyb. B. Pam. 273*. **18.** Kochać, szanować kogo jak ojca. **19.** Móc być czyim ojcem ⟨*być od kogo znacznie starszym*⟩: Mógłbym być twoim ojcem, a ty mówisz do mnie jak do młodszego brata. *Brand. K. Sams. 134*. **20.** Odziedziczyć co po ojcu: Odziedziczył po ojcu słaby charakter i skłonność do hulanek. *Meis. Sześciu 50*. **21.** Coś przechodzi z ojca na syna ⟨*coś jest dziedziczone w linii męskiej danego rodu, rodziny*⟩: Sztuka rzemieślnicza przechodziła w Atenach z ojca na syna. *Hist. star. 81*. **22.** Urodzić się z ojca: Jan Kochanowski [...] urodził się w r. 1530 [...] z ojca Piotra, sędziego ziemskiego sandomierskiego, i matki Anny Białaczowskiej. *Wind. Koch. 7*. **23.** Wdać się w ojca. **24.** *pot*. Został ojcem ⟨*urodziło mu się dziecko*⟩.

ojcostwo 1. **o.** chrzestne ⟨*bycie ojcem chrzestnym kogo*⟩. **2.** Ustalić **o.** dziecka: Jeżeli ojcostwo dziecka zostało ustalone sądownie, sąd na żądanie dziecka lub matki nadaje dziecku nazwisko ojca. *Dz. Ustaw 54, 1950, s. 365*.

ojcowski 1. Dom **o.** ⟨*rodzinny; ojczysty*⟩. **2.** **o-e** błogosławieństwo, uczucie; **o-a** dobroć, surowość, troskliwość, władza, wola itp. ⟨*pochodzące(-a) od ojca, rodzicielskie(-a)*⟩: Żywił dla mnie uczucia niemal ojcowskie. *Hertz P. Sedan 38*. Osierocone dzieci [...] za swoje własne przyjął i ojcowską otoczył opieką. *Wilk. P. Wieś II, 133*. **3.** Po ojcowsku ⟨*w sposób właściwy ojcu, tak jak ojciec*⟩: Opiekować się kim po ojcowsku. Uściskał mię ze łzami serdecznie, po ojcowsku. *Żer. Dzien. I, 157*.

ojczymowski Po ojczymowsku ⟨*w sposób właściwy ojczymowi, jak ojczym; niedbale, niesprawiedliwie, surowo*⟩: Ludwik Węgierski, prawdziwie po ojczymowsku Polską rządzący, nadał Olsztyn w 1370 roku Władysławowi, księciu Opolskiemu. *Tyg. Ilustr. 195, 1863*.

ojczysty 1. Historia **o-a** ⟨*narodowa, krajowa*⟩. **2.** *daw*. Imię **o-e**; próg **o.** ⟨*ojcowskie, ojcowski*⟩: Prócz nazwisk herbowych miał swoje imię ojczyste. *Bandt. Hist. 107*. Staś stoi pod ogrodem rodzinnym i nie śmie wstąpić w próg ojczysty. *Marc. Pisma I, 180*. **3.** Ziemia **o-a** ⟨*kraj rodzinny*⟩.

ojczyzna 1. Niepodległa, wyzwolona, wolna **o.** ⟨*kraj rodzinny, ziemia ojczysta*⟩. **2.** Druga, nowa, przybrana **o.** ⟨*kraj, do którego ktoś wyemigrował i do którego się przywiązał jak do kraju rodzinnego*⟩: Wiernie służył swej przybranej ojczyźnie — i w wojsku, i na urzędzie. *Chrzan. I. Lel. 27*. Niezmiernie ciekawy jestem wiedzieć, jak znalazłeś twoją drugą ojczyznę i nowe gospodarstwo. *Mick. Listy II, 193*. **3.** Matka **o.** **4.** Syn, zbawca; wróg, zdrajca ojczyzny: Nawet swych mędrców uczniowie odbiegli i za kraj może w tej chwili polegli. I każdy ziszczał nie słowem, lecz czynem, że niewyrodnym był ojczyzny synem. *Ujej. K. Marat. 36*. **5.** Wolność ojczyzny. **6.** *przen*. **o.** c z e g o ⟨*kraj lub miejsce, skąd coś pochodzi lub gdzie przebywa, skąd bierze początek; siedlisko, kolebka*⟩: Ojczyzną żubra jest Litwa. *SW*. Ojczyzną baroku, podobnie jak renesansu, są Włochy. *Dobrow. T. Szt. 319*. **7.** Bronić ojczyzny. **8.** Polec, przelewać krew, umrzeć, walczyć, zginąć za ojczyznę a. w obronie ojczyzny. **9.** Służyć ojczyźnie: Z młodu, przez lat prawie dwadzieścia, mieczem służył ojczyźnie. *Kaczk. Olbracht. II, 141*. **10.** *daw*. Podzielić między dzieci ojczyznę ⟨*ojcowiznę*⟩.

przysł. **11.** Miłe blizny dla ojczyzny. **12.** Gdzie dobrze, tam ojczyzna.

okaleczały 1. **o-e** członki ⟨*kalekie, ułomne*⟩. **2.** **o-e** drzewo ⟨*rozdarte przez piorun, złamane, schorzałe*⟩.

okantować 1. **o.** narty ⟨*obić kant stalową blachą*⟩: Jednemu z nich udało się zdobyć przed startem takie okantowane narty. *Sport 16, 1954*. **2.** *pot*. Dać (nie dać) się **o.** ⟨*dać (nie dać) się oszukać*⟩: Nie bójcie się, nie dam się okantować — powiedział do stojących. *Kowalew. S. Świat 36*.

okaz 1. Ciekawy, ładny, rzadki **o.** ⟨*próbka naturalnego przedmiotu lub wyrobu*⟩: Skarbiec jego był składem numizmatów i wyrobów złotniczych, w których śród pierwszych znajdowały się okazy rzadkie, śród drugich ciekawe. *Jeż Rotuł. 339*. **2.** **o.** anatomiczny, geologiczny, przyrodniczy itd. ⟨*preparat; eksponat*⟩: W szafach i gablotach oszklonych ułożono okazy geologiczne i okazy miejscowej fauny. *Żer. Dzieje II, 217*. **3.** **o.** zdrowia ⟨*wzór, wcielenie*⟩. **4.** *daw*. Na **o.** ⟨*na pokaz, dla pokazania się, dla przechwałki*⟩: Ci, co o wielkich rzeczach bez rozmysłu mówią, na okaz to czynią. *Baz. SW*.

okazać, okazywać 1. **o.** c o ⟨*przedstawić, pokazać*⟩: Okazać legitymację, kwit. **o.** komu twarz jaką: Okazywał im twarz pogodną i wesołą. *Wikt. Papież 8*. **2.** **o.** (k o m u) c o: a) **o.** (komu) gniew, nienawiść, niepokój, przychylność, przyjaźń, radość, serce, strach, troskliwość, wdzięczność, współczucie, wyższość swoją, zadowolenie, zdumienie, zdziwienie itp. ⟨*zwykle o uczuciach: dać poznać po sobie, uzewnętrznić co (wobec kogo), dać komu odczuć*⟩: Podchodził ku mnie kilka razy, jakby szukając sposobu okazania mi swej przychylności. *Berent Fach. 49*; b) **o.** odwagę, opanowanie, uległość, zaufanie, zimną krew itp. ⟨*dać dowód czego*⟩: Nie okazałeś mi zaufania i nie przyszedłeś do mnie, aby się zwierzyć. *Par. Niebo 174*. **3.** **o.** (komu) pomoc, względy ⟨*wyświadczyć*⟩. Jawnie okazywała pomoc więźniarkom. *Goj. Krata 81*.

okazać się, okazywać się 1. **o.** **się** k i m a. j a k i m ⟨*pokazać się, ujawnić się, dać się poznać jakim*⟩: Okazał się człowiekiem, na którego w każdej przygodzie można liczyć. *Olcha Most II, 170*. Okazał się oszustem, głupcem. *Krasn. 70*. *SPP*. Okazał się ostatnim chamem. *Wikt. SPP.* **2.** Coś okazało się jakie: Okazało się to niemożliwe. Pogłoska okazała się fałszywa. *SPW.* **3.** Okazuje się, że...: Okazało się, że Sroka wziął całą winę wyłącznie na siebie. *Kłos. Wiosna 162.* **4.** Okazała się konieczność, potrzeba (czego) ⟨*zaszła, wynikła, zjawiła się*⟩. **5.** Jak się okazuje, jak się okazało (wtrącone) ⟨*jak się dowiadujemy; jak się wyjaśniło, stało się wiadome*⟩: A i dzieci, jak się okazuje, lepiej już o tym wiedzą ode mnie. *Dąbr. M. Noce II, 75.*

okazałość 1. o. ubioru ⟨*przepych*⟩: Dużo uwagi i więcej jeszcze pieniędzy poświęcano okazałości ubioru. *Bystr. Dzieje II, 238.* **2.** W całej okazałości ⟨*wyraźnie; ukazując wszystkie cechy, w całej pełni*⟩: Najrozmaitsze wierzby stoją w całej okazałości rozpękniętych kotek. *Dyak. Las 77.* **3.** Z okazałością (robić co) ⟨*z pompą, ze wspaniałością; z wystawnością*⟩: Z wielką okazałością i przepychem podejmował znakomitych gości. *Baliń. M. Polska III/1, 92.* **4.** Coś dodaje komu, czemu okazałości: Ren jest zwierz nie większy od rosłego cielęcia dwuletniego [...] Ogromne gałęziste rogi najwięcej mu dodają okazałości. *Fel. E. Syb. I, 202.* **5.** Imponować okazałością: Wzrost więcej niż średni nadawał jej postawę majestatyczną, a rozwinięte w całej pełni kształty imponowały okazałością i nęciły powabem. *Bał. Dziady 36.*

okazały 1. o-e drzewo ⟨*rosłe, wspaniałe*⟩: Dąb należy [...] do drzew bardzo okazałych. *Dyak. Przyr. 403.* **2. o.** dom, kościół ⟨*dużych rozmiarów; imponujący, wspaniały*⟩. **3. o.** mundur ⟨*strojny*⟩: Żandarmi na białych koniach, przybrani w okazałe mundury i stosowane kapelusze, pilnują porządku. *Sienk. Listy IV, 213.* **4. o-a** uroczystość ⟨*świetna, wystawna, wspaniała*⟩. **5. o.** c z y m: O dwa tysiące kroków zamek stał za domem, okazały budową, poważny ogromem. *Mick. Tad. 17.*

okazanie Weksel, czek itp. płatny za okazaniem ⟨*weksel itp., który powinien być zapłacony z chwilą przedstawienia go do zapłaty dłużnikowi*⟩: W stosunku do czeku obowiązuje zasada, że jest on płatny wyłącznie za okazaniem. *Jancz. Prawo 498.*

okaziciel Weksel, kwit itp. na okaziciela ⟨*weksel itp., na którym nie jest wymienione nazwisko osoby mającej odebrać pieniądze lub inne należności*⟩.

okazja 1. Jedyna, nadzwyczajna, najlepsza, rzadka, szalona **o.** ⟨*sposobność*⟩. **2. o.** c z e g o a. d o c z e g o ⟨*sposobność*⟩: Bywała nieraz okazja szczerego wypowiedzenia się. *SPP.* Okazja do rewanżu. **3.** *przestarz.* **o.** na pocztę ⟨*okazja wysłania listu na pocztę*⟩. **4.** Na każdą okazję, na wszelkie okazje ⟨*na każdą okoliczność*⟩: Pulower służy nam na wszelkie okazje: do pracy, do sportu, nawet do teatru czy jako strój wizytowy. *Moda SPP.* **5.** *przestarz.* Przez okazję ⟨*za pośrednictwem czyim*⟩: Pozostawione rzeczy odeślę ci przez okazję. **6.** Przy okazji (zrobić co) ⟨*przy sposobności*⟩: Trzeba by przy okazji posłać parę zabawek tej małej. *Prus Lalka III, 84.* **7.** Przy byle, lada, pierwszej, pierwszej lepszej okazji ⟨*przy nadarzającej się, przy jakiejkolwiek sprzyjającej okoliczności*⟩: Przy lada okazji pokażę im, z kim mają do czynienia. *Bart. L. Ludzie 267.* Przy pierwszej nadarzonej okazji wygarbowałem potężnie grzbiet naszemu dyrektorowi. *Łoz. Wal. Dwór 96.* **8.** Z okazji czego ⟨*korzystając z okazji czego*⟩: Z okazji mego ostatniego felietonu opowiedział mi Karol Frycz [...] swoją rozmowę z Michalikiem. *Boy Znasz. 141.* **9.** *daw.* Być w różnych okazjach ⟨*mieć różne przygody, awantury, potyczki*⟩: Bywało się w różnych okazjach, bywało! zdobyło się niejedną chorągiewkę. *Sienk. Ogn. II, 243.* **10.** Czekać okazji do czego. **11.** Mieć okazję, nie mieć okazji (do czego, po temu). **12.** *przestarz.* a. *reg.* Mieć okazję dokąd ⟨*móc dokąd pojechać, przesłać co ze względu na zdarzającą się przygodną sposobność*⟩: Do Litwy mam teraz okazję i spodziewam się przesłać małą pamiątkę dla poczciwego Terajewicza. *Mick. Listy II, 158.* **13.** Mieć okazję + bezokolicznik ⟨*być w sytuacji umożliwiającej co*⟩: Na początku nie doceniałem znaczenia śpiewu, potem wielokrotnie miałem okazję przekonać się, jak wielkie dla żołnierza ma znaczenie. *A. Rudn. Żołn. 61.* **14.** Omijać okazję (nie omijać okazji): Nie omijali żadnej okazji, przy której Frycek mógł się przejechać po Polsce lub także i za granicę kraju wyjrzeć. *Iwasz. J. Chopin 17.* **15.** Szukać okazji (do czego, np. do zwady). **16.** Unikać okazji (do złego). **17.** Znaleźć okazję. **18. o.** się zdarza, trafia.

okazowy 1. Egzemplarz **o.** (książki, czasopisma) ⟨*próbny*⟩. **2. o.** przykład czego: Jest to okazowy przykład bezsensownego użycia wyrazu. *Dor.* w: *Por. Jęz. 2, 1949, s. 29.*

okazywać p. **okazać**

okazywać się p. **okazać się**

okienny 1. Framuga, krata, rama, szybka **o-a.** Okucia, skrzydła **o-e. 2.** Szkło **o-e** ⟨*szkło przezroczyste, średniej grubości*⟩. **3.** Szprosa **o-a.** a. szpros **o.** ⟨*listewka, dzieląca poszczególne szyby w oknie*⟩.

oklaski, *rzadziej* **oklask 1.** Burzliwe, frenetyczne, entuzjastyczne, nie milknące, ogłuszające, rzęsiste itp. oklaski: Cała sala wybuchła potężnym, frenetycznym oklaskiem! *Kotarb. J. Świat. 292.* **2.** Grzmot oklasków: Gdy śpiewaczka umilkła, cały teatr zahuczał grzmotem oklasków. *Sienk. Wiad. I, 229.* **3.** Da(wa)ć, otrzymać, zbierać, zyskać oklaski: Śpiewem nie zachwyca się nikt, oklask dają tylko z grzeczności. *Jun. Now. 160.* **4.** Darzyć, nagrodzić, powitać, przyjąć kogo oklaskami. **5.** Zatrząść się od oklasków (o sali, widowni itp.): Gdy skończył, sala — jak się to mówi — „zatrzęsła się od oklasków". *Par. Niebo 215.* **6.** Oklaski grzmią, wybuchają: A tymczasem zagrzmiało tysiące oklasków, tysiące powinszowań i wiwatnych wrzasków. *Mick. Tad. 123.* Wybuchają jak nawałnica oklaski i długo nie milkną. *Bogusz. Nigdy 119.*

oklep Siedzieć na koniu **o.**

oklepany 1. o. dowcip, koncept, pewnik, temat, zwrot; **o-a** formułka, melodia. **2.** *przen.* **o-a** piosenka ⟨*banalny, szablonowy temat*⟩: Zdrada w miłości jest starą, oklepaną piosenką. *Dygas. Molk. 111.* **3. o-e** komplementy, słowa.

okład 1. o. gorący, zimny; rozgrzewający; pod ceratką; z piasku, z soli, z otrąb itp. ⟨*opatrunek, kompres*⟩. **2.** Z okładem *daw.* okładem ⟨*z naddatkiem,* *z dokładką, z górą, więcej niż; przeszło*⟩: Będzie jeszcze dwie mile z okładem. *SPP.* Ma 50 lat z okładem. *SW.* **3.** Położyć **o.**: Położyć [...] okład (ze spirytusu salicylowego) pod ceratką na całą okolicę bolesną. *Pol. Tyg. Lek. 30, 1954.* **4.** Robić okłady, zrobić (komu) **o.**: Matka parzy ślaz, rumianek, robi okłady. *Goj. Dziew. I, 175.*

okładać p. **obłożyć**

okładać się p. **obłożyć się**

okno 1. o. balkonowe, kuchenne, górne, mansardowe, narożne, szczytowe; okna południowe, zwrócone na południe itp.; **o.** od ulicy, od podwórza; **o.** bliźniacze, witrażowe, skrzynkowe. **2.** Okna inspektowe a. od inspektów. **3. o.** podwójne (dubeltowe, zimowe) ⟨*składające się z dwóch oszklonych ram; druga rama okienna wstawiana od wewnątrz na zimę*⟩. **4. o.** szwedzkie ⟨*okno, którego skrzydła letnie i zimowe są zespolone ze sobą i otwierane łącznie do wewnątrz*⟩. **5. o.** ślepe ⟨*nie przepuszczające światła na zewnątrz, imitujące okno prawdziwe w celu zachowania kompozycji elewacji*⟩: Okna w elewacjach poprzecznych są ślepe i mają charakter wyłącznie dekoracyjny. *Lorentz Natol. 188.* **6.** *geol.* **o.** tektoniczne ⟨*odkrywka*⟩. **7. o.** weneckie ⟨*trójdzielne, tj. podzielone pionowo na trzy części*⟩. **8.** *górn.* **o.** wentylacyjne ⟨*w tamie wentylacyjnej otwór z zasuwą, służący do przepuszczania za tamę określonej ilości powietrza*⟩. **9. o.** wystawowe ⟨*witryna*⟩. **10. o.** w dachu (typowe dla architektury barokowej) ⟨*lukarna*⟩. **11.** *łow.* **o.** jamy, nory ⟨*otwór nory zwierząt leśnych, np. borsuka, lisa*⟩: Skierka, doskonały jamnik, natychmiast z pasją znika w oknie jamy. *Niedb. Łow. 171.* **12. o.** wagonu. **13.** Framuga, rama, wnęka, parapet, skrzydło okna. **14.** Chodzić od okna do okna. **15.** Otworzyć, przymknąć, zamknąć, wstawić, wystawić, założyć, wyjąć; zasłonić **o.**; (u)myć, okitować, opatrzyć na zimę, pozamykać okna. **16.** Stłuc, wybić, wytłuc, zbić **o.** a. szybę w oknie; powybijać okna a. szyby w oknach. **17.** Uchylić okna. **18.** Patrzeć, zapatrzyć się w **o.**; zaglądać w **o.**, przez **o.** **19.** Stać, siedzieć, usiąść, zasiąść w oknie, u okna, przy oknie. **20.** Wychylić się oknem, przez **o.**; z okna, za **o.** **21.** Wyglądać oknem, przez **o.** (o osobach). Wyglądać z okna (zwykle o przedmiotach martwych) ⟨*być widocznym z okna*⟩: Z okna wyglądały doniczki jakichś pąsowych kwiatów. *SPP.* **22.** Wdzierać się, wpadać przez **o.** (o świetle). **23.** Wypaść z okna, wyrzucić za **o.** **24.** Wejść, wleźć; wyskoczyć oknem, przez **o.** **25.** *przen.* Coś jest oknem, otwiera **o.** na świat: Zwycięska wojna ze Szwecją [...] otworzyła Rosji okna na zachód. *Baran. Hist. IX, 320.* **26.** Pchać się, włazić drzwiami i oknami ⟨*przedostawać się ze wszystkich stron, w nadmiarze, natrętnie*⟩: Dostatek, zaszczyty, nawet wielkość pchały się do ich siedzib drzwiami i oknami. *Żer. Dzieje II, 176.* **27.** Wyrzucać pieniądze za **o.** ⟨*wydawać pieniądze bez celu, na próżno; marnować pieniądze*⟩: Może pana będę trzymał... pieniądze wyrzucał za okno! *Gąs. W. Pig. 50.* **28.** Okna wychodzą na co (na park, na ulicę, na podwórze).

przysł. **29.** Zastąp ty mu ode drzwi, to on oknem. Wyrzucić go drzwiami, to oknem wlezie ⟨*o człowieku natrętnym, bez ambicji*⟩. **30.** Gdy bieda zajrzy oknem, kochanie drzwiami ucieka. **31.** Goń biedę drzwiami, to wlezie oknem. **32.** Małżeństwo drzwiami, miłość oknami.

oko 1. Bezbarwne, błyszczące, brązowe, piwne, siwe, szare, zielone; cudne, obrzękłe, piękne, podsiniałe, podsinione, przekrwione, rozszerzone, ruchliwe, rybie ⟨*wypukłe*⟩; sarnie, skośne, świdrowate ⟨*zezowate*⟩, urocze, wpół przymknięte, wybałuszone, wytrzeszczone, wyłupiaste, wypukłe, wyraziste, zamglone, zapadłe, zezowate, zezujące, zwilgotniałe oczy. **2. o.** nieuzbrojone ⟨*bez pomocy okularów, mikroskopu; nie zabezpieczone*⟩. **3. o.** nadmiarowe, dalekowzroczne ⟨*widzące wyraźniej przedmioty dalsze niż bliższe*⟩. **4.** *pot.* Kocie oczy: Kocie oczy wzięły swą nazwę stąd, że z reguły są to niewielkie odblaskowe szkiełka, odbijające światło rzucane przez reflektory samochodów. *Prz. Kult. 31, 1958, s. 2.* **5.** Oczy racze a. rakowe ⟨*kulki wapienne w głowie u raka*⟩. **6.** Wole **o.**: a) *bot.* ⟨*potoczna nazwa różnych roślin*⟩; b) *archit.* ⟨*rodzaj ozdoby stosowanej w stylu renesansowym*⟩. **7.** *bot.* Wronie **o.** ⟨*kulczyba*⟩. **8.** *zool.* Oczy złożone ⟨*u stawonogów parzysty organ wzroku złożony z licznych pojedynczych oczek*⟩. **9.** Oczy bazyliszkowe a. bazyliszka ⟨*spojrzenie mogące zabić*⟩; chmurne, chytre, dzikie, figlarne, krótkowzroczne, lodowate, łagodne, marzycielskie, obojętne, płomienne, ponure, przebiegłe, przenikliwe, przepaściste, przygasłe, roziskrzone, roztargnione, skupione, sokole, szklane ⟨*bez wyrazu*⟩, świdrujące, tęskne, uroczne, wesołe, wylękłe, zimne, złe, żywe oczy. **10.** Jak (gdzie) okiem zajrzeć (zajrzysz) ⟨*w zasięgu wzroku; hen, bardzo daleko*⟩: Jak okiem zajrzysz, kołyszą się ogromne sosnowe lasy, rozsadzone wśród wydm piaszczystych. *Krasz. Jabł. II, 128.* **11.** *przestarz.* Jak oczy wybrał ⟨*bez śladu, jak kamień w wodę*⟩: Tatarzy pouciekali, jak oczy wybrał. *SW.* **12.** Jakby ojcu z oka wypadł, jakby matce z oka wypadł ⟨*podobniuteńki*⟩. **13.** Miły dla oka. **14.** Nieobjęty okiem ⟨*taki, którego nie można objąć wzrokiem, rozległy*⟩: Na nieobjętych okiem obszarach [pyłki śniegu] mkną po wierzchu skorupy śnieżnej niby dymy białe, leniwe, przejrzyste, sypkie jak piasek. *Żer. Opow. 192.* **15.** Nieogarnięty okiem ⟨*taki, którego nie można ogarnąć spojrzeniem, ogromny*⟩: Nieogarnięty okiem tłum otacza z trzech stron małą, pustą przestrzeń — stadion. *Makowiec. Dios. 28.* **16.** *pot.* Pi razy oko ⟨*w przybliżeniu*⟩: Rzecz jest pomyślana na zasadzie znanego wzoru: pi razy oko. *Prz. Kult. 7, 1959, s. 7.* **17.** Sto i **o.** ⟨*sto i jeden; przen. bardzo dużo*⟩: A bajek pan nie pisze? nie! To piękna rzecz, także ja napisałem sto i oko bajek czterowierszowych i bardzo je chwalą. *Krasz. Poeta 128.* **18.** Akomodacja oka ⟨*przystosowanie się układu optycznego oka do odległości bliższych niż jego punkt dali wzrokowej*⟩. **19.** Na mrugnienie, na mrugnięcie oka (oczu): a) ⟨*na życzenie wyrażone najdrobniejszym gestem, natychmiast*⟩: Wszystko przychodziło do mnie gotowe, zbytkowne, służyło mi na każde mrugnienie oka lub skinienie palca. *Orzesz. Pam. II, 217*; b) ⟨*na chwilę, na moment*⟩: Dziewczyna się zawahała na mrugnięcie oczu. *Sewer Biedr. 115.* **20.** W mrugnienie oka ⟨*w chwilę, natychmiast*⟩: W jedno mrugnienie oka po strzale, dał się słyszeć krzyk męski. *Kaczk. Olbracht. III, 223.* **21.** Rzut oka, pierwszy rzut oka ⟨*spojrzenie*⟩: Już pierwszy rzut oka na ten materiał zmusza nas do zajęcia zasadniczego stanowiska. *Łoś Wiersze 24.* **22.** Na pierwszy rzut oka, z pierwszego rzutu oka, od pierwszego rzutu oka: Na pierwszy rzut oka wydaje się, że wcale wjechać nie można, ale w skale jest wyrwa, przez którą dwa konie obok siebie przejdą. *Sienk. Ogn. III, 267.* Z pierwszego rzutu oka najciekawszym dla fizjonomisty szczegółem okazało się niezawodnie jej czoło wysokie. *Żmich. Róża 178.* Tak nauczyłem się czytać z jego twarzy, że skoro tylko wszedł, od pierwszego rzutu oka poznawałem, gdy mu się nie powiodło. *Sienk. SPP.* **23. o.** armaty, strzelby ⟨*wylot*⟩. **24. o.** bomby, pocisku ⟨*otwór, przez który się ładuje materiał wybuchowy*⟩: Amunicyjny udawał, że wkręca zapalnik, którego w ogóle nie miał, do oka pocisku. *Rudn. A. Żołn. 97.* **25. o.** jeziora: Leży przede mną w słońcu cała dolina, ciemnieją oka jezior. *Nowa Kult. 35, 1955, s. 4.* **26. o.** księżyca, słońca: Młodości! ty nad poziomy wylatuj, a okiem słońca ludzkości całe ogromy przeniknij z końca do końca. *Mick. Wiersze 102.* **27.** Oka sieci: Deszcz promieni światła lał zewsząd, wpadał przez oka sieci listnej, wiszącej jak dach nad puszczą. *Dygas. Gody 42.* **28. o.** świata ⟨*wywietrzały opal*⟩. **29.** Oka tłuszczu. **30. o.** ula ⟨*otwór, którędy pszczoły wchodzą i wychodzą*⟩. **31.** Dla oka ⟨*na pozór, dla pozoru*⟩: Nic nie robił dla oka. *Krasz. SW.* **32.** Dla oka (ludzi) ⟨*po to, aby ludzie patrzyli*⟩: Nawet wśród największego szczęścia nie rozśmieję się dla oka ludzi. *Bog. Kapit. II, 132.* **33.** Dla pięknych oczu (kogo): a) ⟨*dla tego kogoś*⟩: Kaszlący wicedyrektor jedynie dla pięknych oczu Stasi nie zechce pozbawiać się starokawalerskiej wolności. *Jun. Now. 193*; b) ⟨*dla pięknego pozoru; dlatego tylko, że ktoś pięknie, sympatycznie wygląda; przez bezinteresowną, ale naiwną życzliwość dla kogo*⟩: Nie robię tego dla pięknych oczu, ale z poczucia obowiązku. **34.** Do oczu ⟨*w oczy, wprost*⟩: Do oczu mu wszystkie winy wymawiają, a on jeno łzy połyka. *Sienk. Ogn. III, 108.* Tu, do oczu niech jeden drugiemu dowodzi, który z was obu kłamie. *Fred. A. Geld. 57.* **35.** Na **o.**: a) ⟨*na pozór, dla pozoru*⟩: Surowy był, milczący, na oko chłodny i wytrzymały. *Krasz. Baśń 96*; b) Na **o.** (liczyć, mierzyć) ⟨*(liczyć, mierzyć) w przybliżeniu*⟩: Na oko jest tego 3 litry; ze 100 sztuk itp. Na **o.**, na oczy ⟨*polegając na tym jak się widzi, nie sprawdzając; na wygląd*⟩: Ocenić, kupić co na oko. Towar wydaje się niezły na oko; c) *daw.* Na **o.**, na oczy (co pokazać) ⟨*jak na dłoni; naocznie, (przedstawić) przed oczy*⟩: Pokazała się na oko niewinność jego. *Skar. SW.* Pokazał mu na oko, jak nierozumnie domaga się tego. *L.* Nieostrożny a zbyt porywczy ówczesny podkanclerzy Lipski wyrzucał na oczy Gaborowi przez posła niegodne jego postępki. *Dzied. Lisow. II, 8*; d) Na **o.** (płynąć) ⟨*kierować statkiem według przedmiotów widzialnych, nie posługując się kompasem i obliczeniami*⟩; e) *łow.* Na **o.** (chwycić, gonić, wziąć) *łow.* ⟨*o psie: spostrzec; gonić widząc zwierza*⟩: To nie na ślad daleki ogary napadły, na oko gonią. *Mick. Tad. 120.* P es gończy, goniąc zwierzynę, napędza ją na strzelców, czasem ściga, gdy nie tylko ją stropi, ale z bliska na oko weźmie. *Brodz. Synon. 177.* **36.** Na (za) piękne oczy ⟨*bezinteresownie, za darmo, za nic*⟩: Nikomu nie zaufam na piękne oczy. *Żukr. Zioła 17.* **37.** Na własne (swoje) oczy, własnymi, żywymi oczyma (oczami) (widzieć co, oglądać, przekonać się o czym) ⟨*osobiście, naocznie*⟩: Pani Raczyńska zobaczyła na własne oczy pierwszy przekaz pieniężny i poweselała. *Goj. Rajs. I, 178.* Gdyby nie to, że własnymi oczyma oglądałem to dziwne jezioro, pomyślałbym, że jest ono bajką albo snem. *Leśm. Klech. 100.* Jak to? — zapytał Mateusz, — Paweł żywymi oczyma widział ją na łopacie? *Choj. Alkh. IV, 48.* **38.** Na oczach, w oczach czyich ⟨*w obecności czyjej, wobec kogo*⟩: Wszystko odbywało się na oczach jakichś widzów. *Par. Wios. 85.* Każ go przyprowadzić, niech w oczach twoich rozwiążą powrozek, co mu ręce ściąga. *Jeż Rotuł. 495.* W oczach moich ⟨*w mojej obecności*⟩. **39.** Na oczach, w oczach u kogo ⟨*na widoku, dostępnie obserwacji, jawnie, znacznie*⟩: Ojciec dzierżawił młyn parowy i obrastał w majątek wprost na oczach ludzkich. *Pięt. Wspól. 46.* Na każdej szybie rysowały się i rosły w oczach, idąc z dołu do góry, fantastyczne gałązki mrozu. *Żer. Opow. 41.* Matka ciągle ociera łzy i schnie, po prostu w oczach schnie. *Rydz. Ludzie 111.* **40.** W oczach czyich ⟨*według czyjegoś zdania, opinii*⟩: Kto wie, jak to wyglądało w oczach tego drugiego świadka. *Par. Niebo 142.* Czy chce koniecznie w oczach świata uchodzić za nędznika, za brutala? *Oliz. Pam. II, 40.* **41.** *daw.* Po oku ⟨*według oka mierząc, celując*⟩: Kupido, stanąwszy na ustroniu w kroku, nałożywszy strzałę swą, ciągnie łuk po oku. *Miaz. SW.* **42.** Pod okiem: a) ⟨*pod opieką, nadzorem*⟩: Dzieci będą pod moim okiem. *Dąbr. M. SPP*; b) ⟨*pod kierunkiem czyim*⟩: Pracować pod czyim okiem. Wielokrotne granie roli pod okiem profesora, stałe obcowanie uczniów z widownią pod okiem ich nauczycieli i wychowawców ma [...] ogromne znaczenie w ogólnym procesie szkolenia aktora. *Pam. Teatr. I, 1955, s. 113*; c) Pod okiem czyim (robić co) ⟨*w obecności czyjej*⟩: Jest pan ojcem chłopca, który tuż pod pańskim okiem przeżywa okropną tragedię. *Par. Niebo 153.* **43.** *przestarz.* **o.** na **o.**, z oka na **o.** ⟨*na osobności z kim, bez świadków*⟩: Rozmawiać z kim oko na oko. **44. o.** w **o.** ⟨*twarzą w twarz; bezpośrednio*⟩: Spotkać się, znaleźć się, zetknąć się z kim, z czym oko w oko. **45.** Spod oka (patrzeć, spoglądać, zerkać itp.): a) ⟨*nie prosto, bokiem*⟩: Zapalił papierosa i spod oka spoglądał na dawnego kompana. *Ziel. S. Pol. 67.* Przyglądał się spod oka olbrzymiemu potworowi, który zastąpił mu drogę. *Grabow. J. Opow. II, 194*; b) ⟨*niechętnie, nieufnie, podejrzliwie*⟩: Nikt do mnie nie mówi ani słowa, tylko spoglądają spod oka. *Gordon Obraz. II*; c) ⟨*ukradkiem, nieznacznie*⟩: Obserwować, śledzić kogo spod oka. Pani Raczyńska usadowiła się wygodnie w fotelu i spod oka lustrowała młodą parę. *Goj. Rajs. I, 69*; d) ⟨*spod nadzoru, opieki*⟩: Zrozumieć nawet nie mógł, jakim sposobem się stało, że ją spod oka rodzicielskiego i nieodstępnej opieki wypuszczono. *Skiba Poziom. 144.* **46.** W oczach: a) ⟨*widocznie; szybko*⟩: Rosnąć, gasnąć, usychać w oczach. - Ziemia schła w oczach. *Iwasz. J. SPP.* Coś się robi, staje się w oczach; b) w oczach czyich ⟨*w mniemaniu czyim*⟩: Wszystko przeciwko niej samej obróci się w oczach Pawła. *Nałk. Z. SPP.* **47.** W oczy: a) ⟨*z przodu, w twarz*⟩: Niemcy dali nam ognia w same oczy, ale nie uczynili szkody. *Sienk. Now. IV, 212.* Śnieg i deszcz zacinały w oczy. *Olcha Most I, 34*; b) ⟨*nie za oczy,* *wręcz, otwarcie; bezpośrednio*⟩: Mówić, powiedzieć, rąbać, rzucić, walić, wygarnąć (komu) prawdę w oczy. Śmiać się, roześmiać się komu (prosto) w oczy. **48.** W żywe oczy ⟨*w obecności kogo; jawnie, bezczelnie*⟩: Kłamać, łgać; zadawać komu kłam, kłamstwo w żywe oczy. Wypierać się, zapierać się; wyprzeć się, zaprzeć się czego w żywe oczy. - Oszukać, zełgać w żywe oczy bez zająknienia oto [...] co potrafił. *Gard. Trzech 141.* Co mu tam będzie tłumaczył — warczy Arne — szkoda język strzępić. Toż kpi z ciebie w żywe oczy. *Melc. Statek 26.* **49.** *daw.* Z oka: a) ⟨*bokiem, nie prosto*⟩: Tu stanęli, a z oka poglądali na mię. *Szymon. SW*; b) ⟨*przez szpary*⟩. **50.** Za oczy, za oczami (oczyma) ⟨*w nieobecności*⟩: Zaczęto go lekceważyć, pomiatać nim, kpić z niego, za oczy na początek. *Niedź. Dzieło 61.* Oznajmiła, że jaśnie pan Daleniecki chce sprzedać Serbinów za oczami wielmożnego pana Niechcica. *Dąbr. M. Noce II, 109.* **51.** Z zamkniętymi, z zawiązanymi oczyma ⟨*nie patrząc; na oślep*⟩: Potrafią z zamkniętymi oczyma wskazać drogę wśród gruzów i wywieść podróżnego [...] ku zielonym i beztroskim okolicom. *Hertz P. Sedan 8.* Znając miejscowość, że z zawiązanymi trafiłby oczyma, za przewodnika służył. *Jeż Uskoki II, 106.* W moim wieku ludzie żenią się nawet z zawiązanymi oczyma. *Boy Kapit. III, 128.* **52.** Cieszyć **o.**, oczy; ciągnąć, nęcić, pociągać, porywać, przyciągać, rwać, wabić oczy; sycić, paść oczy czym, widokiem czego a. czyim; pieścić czym oczy; uderzać oczy: Nigdy jej na myśl nie przyszło, że można nie kupić tego, co chwilowo jej oczy ciągnęło ku sobie. *Żmich. Pow. 150.* Jabłonie, grusze, śliwy jeszcze w wielu sadach nęciły oczy i kusiły, aby sięgnąć po owoc. *Wikt. Papież 18.* Złoto czyste, prawdziwe, aż porywa oczy! *Zabł. Mężowie 39.* Napis ten, błyszczący wesoło złoceniem swych liter, przyciąga oczy ludzkie. *Konopn. Now. IV, 25.* Aż oczy rwała, tak była ładna ze swymi rozdętymi chrapkami i zdyszaną piersią. *Sienk. Wołod. I, 95.* Strój ich mile wabił oko barwami tęczy oraz połyskiem złota. *Zag. Chochl. 117.* On siedział na ławce naprzeciw i przez pół godziny pasł oczy widokiem jej pięknej twarzyczki i imponujących kształtów. *Bał. Dziady 236.* Lecz zaledwo małe pół godziny ta nocna jazda trwała, kiedy osobliwszy widok uderzył moje oczy. *Baliń. M. Pisma IV, 119.* **53.** Coś rzuca się, uderza (kogo) w oczy ⟨*zwraca czyjąś uwagę; narzuca się wzrokowi*⟩: Rzucały jej się w oczy kwiaty o prześlicznych barwach. *Dygas. As 109.* Uderzyły mnie z daleka już w oczy porządne zabudowania. *Gocz. Wspom. II, 83.* **54.** Wiatr bije w oczy ⟨*wieje, uderza*⟩: Padał ostry deszcz, wiatr bił w oczy, zapierał oddech. *Brosz. Mił. II, 45.* **55.** Błądzić, toczyć, powieść, wodzić, *przestarz.* powlec okiem, oczami (oczyma) po kim, po czym; szukać oczami: Błądzę oczyma po Wiśle, którą tak znakomicie widać z mego okna. *Berent Fach. 41.* Szli oglądając się, potykając, tocząc rozpaczliwie oczami na wszystkie strony. *Pięt. Łuna 164.* Pan Maciej powlókł okiem po izbie karczemnej i poznał wszystką szlachtę zawichrzyńską. *Łoz. Wal. Szlach. II, 13.* Powiódł okiem po twarzach kolegów, czy aby słuchają z odpowiednim zaciekawieniem. *Melc. Statek 10.* Wodziła oczami po zrudziałej ziemi. *Orkan Pomór 86.* **56.** Bronić, pilnować; strzec kogo, czego jak źrenicy oka (w oku), bardziej niż oka w głowie, jak oka w głowie; miłować kogo jak źrenicę oka: Mój opiekun pilnował mię jak źrenicy w oku. *Lam J. Głowy II, 10.* Przecie jej włos z głowy nie spadnie [...] Będzie jej hetman strzegł jak oka w głowie. *Sienk. Pot. III, 33.* Niby mruczysz na Kowalskiego, a miłujesz go jako źrenicę oka. *Sienk. Pot. VI, 121.* **57.** Bryzgać komu czym w oczy (np. obelgą); ciskać, rzucać co w oczy komu a. kogo: Precz, zdrajco, hańbę ciskam tobie w oczy. *Rom. Popiel. 70.* **58.** Być komu cierniem, solą w oku ⟨*przeszkadzać, wzbudzać zawiść*⟩: Och, jego wszyscy muszą tak kochać jak ja. Są i źli, którym on jest cierniem w oku. *Bełc. Hun. 7.* Solą w oku jest im zwłaszcza królewskie prawo weta. *Boy Flirt IX, 87.* **59.** Być okiem i uchem kogo, czego: Był on okiem i uchem II Brygady Międzynarodowej. Wiedział wszystko. *Żółk. W. Droga 188.* **60.** Być okiem w głowie, źrenicą oka ⟨*być pupilem, faworytem*⟩: Ona była pierwszym okiem w głowie u pani. *Kaczk. Mąż 134.* Rok przeszedł i ta młoda żona odbierała zawsze przy ognisku domowym cześć niemal boską; była mężowi źrenicą oka, miłością, mądrością, światłem. *Sienk. Now. V, 100.* **61.** Chłonąć, pożerać kogo, co okiem (oczami): Chciwym pożera okiem wszystkie cuda. *Tremb. Różne 31.* **62.** Miga się, mąci się; pociemniało, ściemniało; troi się komu w oczach; mroczki, świece, świeczki stają komu w oczach ⟨*ktoś doznaje zaburzeń wzrokowych*⟩: W oczach mu ściemniało, zachwiał się i runął zemdlały na ziemię. *Sewer Zyzma 438.* Poczuła mocne pchnięcie w pierś. Pociemniało jej w oczach. *Stryjk. Bieg. 339.* Gdym już miał nogę w strzemieniu, któryś mię zdzielił w łeb kamieniem. Mroczki mi stanęły w oczach. *Żer. Opow. 265.* Grzmotnąłem go w plecy, on znów mnie pięścią w bok, aż mi świeczki w oczach stanęły. *Konopn. Now. II, 261.* **63.** Wyczytać co komu z oczu ⟨*domyślać się czego z wyrazu oczu*⟩: Po paru już godzinach wyczytała mu z oczu, że patrzy obecnie znacznie trzeźwiej na położenie. *Niedź. Grzech 120.* **64.** Dostrzec okiem ⟨*dojrzeć*⟩. **65.** Zginąć; zniknąć z oczu, sprzed oczu: Ziemia od dawna znikła mu z oczu. Widział tylko obłoki oświetlone słońcem. *Leśm. Klech. 14.* **66.** Gonić, ścigać, śledzić co okiem, oczami (oczyma); (po)gonić oczami (oczyma) za kim, za czym; wodzić (błędnymi) oczami (oczyma, okiem) za kim, za czym; po kim, po czym: Z uśmiechem zachwycenia na ustach ścigał okiem jej uroczą postać. *Orzesz. Wesoła 202.* Młodzieniec [...] zachwycony, marzący, roztargnionym grę śledził już okiem. *Grudz. Marz. 17.* Pogoniłam oczami za fruwającą biedronką. *Zar. Ziarno 143.* Wodziła okiem za półmiskiem. *Dąbr. M. SPP.* Zaczął wodzić oczyma po tłumie. *Żer. SPP.* **67.** Grać w **o.** ⟨*w rodzaj gry hazardowej w karty*⟩: Kilku ludzi grało w „oko“. *Czesz. Pocz. 112.* **68.** (Iść) precz z oczu! precz mi z (moich) oczu! ⟨*zejść z oczu; zejdź mi z oczu, z pola widzenia; niech cię nie widzę!*⟩: Precz! Precz! precz z moich oczu!... *Dobrow. S. Spart. 12.* **69.** Pakować się, włazić komu w oczy, na oczy ⟨*starać się zwrócić czyją uwagę*⟩: Jeszcze po tej zbrodni śmiesz mi włazić w oczy! Zaraz ja cię! *Węg. Organy 167.* Czemu się jej ojciec zawsze pakuje na oczy? *Żer. Grzech 25.* **70.** Leżeć na oczach ⟨*roztaczać się przed oczami*⟩: Zielone smugi łąk leżały na jego oczach. *Żer. SPP.* **71.** Lustrować co okiem, oczyma: Stojąc nieruchomie jak pień, oczyma tylko lustrował, jak mógł najgłębiej, zwikłane przepaście leśne. *Weys. Józ. Sob. 114.* **72.** Mieć **o.**; mieć bystre **o.** (oczy) ⟨*być spostrzegawczym*⟩: Muszę sobie oddać sprawiedliwość, że mam oko i że dostrzegam to, czego ogół nie widzi. *Prus Dusze 47.* Choć stary jestem, ale oko mam bystre i widzę, że pan kłopot jakiś ma... *Jun. Bruk 35.* **73.** Mieć dobre **o.** (oczy) ⟨*dobrze widzieć, mieć dobry wzrok*⟩: Baśka! W szafie brak brązowej jesionki i kapelusza. Ja mam dobre oko. *Twórcz. 1, 1954, s. 113.* **74.** Mieć kocie, sowie oczy; nie mieć kocich oczu ⟨*widzieć; nie widzieć w ciemności*⟩: A jeśli są w grocie? Ja nie mam kocich oczu, kto ich tam wyśledzi? *Zabł. Firc. 85.* Mam oczy sowie, widzę po ciemku. *Leśm. Klech. 67.* **75.** Mieć kurka na oczach ⟨*być ślepym*⟩: Czy masz kurka na oczach? *SW.* **76.** Mieć oczy otwarte na co ⟨*być czujnym; orientować się w jakiej sprawie; zwracać uwagę na co*⟩: Miej stale oczy otwarte na wszystko. *Rudn. H. Spart. 21.* Teraz, gdy jest nas tylu, damy sobie radę z niechęcią Indian, lecz mimo to trzeba mieć oczy otwarte. *Fiedl. A. Rio 73.* **77.** Mieć oczy i uszy otwarte ⟨*być czujnym*⟩: Grecy mieli oczy i uszy otwarte na wszystko, co dokoła nich żyło. *Par. Wios. 104.* **78.** *przestarz.* Ma spiczaste oczy ⟨*wszystko zauważy*⟩. *SW.* **79.** *książk.* Mieć zawiązane oczy ⟨*działać na ślepo*⟩: W ogóle na dworze Roberta Amor, mówiąc ówczesnym językiem, miał zawiązane oczy i godził swymi strzałami w serca panien i mężatek. *Chłęd. Neapol. 42.* **80.** *pot.* Mieć z tyłu oczy ⟨*wszystko widzieć*⟩; *żart.* (Mieć) oczy z tyłu ⟨*o kimś roztargnionym, roztrzepanym (nic nie widzieć, nie spostrzegać)*⟩. **81.** Mieć złe oczy ⟨*móc uroczyć kogo, co*⟩: Nie dopuszczać, żeby kto cudzy patrzał na nasze konie, bo nuż ma złe oczy i urzecze! *Rzew. H. Zamek 61.* **82.** *pot.* Gdzie miałeś oczy? ⟨*jak mogłeś nie widzieć*⟩. **83.** Mieć oczy dla kogo ⟨*przyglądać się komu, interesować się kim*⟩: Młodzież zdaje się mieć oczy tylko dla niej. Wszyscy się ubiegają o taniec, o słowo. *Fel. E. Syb. III, 188.* *książk.* Nie mieć oka, ucha dla czego ⟨*nie przejawiać w czym upodobania, zrozumienia czego, czuć się obco w czym*⟩: Nie miał ucha dla ciszy kanonicznego zaułka, nie miał oka dla tej fasady opitej i obżartej rzeźbą. *Par. Niebo 31.* **84.** Mieć **o.** jakie na co ⟨*oceniać, ujmować co w jaki szczególny sposób*⟩: Ten i ów z historyków sam niedawno dowodził pułkiem czy batalionem na polu bitwy; z konieczności ma inne oko na te sprawy. *Boy. Mar. 8.* **85.** Mieć na kogo łaskawe **o.** ⟨*być dla kogo łaskawym*⟩: Cesarz na niego łaskawe oko miał. *Skar. SW.* **86.** Mieć, dawać **o.** na kogo, na co ⟨*bacznie obserwować, nadzorować kogo, co; pilnować kogo, czego; czuwać nad kim, nad czym; interesować się kim, czym*⟩: Do mnie należało wybierać obozowiska na noc, czuwać! nad pochodem w dzień, mieć oko na cały tabor. *Sienk. Now. III, 40.* Wszędzie zajrzał, wszystkiego się dotknął, na każdy szczegół miał oko. *Mort. Dni I, 26.* Wytłumaczyła mi, że w majątku dają oko na każdego obcego człowieka. *Goj. Dwoje 84.* **87.** *przestarz.* Mieć **o.** na kobiety ⟨*interesować się kobietami*⟩: Miał także oko na piękne kobiety, bo chociaż już to kawalerskie rzemiosło zarzucił, przecież lubił z nimi żartować. *Kaczk. Olbracht. II, 316.* **88.** Mieć co na oku ⟨*czynić celem, przedmiotem zamierzeń, osiągnięć; mieć co na widoku*⟩: Nasze spiski miały na oku przeważnie obronę konstytucji. *Brück. Kult. IV, 291.* **89.** Mieć kogo na oku (na oczach): a) ⟨*ogarniać wzrokiem; dosięgnąć, śledzić spojrzeniem; widzieć stale, móc obserwować*⟩: Miałem go na oku wzdłuż kilku ulic [...] lecz nagle zginął w tłumie. *Wiśn. S. Niewidz. 160.* Można by dziewczynę w ręce mu i w opiekę oddać. Mając ją na oczach prędzej by dla niej co uczynił. *Sienk. Pot. IV, 191*; b) ⟨*uważać na kogo, na co; obserwować kogo, co; pilnować kogo, co*⟩: Kilku żołnierzy bez karabinów — to cały konwój — jednak dobrze nas mają na oku. *Zielon. Wspom. 42.* Powinieneś mieć go na oku i wiedzieć o każdym kroku jego. *Bał. Dziady 195.* **90.** Mieć co przed oczami (oczyma) ⟨*ogarniać spojrzeniem; wyobrażać sobie, żywo przypominać; mieć na uwadze, na względzie, pamiętać o czym; daw. stawiać jako cel*⟩: Leżąc na łóżku miał przed oczyma korony wielkich drzew okalających sad, dalekie lasy i dalekie wzgórza. *Żer. Uroda 159.* Ciągle miałam przed oczyma ten rumieniec z mego powodu zawstydzonej matki. *Żmich. Róża 73.* Trzeba zawsze mieć przed oczyma ten jedyny nauki cel, pożyteczność. *L.* **91.** Mieć co w oczach: a) ⟨*żywo wyobrażać sobie co, żywo przypominać*⟩: Zeszedłem oto w zieloną kotlinę: jeszcze mam w oczach śniegów biel i sine zwały lodowca. *Lamus 6, 1910, s. 155*; b) ⟨*przejawiać w spojrzeniu jaki stan wewnętrzny*⟩: Katelba jednak spochmurniał przy tym, a w oczach miał jakiś ciężki i przykry namysł. *Dąbr. M. Noce II, 99.* **92.** Zmierzyć kogo okiem, oczami (oczyma) ⟨*obejrzeć kogo od góry do dołu; uważnie, krytycznie, ciekawie*⟩: Ciekawym okiem gościa zmierzyły. *Wilk. P. Wieś II, 23.* **93.** Mówić, porozumiewać się; wyznać co oczami ⟨*spoglądać wyraziście, porozumiewająco; wypowiedzieć co wzrokiem*⟩. **94.** Mrugać na kogo okiem, mrugnąć okiem ⟨*mrugając porozumiewać się; dawać znaki, dać znak oczami*⟩: Mrugnął okiem porozumiewawczo. — My się rozumiemy! *Wikt. Miasto 234.* **95.** Mrużyć, zmrużyć oczy: Słońce świeciło tak jasno i złociście, że trzeba było mrużyć oczy. *Leśm. Klech. 43.* **96.** Zamydlić, zaślepić komu oczy; sypnąć w oczy, zasypać oczy komu piaskiem; puścić komu dym w oczy ⟨*zwieść, obełgać kogo*⟩: Pomyślał zaraz, że pewnie tych dwoje regalistów dowiedziało się o jego stosunkach ze Szwedami i stąd ten chłód w przyjęciu. Postanowił więc sypnąć im natychmiast piaskiem w oczy. *Sienk. Pot. VI, 23.* Obie strony chytrością swoją chciały sędziemu dym w oczy puścić. *Baz. SW.* **97.** Napastować, prześladować kogo oczyma ⟨*przyglądać się komu uporczywie*⟩: Jeden z tych drabów ścigał ją i napastował oczyma. *Żer. Dzieje II, 27.* **98.** Nasunąć, wcisnąć co na oczy (np. kapelusz, czapkę): Tu i ówdzie wystają dziewczyny w chustach, nasuniętych na oczy. *Putr. Rzecz. 69.* **99.** Nie chcieć kogo widzieć na oczy: Ja nie chcę na oczy widzieć tego złodzieja! *Dygas. Now. III, 61.* **100.** Nie mieć wstydu w oczach ⟨*być bezwstydnym, bezczelnym*⟩. **101.** Nie spuszczać oka (oczu) z kogo ⟨*przypatrywać się uporczywie komu*⟩: Nie spuszczałem przez wszystkie godziny oczu z nauczycielki, którą chciałem sobie pozyskać. *Kow. A. Rogat. 89.* **102.** Nie spuszczać, nie tracić z oka (z oczu) kogo, czego ⟨*pilnie obserwować, nadzorować kogo, co; czuwać nad kim, nad czym*⟩: Mając rozkaz pański, abym go przez cały dzień z oczu nie spuszczał, stanąłem za węgłem i całą rozmowę słyszałem. *Wilk. P. Wieś I, 140.* Bawi gości, a z oczu nie spuszcza młodziana. *Mick. Tad. 144.* Jego dwaj towarzysze nie tracili sprawy z oka. *Grusz. An. Żak. 185.* **103.** Nie śmieć, bać się komu w oczy spojrzeć; nie śmieć oczu podnieść; nie wiedzieć, gdzie podziać, schować oczy ⟨*czuć się zażenowanym wobec kogo; wstydzić się kogo, czego*⟩: Nie śmiała mi w oczy spojrzeć. *Sienk. Now. III, 56.* Nie przyjeżdża, bo ci się boi w oczy spojrzeć. *Dąbr. M. Noce II, 177.* Nie śmiałbym oczu podnieść na ludzi. *Prus. Now. III, 130.* Oh! gdzież ja oczy podzieję! *Tyg. Ilustr. 150, 1870, s. 239.* Starosto, duszo moja, jesteśmy jak owi młodzieniaszkowie wrzuceni w piec gorejący; nie wie człowiek, gdzie schować oczy. *Krasz. Brühl 237.* **104.** Nie wierzyć, nie dowierzać (własnym, swoim) oczom: W pierwszej chwili oczom nie chciał wierzyć. *Perz. Uczn. 197.* Idziesz i patrzysz, zamieniasz się cały w patrzenie i jeszcze oczom swoim nie wierzysz i myślisz, że to ułuda. *Siw. Katorż. 71.* **105.** Nie zmrużyć, nie móc zmrużyć oka ⟨*nie zasnąć, nie móc zasnąć*⟩: Przez całą noc ani oka nie zmrużyłam. *Sienk. Połan. III, 51.* **106.** Chwytać, uchwycić co okiem; przypaść oczami do kogo, do czego ⟨*objąć, ogarnąć kogo, co spojrzeniem; wpatrzyć się w kogo, w co gwałtownie*⟩: Widziałeś go tyle akurat, ile się na przykład chwyta okiem przestrzeni w ciemną noc, przy świetle błyskawicy. *Żer. Prom. 59.* **107.** (S)kierować; zwracać, zwrócić oczy na kogo, na co; ku czemu; w stronę kogo, czego ⟨*(s)kierować wzrok, spojrzenie*⟩: Obrócił się do niego całą twarzą i skierował nań zaiskrzone oczy. *Gomul. Wspom. 232.* **108.** Oczy czyje zwracać, zwrócić na siebie ⟨*ściągnąć czyją uwagę*⟩: Mąż urodziwy, odwagi i zręczności nieposlednej, w gonitwach i turniejach pierwszy dank odnosił, i oczy wszystkich zwrócił na siebie. *Wójc. Klechdy I, 29.* **109.** Olśnić oczy: W stepach Sahary powolnie kroczy zbłąkany pielgrzym [...] Wtem cudny widok olśni mu oczy [...] na niebios kraju oazis błyska. *Tyg. Ilustr. 186, 1863, s. 151.* **110.** Oswajać z czym oczy: Weszliśmy więc, oswajając oczy powoli z ciemnością w nim [teatrze] panującą. *Krasz. Kartki 153.* **111.** Patrzeć, spojrzeć; spoglądać, zaglądać komu w oczy: a) ⟨*patrzeć, spoglądać komu prosto w twarz*⟩: Spojrzała mu w oczy i zaraz spuściła wzrok. *Putr. Rzecz. 200.* Zbyt długo mi w oczy patrzałaś — ogromnie byłem zmieszany. *Słonim. Poezje 52*; b) Patrzeć komu w oczy ⟨*starać się dogodzić, schlebiać komu*⟩; c) Patrzeć, spojrzeć komu śmiało w oczy ⟨*patrzeć nie wstydząc się*⟩: Mógł śmiało spojrzeć im w oczy, on też dochował wiary, on też nie dał się lękom, nie uległ słabości. *Jackiew. Wiosna 104.* **112.** Patrzeć, spojrzeć, zajrzeć czemu w oczy (niebezpieczeństwu, nieszczęściu, śmierci): a) ⟨*zetknąć się z czym, być narażonym na co*⟩: Włożywszy ręce w kieszenie, patrzałem w oczy nieszczęściu i żartowałem sobie z niego!... *Sewer Nafta III, 228.* Człowiek na froncie przyzwyczajony jest do tego [...] Już nieraz patrzyliśmy śmierci w oczy. *Kurek Woda 150*; b) Patrzeć, spojrzeć, zajrzeć (śmiało, prosto, odważnie, spokojnie) czemu w oczy (faktom, prawdzie, śmierci) ⟨*przyjąć, znieść co odważnie itp.*⟩: W ustach macie pełno frazesów i siły, a nie umiecie spojrzeć w oczy faktom. *Sienk. Dram. 110.* Trzeba mieć odwagę i popatrzeć prawdzie w oczy. Pobili nas, ale na tym nie koniec. *Żukr. Dni 226.* Boimy się zajrzeć prawdzie w oczy, boimy się nazywać rzeczy po imieniu. *Popł. Pisma II, 178.* Śmierci patrzy w oczy spokojnie. *Witkow. S. Trag. I, 302.* **113.** Śmierć patrzy, zagląda, zajrzała, *daw.* zaziera(ła) komu w oczy ⟨*życiu czyjemu zagraża bezpośrednie niebezpieczeństwo, ktoś jest narażony na śmierć; ktoś jest, był w śmiertelnym niebezpieczeństwie*⟩: Na środku rzeki śmierć patrzała w oczy. *Szan. Most 47.* Nie ruszył palcem, by mi pomóc, gdy mi śmierć zaglądała w oczy. *Hirsz. Hist. 332.* Czy to mi raz w oczy śmierć zazierała. *Rzew. H. Listop. I, 260.* **114.** Patrzeć, spoglądać na kogo, na co kosym, łaskawym, miłym, niechętnym, niemiłym, przychylnym, zazdrosnym, złym, życzliwym itp. okiem ⟨*traktować kogo, co nieżyczliwie, życzliwie itp.*⟩: Spogląda kosym okiem na nocnych podróżnych. *Mikul. Spot. 279.* I pani sędziwa miłym okiem spoglądała na Mendla. *Łoz. Wal. Szlach. II, 45.* Ty zawsze patrzyłeś życzliwym okiem na wszystkie jego wybryki. *Iwasz. J. Odbud. 52.* **115.** Patrzeć, spojrzeć na kogo, na co innym okiem, innymi oczyma ⟨*inaczej kogo, co oceniać, inaczej się na co zapatrywać; spojrzeć na co z innego punktu widzenia, inne mieć o czym pojęcie*⟩: Widział czyny Bartka i począł patrzeć na niego zgoła innymi oczyma. *Sienk. SW.* **116.** Patrzeć, spoglądać na kogo, na co jednym okiem ⟨*nieznacznie obserwować, śledzić kogo, co*⟩. **117.** Patrzeć na kogo, na co osłupiałymi oczyma ⟨*spoglądać na kogo, na co ze zdziwieniem, z osłupieniem*⟩: Dziwnie skulony, chwiejąc się na nogach patrzył na nią osłupiałymi oczyma. *Krucz. Sidła 148.* **118.** Patrzeć, spoglądać na kogo, na co nieustraszonym okiem ⟨*spoglądać na kogo, na co bez lęku, odważnie*⟩: A będzie — rzekła patrząc na niego nieustraszonym okiem. *Dąbr. M. Noce II, 163.* **119.** Patrzeć na co suchym okiem ⟨*nie płacząc, mężnie, obojętnie*⟩: Czulej pewnie, niż ty, ubolewam nad klęską ojczyzny [...] ale mnie to śmieszy, iż gdy suchym okiem patrzyliście na spalenie okrętów, teraz gdy idzie o worek, każdy z was płacze. *Kras. Życia X, 48.* **120.** Pieścić, popieścić kogo, co oczyma: Obszedł je [róże] w rząd, popieścił jeszcze raz oczyma, jeszcze raz się uśmiechnął. *Morc. Wyrąb. I, 101.* **121.** Podnieść, wznieść oczy do kogo, do czego; ku komu, ku czemu; na kogo, na co ⟨*spojrzeć na kogo, na co*⟩: Podniosła na niego oczy rozjaśnione uśmiechem. *Iwasz. J. Nowele 89.* **122.** Pokazać się komu na oczy ⟨*spotkać się, stanąć wobec kogo, zbliżyć się do kogo*⟩: Przez całą oktawę nie pokazywała się mężowi na oczy. *Parn. Aecjusz 199.* **123.** Nie móc się pokazać, wstydzić się pokazać na oczy; nie móc oczu pokazać: Wstydziłem się pokazać pani na oczy, wstydziłem się w głębi serca siebie samego. *Sewer Nafta III, 249.* Oczu między ludźmi pokazać nie mogła. *Dygas. Gorz. I, 22.* **124.** Postawić, *przestarz.* zawrócić oczy (w słup) ⟨*wpatrzyć się nieruchomo w jedno miejsce*⟩: Zerwał się wraz ze wszystkimi z miejsca, oczy postawił w słup i stał jak skamieniały. *Sienk. Pot. I, 286.* Bawi swoim kosztem wielkich panów, zawraca oczy przy wielkich paniach, wpisuje się do najsuciej oprawionych sztambuchów. *Żmich. Róża 100.* Zawrócił oczy w słup, na znak niemego uwielbienia. *Lam J. Kariery 75.* **125.** *przestarz.* Postradać z oczu wzgląd na co ⟨*przestać co widzieć*⟩: Panna Karolina postradała z oczu wzgląd na mężowskie pergaminy, widziała tylko przed sobą przedmiot swoich uczuć.

Choj. Alkh. IV, 203. **126.** Coś potrzebuje, wymaga oka ⟨*doglądania, dozoru*⟩: Kwiaty potrzebują ciągłego oka, baczności, pielęgnowań nieustannych. *Krasz. Opow. 77.* **127.** Poznać, poznawać, widzieć co po oczach ⟨*domyślać się czego po wyrazie oczu u kogo*⟩: Poznaję po twoich oczach — rzekł po chwili ciszej — co mógłbyś mi dziś odpowiedzieć. *Par. Niebo 250.* Żartujesz, widzę to po oczach. **128.** *daw.* Od psa oczu pożyczyć, psu oczy (s)przedać ⟨*być bezwstydnym, bezczelnym*⟩: Mam punkt honoru; jeszczem psu oczu nie przedał. *Zabł. SW.* **129.** Prowadzić, toczyć okiem, oczyma dokoła; za kim, za czym ⟨*rozglądać się dokoła; wodzić wzrokiem za kim, za czym*⟩: Jak tu brzydko — szeptał do Wawrzka, prowadząc dokoła szklanymi oczyma. *Kosiak. Rick I, 48.* **130.** Przebiec, przebiegać; przerzucić, przerzucać oczyma (okiem) co ⟨*przesunąć, przesuwać spojrzenie*⟩: Gorączkowo przebiegam oczyma krótką wzmiankę telegraficzną. *Cent. Czel. 5.* Szybko przerzuca okiem depeszę. *Lechoń Rzeczp. 54.* **131.** Przecierać **o.**; oczy (również *przen.*): Przecierał zaspane oczy. *Bron. J. Ogn. 242.* Ziemia przeciera oczy, wilgotne od błyszczących ros. *Orkan Rozt. 52.* Siemieński był niegdyś zagorzałym ludowcem, otarł się o Centralizację Wersalską, lecz wnet przetarł oczy i musiał powiedzieć mea culpa. *Dęb. L. Z hist. 97.* **132.** Coś przeciera komu oczy: Jesteś jeszcze młody i jak wszyscy młodzi ślepy względem tych gadzin, przetrze ci oczy dopiero doświadczenie. *Święt. A. Nałęcze 121.* **133.** *przestarz.* Przedstawiać przed oczy komu ⟨*przedstawiać*⟩: System Zwodu tego [...] przedstawiamy czytelnikowi przed oczy przy końcu tego Rozdziału. *Helc. Praw. I, CCXLI.* **134.** Przejrzeć, przeniknąć okiem; przeszyć, przeszywać kogo oczyma ⟨*spojrzeć przenikliwie, przeniknąć wzrokiem*⟩: Zuchwały wyrostek przeszył mnie pałającymi oczyma i — rzucił na ziemię złotówkę! *Prus Now. III, 144.* **135.** Przejrzeć na oczy: a) ⟨*odzyskać zdolność widzenia*⟩: Kiedy po raz pierwszy przejrzałem na oczy [...] zobaczyłem pochylającego się nade mną człowieka. *Bron. J. Dziad. 5*; b) *przen.* ⟨*zrozumieć co; sytuację; zorientować się w sytuacji*⟩: Przechodzili na stronę ludu, kiedy tylko przejrzeli na oczy. *Prz. Kult. 29, 1954, s. 3.* **136.** Coś się komu przesuwa, roztacza, rysuje przed oczami (przed oczyma duszy), np. widok czego, postać czyja: Przed oczyma duszy pięknej nieznajomej rysowała się postać młodzieńca. *Łoz. Wal. Dwór 358.* **137.** Przewrócić, przewracać, wywracać oczy: a) ⟨*spoglądać tak do góry, że całe białka widać*⟩: Czasem oczy wywraca i wzdycha głęboko. *Mick. SPP*; b) Przewracać oczy a. oczami (oczyma) ⟨*spoglądać zalotnie*⟩: Każdy wzdycha, przewraca oczy, szepcze tkliwe półsłówka, czule za rączkę ściska w tańcu... *Prus Lalka III, 76.* Płoche podwiki i stateczne matrony jednakowo przewracały oczami ku dorodnym przybyszom z północy. *Wikt. Papież 105.* **138.** Przymknąć, przymykać; zmrużyć, *daw.* zamrużać oczy na co ⟨*udawać, że się nie widzi, tolerować co*⟩: Pańska matka przymykała oczy na pańskie sprawki. *Iwasz. J. Odbud. 75.* Na swoją biedę może bym oczy zmrużył, ale cudze łzy na sumieniu nosić zbyt ciężko. *Orzesz. Niemn. III, 197.* Nic tedy nie wiem, co się tu dalej dziać ze mną będzie i oczy na to zamrużam. *Tremb. Listy I, 230.* **139.** Coś przysłania komu bielmem oczy na co ⟨*nie pozwala widzieć czego*⟩: Chorobliwa jego megalomania przesłaniała mu — przy znacznej zwłaszcza odległości z Paryża do Polski — bielmem oczy na to, co się w kraju działo i na stanowisko w nim komendanta. *Dłus. K. Wspom. 22.* **140.** Razić oczy a. w oczy: Śnieg razi oczy swą bielą. *Szmag. Dymy 58.* Słońce wyżej się nieco wzniosło i oślepiający blask począł go razić w oczy. *Andrz. Popiół 277.* **141.** Robić, sypać **o.**; robić, zrobić, puszczać perskie **o.** do kogo ⟨*spoglądać zalotnie, filuternie na kogo*⟩: Patrz, jakie ten student z boku robi do mnie oko. *Reym. Kom. 133.* A pamiętasz, jak to jeszcze niedawno ten Wacek, mój kolega, sypał do ciebie oko? *Kunc. Dni 80.* Antek zrobił do niej perskie oko. *Brzoza Dzieci 203.* **142.** Robić baranie, słodkie oczy ⟨*wpatrywać się w kogo uparcie i przymilnie*⟩: Jeżeli myśli, że ja mu pozwolę słodkie, baranie oczy robić do wszystkich kobiet, to się bardzo myli. *Krasz. Seraf. 122.* Była zresztą szczupła, zwinna i umiała robić słodkie oczy. *Grusz. Ar. Tuzy 119.* **143.** Robić okrągłe oczy ⟨*nie rozumieć*⟩. **144.** Rzucić okiem na kogo, na co; po kim, po czym; *przestarz.* rzucić **o.** ⟨*spojrzeć*⟩: Rzuciłem okiem na twe pismo, nicem nie zrozumiał. *Krasiń. Listy II, 273.* Rzucił oczyma po skałach. *Żer. SPP.* Rzućcie dzieci oko na krajobraz pod liczbą 3. *Lel. Dzieje 56.* **145.** Schodzić, zejść; uciekać komu z oczu ⟨*unikać, uniknąć spotkania kogo; znikać z pola widzenia*⟩: Pójdzie gdzie do miasta na zgodę, żeby mu z oczu zejść. *Dąbr. M. Ludzie 219.* **146.** Skakać, przyskakiwać, stawać komu (sobie) do oczu ⟨*sprzeczać się, kłócić się gwałtownie*⟩: Kłócono się, skakano sobie do oczu. *Jackiew. Wiosna 55.* Dwie kobiety zaperzone skaczą sobie do oczu. *Par. Zegar 9.* Wszyscy krzyczeli, w piersi się bili, do oczów sobie przyskakiwali. *Gomul. Mieszczka 101.* Ryzykował nieraz wszystko, stawał do oczu bodaj samemu papieżowi „konserwy", staremu Dunajewskiemu. *Boy Znasz 38.* **147.** (S)kleić komu oczy ⟨*usypiać, uśpić kogo; sprowadzić sen na kogo*⟩: Morfeuszu, sklej mi oczy, niechaj jaki kraj uroczy zobaczę. *Syrok. Wyb. 70.* **148.** Słuchać czego, stać z szeroko otwartymi, rozwartymi oczami (oczyma): Agata [...] słuchała tego z szeroko otwartymi oczami, aż okrągłymi od zdziwienia. *Bron. J. Siostrz. 55.* Otworzyła list i teraz stała blada, z oczyma szeroko rozwartymi, wpatrując się w małą karteczkę, nakreśloną drobnym kobiecym pismem. *Zap. G. Krzyż 121.* **149.** Spadła zasłona z oczu ⟨*ktoś przejrzał, zorientował się w sytuacji*⟩: Spadła mu z oczu zasłona, zasmucił się nad własnym przeznaczeniem. *Skarb. Starosta 83.* **150.** Spędzać sen z oczu ⟨*nie pozwalać sypiać*⟩: Musisz się bardzo troskać o niego, bo troska podobno spędza sen z oczu. *Bełc. Hun. 44.* **151.** Jakim okiem spojrzy ⟨*w jakim będzie nastroju, jak się odniesie*⟩: Nie wiadomo, jakim okiem na to spojrzy. **152.** Spuścić oczy ⟨*zawstydzić się*⟩: Ja moja matko nic nie rzekłam, tylkom się zasromała wstydem, i oczy ku ziemi spuściła. *Jezier. Rzepicha 120.* I grzecznie się skłoni, i z konia zeskoczy; dziewczę się zapłoni, na dół spuści oczy. *Mick. Wiersze 118.* **153.** Spuścić kogo z oczu, z oka ⟨*zaniechać nadzoru, pilnowania*⟩: Więźniarki zostały już spisane, obliczone, wielokrotnie zrewidowane i dozór niemiecki spuścił je na chwilę z oka. *Goj. Krata 44.* **154.** Coś (ktoś) staje, stoi, tkwi, roi się, zostaje komu w oczach, przed oczami, *daw.* na oczach; pojawia się, pojawiło się, zamajaczyło przed oczami ⟨*coś (ktoś) jest nieustannie w czyjej żywej pamięci; ciągle się komu przypomina*⟩: Niespodziewanie w oczach mi stanął nasz dworek podlaski. *Żmich. Pow. 238.* Tkwi on mi w oczach, jak gdyby na jawie, miłość z martwego żywym mi go stawi. *Zab. XV/2, 1777, 392.* Zawsze cień mego stryja w oczach mi się roi, cały dzień chodzi za mną. *Jasiń. Pisma 28.* W lnianej koszuli, broniąca się, blada, z wzniesioną piersią i odkrytą szyją, w głosie modlitwa, i rozpacz, i trwoga — tak mi została w oczach ta nieboga. *Konopn. Balcer. 67.* Ona mu się ciągle przypomina, wiecznie przemawia do niego, stając mu żywcem na oczach. *Kremer Listy II, 61.* Przed oczami pojawiała mu się raz po raz postać Kienzla, nerwowo wykończonego. *Breza Uczta 221.* I nagle zamajaczył mu przed oczami obraz Małej Woli. *Perz. Las 36.* **155.** *przestarz.* Stanąć (komu) do oczu, w oczy ⟨*pokazać się komu, zjawić się przed kim osobiście*⟩: Niechże nam stanie do oczu ów taki syn, ów przedawczyk i zdrajca! *Sienk. Wołod. II, 42.* Dlaczego na mnie za drzewami szczekasz, a gdy ja stanę w oczy, to uciekasz? *Słow. Ben. 339.* **156.** Śmierć stanęła komu w oczach ⟨*ktoś znalazł się w śmiertelnym niebezpieczeństwie; ktoś uświadomił sobie śmiertelne niebezpieczeństwo*⟩: Skrzetuskiemu śmierć stanęła w oczach, bo ciąć już mieczem nie mógł. *Sienk. Ogn. II, 164.* **157.** *praw.* Stawić sobie do oczu ⟨*skonfrontować świadków*⟩: Jeżeli między zeznaniami świadków zajdą sprzeczności, można zarządzić stawienie ich sobie do oczu. *Kod. post. karn. 24.* **158.** Stawiać co komu przed oczy ⟨*przedstawiać*⟩: Społeczeństwu schorzałemu i wykolejonemu stawiał przed oczy szlachetne wzory przodków. *Życie Lit. 49, 1954, s. 7.* **159.** (S)tracić oczy ⟨*zaniewidzieć; tracić wzrok*⟩. **160.** (S)tracić kogo, co z oczu: a) ⟨*(s)tracić z pola widzenia*⟩: Nie chciał więc stracić z oczu wylotu ścieżki. *Par. Niebo 120*; b) ⟨*przestać kogo widywać, nie mieć z kim kontaktu*⟩: Odkąd przeniosłem się do Warszawy, straciłem go z oczu. *Par. Godz. 64.* **161.** Stracić się z oczu ⟨*przestać się widywać, kontaktować się ze sobą*⟩: Spotkałem jednego ze swych przyjaciół, z którym straciliśmy się z oczu przed wielu laty. *Brosz. Feliet. 11.* **162.** Strzelać (słodkimi) oczami (oczyma) ⟨*rzucać (przymilne) spojrzenia*⟩: To jak martwa opoka nie zwróci w stronę oka; to strzela wkoło oczyma. *Mick. Ball. 9.* Do wszystkich uśmiechała się, strzelała słodkimi oczami, kokietowała i bawiła się. *Przyb. Ideały 238.* **163.** Błyskawice strzelają komu z oczu ⟨*ktoś rzuca groźne, gniewne spojrzenia*⟩: Ciemny rumieniec pokrywał mu policzki, z przygasłych zwykle oczu strzelały błyskawice, czoło podniósł niemal groźnie. *Orzesz. Pam. III, 143.* **164.** Strzyc okiem, oczami (ku komu, za kim) ⟨*rzucać na kogo spojrzenia, zerkać; oglądać się za kim*⟩: Dziewka okrutnie mi się nadała, bo gładka i wabna. Jużem to zauważył zaraz potem, kiedyśmy ją to zabrali, że udawała strach, a okiem ku mnie strzygła. *Sienk. Pot. VI, 87.* Wszyscy za nią oczyma strzygli. *SW.* **165.** Ściągać, zwracać (wszystkie) oczy na siebie ⟨*ściągać na siebie czyje spojrzenia; zwracać czyją uwagę*⟩: Była to ze wszech miar postać zajmująca i ściągająca oczy na siebie. *Krasz. Opow. 93.* **166.** Ślepić oczy ⟨*psuć sobie oczy, wytężać wzrok*⟩: Ślepisz przy świecach stare swe oczy. *Chodź. Pisma III, 224.* **167.** Świecić oczami (oczyma) przed kim, przed czym; za kogo ⟨*wstydzić się*⟩: Warcholiliśmy się okrutnie, a teraz trzeba przed cnotą i niewinnością oczami świecić. *Sienk. Pot. I, 38.* Pójdę za cię oczyma świecić. *Sienk. Krzyż. I, 57.* Kto czoła nie ma [...] niech świeci oczyma. *Zabł. Sarm. 108.* **168.** *przen.* Świecić w oczy: Ale noszę go, tzn. nóż, pod sukniami, bo po co ludziom w oczy świecić. *Grusz. An. Żak. 87.* Bieda nieraz świeciła mu w oczy, ale on wolał mrzeć głód [...] niż prosić ludzi o pomoc, bo za hardy był na to. *Chrzan. I. Lit. 493.* **169.** Topić oczy w czyich oczach ⟨*wpatrywać się w czyje oczy intensywnie*⟩. **170.** Coś uchodzi, uszło; nie ujdzie, nie uszło czyjego oka ⟨*ktoś czegoś nie spostrzega, nie zauważył; ktoś coś spostrzeże, spostrzegł*⟩: Jego oka nic nie ujdzie. **171.** Ukryć co przed okiem ludzkim. **172.** Usprawiedliwiać się we własnych, czyich oczach ⟨*wobec siebie samego*⟩: Usiłował usprawiedliwić się we własnych oczach, wmawiając w siebie tyle razy już powtarzany argument. *Morc. Ptaki 169.* **173.** Oczy utkwić, utopić, zatopić, wlepić w kim, w czym, w kogo, w co; wbić w kogo, w co; zwrócić na kogo, na co; utonąć, zatonąć oczami w czym; wpić się w kogo oczami; mieć oczy utkwione, wlepione w kogo, w co; zwrócone na kogo, na co ⟨*wpatrzyć się uporczywie w kogo; skierować spojrzenie na kogo*⟩: Wlepiła w niego swoje zapłakane oczy. *Ritt. Noc. 58.* Wlepiał oczy w twarze siedzących. *Żer. SPP.* Oczy całej Polski utkwione były w dyktatora. *Śliw. A. Lel. 229.* Ketling milczał, głowę tylko spuścił i oczy wbił w podłogę. *Sienk. Wołod. I, 168.* Wszyscy wbili oczy w naczelnika z pytaniem, z nadzieją, ze strachem, co powie. *Strug Ojc. 21.* Cechna sięgnęła po lusterko i zatonęła oczyma w interesującym odbiciu swojej twarzy. *Goj. Dziew. II, 162.* Wpiła się w nią oczami, tak jakby chciała wydrzeć jej tajemnicę spod czaszki. *Perz. Las 85.* **174.** Widzieć kogo, co oczami (oczyma) wyobraźni: Oczami wyobraźni widziała już chłopca swego w takim cienkim surducie, w jakim Chlewiński chodził. *Orzesz. Cham. 120.* **175.** Wierzyć, nie wierzyć własnym oczom; ledwo oczom wierzyć: Już przyszło oficerów kilku, tłum żołnierzy; lud ich otacza, patrzy, ledwie oczom wierzy oglądając rodaków mundury noszących. *Mick. Tad. 309.* **176.** Coś komu wpadło w **o.** ⟨*zwróciło jego uwagę*⟩: Wpadł mu w oczy plakat wyścigów konnych. *Wrocz. K. Wspom. 64.* **177.** Ktoś komu wpadł w **o.** ⟨*podobał mu się*⟩: Jak mu jakaś dziewczyna wpadnie w oko, o wszystkim zapomni. *Par. Niebo 89.* Więc to dziecko? Zosia? wpadła ci w oko. *Mick. Tad. 227.* **178.** Wybałuszać, wytrzeszczać oczy ⟨*otwierać je szeroko z wyrazem zdziwienia, zgrozy*⟩: W ciągu jednego tygodnia on tu tyle zorganizował, że nasi goście oczy wybałuszyli. *New. Chłopiec 14.* Czy ty to rozumiesz, Bronek? — Ja??? [...] zadziwił się koleżka, brwi wysoko podnosząc i oczy wytrzeszczając. *Gomul. Wspom. 221.* **179.** Wybić (komu, sobie) oko; wyłupić komu oczy. Wydrapać, wydrzeć komu oczy: Ja bym mu do oczu skoczyła, oczy bym mu wydarła, wolałabym umrzeć, niż takie rzeczy znosić. *Krzyw. I. Siew. 164.* **180.** Coś komu z oczu wygląda ⟨*w oczach czyich przebija się coś*⟩: Prosta ale cnotliwa dusza malowała się w rysach jego twarzy, i prosta gospodarska [...] roztropność z oczu mu wyglądała. *Chodź. Pisma I, 168.* **181.** Wykłuć komu oczy czym ⟨*naocznie przekonać kogo o fał-*

szu i zawstydzić⟩. **182.** Wypatrywać oczy: a) ⟨*wytężyć wzrok na kogo, na co*⟩: Ale na próżno wypatrywał oczy. *Orkan SW*; b) Wypatrywać oczy za kim, za czym ⟨*daremnie oczekiwać kogo, co*⟩: Dlaczego drżysz tak bojaźliwie? za czym tak niespokojnie wypatrujesz oczy? *Lamus 1, 1908—9, s. 48*; c) *przestarz.* Wypatrzyć, wypatrywać oczy ⟨*ciągłym patrzeniem stępić, wyczerpać*⟩: A kto tu nie zakochany? [...] Sam pan starosta ledwie oczu nie wypatrzy i jako na szydle siedzi. *Sienk. Pot. IV, 188.* **183.** Wypłakać, wypłakiwać oczy ⟨*ciągle płakać z żalu, ze zmartwienia (po kimś)*⟩: Żebym teraz oczy wypłakała, to i tak nic nie pomoże. *Goj. Rajs. II, 204.* **184.** Wytężać oczy ⟨*wzrok*⟩. **185.** Wywołać, wywoływać przed oczy: Czasem rozczulam się czytając, kiedy te stare przypomnienia z ławek akademickich wywołuję przed oczy. *Mick. Listy II, 260.* **186.** Wznieść, wznosić oczy ku czemu: Z niewypowiedzianą dystynkcją wznosząc oczy ku niebu, zawodziła piskliwym falsetem. *Oppman Warsz. 39.* **187.** Głód, nędza zagląda komu w oczy ⟨*ktoś doświadcza głodu, nędzy; ktoś cierpi głód, nędzę*⟩: Nędza materialna zajrzała w oczy Nocznickiemu i jego rodzinie. *Wiedza 579, s. 19.* **188.** Krew, pot zalewa oczy. **189.** Zamknąć, *rzad.* zawrzeć oczy; zamknąć oczy na wieki ⟨*umrzeć*⟩: Zamknął oczy na wieki w styczniu 1883 r. *Łun. Wspom. 237.* **190.** Zamknąć komu oczy ⟨*być przy czyjej śmierci*⟩: Sądziłam, że umrę. Chciałam, żebyś mi pan oczy zamknął. *Zap. G. Ptak II, 149.* **191.** Zamknąć, zamykać na co oczy ⟨*nie chcieć wiedzieć o czym, być ślepym na co*⟩: Na te wszystkie oznaki nie podobna było oczu zamykać. *Sienk. Ogn. I, 100.* **192.** (Zrobić co) zamknąwszy oczy ⟨*nie namyślając się*⟩: Raz na loterii fantowej taki wachlarz wygrała, że można było za niego, zamknąwszy oczy, dać najmniej cztery ruble. *Jun. Bruk. 103.* **193.** Zatrzymać **o.**; zatrzymać się, zawisnąć okiem na czym ⟨*oprzeć, zatrzymać wzrok*⟩: Wszedłszy w wewnątrz, nie wiesz naprzód od czego począć, na czym zatrzymać oko... *Krasz. Kartki 123.* Okiem i myślą zatrzymałem się na wiejskim domku, który spomiędzy zielonych topoli srebrnym szyb okiem patrzał na mnie. *Dzierzk. Pow. II, 11.* **194.** Oczy biegną, biegają, pobiegły, poleciały za kim, za czym: ku komu, ku czemu; błąkają się po czym ⟨*spojrzenie czyje kieruje się ku komu, ku czemu; przesuwa się po czym*⟩: Oczy wszystkich pobiegły ku drzwiom, które rozchyliły się jak kotara. *Wikt. Papież 119.* Oczy poleciały znowu ku chmurom pełne tęsknoty. *Żer. Uroda 314.* **195.** Oczy błyszczą, fosforyzują; zaiskrzyły się (komu); świecą się komu; ciskają pioruny; rzucają błyski, płomienie (gniewu, zapału itp.): Jego oczy fosforyzowały i paliły się w ciemnościach, jak oczy kota. *Chor. Zazdrość 31.* **196.** Oczy płoną do czego ⟨*o silnej chęci posiadania czego*⟩: oczy śmieją się, świecą (komu) do kogo: Oczy mu się do niej śmieją. *SW.* Przybył stary radca Kładzki, z synowcem Zygmuntem [...] któremu oczy świeciły aż zbyt wyraźnie do pani Elzen. *Sienk. Now. VI, 170.* **197. o.** chwyta, nie chwyta czego ⟨*człowiek spostrzega co; nie spostrzega, nie chwyta spojrzeniem czego*⟩. **198.** Oczy ciążą, sklejają się, zamykają się komu ⟨*kogoś morzy sen*⟩. **199. o.** gubi się w czym, wśród czego. **200. o.** czyje goni za kim ⟨*ktoś śledzi wzrokiem kogo*⟩: Jego oczy i myśli goniły za Melą, otoczoną gronem artystów, rozrzucającą szczodrze słówka dowcipne, czarujące uśmiechy, zalotne spojrzenia. *Gomul. Ciury I, 87.* **201.** Oczy czyje leżą; spoczywają na kim, na czym ⟨*ktoś przygląda się czemu uważnie*⟩: Oczy staruszki leżały ciężko na jej palcach. *Goj. Dziew. I, 148.* Wszystkie oczy spoczęły na jego ustach. *Brand. K. Sams. 65.* **202.** Oczy mówią ⟨*wyrażają coś*⟩: Jej oczy mówią, oczom więc odpowiem — tak rzekł Romeo pod oknami Julii. *Par. Niebo 260.* **203.** Oczy nasycają się czym ⟨*nabierają jakiegoś wyrazu*⟩: Duże i zawsze łagodne oczy nasycały się pięknym ludzkim uśmiechem, kiedy spotykał swego syna Wacka. *Otw. Spot. 37.* **204. o.** dociera, dotrze; nie dociera, nie dotrze dokąd ⟨*wzrok sięga, sięgnie; nie sięga, nie sięgnie*⟩: Hotel wisi nad dziką przepaścią, do której dna nie dotrze oko. *Strug Krzyż II, 317.* **205. o.** nie widziało i ucho nie słyszało ⟨*o czymś nadzwyczajnym*⟩: Słowacki — to przecież poeta, któremu subtelność czucia odkryje światy, jakich oko nie widziało i ucho nie słyszało. *Kleiner Słow. I, 72.* **206.** Oczy czyje skierowały się na kogo, na co; w czyją stronę ⟨*ktoś kieruje, skierował spojrzenie na kogo, na co, w czyją stronę*⟩: Wszystkie oczy skierowały się w moją stronę. *Kłos. Wiosna 13.* **207.** Oczy patrzą na kogo, na co; pasą się czym; toną, utonęły w czyich oczach; wpijają się w kogo, w co. Szeroko piersi nasze oddychały przepysznym powietrzem poranka, a oczy pasły się okolicą. *Sienk. Now. IV, 56.* Ostre oczy Turkoła [...] wpijały się w Hertensteina badawczo i łakomie. *Berent Próchno 148.* **208. o.** puszcza, puściło (w pończosze). **209.** Oczy rozbiegają się, rozbiegły się komu ⟨*ktoś nie wie na czym zatrzymać wzrok*⟩. **210.** Oczy słupem stają, stanęły; obróciły się, poszły, stanęły, *daw.* stały w słup (z przerażenia, ze zdziwienia): Oczy mu słupem stanęły, twarz wykrzywiła się straszliwym grymasem. *Małysz. Listy 98.* Oczy jego w słup się obróciły. *Dzierzk. Pow. II, 288.* Nagle posmutniał, oczy poszły w słup i taki mętny pozostał aż do rana. *Bochen. Praw. 181.* Oczy Kienzla stanęły w słup. *Breza Uczta 213.* Janosz umilknął; drżały w piersiach słowa, oczy w słup stały, zawsze w jedną stronę. *Gosz. Pow. 134.* **211.** Oczy śledzą kogo, co; ślizgają się po kim, po czym; świdrują kogo: Jego błyszczące oczy ślizgały się apatycznie po wilgotnym chodniku. *Gomul. Ciury I, 48.* Czarne oczy Lazara Gitmana raz świdrowały mnie, to znowuż uciekały gdzieś w przestrzeń. *Prusz. Karabela 17.* **212.** Oczy uciekają komu w głąb: Oczy jej uciekły w głąb z przerażenia. *Reym. Fron. 53.* **213.** Oczy wychodzą, wyłażą, wyskakują komu na wierzch, z orbit, z oprawy; ledwie nie wyskoczą (z ciekawości, z podziwu; do kogo, do czego; na widok czego): Ceprom wyłaziły oczy na wierzch na widok białych portek, cuch, parzenic, drewnianych chat, serdaków, ciupag. *Malcz. R. Od cepra 186.* Nie jestem ja do tyla łakomy, aby mi oczy wychodziły z oprawy na widok pieniędzy. *Sewer Nafta III, 152.* Na jej widok ledwie mu oczy nie wyskoczą. *SW.* **214.** Oczy wywracają się komu do góry dnami. Każdy, nawet najstarszy, wobec panny Xeni poczynał bredzić o miłości. Wywracały się tym bywalcom i znawcom oszukańcze oczy do góry dnami. *Żer. Nawr. 179.* **215.** Oczy zapadły, wpadły komu (głęboko). **216.** *pot.* **o.** zbieleje, zbielało komu ⟨*ktoś nie będzie mógł się nadziwić cze-*

mu⟩: Pan Żeberko postanowił dać tak olśniewającą wystawę, żeby widzom oko zbielało. *Wiech Śmiej I, 19.* Strucle muszą być takie, żeby twojej mamie oko zbielało. *Kunc. Dni 64.*

przysł. **217.** Ani oko nie widziało, ani ucho nie słyszało. **218.** Choć o jednym oku, byle tego roku. **219.** Co z oczu, to i z serca ⟨*na co się nie patrzy, o tym się zapomina*⟩. **220.** Czego oczy nie widzą, tego sercu nie żal. **221.** Nim słońce (w)zejdzie, rosa oczy wyje (wypije, wygryzie). **222.** Oczy chcą, nie brzuch. **223.** Oko za oko, ząb za ząb. **224.** Strach ma wielkie oczy ⟨*tchórzowi niebezpieczeństwo wydaje się groźniejsze, niż jest istotnie*⟩.

okolica 1. Bliska, bliższa, dalsza **o.** czego (np. miasta): Wycieczka w najbliższe (dalsze) okolice Krakowa. **2.** Cudna, piękna; lesista, ludna, pagórkowata, piaszczysta, posępna, pusta, sucha, wulkaniczna **o.**; okolice podbiegunowe, polarne; **o.** malaryczna, niezdrowa, zdrowa; obfita w co (w zboże, w lasy), zamożna, żyzna. **3.** Rodzinna **o.** ⟨*rodzinne strony*⟩. **4. o.** szlachecka ⟨*zaścianek*⟩: Zapytałem: skąd rodem? [...] z okolicy szlacheckiej, o trzy wiorsty stąd oddalonej. *Orzesz. Melanch. I, 119.* **5. o.** c z e g o ⟨*miejsce bliskie czego, pobliże; obszar dookoła czego*⟩: W pewnej świata okolicy skutkiem rozbojów Łasicy zbuntowały się ptaki. *Hertz Bajki 45.* Okolice Krakowa, Warszawy. Miasto położone w okolicach Dźwiny. **6.** *anat.* **o.** ciała, mózgu, serca, ucha itp. ⟨*część ciała, mniej lub więcej odgraniczona od sąsiednich*⟩: Duszenie w okolicy serca; ból w okolicy ucha. **7.** Mapa okolic (czego). **8.** Topografia okolicy. **9.** Na okolicę ⟨*w okolicy*⟩: Ludzie na okolicę wiedzą, żeście wy, Magdusiu, prędcy w mowie. *Dygas. Marg. 144.* Takiej śliczności jak ta dziewczyna [...] nie tylko na okolicę nie ma, ale i na świecie poszukać! *Krasz. Chata III, 150.* **10.** Po (całej) okolicy, w (całej) okolicy: a) ⟨*po (całym) obszarze okolicznym*⟩: Kręcić się, wałęsać się, włóczyć się; rozglądać się po okolicy. Grasować po okolicy, w okolicy ⟨*o bandytach, złoczyńcach itp.*⟩; b) ⟨*w sąsiedztwie; wśród ludzi zamieszkujących okoliczny obszar*⟩: Słynąć na okolicę jako kto a. z czego. Wieść, plotka gruchnęła, krąży po całej okolicy (w okolicy). **11.** W okolicę ⟨*w pobliże*⟩: Możemy chodzić do lasu, ale tylko w okolicę gajówki. *Jaroch. Liście 218.* Udać się w okolicę czego. **12.** W okolicy, w okolicach czego: a) ⟨*w pobliżu, wokół czego*⟩: W okolicy przystanku (tramwajowego), domu, dworca (kolejowego), gajówki; b) ⟨*w pobliżu okresu czasowego*⟩: Nowy wyjazd dało się przewidzieć dopiero w okolicach piętnastego grudnia. *Brosz. Oczek. 264.* **13.** Z różnych okolic kraju (zjechać się, pochodzić itp.) ⟨*z różnych części kraju, z różnych stron*⟩. **14.** Badać, zbadać; obejrzeć, oglądać (np. przez lornetkę); objąć, ogarnąć wzrokiem okolicę ⟨*obszar dokoła*⟩. **15.** Dotrzeć w (jakie) okolice; przemierzać, zwiedzać okolice (czego). **16.** Górować, panować nad (całą) okolicą: a) ⟨*o wzniesieniu, budowli itp.: wznosić się wyżej od okolicznego obszaru lub zabudowy*⟩; b) Panować nad (całą) okolicą ⟨*o działach: mieć w zasięgu swego ognia*⟩: Działa zamkowe panowały nad oboma brzegami i nad całą okolicą. *Sienk. Ogn. I, 131.* **17.** Osiąść w jakiej okolicy ⟨*miejscowości; krainie, regionie*⟩. **18.** Strach padł na okolicę ⟨*na ludzi zamieszkujących na tym obszarze, w tym rejonie*⟩: Niezależnie od tych czy innych pobudek zbrodni na okolicę padł strach. *Brand. K. Antyg. 361.*

okoliczność 1. Chwilowa, drobna, niepomyślna, nieprzewidziana, przygodna, smutna, ważna, wyjątkowa, znamienna itp. **o.** ⟨*fakt, wypadek; składnik sytuacji*⟩; nieprzyjazne, nieszczęśliwe, różnorodne, sprzyjające, tragiczne, trudne, zawikłane, zmienne okoliczności ⟨*fakty, splot faktów, wypadków*⟩. **2.** Okoliczności zewnętrzne. **3.** Okoliczności natury jakiej (np. życiowej, politycznej). **4.** Okoliczności towarzyszące czemu. **5.** Cały szereg okoliczności. **6.** *praw.* Zespół okoliczności faktycznych: Stopień winy i cały zespół okoliczności faktycznych muszą mieć wpływ na wymiar kary. *Państwo 3, 1954, s. 461.* **7.** (Cudowny, doraźny, dziwny, nadzwyczajny, niefortunny, nieszczęśliwy, osobliwy, pomyślny, przykry, przypadkowy, szczególny, szczęśliwy, tragiczny) zbieg, splot, *rzad.* bieg okoliczności: Spotkać się z kim dziwnym zbiegiem okoliczności. Szczęśliwym zbiegiem okoliczności wyszedł cało z wypadku. **8.** *jęz.* Narzędnik okoliczności towarzyszącej. *Szober Gram. 256.* **9.** Stosownie do okoliczności: Pisał zwyczajem swego czasu i stosownie do okoliczności po łacinie. *Mech. Wym. I, 470.* Przemówić, zachować się stosownie do okoliczności. **10.** Stosowny do okoliczności: Mowa, przemówienie, wyrażenie, zachowanie stosowne do okoliczności. **11.** Zależnie, zależny od okoliczności. **12.** Popchnięty, zmuszony okolicznościami do czego; wywołany okolicznością, która...; że...; wywołany doraźnymi okolicznościami. **13.** Siłą okoliczności ⟨*pod presją warunków zewnętrznych*⟩. **14.** Przy pierwszej okoliczności ⟨*przy pierwszej sposobności*⟩. *SFA.* **15.** W tych, innych, szczęśliwszych itp. okolicznościach (mieć możność czego, znaleźć się) ⟨*w tych itp. warunkach*⟩: Ten sam Strojnowski w innych okolicznościach stawał w obronie włościan. *Lim. Społ. XVIII, 299.* **16.** *przestarz.* Z okoliczności (czego) ⟨*z powodu*⟩: Byłyśmy zaproszone do Sprawnikowstwa na wieczór, z okoliczności imienin gospodyni domu. *Fel. E. Syb. I, 122.* Z okoliczności zaś wyjazdu rozmaite były między nami rozmowy. *Kras. Podstoli 93.* **17.** *daw.* Wiersz, utwór pisany z okoliczności ⟨*okolicznościowy*⟩. **18.** Z okoliczności, że... (wyprowadzić wniosek). **19.** Motywować co okolicznością, że... **20.** Nie pomijać najdrobniejszej okoliczności ⟨*składnika sytuacji*⟩: Rozpoczął swoje dzieje z tą szczegółowością, z jaką zwykle wieśniacy każdą rzecz opowiadają, nie pomijając najdrobniejszej okoliczności. *Krasz. Jerm. 102.* **21.** *przestarz.* Opowiadać co ze wszystkimi okolicznościami ⟨*szczegółami*⟩: Rozkazałem mojemu obrotnemu i dowcipnemu kamerdynerowi, aby mi ze wszystkimi okolicznościami opowiedział jak swoje sprawił zlecenie. *Polak w Paryżu 255.* **22.** *przestarz.* Opowiedzieć (całą) **o.** ⟨*sprawę*⟩: Tu starosta opowiedział obszernie całą okoliczność, szczegóły ostatniego widzenia się z Augustem. *Skarb. Starosta 140.* **23.** Przypomnieć (pewną) **o.** **24.** Przyznać komuś okoliczności łagodzące (w wyroku sądowym). *SFA.* **25.** Radzić, poradzić sobie, umieć się znaleźć w trudnych, najtrudniejszych, w każdych, we wszelkich okolicznościach ⟨*sytuacjach*⟩. **26.** (S)korzystać z (ze sprzyjających) okoliczności; z okoliczności czego, że... ⟨*ze sposobności*⟩. **27.** Spotkać kogo, spotkać się z kimś w jakichś okolicznościach. **28.** Stosować się, zastosować się do okoliczności. **29.** Stracić co w jakichś okolicznościach. **30.** Ujawnić, ustalić (istotne) okoliczności czego (np. zbrodni, wypadku, ucieczki). **31.** Uwzględnić (tę) **o.**, (że...). **32.** Wybrnąć z (ciężkich, trudnych) okoliczności. **33.** Wyjaśnić okoliczności (czego). **34.** Zginąć w tajemniczych okolicznościach. **35.** Znajdować się, znaleźć się w przykrych okolicznościach ⟨*w przykrym położeniu, w przykrej sytuacji*⟩: W przykrych okolicznościach, w jakich się znajduję, nie mogę do kogo innego stosowniej udać się po radę. *Choj. Alkh. I, 335.* **36.** Rozważyć, zważyć (wszelkie) okoliczności. **37.** Zwrócić (czyją) uwagę na **o.** (że...). **38.** Okoliczności dozwalają, pozwalają; nie pozwalają komu na co a. co robić: Będę was często odwiedzał, ile mi tylko dozwalać będą okoliczności. *Pam. Radziw. 153.* Jeżeli będą zdolne i okoliczności na to pozwolą, niech sobie kończą dziesięć uniwersytetów. *Dąbr. M. Noce II, 159.* **39. o.** nadarza się, zdarza się (komu); są, były, będą okoliczności po temu ⟨*sposobność, okazja; wypadek, fakt*⟩: Od czasu ogłoszenia Teki Stańczyka stronnictwo Krakowskie przez długi czas nie wygłaszało już nowych poglądów; broniło tylko tam wypowiedzianych i uzupełniało je, gdy się po temu stosowna nadarzyła okoliczność. *Chmielow. Zarys. 151.* Tymczasem zdarzyła się okoliczność, która mogła usunąć wszystkie trudności. *Sienk. Quo II, 96.* Jeżeli okoliczności będą po temu, postaram się załatwić sprawę jak najlepiej. **40. o.** jaka; **o.** że..., przemawia za czym: Jeszcze jedna bardzo charakterystyczna okoliczność przemawia za tym, że z Bogowolskiego zrobiono opornego. *Rudn. A. Żołn. 89.* **41.** Okoliczności tak się składają, tak się ułożyły, złożyły; okoliczności sprawiają, sprawiły, że... **42.** Okoliczności stoją, stają komu, czemu na przeszkodzie. **43.** Okoliczności wpływają na co: Jak powstały formy pejoratywne i jakie okoliczności wpłynęły na ukształtowanie się ich w języku? *Styl. 218.* **44. o.** wymaga czego ⟨*sytuacja*⟩: W czasie potrzeby powiększymy ogromność wojska naszego do takiej liczby, jakiej okoliczność wymagać będzie. *Kołł. Małach. I, 100.* **45. o.** zachodzi: Jedna z tych okoliczności nie zachodzi. Zaszły pewne okoliczności. - Byłoby to trwało Bóg wie dokąd, gdyby nie zaszła okoliczność, przy której interesy obu stron starły się ze sobą. *Gomul. Opow. 51.* **46.** Okoliczności zmuszają kogo do czego: Z miną, w której dawał do poznania, że tylko okoliczności zmuszają go do przyjęcia ich w swoim domu, oznajmił, że żona czeka z herbatą. *Pięt. Wspól. 42.*

okoń Stawać okoniem ⟨*ostro przeciwstawiać się, nie godzić się na co*⟩: Andzia zawsze stawała okoniem, kiedy miało się coś wspólnie robić. *Nowa Kult. 35, 1955.*

okop 1. o. ziemny. **2.** Bronić się z okopów. **3.** Siedzieć w okopach. **4.** Sypać okopy: Na przedmieściach Paryża sypano okopy, ustawiano kozły żelazne, robiono zasieki... *Gąs. W. Hist. armii. 167.*

okowy 1. Żelazne **o. 2.** *przen.* Lodowe **o.**: [Jezioro] wyzwolone z lodowych okowów, szeroko rozlane, ogromne, kołysało się w ciemnościach pod dalekim niebem. *Was. W. Gwiazdy 322.* Okowy ciemnoty, zmysłów. - Słodkie miłości okowy. *Troc.* **3.** Dźwigać, nałożyć komu, rozbić, rozkuć, skruszyć, zdjąć z kogo **o.** (również *przen.*).

okólnik 1. o. urzędowy. **2.** wysłać **o. 3.** Wezwać, zawiadomić kogo okólnikiem.

okólny 1. Droga **o-a** ⟨*okrężna; objazd*⟩: Wybrała pociąg wcześniejszy, który biegł ze Szczecina do Warszawy drogą okólną, dłuższą. *Breza Uczta 394.* **2.** *daw.* Widok **o.**; **o-e** strony ⟨*okoliczny(-e), rozciągający(-e) się wokoło*⟩; **o-e** narody ⟨*sąsiednie*⟩.

okradać, okraść 1. o. k o g o, c o ⟨*zabierać po kryjomu cudzą własność; przywłaszczać bezprawnie cudzą własność; kraść, ograbiać*⟩: okradać pasażerów; sklepy, mieszkania itp. **2. o.** k o g o z c z e g o: **o.** kogo z pieniędzy, z ubrania. - Okradłszy małżonka z klejnotów, z kradzieżą w moje ręce się schroniła! *Słow. Król 199.* **3.** Okraść kogo do nitki, do ostatniej nitki ⟨*okraść kogo całkowicie, zabierając wszystko*⟩: Upewniał, że swojemu otoczeniu nie może ufać, gdyż okradliby go do nitki. *Grąb. Na służbie 288.*

okrakiem 1. Siedzieć **o.** na czym (np. na krześle). **2.** *przestarz.* Chodzić, włazić itp. **o.** ⟨*chodzić, włazić na czworakach, opierając się na nogach i rękach*⟩: Nocleg to był niezbyt wygodny, bo chaty w Słobódce [...] ulepione z gliny, tak były szczupłe, iż do niektórych okrakiem trzeba było włazić. *Sienk. Ogn. I, 128.*

okrasa 1. Dla okrasy ⟨*dla urozmaicenia jedzenia*⟩: Przygotował już mamałygę, a dla okrasy, ponieważ to był piątek, przyniósł kwaśnych ogórków. *Piotr. R. Pam. I, 144.* **2.** Bez okrasy ⟨*bez omasty, bez tłuszczu*⟩: Kartofle, potrawa bez okrasy.

okraść p. **okradać**

okrąg a. **okręg 1. o.** przemysłowy, szkolny, wyborczy ⟨*rejon*⟩. **2. o.** ziemski; **o.** świata ⟨*glob, kula ziemska*⟩. **3.** *mat.* **o.** koła: Linia styczna do okręgu koła. **4.** *przestarz.* W okrąg ⟨*dokoła, naokoło, wokoło*⟩: Tłum w okrąg skupiony, otworzył przejście. *Ziel. G. Poezje II, 161.* **5.** W okręgu ⟨*w zasięgu, w zakresie; na obszarze*⟩: W okręgu kilkunastu mil pasły się konie stadami po kilkanaście tysięcy. *Kub. Szkice I, 248.* **6.** Podzielić co na okręgi ⟨*obwody, rejony*⟩: Całe państwo [Karola Wielkiego] podzielone było na duże okręgi. *Baran. Hist. IX, 23.* **7.** *przestarz.* Robić okrąg ⟨*obchodzić co dookoła; okrążać*⟩: Pospolicie w krajach tak bagnistych, latem często daleki okrąg trzeba robić drogą zwyczajną. *Dziek. Bogd. II, 152.*

okrągłość 1. o. ramion; *przen.* **o.** frazesów. **2.** Dla okrągłości ⟨*dla równości; dla równej sumy, cyfry itp.*⟩: No, to dołóżże mi pan dla okrągłości 20 rubli 50 kopiejek, to razem będzie setka. *Bliz. Rozb. 108.*

okrągły 1. o. liść, stół, talerz; **o-e** lusterko; **o-a** sala; **o-a** twarz ⟨*mający(-e, -a) kształt koła; kolisty(-e, -a)*⟩. **2. o-e** pismo ⟨*o literach zaokrąglonych, zbliżonych kształtem do koła*⟩. **3. o-e** biodra; **o-a** kibić ⟨*zaokrąglone(-a)*⟩; **o-e** ramiona ⟨*zaokrąglone, pulchne*⟩. **4. o-a** cyfra, liczba, suma (czego) ⟨*cała*⟩. **5. o-a** gra ⟨*doskonała*⟩: Nie będę się rozszerzał nad opisywaniem jego szybkiej, gładkiej, okrągłej gry. *Chopin Wyb. 18.* **6. o.** miesiąc, rok ⟨*cały, równy*⟩: Okrągły miesiąc trwała wędrówka Dudy i jego towarzyszy. *Andrz. Wojna I, 72.* **7. o-e** ruchy ⟨*eleganckie, zgrabne*⟩: Zaprezentował się jej z najbardziej eleganckim suwaniem nóg po posadzce i z najokrąglejszymi w ogóle ruchami, jakie posiadał w swoim arsenale dobrego „szyku". *Lam J. Kor. 63.* **8.** Mówić okrągłymi frazesami; używać okrągłych frazesów, zdań ⟨*wyrażać się gładko, potoczyście*⟩: Był to urodzony kaznodzieja, mówiący gładko, okrągłymi frazesami, wyszukanymi słowy. *Chłęd. Pam. II, 273.* Mówił, jak zwykle, w sposób beznamiętny, używając okrągłych, utartych zdań. *Jackiew. Wiosna 237.*

okres 1. o. próbny, przygotowawczy, przejściowy ⟨*stadium, faza*⟩. **2. o.** świąteczny ⟨*pora*⟩. **3.** *jęz. lit.* **o.** gramatyczny, retoryczny ⟨*zdanie wieloczłonowe*⟩. **4.** *łow.* **o.** ochronny ⟨*czas, w którym prawo łowieckie zabrania polować na zwierzynę*⟩. **5. o.** wegetacyjny ⟨*u roślin: czas wzrostu i rozwoju*⟩. **6. o.** c z e g o ⟨*period, epoka*⟩: Okres wojen krzyżowych. Okres rozwoju, upadku, złoty okres literatury. **7. o.** deszczów, suszy; **o.** wakacji ⟨*pora, stadium; przeciąg czasu*⟩. **8.** *mat.* **o.** funkcji. **9. o.** niemowlęctwa; pokwitania (dorastania). **o.** rozwoju; życia ⟨*faza, stadium*⟩: Był chudy i w tym właśnie okresie rozwoju, kiedy zbyt długie ręce i nogi nadają sylwetce wygląd niezdarny, trochę śmieszny. *Andrz. Popiół 209.* **10.** W okresie czego ⟨*w stadium, w fazie*⟩: W okresie choroby, rekonwalescencji. W ostatnim okresie swego życia. Sprawa znajduje się w okresie prac przygotowawczych. **11.** Z okresu ⟨*z czasu*⟩: Opowiadania z okresu pierwszej wojny światowej. **12.** Wchodzić, wejść w **o.** jaki lub czego: Weszliśmy w nowy okres ideałów. *Par. SPP.*

okresowy 1. o. pobyt, meldunek, paszport ⟨*niestały*⟩. **2.** Rzeka **o-a** ⟨*zanikająca w pewnych okresach na skutek suchości klimatu*⟩. **3.** Ruch **o.** ⟨*periodyczny*⟩.

określać, określić 1. *euf.* **o.** co dosadnie ⟨*wyrażać co (się) mocno, ordynarnie*⟩: Kucharz, niewyparzona gęba, wypowiadał zazwyczaj parę uwag określających dosyć dosadnie jego stosunek do armii, nas, kuchni. *Prusz. Trzyn. 35.* **2.** Coś się nie da określić słowami ⟨*wyrazić, wypowiedzieć*⟩: Ma w oczach, w składzie ust, w uśmiechu, wdzięk jakiś szczególny, który słowami określić się nie da. *Jun. Wod. 57.* **3. o.** charakter, los czyj ⟨*opisywać, oznaczać*⟩: Określać charakter kogo na podstawie wyglądu zewnętrznego. **4. o.** swobody, powinności czyje ⟨*ujmować w pewne granice*⟩.

określenie 1. Barwne, oryginalne, trafne **o.** ⟨*epitet*⟩. **2.** Dosadne, soczyste określenia: a) ⟨*epitety*⟩: Używałam coraz dosadniejszych określeń do anegdot, które zawsze dotąd pobudzały audytorium do śmiechu. *Kow. A. Próba 60*; b) *euf.* ⟨*wyrażenia ordynarne, wymysły*⟩: Przeklinała go często, używając tak soczystych określeń, że uszy więdły. *Olcha Most II, 96.*

określić p. **określać**

określony 1. o. sąd o kim, o czym ⟨*sprecyzowany, wyraźny*⟩: Nie posiadałem o nim określonego sądu, prócz instynktownej nieufności, a może i niechęci. *Brand. K. Troja 160.* **2. o-e** zadanie; **o.** zawód: Artysta nie ma już określonych zadań, musi je sobie sam stworzyć. *Rudn. A. Żołn. 13.* Nie mieć określonego zawodu.

okręcać, okręcić 1. o. c o c z y m: Gdy nadchodziły zimna, wtedy z pewną przykrością okręcała matka nogi onucami i pakowała je w duże juchtowe buty. *Mort. Spow. 75.* **2. o.** c o — o k o ł o k o g o, c z e g o: Okręcił szal koło jego szyi. *SPP.* **3. o.** co w ręku, palcach ⟨*trzymając co w ręku poruszać czym machinalnie, nerwowo*⟩: W ręku trzymał pamiątkową papierośnicę [...] i czasem ruchem nieświadomym okręcał ją w palcach. *Orzesz. Argon. 76.*

okręcać się, okręcić się 1. o. się c z y m, w c o ⟨*zawijać się czym, w co szczelnie; okrywać się szczelnie; otulać się, opatulać się*⟩: Rzuciła się na łóżko, okręcając się kołdrą. *Reym. Ferm. I, 134.* Okręcić się w płaszcz. **2. o. się** k o ł o c z e g o: Chmiel okręca się koło tyki. *SW.* **3.** Okręcić się na pięcie ⟨*zakręciwszy się na pięcie, odwrócić się tyłem*⟩: Okręciwszy się na pięcie, pierwszy ruszył ku domowi — cały zaczerwieniony jak indor. *Dobrow. S. Warsz. 45.*

okręg p. **okrąg**

okręgowy 1. o. inspektor (szkolny) ⟨*zarządzający okręgiem*⟩. **2.** Sąd **o.** ⟨*przed reformą sądownictwa: sąd rozpatrujący w pierwszej instancji poważniejsze sprawy cywilne i karne oraz odwołania od orzeczeń, wydanych w pierwszej instancji przez sądy grodzkie*⟩. **3. o.** zjazd (delegatów).

okręt 1. o. dalekomorski, handlowy, kupiecki, towarowy, transportowy, pasażerski ⟨*wielki statek*⟩. **2. o.** flagowy lub admiralski ⟨*okręt, na którym znajduje się dowódca całej floty lub danego zespołu okrętów*⟩. **3. o.** wojenny. **4.** Wojskowy **o.** szpitalny. **5.** Tył, przód, pokład, spód okrętu. **6.** Dowodzić, dryfować; jechać, kierować, płynąć, sterować okrętem. **7.** Spuścić **o.** na morze. **8.** Wsiąść na **o. 9.** Wysłać **o. 10. o.** odbija od brzegu; odchodzi dokąd; wypływa na morze (z portu). **11. o.** przybija do brzegu; przybywa, wchodzi, zawija do portu. **12. o.** się rozbił, uległ katastrofie.

okrętka Na okrętkę (zszyć, scerować co) ⟨*zszyć, scerować co nieporządnie ściągając brzegi rozdartego materiału przez obrzucenie rzadkim ściegiem*⟩: Uczyła się robótek w szkole, nigdy jednak nie przyszyła sobie guzika i nie zacerowała pończochy, co najwyżej zszywała dziurę „na okrętkę". *Goj. Dom 83.*

okrężny 1. Droga **o-a** ⟨*okólna, dalsza*⟩: Szedł dla spaceru drogą okrężną, przez miasto. *Past. Komuna 210.* **2.** *rzad.* Handel **o.** ⟨*sprzedaż towarów obnoszonych po domach*⟩.

okroić się Coś komu się okroi (z czego) ⟨*dostanie się w udziale, przypadnie w zysku, pozostanie*⟩: Po jego śmierci wierzyciele sprzedali majątek, a wdowie [...] zaledwie okroiła się sumka na kupienie małego domku. *Orzesz. Klat. 72.*

okropnie 1. o. zdenerwowany ⟨*bardzo, ogromnie, niezmiernie*⟩. **2.** Przemoknąć, zmoknąć **o. 3.** Przerazić się, śmiać się **o. 4.** Czuć się, wyglądać **o.** ⟨*bardzo niedobrze, strasznie, źle*⟩.

okropność 1. **o.** czynu. 2. **o.** położenia. 3. Okropności wojny: Okropności wojny polegają nie tylko na ryzyku życia, mordowaniu się ludzi, na trupach i krwi, ale przede wszystkim na tym nieczłowieczym trybie życia! *Pietrz. Sześć 24.* 4. Opowiadać **o-i**, o okropnościach ⟨*o rzeczach okropnych, budzących przerażenie*⟩. 5. Przeżyć okropności (obozu koncentracyjnego, wojny). 6. Dopuszczać się okropności ⟨*rzeczy okropnych, budzących zgrozę*⟩.

okropny 1. **o.** ból, strach ⟨*b. silny*⟩. 2. **o.** klęska ⟨*straszna, druzgocząca*⟩. 3. Mróz **o.** ⟨*b. silny*⟩. 4. **o-e** nieszczęście ⟨*wielkie*⟩. 5. **o-e** położenie ⟨*bardzo trudne, bez wyjścia; rozpaczliwe*⟩. 6. Sceny **o-e** ⟨*budzące grozę*⟩: Nasz naród się prostotą, gościnnością chlubi, nasz naród scen okropnych, gwałtownych nie lubi. *Mick. Dziady 208.* 7. **o.** widok ⟨*przerażający*⟩. 8. W **o.** sposób (robić co) ⟨*okropnie, ohydnie*⟩: Oczernia go w najokropniejszy sposób, nie przebiera w wyrazach. *Hand. wstęp 38.* 9. Mieć **o.** charakter ⟨*zły, brzydki, ohydny*⟩: Młoda, prześliczna, bardzo zdolna, ma okropny charakter — wszystkie warunki, żebyś ją ubóstwiał. *Breza Uczta 94.*

okruch 1. Okruchy chleba; okruchy z bułek; okruchy ze stołu. 2. Okruchy złota. 3. *przen.* Okruchy łaski, marzeń, prawdy: Głowa pękała, gdy trzeba było z nawałnicy faktów wyławiać okruchy prawdy, lub bodaj prawdopodobieństwa. *Strug Krzyż II, 8.* 4. *przen.* Okruchy literackie, muzyczne, piśmiennicze, poetyckie ⟨*drobne, niewykończone utwory*⟩. 5. Ani okrucha ⟨*ani odrobiny, ani trochę*⟩: Ileż ja mam gruntu? — medytował. — Dziesięć morgów, a w tym łąki ani okrucha. *Prus Plac. 17.* 6. Rozprysnąć się w okruchy ⟨*w drobne kawałki*⟩: Kryształ rozprysnął się w setne okruchy, które z dźwiękiem upadły na podłogę. *Sienk. Pot. IV, 87.* 7. Zmieść okruchy (ze stołu) ⟨*okruszyny, resztki jedzenia*⟩.

okrucieństwo 1. Dzikie, najdziksze, wyrafinowane okrucieństwa; wrodzone **o.** 2. Z okrucieństwem (dokuczać komu, znęcać się nad kimś). 3. Popełniać okrucieństwa na kim: Regimenty zaciężne [...] popełniały najdziksze okrucieństwa na poddanych wołoskich. *Kaczk. Olbracht. II, 333.* 4. Posunąć się do okrucieństwa: Znęcanie się posunięte do okrucieństwa. 5. Znosić **o.** czyje. 6. Jest w kim **o.** ⟨*ktoś jest okrutny, odznacza się skłonnością do okrucieństw*⟩: Wydaje się, że ten człowiek nic nie czuje, że mógłby łamać i burzyć wokoło siebie wszystko bez cienia litości. Jest w nim jakieś okrucieństwo. *Strug Wspom. 120.*

okruszyna 1. **o.** chleba a. z chleba. 2. *przen.* Okruszyny uczuć, wiedzy. 3. Ani okruszyny ⟨*ani odrobiny, ani trochę*⟩: Ja właściwie ołysieję z pewnością z tego myślenia, ale ani okruszyny pieniędzy dotąd nie wymyśliłem. *Żer. Grzech 48.*

okrutnie 1. Obejść się, postąpić z kim **o.**: Rzymianie okrutnie się obeszli ze schwytanymi jeńcami. *Hist. star. 210.* 2. *przestarz.* dziś *gw.* **o.** chce się jeść, **o.** się kochać ⟨*bardzo, ogromnie*⟩.

okrutny 1. Czyn **o.**; kara, śmierć **o-a** ⟨*srogi(-a), bezlitosny(-a)*⟩. 2. *przestarz.* dziś *gw.* **o-e** pragnienie; **o-a** miłość, żałość ⟨*wielkie(-a), niezmierne(-a)*⟩. 3. **o.** stosunek do kogo, czego: Okrutny jest stosunek młodych do rodziców, gdy utożsamiają tak zrozumiałe w pewnym wieku pragnienie swobody z odrzuceniem wszelkiego autorytetu. *Hirsz. Hist. 27.* 4. Ktoś jest **o.** (dla kogo).

okrycie 1. **o.** letnie, zimowe; damskie, męskie; wierzchnie **o.** ⟨*ubranie, zwykle płaszcz*⟩. 2. Bez okrycia: a) ⟨*bez płaszcza*⟩: Pogodę mamy wciąż nadzwyczajną i prawie upały, tak że można chodzić nawet bez letniego okrycia. *Sienk. Koresp. II, 207*; b) ⟨*nie przykrywając się niczym*⟩: Spaliśmy zawsze pod niebem bez żadnego okrycia. *Kras. Lucjan 121.* 3. Leżeć, spać pod okryciem ⟨*pod derką, kocem, kołdrą*⟩. 4. Zdjąć **o.** ⟨*płaszcz*⟩: Kasia zrzuciła płaszcz. Wiedziała, że Stach jest zbyt roztargniony, ażeby pomóc jej choć gestem w zdjęciu okrycia. *Braun Lewanty 203.*

okryć (się), okrywać (się) 1. **o.** k o g o, c o — c z y m ⟨*przykryć, nakryć*⟩: Okrył go (się) kożuchem. Okryć dobrze chorego. Okryć stół serwetą, obrusem. - Zabrał z tamtejszej podręcznej kolekcji wzorowy model kompletu przeciwgazowego, okrywającego człowieka szczelnie od stóp do głów. *Strug Krzyż III, 99*; *przen.* Żaden z nich prawdy fałszem nie umiał okrywać ni na twarzy niewinnie tłumić zapłonienie. *Niemc. Wiersze 540.* 2. *daw.* Okryć chorągiew ⟨*skompletować, uzupełnić*⟩: Ażeby nigdzie do tumultu nie przyszło, czuwa pilnie chorągiew pancerna. Chorągiew ta już od dni kilku jest całkowicie okryta, ani jednego nie brakuje towarzysza, ani jednego luzaka. *Kaczk. Trad. 197.* 3. Coś okrywa co (się) (czym) ⟨*pokrywa*⟩: Pot okrywa czoło. Twarz okrywa się potem. Szron okrywa drzewa (gałęzie drzew). Śnieg okrywa drogi, pola. Zmarszczki okrywają twarz. Twarz, policzki okrywają się zmarszczkami. Niebo okrywa się chmurami. - Białopienne brzózki okrywały się pierwszą zielenią. *New. Pam. 310*; *przen.* Mrok okrył ogród purpurowym cieniem. *Staff L. Poezje II, 176.* Jeszcze noc czarna okrywała ziemię. *Kaczk. Olbracht. II, 120.* 4. **o.** kogo, co (się) blaskiem, sławą ⟨*dodać blasku, sławy; wsławić (się)*⟩: Wielu prostych rycerzy okryło się nieśmiertelną sławą w tym pamiętnym okopie zbaraskim. *Sienk. Ogn. IV, 99*; 5. **o.** żałobą ⟨*spowodować żałobę; pogrążyć w smutku, żalu*⟩: Mój wyjazd nie okryje nikogo żałobą, i ja nie chcę łzy jednej zostawić za sobą. *Mick. Wiersze 337.* Mór szaleje. Miasto okrywa się żałobą. *Boy Flirt VI, 95.* 6. *przestarz.* Żywić kogo i okrywać ⟨*utrzymywać kogo, łożyć na utrzymanie*⟩: Ja już cię mam dosyć! Myślisz może, że cię całe życie będę darmo żywić i okrywać? *Żer. Grzech. 41.*

okryty 1. **o.** krostami, plamami, wrzodami ⟨*obsypany*⟩. 2. **o.** ranami ⟨*pokryty*⟩: Większa część oblężeńców, przy najdzielniejszej obronie ranami okryta, stała się niezdatna do boju. *Baliń. M. Polska III/1, 42.*

okrzesanie ⟨*ogłada towarzyska, dobre wychowanie*⟩ 1. Mieć **o.**, nie mieć okrzesania. 2. Nabrać, nabyć okrzesania.

okrzyk 1. **o.** dziki, entuzjastyczny, grzmiący, nieartykułowany, przeraźliwy. 2. Okrzyki wiwatowe. 3. **o.** wojenny. 4. **o.** bólu, podziwu, powitania, przerażenia, radości, trwogi, tryumfu, uniesienia, uwielbienia, wściekłości, zachwytu, zdziwienia, zwycięstwa; *przen.* Najwspanialszy wykwit poezji polskiej w ogóle i poezji Mickiewicza, a w szczególności: Improwizacja z „Dziadów" jest okrzykiem bólu wszechludzkiego. *Biał. Szkice 115*. **5.** Porozumiewać się okrzykami: Z idącymi w górę mieliśmy możność porozumiewać się okrzykami. *Wierchy 1947, s. 103*. **6.** Wydać **o.**, wydawać okrzyki: Słuchając szeroko otwierała swoje małe oczy, wydawała urywane okrzyki, bladła i rumieniła się na przemian. *Orzesz. Mirt. 91*. **7.** Wznieść **o.**; wznosić okrzyki. **8.** Okrzykom i wiwatom nie było końca. **9.** Okrzyki dolatują skąd, rozlegają się, rozległy się; zabrzmiały, zerwały się: Rozległy się okrzyki: Gore! gore!, i w jednej chwili cały dom zerwał się do ratowania. *Urban. Księż. 337*. **10. o.** uderza (w niebo), wzbił się (pod niebiosa): Tysiąc mieczy podniosło się w górę, z tysiąca ust, z tysiąca wezbranych piersi okrzyk w niebo uderzył jak grom. *Makowiec. Przyg. 236*. **11. o.** (czego) wyrywa się z piersi: Wyrwał się z piersi okrzyk boleści, zgrozy. *SW*.

okrzyknąć 1. o. k o g o k i m ⟨*wybrać kogo na jakieś stanowisko, ogłosić wybór kogoś, obrać (dawniej przez okrzyk), obwołać*⟩: A Polska królem okrzyknęła Jana, by gromił Turka, by niszczył pogana. *Rom. Łużeccy 189*. **2. o.** czyj tryumf: W całym Zawichrzynie już otwarcie okrzyknięto zupełny tryumf Michała. *Łoz. Wal. Szlach. III, 41*.

oktawa 1 *daw.* **o.** c z e g o ⟨*ósmy dzień po czym*⟩: W oktawę śmierci. **2. o.** Bożego Ciała ⟨*w liturgii rzymskiej okres ośmiu dni od dnia Bożego Ciała*⟩. **3.** *muz.* O oktawę (niżej, wyżej; zniżyć głos) ⟨*o ton dwa razy niższy lub wyższy*⟩; *przen.* Nasza nawet gwoździarka [...] nagle teraz straciła na głosie, spuszczając o jakie dwie oktawy w intonacji, i przemówiła łagodniej. *Bog. Kapit. I, 169*. **4.** Z oktawy na oktawę (przeskakiwać): Chwycił trąbkę i zabrzmiał na niej nutę pocztarską, w tonach z oktawy na oktawę przeskakujących. *Chodź. Pisma II, 200*. **5.** Objąć oktawę ⟨*całą objętość ośmiu sąsiednich tonów*⟩: Chciałem koniecznie grać wszystkimi palcami, ale żadną miarą nie mogłem objąć ręką oktawy. *Prus Now. II, 212*. **6.** *lit.* Pisać oktawę, posługiwać się oktawą ⟨*strofą ośmiowierszową*⟩.

okucie 1. Żelazne **o.**; **o-a** budowlane. **2. o.** c z e g o: okucie drzwi, okien, skrzyni, sań. **3.** *daw.* Być w okuciach ⟨*być okutym w kajdany*⟩: Pókim był w okuciach, pełzając milczkiem jak wąż, łudziłem despotę. *Mick. Dziady 306*.

okuć, okuwać 1. c o — c z y m: Okuć drzwi blachą; *przen.* Zima [...] okuła ziemię i wody twardością lodów. *Jezier. Gowor. 81*. **2. o.** buty ⟨*umocnić zelówki specjalnymi gwoździami, obcasy — podkówkami*⟩. **3. o.** konia ⟨*przybić mu podkowy do kopyt; podkuć*⟩. **4. o.** wóz ⟨*nabić obręcze na koła*⟩. **5. o.** k o g o ⟨*uniemożliwić komu (więźniowi) ucieczkę przez nałożenie np. kajdan*⟩: Okuj mi tego łotra i wsadź do tylnego aresztu! *Łoz. Wal. Dwór 214*. **6. o.** kogo w łańcuchy, w pęta; **o.** komu co łańcuchami: Przyjdzie straż miejska, w ścisłe okują cię pęta. *Zabł. Szlafm. 235*. Łańcuch mu włożyć na szyję, łańcuchami okuć nogi. *Słow. Książę 338*.

okulary 1. o. automobilowe, lunetowe (dla krótkowidzów), ochronne, przeciwsłoneczne. **2. o.** rogowe, złote itp. ⟨*mające rogową, złotą itp. oprawę*⟩. **3.** Nosić, włożyć (na nos) **o.**; używać okularów. **4.** Mieć, nosić różowe lub czarne, pesymistyczne **o.**; patrzeć przez różowe lub czarne **o.** ⟨*być optymistycznie lub pesymistycznie nastawionym; widzieć co w różowych lub ciemnych barwach*⟩: Pesymistyczne mam na nosie okulary — czarni ludzie i świat czarny. *Żer. Dzien. II, 71*. **5.** Patrzeć przez **o.** czyjeś albo czegoś ⟨*sądzić, rozumować tak jak ktoś, zgodnie z czym*⟩: Obcy patrzą na Galicję przez okulary wiedeńskiej prasy. *Bujak Gal. I, 5*. **6.** Zakładać komu różowe lub czarne okulary ⟨*nastrajać kogo optymistycznie lub pesymistycznie*⟩: Podobno [...] ile razy mężczyzna patrzy na kobietę, szatan zakłada mu różowe okulary. *Prus Lalka III, 140*.

okup 1. Bogaty **o. 2. o.** z a k o g o, z a c o: Okup za jeńca, za głowę zabitego. **3.** Brać, wziąć; składać, złożyć **o.** (za kogo, za co): Kto składa okup, ten tym samym zwyciężonym się uznaje. *Sienk. Pot. III, 363*. **4.** Nałożyć **o.** na kogo. **5.** Oddać, wydać kogo, co za okupem. **6.** Ściągnąć z kogo **o.**: Przyszli do mnie, odszukali mnie w ten pochmurny dzień, aby ściągnąć ze mnie okup. *Rudn. A. Morze 219*. **7.** Wymuszać **o.** na kim: Prostym rabunkiem gnębili kupców po publicznych gościńcach, oblegali miasteczka i miasta, wymuszali na nich ciężkie częstokroć okupy. *Kaczk. Olbracht. I, 210*.

okupacja 1. o. hitlerowska; wroga **o. 2. o.** kraju, państwa, terytorium ⟨*czasowe zajęcie obcego terytorium przy użyciu siły zbrojnej*⟩. **3.** Okres okupacji. **4. o.** fabryk, kopalń itp. ⟨*okupowanie fabryk, kopalń itp. przez strajkujących robotników*⟩: Strajk mam na wszystkich budach! Okupacja fabryk. *Past. Komuna 221*.

okupić, okupywać 1. o. c o c z y m ⟨*zapłacić za co czym*⟩: To jest przecież niemożliwe, żeby każde powodzenie w życiu musiało być okupione cudzą krzywdą! *Bogusz. Aniel. 69*. **o.** co — życiem. Krew krwią **o.**: Wobec doznanej urazy nie znali Prusacy przebaczenia: krew tylko krwią okupywać było można. *Kętrz. Ludn. 8*. **2.** Drogo coś **o.**: Zarzucają mu zbyteczną popędliwość; drogo ją nieraz okupił. *Choj. Alkh. I, 22*. **3. o.** winę ⟨*zmazać, odkupić*⟩: Czy nie przychodzi panu na myśl, że jeżeli zawinił, winę już swoją okupił? *Szan. Most 45*.

okupować 1. o. miasta, kraj ⟨*dokonywać okupacji obcego terytorium*⟩. **2. o.** fabryki ⟨*zajmować*⟩: W odpowiedzi na masowe redukcje i lokauty robotnicy okupują fabryki. *Ludzie KPP 69*.

okupywać p. **okupić**

okurek o. cygara, papierosa ⟨*niedopałek*⟩: Oświetlałem rozgrzebaną ziemię, zdeptany okurek papierosa. *Żukr. Piór. 200*.

okuwać p. **okuć**

olaboga Na **o.**: a) ⟨*naprędce, niedbale, byle jak, szybko, bez zastanowienia*⟩: Baraki były stawiane na olaboga, są mokre i zaciekają. *Prusz. Trzyn. 93*; b) ⟨*nie zważając na nic*⟩: Wszyscy razem, na olaboga, każden na inną, samodzielnie wybraną melodie [melodię] śpiewają — zwyczajnie, jak to pod muchą. *Wiech Śmiej II, 269*.

olbrzym 1. Czołg **o.**; drzewa olbrzymy. 2. *astr.* Gwiazda **o.** ⟨*gwiazda o olbrzymiej średnicy, przewyższającej znacznie średnicę Słońca*⟩. 3. *sport.* Kręcić olbrzyma ⟨*wykonywać ćwiczenie gimnastyczne, polegające na obrotach całego ciała dokoła drążka przy wyprostowanych rękach*⟩.

oleisty 1. **o-a** ciecz ⟨*mająca postać oleju, będąca olejem*⟩. 2. Penicylina **o-a** ⟨*wstrzykiwana w formie zawiesiny w oleju*⟩. 3. Rośliny **o-e** ⟨*zawierające w sobie olej*⟩.

olej 1. **o.** arachidowy, lniany, orzechowy, roślinny, rzepakowy, słonecznikowy, sojowy. 2. *techn.* **o.** parafinowy; **o.** terpentynowy; **o.** skalny ⟨*ropa naftowa*⟩; oleje smołowe. 3. **o.** rycynowy a. rącznikowy ⟨*mający zastosowanie w przemyśle oraz w medycynie jako środek przeczyszczający*⟩. 4. **o.** tungonowy ⟨*niejadalny, mający zastosowanie w przemyśle lakierniczym*⟩. 5. **o.** do maszyn, do samochodów. 6. *kult.* **o.** święty (częściej w *lm*) ⟨*poświęcony tłuszcz roślinny (zwykle oliwa czysta lub z dodatkiem balsamu i innych wonności), używany w obrzędach liturgicznych*⟩. 7. *daw.* Chrzest z oleju ⟨*obrzędy kościelne uzupełniające tzw. chrzest z wody*⟩. 8. św. Jan w Oleju ⟨*jeden ze świętych, czczony w Kościele chrześcijańskim*⟩. 9. *środ.* Malować olejami ⟨*malować farbami olejnymi*⟩. 10. Opiekać (rybę) w oleju. 11. Smażyć (placki kartoflane) na oleju. 12. Wybijać, wyciskać, wytłaczać **o.**

olejek 1. Pachnący **o.** 2. **o.** różany. 3. **o.** do opalania ⟨*tłusty płyn, najczęściej oliwa, zabezpieczający skórę przed silnym działaniem słońca podczas opalania*⟩. 4. Namaścić olejkami: Kaliasowi ufarbowano włosy na kolor pszenicy i utrefiono lśniące pukle, namaszczono olejkami ciało i barwnikami upiększono twarz. *Rudn. H. Spart. 8.*

olejny 1. Lampka, latarnia **o-a.** 2. Technika **o-a** ⟨*posługująca się farbami olejnymi*⟩.

olejowy 1. Gaz **o.** ⟨*otrzymywany podczas destylacji ropy naftowej*⟩. 2. Kwas **o.** ⟨*tłuszczowy*⟩. 3. Pompa **o-a** ⟨*urządzenie służące do doprowadzania oleju*⟩. 4. Transformator **o.** ⟨*napełniony olejem w celu izolacji i chłodzenia uzwojenia*⟩.

olimpijski 1. Medal **o.** (złoty, srebrny, brązowy): Zdobyć medal olimpijski. 2. Rekord, rekordzista **o.** 3. Stadion **o.** ⟨*typ dużego stadionu wyposażonego we wszystkie urządzenia do wszelkich gier i lekkiej atletyki*⟩. 4. System **o.** ⟨*system rozgrywek, w których zwycięzca przechodzi do następnej rundy, a przegrywający odpada*⟩: Zawody były prowadzone systemem olimpijskim: dla zdobywcy pierwszego miejsca w każdej konkurencji grano hymn państwowy. *Prom. Opow. 129.* 5. Sztafeta **o-a** ⟨*bieg rozstawny składający się z biegów na 800, 400, 200 i 100 m*⟩. 6. Wieniec **o.** ⟨*nagroda dla zwycięzcy w konkurencjach rozgrywanych na olimpiadzie — wieniec z liścia wawrzynu, wkładany na głowę zwycięskiego zawodnika (laur o.)*⟩. 7. **o.** spokój itp. ⟨*spokój itp. niewzruszony, niczym nie zachwiany*⟩: Zachowywał się z olimpijskim spokojem — tyle przeżył w życiu swoim różnych teorii, iż jeszcze jedna go nie wzruszała. *Krzyw. L. Wspom. 250.* 8. Po olimpijsku ⟨*w sposób właściwy bogom; majestatycznie, wyniośle*⟩: Wilczek po olimpijsku namarszczył brwi, odpowiadał półsłowami i nie szczędził dokoła dowodów kwaśnego usposobienia. *Choj. Alkh. I, 51.*

oliwa 1. **o.** jadalna, nicejska. 2. Oliwą się namaścić. 3. Wyciskać, wytłaczać oliwę.
przysł. 4. Prawda jak oliwa (zawsze) na wierzch wypływa. 5. Oliwa sprawiedliwa (na wierzch wypływa).

oliwkowy 1. Olej **o.** 2. **o-a** cera ⟨*koloru oliwek*⟩: W białym płóciennym ubraniu, ze swymi czarnymi włosami i oliwkową cerą bardziej niż kiedykolwiek robił wrażenie południowca, Hiszpana albo Włocha. *Andrz. Popiół 289.*

oliwny 1. Gaj **o.**, ogród **o.** 2. *bot.* Drzewo **o-e** ⟨*oliwka*⟩; palma **o-a** ⟨*roślina oleista z rodziny palm*⟩. 3. **o.** kaganiec; lampka, latarnia **o-a** ⟨*zawierający(-a) jako materiał palny oliwę*⟩.

olśnić, olśniewać 1. **o.** k o g o, c o — c z y m ⟨*oczarować, zachwycić*⟩: olśnić kogo dowcipem, pięknością, przepychem. Nie należał do rzędu ludzi, dla których tron tak jest wysoki i takim olśniewa blaskiem, że ludzkiej osoby na nim dojrzeć nie mogą. *Kub. Szkice I, 3.* 2. Myśl (jaka) olśniewa kogo ⟨*nagle przychodzi do głowy*⟩: Nagle olśniła mnie wielka niespodziewana myśl, od której serce zabiło żywiej. *Hulka Żyrar. 52.*

olśniewający 1. **o-a** białość, biel czego (np. ramion). 2. **o-a** uroda; toaleta. 3. **o.** widok.

ołowiany 1. *przen.* **o-a** atmosfera; **o-e** spojrzenie; **o.** sen ⟨*ciężka(-e, -i)*⟩: W Starzynie było bardzo smutno. — Ołowiana jakaś, przygnębiająca atmosfera, napełniała duże pokoje. *Jun. Mazur. 270.* 2. Nogi, ręce jak **o-e**: Nogi i ręce miał jak ołowiane. *Jackiew. Jan 146.* 3. **o.** ptaszek ⟨*iron. o człowieku ociężałym, nieruchawym*⟩.

ołów 1. **o.** twardy a. lutniczy ⟨*zanieczyszczony antymonem i innymi metalami*⟩. 2. Ciążyć, (za)ciążyć komu ołowiem a. jak **o.** ⟨*wydawać się komu bardzo ciężkim, być odczuwanym jako wielki ciężar (fizyczny lub moralny)*⟩: Nie miałem chwili spokoju, jak ołów ciążyła ta troska na mojej młodości. *Chłęd. Pam. I, 93.* Szuka w myślach przyczyny tego smutku, co ołowiem zaciążył mu na piersiach. *Berent Próchno 66.* 3. Nogi mieć jak z ołowiu ⟨*czuć ciężkość w nogach*⟩: Chciał krzyknąć i nie mógł wydobyć głosu; chciał uciec, lecz nogi miał jak z ołowiu. *Meis. Sześciu 137.* 4. Coś wisi nad kim, nad czym; coś przyciska kogo, co ołowiem: Zaległa grobowa cisza i wisiała ołowiem nad nami. *Fiedl. A. Biz. 57.* Ledwie chwil kilka uleciało, a każda [...] ołowiem przycisnęła serce. *Dzierzk. Pow. II, 35.*

ołówek 1. **o.** anilinowy, chemiczny; czarny, kolorowy **o.** 2. **o.** litograficzny ⟨*używany do rysowania na papierze litograficznym*⟩. 3. **o.** stolarski ⟨*używany przez stolarzy, cieśli i murarzy o bardzo grubym, prostokątnym pręciku, służy do pisania i znakowania na drzewie, murze itp.*⟩. 4. **o.** wieczny a. automatyczny ⟨*pręcik grafitowy w oprawce z masy plastycznej lub metalu, dający się wysuwać do pisania dzięki odpowiedniemu mechanizmowi*⟩. 5. **o.** do brwi ⟨*rodzaj ciemnej kredki używanej zwykle przez kobiety do podkreślania linii brwi*⟩. 6. *rzad.* **o.** do

/arg ⟨*pomadka, szminka do malowania ust*⟩: Roz-arła okruszynę ołówka do warg. *Breza Mury 259.* . *przestarz.* **o.** tabaki ⟨*podłużna paczka tabaki* *v opakowaniu z papieru ołowianego*⟩: A ja dzia-dziowi dam ołówek tabaki. *Prus Drobiaz. 75.* **8.** Ry-unek w ołówku. **9.** Zaostrzyć, zatemperować; złanać **o. 10.** Obliczać co, żyć, gospodarować; rządzić ię itp. z ołówkiem w ręku ⟨*obliczać co dokładnie* *osługując się zapiskami; żyć, gospodarować itp.* *krupulatnie notując dochody i wydatki; dokładnie* *ontrolując stan funduszów, licząc się z każdym gro-zem*⟩: Nie potrafiła żyć z ołówkiem w ręku i zwy-le przed pierwszym musiała pożyczać. *Brand. K.* *)byw. 52.*

łówkowy 1. Kalka **o-a** ⟨*służąca do sporządzania* *rzebitek za pomocą ołówka*⟩. **2.** Nasadka **o-a** ⟨*na-adka cyrkla, w którą wkłada się ołówek*⟩. **3.** Szkic . ⟨*wykonany ołówkiem*⟩: Widziała ongi ołówkowe zkice w pokoju Elżbiety. *Goj. Ziemia 133.*

łtarz 1. o. boczny, wielki. **2. o.** polowy ⟨*prowizo-yczny ołtarz ustawiony pod gołym niebem, zwykle* *odczas uroczystości o charakterze wojskowym (np.* *rzed bitwą itp.)*⟩. **3.** *szt.* **o.** szafkowy, szafiasty *średniowieczny ołtarz w kształcie zamykanego jak* *zafa tryptyku lub poliptyku rzeźbionego lub malo-vanego*⟩. **4.** *kult.* Sakrament ołtarza ⟨*eucharystia,* *omunia*⟩. **5.** *przestarz.* Sługa, stróż ołtarza ⟨*ka-łan*⟩. **6.** *przen.* Na ołtarzu ojczyzny, sprawy, pu-licznego dobra ⟨*dla ojczyzny, dla sprawy itp.*⟩: Byli zlachetni ludzie [...] którzy wszystko złożyli na oł-arzu ojczyzny. *Witos Wyb. 122.* Poświęcił miłość a ołtarzu Sprawy. *Putr. Rzecz. 206.* **7.** Wziąłby, darłby choćby z ołtarza ⟨*o człowieku chciwym*⟩. **.** Budować, ustawiać **o.**: W miastach budowano dla rocesji specjalne ołtarze, często bogato dekorowane zielenią zdobione. *Bystr. Dzieje II, 55.* **9.** *przen.* *zad.* Stawiać komu **o-e**, wznosić kogo na **o-e** ⟨*czcić,* *wielbiać kogo*⟩: Nie to go mierziło, że innych hwalą i wznoszą na ołtarze, podczas kiedy on jest iągle w cieniu, mierziło go to, za co innych chwa-ą i czczą. *Witkiew. S. Gier. 51.* **10.** Pójść z kim, oprowadzić kogo do ołtarza ⟨*wziąć z kim ślub,* *oślubić kogo*⟩. **11.** *iron.* Pociągnąć, zaciągnąć, do-rowadzić itp. kogo do ołtarza ⟨*skłonić, zmusić* *ogo do małżeństwa*⟩.

łtarzyk Złoty **o.** ⟨*modlitewnik o takim tytule*⟩.

macek Po omacku, omackiem (robić co) ⟨*nie wi-ząc (z powodu ciemności lub braku zdolności wi-zenia), kierując się dotykiem, nie wzrokiem, ma-ając rękami w ciemnościach*⟩: Omackiem szukali lrogi w ciemnościach. *Staff L. Poezje III, 45.* Ubrał ię po omacku, nie zapalając przez ostrożność świa-ła. *Twórcz. 12, 1953, s. 103.*

mdlałość 1. Błoga, niepokonana, słodka **o. 2.** Po-adać, zapadać w **o.**: Myśl pobudzam do pracy walki — a popadam często w niepokonaną omdla-ość woli i myśli. *Orzesz. Ad astra 249.* W piersi mi łabnie krew przez żałość i łez wzbierają rzeki; za-adam w senną noc, w omdlałość, na oczy kłonią ię powieki. *Wysp. Leg. I, 114.* **3. o.** ogarnia kogo, ozlewa się w kim, w czym: Ogarniała ją jakaś słod-a niemoc, jakaś omdlałość i zapomnienie, jakby ą morzył sen. *Sienk. Quo I, 72.* Pewna omdlałość rozlewała się w całej postaci, jej ruchy były na pół urwane, niedokończone. *Zachar. Kres. 28.*

omdlały, omdlewający 1. Omdlałe powieki, usta ⟨*bezwładne*⟩. **2. o-e** spojrzenie, ruchy; **o.** wzrok, głos itp. ⟨*pozbawione żywości, znamionujące fizycz-ną słabość lub (zwykle) kokieteryjnie ją pozoru-jące*⟩.

omdlenie 1. o. miejscowe ⟨*niedokrwienie wynikłe z częściowego lub zupełnego odcięcia dopływu krwi do danej części ciała, powodujące w niej brak czu-cia, niewrażliwość na bodźce zewnętrzne oraz nie-możność wykonania ruchu*⟩. **2.** Ocknąć się z omdle-nia: Juliusz ocknął się z omdlenia i w pierwszej chwili nie mógł zrozumieć ani gdzie się znajduje, ani co się z nim stało. *Meis. Sześciu 300.* **3.** Popaść, wpaść, zapaść w **o.**: Aż z tego krzyku schrypła i po-padła w omdlenie, tak że ją [...] wynieśli cucić. *Dąbr. M. Znaki 40.*

omdlewający p. **omdlały**

omen 1. Dobry, szczęśliwy, zły **o.** ⟨*znak, progno-styk, wróżba*⟩: Uważała za szczęśliwy omen jego zjawienie się w chwili tak uroczystej. *Gomul. Miecz II, 153.* Miałem zły omen: gdyśmy siedzieli przy ognisku, dwie gwiazdy spadło. *Sienk. Ogn. II, 203.* **2.** Nomen **o.** ⟨*w czyimś nazwisku, imieniu, nazwie tkwi aluzja do jego przyszłego losu lub jego cech, skłonności itp.*⟩.

omiatać, omieść 1. o. c o ⟨*usuwać, zbierać co (np. kurz, pajęczynę), zmiatać z czego*⟩: Matka uwijała się po mieszkaniu z kitą różnobarwnych piór, za-tkniętą na trzcinie, i omiatała kurze. *Par. Zegar 24.* **2.** Omieść (rzadziej omiatać) co wzrokiem, spoj-rzeniem, oczyma ⟨*spojrzeć na co szybko, ale dokład-nie, nie pomijając niczego*⟩: Wetknął głowę w głąb tunelu i omiótł jego gładkie ściany uważnym spojrze-niem. *Andrz. Wojna I, 156.*

omieszkać, omieszkiwać Nie **o.** (co zrobić) ⟨*uczy-nić co skwapliwie*⟩: Ogrzała się przy ogniu, nie omieszkując przy tym opowiedzieć wszystkiego, co tylko zasłyszała na wsi. *Reym. Now. III, 305.* Po-szedł spać. Przykładu jego nie omieszkali naślado-wać rodzice i wnet cała rodzina Ślimaków spała jak zarżnięta. *Prus Plac. 219.*

omieszkanie *daw.* Bez omieszkania ⟨*natychmiast, nie zwlekając, bezzwłocznie*⟩: Jejmość rozkazała, bym bez omieszkania szedł przez czas południowy strzec pańskiego prania. *Bon. Kośc. 78.*

omieszkiwać p. **omieszkać**

omieść p. **omiatać**

omijać, ominąć 1. k o g o, c o: a) ⟨*przenosząc się z miejsca na miejsce, pozostawiać kogo, co na ubo-czu, nie wchodzić, nie natykać się na kogo, co; prze-jeżdżać, przechodzić itp. obok kogo, czego; mijać, wymijać kogo, co*⟩: Spóźnieni przechodnie omijali go z daleka, widząc jego niesamowity wygląd. *Pap. Szczury 10.* Odrzucił kołdrę i boso, ostrożnie omija-jąc w ciemnościach stół, podszedł do tapczanu brata. *Andrz. Popiół 211*; b) *przen.* ⟨*nie uwzględniać kogo lub czego, nie zajmować się czym, milczeć o czym, pomijać kogo lub co*⟩: Z niezrównaną deli-katnością umiała omijać w rozmowie wszystko, co mogło obudzić bolesne dla mnie wspomnienia. *Lam J. Głowy I, 41*; c) tylko *ndk* (omijać) ⟨*nie utrzymywać z kim stosunków, starać się nie zetknąć z kim, nie wstępować gdzie, unikać kogo lub czego*⟩: Wedle opinii powszechnej ciążyły nad nim jakieś ujemne zarzuty z przeszłości, był bowiem przez większość sąsiadów źle widzianym i starannie omijanym. *Las. Wspom. I, 32.* Obmówią pannę w okolicy, gdy Olo przestanie bywać, każdy będzie nasz dom omijał... *Dygas. Pióro 88.* **2.** *rzad.* **o.** c o ⟨*pozwalać czemu przemijać, upływać nie uczestnicząc w czym; opuszczać co*⟩: Nie omijali żadnej okazji, przy której Frycek mógł się przejechać po Polsce lub także i za granicę kraju wyjrzeć. *Iwasz. J. Chopin 17.* **3. o.** trudności, niebezpieczeństwa, przeszkody itp. ⟨*unikać trudności, niebezpieczeństw itp., wymigiwać się od nich*⟩: Ominięcie trudności za pomocą ofiary — zamiast pokonania, rozwiązania trudności — nie jest czynem etycznym. *Irzyk. Czyn 137.* **4. o.** zakaz, zarządzenie, prawo, przepisy itp. ⟨*nie stosować się do zakazu, zarządzenia, ignorować je; lekceważyć*⟩: Na Podhalu ogół ludności, góralskiej i „ceperskiej“ wykazywał wielką pomysłowość [...] w omijaniu niemieckich rozporządzeń. *Wierchy 1947, s. 162.* **5.** Nie ominąć czego ⟨*narażać się na co, nie uniknąć czego*⟩: Ja smutnych twoich losów nieominę, ciebie wybawiam, ale sama zginę. *Kras. Osjan. 171.* **6.** *przen.* Omija kogo, co ⟨*nie staje się co czyim udziałem, nie dotyka co kogo, nie trafia, nie dosięga kogo co*⟩: Mimo że epidemia ominęła nasz dom, ojciec postanowił wyekspediować mnie do Krakowa. *Solski Wspom. I, 49.* Fortuna szydząc omija mię bokiem. *Węg. Rozm. 93.* Omija kogo karta, nieszczęście, katastrofa. **7.** Złość kogo ominęła ⟨*ktoś przestał się gniewać, złościć*⟩.

omijać się, ominąć się *przestarz przen.* **o. się** z prawdą: Utrzymując na przykład, jakoby Śniadecki chciał gimnazjum Krzemienieckie zrobić szkołą podrzędną, omijali się z prawdą. *Baliń. M. Studia 3.*

omotać, *rzad.* **omotywać 1. o.** k o g o, c o: Omotało sztygara babie lato. Marszczył się i prychał, niewidoczne nici osiadły mu na nosie, oczach, uszach. *Jackiew. Górn. 121.* W zawrotach tańca długie jej warkocze omotały mu szyję. *Sien. Ogn. I, 67.* **2.** Ktoś omotał kogo; *przen.* ⟨*ktoś poddał kogo swemu wpływowi, uczynił uległym*⟩: Anna chce swego brata uwolnić od wpływu oszustów, którzy go omotali. *Twórcz. 5, 1954, s. 176.* **3. o.** k o g o, c o — c z y m; *przen.* **o.** kogo słowami: Potrafi każdego słowami jak pajęczyną omotać! *Aud. Zbieg. 103.* **o.** kogo siecią intryg a. około kogo sieć intryg: Otoczenie Stanisława Augusta składało się w większości z ludzi zabiegających o własną karierę, omotanych siecią intryg. *Pam. Lit. 2, 1953, s. 630.* **4. o.** k o g o, c o — w c o, c z y m ⟨*okryć, owinąć czym szczelnie ze wszystkich stron; otulić, opatulić w co*⟩: Był omotany płóciennym płaszczem. *Brand. K. Antyg. 338.* Uchyliły się drzwi chałupy, wyszła kobieta z małym dzieckiem na ręku, omotana w grubą, burą chustę. *Bron. J. Ogn. 69.*

omylić 1. o. co, np. **o.** oko, straże ⟨*zwieść*⟩: Wszystkie by straże zmylili, jednej nie mogli omylić. Czujne są oczy kochanki. *Mick. Konrad 113.* Twarz młodego watażki jaśniała uprzejmą wesołością tak do brze symulowaną, że mogłaby omylić najwprawniej sze oko. *Sienk. Ogn. I, 61.* **2.** Wrażenia kogo omy liły ⟨*zwiodły, wprowadziły w błąd*⟩: Już też po kilku dniach pani Barbara przekonała się, że ją pierwsz wrażenia omyliły. *Dąbr. M. Noce II, 22.* **3.** Wzrok kogo omylił: Czy to sen, czy to jawa, czy mię wzrok omylił? *Tremb. Różne 41.*

omyłka 1. Drobna, niewielka; duża, gruba, poważ na **o. 2. o.** drukarska, **3. o.** w c z y m: **o.** w licze niu. **4.** Przez omyłkę (co zrobić): Pamiętacie, ja keśmy to jechali na wieczór autorski do Otwocka, – przez omyłkę wsiedliśmy do innego pociągu. *Unił Pok. 12.* **5.** Popełnić, zrobić omyłkę. **6.** Sprostowa omyłkę, omyłki ⟨*piśmiennie lub ustnie wyjaśnić po pełniony błąd*⟩: W wydaniu następnym omyłki t zostaną sprostowane. *Archit. 4, 1953, s. 111* **7.** Ustrzec się omyłek: Nawet przy bardzo staranne korekcie maszynopisu trudno ustrzec się omyłek **8. o.** wkradła się (do tekstu). **9.** Tu zaszła jakaś **o.** ⟨*jakieś nieporozumienie*⟩.

ondulacja 1. Amerykańska, parowa, trwała, wieczna wodna **o.** ⟨ *fryzjerski sposób ondulowania włosów z pomocą płynów bez użycia żelazka*⟩. **2.** Naturalna **o.** Włosy układały jej się w naturalną ondulację, wię nie musiała ich przed lustrem poprawiać! *Jaroch Liście 237.* **3.** Pójść do ondulacji.

opad *meteor.* **1. o-y** atmosferyczne, deszczowe, śnie gowe (śnieżne) a. **o-y** deszczu, śniegu. **2. o-y** ciągłe krótkotrwałe, przelotne. **3.** Obfitować w opady: Je sień w tym roku obfitowała w opady. Deszcze pa dały niemal codziennie. *Pytl. Fund. 159.*

opadać, opaść 1. o. n a c o ⟨*osuwać się*⟩: Głow opadła mu na poduszki. *SW.* Męty na dno opadaj ⟨*osiadają*⟩. *SW.* Ciężkie sploty rudych włosów opa dały na jej kark. *Unił. Pok. 53.* **2. o.** (z c z e g o ⟨*oblatywać z czego*⟩: Liście, owoce opadaj (z drzew). Tynk opada (ze ścian). *przen.* Gdy tylk znalazła się w polu, wszystkie [...] troski opadł z niej natychmiast. *Iwasz. J. Mił. 55.* **3. o.** z ciał ⟨*chudnąć*⟩. **4. o.** z sił, **o.** na siłach ⟨*tracić siły*⟩ Niesiono go pieczołowicie [...] gdy z sił opadał a podtrzymywano litościwie, gdy sam szedł z góry *Żer. Opow. II, 248.* **4a. o.** k o g o, c o ⟨*osacza kogo, co*⟩: Psy, go opadły; *przen.* Uporczywe myśl go opadły. - Zdrzemnął się trochę nad ranem, ale za raz opadły go dziwaczne sny. *Olcha Most II, 164.* **5** Ciasto opada ⟨*zapada się*⟩. **6.** Gwar opada ⟨*cichnie traci na sile, słabnie*⟩. **7.** Gorączka opada ⟨*zmniejsz się*⟩. **8.** Powieki opadają ⟨*zamykają się*⟩. **9.** Ręce opa dają, opadły ⟨*już nic nie można zrobić, pomóc; je się bezsilnym wobec czego*⟩: Siłaśmy głowy nałamal jak dziewczynę ratować, i w końcu ręce nam opadły a przez niego wszystko się naprawiło. *Sienk. Ogn IV. 28.* **10.** Spodnie opadają komu ⟨*zsuwają si z bioder*⟩: Spodnie wiecznie mu opadały, spod ka mizelki wątpliwej czystości wychodziła koszula *Chłęd. Pam. I, 154.* **11.** Suknie, szaty itp. opadaj (w fałdach) ⟨*wiszą na kim, układają się luźno (w fał dy)*⟩: Suknia jej ciemna opadała w szerokich płas kich fałdach. *Lamus, 1909–10, s. 30.* **12.** Wiche opada ⟨*traci na sile, słabnie*⟩: A wicher to opada to zrywał się ze wściekłą siłą, niosąc fale dżdżu i ca chmury liści i gałęzi nałamanych w pobliskim lesie

Sienk. Pust. I, 205. **13.** Woda opada (w rzece) ⟨*obniża swój poziom*⟩: Woda opadła i Wisła powróciła w dawne łożysko odsłaniając zwykłe wyspy i nowe mielizny. *Twórcz. 9, 1952, s. 84.*

opalać, opalić 1. o. c o — c z y m ⟨*paląc ogrzewać*⟩: **o.** mieszkanie, pokój. **2. o.** (w słońcu) ciało, twarz itp. ⟨*robić ogorzałym*⟩. **3. o.** kogo ⟨*wypalać komuś papierosy, cygara, tytoń*⟩: Dziękuję ci już za papierosa, po co cię mam opalać. *SW.*

opalać się, opalić się o. się na słońcu, w słońcu ⟨*poddawać się działaniu słońca*⟩. Opalić się jak Cygan.

opał 1. Drzewo, torf, węgiel na **o. 2.** Pójść na **o.**: Krzesło połamane pójdzie na opał. *SW.* **3.** Wpaść w opały, wyjść z opałów, *rzad.* z opału ⟨*być w tarapatach, w krytycznym położeniu, w niebezpieczeństwie; wyjść, wydostać się z tarapatów itp.*⟩.

opałek o. papierosa ⟨*niedopałek*⟩.

opałowy 1. Drzewo **o-e. 2.** Deputat, kontyngens (kontygent), przydział **o. 3.** Wartość **o-a** ⟨*ilość kalorii, jaką otrzymuje się przy spalaniu 1 kg materiału opałowego*⟩.

opamiętanie 1. Bez opamiętania ⟨*nie zważając na nic, bezmyślnie, wściekle*⟩: A on pił, hulał i w karty rżnął bez opamiętania. *Zeg. Uśm. 383.* **2.** Przychodzić, przyjść do opamiętania; **o.** przychodzi, przyszło komu: Skądże wam znowu raptem to opamiętanie przyszło? *Orzesz. SPP.*

opancerzony 1. o-a pierś ⟨*okuta w pancerz, zabezpieczona pancerzem*⟩: Co sił grzmotnął potężnymi pięściami w opancerzoną pierś. *Parn. Aecjusz 113.* **2. o.** pociąg ⟨*pancerny*⟩.

opanować, opanowywać 1. o. c o: a) ⟨*zdobyć co, zawładnąć czym*⟩: **o.** miasto, kraj; b) ⟨*podporządkować sobie, ujarzmić; zapanować nad czym*⟩: **o.** naturę, siły przyrody; **o.** sytuację; c) ⟨*stłumić, poskromić*⟩: **o.** smutek, żal; **o.** śmiech; d) ⟨*stłumić, ugasić*⟩: **o.** pożar; e) ⟨*przyswoić sobie, poznać co gruntownie*⟩: **o.** metodę czego (np. produkcji), obcy język; **o.** co pamięciowo (np. rolę, tekst). **2.** Coś opanowuje kogo ⟨*ogarnia, przenika kogo; owłada kim*⟩: Opanowuje kogo nuda, niepokój, rozdrażnienie, radość, senność, smutek, strach, szał, żal. **3. o.** k o g o: a) ⟨*poskromić, okiełzać kogo*⟩: Biedny nasz Francuz aż skakał i wyrywał sobie włosy, nie umiejąc opanować rozzuchwalonych smyków. *Hertz B. Samow. 131*; b) ⟨*zawojować, opętać, pozbawić woli*⟩: Kobiety go opanowały. *SW.*

opar 1. Ciepły, duszący, gęsty, gorący, lekki, wonny **o.** (również w *lm*): Drzwi się otworzyły, buchnęło światłem, ciepłym oparem, domowym zapachem. *Bogusz. Węże 26.* Nad błotami stały gęste opary. *Krasz. Baśń 44.* **2.** *przen.* **o.** krwi, **o-y** marzeń: Ta sztuka, mająca być protestem przeciw okrucieństwu wojny, sama zdradza tyle okrucieństwa, że jedynie w jakimś oparze krwi mogła się wylęgnąć! *Boy. Flirt IX, 119.* Chodził teraz w oparach marzeń jak w dymie. *Bobiń. Zemsta 215.* **3.** Buchać oparami: Garnki [...] szalały w kuchni, buchając oparami buraków kapusty. *Par. Niebo 265.* **4.** (U)tonąć w oparach czego: Sala utonęła w oparach wina. *Iwasz. J. Tarcze 179.* **5. o.** obejmuje co, opada, podnosi się (z łąk); **o-y** stoją nad czym (np. nad łąkami).

oparcie 1. o. fotela, krzesła, kanapy itd. Fotel z wysokim oparciem. **2.** Punkt oparcia. Mieć, znaleźć, stracić punkt oparcia: Próbował powstać, ale bezwładne nogi i ręce ślizgały mu się po błocie, nie mogąc znaleźć punktu oparcia. *Reym. SPP.* **3.** W oparciu o... [lepiej: opierając się na...] ⟨*biorąc za podstawę*⟩: W oparciu o samodzielnie zebrany materiał stworzył dzieło oryginalne [lepiej: Opierając się na samodzielnie zebranym materiale, stworzył dzieło oryginalne]. **4.** Służyć za **o.**: Worek położony w poprzek wozu służy mu za oparcie. *SPW.* **5.** *przen.* Mieć przy kim **o.**: Przy mężu ma byt, ma oparcie, a przy nim będzie miała wieczne ryzyko. *Ukn. Strachy 337.* **6.** Szukać oparcia w kimś, w czymś; u kogoś: Górowski szukał dla siebie oparcia w talentach Mochnackiego. *Śliw. A. SPP.* **7.** Znajdować gdzie **o.**, znaleźć w kim **o.**: Ruch reformatorski przerzuca się rychło do Francji znajdując tam jeszcze silniejsze oparcie w dążnościach burżuazji. *Rudniań. Idea 37.* Z tobą złączony, oprę się każdej sile nieszczęścia, bo w tobie znajdę oparcie i pociechę. *Grusz. Ar. Tys. 147.*

oparzony Jak **o.** ⟨*raptownie, szybko, bez zastanowienia*⟩: Lata jak oparzony. *SW.* Zerwał się z krzesła jak oparzony. *Chor. Zazdrość 223.*

oparzyć 1. o. k o g o, c o — c z y m: **o.** sobie język. **o.** sobie rękę gorącą wodą. **2. o.** drób, migdały, nóżki cielęce ⟨*oblać ukropem dla łatwiejszego usunięcia pierza, skórki, włosów*⟩.

opaska 1. o. na włosy. **2.** Pod opaską ⟨*w opakowaniu częściowym w kształcie obejmującego paska papieru*⟩: Przesyłać gazety pod opaską. **3.** Przysłonić oko opaską: Mężczyzna lekko kuleje, a jedno oko ma przysłonięte czarną opaską. *Brand. M. Spot. 57.* **4.** Ująć (pęciny) w **o-i**: Z daleka poznawałam konie naszego Emanuela, które miały pęciny ujęte w żółte opaski. *Kow. A. Rogat. 147.*

opaszka *gw.* Na **o-i** ⟨*narzuciwszy na ramiona, nie wkładając rąk w rękawy odzieży*⟩: Stary zmienił skórę. Przybrany w piękny kontusz, Bóg wie jakie czasy pamiętający, „na opaszki“ wrzucony — w drogi żupan — giął się w ukłonach. *Żer. Popioły I, 52.*

opaść p. **opadać**

opatentować *praw.* **o.** wynalazek ⟨*uzyskać patent na wyłączne przemysłowe wykorzystywanie wynalazku*⟩.

opatrunek 1. o. chirurgiczny, gipsowy, tymczasowy, uciskowy. **2.** Chodzić na **o-i. 3.** Zakładać, założyć; zdjąć, zmienić **o. 4.** Zabrać się do opatrunku ⟨*do opatrzenia rany*⟩.

opatrunkowy Środki **o-e**; wata **o-a.**

opatrywać, opatrzyć 1. o. okna, dom ⟨*uszczelniać*⟩. **2. o.** kogo atrybucjami, instrukcją, mandatem, pełnomocnictwem, listem; *przestarz.* **o.** w list, w pełnomocnictwo ⟨*polecać komu jakąś misję do spełnienia, powierzając pełnomocnictwo, dając instrukcję, list*⟩. **3. o.** broń, karabin, oręż ⟨*przygotowywać broń do strzału, do walki; sprawdzać, czy działa sprawnie, czy jest zdatna do użytku*⟩. **4.** *daw.* dziś *gw.* **o.** bydło, inwentarz ⟨*karmić, dawać jeść, poić; czyścić; doglą-*

dać⟩. **5. o.** chlew, kurnik ⟨*umacniać ściany, zamknięcia chlewu, kurnika*⟩. **6. o.** pieczęcią, stemplem, sygnaturą, podpisem, datą ⟨*przykładać pieczęć, stempel, składać podpis na czym; oznaczyć pieczęcią, sygnaturą*⟩. **7. o.** przedmową, wstępem, komentarzem, rycinami itp. ⟨*poprzedzać tekst przedmową, wstępem; umieszczać przypiski, ryciny itp.*⟩. **8. o.** ranę ⟨*zakładać opatrunek*⟩. **9.** *kult.* **o.** sakramentami, wiatykiem ⟨*udzielać sakramentów umierającemu*⟩. **10.** Niech Pan Bóg opatrzy, niech Bóg opatrzy ⟨*odmowna odpowiedź na prośbę o datek*⟩: Dziadów tu nie potrzeba. Niech Pan Bóg opatrzy. *Kunc. Dni 155.*

opatrznościowy 1. Misja **o-a**, posłannictwo **o-e**. **2.** Odgrywać, odegrać opatrznościową rolę: Możecie odegrać opatrznościową rolę w dziejach świata. *Asnyk SW.*

opatrzność 1. o. boska ⟨*Bóg, oko boskie*⟩. **2.** Oko opatrzności ⟨*symbol opatrzności przedstawiony jako oko opromienione, najczęściej w trójkątnej płaszczyźnie*⟩: Mijam budynek drewniany w stylu zakopiańskim z okiem opatrzności na froncie. *Mig. Wspom. 24.* **3.** Ręka (ręce) Opatrzności: Przyjmijmy z rąk Opatrzności tę pokutę w nadziei, że się polepszy czy tu, czy potem gdzie indziej. *Mick. Listy II, 174.* **4.** *przen.* Być czyją opatrznością: Za życia ojca ruszała się żywo, zajmowała ogrodem, pszczołami, opatrznością była chorych i ubogich. *Rodz. Dew. 54.* **5.** Spuszczać się, zdać się, zdać kogo na **o.**: Lepsze tysiąc razy działanie, na prostej rachubie oparte, jak owe bezwarunkowe spuszczanie się na opatrzność. *Gosz. Rozpr. 401.* **6. o.** czuwa nad kim, **o.** zrządziła, że...

opatrzyć p. **opatrywać**

opcja 1. o. na rzecz (kogo) (zwykle jakiegoś państwa). **2.** *daw.* Dać opcję ⟨*dać możność wyboru, między wielu rzeczami przedstawionymi do wybierania*⟩: [Król] nauczony jednak doświadczeniem, które nie pozwalało mu już liczyć na rycerską gotowość szlachty, daje jej opcję między osobistym ruszeniem a wystawieniem piechoty. *Łoz. Wł. Praw. I, 369.* **3.** *praw.* Dokonać opcji: Zdecydował się zostać po plebiscycie w Polsce, skoro nie dokonał opcji na rzecz Niemiec w okresie wymaganym przez konwencję genewską. *Szew. Kleszcze 108.*

opera 1. o. narodowa, polska, włoska. **2. o.** buffo ⟨*włoska opera o treści wesołej, przeplatana dialogami mówionymi*⟩. **3. o.** burlesca ⟨*opera zabawna*⟩; **o.** eroica ⟨*opera bohaterska*⟩; **o.** grande ⟨*opera poważna*⟩; **o.** seria ⟨*starowłoska opera poważna*⟩. **4.** *posp. żart.* Istna **o.**; cała **o.**; co za **o.**; a to **o.**! ⟨*zabawna historia*⟩. **5.** Napisać, skomponować, wystawić operę. **6.** Występować w operze.

operacja ● **1. o.** słoneczna ⟨*działanie, wpływ*⟩. **2.** Poddawać co operacji promieni słonecznych. **3.** Wystawiać co na operację słoneczną ⟨*na działanie promieni słonecznych*⟩.

● **4. o-e** finansowe, kredytowe, pieniężne, wekslowe ⟨*transakcje*⟩. **5.** Przeprowadzić operację (finansową).

● *wojsk.* ⟨*działanie strategiczne*⟩ **6. o.** armijna, desantowa, frontowa, militarna, morska, oblężnicza, obronna, powietrzna, strategiczna, wojenna, zaczepna. **7.** Plan operacji: Plan operacji całej wydany został w kwaterze głównej. *Żer. Opow. II, 207.* **8.** Przeprowadzić operację (desantową na wielką skalę).

● **9.** Skomplikowana, trudna **o.** ⟨*zabieg chirurgiczny*⟩. **10. o.** plastyczna ⟨*mająca na celu usunięcie oszpeceń*⟩. **11.** Dokon(yw)ać operacji. **12.** Przejść operację: Przeszedł skomplikowaną operację, po której długo walczył ze śmiercią. *Dąbr. M. Noce IV, 265.* **13.** Przystąpić do operacji (o chirurgu). **14.** Znieść dobrze operację. **15. o.** się powiodła; udała się, nie udała się.

operacyjny 1. Chirurgia **o-a** ⟨*praktyczna w przeciwieństwie do teoretycznej*⟩: Prócz chirurgii operacyjnej, wykładał jeszcze Bierkowski chirurgię teoretyczną i prowadził nadto klinikę. *Tyg. Ilustr. 190, 1863.* **2.** *wojsk.* Dywizja **o-a. 3.** Leczenie **o-e** ⟨*za pomocą operacji*⟩. **4.** Nóż **o.** ⟨*używany do operacji*⟩. **5.** Rachunek **o.** (w banku). **6.** Sala **o-a** ⟨*sala, w której dokonywa się operacji*⟩. **7.** Siostra **o-a** ⟨*pomagająca przy operacji: podająca narzędzia, środki lekarskie itp.*⟩. **8.** Stół **o.** ⟨*przystosowany do wykonywania na nim operacji*⟩. **9.** Zabieg **o.** ⟨*operacja chirurgiczna*⟩. **10.** Iść na stół **o.** ⟨*poddać się operacji*⟩.

operatywny Plan **o.** ⟨*plan działania*⟩: Opracowuje się [...] w zakładzie pracy wewnętrzne, operatywne plany, które obejmować powinny wszystkie komórki organizacyjne przedsiębiorstwa. *Nowe Drogi 3, 1952, s. 26.*

operetka 1. Lekka, wesoła **o. 2.** Primadonna operetki. **3.** Grać, grywać; wystawi(a)ć operetkę. **4.** Coś trąci operetką ⟨*jest niepoważne, śmieszne; zakrawa na parodię czego*⟩: Pożegnanie jego w Wiedniu trąciło trochę operetką. *Chłęd. Pam. II, 116.*

operetkowy 1. Aktor, bohater **o.**; muzyka, rola **o-a. 2.** Scena **o-a**, teatr **o.** ⟨*operetka*⟩: Takiej primadonny [jak Messal] zazdrościć nam mogła każda europejska scena operetkowa. *Ower. Ramp. 275.* **3. o-a** sytuacja ⟨*komiczna, groteskowa*⟩.

operować 1. o. c z y m ⟨*posługiwać się czym, działać za pomocą czego*⟩: **o.** nożem i widelcem. **o.** oddechem, głosem. **2. o.** funduszami, pieniędzmi czyimi; **o.** papierami (finansowymi, wartościowymi); **o.** na giełdzie ⟨*obracać; dokonywać transakcji*⟩: Z takimi zasadami mógłbyś najszczęśliwiej operować na giełdzie lub prowadzić interesy wekslowe! *Krzywosz Jula 41.* **3. o.** k o g o ⟨*robić komu operację*⟩: **o.** chorego, rannego. **4.** Armia operuje ⟨*przeprowadza działania wojenne*⟩: Trzeba było jeszcze uśmierzyć Italię górną, gdzie operowała armia drugiego konsula Karbona. *Ziel. T. Rzym. 411.* **5.** Samoloty operują ⟨*przeprowadzają akcję bojową, wojskową*⟩. **6.** Słońce operuje ⟨*grzeje mocno, naświetla silnie*⟩.

operowy 1. Aria, muzyka, partytura; sala **o-a**; repertuar, śpiewak **o. 2.** Głos **o.** ⟨*silny, wyszkolony głos śpiewaka operowego; głos nadający się do wykonywania arii operowych*⟩. **3.** Libretto **o-e** ⟨*tekst słowny partii śpiewanych opery*⟩. **4.** Teatr **o.** ⟨*opera*⟩. **5.** Zespół **o.** ⟨*ogół śpiewaków, tancerzy, pracowników danej opery*⟩.

opędzać, opędzić 1. o. komary, muchy od kogo, od czego a. kogo, co od komarów, od much ⟨*odganiać*⟩

2. o. dni, życie całego dnia ⟨*przeżywać z biedą, z trudem*⟩: Przyniosła parę złotych zapomogi. Zawsze będzie czym opędzić najbliższe dni. *Kłos. Wiosna 132.* Kawałkiem chleba, szklanką mleka opędzałem nieraz życie całego dnia. *Dasz. Pam. I, 32.* **3. o.** głód ⟨*zaspokajać głód; jeść nieco; sycić się*⟩: Myśmy nie głodni [...] myśmy pierwszy głód opędzili. *Skiba Poziom. 237.* **4. o.** potrzeby, wydatki ⟨*z trudem zaspokajać*⟩: Ja teraz zawiesiłem moje prace polskie i piszę po francusku dla opędzenia potrzeb. *Mick. Listy II, 157.* **5.** *przestarz.* **o.** rosę ⟨*strząsać rosę, wysuszać rosę*⟩: Pójdę i [...] wprzód niźli nocną świt opędzi rosę, tuszę, iż dobrą odpowiedź przyniosę. *Mick. Graż. 25.*

opętać, opętywać 1. o. k o g o ⟨*wziąć kogo w swe władanie, swą moc, uzależnić kogo od siebie, wywrzeć wpływ na kogo, związać z sobą; uwikłać, usidlić, oplątać, omotać*⟩: Opętałeś ją, jeździłeś do niej, a potem rzuciłeś. *Pięt. Białow. 107.* Opętała go baba i odczepić się od niej nie może. *SW.* **2.** Coś kogo opętało ⟨*owładnęło kim*⟩: Wściekłość go jakaś opętała. *SW.* **3.** Czort, szatan, licho, złe itp. kogo opętał(o) ⟨*ktoś się złości, wścieka, rzuca, szaleje, postępuje gwałtownie, zachowuje się bezsensownie; dawniej wierzono, że taki człowiek jest w mocy diabła, że diabeł w niego wstąpił*⟩: Znowu cię złe opętało... znów chcesz szaleć. *Jun. Bracia 100.*

opętany 1. Taniec **o.**: Rozpoczyna się jakieś szaleństwo, taniec opętany, wariacki, w którym na tle pewnego, ogólnego tempa ruchów każdy, odpowiednio do swego temperamentu i zdolności tancerskich improwizuje rozmaite ruchy i skoki. *Witkiew. S. Utwory 104.* **2. o-a** doba itp. ⟨*pełna doba*⟩: Mieliśmy opętane dwie doby jazdy przed sobą, toteż zerwaliśmy się o świcie. *Sienk. Now. IV, 55.* **3.** Pleść, drzeć się, wrzeszczeć, śmiać się, latać itp. jak **o.** ⟨*drzeć się itp. jak człowiek niespełna rozumu albo bardzo głośno, bardzo szybko, gwałtownie, nieopanowanie, porywczo, wściekle*⟩: Śmiała się jak opętana, zasłaniając twarz chustką. *Prus Kłop. 45.* **4. o.** c z y m: Zemsty opętany biesem [...] znaleźć nie mogłem pociechy. *Mick. Tad. 291.*

opętywać p. **opętać**

opieka 1. Baczna, czuła, macierzyńska, niedbała, ojcowska, troskliwa **o. 2. o.** lekarska, **o.** prawna. **3. o.** społeczna ⟨*wszelka działalność czynników społecznych, mająca na celu polepszenie warunków bytowych niezamożnej ludności*⟩. **4.** Ufny w opiekę. **5. o.** k o g o, c z e g o: **o.** rodziców; **o.** prawa. **6. o.** n a d k i m, n a d c z y m: **o.** nad matką i dzieckiem; **o.** nad majątkiem czyim. **7. o.** p r z e c i w k o m u, c z e m u [nie: przed kim, przed czym]: Widział dla siebie opiekę przeciw nadużyciom [nie: przed nadużyciami]. *SPP.* **8.** Przyjmować kogo w opiekę lub pod opiekę. **9.** Być, zost(aw)ać na opiece (u) kogo ⟨*na wychowaniu*⟩: Chłopiec zostający na opiece stryja. *Żer. SPP.* **10.** Dać opiekę, nie dać opieki komu, czemu; dać, ofiarować kogo, co pod opiekę czyją: Nie mam dachu i nie dam opieki nawet jaskółce. *Słow. Król 119.* **11.** Doznać opieki: Chłop [...] był w zupełności oddany samowoli pana i dziedzica [...] jego osoba i jego praca nie doznawały żadnej ściśle unormowanej opieki prawa. *Chmielow. Lib. 96.* **12.** Mieć opiekę nad kim ⟨*opiekować się kim, być (prawnym) opiekunem czyim*⟩: Patrzycie przez szpary, jak ten chłystek bałamuci dziewczynę, nad którą macie opiekę. *Bliz. Dam. 137.* **13.** Mieć w opiece kogo, co ⟨*opiekować się kim, czym*⟩: Niech was bies ma w swej opiece z waszą zimną krwią. *Bełc. Hun. 45.* **14.** Oddać kogo pod opiekę; oddać się, poddać się pod czyją opiekę, w opiekę komu: O życie ludzi oddanych mu pod opiekę walczył jak lew. *Hirsz. Hist. 204.* Poddać się opiece sądu: W pierwszym roku musiałem się poddać opiece sądu szlacheckiego i przyjąć z jego ramienia kuratora. *Łoz. Wal. Dwór 116.* **15.** Podlegać opiece: Całkowicie ubezwłasnowolniony, który nie pozostaje pod władzą rodzicielską, podlega opiece. *Przep. og. prawa cyw. 6.* **16.** Polecać kogo, co opiece. **17.** Poruczyć komu opiekę nad kim. **18.** Powierzyć kogo (się) czyjej opiece a. powierzyć komu opiekę nad kim, nad czym. **19.** Rozciągnąć, roztoczyć opiekę nad kim, nad czym: Towarzystwo Opieki nad Zabytkami Przeszłości postanowiło rozciągnąć opiekę nad ruinami zamku chęcińskiego. *Sienk. Uzup. II, 14.* Wywiadywała się o rodziny więźniów i roztaczała nad nimi opiekę. *Dęb. L. Wspom. 81.* **20.** Sprawować nad kim opiekę. **21.** Uciekać się, uciec się pod czyją opiekę. **22.** Wyjść z opieki, spod opieki: Lecz Hrabia, sąsiad bliski, gdy wyszedł z opieki, panicz bogaty, krewny Horeszków daleki, przyjechawszy z wojażu, upodobał mury. *Mick. Tad. 17.* **23.** Wyłamać się spod opieki czyjej. **24.** Coś wymaga, domaga się opieki: Wiek nieco podeszły domagał się troskliwej opieki. *Bystr. Dzieje II, 122.* **25.** Wypuścić kogo spod opieki, z opieki: Pan Jacek nie wypuszcza z opieki swojej syna. *Mick. Tad. 86.* **26.** Wziąć, przyjąć kogo, co w opiekę. **27.** Zdać komu opiekę nad kim, nad czym: Zdaj mi opiekę nad sobą. *Sienk. SPP.* **28.** Zdać kogo na czyją opiekę: Dziecko zdane na opiekę starszego rodzeństwa. **29.** Zostawić, pozostawić kogo pod czyją opieką: Postanowiono młodsze dzieci zostawić pod opieką Felicji. *Dąbr. M. SPP.*

opiekun 1. o. nieletnich dzieci, rodziny, sierot. **2. o.** nauk(i) i sztuk(i) ⟨*mecenas, protektor*⟩. **3. o.** z urzędu ⟨*kurator*⟩. **4.** Mieć w kim opiekuna. **5.** Ustanowić, wyznaczyć opiekuna komu, czemu a. nad kim, nad czym ⟨*kuratora*⟩: Przychodzi też do koronacji i do ustanowienia opiekunów [...] pojedynczym województwom na czas małoletności króla. *Szujski Hist. 104.*

opiekuńczy 1. Anioł, geniusz **o.**; bóstwo **o-e**: Cierpliwa, pracowita, była aniołem opiekuńczym domu, choć w oczach rodziny anioł ten opiekuńczy uchodził tylko za popychadło, którym się posługiwano, wyręczano. *Bał. Dziady 133.* Człowiek silny [...] otoczony sympatią bóstw opiekuńczych i pozostający w zmowie z duchami przodków występuje we wszystkich epopejach wszystkich narodów. *Żer. Snob. 10.* **2.** Rada **o-a**: Rada opiekuńcza zakładów dobroczynnych. *SW.* **3. o-a** ręka: Od kilku miesięcy, w związku z przyszłą operą, wziął jeszcze na siebie sprawę baletu [...] który teraz pilnie potrzebował opiekuńczej ręki. *Breza Uczta 51.* **4.** Skrzydła **o-e** ⟨*opieka*⟩. **5.** Władza **o-a**: Opiekuna ustanawia władza opiekuńcza, skoro tylko poweźmie wiadomość, że zachodzi prawny powód po temu. *Dz. Ustaw 34, 1950, s. 368.*

opieprzyć 1. *posp. wulg.* **o.** kogo ⟨*zwymyślać, zbesztać kogo*⟩: Nasz stary [...] zdrowo by opieprzył za takie porządki. *Brand. K. Obyw. 409.* **2.** *daw.* ⟨*poranić*⟩: Ha, godnie nas opieprzył, nie ma co! *Sienk. Na polu 75.*

opierać (się), oprzeć (się) 1. o. co; **o. się** — na czym, o co; **o. się** czym — o co: **o.** ręce na lasce, głowę na czyim ramieniu. **o. się** na lasce, na czyim ramieniu. **o.** drabinę o mur. Idąc, opierał się o poręcz. *SW.* **o. się** plecami o ścianę; *przen.* ⟨*mieć za podstawę, ugruntować na czym*⟩: władzę na masach. **o.** rozumowanie na słusznych przesłankach. **o.** działalność na doświadczeniu. **2.** *przen.* **o. się** na czym ⟨*mieć oparcie, podstawę w czym, być podstawą, oparciem dla kogo, czego*⟩: **o. się** w badaniach na źródłach z pierwszej ręki. **3. o. się** na kim ⟨*mieć do kogo zaufanie, zdawać się na kogo*⟩: Nie wiedział, na kim ma się oprzeć, komu może zaufać, komu co powierzyć. *Kowalew. M. Kamp. 171.* **4.** Sprawa oprze się, oparła się o prokuratora, o sąd, o sejm itd. ⟨*prokurator itd. rozstrzygnie sprawę, sprawa będzie należeć do prokuratora itd.*⟩: Sprawa jednak oparła się o sejm w Piotrkowie i skończyła się przyznaniem praw mieszkańcom wrębu we wsiach wskazanych w przywileju. *Balin. M. Polska III/1, 117.* **5. o. się** komu, czemu ⟨*nie dawać się (komu, czemu) zawładnąć, przeciwstawiać się komu, czemu*⟩: **o. się** drzemce. **o. się** wichurze. I tak mędrsi fircykom oprzeć się nie śmieli. *Mick. Tad. 22.* **6.** Nie móc **o. się** czemu ⟨*pozwalać zawładnąć czemu*⟩: Nie mógł przez chwilę oprzeć się przykremu wrażeniu. *Żer. Uroda 355.* **7.** Nie oprzeć się, aż... ⟨*zatrzymać się, dotrzeć, dolecieć*⟩: Zagarnięty przez świeży przypływ osób [...] wszedł do poczekalni klasy drugiej i nie oparł się aż w najdalszym jej kącie. *Żer. Prom. 7.* Jak się kopnął polną dróżką, nie oparł się, aż pod gruszką. *SW.*

opierunek *żart.* Wikt i **o.**: U nas domek wesoły, wikt i opierunek rządowy. *Past. Komuna 44.*

opiewać *podn. książk.* **1. o.** co ⟨*w literaturze pięknej opisywać, przedstawiać, rozsławiać, wychwalać, wysławiać kogo a. co*⟩: Opiewałem ogrody, lasy, sad zielony, kiedy po trzykroć trąba zabrzmiała Bellony. *Karp. Ogr. 67.* **2.** *rzad.* **o.** kogo ⟨*śpiewając sławić kogo albo co*⟩: Demodok opiewał bohaterów spod Troi siedząc i przygrywając na formindze. *Łoś Wiersze 29.* **3.** Akcja, pożyczka, rachunek, weksel itp. opiewa na jakąś sumę ⟨*przedstawia określoną wartość pieniężną*⟩. **4.** *urz.* Dokument opiewa, iż... ⟨*podaje do wiadomości, mówi, orzeka, wymienia*⟩: Dokument, pisany na maszynie, opiewa w urzędowych, uroczystych zdaniach [...] iż jestem przyrodnikiem i wyruszam do stanu Parana celem gromadzenia okazów fauny dla polskich instytucji naukowych. *Fiedl. A. Rio 170.* **5.** Wyrok opiewa na co (np. na rok więzienia, na karę śmierci).

opięty o-e palto, **o-e** spodnie, **o.** ubiór itp. ⟨*ściśle przylegające(-y) do ciała, uwydatniające(-y) kształty; obcisłe(-y)*⟩: Na wszelkie interpelacje, skąd pochodzą spodnie, tak dalece opięte, posiadacz ich odpowiadał niechętnie i lakonicznie, iż są „z Zurychu". *Żer. Wspom. 33.*

opilstwo W stanie opilstwa: Przestępstwo popełnione w stanie opilstwa nie wyłącza odpowiedzialności karnej. *Państwo 12, 1955, s. 988.*

opinia 1. o. entuzjastyczna, fałszywa, łagodna, nieprzychylna, pochlebna, przychylna, utarta ⟨*sąd o kim, mniemanie*⟩. **2. o.** publiczna ⟨*powszechne mniemanie, sąd ogółu*⟩. **3. o.** ludzka, murowana, nieposzlakowana, nieskazitelna, zasłużona, zaszargana ⟨*renoma, reputacja*⟩: Wszystko to, co mówiła mu o opinii ludzkiej... o niesławie, ześlizgiwało się po nim jak tępy grot po pancerzu. *Sienk. Pot. I, 75.* Kobieta o zaszarganej opinii. **4. o.** kogo, np. **o.** biegłych ⟨*orzeczenie*⟩. **5. o.** co do czego: Uzyskanie opinii co do definicji. *K. Sł. Techn. SPP.* **6. o.** o kim, o czym: Opinia o pracowniku, o uczniu. Opinia o pracy czyjej, o książce. **7.** Być zgubionym w opinii, zabić się, zgubić kogo (się) w opinii: Tamten łotr robi wszystko, żeby mnie zgubić w opinii. *Sienk. Połan. III, 121.* **8.** Cieszyć się opinią jaką: Ludzie, z którymi wszedł w stosunki [...] zajmowali poważne stanowiska i cieszyli się nie tylko powszechną, ale zasłużoną opinią. *Perz. Las 196.* **9.** Dbać, nie dbać o opinię czyjąś. **10.** Głosić, wygłaszać, wypowiadać (śmiałe, dziwne itp.) opinie ⟨*poglądy*⟩. **11.** Kierować opinią; wpływać na opinię: Żywość moja, pamięć [...] postawiły mnie na czoło czwartej klasy. Kierowałam opinią, nadawałam ton, a w wielu wypadkach byłam wyrocznią. *Sewer Pam. 163.* **12.** Lansować, mobilizować, nastrajać, poruszać, przygotowywać, sondować, urabiać, usypiać, zjednać sobie opinię; narażać się opinii; postawić kogo, co pod pręgierzem opinii (publicznej itp.): Artykuł ten wywołał pewne poruszenie opinii literackiej. *Borowy Studia II, 31.* **13.** Mieć opinię kogo ⟨*uchodzić za kogo*⟩: Miał opinię bardzo zdolnego rzemieślnika. *Hertz B. Termin. 36.* Miał za sobą trzydzieści lat pracy zawodowej i opinię świetnego fachowca. *Twórcz. 6, 1953, s. 42.* **14.** Mieć dobrą, złą, nieszczególną itp. opinię ⟨*reputację*⟩: Ma nieszczególną opinię. Ludzie mówią coś, że pierwszą żonę struł, wspominają też o jakichś malwersacjach służbowych. *Prus Now. I, 211.* **15.** Napisać, składać, złożyć, wydać opinię o kim, o czym ⟨*orzeczenie, ocenę*⟩. **16.** Naprawić (swoją), zepsuć sobie opinię ⟨*reputację*⟩. **17.** Podtrzymywać, wypowiadać, wyrobić sobie, zebrać, zmienić, zrewidować opinię o kim, o czym ⟨*zdanie, sąd*⟩: Bo pan dobrodziej złudzony plotkami wyrobił sobie o mnie nieprzychylną opinię... *Prus Lalka I, 306.* **18.** Podzielać opinię (jaką a. czyją) ⟨*pogląd*⟩: Rozumiem, ale przyznam się otwarcie, że nie podzielam opinii tak optymistycznych. *Ziel. S. Pol. 20.* **19.** Polegać na czyjejś opinii ⟨*na czyim zdaniu, poglądzie, ocenie*⟩. **20.** (Podanie itp.) poszło do opinii ⟨*do zaopiniowania, do oceny*⟩. **21.** Prosić o opinię, zaczerpnąć, zasięgnąć (czyjej) opinii o kim, o czym; co do kogo, co do czego ⟨*zwrócić się do kogo o zdanie o kim, o czym; co do czego*⟩: Prosił o pańską opinię co do dalszego postępowania. *Lut. Próba 30.* **22.** Udzielić opinii o kim, o czym ⟨*wypowiedzieć swoje zdanie o kim, o czym, wyrazić swój pogląd na co*⟩. **23.** Zysk(iw)ać w czyjej opinii: Zyskiwałem w jej opinii, jestem pewny, że w głębi duszy była i jest dumną z tych moich dawnych sukcesów, że podnosiły one w jej oczach moją wartość. *Krzywosz. Jula 40.*

opiniować **1. o.** co ⟨*wypowiadać swój pogląd na co; orzekać*⟩: Piloci obserwują kolegów w powietrzu, opiniują ich błędy i dzielą się spostrzeżeniami ze swych poprzednich lotów. *Skrzydła 35, 1950.* **2. o.** o kim, o czym ⟨*wydawać opinię, wypowiadać swój sąd o kim, o czym*⟩: O żołnierzu i jego zdatności opiniował nie szef, lecz właśnie ogniomistrz. *Rudn. A. Żołn. 65.*

opis **1. o.** barwny, dokładny, obrazowy, wierny, zwięzły, żywy. **2. o.** bibliograficzny, katalogowy ⟨*podanie cech charakterystycznych określonego egzemplarza, uwzględniające cechy wspólne wydania*⟩. **3. o.** epicki, poetycki. **4. o.** krajoznawczy, obyczajowy, psychologiczny. **5. o.** techniczny ⟨*szczegółowe objaśnienia, wykonane pismem technicznym, odnoszące się do części rysunku oznaczonych literami, cyframi*⟩. **6. o.** podróży: Pożerałem z chciwością, dość rzadką w tym wieku, opisy podróży, powiastki i dzieła traktujące o historii narodów. *Lam J. Głowy I, 13.* **7. o.** rysunków, map, planów itp. ⟨*szczegółowe dane rysunków, map; wyszczególnienie, wykaz, spis, rejestr, inwentarz, legenda*⟩. **8.** Dać dokładny **o.**: Dał dokładny opis kawiarni, narysował niewielki plan, wypisał nazwę ulicy. *Prusz. Trzyn. 227.*

opisać, opisywać **1. o.** kogo, co barwnie, plastycznie, rozwlekle, szczegółowo, ściśle, wiarygodnie, wiernie, zwięźle; w sposób obiektywny, naukowy; prozą, wierszem; po włosku, po rosyjsku itp. **2.** To nie da się opisać. *SFA.* **3. o.** koło na wodzie, w powietrzu ⟨*zatoczyć, zakreślić koło, na wodzie, w powietrzu*⟩. **4.** *mat.* Wielokąt opisany na okręgu, kole; koło opisane na wielokącie itp. ⟨*wielokąt, w który wpisane jest koło; wielokąt wpisany w koło*⟩. **5.** *praw.* **o.** majątek, meble itd. ⟨*dokonać rejestru, spisu, wykazu czyjego majątku przed nałożeniem nań aresztu*⟩: Stan finansowy rodziny Martenów począł być opłakany. Już dwa razy opisywano im meble. *Krzyw. I. Bunt 76.* **6. o.** kogo, co — (w czym) ⟨*niekorzystnie przedstawić, osmarować, oczernić*⟩: Opisali go w gazetach. - Opiszą cię, osmarują w papierach. *Kow. A. SPP.*

opisanie Nie do opisania ⟨*coś, co nie da się opisać, co przekracza możność ujęcia w słowach*⟩: Nieszczęście nie do opisania; hałas, zamieszanie, popłoch nie do opisania.

opisywać p. **opisać**

opium Palić (nałogowo), zażywać **o.**: Nałogowo palił opium i nałóg ten zeszpecił mu twarz, nadawszy jej barwę ziemistą i charakterystyczne dla palaczy opium worki pod oczami. *Grąb. Podróże III, 50.*

opiumowany **o.** tytoń; **o-e** papierosy.

oplatać się, opleść się **o. się** ramionami ⟨*otaczać się wzajemnie ramionami, obejmować ramionami jeden drugiego*⟩: Opletli się ramionami, a Grochowski — zapłakał. — Józek!... bracie!... — mówił. *Prus Plac. 42.*

opłacać się, opłacić się **1. o. się** komu czym ⟨*płacąc okupywać się, uwalniać się; przekupywać. pot.: dawać łapówki*⟩: Miasto opłacało się kilka razy różnym generałom. *Piw. Hist. 210.* Opłacali się herbatą, kawą, papierosami, pieniędzmi. *Goj. Stol. 220.* **2.** Coś opłaca się komu: a) ⟨*wynagradza się, przynosi zysk, procentuje, popłaca*⟩: Wszystkie te trudy opłacały mu się sowicie — mieszkanie w lesie przedstawiało tyle wygód, że warto było ciężko popracować dla osiedlenia się w nim. *Dyak. Las 277;* b) Coś się opłaca lub nie opłaca ⟨*coś warte jest czegoś lub coś nie jest rzeczą celową, praktyczną*⟩: Nie opłaci się tam chodzić. *SPP.*

opłata **1. o.** licencyjna ⟨*opłata za prawo korzystania z opatentowanego wynalazku lub zarejestrowanego wzoru, stanowiącego własność indywidualną*⟩. **2. o.** pocztowa, stemplowa; **o.** sądowa. **3. o.** czynszu. **4. o-y** w gotówce, w naturaliach. **5. o.** od czego lub za co: Opłata od listu lub za list. Opłata za przejazd, za przechowanie bagażu. **6.** Taryfa opłat. **7.** Nakładać, rozkładać (na raty), ściągać, uiszczać, składać, wnosić opłatę lub **o-y**. **8.** Zalegać w opłacie: Właściciele kamienic zalegają w opłacie podatków. *Prus Kron. V, 374.*

opłatek **1.** Blady jak **o.**, cienki jak **o.**, kruchy jak **o.** ⟨*bardzo blady, bardzo cienki, bardzo kruchy*⟩: [Maszyny] rżnęły i heblowały kłody największych rozmiarów wyrabiając tarciczki cieniutkie jak opłatek. *Zeg. Chochl. 126.* **2.** Proszki w opłatku **3.** *kult.* Dzielić się opłatkiem.

opłatkowy Ciasto **o-e** ⟨*ciasto na opłatki; ciasto na opłatkach pieczone*⟩.

opłucna Zapalenie opłucnej (włóknikowe, wysiękowe, ropne) ⟨*choroba wywoływana najczęściej przez drobnoustroje*⟩: Ciężkie zapalenie płuc i opłucnej trwało kilka tygodni. *Gard. Trzech 123.*

opłucnowy Jama **o-a** ⟨*szczelinowata, bezpowietrzna przestrzeń między dwiema warstwami opłucnej*⟩.

opłukać **o.** coś, np. nabycie, otrzymanie czegoś cennego ⟨*wypić, np. wino, z tego powodu, dając wyraz radości, życzliwości; oblać*⟩: Musisz przecie jakoś opłukać to nowe dziedzictwo. *Kaczk. Murd. I, 10.*

opływać **o.** w co, *rzad.* w czym ⟨*obfitować w co, mieć pod dostatkiem, korzystać z czego w obfitości*⟩: **o.** w bogactwa, w rozkosze.

opływowy Powierzchnia **o-a**, kształt **o.** ⟨*powierzchnia, którą ciecz lub gaz opływa nie tworząc wirów, dzięki czemu powierzchnia stawia znikomy opór ich prądom*⟩: Kabina [samolotu] z siedzeniami obok siebie, wyposażona jest w dwuster i osłonięta limuzynką ze szkła organicznego o starannie przestudiowanym kształcie opływowym. *Skrzydl. Pol. 2, 1956.*

opodal Nie **o.** (czego) ⟨*blisko, w pobliżu (czego)*⟩: W jednej z ciemnych kamienic nie opodal Tamki wynająłem pokoik na trzecim piętrze. *Brand. K. Miasto 185.*

opoka **1.** Kamienista **o.** **2.** *petr.* **o.** lekka ⟨*bardzo porowata, lekka skała krzemionkowa, powstała wskutek odwapnienia opoki*⟩. **3.** Twardy jak **o.** **4.** *przen.* Ktoś jest, stał się opoką ⟨*niewzruszonym fundamentem, silną podstawą*⟩: Jacek staje się beniaminkiem rodziny i opoką, na której się buduje wielkie nadzieje. *Heyd. Malcz. 13.*

opona 1. o. samochodowa. **2.** Pojazd na pełnych oponach. **3.** *anat.* **o-y** mózgowe ⟨*błony otaczające mózg i rdzeń kręgowy*⟩: Zapalenie opon mózgowych.

opończa *przysł.* **1.** Choć słońce gorące, bierz w drogę opończę. **2.** Patrz na słońce, kładź opończę.

oporządzać, oporządzić 1. o. c o ⟨*uprzątać, doprowadzać do porządku*⟩: **o.** mieszkanie, izbę, dom. **2. o.** konie, inwentarz ⟨*robić porządek koło koni, koło inwentarza*⟩. **3. o.** rybę, zająca ⟨*oprawiać, paproszyć, czyścić*⟩. **4.** *przen.* **o.** kasę; **o.** kieszeń komu ⟨*obrabować kasę; okradać kogo*⟩: Nasza już będzie rzecz wyłamać tamte drzwi do biura i oporządzić kasy. *Żer. Dzieje II, 258.* **5. o.** k o g o ⟨*obrać, ogołocić z mienia*⟩: Oto cię ktoś oporządził, że już jak żebrak wyglądasz! a może też i sam rozbijasz po drogach? *Kaczk. Olbracht. III, 407.* **6.** *przestarz.* **o.** k o g o ⟨*ubierać, przyodziewać kogo, sprawiać niezbędne rzeczy komuś*⟩: Można by chłopaka oporządzić, bo co prawda, w tym roku to i bucisków nie ma mu za co kupić. *Wędr. 23, 1901.*

opowiadać, opowiedzieć 1. o. c o (k o m u): **o.** co krótko, niedokładnie, rozwlekle; swoimi słowami. - Taka już jesteś duża panna, a chcesz, żeby ci bajki opowiadać. *Dąbr. M. Noce II, 116.* **2. o.** jeden przez drugiego (jedna przez drugą) ⟨*mówić szybko, przerywając komu innemu opowiadanie, wpadając w to opowiadanie, nie dając komu innemu dojść do słowa w opowiadaniu*⟩: Wróciły rozgadane, podniecone [...] Zaraz poczęły hałaśliwie jedna przez drugą opowiadać, że się pokłuły jałowcem. *Bogusz. Kura 215.* **3.** *pot. żart. lekcew.* Opowiadasz! Opowiadanie! ⟨*gadasz!, zmyślasz! brednie! bajdy!*⟩. **4.** *daw.* **o.** słowo boże, wiarę chrześcijańską itp. ⟨*apostołować, krzewić chrześcijaństwo, nawracać na chrześcijaństwo*⟩. **5. o.** o k i m, o c z y m: Opowiadała o wszystkim, co zaszło. *Święt. A. SPP.*

opowiadać się, opowiedzieć się 1. o. się k o m u ⟨*przedstawiać się*⟩: U nas jest takie prawo, że się każdy obcy opowiada całej kompanii. *Kaczk. Murd. I, 218.* **2.** Nie opowiadać się; robić co bez opowiadania (się) ⟨*nie powiadamiać o tym, co się zamierza robić*⟩: Wyszedł i nie opowiedział się. Raz albo i dwa razy w tygodniu Maryna dalej wylatywała gdzieś bez opowiadania się. *Mort. Wawrzek 91.* **3. o. się** p r z y k i m, p r z y c z y m; **o. się** po czyjej stronie ⟨*deklarować się jako zwolennik kogo, czego; brać czyją stronę, stawać po czyjej stronie*⟩: Wojsko opowiada się hucznie przy nim; on się spłakał i wojsko się spłakało z serdeczności. *Boy Mar. 175.* Nie było wiadomo, co myśli sam, na czym mu może zależeć, po czyjej opowiada się stronie. *Nałk. Z. Gran. 64.* **4. o. się** z c z y m ⟨*występować z propozycją czego*⟩: Opowiedział się z tym projektem. *SPP.* **5. o. się** z a k i m, z a c z y m ⟨*wyrażać poparcie dla kogo, dla czego; oświadczać się za kim, za czym*⟩: Witold [...] opowiadał się wyraźnie za zawarciem pokoju z Krzyżakami. *Dąbr. J. Dzieje 268.*

opowieść 1. Ludowa **o.**: Ludowe opowieści wschodnie stanowią niewyczerpane źródło inspiracji i pomysłów pisarzy wszystkich epok i narodów. *Radio i Świat 40, 1950.* **2. o.** ustna. **3. o.** z c z e g o ⟨*z zakresu czego*⟩: **o.** z dawnych lat, z dawnych czasów. **4. o.** c z e g o lub o c z y m: **o.** o dawnych czasach.

opozycja 1. Gwałtowna **o. 2.** Duch opozycji ⟨*skłonność, chęć, gotowość do sprzeciwiania się komu lub czemu, do protestowania*⟩: Bieg wydarzeń politycznych, budzenie się między młodymi ducha opozycji przeciw skostniałemu tradycjonalizmowi literackiemu nasuwało wiele tematów do ożywionych dyskusyj. *Bar. Kum. 55.* **3.** Być, stanąć w opozycji do kogo: Ile hartu i odwagi cywilnej było potrzeba, aby stanąć w opozycji do w.ks. Konstantego. *Ask. SPP.* **4.** Należeć, przejść, przerzucić się do opozycji ⟨*do partii przeciwnej; należeć do przeciwników, przejść na stronę przeciwników kogo lub czego*⟩. **5.** Nie znosić opozycji. **6.** Przełamać, zdusić, zdławić opozycję ⟨*przeciwne stanowisko; przeciwników*⟩. **7.** Wystąpić z opozycją przeciw komu, czemu, *przestarz.* zakładać opozycję ⟨*wyrazić sprzeciw, protestować*⟩: Dyskutowano trochę, ten i ów opozycję zakładał, wreszcie zwrócono się do Irka. *Zap. G. Drob. 119.*

opór 1. Bezsilny, czynny, daremny, nieprzeparty, niespodziany, niespodziewany, rozpaczliwy, słaby, zacięty **o.**; **o.** nie do pokonania; **o.** wewnętrzny **2.** *elekr.* **o.** indukcyjny ⟨*opór dodatkowy powstający pod wpływem zjawisk elektromagnetycznych zachodzących podczas przepływania prądu zmiennego*⟩. **3. o.** k o m u, c z e m u lub w z g l ę d e m k o g o, c z e g o: **o.** władzom. Myśl oporu względem tego, do czego zniewala życiowa walka. *Dąbr. Ig. SPP.* **4.** Bez oporu (pójść, podd(aw)ać się komu, czemu; przyjąć co): Mimo że był ich rówieśnikiem i kolegą — poddawali się jego woli chętnie i bez wewnętrznego oporu. *Kamiń. A. Kam. 50.* **5.** Duch oporu ⟨*chęć, gotowość do przeciwstawienia się, do walki*⟩: Pod wpływem [Legionów] w społeczeństwie, nękanym torturą ucisku policyjnego i wynaradawiania, budził się duch oporu, zawiązywały się stowarzyszenia tajemne, otwierała się ofiarność patriotyczna. *Smol. W. Dąbr. 29.* **6.** Punkt, ośrodek oporu ⟨*miejsce, osoba skupiające gotowych do przeciwstawienia się wrogowi i środki do walki*⟩: Niemcy zaczęli niszczyć ogniem i żelazem jeden punkt oporu po drugim. *Hirsz. Hist. 322.* **7.** *przestarz.* Punkt oporu ⟨*punkt oparcia*⟩: Wysokość sklepienia [jest] prawie równa odstępowi punktów oporu. *Tyg. Ilustr. 31, 1900.* **8.** Ruch oporu ⟨*zorganizowana konspiracyjna działalność członków jednej lub kilku organizacji podziemnych w celu walki ze wspólnym wrogiem*⟩: W latach 1939—1945 we wszystkich krajach zajętych przez Niemców istniał ruch oporu. *Brand. K. Sams. 166.* **9.** Doznać oporu z czyjej strony. *SFA.* **10.** *przestarz.* Iść oporem ⟨*iść ciężko, opornie, z trudnością, jak z kamienia, jak po grudzie, jak z musu*⟩: Szybko tomy tego zbioru [Zbioru dziejopisów polskich] wychodziły, pomimo że przedpłata szła oporem. *Tyg. Ilustr. 202, 1863.* **11.** Natrafiać na **o-y**: Kiedy próbował dawnego serdecznego tonu, natrafiał w sobie na opory. *Breza Uczta 145.* **12.** Przełam(yw)ać; przezwyciężać, przezwyciężyć; złamać, zwalczyć **o.** lub **o-y. 13.** *przestarz.* Stanąć oporem ⟨*przeciwstawiając się, z gotowością do walki*⟩: Wrocławianie stanęli jednak oporem i uzbroili nawet 100 ludzi. *Baliń. M. Polska III/2, 177.* **14.** Stawiać **o.**, nie stawiać oporu: Opór stawiali tylko mieszkańcy i kilkunastu powstańców, którzy zostali w mieście dla ochrony rannych. *Zapał. Pam. I, 23.* **15. o.** słabnie, wzmaga się.

opóźniać się, opóźnić się 1. Zegarek się opóźnia ⟨*idzie za wolno, spóźnia się*⟩. **2. o. się** w c z y m: Minuty dłużyły się; ciekły leniwie, sennie — rzekłbyś, ustaje obrót ziemi i czas opóźnia się w biegu. *Meis. Sams. 102.* **3. o. się** z c z y m: **o. się** z obiadem. - Wiosna była w tym roku chłodna, i pomarańcze opóźniały się z kwitnieniem. *Iwasz. J. Nowele 147.*

opóźnienie Z opóźnieniem (robić co): Pociąg przyszedł z (nieznacznym, znacznym) opóźnieniem.

opóźniony 1. o. w rozwoju, w wykształceniu ⟨*rozwijający się, kształcący się w okresie dłuższym od przewidywanego, uważanego za normalny*⟩. **2.** *fiz.* Ruch **o.** ⟨*ruch, w którym prędkość maleje*⟩.

oprawa 1. Bogata, ozdobna, sztywna, trwała **o.** (książki); drewniana **o.** (sztućców): Wniosła i umieściła na stole bochen chleba, talerze, łyżki cynowe i sztućce w drewnianej oprawie. *Orzesz. Bene 63*; druciana **o.** (okularów); ołowiana **o.** (okien). **2. o.** architektoniczna: a) ⟨*zespół elementów architektonicznych ujmujących otwór wejściowy lub okienny, niszę lub inny element architektoniczny, np. rzeźbę, obraz*⟩; b) ⟨*zespół budynków (np. wokół placu)*⟩: Oprócz wyliczonych już gmachów monumentalnych projektuje on oprawę architektoniczną wiaduktu i mostu Poniatowskiego. *Szwank. Warsz. 253.* **3. o.** literacka, muzyczna, plastyczna, teatralna ⟨*zespół elementów literackich, muzycznych, plastycznych, teatralnych stanowiących tło akcji scenicznej, filmowej itp. lub uwydatniających charakter utworu*⟩: Teatr Narodowy dał dziełu Żeromskiego wspaniałą oprawę. Aż do najdrobniejszej rólki jeden w drugiego najtężsi aktorzy. *Boy Flirt V, 273.* **4. o-y** oświetleniowe, elektryczne ⟨*urządzenie do umocowania i połączenia z instalacją elektryczną jednego lub wielu źródeł światła*⟩. **5. o.** złotnicza ⟨*dekoracyjne ujęcie drogich kamieni, szkieł itp. wykonane ze szlachetnych metali*⟩. **6. o.** oczu ⟨*rzęsy, brwi, powieki, oczodoły (podłużne, okrągłe itp.) stanowiące pewną całość, jakby ramę oczu*⟩: Ze smagłej pokrytej rumieńcem twarzy, w oprawie czarnych rzęs i brwi, świeciły jasne, błękitne oczy. *Witkiew. S. Utwory 203.* **7.** Dać, oddać obraz, książkę do oprawy.

oprawiać, oprawić 1. o. c o, np. **o.** nóż, siekierę ⟨*osadzać na trzonku, umocowywać w trzonie*⟩. **2.** *przestarz.* **o.** lampę ⟨*oczyszczać ją i przygotowywać do palenia*⟩: Elektryczności nie było, można było po dawnemu „oprawiać" lampy, wyrównując opalone knoty i pokrzykując na służebnice. *Wańk. Ziele 16.* **3. o.** zwierzęta, drób, ryby ⟨*odzierać zwierzę ze skóry i rozbierać ptaka z pierza, rybę z łuski; sprawiać, patroszyć, czyścić co*⟩: Koło głównego kosza oprawiano tysiące bydła i koni na pokarm wojownikom. *Sienk. Ogn. I, 232.* **4.** *żart.* **o.** k o g o ⟨*bić, sprawiać komu łaźnię*⟩: Toście wy nie widzieli w lesie nikogo? Czekaj wisielcze, jeden z drugim, niech no pan Marcin wróci! Oprawi was, że ruski miesiąc popamiętacie. *Grusz. An. Żak. 17.* **5.** *przestarz.* **o.** c o — c z y m ⟨*ozdabiać, obijać, wykładać*⟩: Dom był wewnątrz cedrem oprawiony. *Wuj. SW.* **6.** *daw.* **o.** zamek ⟨*ufortyfikować*⟩: Mur około miasta obwiedli i zamki oprawili. *Paszk. SW.* **7. o.** c o — w c o ⟨*osadzić co w co albo w czym*⟩: **o.** brylant w złoto; **o.** obraz w ramę (w ramki). **8. o.** książkę w skórę ⟨*powlekać oprawę skórą*⟩. **9.** *przen.* **o.** co w ramy czego: Natchnienie swoje także w ramy sielanek oprawiał. *Tysz. Amer. II, 169.*

oprawiony, oprawny 1. o-a (w co) książka; **o.** egzemplarz czego, brulion: Położył na stole przede mną dwa bruliony oprawne w skórę. *Otw. Nagr. 83.* **2.** Oczy **o-e** w powieki; w rzęsy i brwi: Z czarnych oczów oprawionych w takie powieki, ocienionych takimi rzęsami i przyozdobionych takimi brwiami, jakich by jej Wenus pozazdrościła, strzelała pewność siebie. *Jeż Uskoki I, 151.* Podniósł [...] szafirowe oczy, ostro w ciemne brwi i rzęsy oprawne. *Sier. Now. 67.*

opresja 1. Ciężka, trudna, wielka **o.** ⟨*trudne, kłopotliwe położenie*⟩. **2. o.** finansowa. **3.** *daw.* **o.** serca ⟨*skurcz, ucisk serca*⟩: Nie wiem już, jak wleciałam do pokoju starościny, zastałam ją leżącą na kanapie w okropnej opresji serca. *Andrzej. A. Ram. I, 81.* **4.** Być w opresji (w opresjach). **5.** Otrząsnąć się z opresji: Miał nadzieję przechodzącą powoli w pewność, że się wreszcie z tych opresji chorobowych otrząśnie. *Wrocz. K. Wspom. 106.* **6.** Wybawić kogo, wyjść cało (obronną ręką), wyratować kogo (się) z opresji ⟨*z ciężkiego, kłopotliwego położenia*⟩: Marcin Badeni [...] rządną gospodarką wybawił ongi Stanisława Augusta z opresji finansowej. *Was. S. Książn. 76.* Aczkolwiek niezbyt silny fizycznie, byłem jednak dość sprytny, żwawy i zwinny, by wychodzić obronną ręką z [...] trudnych nieraz opresyj. *Zawidz. Wspom. 43.* **7.** Znajdować się w opresji: W opresji, w jakiej się znajdujesz, nic pomóc ci nie mogę. *Sienk. Pot. III, 323.*

oprowadzać, oprowadzić 1. o. k o g o p o c z y m: **o.** kogo po pokojach, po ogrodzie, po mieście. **2. o.** konia ⟨*zdjąwszy siodło lub uprząż ze zgrzanego konia i przykrywszy go lekkim kocem (niekiedy pod siodłem i w zaprzęgu) prowadzić go czas jakiś aż ochłonie*⟩.

oprzeć (się) p. **opierać (się)**

optyczny 1. o-a gęstość ciał ⟨*większa lub mniejsza zdolność ciał do załamywania promieni świetlnych*⟩. **2. o-e** przyrządy ⟨*przyrządy, których budowa opiera się na wykorzystywaniu właściwości światła, stosowane dla powiększania siły wzroku, utrwalania lub powiększania obrazów itp., np. mikroskopy, lunety, okulary, fotometry i in.*⟩. **3.** Sygnalizacja **o-a** ⟨*nadawanie sygnałów za pomocą światła, semaforów lub kolorowych chorągiewek*⟩. **4.** Szkło **o-e**; a) ⟨*do wyrobu soczewek w przyrządach optycznych*⟩; b) (tylko w *lm*) Szkła **o-e** ⟨*wklęsłe lub wypukłe szkła (soczewki) używane do przyrządów optycznych*⟩. **5.** Wrażenie, złudzenie **o-e** ⟨*wzrokowe*⟩. **6.** Zjawisko **o-e**: Do zjawisk optycznych należą tzw. chmury iryzujące. Są to przeważnie wysoko wzniesione obłoki pierzaste. *Wiedza 630, s. 45.*

optyka Na optykę ⟨*na pozór, na oko; dla oka, dla pozoru*⟩: Na optykę to niby coś, ale w gruncie nic. *SW.* Wszystko tu obliczone na optykę. *SW.*

optymistyczny o. pogląd; **o-e** nastawienie, usposobienie; **o-a** natura: Po matce odziedziczyła pewną zmienność charakteru — nastrojowość, przejawiającą się w łatwości przerzucania się od usposobień optymistycznych do pesymistycznych, od nadziei do zwątpienia. *Zawidz. Wspom. 31.*

optymizm 1. Łatwy, naiwny, niezachwiany, płytki, tani, zdrowy, życiowy, żywiołowy **o. 2.** Być pełnym optymizmu: [Był] ufny, życzliwy wszystkim i wszystkiemu, pełen optymizmu, zachowujący humor w drobnych i większych codziennych kłopotach. *Boy Znasz. 82.* **3.** Coś napawa, napełnia, tchnie optymizmem. **4.** Wieje z czego optymizmem: Z obrazów jego wieje dobrym optymizmem, jakimś pogodnym ciepłem, radością i weselem. *Wędr. 17, 1901.*

opukowy Badanie **o-e** (chorego). Odgłos **o.** ⟨*dający się słyszeć przy opukiwaniu chorego*⟩.

opust *hand.* **1.** Otrzymać **o.**; (towar) z opustem: Hurtownia otrzymuje od wydawcy książki z opustem (rabatem) od ceny katalogowej. *Jackow. Książ. 142.* **2.** Udzielać opustu: Wolno było udzielać drobnego opustu, lecz tylko przy znaczniejszych zakupach. *Musz. Książ. 245.*

opuszczać, opuścić 1. o. c o ⟨*puszczać, kierując w dół, skłaniać ku dołowi; obniżać, zniżać, schylać, spuszczać*⟩: **o.** rękę; **o.** most (zwodzony). - Przy pomocy rybaków opuszczamy łódź na wodę. *Cent. Wyspa 296.* **2. o.** k o g o, c o ⟨*odbiegać, odstępować, porzucać, zostawiać kogo, co; odchodzić, odjeżdżać; oddalać się, usuwać się skąd; rozstawać się z kim, czym; odwracać od kogo, zdradzać kogo, co*⟩: **o.** izbę, salę (obrad), dom, bliskich, rodzinę, naród, kraj, miasto; stanowisko, urząd. **3. o.** błąd w korekcie. **4. o.** cenę, **o.** opłatę ⟨*zniżać cenę, spuszczać z ceny, robić ustępstwo, ustępować*⟩. **5.** *daw.* **o.** gospodarstwo ⟨*doprowadzać do zniszczenia, do ruiny, zaniedbywać*⟩: Z nikim nie obcuje, gospodarstwo opuszcza tak dalece, iż jeżeli jeszcze przez jakiś czas ten tryb życia będzie wiodła, i sama się zapewne zniszczy, i dzieci do ostatniej nędzy przywiedzie. *Kras. Podstoli 69.* **6. o.** oczy, wzrok, wejrzenie itp. ⟨*patrzeć, spoglądać w dół*⟩: Opuścił wzniesione oczy, spojrzał na nią. *Święt. A. Duchy 316.* Zofija z opuszczonym ku ziemi wejrzeniem, zapłoniwszy się, gości witała dygnieniem. *Mick. Tad. 322.* **7. o.** okazję, sposobność, nie **o.** okazji ⟨*pomijać okazję, nie pomijać okazji*⟩: Nigdy nie opuścił okazji prosić o korczyk zboża, faskę bryndzy, kawał skóry. *Fredro A. Trzy 155.* **8. o.** ręce (*rzad.* ramiona) ⟨*rezygnować z działania, poddawać się biernie losowi, stawać się bezczynnym*⟩: Nie należy w żadnym, najsmutniejszym nawet położeniu opuszczać rąk i poddawać się rozpaczy. *Matusz. I. Swoi 82.* **9. o.** strony, wiersze ⟨*pomijać, przepuszczać strony, wiersze*⟩: Wiersze pomylone chwytał, opuszczał, czasem jedno dwakroć czytał. *Rom. Dziewczę 214.* **10. o.** szkołę, uczelnię, ławę szkolną itp. ⟨*kończyć szkołę, kończyć naukę w szkole, na uczelni*⟩: Miałem wówczas zaledwie lat dziewiętnaście i świeżo opuściłem ławę szkolną. *Gordon Obraz. 5.* **11. o.** taniec ⟨*przepuszczać taniec*⟩: Nie pamiętam, abym gdzie tyle tańcowała. Nie opuściłam ani jednego mazura. *Choj. Alkh. I, 151.* **12. o.** uszy, *rzad.* **o.** skrzydła ⟨*tracić humor, fantazję, rezon; upadać na duchu; martwić się, smutnieć*⟩. **13. o.** ziemię, świat ⟨*umierać*⟩: Ja stary nie pociągnę już długo, z bolem więc świat bym opuszczał, jeślibym nie był pewny, że to dziecko ma opiekuna nad sobą. *Bełc. Tarło 160.* **14.** Nie opuszczać łóżka, łoża ⟨*leżeć, pozostawać w łóżku z powodu choroby; być chorym, chorować*⟩: Nie opuszcza łóżka, sparaliżowana od dwóch lat. *Kurek Ocean 292.* **15.** Opuszcza kogo zdrowie, humor, sen, szczęście, powodzenie, odwaga, pamięć, przytomność itp. ⟨*ktoś traci zdrowie, humor, odwagę, pamięć, przytomność; komuś przestaje dopisywać, sprzyjać, towarzyszyć zdrowie, szczęście, powodzenie*⟩: Już jego gwiazda zagasła i szczęście go opuściło. *Żer. Nawr. 174.*

opuszczać się, opuścić się 1. Ktoś opuszcza się ⟨*ktoś staje się leniwym, apatycznym; nie stara się o nic; nie dba o swój wygląd; zaniedbuje się, gnuśnieje*⟩: Chłopak od jakiegoś czasu w naukach zaniedbuje się cokolwiek i opuszcza... *Krucz. Paw. 253.* **2. o. się** w pracy, w służbie ⟨*zaniedbywać się w pracy, w służbie*⟩: Źle i niedbale pełnił obowiązki, opuszczał się w pracy. *Bał. Dziady 52.* Kilku urzędników całkiem opuszczających się w służbie usunięto od obowiązków. *Fel. E. Syb. I, 342.*

opylić, opylać 1. *gw. miejska* **o.** c o ⟨*sprzedać*⟩: Jak taki kawaler otrzyma kartkowy przydział tekstylny, obejrzy, co tam jest, zaraz zacznie się sąsiadek pytać, co to jest warte i gdzie by to można opylić. *Wiech Śmiej II, 116.* **2.** *przestarz.* **o.** sprzęty ⟨*obetrzeć, oczyścić, otrzepać z pyłu, z kurzu; okurzyć*⟩: Biegałam po domu, ustawiałam i opylałam sprzęty, porządkowałam wszystko. *Orzesz. Pam. III, 27.*

oracja ⟨*ozdobna, kwiecista mowa, dziś żart. o długiej, napuszonej mowie*⟩ **1.** Powitalna **o.**: Przygotował długą powitalną orację. *Parn. Aecjusz 228.* **2.** Mieć, prawić, powiedzieć, wyciąć, wygłosić, wypalić orację: Na [...] ślubach, chrzcinach, pogrzebach wygłaszał oracje. *Breza Niebo II, 245.* **3.** Wystąpić z oracją.

orać 1. o. głęboko, płytko; pługiem, sochą; końmi, wołami a. w konie, w woły; pod żyto, pod zasiewy, na jęczmień. **2. o.** c o: **o.** pole, ugór, rżysko. **3.** *przen.* **o.** komu grzbiet ⟨*bić kogo*⟩. **4.** *daw.* **o.** gęsią ⟨*pisać (gęsim piórem)*⟩. **5.** *przen.* **o.** łbem, rogami ⟨*trzeć o co*⟩. **6.** *pot.* **o.** k i m (jak wołem), w k o g o ⟨*zmuszać, zapędzać kogo do ciężkiej pracy, do harówki*⟩: Dzieci maltretuje [...] w żonę orze, jak w łysego konia. *Kunc. Dni 176.* **7.** *pot.* **o.** jak wół ⟨*pracować bardzo ciężko, w pocie czoła, bez wytchnienia; trudzić się ciężką pracą; harować, tyrać*⟩: Przychodził do roboty najwcześniej, opuszczał ją najpóźniej i orał jak wół. *Prus Now. I, 133.* **8.** Ktoś nie sieje, nie orze ⟨*ktoś nic nie robi, nie pracuje, próżnuje, jest darmozjadem*⟩.

przysł. **9.** Kto dobrze orze, ma chleb w komorze.

oratorski 1. o. kunszt, talent, zapał; proza, swada **o-a; o-e** efekty, popisy, zdolności. **2.** Po oratorsku ⟨*w sposób właściwy oratorowi*⟩: Wpadłszy w ferwor w rozmowie podnosił Tunio głos, mówił po oratorsku, jak ksiądz z ambony. *Chłęd. Pam. I, 155.*

oratoryjny Muzyka **o-a**; dzieło **o-e**; koncert, utwór **o.**

orbita 1. o. okołosłoneczna, okołoziemska. **2. o.** planety, komety ⟨*droga, po której się porusza ciało niebieskie*⟩. **3.** *przen.* **o.** działania. **4.** Wejść na orbitę (np. okołoziemską) ⟨*o sputnikach, rakietach*⟩. **5.** *przen.* Wejść w orbitę czego: Polska przyjęła chrześcijaństwo stosunkowo późno, późno też weszła w orbitę wpływów rozwijającej się na Zachodzie kultury średniowiecza. *Wojeń. T. Hist. lit. 19.* **6.** *przen.* Wciągać kogo, co w orbitę: Zaczęła mię wciągać w orbitę uroku coraz silniej i głębiej literatura. *Pigoń Komb. 147.*

orda Złota **O.** ⟨*zjednoczenie różnych plemion tatarskich pod wodzą jednego chana, państwo tatarskie*⟩: Witołd przegrał bitwę nad wodami Worskli, ale potęga Złotej Ordy runęła z dniem bitwy. *Proch. Szkice 54.*

order 1. O. Virtuti Militari, **O.** Sztandaru Pracy, **O.** Odrodzenia Polski, **O.** Złotego Runa, **O.** Podwiązki, i in. ⟨*znane odznaczenia polskie i obce, których nazwy są bądź związane z rodzajem nagradzanej zasługi, bądź utworzone na cześć, dla upamiętnienia kogo lub czego*⟩. **2.** *przestarz.* **o.** kotylionowy: Ubiegano się o nią wśród zabawy jak o order kotylionowy, który po zabawie wyrzuca się na śmiecie. *Bał. Dziady 207—208.* **3.** Obsypany orderami. **4.** Ktoś w orderach, przy orderach. **5.** Przyznać komu, ustanowić **o.**: Order polski był tylko jeden, Orła Białego; ustanowiony od Augusta II. *Kit. Opis 401.* **6.** Nagrodzić, odznaczyć, udekorować kogo orderem: Został nagrodzony orderem za waleczność. *Schmidt Serv. 52.* **7.** Otrzymywać **o. 8.** Przedstawić do orderu. **9. o-y** posypały się na kogo.

ordynacja 1. o. celna, podatkowa, wojskowa ⟨*zbiór przepisów, regulamin*⟩. **2. o.** wyborcza ⟨*zbiór przepisów prawnych, regulujących sposób przeprowadzania wyborów*⟩. **3.** Wydać ordynację ⟨*zarządzenie, rozporządzenie*⟩: W r. 1578 [król] wydał ordynację, regulującą stosunek władz akademickich do innych władz państwowych i miejscowych. *Tyg. Ilustr. 23, 1900.*

ordynans *przestarz.* Być pod czyim ordynansem, pod czyimi ordynansami a. na czyim ordynansie ⟨*słuchać czyich rozkazów, być podporządkowanym komu; być na służbie u kogo*⟩: Na ordynansach u niego bywał codziennie jeden oficer. *Sierp. S. Pow. III, 135.*

ordynansowy Żołnierz, oficer **o.** ⟨*żołnierz, oficer roznoszący, doręczający rozkazy, ordynanse; oficer dyżurny; ordynans*⟩: Podoficer ordynansowy pomknął jak strzała z rozkazem do pierwszego batalionu. *Sewer Poboj. 45.*

ordynarny 1. o-e koncepty, piosenki, słowa, wyrazy, wyzwiska; **o.** utwór; **o-e** zachowanie ⟨*grubiańskie, prostackie, wulgarne*⟩. **2. o-e** jadło ⟨*pospolite, liche, proste*⟩. **3. o.** materiał, **o-e** sukno ⟨*lichy(-e), prosty (-e), niskiego gatunku*⟩. **4. o-a** robota ⟨*niestaranna, źle wykończona*⟩: Na stole leżała para pistoletów dość ordynarnej roboty. *Przyb. Oblęż. 26.* **5. o.** wygląd ⟨*prostacki*⟩. **6.** Stawać się, stać się ordynarnym ⟨*grubiańskim, wulgarnym*⟩: Klął często i bez powodu, stawał się ordynarny i brutalny. *Pięt. Białow. 92.*

ordynaryjny 1. Gabinet, pokój **o.** ⟨*gabinet, pokój, w którym lekarz przyjmuje pacjentów*⟩: Nasze meble stare, mamy zawsze te same, tylko w pokoju ordynaryjnym męża są nowe. *Ritt. Dom. 11.* **2.** Godziny **o-e** ⟨*godziny przyjęć lekarza*⟩.

ordynek *daw.* **1. o.** bojowy, wojskowy ⟨*szyk*⟩. **2.** Iść ordynkiem ⟨*rzędem, to jest jeden za drugim lub parami*⟩. *SWil.* **3.** Iść w ordynku ⟨*w szeregu*⟩: Tłum szedł w ordynku — przeważnie czwórkami. *Grabiec Warsz. 115.* **4.** Stać, stanąć w ordynku: W ordynku porządnie uszykowane stało wojsko. *Troc* cyt. *SW.* Pułki, niekarne i nie wyćwiczone nie umiały stanąć na czas w ordynku. *Sienk. Pot. V, 5.*

orędownik, orędowniczka *książk.* **1. o.** c z e g o ⟨*obrońca, protektor, patron*⟩: Nie umieli znaleźć dość słów dziękczynnych dla odważnego praw swoich orędownika. *Dzied. Oleśn. II, 372.* **2.** Znaleźć w kim orędownika, orędowniczkę. **3.** Być czyim orędownikiem, orędowniczką.

orędzie 1. o. c z y j e d o k o g o ⟨*uroczyste oznajmienie, oświadczenie osoby wysoko postawionej skierowane do ogółu w sprawach wielkiej wagi; odezwa, apel*⟩: Tu mówi Warszawa i wszystkie rozgłośnie Polskiego Radia. Nadaliśmy utrwalone na taśmie orędzie Prezydenta Rzeczypospolitej do Polaków na obczyźnie z okazji święta narodowego 22 lipca. *Kurek Ocean 396.* **2. o.** noworoczne. **3.** Ogłosić, wygłosić, wystosować **o.** do kogo: Prezydent Stanów Zjednoczonych, p. Teodor Roosevelt, ogłosił orędzie do kongresu. *Tyg. Ilustr. 51, 1904.* **4. o.** wzywa do czego: Orędzie Światowej Rady Pokoju wzywa do zjednoczenia wszystkich organizacji, które pragną odprężenia w stosunkach międzynarodowych. Apel ten zwrócony jest także do nas. *Państwo 2, 1954, s. 303.*

oręż *książk.* **1. o.** bojowy: Rycerstwo polskie lubowało się w bogatej i ozdobnej broni, która nieraz przez to zatracała cechę oręża bojowego. *Gemb. Uzbr. 278.* **2.** *daw.* **o.** palny, sieczny ⟨*broń palna, sieczna*⟩: Oczyszczano oręż sieczny i palny, odmierzano proch, lano kule. *Jeż Rotuł. 333.* **3.** Szczęk oręża. **4.** Z orężem w ręku (bronić czego, domagać się czego). **5.** Brać się, porwać się do oręża, podnieść **o.** (na kogo) ⟨*podjąć walkę z bronią w ręku*⟩: Kościuszko podniósł oręż w sprawie insurekcji, a powinien był walczyć w sprawie socjalnej, jak radził Kołłątaj. *Mochn. Pisma I, 35.* **6.** Dać hasło do oręża ⟨*wezwać do walki*⟩: W nocy, dawszy odgłos trąbą, nieprzyjaciół postrachu nabawił, a swoim dał hasło do oręża. *Narusz. Hist. I, 130.* **7.** Coś jest orężem przeciw komu, czemu: Potwarze i różne intrygi były orężem przeciw niej użytym. *Fel. E. Syb. III, 194.* **8.** Coś jest orężem walki jakiej: Poezja Oświecenia stała się orężem walki politycznej i budzenia świadomości narodowej. *Waż. Mick. 28.* **9.** Powoływać, wzywać do oręża ⟨*wzywać do służby wojskowej, do udziału w walce; mobilizować*⟩: W chwilach zagrażającej przygody powoływali naród do oręża, ku odparciu zewnętrznej napaści lub potłumieniu domowego wroga. *Mech. Wym. I, 30.* **10.** Składać, rzucać **o.** ⟨*przestawać walczyć, poddawać się*⟩: Krótko już trwała walka — wielu oręż składa, więcej legło, płochliwych straż tylna dopada. *Malcz. Maria 65.* **11.** Uważać co za **o.** w walce o co: Pisarstwo swoje [...]

Dembowski uważał za celny oręż w walce o realizację haseł politycznych. *Przem. Demb. 78.* **12.** Używać czego jako oręża w walce z czym: Marks i Engels, rozwijając swe poglądy i używając ich jako oręża w walce z wybujałym idealizmem Hegla, kładli nacisk największy na główną zasadę swej teorii — zależność zmian społecznych i samych idei od czynników ekonomicznych. *Filip. T. Zagadn. 115.* **13.** Wydrzeć komu **o. 14.** Wystąpić z orężem: Gdy naród na pole wystąpił z orężem, panowie na sejmie radzili. *Ehren. Dźwięki 59.* **15.** Wytrącić **o.** z ręki ⟨*uniemożliwić walkę, obronę*⟩: Liczono się w sprawie założenia Towarzystwa Kredytowego nierównie więcej z opinią publiczną niż w jakiejkolwiek innej, by w społeczeństwie przełamać liczne uprzedzenia i wytrącić z ręki oręż silnej falandze zasadniczych przeciwników Towarzystwa, których opozycja i tak już kredyt jego nadwerężała. *Smolka Lubec. I, 354.* **16. o.** rozstrzyga, rozstrzygnie co: Niechaj oręż rozstrzygnie, kto karku uchyli: czy owi, co cierpieli, lub ci, co gnębili. *Mick. Wiersze 239.*

orężny 1. o-e hufce ⟨*uzbrojone*⟩: W coraz bardziej naglącym niebezpieczeństwie Gdańszczanie krzepili się otuchą wsparcia od orężnych hufców francuskich. *Mieczk. Obrazy 123.* **2.** Pomoc, rozprawa, walka **o-a; o-e** starcie ⟨*zbrojna(-e)*⟩: Liczono nań, że w razie danym pomocy orężnej i pieniężnej nie poskąpi. *Szujski Opow. 171.* Przeciągająca się walka orężna rozstrzygnięta została nareszcie [...] świetnym zwycięstwem. *Ask. Poniat. 127.*

organ 1. o-y analogiczne ⟨*pełniące podobne czynności, lecz rozwijające się z różnych zawiązków embrionalnych i mające zasadniczo odmienną budowę anatomiczną, np. skrzydło ptaka i skrzydło owada*⟩. **2. o.** chwytny ⟨*narząd służący do chwytania się czego*⟩: Ogon kameleona pozostaje normalnie zwinięty w kształcie baraniego rogu i tylko w razie potrzeby służy jako organ chwytny, którym zwierzę może przyczepić się do gałązki. *Żab. Tygr. 59.* **3. o-y** homologiczne ⟨*organy różnych zwierząt mające istotne podobieństwo rozwoju embrionalnego i budowy, a mogące spełniać różne czynności, np. ręka człowieka, płetwa wieloryba, skrzydło ptaka*⟩. **4. o-y** oddechowe ⟨*narządy*⟩. **5. o.** orzekający ⟨*władza sądowa wydająca orzeczenia, wyrokująca*⟩. **6.** Periodyczny **o.** ⟨*periodyczne czasopismo*⟩: Zarząd Muzeum zamierza prócz tego wydawać swój periodyczny organ, poświęcony badaniom fauny, flory, etnografii i rzeczy przedhistorycznych kraju naszego. *Tyg. Ilustr. 12, 1900.* **7. o-y** promulgacyjne ⟨*wydawnictwa, publikacje, w których są ogłaszane oficjalne teksty przepisów prawnych*⟩. **8.** *wojsk.* **o-y** rozpoznawcze ⟨*wszystkie pododdziały przeznaczone do wykonania zadań rozpoznawczych oraz komórki sztabów organizujące, planujące i kierujące rozpoznaniem*⟩. **9. o.** sądowy ⟨*urząd, instytucja*⟩: Sąd Najwyższy jest naczelnym organem sądowym i sprawuje nadzór nad działalnością wszystkich innych sądów w zakresie orzekania. *Konst. PRL 268.* **10. o.** szczątkowy ⟨*narząd*⟩. **11. o.** urzędowy ⟨*pismo, czasopismo ministerstwa, urzędu itp. zamieszczające ustawy, oficjalne rozporządzenia lub czasopismo dające wyraz w swoich artykułach poglądom oficjalnym*⟩. **12. o.** ustawodawczy ⟨*władza ustawodawcza*⟩. **13. o.** wykonawczy (partii, stronnictwa, organizacji) ⟨*egzekutywa, kierująca pracą partii, stronnictwa, organizacji*⟩. **14. o.** mowy, słuchu, wzroku; **o-y** rozmnażania płciowego ⟨*narząd(y)*⟩. **15.** *przestarz.* **o.** głosu ⟨*brzmienie głosu; głos, dźwięk*⟩: Był niezwykłym człowiekiem [...] chociaż z pozorów skromny, wątły i szczupły, ale wymowny, o pięknym organie głosu. *Chłęd. Neapol. 271.* **16. o.** opinii publicznej ⟨*czasopismo dające wyraz poglądom ogółu*⟩: Trudno zgodzić się z polityką „Czasu", ale jest to zawsze najwytrawniejszy organ opinii publicznej u nas. *Lam J. Rozmait. 81.* **17. o.** władzy; **o.** władzy prawodawczej, państwowej; wykonawczej: Najwyższym organem władzy państwowej jest Sejm Polskiej Rzeczypospolitej Ludowej. *Konst. PRL. 260.*

organiczny 1. Chemia **o-a** ⟨*dział chemii zajmujący się opisem i badaniem związków węgla*⟩. **2.** Komórka **o-a**: W biologii Schwann i Schleiden odkryli w latach 1838 i 39 komórkę organiczną, jako jednostkę, z której rozmnożenia się i zróżnicowania powstają wszelkie organizmy. *Tatar. Hist. III, 94.* **3.** Kwasy **o-e** ⟨*kwasy karboksylowe, np. kwas mrówkowy, kwas octowy itp.*⟩. **4.** Nawóz **o.** ⟨*nawóz naturalny, powstały z odchodów zwierzęcych i ludzkich, słomy i różnych odpadków roślinnych*⟩. **5.** Osady **o-e** ⟨*osady stanowiące mniej lub więcej rozłożone szczątki organizmów*⟩. **6.** *hist.* Praca **o-a** ⟨*hasło, program pozytywistów polskich po powstaniu styczniowym głoszących konieczność podjęcia pracy nad podniesieniem poziomu gospodarczego i kulturalnego kraju*⟩: Prus nie był nigdy stałym wyznawcą warszawskiej formuły postępu, chociaż przyjął praktyczny program pracy organicznej i najkonsekwentniej, najwytrwalej go bronił. *Popł. Szkice 84.* **7.** Przemysł. **o.** ⟨*jeden z działów przemysłu chemicznego, opierający się na przerobie związków węglowych*⟩. **8.** Schorzenia **o-e** ⟨*choroby, których podłożem są uchwytne zmiany anatomiczne w narządach i tkankach organizmu*⟩. **9.** Substancja **o-a** ⟨*związek chemiczny zawierający w swym składzie pierwiastek węgiel*⟩. **10.** Wada **o-a** ⟨*związana z budową lub działalnością ustroju ludzkiego, zwierzęcego lub społecznego*⟩. **11.** Wstręt **o.** ⟨*odruchowy, wynikający z reakcji organizmu*⟩: Mieć organiczny wstręt do czego. Nabrać do czego organicznego wstrętu. **12.** Związki **o-e** ⟨*te związki chemiczne zawierające pierwiastek węgiel, którymi zajmuje się chemia organiczna*⟩. **13.** Życie **o-e** ⟨*roślinne i zwierzęce*⟩. **14.** Coś jest całością organiczną: Doktryny filozoficzne [...] są całościami organicznymi, których składniki mogą być zrozumiane tylko jako elementy tej całości, funkcjonujące razem z nią i jej podporządkowane. *Myśl Filoz. 1, 1954, s. 1901.*

organizacja 1. o. artystyczna, oświatowa, polityczna, religijna, społeczna. **2. o.** cechowa. **3. o.** kobieca, masowa, młodzieżowa, szkolna. **4 o.** konspiracyjna, podziemna, rewolucyjna, spiskowa, wywrotowa; tajna **o. 5.** *daw.* krwista, silna, żelazna **o.** (fizyczna) ⟨*organizm*⟩: Uzdrowienie moje szło olbrzymim krokiem, lekarze przypisywali je dzielności swych lekarstw, silnej mojej organizacji. *Groza Wład. II, 208.* **6. o.** państwowa ⟨*państwo*⟩. **7. o.** przestępcza ⟨*banda, szajka*⟩: Celem określenia grupy przestępczej stosuje się takie terminy: banda, organizacja przestępcza lub szajka. *Państwo 4—5, 1955, s. 673.* **8. o.** sportowa, wojskowa. **9. o.** pracy ⟨*organizowanie,* *urządzanie*⟩: Zapoznał mnie ze swoją koncepcją organizacji pracy, na której pragnął oprzeć przyszły ustrój państwa. *Brand. K. Troja 23.* **10.** *przen.* Ktoś jako **o.** poetycka, duchowa: Wyspiański jako organizacja poetycka jest kombinacją oryginalną. *Irzyk. Czyn. 149.* **11.** Coś znajduje się w stadium organizacji ⟨*organizowania, urządzania*⟩: Służba hydrograficzna i meteorologiczna znajdowały się w stadium organizacji. *Cent. Czel. 10.* **12.** Stworzyć organizację: Ażeby ułatwić utrzymanie trwałego pokoju została zaraz po wojnie stworzona Organizacja Narodów Zjednoczonych. Jej podstawowym zadaniem miało być zabezpieczenie pokoju. *Barb. Nauka 320.*

organizacyjny 1. Dyscyplina **o-a. 2.** Działalność, praca **o-a. 3.** Przyrzeczenie **o-e. 4.** Pseudonim **o.** ⟨*używany, znany w organizacji*⟩. **5.** Sieć **o-a. 6.** Talent, zmysł **o.**, zdolności **o-e. 7.** Mieć kontakty **o-e**: W 1906 r. prawie każdy Komitet Dzielnicowy SDKPiL (Socjaldemokracji Królestwa Polskiego i Litwy) w Warszawie miał kontakty organizacyjne z licznymi wiejskimi ośrodkami powierzonymi jego opiece polityczno-organizacyjnej. *Nowe Drogi 8, 955, s. 65.* **8.** Przeprowadzić zmiany **o-e**: Wyciągając wnioski z dyskusji, redakcja przeprowadziła szereg zmian organizacyjnych dla usprawnienia pracy. *Twórcz. 1, 1954, s. 189.* **9.** Ująć co w ramy **o-e**: Początki tenisa stołowego sięgają pierwszych lat XIX wieku, jednakże trwało bardzo długo, nim sport ten ujęty został w międzynarodowe ramy organizacyjne. *Sport 32, 1954.*

organizm 1. Silny, słaby, wątły, zdrowy, żelazny **o. 2. o.** żywy: Podstawową jednostką w każdym organizmie żywym, zarówno roślinnym jak zwierzęcym, jest komórka. *Szaf. W. Bot. 14.* **3.** *przen.* **o.** państwowy, polityczny, społeczny ⟨*system, ustrój, organizacja, machina państwowa; państwo, społeczeństwo zorganizowane*⟩: Jak z różnych grup składa się organizm społeczny, tak też jego stan i wartość zależą od stanu i wartości grup składowych. *Sulig. Z dalszych 29.* **4.** Osłabić, trawić, wyczerpywać, wzmocnić **o.**: Gorączka wzmagała się, trawiła organizm i wątpliwa była bardzo nadzieja, czy chora przetrzyma kryzys. *Bał. Dziady 234.*

organizować 1. o. c o: **o.** pracę, spółkę, wyprawę, powstanie, uroczystości. **2.** *gw. miejska* **o.** pieniądze ⟨*w sposób nieuczciwy, np. spekulując itp., gromadzić, zbierać pieniądze*⟩: Ponieważ popijali, i to tęgo, organizując niewiadomymi sposobami pieniądze na bimber, martwiła się i namawiała do poprawy. *Czesz. Pokol. 136.*

organowy 1. Klasa gry organowej. **2.** Muzyka **o-a.**

organy 1. Grać na organach. **2.** Huczeć jak **o.**: Obudził mnie przypływ, morze huczało jak organy. *Reym. Now. V, 254.*

orgia 1. Dzika, pijacka, rozpustna **o. 2.** *przen.* **o.** blasków, kolorów; W ciemnych przestworzach zrywają się szalone orgie wichrów; powietrze nabrzmiewa kotłowaniem i wrzaskiem wszystkich głosów świata. *Orzesz. Cham 251.* **3.** Wyprawiać **o-e**: Za moje pieniądze wyprawia orgie z kobietami. *Krzywosz. Rusał. 113.*

orientacja 1. Dobra, dokładna **o.** ⟨*orientowanie się w terenie, w położeniu, w sytuacji; umiejętność rozeznania się w czym*⟩. **2. o.** filozoficzna, klasowa, lewicowa, polityczna ⟨*punkt widzenia, poglądy*⟩. **3. o.** w c z y m: **o.** w terenie, w jakiej sprawie, w zagadnieniu. **4.** Dar, szybkość orientacji: Podziwiał jego polot w pracach badawczych i szybkość orientacji w najzawilszych zagadnieniach. *Strug Krzyż I, 226.* **5.** Stracić, utrudniać orientację: Nieustanna mgła i mroźne wichry miotające tumany śniegu bardzo utrudniały nam pochód i orientację. *Wierchy 1938, s. 132.*

orientacyjny 1. Dar **o.** ⟨*umiejętność orientowania się w czym*⟩. **2. o.** kosztorys ⟨*określający koszty w przybliżeniu*⟩. **3.** Mapka, tablica **o-a**; napisy znaki **o-e** ⟨*dające orientację w czym, orientujące*⟩: Książka Wojtusiowa informuje bardzo szczegółowo o przebiegu prac i przygód wyprawy, zaopatrzona jest w mapki orientacyjne i liczne zdjęcia. *Rocz. Lit. 1937, s. 211.* **4.** Norma **o-a**; pomiary **o-e** ⟨*przybliżona(-e)*⟩: Za normę orientacyjną dla człowieka dorosłego, średniej wagi, przyjąć możemy 2800 kalorii na dobę. *Wojc. B. Anat. 261.* **5. o-e** wskazówki ⟨*wystarczające dla zorientowania się w czym*⟩: Jakkolwiek te skromne dane statystyczne [...] nie mają wprawdzie pretensji do zupełnej ścisłości, to przecież rzucają one pewne światło i dają pewne orientacyjne wskazówki w kwestii nas tu obchodzącej. *Mikl. Lasy 170.* **6.** Coś ma charakter **o.**: Data około r. 1620, związana z indeksami biskupimi tępiącymi radykalną twórczość sowizdrzałów, ma charakter orientacyjny, jest swego rodzaju sygnałem zwracającym uwagę na nasilenie ofensywy reakcji kontrreformacyjnej. *Pam. Lit. 1, 1954, s. 9.*

orientalny 1. Gościnność **o-a**; przepych, zbytek **o.** ⟨*właściwa(-y) ludziom Wschodu*⟩: W Samarkandzie rozpływano się w gościnności typowo wschodniej, orientalnej, nasiąkniętej jakimś tajonym interesem. *Prusz. Trzyn. 73.* **2.** *antr.* Typ **o.** ⟨*typ charakterystyczny dla ludów semicko-chamickich, zamieszkujący Azję południowo-zachodnią, odznaczający się dość wysokim wzrostem, smukłą budową ciała, śniadą skórą*⟩. **3.** Zapożyczenia językowe **o-e** ⟨*z języków azjatyckich*⟩: Najliczniejsze zapożyczenia językowe orientalne przypadają w polszczyźnie literackiej na okres XVI—XVII wieku. *Por. Jęz. 1949, s. 1.* **4.** Po orientalnemu ⟨*w sposób właściwy ludziom Wschodu*⟩.

orientować 1. o. c o d o c z e g o: W biurze klimatycznym [...] pojawiają się ostatnie komunikaty meteorologiczne, orientujące co do stanu pogody w górach i warunkach turystycznych. *Kowalew. S. Świat 10.* **2.** *archit.* **o.** budynek, dom itp. ⟨*sytuować budynek, dom itp. według stron świata; w budownictwie sakralnym: sytuować kościół według obowiązujących kanonów, tj. tak, by prezbiterium było skierowane ku wschodowi*⟩: Orientowane na wschód prezbiterium dominuje nad szeroką ulicą wjazdową. *Ziemia 1925, s. 208.* **3.** Orientujące znaki: Przy każdej nazwie ulicy — orientujące znaki, które pomagają odnaleźć wskazane miejsce na planie. *Stol. 33, 1955.*

orientować się 1. o. się dobrze, doskonale; szybko. **2. o. się** n a c o ⟨*kierować się*⟩: Orientować się na wschód. **3. o. się** w e d ł u g c z e g o: **o. się** według gwiazd, według położenia gwiazd, słońca. **4. o. się** w c z y m lub c o d o c z e g o: Orientował się doskonale we wszystkich systemach ekonomicznych i ich rozwoju dziejowym. *Pam. Lit. 3, 1955, s. 227.* Nie można się było zorientować co do natury jego nieuprzejmości. *Grusz. An. SPP.* **5.** *rzad.* **o. się** k u c z e m u ⟨*skierować działalność w określonym kierunku, skłaniać się, kierować się ku czemu*⟩: W początkach panowania [Sobieski] wyraźnie orientuje się ku Zachodowi. Ale szereg przyczyn sprawił, że musiał z tej polityki zrezygnować. *Boy Mar. 186.*

orka 1. Głęboka, płytka **o. 2.** *przen.* Ciężka, straszna **o.** ⟨*ciężka, mozolna praca*⟩: Ma straszną orkę w szpitalu. **3.** Stosować orkę: Na stokach, a nawet przy łagodnych zboczach stosować należy orkę w poprzek spadu. *Święt. B. Upr. 331.*

orkan 1. Uderzenie, siła orkanu. **2.** Wpaść na kogo, na co jak **o.**; uderzyć w co z siłą orkanu. **3. o.** huczy, wzbija tumany piasku, zgina drzewa: Orkan huczał i przelewał się po wierzchołkach drzew. *Reym. Now. V, 84.*

orkiestra 1. o. akordeonowa, dęta, jazzowa, mandolinowa, smyczkowa, symfoniczna; **o.** amatorska, kameralna, operowa, strażacka, szkolna, teatralna, wojskowa, zawodowa. **2.** Utwór muzyczny na orkiestrę ⟨*na wszystkie instrumenty w orkiestrze*⟩: Ułożyć utwór na orkiestrę. **3.** Grać w orkiestrze. **4.** Obsadzić, prowadzić orkiestrę.

orkiestralny 1. Podium **o-e. 2.** *muz.* Klasa **o-a. 3.** Muzyka **o-a. 4.** Zespół **o.** ⟨*orkiestra*⟩.

orkiestrowy 1. Fosa **o-a** ⟨*miejsce w teatrze przeznaczone na orkiestrę; kanał*⟩. **2. o.** instrument. **3.** Próba **o-a. 4.** Technika **o-a** ⟨*sposoby układania utworów muzycznych na orkiestrę*⟩. **5. o.** utwór ⟨*układany na orkiestrę*⟩.

orli 1. o. profil. **2. o.** wzrok, **o-e** spojrzenie; **o-e** oczy ⟨*bystry(-e); doskonale widzące oczy*⟩. **3.** Po orlemu ⟨*w sposób właściwy orłom*⟩: Poczuł nagle niby skrzydła u ramion, wyprostował się i spojrzał — spojrzał z góry po orlemu. *Jeż Rotuł. 65.*

ornament 1. o. kamieniarski, rzeźbiarski. **2. o.** ludowy: Ornament ludowy ma zastosowanie zarówno w technice drzewnej, ceramicznej (garncarstwo), jak w stroju, malowankach, pisankach i wycinankach. *Korp. Świetl. 24.* **3. o.** w c z y m a. na c z y m: Kuć **o-y** w blasze. **o-y** na broni, na meblach, na fasadzie domu. **4.** Służyć jako **o.**, stanowić **o.** czego.

ornitologiczny 1. Atlas **o. 2.** Muzeum **o-e. 3.** Stacja **o-a**: Dziś prawie w każdym kraju istnieją stacje ornitologiczne, które zajmują się badaniem życia ptaków. *Wiedza 7, s. 1.*

orszak 1. o. pogrzebowy, ślubny, weselny, żałobny. **2.** Tworzyć **o. 3. o.** nadciąga (skąd), posuwa się (za kim, za czym), zdąża (dokąd, w jakim kierunku).

ortodoksja 1. o. jezuicka. **2.** *przen.* **o.** prawnicza ⟨*pedanteria*⟩.

ortoepiczny 1. Normy **o-e** ⟨*dotyczące ortoepii*⟩. **2.** Poprawność **o-a. 3.** Słownik **o.** ⟨*oceniający wyrazy i ich formy ze stanowiska poprawności językowej*⟩.

ortograficzny 1. Omyłka **o-a** ⟨*omyłka w piśmie polegająca na nieznajomości zasad ortografii*⟩. **2.** Słownik **o.** ⟨*podający pisownię wyrazów, zgodnie z ustalonymi zasadami w danym języku*⟩.

ortopedyczny 1. o. but, gorset; wkładka **o-a. 2.** Poradnia **o-a. 3.** Pracownia **o-a** ⟨*pracownia, w której wykonuje się wszelkiego rodzaju aparaty zapobiegające zniekształceniom kostnym lub je usuwające*⟩. **4.** Zabieg **o.**

oryginalność 1. Odrębna, niezwykła, wielka **o.**: Cały dom był bardzo starannie urządzony, ale pewna ponurość i odrębna oryginalność pana domu malowała się we wszystkim. *Pol Obrazy I, 24.* **2. o.** c z e g o, np. **o.** ubioru, figury; **o.** poglądów: Oryginalnością ubioru zwracali na siebie uwagę publiczną. *Prus Kron. IV, 238.* **3.** Silić się na **o. 4.** Uderzyć, uderzać oryginalnością czego: Pani Eufrozyna uderzyła mnie zrazu oryginalnością całej swojej figury i wzbudziła we mnie taką ciekawość, jaką budzi zwykle niepospolite zjawisko. *Orzesz. Wesoła 22.*

oryginał 1. o. dokumentu, utworu, dzieła sztuki, ⟨*pierwowzór*⟩: Posiada oryginały najlepszych malarzów. *SW.* **2.** Być oryginałem ⟨*dziwakiem*⟩. **3.** Czytać, znać co w oryginale ⟨*w pierwowzorze*⟩. **4.** Odbiegać od oryginału ⟨*od pierwowzoru*⟩. **5.** Oddać słowa oryginału, tłumaczyć z oryginału. **6.** Porównać, porównywać, zestawi(a)ć z oryginałem: Pomyłki, o których mowa, często są tej natury, że bez porównania wypisu z oryginałem skutecznie się sprostować nie dadzą. *Mick. Listy II, 517.*

orzech 1. o. pusty, robaczywy, zdrowy ⟨*owoc*⟩. **2. o.** amerykański ⟨*owoc drzewa orzesznicy o kształcie cząstki pomarańczy i bardzo twardej ciemnobrunatnej łupinie*⟩. **3. o.** galasowy ⟨*narośl na liściach, owocach lub młodych gałązkach dębu; dębianka, galas*⟩. **4. o.** kokosowy ⟨*owoc palmy kokosowej*⟩. **5. o.** laskowy ⟨*krzew z rodziny brzozowatych o małych okrągłych owocach okrytych twardą brunatną łupiną; owoc tego krzewu*⟩. **6. o.** włoski ⟨*drzewo z rodziny orzechowatych; owoc duży otoczony dwiema powłokami: zewnętrzną — zieloną i wewnętrzną — twardą, brązową*⟩. **7. o.** wodny ⟨*roślina wodna z rodziny kotewkowatych; owocem jej jest duży orzech z czterema kolcami*⟩. **8. o.** ziemny ⟨*fistaszek*⟩. **9.** Niewarte pustego orzecha ⟨*nic niewarte*⟩. *SFA.* **10.** Jakby **o.** zgryzł ⟨*łatwo, sprawnie*⟩: Kiedy ich weźmiemy na szable, to jakby orzech zgryzł kilku położyło się zaraz a reszta jak wymiótł. *Kaczk. Murd. II, 136.* **11.** Twardy (trudny) **o.** do zgryzienia ⟨*trudny problem do rozstrzygnięcia, trudna sprawa do załatwienia*⟩: Z każdym pojedynczo damy sobie radę — ze wszystkimi razem, twardy orzech do zgryzienia. *Choj. Alkh. I, 333.* **12.** Łupać, tłuc orzechy. **13.** Mieć twardy **o.** do zgryzienia ⟨*napotykać duże trudności w realizacji czego*⟩: No! jeśli ty zwodzisz Katarzynę [...] to będziesz miał ze mną twardy orzech do zgryzienia. *Zal. K. Friebe 498.*

● **14.** Jasny, ciemny **o.** ⟨*kolor orzechowy*⟩: Stolik koloru jasnego orzecha. **15.** Kredens, stół z orzecha ⟨*z drzewa orzechowego*⟩: Spojrzał na kredens niedawno kupiony. Nowy, piękny mebel, z orzecha. *Kowalew. S. Bliżej 115.*

● **16.** *górn.* Węgiel **o.** ⟨*sortyment węgla o wielkości ziarn od 30 do 80 mm*⟩.

przysł. **17.** Nie gryź z diabłem orzechów ⟨*nie igraj z niebezpieczeństwem*⟩.

orzechowy 1. o-e drzewo ⟨*orzech, roślina z rodziny orzechowatych*⟩. **2. o.** las. **3.** Meble **o-e** ⟨*z drzewa orzechowego*⟩. **4. o-e** oczy, włosy ⟨*koloru orzecha*⟩. **5.** Tort **o.** ⟨*zrobiony z orzechów owoców*⟩.

orzeczenie 1. *praw.* **o.** sądowe ⟨*wyrok*⟩: Ani organy władzy wykonawczej, ani Sejm nie mogą w konkretnym przypadku indywidualnym aktem zmienić orzeczenia sądowego. *Rozmar. Prawo 428.* **2. o.** biegłych ⟨*opinia*⟩. **3.** Wydać **o.** o k i m, o c z y m; c o d o k o g o, c o d o c z e g o.

orzeł 1. o. bielik, **o.** birkut, **o.** brodacz, **o.** przedni, **o.** skalny ⟨*gatunki ptaków drapieżnych z rodziny sokołów*⟩. **2. o.** czarny, dwugłowy, rzymski ⟨*godła różnych państw*⟩. **3. o.** i reszka ⟨*gra polegająca na rzucaniu monety i zgadywaniu, czy upadnie ona orłem, tj. herbem, czy reszką, tj. napisem do góry*⟩: Czterech małych obdartusów grało w orła i reszkę. *Andrz. Popiół 256.* **4.** Order Orła Białego, wstęga, gwiazda Orła Białego ⟨*dawne wysokie odznaczenie Rzeczypospolitej Polskiej ustanowione przez Augusta II Sasa w 1705 r.*⟩: Gadomskiego uwieńczył król przy żegnaniu Orderem Orła Białego za gorliwe prace na urzędzie marszałkowskim. *Schmitt Dzieje III, 99.* **5.** Runąć jak **o. 6.** *przen.* Być orłem pod jakim względem: Pod względem rozwoju umysłowego nie był on żadnym orłem, ale za to cechowała go wielka pracowitość oraz niezmierna wytrwałość. *Zawidz. Wspom. 157.* **7.** Leżeć, spać, siedzieć itp. w dartego orła, utworzyć dartego orła ⟨*leżeć, spać, siedzieć itp. we dwójkę, odchylając głowy na boki*⟩: I znowu jak w wagonie utworzyliśmy dartego orła, milcząc spoglądałem w jedną stronę, mój towarzysz w drugą. *Dygas. Now. I, 87.* **8.** Zaprząc konie, jechać w dartego orła ⟨*w trójkę, w ten sposób, żeby dwa konie boczne odchylały głowy na zewnątrz*⟩. *SW.*

orzeszek 1. o. bukowy, cedrowy. **2. o.** galasowy ⟨*galas, dębianka*⟩. **3. o.** ziemny ⟨*fistaszek*⟩.

orzeźwiający 1. o. chłód, cień, powiew wiatru. **2. o.** napój, smak; **o-a** woń: Z doniczek na oknach rozchodziła się orzeźwiająca, przecudna woń rezedy, zmieszana z balsamicznym powiewem jasnej letniej nocy. *Lam J. Kor. 56.*

orznąć, a. **orżnąć, orzynać 1. o.** k o g o n a c z y m ⟨*oszukać kogo na czym*⟩: Orżnąłeś mnie zimą na węglach. *Reym. Ferm. I, 17.* **2.** Orzynać k o g o c z y m: Orzynacie nas wkoło lichwiarskim procentem. *Lem. Czyn 185.* **3. o.** kogo w karty ⟨*ograć kogo, grając w karty, wygrać od kogo dużo pieniędzy*⟩.

osa 1. Cienki(-a) w talii jak **o.**: Do Edka podeszła Lola w wypłowiałym trykocie [...] cienka w talii jak osa, brązowa już od słońca. *Rydz. Ludzie 33.* **2.** Cięty jak **o.**: Cięty to był jak osa człowiek pan Skrzetuski, dufny aż nadto w siebie i również nie cofający się przed niczym, a na niebezpieczeństwa chciwy prawie. *Sienk. Ogn. I, 53.* **3.** Zły (zła) jak osa. **4.** Gniazdo os *p.* osie (gniazdo). **5.** Poruszyć gniazdo os ⟨*poruszyć środowisko ludzi złośliwych*⟩. **6. o.** kogoś ukąsiła, siadła komu na nos ⟨*ktoś miał jakąś przykrość i z tego powodu jest zły, nadąsany*⟩: No, cóż się panu stało [...] jakaż znowu osa siadła panu na nos? *Pięt. Białow. 82.*

osada 1. o. ludzka. **2. o.** podmiejska, przemysłowa, przyfabryczna; **o.** rybacka, wiejska, wojskowa: Warszawa była niegdyś wsią, osadą rybacką, w okolicach dzisiejszej ulicy zwanej Rybaki. *Wut. Kraj 210.* **3.** Założyć osadę.

osadzać, osadzić *por.* **obsadzać, obsadzić 1. o.** k o g o, c o ⟨*osiedlać kogo (co) gdzie, umożliwiać komu zamieszkanie; lokować*⟩: Książęta osadzali niewolników około swych warownych grodów, jako rzemieślników, stawających w potrzebie do obrony kraju. *Święt. A, Hist. I, 14.* **2.** *daw.* **o.** miasto, wieś ⟨*zakładać miasto, wieś, osiedlając tam ludzi*⟩: W dobrach biskupich karczował puszcze, budował i osadzał wsie. *Wiszn. Lit. II, 65.* **3.** *daw.* **o.** granicę, obóz, grody ⟨*umieszczać kogo lub co na granicy, w obozie, w grodach w celu strzeżenia, bronienia ich*⟩: Obóz polski był piechotą węgierską i liczną czeladzią należycie osadzony. *Kub. Szkice I, 285.* **4. o.** rój ⟨*umieszczać rój pszczół w ulu*⟩. **5. o.** kogo na koszu ⟨*o kobiecie: powodować, że zostanie starą panną, nie wyjdzie za mąż*⟩: Matki, marząc nieraz o świetnej dla córek partii, często im świetne, można powiedzieć, nieszczęście gotują, a czasem starymi pannami na koszu osadzą. *Wol. Bakał. 303.* **6. o.** kogo na mieliźnie ⟨*nie spełniać czyichś nadziei, zamierzeń, planów*⟩. **7. o.** kogo na tronie, na jakimś urzędzie; *daw.* **o.** kim jakiś urząd ⟨*wybierać kogo na króla, mianować kogo jakimś urzędnikiem, dać komu jakiś urząd*⟩: Jan Zamojski [...] otworzył w r. 1595 nową akademią w mieście swoim Zamościu, osadziwszy jej katedry profesorami z akademii krakowskiej sprowadzonymi. *Łukasz. Hist. I, 127.* **8. o.** kogo w areszcie, więzieniu, za kratą itp. ⟨*pozbawiać kogo wolności, umieszczając go w areszcie, więzieniu itp.*⟩. **9. o.** konia ⟨*zatrzymywać gwałtownie w miejscu tak, że aż przysiądzie*⟩: Namiestnik osadził konia, aż kopyta wryły się w piasek gościńca. *Sienk. Ogn. I, 42.* **10. o.** k o g o ⟨*powstrzymać kogo czym gwałtownie; pohamować czyje zapędy*⟩: Chciał rzucić się do siatki, ale przeciwnik osadził go długą piłką w głębi kortu. *Prom. Opow. 16.* Ten smyk miał na wszystko gotową odpowiedź. Postanowił go nieco osadzić. *Meis. Sześciu 139.* **11. o.** c o — (n a c z y m, w c z y m) ⟨*umocowywać, wprawiać, nasadzać*⟩: **o.** drzwi, okna; **o.** siekierę, młotek; **o.** perłę, rubin; **o.** strzałę na cięciwie. **o.** okulary na nosie, czapkę na głowie. **12. o.** muł, piasek ⟨*o rzekach: nanosić*⟩. **13. o.** kurz na kim, na czym: Dął wiatr, który przez otwarte z obu stron okna wnosił tumany kurzu, osadzając go na czarnych ubiorach i na twarzach jadących. *Rudn. A. Lato 144.*

osadzać się, osadzić się 1. Osadzić się w sobie, na nogach ⟨*stanąć mocno*⟩: Potężny grubas osadził się nieco w sobie i zadarłszy do góry krwistą głowę, nastawił ucha. *Dąbr. M. Noce III/2, 7.* Baczność! — krzyknęli oficerowie stojący w czworoboku piechoty. Na to hasło knechtowie pruscy osadzili się silniej na nogach i wytężyli ręce trzymające dzidy. *Sienk. Pot. VI, 157.* **2. o. się** w strzemionach ⟨*wspierać się, opierać się na strzemionach*⟩: Pikador osadza się mocniej w strzemionach, opuszcza niżej drzewce... mierzy. *Reym. Now. III, 133.*

osadzony Głęboko **o-e** oczy. Równo **o-e** zęby: Gdy się śmiała, ukazywała rząd zdrowych, równo osadzonych zębów, błyszczących czystą bielą. *Olcha Most I, 227.*

osamotnienie 1. Niewypowiedziane **o. 2.** Uczucie osamotnienia: Uczucie osamotnienia kładło się na serce ciężarem nie do zniesienia. *Morc. Wyrąb. I, 129.* **3.** Żyć w osamotnieniu: Żył w zupełnym osamotnieniu. *Wikt. Miasto 177.* **4.** *przestarz.* **o.** od świata ⟨*pustkowie*⟩: Po kilkunastu dniach pobytu, w tym osamotnieniu od świata, czuliśmy się wszyscy moralnie rozstrojeni i na zdrowiu cierpiący. *Pol Obrazy I, 300.*

osądzić (w znaczeniu *przen.* również *ndk*, np. osądzać czyje postępki) **1. o.** sprawę: Zeszli się na ratuszu ławnicy z panem wójtem dla osądzenia sprawy. *Poraz. Kich. 57.* **2. o.** kogo na śmierć: Urząd miejski pojmał za jakiś szkaradny występek Jakuba Jabłonowskiego, osądził go na śmierć i natychmiast ściąć kazał, o co wdowa po straconym wytoczyła miastu proces. *Łoz. Wł. Praw. I, 82.* **3. o.** według prawa: Wytocz przeciwko niemu śledztwo, a jeżeli przekonasz się o zdradzie, osądź go według prawa. *Proch. Szkice 144.*

oschłość 1. o. uczuć: Oskarżała ją, czyniła gorzkie wyrzuty za oschłość uczuć, za niewdzięczność. *Dąbr. Ig. Matki 476.* **2. o.** serca: Niezdolność do przyjaźni dowodzi w człowieku najczęściej nie siły, ale oschłości serca. *Sienk. Bez dogm. II, 7.*

osi o-e gniazdo ⟨*środowisko ludzi złych, nieżyczliwych, podstępnych, knujących i intrygujących*⟩: Młoda królowa, nie zrażona jeszcze do ludzi, pełna dobrej wiary, nie mogła się zrazu rozpoznać w tym osim gnieździe, zwłaszcza że król nie umiał jej ani oświecić, ani ochronić przed obmową i intrygą. *Chłęd. Neapol. 450.*

osiadać, osiąść 1. *daw.* **o.** miasto, wieś, jakiś obszar itp. ⟨*zaludniać*⟩: Miasteczko, różnymi rzemieślnikami osiadłe, przez częste pożary znacznie podupadło. *Baliń. M. Polska I, 669.* **2.** *daw.* **o.** skarby ⟨*zagarnąć, wziąć w posiadanie, posiąść*⟩: Chcąc nagle skarby osiąść, Katylina brzydki swoje powszechną stratą kupował pożytki. *Tremb. Polit. 142.* **3.** *daw.* **o.** tron, na tronie ⟨*zostawać królem*⟩: Rodzice księżniczki Klementyny widzieli dla niej świetny związek w osobie Jakuba Stuarta z królewskiego rodu, acz w owej chwili tułaczem, miał jednakże prawo i nadzieję osiąść z czasem na tronie. *Zawadz. W. Sob. 58.* **4. o.** na roli ⟨*osiedlać się na wsi, aby uprawiać rolę*⟩. **5. o.** na stałe ⟨*zamieszkać gdzie na stałe, ustalać się gdzie*⟩: Chciałbym już osiąść na stałe, dość mam tej ciągłej tułaczki po hotelach i pensjonatach. *Pytl. Pożegn. 106.* **6.** Budynek, ściana osiada ⟨*zapada się*⟩. **7.** Mgły osiadają ⟨*opadają na co, zatrzymują się, zawisają nad czym*⟩: Szare mgły jak widma wynurzały się zewsząd i osiadały nad górami. *Żer. Opow. II, 233.* **8.** Szron osiada ⟨*zbiera się, umieszcza się na czym, pokrywa co*⟩: Na jego włosach osiadł szron, z czoła, z rzęs, z brwi skapywały mu gęste zimne krople. *Brand. K. Antyg. 376.* **9.** *przen.* Smutek, uśmiech osiada (na twarzy); mrok osiada (w duszy). Przypatrywał się polom nie zoranym i nie zasianym — i całej pustce, która te miejsca osiadła. *Żer. Rzeka 147.*

osiadły 1. Człowiek **o. 2.** Miasto **o-e**, wieś **o-a**: Gdym był raz w drodze około czasów żniwowych, trafiło mi się przejeżdżać przez wieś osiadłą i budowną. *Kras. Podstoli 1.* **3.** Ptaki, ryby **o-e**: Ze względu na zmianę miejsca pobytu rozróżniamy ryby osiadłe i wędrowne. *Staff F. Ryby 24.* **4. o-e** życie (**o.** tryb życia) ⟨*życie (tryb życia) prowadzone (-y) przez ludzi osiedlonych na stałe, nie koczujących*⟩: W styczniu 1596 r. zatrzymał się Kozak w Rzeczycy; może po raz pierwszy pomyślał o tym, jak owo życie koczownicze zamienić na stałe, osiadłe. *Rol. Trzy 158.*

osiągać, osiągnąć 1. o. cel. **2. o.** dostojeństwa, godności, fortunę, rozgłos, sławę, sukcesy, zaszczyty. **o.** dobre wyniki, rezultaty. **3. o.** głębokość, szybkość. **4. o.** lata: Osiągnąwszy pełnych lat 14, wiosną 1517 roku wpisał się [...] na wydział filozoficzny akademii. *Kot Frycz 2.* **5. o.** nakład: Przeciętną książkę szesnastego wieku można liczyć na 400—600 egzemplarzy; wyższe nakłady, nie przekraczające jednak tysiąca, osiągały modlitewniki i kalendarze. *Bystr. Dzieje I, 399.* **6. o.** skutek. **7. o.** wielkość jaką, wzrost jaki: Wiele lemurów osiąga wielkość zaledwie 20 cm. *Demb. J. Psych. małp 8.* **8. o.** zwycięstwo ⟨*odnosić zwycięstwo; zwyciężać*⟩.

osiągnięcie 1. o. artystyczne ⟨*sukces*⟩: Powieści historycznej [...] uwieńczonej tak wybitnie ciekawymi osiągnięciami artystycznymi, jak „Krzyżowcy" Zofii Kossak, nie mieliśmy bardzo dawno. *Rocz. Lit. 1935, s. 78.* **2. o.** c z e g o, np. **o.** nauki, sztuki, literatury itp.: Wczesne opowiadania Żeromskiego są najwyższym osiągnięciem realizmu w literaturze polskiej lat dziewięćdziesiątych. *Jakub. SPP.* **3. o-a** w c z y m: **o-a** w pracy. **o-a** w dziedzinie techniki. **4.** Możliwy, niemożliwy do osiągnięcia (np. cel).

osiąść p. **osiadać**

osiec, osiekać *daw.* **o.** kogo rózgami ⟨*zbić, wychłostać rózgami*⟩: Jak ten smarkacz raz jeszcze będzie mi wyrządzał psoty, to go każę złapać i rózgami osiec. *Krasz. Latarn. IV, 36.*

osiedle 1. o. mieszkaniowe, willowe. **2. o.** robotnicze.

osiedleniowy, osiedleńczy 1. Tereny **o-e. 2.** *zool.* Osiedleńcze wędrówki ptaków ⟨*mające na celu znalezienie stałego miejsca pobytu*⟩: Bardzo ciekawym zjawiskiem biologicznym są wędrówki ptaków. Dzielimy je na osiedleńcze, sezonowe i regularne. *Felik. Zool. X, 320.*

osiekać p. **osiec**

osiodłać 1. o. wielbłąda ⟨*okulbaczyć*⟩. **2. o.** k o g o ⟨*narzucić komu swoją wolę; opanować, ujarzmić, zawojować kogo*⟩: Widać było, że go imość osiodłała. *Rzew. H. Pam. 397.* **o.** męża.

osioł 1. o. domowy; długouchy. **2.** Uparty jak **o. 3.** *przen. posp.* **o.** skończony itp. ⟨*kompletny głupiec, dureń*⟩. **4.** Ktoś jest osłem ⟨*o człowieku upartym, głupim, tępym*⟩: Cóż też za stary osioł ze mnie. *Żer. Przedw. 91.*

oskarżać, oskarżyć 1. o. k o g o — o c o; **o.** k o g o, że...: Lekkomyślnie oskarża mnie o kradzież owiec. *Hertz B. SPP.* Sarkała szlachta, że Kromer powiedział jej w swej kronice niejedną gorzką prawdę, oskarżając ją, że nie szanuje władzy ani królewskiej, ani kościelnej. *Chrzan. I. Lit. 106.* **2. o.** k o g o p r z e d k i m: Nigdy nie oskarżał nas przed dyrektorem, do dziennika nie zapisywał, a dwójki stawiał rzadko. *Hertz B. Samow. 132.* **3. o.** kogo przed sądem, przed trybunałem. **4. o.** kogo z artykułu lub na podstawie artykułu.

oskarżający *daw.* Ława **o-a** ⟨*zespół sądowy mający za zadanie udowodnić winę podsądnemu*⟩: Francja przyjęła angielskie sądy przysięgłych z początku w postaci dwu ław, ustawodawstwo bowiem rewolucyjne z r. 1791 zna tak ławę oskarżającą, jak i sądzącą. *Śliw. S. Proces 39.*

oskarżenie 1. Bezpodstawne, fałszywe, uzasadnione **o. 2. o.** o co: o działalność antypaństwową; o kradzież. **3. o.** n a k o g o, n a c o lub p r z e c i w k o m u, c z e m u: Skierować oskarżenie przeciw komu. **4.** Świadek oskarżenia ⟨*świadek przywołany przez oskarżyciela publicznego*⟩. **5.** Z oskarżenia prywatnego, publicznego: Przepis [...] powinien przewidywać, że przestępstwa w zasadzie ścigane z oskarżenia prywatnego, w razie popełnienia ich w celach chuligańskich, ścigane byłyby z oskarżenia publicznego. *Chulig. 87.* **6.** Rzucić komu **o.** ⟨*zarzucić co komu bezpośrednio; znieważyć kogo*⟩: Rozdrażnienie dochodzi do bezczelnego zuchwalstwa, gdy Kościuszce jest rzucone oskarżenie o nieudolność i oszczędzanie życia własnego. *Korzon Wewn. VI, 334.* **7.** Wnieść **o.** na kogo, przeciw komu. Wystąpić z oskarżeniem. Wytoczyć **o. 8.** Zrzec się oskarżenia.

oskarżyciel 1. o. publiczny ⟨*prokurator*⟩. **2. o.** prywatny ⟨*osoba pokrzywdzona, której ustawa postępowania karnego przyznaje prawo do wniesienia i popierania oskarżenia przed sądem karnym*⟩: W sprawach o przestępstwa, ścigane z oskarżenia prywatnego, pokrzywdzony wnosi i popiera oskarżenie, jako oskarżyciel prywatny. *Kod. post. karn. 117.*

oskarżyć p. **oskarżać**

oskoma 1. Mieć oskomę na co ⟨*mieć apetyt na co, mieć chęć zjedzenia, wypicia czego*⟩: Niejednokrotnie miałem oskomę na różne smakołyki, ale zawsze kończyło się na pokusach. *Solski Wspom. I, 50.* **2.** Narobić komu oskomy: Zapach nadzwyczajny idący od kosza narobił psu ogromnej oskomy; wąchał a wąchał, nareszcie postanowił smakować i pochwycił w zęby ogromną kiełbasę. *Dygas. Właść. 180.* **3.** Wzbudzać oskomę: Między szlachty zgrają stają dwa chóry: ci pić a ci jeść wołają; odgłos leci echami, gdzie tylko dochodzi, rozbudza oskomę w ustach, głód w żołądkach rodzi. *Mick. Tad. 234.* **4. o.** bierze kogo; idzie ⟨*powstaje apetyt na co; ślinka idzie (na co)*⟩: Goście piją świetne wino, aż oskoma idzie. *Loren. Dwadz. 345.*

oskrobać, oskrobywać 1. o. c o — (z c z e g o): **o.** błoto z butów a. buty z błota. **o.** rybę (z łuski). **o.** jarzyny (marchew, pietruszkę, młode kartofle itp.). **o.** ścianę: Ściany oskrobano, zatarto i pociągnięto lekkim perłowym kolorkiem. *Petrz. Kość. 37.* **2.** *daw.* oskrobać skórę (komu) ⟨*dać komu w skórę, sprawić lanie*⟩: Jeśli cię jeszcze złowię, tak skórę oskrobię, że cię potem nie pozna twa matka rodzona. *Mick. Dziady 252.*

oskrzele Zapalenie oskrzeli: Ale to nic wielkiego, pewno małe zapalenie oskrzeli, bo bardzo kłuje w piersiach. *Dąbr. M. Noce III/2, 89.*

oskrzelowy Kaszel, szmer **o.**

oskrzydlający Manewr **o.**: Wojska radzieckie wykonały wspaniały manewr oskrzydlający. Obeszły miasto od północy i od południa, i połączyły się w okolicy Poczdamu. *Barb. Nauka 140.*

oskubać, oskubywać 1. o. c o, np. **o.** listki, kwiatki, bukiet: Siedziała w oknie i oskubywała wielki bukiet białego bzu. *Krasz. Poeta 93.* **2. o.** c o — z c z e g o: **o.** drzewo z liści; **o.** kurę z pierza. **3. o.** k o g o ⟨*podstępnie pozbawić kogo pieniędzy; zubożyć, obedrzeć*⟩: Chce założyć spółkę z samych szlachciców... — Aha... I oskubać ich, a potem zemknąć. *Prus Lalka I, 206.*

osłabiać, osłabić 1. o. c o ⟨*czynić słabszym*⟩: **o.** cios. **2. o.** mury ⟨*nadwerężać*⟩. **3. o.** tkaninę ⟨*czynić mniej trwałą*⟩. **4. o.** serce, mięsień sercowy ⟨*czynić mniej wydolnym, zwątlić*⟩. **5. o.** wzrok ⟨*przytępiać, nadwerężać*⟩. **6. o.** zdrowie ⟨*nadwerężać*⟩: Nieregularne życie osłabiło mu zdrowie. *SPP.* **7.** *przen.* **o.** ducha, nadzieję, wiarę; **o.** fakt, powagę czego, władzę; **o.** efekt, wrażenie czego: Osłabmy w jakikolwiek sposób powagę prawa, a wnet wzrosną występki. *Prus Kron. III, 375.* **8. o.** c o — c z y m: Forsownymi marszami osłabił sobie serce. **9.** Wyjść z czego osłabionym: Wyszliśmy z tej klęski osłabieni, chociaż nie mniej bitni, może nawet odważniejsi. *Fiedl. A. Biz. 10.*

osłabienie 1. Krańcowe, szalone, wielkie **o. 2. o.** mięśnia sercowego; **o.** pamięci. **3.** Doświadczać osłabień; odczuwać **o.**: Od jakiegoś czasu zaczęła ona doświadczać jakichś osłabień i zawrotów głowy. *Orzesz. Jędza 125.* **4. o.** mija, ustępuje: Kilka kropel wody powróciło ją do zmysłów; osłabienie ustępowało. *Choj. Alkh. I, 358.*

osładzać, osłodzić *przen.* **o.** (k o m u) c o — c z y m: **o.** komu los, cierpienie. Życzliwością swoją osładzała mu życie. *SPP.*

osłaniać, osłonić 1. o. k o g o, c o — c z y m: **o.** lampę abażurem; oczy dłonią, twarz woalką, parasolką; *przen.* **o.** co kłamstwem, milczeniem: Z pewnością nie było dotąd człowieka, który by prawdy swych przekonań nigdy kłamstwem lub milczeniem nie osłaniał i zawsze ją odkrywał. *Święt. A. Obraz II, 3.* **2. o.** miasto, zamek ⟨*walcząc bronić miasta, zamku*⟩: Prawym skrzydłem osłaniającym zamek dowodził pułkownik husarski. *Śliw. A. Sob. 78.* **3. o.** co ogniem armatnim: Zamoyski skierował atak na wysuniętą i nie osłanianą ogniem armatnim wieżę. *Korzon Woj. II, 50.* **4.** *przen.* **o.** k o g o, c o o d c z e g o, p r z e d c z y m: Osłonić kogo, co od wiatru; przed czyim wzrokiem ⟨*bronić od czego, przed czym; chronić przed odpowiedzialnością*⟩: [Kazimierz Wielki] osłaniał chłopów od ucisku klas potężniejszych. *Smol. W. Dzieje 75.* Bacz, że ni król szwedzki, ni elektor, którym obum przeciw ojczyźnie służysz, ni twoje księstwo przed trybunałem cię nie osłoni. *Sienk. Pot. VI, 27.*

osława *daw.* Rzucić osławę na kogo ⟨*znieważyć kogo, oszkalować, oczernić*⟩: Rzekłem już, że Blanka de Montbéliard była cną niewiastą, na którąm ja rzucił osławę... Nie wolno lżyć jej pamięci nikomu. *Kossak Z. Krzyż. I–II, 420.*

osławiony Ktoś jest **o.**, coś jest **o-e** ⟨*ktoś jest sławny, powszechnie znany (z czego), okrzyczany, głośny, wiadomy*⟩: **o.** zdrajca, **o-e** więzienie. Izabela Hortensja, osławiona piękność w r. 1820 w Warszawie [...] zasiadła w owym czasie na bałwochwalczym tronie. *Bog. Kapit. II, 27.*

osłoda 1. o. życia: Była ona najwyższą pociechą i osłodą życia ojca. *Żer. Char. 25.* **2.** Na osłodę ⟨*na pociechę; aby ulżyć (w czym), dać ukojenie*⟩: W swej prawej ręce kielich mam, po lewej gąsior z miodem. Czy jutro zginę, co mi tam? Ja piję na osłodę. *Staff L. Poezje II, 322.* **3.** Dawać osłodę: Niemało osłody dawała i poezja, ta nieodstępna przyjaciółka niedoli. *Siem. L. Kart. 40.* **4.** Coś stanowi osłodę czego: Od świąt wielkanocnych do wakacji letnich plac stanowił największą osłodę sztubackiej doli. *Hertz B. Samow. 89.* **5.** Szukać osłody w czym: Osłody w swoim smutku i rozrywki szukał Zygmunt August w zatrudnieniach. *Lel. Dzieje 175.* **6.** Znajdować w czym osłodę (np. w lekturze, w przyjaźni).

osłona 1. o. d o c z e g o: **o.** do lampy. **2.** *wojsk.* Pod osłoną dział, ognia artylerii, okrętów wojennych (forsować co; wycofywać się; lądować itp.). **3.** Pod osłoną nocy: Wychodziłem z domu tylko późnym wieczorem, by pod osłoną nocy oglądać nowy gmach teatru. *Solski Wspom. I, 262.* **4.** Coś daje osłonę, nie daje osłony: Lichy, dziurawy płaszcz nie dawał dostatecznej osłony. *Rudn. H. Spart. 55.* **5.** *przen.* Ktoś, coś jest czyją osłoną, stanowi osłonę (dla kogo, czego): Bali się matki, jak ognia. Ojciec był ich tarczą i osłoną; wzywali pomocy ojca, żeby przed matką ukryć drobne szkody, drobne przestępstwa. *Żmich. Pow. 186.* **6.** Szukać osłony: Od upału szukali osłony wśród drzew.

osłonić p. **osłaniać**

osłonka p. **obsłonka**

osłupiały 1. o-e oczy, spojrzenie, **o.** wzrok ⟨*nieruchome(-y), bezmyślne(-y), (w słup); wzrok utkwiony w jeden punkt, bezmyślny*⟩. **2.** Stać, stanąć jak **o.**, *daw.* osłupiony: Widząc wysuwające się z krzaków dziki, stanął jak osłupiały. *Wodz. Wspom. 90.* Tak ją przestraszył, że ta, zamiast mu odpowiedzieć, stanęła osłupiona. *Kaczk. Anunc. I, 24.*

osłupienie 1. Bezmyślne, niewypowiedziane **o. 2.** W osłupieniu, z osłupieniem ⟨*będąc oszołomionym, nie mogąc się poruszyć*⟩: Gapiła się w osłupieniu na szarmanckie zachowanie lekarza, tak różne od jego codziennej opryskliwości. *Jaroch. Niemił. 148.* Otworzył usta, patrząc na niego z osłupieniem. *Brand. K. Antyg. 277.* **3.** Obudzić się, wyrwać kogo z osłupienia: Zapatrzona w niego skamieniała. Claude wyrwał ją z osłupienia, zaprowadził do kanapy i posadził bezwolną i posłuszną. *Strug Krzyż I, 271.* **4.** Oniemieć z osłupienia: Orsini oniemiał z osłupienia, że jest człowiek na świecie, który śmie do niego w ten sposób przemawiać. *Chłęd. Barok. 66.* **5.** Wpaść w **o.**: Senny od świeżego, chłodnego powietrza, wpadłem w bezmyślne osłupienie, aż w końcu usnąłem. *Lam J. Głowy I, 66.* **6.** Wprawi(a)ć kogo w **o.**: Agnieszkę takie wiadomości wprawiały w osłupienie. *Nałk. Z. SPP.* **7.** Twarz czyja wyraża **o.**: Twarz jego wyrażała przez jakiś czas niewypowiedziane osłupienie. *Sienk. Połan. III, 55.* **8. o.** maluje się w oczach: Jakieś osłupienie malowało się w oczach, coś automatycznego było w ruchach. *Morzk. Jerzy 66.*

osmalać, osmalić 1. o. c o — c z y m: **o.** dymem ściany; osmalić twarz ⟨*opalić*⟩: Wystarczyło raz tylko spojrzeć [...] aby odgadnąć, że nie lądowe to wiatry i nie lądowe słońce osmaliły mu twarz na kolor mahoniu. *Brand. M. Wypr. 125.* **2.** Osmalić sobie włosy ⟨*oswędzić, przypalić*⟩. **3.** Osmalić piórka ⟨*doznać niepowodzeń*⟩: Gustaw [...] musiał nieźle osmalić piórka. *Sienk. Now. I, 7.* **4.** Jak piórko osmalił ⟨*jakby nigdy nic, w lot, na poczekaniu, od ręki*⟩: U niego skłamać — to jak piórko osmalił. *SW.*

osmucenie *przestarz.* Wpadać w **o.** ⟨*stawać się smutnym; smutnieć*⟩: Jedli, pili i śpiewali, tylko Sobieraj wpadał w jakieś osmucenie. *Wilk. P. Wieś II, 215.*

osoba 1. o. dorosła, starsza; młoda **o.**: Co do marek pocztowych, rozdałem ich mnóstwo znajomym dzieciom i osobom starszym, ale po twojej kartce zacząłem zbierać dla Ciebie. *Sienk. Koresp. II, 251.* **2. o-y** alegoryczne ⟨*w poezji, w malarstwie*⟩. **3. o.** cywilna. **4.** Główna, znaczna **o.** ⟨*ktoś mający duże znaczenie w danym środowisku*⟩: Główną osobą w każdym bezkrólewiu był zwykle prymas. *Schmitt Dzieje II, 24.* **5.** Litościwa, godna osobo ⟨*w zwrotach żebraków do przechodniów*⟩: Litościwa, godna osobo, opatrz mię, nieszczęśliwego kalekę. *SW.* **6.** *jęz.* Pierwsza, druga, trzecia **o.** ⟨*formy czasownika użytego jako orzeczenie*⟩. **7. o.** prawna ⟨*organizacja lub instytucja, która zgodnie z przepisami prawnymi jest podmiotem praw i zobowiązań*⟩. **8. o.** trzecia ⟨*człowiek nie zainteresowany bezpośrednio daną sprawą*⟩: Jest do sprzedania majątek ziemski bez pośrednictwa osób trzecich. *Syg. Wysadz. 82.* **9. o.** urzędowa ⟨*ten, kto działa na mocy zajmowanego stanowiska lub upoważnienia urzędowego*⟩. **10. o.** wysoko urodzona ⟨*człowiek arystokratycznego pochodzenia*⟩. **11.** *lit.* **o.** dramatu ⟨*postać występująca w utworze literackim, zwłaszcza w zastosowaniu do utworu dramatycznego (osobą dramatu może być człowiek, zwierzę, symbol itp.)*⟩: Osoby dramatu: Spartakus — wódz zbuntowanych niewolników [...] gońcy, zbuntowani niewolnicy — żołnierze, legioniści rzymscy, muzykanci, tancerki. *Dobrow. S. Spart. 7.* **12. o.** króla (a. królewska), księcia (a. książęca) itp. ⟨*król, książę, itp.*⟩: Wybuchnął bunt, który godził wprost w osobę księcia. *Zachor. Dzieje 250.* W osobie podkomorzanki Bóg mi dał najpoczciwszą żonę. *Sztyrm. Katalept. II, 72.* **13.** Od osoby: Wejście po 2 zł od osoby. **14.** Na osobę: Dostają po wiadrze wody gorącej na osobę. *Szmag. SPP.* Na 2, 3, 4 osoby; na 5, 6 ... osób: Loża na 4 osoby. Stół na 12 osób. **15.** Ktoś w jednej osobie, np. pastuch i mędrzec, pan i sługa; być w jednej osobie, np. panem i sługą ⟨*o kimś, kto jest równocześnie, np. pastuchem i mędrcem, panem i sługą*⟩: Nawet kulawy Matus, pastuch i mędrzec w jednej osobie, wyszedł na chwilę ze swej sfinksowej obojętności. *Gomul. Kajet 113.* **16.** (Ktoś) we własnej osobie, *daw.* (ktoś) własną, swoją osobą, z osoby ⟨*(ktoś) sam, on właśnie, nie używając niczyjego pośrednictwa; osobiście*⟩: Wyruszył król osobą swoją na Pomorze z wojskiem nadwornym i 600 Tatarami. *Korzon Woj. I, 160.* Jak Boga kocham, baron we własnej osobie wyłazi z pojazdu i sunie wprost do karczmy. *Łoz. Wal. Szlach. I, 71.* **17.** *daw.* (Coś, ktoś) pod jedną osobą ⟨*(coś, ktoś) pod jedną postacią*⟩: Rozprawia: o prawdziwym słowie bożym i o wyrozumieniu jego tudzież o używaniu wieczerzy pańskiej pod jedną osobą. *Mac. Pism. III/1, 280.* **18.** *żart.* Być osobą ⟨*być osobistością*⟩: Ojciec jego wcale nie był osoba, tylko krawiec i to spomiędzy biednych krawców najbiedniejszy. *Jun. Now. 22.* **19.** *daw.* Czynić coś komu na (jego) osobie ⟨*czynić to jemu samemu*⟩: Jeżeli winowajca nie chciał być wyrokowi posłuszny, karano go w też tropy na osobie albo mu posiadłość palono. *Berw. Pow. I, 189.* **20.** Mówić do kogo w trzeciej osobie (np. niech zrobi, zamiast: zrób).

osobistość 1. Popularna, wybitna, znakomita, znana **o.**; ciemna, podejrzana **o.** ⟨*o kimś popularnym, wybitnym, znanym; podejrzanym*⟩. **2. o.** miasta: Opowiadał o swoich koligacjach z najznakomitszymi osobistościami miasta. *Kow. W. Dal. 55.*

osobisty 1. Akta **o-e** ⟨*dotyczące danej osoby*⟩. **2. o.** bagaż ⟨*własny, prywatny*⟩. **3. o.** czar, wdzięk; **o-e** zalety ⟨*właściwy(-e) tylko danej osobie*⟩: Ujęła nas pani swoim osobistym wdziękiem, czarem... *Weys. Józ. Żywot 198.* **4.** Majątek **o.**, własność **o-a** ⟨*to, co należy do jednego człowieka, co nie jest wspólną własnością rodzinną, społeczną*⟩. **5. o-a** obecność czyja ⟨*we własnej osobie*⟩. **6.** Pobudki, względy **o-e**; **o-e** przekonanie, zdanie o czym; **o-e** uczucia, urazy ⟨*prywatne, indywidualne, własne*⟩: Rozumiała, że trzeba, stłumiwszy w osobie wszelkie osobiste uczucia, coś radzić, decydować. *Dąbr. Ign. Matki 115.* **7. o.** przyjaciel. **8.** Rewizja **o-a** ⟨*przeszukanie ubrania i ciała osoby rewidowanej*⟩. **9.** Sekretarz **o.** ⟨*urzędnik przydzielony do osoby dyrektora, kierownika itp., załatwiający sprawy bezpośrednio przez niego zlecone*⟩. **10. o-a** sprawa, **o-e** zwierzenia ⟨*dotycząca(-e) kogo osobiście, jego własnych spraw, intymna(-e)*⟩. **11.** *hist.* Unia **o-a** ⟨*związek państw oparty na wspólnej osobie panującego (króla, księcia)*⟩. **12.** Wolność **o-a** ⟨*wolność człowieka polegająca na prawie swobodnego przenoszenia się z miejsca na miejsce i prawie niepodlegania uwięzieniu bez uchwały sądu*⟩. **13.** Wycieczki **o-e** ⟨*docinki, złośliwostki dotyczące własnych, prywatnych spraw tego, przeciw komu są wymierzone lub tego, kto je mówi*⟩: Wycieczki osobiste pod adresem kolegi Czyża wydają mi się niestosowne. *Brand. K. Obyw. 295.* **14. o-a** zasługa ⟨*będąca wyłącznym dziełem danej osoby*⟩. **15.** Pod osobistym dowództwem, kierownictwem ⟨*pod bezpośrednim dowództwem, kierownictwem*⟩: Król pruski pod swym osobistym dowództwem oblegał Warszawę. *Berent Diog. 192.*

osobiście 1. o. odpowiedzialny (za co). **2.** *przestarz.* Wolny **o.** ⟨*mający prawo korzystać z wolności osobistej*⟩: Warunki kolonizacyjne dla miast były podobne do wiejskich. Osadnik płacił czynsz księciu, panu lub kościołowi, osobiście był wolny. *Święt. A. Hist. I, 102.* **3.** Stawić się, zgłosić się **o.** ⟨*własną osobą, we własnej osobie*⟩. **4.** Znać kogo **o.** ⟨*znać kogo bezpośrednio, w osobistym zetknięciu (nie ze słyszenia, nie z widzenia)*⟩.

osobliwy 1. Rzecz (to) **o-a** ⟨*szczególna*⟩: Osobliwa to rzecz jednakże ta ochoczość w Polakach do zabaw i rozrywek gromadnych. *Zienk. Wiecz. 229.* **2.** W **o.** sposób (robić co) ⟨*w szczególny, niezwykły sposób*⟩: Tańczył w osobliwy sposób, podrygując, potrząsając dłońmi i głową i uderzając podeszwami butów o bruk. *Morc. Ptaki 99.*

osobnik 1. *pot.* Podejrzany **o.** ⟨*człowiek, osoba*⟩. **2. o.** (jakiegoś) gatunku ⟨*w języku naukowym: konkretny egzemplarz w przeciwstawieniu do pojęcia gatunku*⟩: **o-i** krystaliczne, roślinne, zwierzęce.

osobność 1. Na **o.** ⟨*na bok, na stronę, na ubocze*⟩: Odprowadzić kogo na **o. 2.** Na osobności ⟨*na boku, na stronie, na uboczu, osobno*⟩: Siądźmy na osobności, muszę pomówić z Waćpanem. *Słow. Sen 136.* Omawiać co na osobności. **3.** *przestarz.* W osobności: Oblókłszy się w habit dominikański, życie w osobności skończył. *Narusz. Hist. III, 248.*

osobny 1. o-e mieszkanie; **o-e** wejście ⟨*odrębne*⟩: Mieszkanie, pokój z osobnym wejściem. **2. o.** rozdział; **o-a** rubryka ⟨*specjalny(-a)*⟩. **3.** Z osobna ⟨*oddzielnie, osobno*⟩: U nóg, tu każdy niech kark zgina hardy, każdy z osobna dozna naszej wzgardy. *Fredro A. Śluby 19.* **4.** Wszem wobec i każdemu z osobna ⟨*wszystkim bez wyjątku; ogólnie*⟩: Winszuję wszem wobec, każdemu z osobna. *Kras. Sat. 65.*

osobowość *praw.* **o.** prawna ⟨*zdolność nabywania praw i zaciągania zobowiązań, nadana przez ustawę organizacjom, władzom, stowarzyszeniom itp.*⟩.

osobowy 1. Autobus, przedział, wagon, statek **o.**, winda **o-a** ⟨*autobus, przedział itp. przeznaczone do przewozu ludzi i ich osobistego bagażu*⟩. **2.** Dworzec **o.** ⟨*przeznaczony do ruchu pasażerskiego*⟩. **3.** Skład **o.** c z e g o (np. biura, rządu).

ospowaty o-a twarz ⟨*nosząca ślady po ospie; dziobata*⟩.

osrebrzony *poet.* Włos **o.** wiekiem: Włos miał krótki, dobrze osrebrzony wiekiem. *Norwid Wyb. 8.*

ostateczność 1. Do ostateczności ⟨*do ostatecznych granic, do najwyższego stopnia, do końca, całkowicie, bardzo*⟩: Gospodarz skrócił do ostateczności swój toast. *Par. Niebo 42.* Spalił miasto, zerwał most na Nogacie i postanowił bronić się do ostateczności. *Balіń. M. Polska I, 795.* **2.** W ostateczności ⟨*w ostatecznym razie, w końcu, wreszcie, nareszcie; ostatecznie*⟩: W ostateczności — mógłby zarabiać jako fortepianista choćby... po knajpach. *Prus Przem. 195.* **3.** Chwytać się ostateczności ⟨*skrajności, krańcowości*⟩. **4.** Przyprowadzić, przywieść kogo do ostateczności ⟨*doprowadzić kogo do takiego stanu, że nie może dłużej znieść czego, że musi gwałtownie zareagować*⟩: Zwierzę to nie napada nigdy na ludzi i broni się chyba przywiedzione do ostateczności. *Sienk. SPP.* **5.** Wahać się między dwiema ostatecznościami ⟨*skrajnościami*⟩: Postępowanie jej wahało się ciągle między dwiema ostatecznościami, przeskakując co chwila od namiętnej czułości — do przekleństw i złorzeczeń. *Matusz. I. Swoi 284.* **6.** Wpadać, *daw.* także pogrążać się, rzucać się itp. w **o.** ⟨*robić co z przesadą, posuwać się w czym bardzo daleko; przesadzać*⟩: Przedramatyzowuje pani. Kobiety zawsze wpadają w ostateczność. *Reym. Ferm. II, 32.* Król wszelkiej myśli o niestosownym małżeństwie zaniechał, a teraz na przekór Kommendoniemu rzucić się może w ostateczność. *Szujski Roztrz. 252.* **7.** Wpadać, przerzucać się, przechodzić itp. z ostateczności w **o.**, z jednej ostateczności w drugą ⟨*zmieniać krańcowo zdanie, sposób postępowania, poglądy*⟩: Z jednej ostateczności przechodząc w drugą po listach ogromnych przesyłam możliwie najkrótszy. *Orzesz. Listy II/1, 182.* **8.** Ostateczności ścierają się ⟨*przeciwieństwa*⟩: Pod względem wojskowym nie było chyba kraju, w którym by się tak ścierały ostateczności, jak w Polsce. *Łoz. Wł. Praw. I, 180.*

ostateczny 1. o. cios, egzamin ⟨*stanowczo ostatni, końcowy*⟩. **2. o.** cel, wynik ⟨*końcowy*⟩: Najwyższym dobrem człowieka, ostatecznym jego celem, rzeczywistą wartością, warunkiem postępu, zasadniczym prawem — jest wolność. *Choj. Alkh. IV, 225.* **3. o-a** cena ⟨*ustalona ostatecznie*⟩. **4. o.** wyrok ⟨*nieodwołalny*⟩. **5.** Dzień **o.** ⟨*w niektórych religiach: koniec świata*⟩. **6. o-a** instancja ⟨*ostatnia*⟩. **7. o.** krok ⟨*stanowczy, nieodwołalny*⟩. **8. o-a** likwidacja czego ⟨*całkowita*⟩. **9. o-a** nędza ⟨*krańcowa, największa*⟩: Nie śmiała słowem łagodnym zapytać, jak do tej nędzy ostatecznej doszli. *Orkan Pomór 42.* **10. o-a** redakcja czego ⟨*ostatnia, końcowa*⟩. **11.** Sąd **o.** ⟨*w niektórych religiach: sąd, który odbędzie się w dniu końca świata i będzie decydował o zbawieniu lub potępieniu ludzi*⟩. **12. o.** sposób ⟨*kategoryczny*⟩. **13. o.** środek ⟨*krańcowy, desperacki*⟩: Chwytać się ostatecznych środków. **14. o.** upadek ⟨*całkowity, kompletny, z którego nie można się podnieść*⟩. **15. o-a** walka; **o-e** zwycięstwo ⟨*końcowa(-e); stanowcza(-e)*⟩. **16.** *daw.* **o-a** wola ⟨*ostatnia*⟩: Ojciec mający trzech synów nieporządnie żyjących wyrzekł przez ostateczną wolę, ażeby najgorszy z nich nie dziedziczył. *Mac. Piśm. I, 60.* **17.** W ostatecznym razie ⟨*w końcu, wreszcie, nareszcie, w ostateczności, ostatecznie*⟩: W ostatecznym razie [...] drogę do miasta znajdziemy... *Skiba Poziom. 191.*

ostatek 1. o. a. ostatki c z e g o, np. **o.** chleba: Podzielić się ostatkiem chleba. - Po polach ludzie krzątali się, zbierali ostatki jęczmienia i owsa, ktoś już orał ściernisko. *Pięt. Białow. 31.* **2. o.** sił: Zebrawszy ostatek sił swoich, chciał się przyczołgać do domu. *Berw. Pow. I, 279.* **3.** *daw.* **o.** (ostatki) życia ⟨*ostatni okres życia*⟩: Zrzekliby się berła i tronu, aby w spokojności ostatki życia przepędzić. *Boguśł. W. Henryk 130.* **4.** Do ostatka, *daw.* z ostatkiem ⟨*do końca, do reszty, całkowicie, zupełnie*⟩: Dochowam wierności do ostatka. *Żukr. Kraj. 6.* Henryk siedział w zamku, gotowy bronić się do ostatka. *Narusz. Hist. IV, 138.* **5.** Na **o.**, na ostatku, *daw.* w ostatku ⟨*na koniec, w końcu, nareszcie, wreszcie*⟩: Powiedz pan na ostatek, jak to się wszystko skończy. *Rus. Z barykady 30.*

przysł. **6.** Kto zjada ostatki, ten piękny i gładki.

ostatni 1. o-a bieda, potrzeba ⟨*najgorsza, skrajna*⟩: Wie przecież, że sobie od ust odejmujesz, i że tu u nas już ostatnia bieda... *Orkan Pomór 29.* **2. o-a** cena ⟨*cena, od której nie można odstąpić*⟩: Powiem od razu ostatnią cenę: siedemnaście rubli. *Jun. Bruk. 9.* **3. o.** cymbał, osioł ⟨*największy głupiec*⟩: Plotę bzdury, a ty je powtarzasz, jak ostatni cymbał! *Reym. Fron. 94.* **4. o.** gatunek ⟨*najgorszy, najlichszy*⟩: Do pilnowania, a choćby i do bydła, łajdak to był pies, ostatniego gatunku, ale za to do myślistwa pierwszy numer. *Jun. Bracia 202.* **5. o.** szeląg itp. ⟨*ostatek, reszta pieniędzy; także: ostatek, reszta tego, co się posiada*⟩. **6.** *praw.* **o-a** instancja ⟨*instancja, od której nie ma odwołania*⟩. **7. o.** kęs, okruch; **o-a** okruszyna ⟨*ostatek, reszta jedzenia; także ostatek, reszta tego, co się posiada*⟩: W ciężkiej doli trudno się zebrać na litość, a ostatnim kęsem nie każdy podzielić się potrafi. *Krasz. Chata III, 61.* **8. o-a** suknia, **o.** łach itp. ⟨*ostatek, reszta ubrania; także ostatek, reszta tego, co się posiada*⟩. **9. o.** dzień, tydzień, miesiąc, rok; **o-e** dni, tygodnie, miesiące, lata ⟨*okres czasu bezpośrednio poprzedzający chwilę relacji; poprzedni(-e); ubiegły(-e)*⟩: Ostatni rok był dość pomyślny. *SW.* **10. o.** łajdak, łotr ⟨*najgorszy, największy; najnikczemniejszy*⟩. **11.** *kult.* **o.** sakrament ⟨*w niektórych religiach chrześcijańskich: sakrament udzielany ciężko chorym lub będącym w obliczu śmierci*⟩. **12. o-a** pasja (porywa kogo) ⟨*dochodząca do najwyższego stopnia, nie do opanowania*⟩. **13. o-a** próba ⟨*końcowa; ostateczna*⟩. **14. o.** raz, po raz **o.**: Żeby to było **o.** raz ⟨*żeby się więcej nie powtórzyło*⟩. **15.** Ostatnim razem ⟨*ostatnio*⟩: Wspominał mi o tym ostatnim razem. **16. o-a** rzecz ⟨*najgorsza rzecz; ostateczność*⟩: Ostatnia to rzecz wymawiać miłość kobiecie, która przestaje kochać. *L.* **17. o-e** słowo: a) ⟨*stanowcza, kategoryczna, ostateczna decyzja, rada itp.*⟩: Powiem ostatnie słowo: dziesięć tysięcy rubli, zaraz, na stół. *Reym. Ziemia II, 143*; b) **o-e** słowo oskarżonego, skazanego ⟨*wypowiedź podsądnego po mowach obrońcy i oskarżyciela przed powzięciem przez sąd decyzji wyroku*⟩: Po przemówieniu prokuratorów i obrony zawezwano podsądnych do wypowiedzenia ostatniego słowa. *Schmitt Dzieje II, 214*; c) **o-e** słowo (wyraz) mody, nauki, techniki itp. ⟨*to, co w danym zakresie, w danej dziedzinie (np. modzie, nauce itp.) jest nową zdobyczą, nowym wynalazkiem, odkryciem, zwyczajem*⟩: Widziałeś [...] myśliwską broń i ostatnie słowo ówczesnej techniki wojennej: skałkowy karabin z bagnetem. *Prus Now. IV, 203.* Uniwersał ten [Połaniecki] jest ostatnim wyrazem pojęć i dążeń reformatorskich Polski XVIII wieku w sprawie włościan. *Korzon Wewn. I, 496.* **18. o-e** słowa, wyrazy ⟨*wyrazy ubliżające komu, obrażające kogo; ordynarne, plugawe*⟩: Krzyczy, piorunuje, wymyśla od ostatnich słów, od najostatniejszych. *Strug Ludzie 194.* Lżyć, łajać, zelżyć kogo ostatnimi słowami: Przywiązanie to wszakże nie przeszkadzało im bynajmniej lżyć się ostatnimi wyrazami. *Konopn. Ludzie 70.* Teraz to już pewnie przeklinać i ostatnimi słowami łajać ją zacznie. *Orzesz. Cham 114.* **19.** *gw. warsz.* **o-e** słowo do draki ⟨*ostatnia przymówka, ostateczny po-*

wód do bitki⟩. **20. o.** spoczynek ⟨*pochowanie zmarłego w grobie, leżenie zmarłego w grobie*⟩: Na własnych barkach niosłem trumnę ojca z żałobnego wozu na ostatni spoczynek. *Morzk. Bożek 97.* **21.** Ten **o.** ⟨*ten, który został tylko co nazwany, wymieniony, o którym tylko co się mówiło, końcowy z wymienionych*⟩: Odsyłam książkę Dankowskiego i nagrobek. Nie miałem czasu nad tym ostatnim pomyśleć. *Mick. Listy II, 531.* **22. o.** uczeń ⟨*najgorszy*⟩: Siedział już drugi rok w klasie, a ponieważ był ostatnim uczniem, więc wszyscy wiedzieli, że go wyrzucą. *Perz. Cud. 58.* **23. o-a** wiadomość ⟨*z ostatniej chwili, najświeższa*⟩. **24. o-a** wola ⟨*testament*⟩. **25. o-e** wydanie (dzieła) ⟨*aktualne, najświeższe*⟩. **26.** Ostatnimi czasy, w ostatnich czasach ⟨*niedawno, od niedawna*⟩: Dawniej była bardzo ładna, w ostatnich czasach zgrubiała i zbrzydła. *Chłęd. Pam. II, 206.* **27. o-a** wieczerza ⟨*uczta paschalna spożyta przez Chrystusa w otoczeniu dwunastu apostołów w wigilię śmierci; obraz przedstawiający tę scenę*⟩. **28.** *pot.* **o.** d o c z e g o ⟨*nie wykazujący chęci, nie kwapiący się do czego*⟩: Ostatni do roboty. Był to pieniacz, ostatni do zgody. **29. o.** w ś r ó d k o g o lub m i ę d z y k i m ⟨*najgorszy, najpośledniejszy; mający najmniejsze znaczenie*⟩: Wolał pierwszym być między szlachtą niźli ostatnim między panami. *Kaczk. SW.* **30. o.** z... a. s p o ś r ó d (k o g o, c z e g o) ⟨*jedynie pozostały*⟩: **o.** z rodu; ostatni spośród przedstawicieli romantyzmu. **31.** Do ostatniego: a) ⟨*tak, że nikt nie został; do końca, do reszty, do ostatka*⟩: Konie pobrali do ostatniego. *Żer. Rzeka 37*; b) *daw.* ⟨*tak, że nic nie zostało, do końca, do reszty, do ostatka, całkiem*⟩: Złapaliście mnie i doicie już do ostatniego. *Bliz. Rozb. 155.* **32.** Do ostatniej chwili ⟨*do momentu końcowego, do końca*⟩: Wojsko było wierne królowi do ostatniej chwili. *Smol. W. SW.* **33.** Do ostatniego miejsca, do ostatniego kęsa, okruszyny, do ostatniej nogi, do ostatniej nitki ⟨*całkowicie, zupełnie*⟩: Pociąg był już zapchany do ostatniego wolnego miejsca. *Rudn. H. Płom. 210.* Burek, wylizawszy do ostatniej okruszyny kapustę z ziemniakami, jeszcze skuczał prosząco. *Wikt. Burek 12.* Opłakana gnuśność [...] była przyczyną, żeśmy nie mogli wybić Turczyna do ostatniej nogi. *Boy Flirt VI, 157.* Bosy, przemokły do ostatniej nitki, spracowany [...] bez siły w sobie ciągnął człek one liny. *Żer. Popioły II, 182.* **34.** Do ostatniego tchnienia bronić kogo a. czego, służyć, walczyć, kochać itp. ⟨*do końca, dopóki, sił starczy; do śmierci*⟩. **35.** Do ostatniej rozpaczy (doprowadzać kogo, przychodzić) ⟨*do ostatecznej, krańcowej; nie do zniesienia*⟩: Jeszcze ja do ostatniej rozpaczy nie przychodzę. *Kras. Podstoli 47.* **36.** Do ostatniej zguby przywieść kogo, co ⟨*do nieuniknionej; ostatecznej*⟩: Wojny za Jana Kazimierza przywiodły miasto do ostatniej zguby. *Baliń. M. Polska III/1, 172.* **37.** Nie pierwsze mnie (mu) to i nie ostatnie ⟨*o czymś stale spotykającym kogo, zwykle o przykrości*⟩. **38.** *daw.* W ostatnim razie ⟨*w końcu, wreszcie, nareszcie, w ostatecznym razie, w ostateczności*⟩: Do tysiąca złotych mogłabym zebrać w ostatnim razie. *Wol. Dom. I, 111.* **39.** Na ostatnich nogach (chodzić): a) ⟨*być bardzo słabym, być bliskim śmierci*⟩: Mówili [...] że wielmożny pan już na ostatnich nogach ale, widzę, łgali. *Prus Lalka III,246*; b) ⟨*o kobiecie: być w ostatnich dniach ciąży*⟩. **40.** Być, umieścić (co) itp., widać (co) itp. na ostatnim planie ⟨*być, umieścić, widać (co) itp. daleko, bardzo daleko, na końcu*⟩: U Holbeina widać cieniste kępy drzew, dachy licznych domostw [...] a na ostatnim planie zębate gór grzbiety. *Gomul. Kajet 10.* **41.** Chwytać (chwycić) się ostatniej deski ratunku ⟨*ratować się jedynym sposobem, jaki został*⟩: Chwycił się ostatniej deski ratunku i napisał list do W. Krasińskiego, który przez powstanie wypędzony z kraju, po jego upadku wrócił do Warszawy i zyskał wielkie wpływy w rządzie rosyjskim. *Bar. Kum. 132.* **42.** *daw.* Ciągnąć się z ostatniego ⟨*robić bardzo wielki wysiłek*⟩: Obudziła się w chłopach chęć nabrania oświaty; niektórzy ciągną się z ostatniego, aby tylko synów utrzymywać w szkołach publicznych lub na nauce rzemiosła. *Siem. L. Dzieła I, 179.* **43.** Ktoś jest ostatnią osobą ⟨*ktoś nie wchodzi w rachubę*⟩: Co do mnie — ona jest [...] ostatnią osobą, o którą mogłabym być zazdrosna. *Goj. Rajs. I, 106.* **44.** Oddać, poświęcić itp. za kogo, za co ostatnią kroplę krwi ⟨*umrzeć w imię kogo, czego*⟩: Dla jego sławy ostatnią kroplę krwi poświęcić są gotowi. *Mieczk. Obrazy 61.* **45.** Skląć, scholerować, zwymyślać itp. kogo od ostatnich ⟨*użyć w stosunku do kogo obrażających, ubliżających słów*⟩: Można go było sponiewierać słowami, zwymyślać od ostatnich, zelżyć — on nic. *Dygas. Now. VII, 183.* **46.** Uważać się za ostatniego z ludzi ⟨*za nikczemnika, wyrzutka*⟩: Uważałbym się za ostatniego z ludzi, gdybym miał korzystać ze szlachetnej twojej ofiary. *Choj. Alkh. IV, 62.* **47.** Wydać **o-e** tchnienie ⟨*umrzeć*⟩: Gdy wydała ostatnie tchnienie, biadał, iż mu się zdaje, że wraz z nią został pogrzebany. *Chłęd. Odr. 514.* **48.** Zdzierać z kogo ostatnią skórę, obdzierać kogo do ostatniej skóry ⟨*bardzo, bezwzględnie wyzyskiwać kogo; wyzyskiwać kogo bez miary*⟩: Mogę na przykład oddziałać [...] żeby bogaty nie zdzierał ostatniej skóry z biedniejszego. *Żer. Prom. 58.* **49.** U niego (dla niego) zawsze **o.** ma rację ⟨*o człowieku nie mającym własnego zdania, dającym się łatwo przekonać przez tego, kto ostatni zabiera głos*⟩.

przysł. **50.** Ten się śmieje, kto się śmieje ostatni.

ostoja 1. *łow.* **o.** głuszców, łosi itd. ⟨*obszar leśny, gdzie przebywa zwierzyna łowna: głuszce, łosie itd.*⟩: Zna wszystkie ostoje łosi. Zna tajemnice lasu. *Fiedl. A. Kan. 192.* **2.** Być ostoją czego, komu lub dla kogo, dla czego ⟨*punktem oparcia, schroniskiem; podstawą czego*⟩: Ostoją polskości w Poznańskiem był właśnie chłop polski. *Piw. Odra 73.* Do niedawna jeszcze była ostoją i nadzieją rodziny. *Górs. H. Tory 104.* Ograniczony obraz świata był ostoją i podporą dla wyobraźni. *Par. SPP.*

ostro 1. o. nabita (broń) ⟨*ostrym nabojem*⟩. **2.** Brać się, wziąć się do czego **o.** ⟨*energicznie*⟩: Wziął się ostro do pracy. **3.** Chować, trzymać kogo **o.** ⟨*surowo, w karności*⟩: Matka chowała nas bardzo ostro, za lada drobnostkę biła. *Witow. Ludzie 18.* Urzędnicy, jemu podwładni, bardzo się go bali, bo ostro ich trzymał i wszelkie nadużycia srogo karcił. *Zielon. Wspom. 60.* **4. o.** dzwonić (o telefonie, tramwaju) ⟨*gwałtownie, głośno*⟩. **5.** Postępować z kim **o.** ⟨*surowo*⟩. **6.** Odcinać się od czego, rysować się **o.** na jakim tle; widzieć **o.** ⟨*wyraźnie, jaskrawo; w ten sposób, że kontury występują wyraźnie*⟩: Na tle czystego nieba ostro odcinał się komin. *Wyg. Jel. 215.* **7. o.** pachnieć ⟨*mocno*⟩. **8.** Postawić się, stawiać się komu **o.** ⟨*hardo, zuchwale*⟩: Chcieli wyprzęgać konia, chcieli mnie bić, bo im stawiałem się ostro. *Pięt. Łuna 191.* **9.** (Od)powiedzieć komu **o.** ⟨*bez ogródek, śmiało, energicznie; wyzywająco*⟩: Powiedziałam im ostro, że dopóki będzie chodził w tym studenckim szynelu, nie pójdę z nim nigdzie... *Reym. Now. IV, 241.* **10. o.** spadać (o ulicy, drodze) ⟨*stromo*⟩: Teraz szedł ulicą ostro spadającą w dół. *Goj. Rajs. I, 92.* **11.** Spojrzeć **o.** ⟨*przenikliwie*⟩: Skrzetuski spojrzał ostro a dumnie w oczy Bohunowi, ale nie znalazł w nich ni zaczepki, ni wyzwania. *Sienk. Ogn. I, 61.* **12. o.** strzelić piłkę ⟨*silnie*⟩: Piłka ostro strzelona na linii bramkowej zmieniła kierunek i wpadła do siatki. *Sport 21, 1954.* **13. o.** świecić (np. o słońcu) ⟨*jaskrawo, mocno*⟩. **14.** Trzymać się **o.** ⟨*butnie, energicznie*⟩: Trzymać się ostro, bardzo sobie po nosie nie dać jeździć. *Gąs. W. Pig. 7.* **15. o.** wiać (o wietrze) ⟨*gwałtownie*⟩: Wiatr wiał ostro na północny zachód. *Kurek Grypa 142.* **16.** *med.* Zaczynać się **o.** (o chorobie) ⟨*gwałtownie się rozwijać, atakować*⟩: Choroba zaczyna się ostro, rzadziej wyprzedzają ją krótkotrwałe objawy zwiastunowe. *Pol. Tyg. Lek. 30, 1954.* **17. o.** zahamować (pojazd) ⟨*gwałtownie, energicznie*⟩. **18. o.** zatemperować ołówek ⟨*spiczasto*⟩. **19.** Zganić kogo, co **o.** ⟨*surowo, ostrymi słowami*⟩. **20.** Na **o.** (nastawione bagnety) ⟨*na sztorc, do ataku*⟩: Szły dwa patrole policyjne — po trzech w każdym, z bagnetami na ostro. *Putr. Rzecz. 252.* **21.** *fot.* Na **o.** (nastawić aparat) ⟨*tak, aby zdjęcie było ostre, miało wyraźnie zarysowane kontury*⟩. **22.** Na **o.** a. **o.** kuć konia ⟨*przybijać podkowy specjalnymi gwoździami w celu zapobieżenia ślizganiu się konia*⟩. **23.** Na **o.** (wziąć się do kogo) ⟨*energicznie*⟩. **24.** *daw.* Na **o.** (zagrać komu) ⟨*nie przebierać w środkach; obejść się z kim bez pardonu, bezwzględnie*⟩: Zechce mu się jednak dokazywać, toć i my w domu. Zagramy mu na ostro, że aż mu uszyma wylezie. *Łoz. Wal. Szlach. I, 70.*

ostroga 1. Bóść, kłuć, przeć, spiąć, (ś)cisnąć, trącić, uderzyć, żgać konia ostrogą (ostrogami); wbić, wrazić koniowi (w boki konia) ostrogi ⟨*kłując pobudzać go do biegu*⟩: Parł ostrogami swojego konia [...] pędził jak opętany. *Kaczk. Olbracht. III, 123.* Kapitan dał koniowi ostrogi i pogalopował za baterią. *Ziel. S. Świt. 58.* Znowu koniowi w bok wraził ostrogi: dalej w cwał, koniu, tu idzie o życie! *Mick. Giaur 167.* **2.** Brząkać ostrogami ⟨*pobrzękiwać przy chodzeniu*⟩; brzęknąć, trzasnąć ostrogami a. w ostrogi ⟨*o kawalerzyście: ukłonić się zamaszyście, tak że zabrzęczały ostrogi*⟩: Z przesadną precyzją trzasnął ostrogami i salutując meldował: — Mamy tylko dwóch zabitych. *Żukr. Kraj. 61.* **3.** Dostać, zdobyć, pozyskać, zyskać ostrogi, złote ostrogi, rycerskie ostrogi ⟨*być pasowanym na rycerza, zostać rycerzem*⟩: Myślałem, że w twojej obronie na dworze pas pozyskam i złote ostrogi. *Słow. Maria 103; przen.* ⟨*zyskać uznanie, sławę*⟩: Marzyło mi się przez chwilę, że zdobędę złote ostrogi w zakresie ścisłej wiedzy literackiej. *Boy Flirt I, 214.* **4.** Nosić ostrogi, złote ostrogi, rycerskie ostrogi ⟨*być rycerzem*⟩: Młody, jeszcze rycerskiej nie nosi ostrogi. *Słow. Mind. 20.* **5.** Stracić, utracić ostrogi ⟨*być pozbawionym godności rycerza, przestać być rycerzem*⟩: Pobiegłeś nierycerską drogą; możesz stracić ostrogi lub ozdobę w pasie... *Słow. Maria 81.*

ostrokanciasty *przen.* **o.** chłopak ⟨*chłopak szorstki w obejściu, trudno naginający się do innych, nie umiejący się zachować*⟩.

ostrokół ⟨*ogrodzenie z zaostrzonych pali, palisada*⟩ **1.** Gęsty, obronny, wysoki **o. 2.** Ogrodzić, otoczyć ostrokołem.

ostrołukowy 1. Arkady, okna **o-e**; portal **o.**; sklepienie **o-e** ⟨*gotycki(e)*⟩. **2.** *przestarz.* Styl **o.** (nazwa używana w XIX wieku) ⟨*styl gotycki*⟩.

ostrość 1. o. aparatu (fotograficznego), obiektywu, lunety, mikroskopu itp. ⟨*zdolność aparatu, obiektywu, lunety, mikroskopu itp. dawania ostrych obrazów*⟩. **2. o.** powietrza ⟨*świeżość, przenikliwość*⟩: Odczuli jakąś rzeźwość i ostrość powietrza, nasyconego słonym pyłem wodnym. *Dąbr. Ig. Matki 431.* **3. o.** umysłu ⟨*bystrość*⟩. **4. o.** węchu, wzroku, słuchu ⟨*właściwa czułość, wrażliwość na bodźce zewnętrzne*⟩. **5.** Głębia, głębokość ostrości ⟨*zdolność obiektywu (fotograficznego) ostrego, wyraźnego oddawania na zdjęciu przedmiotów niejednakowo oddalonych od obiektywu; odległość, w której granicach wszystkie przedmioty znajdujące się bliżej i dalej od obiektu fotografowanego będą na obrazie dostatecznie ostre*⟩. **6.** Nabierać ostrości: a) ⟨*o konturach: stawać się wyrazistymi, zarysowywać się ostro*⟩; b) *(o rysach czyich: zaostrzać się*⟩; c) ⟨*o wzroku, słuchu, węchu: stawać się bardziej czułym, wrażliwym na bodźce zewnętrzne*⟩: Jego wzrok nabrał ostrości. Wszystko dokoła siebie widział teraz z większą wyrazistością. *Zar. Ślad. 46.* **7.** Nastawiać, ustawiać na **o.** ⟨*nastawiać, ustawiać szkła w lunecie, mikroskopie itp. tak, aby oglądane przez nie przedmioty były wyraźne, nie zamazane; w aparacie fotograficznym nastawiać odpowiednio obiektyw, aby zrobione zdjęcia były dostatecznie ostre*⟩. **8.** *przen.* Utracić **o.** konturów ⟨*utracić wyrazistość, zatrzeć się*⟩: Nagle wszystkie sprawy, które zdawało się, że utraciły ostrość swych konturów pod tchnieniem tygodni i miesięcy — ożyły we mnie. *Kowalew. S. Świat 147.*

ostrożność 1. Daleko idąca **o. 2. o.** w c z y m: **o.** w postępowaniu, we wnioskach itp.; **o.** w mowie. **3. o.** względem lub wobec kogo, czego: **o.** względem wrogów. *SPP.* **4.** Dla ostrożności; z ostrożności (robić co): Dla ostrożności, udał się do swych pieleszy na piechotę. *Żer. Rzeka 93.* Najważniejsze punkty w sprawie Piotra przecież z ostrożności przed nią zataiła. *Ritt. Noc. 36.* **5.** Z ostrożnością (robić co) ⟨*ostrożnie*⟩: Poruszać się, posuwać się z ostrożnością. - Rozłożywszy chusteczkę na ziemi, uklękła i delikatnie, z wielką ostrożnością, zaczęła rozprostowywać listki jakiejś wątłej roślinki. *Perz. Las 32.* **6.** Środki ostrożności (przedsiębrać, zachować): Nie przedsięwzięła żadnych środków ostrożności. *Tyg. Ilustr. SPP.* Zachował wszelkie środki ostrożności, aby nikt z przyjaciół nie dowiedział się o jego kroku. *Jackiew. Wiosna 121.* **7.** *daw.* Być na ostrożności ⟨*być ostrożnym*⟩. **8.** Nakazywać, podwajać, zachować, zalecać **o. 9.** *daw.* Przedsięwziąć ostrożności ⟨*przedsięwziąć środki ostrożności, uważać na co*⟩:

Przedsięwzięto wszelkie ostrożności, aby nie dopuścić do katastrofy. *SW.* **10.** Zaniechać ostrożności. **11. o.** nie zawadzi.

ostrożny 1. Chód **o.** ⟨*niepewny*⟩. **2. o.** namysł, **o-a** wypowiedź ⟨*rozważny(-a), przezorny(-a)*⟩. **3. o.** w c z y m: **o.** w postępowaniu, w wypowiedzi. **4. o.** wobec kogo, czego, względem kogo, czego lub w stosunku do kogo, czego. **5.** Z ostrożna ⟨*z rozwagą; bacznie, oględnie, przezornie ostrożnie*⟩: Tam wszystko wam można byle tylko z ostrożna, by nie było skandalu. *Grudz. Poezje 20.*

ostry 1. o. jak miecz. **2. o-e** ataki ⟨*gwałtowne*⟩. **3. o-e** barwy, rumieńce ⟨*jaskrawe*⟩: Wielkie zamiłowanie do błyskotek i ostrych barw, świecące kolczyki, błyskotliwe broszki, łańcuszki, bransolety i pierścionki. *Tyg. Ilustr. 15, 1900.* Ostre plamiste rumieńce wystąpiły na jej lica, a wszystka krew była poruszona. *Bog. Rodin II (1897), 199.* **4. o.** blask; **o-e** światło, słońce ⟨*mocny(-e), jaskrawy(-e)*⟩: Na twarz skupioną padał ostry blask lampy. *Wikt. Miasto 55; przen.* Ukazywać co w ostrym świetle: Ze sceny przemówiła na nowo żywa treść i ukazała stare prawdy w ostrym świetle dzisiejszych kryteriów. *Prz. Artyst. 3, 1952, s. 38.* **5. o-e** uderzenie ⟨*mocno odczuwalne, dotkliwe, kłujące, przeszywające*⟩. **6. o.** brzeg, kant; **o-a** krawędź czego ⟨*zaostrzony(-a)*⟩. **7. o.** brzeg, **o-e** zbocze, **o-a** ścieżka itp. ⟨*opadający(-e, -a) gwałtownie, stromo; urwisty(-e, -a)*⟩. **8. o-a** cenzura, kontrola ⟨*surowa, ścisła*⟩. **9.** *med.* **o-a** choroba (zakaźna), **o.** przebieg choroby; **o.** kaszel, **o-e** zapalenie płuc itp. ⟨*gwałtowna(-y, -e)*⟩: Chwycił ją suchy, ostry kaszel. *Reym. Now. V, 18.* **10. o.** cień ⟨*wyraźny, mocno się rysujący*⟩: Ratusz uroczy w swojej linii [...] rzucał ostry i wyraźny cień na plac rynkowy. *Hertz P. Not. 11.* **11. o.** cierń, gwóźdź, **o.** dziób; **o-a** igła, szpilka; **o-e** szpony, zęby; **o-e** żądło ⟨*ostro zakończony(-a, -e); spiczasty(-a, -e)*⟩. **12. o.** dach ⟨*o dużym spadku, spadzisty*⟩. **13. o.** deszcz ⟨*dokuczliwy, dający się mocno we znaki*⟩: W szyby siekł drobny, ostry deszcz, za oknami było szaro. *Mostow. Kariera 243.* **14. o.** docinek, żart ⟨*złośliwy.*⟩. **15. o-a** dyscyplina ⟨*surowa*⟩. **16. o-a** dyskusja, kłótnia, rozmowa, wymiana zdań itp. ⟨*prowadzona w sposób gwałtowny, nieprzyjemny, dotycząca spraw wywołujących rozdrażnienie, sprzeciwy itp.*⟩: Ostatnio ich rozmowy kończyły się ostrą wymianą zdań. *Jackiew. Wiosna 100.* Doszło do ostrej kłótni *Perz. Uczn. 38.* **17. o.** gwizd, ton, głos ⟨*wysoki (o wysokiej tonacji), przenikliwy, przeraźliwy*⟩: Gwałtowny wicher z ostrym gwizdem przeciskał się przez ulice i harcował po Rynku. *Poraz. Kich. 85.* Spełniła polecenie wydane cierpkim ostrym tonem. *Olcha Most I, 236.* **18.** *sport.* **o.** finisz ⟨*gwałtowny, szybki, nagły*⟩. **19.** *sport.* **o-a** główka ⟨*energiczne, mocne wybicie piłki głową*⟩: Po zdobyciu pierwszej bramki w 5 minucie ostrą główką przez Kohuta po rzucie wolnym [...] zespół warszawski zaczął coraz mocniej naciskać. *Sport 21, 1954.* **20. o-a** granica; **o.** przedział ⟨*wyraźna(-y)*⟩: W wiekach średnich nie było jeszcze tak ostrego przedziału między szlachtą a mieszczaństwem. *Ptaś. Miasta 219.* **21.** *bot.* Jaskier **o.** ⟨*roślina trująca z rodziny jaskrowatych*⟩. **22. o.** język (u zwierzęcia, np. u kota, krowy) ⟨*chropowaty, szorstki na powierzchni*⟩. **23. o.** kamień; żwir ⟨*o ostrych kantach; o ziarnkach mających ostre kanty*⟩. **24. o-a** kara, pokuta ⟨*surowa*⟩. **25. o.** koniec czego ⟨*zaostrzony, spiczasty*⟩. **26.** *daw.* **o.** koniec (stołu) ⟨*miejsce przy stole zajmowane przez osoby mało dostojne, mało znaczące w hierarchii towarzyskiej; osoby tam siedzące; szary koniec*⟩: Klucznik i Hrabia wpadli w obroty nie lada. Przy wyższym końcu stoła wrzał tylko krzyk wielki, ale z ostrego końca latały butelki koło Hrabiego głowy. *Mick. Tad. 159.* **27. o.** koń ⟨*szybki*⟩: Mówię panu, że złoto nie koń. Łagodny a ostry, jedyny dla kawalera, bo dla moich pań potrzeba spokojnych koni. *Grusz. Ar. Tuzy 413.* **28.** *przestarz.* **o.** krok ⟨*szybki, zamaszysty*⟩: Szedł ostrym krokiem. *SW.* **29. o-a** krytyka, ocena; **o.** sąd (o czym) ⟨*surowa(-y), niepochlebna(-y), ujemna(-y)*⟩. **30. o-e** kucie koni ⟨*kucie na ostro*⟩: Przy pojawieniu się [...] pierwszej ślizgawicy, należy koniecznie pamiętać o ostrym kuciu koni. *Tyg. Ilustr. 153, 1870.* **31. o.** list, **o-e** pismo ⟨*w ostrym tonie*⟩. **32. o.** scyzoryk; topór; **o-a** siekiera ⟨*wyostrzony(-a)*⟩. **33. o-a** nagana; perora, wymówka; **o-e** wyrzuty ⟨*surowa(-e), cierpka(-e)*⟩. **34. o.** niepokój, **o-a** radość, odraza itp. ⟨*intensywny(-a), mocno odczuwany(-a)*⟩. **35. o.** nos ⟨*spiczasty*⟩. **36.** *fot.* **o.** obraz, **o-e** zdjęcie, **o-a** odbitka itp. ⟨*o wyraźnych zarysach linii przedmiotu fotografowanego*⟩. **37. o.** odór, zapach; **o-a** woń ⟨*gryzący(-a), drażniący(-a)*⟩. **38. o.** papieros ⟨*mocny*⟩: Zaciągnął się gwałtownie ostrym, drapiącym papierosem. *Braun Lewanty 21.* **39. o-a** pasza, trawa ⟨*szorstka, chropawa, odczuwana w dotyku jako kłująca*⟩. **40. o.** pęd ⟨*bystry, nagły; szybki*⟩: Przelecieć, przemknąć ostrym pędem a. w ostrym pędzie. **41.** *sport.* **o-a** piłka ⟨*wybita silnym strzałem, rzutem*⟩: Trybuny się ożywiły siejąc znikome dyskretne brawa; znowu szły ostre, niskie piłki. *Prom. Opow. 24.* **42. o-e** podejście, **o.** zjazd ⟨*podejście, zjazd stromym, urwistym zboczem*⟩: Kilkanaście minut jazdy na nartach, ostry zjazd — podejście pod górę i znów jestem nad brzegiem zatoki. *Cent. Wyspa 186.* **43. o.** post ⟨*ścisły*⟩. **44. o-e** potrawy, przyprawy ⟨*pikantne*⟩. **45. o-e** powietrze ⟨*mroźne, dojmujące*⟩. **46. o-e** prawa, ustawy ⟨*surowe*⟩. **47. o.** profil; **o-a** twarz; **o-e** rysy ⟨*wyraziście, mocno zarysowany(-a, -e); o kształtach kanciastych, spiczastych, nie zaokrąglonych*⟩: Rysy miała ostre, jakby kanciaste i nieładne ręce. *Perz. Raz 152.* **48. o-e** przemówienie, wystąpienie; **o.** sprzeciw ⟨*gwałtowne(-y)*⟩: Projekt napotkał ostry sprzeciw a. spotkał się z ostrym sprzeciwem większości. **49. o.** przymrozek; **o-a** zima; **o-e** zimno ⟨*tęgi(-a, -e)*⟩. **50. o-e** represje ⟨*uciążliwe, dotkliwe*⟩. **51. o.** rozkaz, zakaz ⟨*stanowczy, bezwzględny*⟩. **52. o.** ruch, rzut, strzał ⟨*szybki*⟩. **53. o-a** satyra ⟨*zjadliwa, złośliwa*⟩. **54.** *roln.* **o-a** skiba; orka w ostrą skibę ⟨*skiba nie w pełni odwrócona, stercząca (niepłaska); orka wysztorcowana, w skibę nie w pełni odwróconą*⟩: Orka zimowa [pod koniczynę] powinna być bardzo staranna, w ostrej skibie pozostawiona do wiosny. *Upr. rośl. II, 1072.* **55. o-a** skóra ⟨*chropowata*⟩. **56. o-e** słowa ⟨*surowe, twarde, przykre; wyrażające naganę, wymówkę itp.*⟩: Nie szczędził ostrych słów młodzianom — jego zdaniem — opuszczającym się w pracy. *Kurek Woda 194.* **57. o.** słuch, wzrok, **o-e** oczy, uszy ⟨*wyczulony (-e), bystry(-e), przenikliwy(-e)*⟩. **58. o.** smak ⟨*pikantny; również przen.*⟩: Powiedzmy bez ogródek, że książka niemoralna, choćby była nudna, ma dla większości ludzi pewien ostry smak — właśnie dla swej niemoralności. *Sienk. Mieszan. 90.* **59.** *wojsk.* **o-e** strzelanie ⟨*strzelanie ostrymi nabojami*⟩: Amunicji nie żałowano nam — ćwiczenia w ostrym strzelaniu odbywały się co parę dni. *Koźn. Rok 105.* **60. o-e** ściernisko ⟨*kolące*⟩: Chłopak maszerował po ostrym ściernisku, trzymając na ramieniu sękaty kij. *Konopn. Now. I, 65.* **61. o.** śmiech ⟨*nagły, gwałtowny*⟩: Wybuchnął głośnym jak okrzyk, ostrym śmiechem. *Brosz. Mił. I, 178.* **62. o-e** środki ⟨*bezwzględne*⟩: Będę się musiał chwycić ostrych środków. *L.* **63. o-e** uszy ⟨*spiczaste*⟩: Zwierz najpierw stulił ostre uszy i długo za czymś węszył. *Dobrow. S. Wiersze 56.* **64. o-a** walka klasowa ⟨*gwałtowna, bezwzględna*⟩: Kampania wyborcza odbywała się w warunkach ostrej walki klasowej. *Nowe Drogi 2, 1955, s. 14.* **65. o-e** warunki (postawić) ⟨*surowe, twarde, bezwzględne*⟩. **66. o-a** wełna ⟨*szorstka*⟩. **67. o.** wiatr ⟨*zimny, mroźny*⟩. **68.** *łow.* **o.** wiatr ⟨*u psów myśliwskich dobry węch pomagający im w tropieniu zwierzyny*⟩: Ta psina z ostrym wiatrem doskonale tropiła grubego zwierza, a gdy się odezwała można było z pewnością liczyć na strzał. *Wodz. Wspom. 26.* **69. o-a** wieża, wieżyczka ⟨*spiczasta; wysmukła*⟩. **70. o.** zakręt ⟨*mocno, wyraźnie załamujący się, pod ostrym kątem*⟩: Droga robiła tu ostry zakręt, omijając parowy i wydmy. *Pytl. Listy 107.* **71. o.** zarys ⟨*wyraźny, wyraźnie się zaznaczający*⟩: Każdy załamek muru, każde drzewo, każda ulica ostrym zarysem odcinały się, jak wysztychowane cienkim rylcem na „landszafcie". *Strug Ojc. 130.* **72.** *daw.* **o.** n a c o ⟨*surowy, nieubłagany, bezlitosny, bezwzględny*⟩: Aleksander Sewerus ostry był na żołnierską swawolą. *Star. SW.* **73.** Na **o-e** ⟨*bez pardonu, nie przebierając w środkach*⟩: Ugoda dojdzie do skutku, gdy walka na ostre stanie się nieproduktywną, gdy szanse zdobyczy będą bardzo małe albo żadne. *Bujak Gal. I, 98.* **74.** Na **o-e** (dziś tylko w przenośni) ⟨*przy użyciu ostrej broni, kłującej lub siecznej*⟩: Po obiedzie [...] wjechało w szranki czterech szermierzy, po dwóch z kolei, aby gonić z sobą na ostre. *Szajn. Szkice II, 136.* **75.** *przen.* Być ostrym dla kogo ⟨*surowym, przykrym, złośliwym*⟩: Trochę jesteś za ostra dla tego biednego, poczciwego, zakochanego w tobie po uszy chłopca... *Krasz. Seraf. 123.* **76.** *przen.* Być w ostrym kontraście do czego ⟨*silnie kontrastować z czym*⟩: Parobek wiejski nabierał w wojsku manier obyczajowych, które były zazwyczaj w ostrym kontraście do ustalonych tradycją obyczajów. *Bystr. Kult. 328.*

ostrzał p. **obstrzał**

ostrze 1. o. brzytwy, dłuta, dzidy, oszczepu, szabli, sztyletu, włóczni; **o.** łopaty, piły, siekiery. **2. o.** ołówka ⟨*szpic*⟩. **3. o.** paznokci ⟨*ostre zakończenie*⟩: Pot wystąpił jej na czoło, ręce zacisnęły się ostrzem paznokci na skórze. *Goj. Dziew. II, 122.* **4. o.** do golenia: Udało mi się otrzymać agenturkę pewnej fabryki, wyrabiającej ostrza do golenia... *Szan. Most 39.* **5.** *przen.* **o.** podejrzeń, urazy; **o.** satyry: Ostrze urazy stępiło się przez lata, została samotność. *Nałk. Z. Gran. 269.* Najzaciętsi zaś Zapolskiej wrogowie nie próbują zaprzeczać, że ostrze jej satyry zwrócone jest przeciwko mieszczaństwu. *Pomian. Widow. 56.* **6.** *daw.* Na **o.** ⟨*przy użyciu ostrej broni; na ostre*⟩: Na dworze królewskim, przy uroczystościach np. weselnych, chrzestnych itp. odbywały się gonitwy, boje na ostrze i kopie. *Bandt. Hist. 408.* **7.** Klepać **o.** (kosy). **8.** Postawić co na ostrzu noża (rzadko: miecza, szabli) ⟨*zażądać kategorycznie ostatecznego załatwienia, rozstrzygnięcia jakiejś sprawy, nie zgodzić się na kompromisy, dać ultimatum*⟩: Kwestię małżeństwa postawił na ostrzu noża. *Sienk. Połan. III, 292.* Pilno mu było rozmówić się z córką, postawić kwestię na ostrzu miecza. *Syg. Wys. 298.* **9.** Przynieść co na ostrzu bagnetów: Mieli przynieść na ostrzu bagnetów braterstwo i inne przysmaki, tymczasem wnieśli tu przemoc i gwałt. *Żer. Opow. II, 209.* **10.** Stawiać się ostrzem: Różne im sztuki robiliśmy, ale szczególniej jeden szelma hardy ostrzem się stawiał. *Święt. A. Obraz I, 85.*

ostrzec, ostrzegać 1. o. k o g o — c o d o k o g o, c o d o c z e g o: Ona go co do Tomaszka ostrzegała. *Dąbr. M. SPP.* **2. o.** k o g o — o c z y m: **o.** kogo o grożącym niebezpieczeństwie. *SW; przen.* Huk armat [...] ostrzegał o rozwiniętych na linii nowych siłach nieprzyjaciela. *Sewer Poboj. 47.* **3. o.** k o g o p r z e d k i m, p r z e d c z y m: W Prasnyszu radzono im zostać na nocleg, ostrzegając ich przed wilkami. *Sienk. SPP; przen.* Tablice, znaki ostrzegają przed czym; instynkt ostrzega kogo przed czym. **4. o.** k o g o, ż e...: Oknem wyskoczyłem i tu przybiegłem, by ostrzec Witołda, że ojciec wzięty... *Słow. Wall. 59; przen.* Mnie wewnętrzne jakieś uczucie ostrzega, że się stąd coś ważnego dla mnie wysnuje. *Krak. Pam. 20.* **5.** *daw.* Ostrzegać życie czyje ⟨*ochronić życie czyje, ocalić*⟩: Szlachta przypuszczona w narodzie naszym do prawodawstwa, żadnego nie napisała dla wieśniaków prawa, ostrzegającego ich życie i majątek. *Kossak. Ksiądz 146.* **6.** *daw.* **o.** prawem co ⟨*zagwarantować co prawem, zawarować co prawem*⟩: Porządek pierwszeństwa w zasiadaniu [...] ostrzeżony był prawem, aby ziemscy urzędnicy przodkowali, a po nich następowali grodzcy. *Bandt. Hist. 660.*

ostrzegawczy o. głos, gwizd, krzyk, ruch, znak; tablica **o-a** ⟨*będący(-a) ostrzeżeniem*⟩: Stenik nie zwracając uwagi na ostrzegawczy znak, wyjechał pełnym gazem na główną ulicę. *Ziel. S. Świt. 134.*

ostrzelać, ostrzeliwać 1. o. c o: **o.** miasto, most, szosę. **2.** *daw.* **o.** plac ⟨*wystrzelić w powietrze z pistoletu w razie niestawienia się przeciwnika na pojedynek*⟩: Wyzwał był na pojedynek pana stolnika, a jego nie doczekawszy, plac ostrzelał. *Rzew. H. Pam. 394.* **3. o.** k o g o, c o — c z y m: **o.** twierdzę ciężkimi pociskami; *przen.* Według rady cioci zacznę tego pana Maurycego ostrzeliwać ognistymi spojrzeniami. *Bał. SW.* **4. o.** k o g o — c o — z c z e g o (gdy się wymienia narzędzie strzelania): **o.** twierdzę, miasto z ciężkich dział. **5.** Ktoś jest ostrzelany, coś jest ostrzelane ⟨*obyty(-e) z czym*⟩. **6.** Zwierzyna ostrzelana ⟨*do której już strzelano, trudniejsza do podejścia*⟩.

ostrzeżenie 1. Poważne **o. 2.** *praw.* **o.** hipoteczne ⟨*wzmianka w wykazie hipotecznym mająca na celu zabezpieczenie roszczeń prawnych na nieruchomości lub wierzytelności zabezpieczonej hipotecznie*⟩. **3. o.** o c z y m, c o d o k o g o, p r z e d k i m, p r z e d c z y m: **o.** o niebezpieczeństwie; przed napastnikiem a. co do napastnika; przed napaścią. **4.** Dać komu; ogłosić, wystosować do kogo (na piśmie) **o. 5. o-a** padają: Uwaga, lej! — padały ostrzeżenia piechoty. Zjeżdżali zaprzęgiem nad rów, by wyminąć ślady nalotu. *Żukr. Dni 136.*

ostrzyc 1. o. (kogo) przy (samej) skórze; **o.** po męsku: Na trybunie mówców stała wtedy jakaś kobieta, siwa i ostrzyżona po męsku. *Brand. K. Troja 163.* **2. o.** (komu) włosy, głowę. **3. o.** drzewa, krzewy ⟨*przyciąć, przystrzyc w celu dania im pożądanego kształtu*⟩.

ostrzyć 1. o. c o — c z y m — n a c z y m — o c o ⟨*robić ostrym, zaostrzać*⟩: **o.** kosę osełką, na osełce, o osełkę, brzytwę na pasku. **2. o.** ołówek ⟨*temperować*⟩. **3.** *przen.* **o.** ciekawość ⟨*pobudzać*⟩: Słyszałem nade wszystko niejednokrotne spory, a spory te ostrzyły ciekawość i do wyszukania prawdy skłaniały. *Tysz. Amer. I, 84.* **4. o.** apetyt, zęby, *rzad.* pazury n a k o g o, n a c o ⟨*nastawiać się na osiągnięcie czego, na zawładnięcie czym, mieć chętkę, chrapkę na co*⟩: Ostrzyły sobie także i Prusy apetyt na Królestwo. *Sokoł. A. Stycz. 207.* Już pokazuje się, że na tę sukcesję wszyscy zęby ostrzą. *Krasz. Int. 196.* **5.** *daw.* **o.** miecz na kogo, przeciw komu ⟨*gotować się do walki z kim*⟩.

osuszać, osuszyć 1. o. c o: **o.** bagno; **o.** ubranie. **2. o.** butelkę ⟨*wypijać całą zawartość butelki*⟩: Stała przed nim butelka „marcowego", trzecia z rzędu, którą tego wieczora osuszał. *Gomul. Ciury III, 15.* **3. o.** c o — c z y m: np. **o.** oczy, pot chustką, **o.** pole drenami.

oswajać, oswoić 1. o. ptaki, dzikie zwierzęta, psy, węże itd. ⟨*obłaskawiać; poskramiać*⟩: W ostatnich dniach brał udział w odpowiedzialnym zadaniu oswajania dzikich koni. *Fiedl. A. Biz. 180.* Litwini czcili węże, które po domach oswajali i karmili. *Mick. Graż. 55.* **2. o.** k o g o, c o — z c z y m: Oswajać kogo z widokiem czego, z myślą o czym; oswajać wzrok z ciemnością.

oswobodzić (się), oswabadzać (się), oswobadzać (się) o. kogo, co (się) od czego, z czego (spod czego): Oswobodził kraj od nieprzyjaciół. *SPP.* **o.** kogo z niewoli, z więzienia, spod klucza; *przen.* Flis starał się oswobodzić z jej objęć, ale go nie puściła. *Jackiew. Górn. 154.; przen.* Nigdy się nie mógł oswobodzić od jakiegoś smutku, od jakichś melancholicznych zadumań. *Rzew. H. Listop. II, 348.*

oszalały 1. o-e spojrzenie ⟨*dzikie, pełne szału*⟩. **2. o.** z c z e g o: **o.** z bólu, z radości. **3. o.** c z y m: Słuchał swego serca, co [...] tłukło się oszalałe wysiłkiem. *Morc. Wyrąb. I, 83.* **4.** Jak **o.** (biegać, krzyczeć itp.): Wpadł do wagonu chłopak z gazetami i krzyczał jak oszalały: — Najświeższe wiadomości! *Reym. Now. IV, 227.* **5.** Pędzić w oszalałym galopie: Siwy koń pędził kwicząc w oszalałym galopie. *Brand. K. Człow. 15.*

oszaleć 1. O mało, ledwie itp. nie oszalałem a. mógłbym **o.** z bólu, miłości, nudów, radości, rozpaczy, strachu itp. **2. o.** d l a k o g o, c z e g o, na punkcie czego ⟨*dać się opanować przez co, być głęboko zainteresowanym czym lub kim, stracić głowę dla kogo lub czego, nic nie widzieć poza czym (kim)*⟩: Hodował gołębie, a gdy raz dostał się do miasta i szkoły, oszalał dla teatru. *Dąbr. M. Uśm. 69.* Oszalałem był dla jednej młodej Francuzki. *Słow. Listy I, 86.* **3.** *pot.* Czyś oszalał? ⟨*zgłupiał*⟩.

oszczep 1. *sport.* Rzut oszczepem. **2.** *pot.* Rozgrywać **o.** ⟨*rozgrywać konkurencję sportową: rzut oszczepem*⟩: Podczas międzypaństwowych spotkań [...] kulę, oszczep i dysk rozgrywano przed główną trybuną. *Prz. Sport. 70, 1950.*

oszczerstwo 1. Plugawe **o. 2.** Ciskać, rzucać oszczerstwa na kogo.

oszczędnościowy Kasa **o-a** ⟨*kasa oszczędności*⟩.

oszczędność 1. o. wielka, drobna; **o.** materiałowa; ścisłe oszczędności. **2.** Ostatnie **o-i** ⟨*sumy, pieniądze zaoszczędzone*⟩: Stracił ostatnie oszczędności i [...] wegetował na nędznych posadkach. *Korcz. Jerzy Trzy 20.* **3. o.** c z e g o: **o.** czasu; **o.** prądu, węgla; **o.** ruchów. **4. o.** n a c z y m ⟨*zysk powstały z zaoszczędzenia*⟩: Oszczędność na opale i na świetle. **5. o.** w c z y m ⟨*ograniczenie do koniecznego minimum*⟩: **o.** w wydatkach; **o.** w ruchach; **o.** w słowach. **6.** Kasa **o-i** ⟨*instytucja bankowa przyjmująca wkłady pieniężne, za które płaci procent, dokonująca obrotów czekowych itp.*⟩. **7.** Książeczka **o-i** ⟨*książeczka, do której wpisuje się wkłady do kasy oszczędności*⟩. **8.** Dla oszczędności (robić co): Dla oszczędności przestał jeść drugie śniadanie. **9.** Kupić co za oszczędności ⟨*za zaoszczędzone pieniądze*⟩: Najcenniejszym skarbem była jej maszyna do szycia, kupiona za własne oszczędności. *Kow. A. Rogat. 7.* **10.** Odkładać, robić oszczędności ⟨*zbierać, oszczędzać pieniądze*⟩: Zarabiał stosunkowo lepiej od przeciętnych robotników i odłożył sobie nieco oszczędności na „czarną godzinę". *Ward. Wyłom 8.* Oto zarobił czternaście rubli i przyszedł prosić, aby ciocia przyjęła je na schowanie, zamierza bowiem robić oszczędności. *Kosiak. Now. 23.* **11.** Zastosować, wprowadzić, zaprowadzić **o-i** (w czym). **12.** Umieścić, ulokować, złożyć gdzie swe oszczędności ⟨*zaoszczędzone pieniądze*⟩. **13.** *pot.* Wziąć się na **o.** *SFA.*

przysł. **14.** Oszczędność wielki dochód. **15.** Największa intrata oszczędność.

oszczędny 1. o-a gospodyni; **o-a** gospodarka; **o.** tryb życia; **o-e** życie (prowadzić); *przen.* **o-e** słowa. **2. o.** w c z y m: np. **o.** w słowach, gestach, pochwałach itp. *daw.* na słowa, gesty, pochwały itp. ⟨*używający mało słów, gestów, skąpiący pochwał; małomówny, opanowany*⟩: Oszczędny był w pochwałach i czułościach. *Jastr. Mick. 385.* Nie lubię jeść w milczeniu, a kochany kolega jakoś oszczędny na słowa! *Syg. Wysadz. 43.*

oszczędzać, oszczędzić 1. o. c o: np. **o.** grosz, surowiec; **o.** czas, siły; **o.** słowa: Matka pracowała w fabryce i jak mogła oszczędzała każdy grosz. *Was. W. Pok. 6.* Uznali, że trzeba siły oszczędzać na dalszą drogę. *Grusz. An. Od Karpat 206.* **2. o.** c z e g o (dopełniacz cząstkowy), np. **o.** grosza, prądu, gazu, czasu: Codziennie zwykłem był jadać na dole w hotelu, gdyż to oszczędzało czasu. *Krasz. Kartki 42.* **3.** Nie oszczędzać c z e g o ⟨*szafować czym*⟩: Nie oszczędzać zdrowia, sił. - Kiedy krwi na wsparcie tronu nie oszczędzałem, dworscy próżniacy wszystkimi zgubić mię sposobami usiłowali. *Zab. I/2, 1776,* *s. 92.* **4.** *przen.* Oszczędzać k o g o, c o ⟨*nie narażać na co; chronić przed czym (np. osoby przed przykrościami, zwierzęta przed zbyt dużym wysiłkiem, rzeczy przed szybkim zużyciem)*⟩: Jeśli nas miłość własna nie oślepi, znajdziemy w sobie przyczynę do oszczędzania drugich. *Kras. Podstoli 131.* **5.** Kule oszczędzają, oszczędziły kogo ⟨*ktoś nie ginie, nie zginął na wojnie*⟩: Jeżeli mnie kule oszczędzą (bo nie myśl, ażebym moję wojskowość tu przy kielichu odbywał) powróć kiedyś do mnie. *Chodź. Pisma I, 445.* **6.** Śmierć nie oszczędza nikogo ⟨*wszyscy umierają, muszą umrzeć*⟩. **7. o.** k o m u c z e g o ⟨*nie narażać kogo na co, ochraniać przed czym*⟩: **o.** komu fatygi, kłopotu, przykrości, zmartwienia, wstydu, wzruszeń. **8.** Nie **o.** k o m u c z e g o: Nie oszczędziła mu ani obelgi, ani wzgardy. *Sienk. Pot. II, 123.* **9. o.** n a c z y m ⟨*robić oszczędności przez ograniczanie na co wydatków; starać się wydawać na co jak najmniej*⟩: **o.** na jedzeniu. - Gospodarze domów oszczędzają nie na własnych, ale na lokatorów mieszkaniach i nie każą ich nigdy odświeżać. *Prus Kron. IV, 132,*

oszołomienie 1. Bolesne, chwilowe, pierwsze, przyjemne, tępe **o. 2.** Stan oszołomienia. **3.** W oszołomieniu (robić co): Piotr, wytrącony z równowagi tym wybuchem, spoglądał w oszołomieniu na wstrząsane płaczem plecy żony. *Brand. M. Piotr. 76.* **4.** Ochłonąć z oszołomienia: Tymczasem ochłonąłem z pierwszego oszołomienia i poczułem przypływ odwagi. *Fiedl. A. Biz. 34.* **5.** Wprawić kogo w **o.**, w stan oszołomienia: Nocne czuwanie, sen pełny trwogi wprawiły redaktora w stan szczególnego oszołomienia. *Żer. Prom. 106.* **6.** Znajdować się w stanie oszołomienia: Miłość pochłaniała go zupełnie, całymi tygodniami znajduje się to w stanie ekstazy, to w stanie bolesnego oszołomienia. *Popł. Szkice 98.*

oszukać, oszukiwać 1. o. k o g o — n a c z y m lub n a c o (gdy się wymienia wartość ilościową oszustwa): **o.** (kogo) na wadze, na miarach, na towarze. Oszukał mię na dwa złote. *SPP.* **2. o.** głód, pragnienie, żołądek ⟨*osłabić chwilowo uczucie głodu, pragnienia*⟩: Gdy spragniony Arab w pustyni bierze do ust kamyki zamiast wody, nie gasi przez to pragnienia, tylko je oszukuje. *Sienk. Bez dogm. III, 91.*
przysł. **3.** Długo pokuka, kto babę oszuka. **4.** Trudno mądrego oszukać.

oszustwo 1. Brudne, małe **o. 2. o.** na k i m, n a c z y m: **o.** na klientach na wspólnikach; **o.** na dostawach. **3.** Paść ofiarą oszustwa. **4.** Popełni(a)ć **o.**: Postanowiłem więcej takich oszustw nie popełniać i w ogóle żyć prawdą. *Hertz B. Samow. 186.* **5.** Puszczać się na oszustwa.

oś 1. o. centralna, kompozycyjna, konstrukcyjna czego. **2. o.** c z e g o, np. **o.** koła młyńskiego, statku, wozu, zegara; **o.** miasta, ogrodu: Aleja stała się osią 17-hektarowego ogrodu. *Szwank. Warsz. 97.* **3.** *przen.* **o.** akcji, czynności, działania, polityki, sytuacji; **o.** dyskusji; **o.** utworu. **4.** *daw.* Na osi ⟨*pojazdem kołowym, drogą lądową (w przeciwieństwie do drogi wodnej)*⟩: Na osi co sprowadzić. *SW.* **5.** *przen.* Ktoś, coś jest osią czego ⟨*ośrodkiem*⟩: Pani Stefania, choć małomówna wielce, była osią całego domu. *Rychl. Człow. 238.* Centralnym problemem, osią życia politycznego w Polsce pierwszej połowy XIX w., był problem walki o wyzwolenie narodowe i społeczne kraju. *Nowe Drogi 9, 1955, s. 91.* **6.** *polit.* Utworzyć **o.** ⟨*zawrzeć porozumienie w celach politycznych lub wojennych*⟩: Dwa największe faszystowskie państwa, Niemcy i Włochy, utworzyły tak zwaną oś Berlin—Rzym. *Barb. Nauka 36.* **7. o.** obraca się, kruszy się, skruszyła się, łamie się, pęka, skrzypi: Oś żelazna powozu mojego angielskiego skruszyła się zupełnie. *Kras. Podstoli 216.*

ościenny 1. Kraj, naród **o.**; **o-e** mocarstwo, państwo **o-e** ⟨*sąsiedni(e)*⟩. **2.** *daw.* **o-e** góry, pola, wsie ⟨*pobliskie, leżące w sąsiedztwie, okoliczne*⟩; **o-e** pokoje, apartamenty ⟨*oddzielone ścianą, sąsiednie*⟩: Po obiedzie wyszliśmy do ościennych apartamentów. *Was. S. Przyp. 156.* **3. o.** władca ⟨*kraju ościennego*⟩; **o-e** wpływy.

oścież Na **o.** (*daw.* **o.**) ⟨*o otwarciu np. drzwi, bramy, okien itp.: na całą szerokość, na wylot, na przestarzał; szeroko, całkowicie*⟩: Wszystkie okna i drzwi małych domków były otwarte na oścież. *Brzoza Bud. 57*; *przen.* Ten sknera otworzył kieszeń swoją na oścież. *Kosiak. Now. 28.*

ościeżnicowy Okno **o-e** ⟨*okno, w którym skrzydła letnie otwierają się na zewnątrz, a skrzydła zimowe do wewnątrz pomieszczenia*⟩.

ościsty 1. o. chleb ⟨*pełen ości, plew*⟩: Kalias niewiele jadł, bo ościsty i suchy chleb dławił go i drapał w gardle. *Rudn. H. Spart. 39.* **2.** *daw.* Płótno **o-e** ⟨*zgrzebne*⟩. **3. o-e** mięso ⟨*zawierające dużo ości*⟩: Z powodu ościstego mięsa [brzana] nie jest ceniona. *Wiśn. K. Mięso 399.* **4. o-a** ryba ⟨*ryba mająca dużo ości*⟩. **5.** Włosy **o-e** ⟨*u zwierząt: długie i grube, ostro zakończone*⟩: [W futrze królika] występują grubsze i dłuższe włosy ościste. *Felik. Zool. X, 330.*

ość 1. Dławić się ością. **2.** Stanąć, stawać komu ością w gardle ⟨*dokuczyć, dopiec, dać się we znaki, zatruć życie komu*⟩: Książki, obrazy, koncerta, dzienniki ością mi w gardle stanęły. *Gomul. Poezje 165.* **3.** *ryb.* Połów ością; polować z ością ⟨*ościeniem; z ościeniem*⟩: W zwykłej łódce rybackiej płynęli na połów ryb i raków ością. *Nalk. Z. Romans 171.*
przysł. **4.** Strzeż się gości, którzy mają swe ości ⟨*szorstkich, czupurnych*⟩.

oślepiać, oślepić 1. oślepić k o g o — (c z y m) ⟨*pozbawić kogo wzroku; uczynić kogo ślepym*⟩: Konrad, książę mazowiecki, dał stracić Krystyna wojewodę, kazawszy go pierwej oślepić. *Narusz. Hist. III, 153.* **2. o.** k o g o — (c z y m) ⟨*porażać wzrok*⟩: Błyskawica oślepiła go. - Poranne afrykańskie słońce oślepia tysiącem blasków. *Parn. Aecjusz 129.* **3.** *przen.* Oślepia kogo gniew, miłość, powodzenie, strach, wściekłość, złość, żądza: Złość go oślepiła, byłby pazurami rwał na sztuki pierwszego spotkanego wroga. *Reym. Fron. 14.*

oślepiający 1. o. blask, żar; **o-e** słońce. **2.** *przen.* **o-a** piękność.

ośli 1. *rzad.* **o-a** praca, zajęcie, **o.** trud itp. ⟨*ciężka, męcząca praca, zajęcie; ogromny, znojny trud itp.*⟩: Ledwie mam czas chwycić pióro — tyle przenosin, sprawunków, przyborów i pracy oślej, którą znów rozpocząłem. *Mick. Listy I, 173.* **2. o-a** skóra

⟨*pergamin*⟩. **3. o-e** uszy ⟨*symbol głupoty, nieuctwa lub lenistwa; dawniej: papierowa czapka z długimi uszami naśladującymi uszy osła, wkładana za karę złym, leniwym uczniom*⟩.

ośmioro Na **o.**, w **o.** ⟨*na osiem części*⟩: Wyjął chustkę złożoną w ośmioro i długo wycierał nos. *Twórcz. 7, 1953, s. 17.*

oświadczać, oświadczyć 1. o. c o, **o.**, że,... ⟨*zapewniać o czym*⟩: Nasi rodacy oświadczyli gotowość przesyłania nam książek i gazet. *Las. Wspom. II, 31.* **2.** *daw.* **o.** kogo ⟨*prosić dla kogoś o czyjąś rękę, występować w czyimś imieniu (zwykle mężczyzny w stosunku do kobiety z propozycją małżeństwa)*⟩: Wchodzili do izby i swat oświadczał młodego parobczaka. *Kłosy 350, 1872.* **3. o.** k o m u — c o ⟨*oznajmiać; zapowiadać*⟩: Oświadczam ci, że na drugi raz bezkarnie ci to nie ujdzie. *SW.* **4.** *daw.* **o.** komu czyjeś ukłony, pozdrowienia, uszanowanie itp. ⟨*pozdrawiać kogo w czyimś imieniu, przesyłać komu czyjeś ukłony, pozdrowienia, uszanowanie itp.*⟩: Raczysz oświadczyć moje uszanowanie wszystkim. *Słow. Listy II, 17.*

oświadczać się, oświadczyć się. 1. o. się o kogo, o czyją rękę ⟨*prosić kogo o rękę, o zgodę na małżeństwo*⟩: Zakochał się i oświadczył o pannę. *Boy Znasz. 155.* Dwukrotnie oświadczał się o moją rękę i dwukrotnie mu odmówiłam. *Sienk. Połan. III, 182.* **2. o. się** z c z y m ⟨*zapewniać o czym, deklarować co, ofiarowywać się z czym*⟩: Oświadczać się komu z miłością, z przyjaźnią. Oświadczyłem się mu z gotowością przyjścia z pomocą. *SPP.* **3. o. się** z a k i m, z a c z y m; p r z e c i w k o m u, c z e m u ⟨*być zwolennikiem kogo, czego; opowiadać się za kim, za czym; być przeciwnikiem kogo, czego; opowiadać się przeciw komu, czemu*⟩: Oświadczyli się za Smotrem. *Krucz. SPP.* Musi się za jedną lub za drugą sprawą oświadczyć. *Sienk. SPP.* **4.** *przestarz.* Oświadczyć się, że... ⟨*wystąpić ze swoim poglądem, oznajmić co*⟩: Oświadczył się sam, że powodowany niby litością nad nami, proponuje zarobek, wprawdzie niewielki, ale pewny. *Zielon. Wspom. 50.*

oświadczenie 1. Uroczyste **o.** ⟨*wypowiedź zawierająca czyjś pogląd; pismo z taką wypowiedzią*⟩. **2.** Złożyć **o.**: Złożyli z trybuny parlamentarnej uroczyste oświadczenie pod adresem Polski. *Ask. Uwagi 47.*

oświadczyny Przyjąć, przyjmować; odrzucić, odrzucać **o.**: Oświadczył się. Dziewczyna, choć była na to przygotowana, nie przyjęła jego oświadczyn, uzależniając swoją zgodę od zdania matki. *Ward. Wyłom 16.* Bogdan III Ślepy [...] zapragnął małżeństwa z królową polską Elżbietą, lecz ta odrzuciła stanowczo jego oświadczyny. *Korzon Woj. I, 201.*

oświata 1. Powszechna **o. 2.** Ognisko oświaty: Uniwersytety Jagielloński i Wileński były natenczas jedynymi ogniskami oświaty. *Sokoł. A. Dzieje IV, 170.* **3.** Stan oświaty (w kraju). **4.** Krzewić, szerzyć, tłumić oświatę.

oświatowy 1. Pracownik **o. 2.** Film **o. 3.** Kursy **o-e**: Snuł projekty zakładania kooperatyw robotniczych kursów oświatowych. *Dąbr. M. Noce III/2, 22.*

oświecać, oświecić 1. o. c o: **o.** pokój, twarz czyją, **o.** komu drogę; *przen.* Zasępioną twarz jego rozchmurzył i oświecił taki błysk radości, że od niego serce jej rozkosznie drgnęło. *Orzesz. Melanck. I, 176.* **2. o.** lud ⟨*szerzyć oświatę wśród ludu*⟩: Oświecać lud pospolity i ciemny jest najszlachetniejszym człowieka powołaniem. *Karp. O Rzeczyposp. s. LIII.* **3. o.** (czyj) umysł ⟨*podnosić czyj poziom umysłowy*⟩: Każdy człowiek w społeczeństwie cywilizowanym powinien mieć możność zdobywania wiedzy, oświecania swego umysłu. *Popł. Pisma II, 65.* **4. o.** k o g o w c z y m ⟨*uświadamiać*⟩: Oświecał mię w tych sprawach. *SPP.*

oświeconość *daw.* Jaśnie **o.** ⟨*bycie jaśnie oświeconym; grzecznościowy tytuł księcia, hrabiego itp.*⟩.

oświecony 1. Człowiek, naród, umysł **o.** ⟨*światły, wykształcony, cywilizowany*⟩. **2.** Absolutyzm **o.** ⟨*forma absolutyzmu w epoce oświecenia*⟩: Pod rządami Marii Teresy państwo austriackie reorganizowało się w myśl zasad absolutyzmu oświeconego. *Bujak Społ. 129.* **3.** Wiek **o.** ⟨*okres rozwoju ruchu umysłowego w Europie w XVIII w.; oświecenie*⟩. **4.** *daw.* Rzęsiście **o.** ⟨*oświetlony*⟩.

oświetlenie 1. o. elektryczne, gazowe, księżycowe; jasne, górne **o.**; rzęsiste, sztuczne **o.**; *przen.* **o.** satyryczne. **2. o.** czym: np. **o.** lampą, reflektorem, żarówką. **3.** *przen.* W oświetleniu kogo, czego: W oświetleniu Wojciechowskiego Bolesław Śmiały jest postacią tragiczną. *Dąbr. M. Stan. 6.* Rozpatrzmy pokrótce ich istotę w oświetleniu opinii zarówno przeciwników, jak i obrońców. *SW.*

otaczać, otoczyć 1. o. k o g o, c o — c z y m ⟨*opasywać, okrążać, obwodzić ze wszystkich stron*⟩: Otoczyć nieprzyjaciela wojskiem. **2. o.** kogo, co ramieniem ⟨*obejmować*⟩. **3.** *przen.* **o.** kogo hołdami, opieką, pieczołowitością, przyjaźnią, staraniem, szacunkiem, uwielbieniem, względami, zbytkiem. **4. o.** wojsko, oddział ⟨*osaczać, okrążać*⟩: Oddział Ibrahima otoczony, ujęty w żelazne kleszcze. Nie ujdzie z niego ani żywa noga! *Kossak Z. Krzyż. I—II, 396.* **5. o.** co w bułce, mące ⟨*obsypywać, oblepiać*⟩: Pomidory pokrajać w plastry, osolić, otoczyć każdy plasterek w mące. *Przyj. 48, 1952.* **6.** Coś otacza kogo, co ⟨*znajduje się się naokoło kogo; jest ze wszystkich stron*⟩: Zewsząd otaczają nas góry. - Polankę otaczały sosny. *SPP.* Ciemność, mrok otacza kogo.; *przen.* Sława, tajemnica otacza kogo: Otaczała go sława starego wojownika. *Par. Troj. 17.*

otarcie Na **o.** łez ⟨*dla częściowego poratowania*⟩: Tak miasto, jak okolica chętnie poniosą grosz wdowi na otarcie łez nieszczęśliwym. *Niwa VI, 1875, s. 261.*

otchłań 1. Bezdenna, głęboka, nieprzebyta, niezgłębiona, przepaścista, zdradliwa **o. 2. o.** morska. **3. o.** wód. **4.** *przen.* **o.** cierpienia, nędzy, rozpaczy. **5.** Pogrążyć się w otchłani. **6.** Runąć, rzucić się, upaść w **o. 7.** Staczać się w **o.** (nieszczęścia): Edyp ze szczytu powodzenia stacza się nagle w otchłań nieszczęścia, z króla staje się żebrakiem. *Witkow. S. Trag. I, 321.* **8.** Wydobyć się z otchłani. **9. o.** otwiera się przed kim, przed czym; pochłania kogo: I zdawało mu się, że otchłań otworzyła się przed jego nogami. *Sienk. Quo 122.*

otępienie 1. o. starcze. **2.** Z otępieniem, w otępieniu ⟨*bezmyślnie, obojętnie*⟩: W otępieniu, jak przez sen wysłuchuje sceny, jaką Marusia urządza Klaudiuszowi. *Bogusz. Polon. IV, 306.* **3.** Wyrwać kogo z otępienia: Głód i pragnienie wyrwały Agnieszkę z otępienia, w jakie popadła po niedawnych przeżyciach. *Olcha Most II, 106.*

otłuszczenie o. serca, wątroby itp. ⟨*stan chorobowy serca, wątroby itp., polegający na wadliwym funkcjonowaniu tych narządów na skutek obrośnięcia tkanką tłuszczową*⟩: Miała lat około czterdziestu pięciu, cierpiała na lekkie otłuszczenie serca i złą przemianę materii. *Meis. Sześciu 50.*

oto 1. Ten **o.** ⟨*ten właśnie, a nie inny; ten tu obecny*⟩: Wróciwszy do domu, wziąłem tę oto książeczkę. *Par. Niebo 189.* **2.** Teraz **o.**: Sosny [...] stoją ogromne, strzeliste, i teraz oto księżyc gra po nich, jak grał sto lat temu. *Sienk. Listy IV, 191.*

otoczenie 1. o. architektoniczne ⟨*budynki, zabudowania otaczające*⟩: Jedną z pierwszych czynności [...] będzie odnowienie bramy wchodowej do katedry i utworzenie dla niej odpowiedniego otoczenia architektonicznego. *Tyg. Ilustr. 33, 1904.* **2. o.** intelektualne ⟨*środowisko ludzi wykształconych*⟩: Otoczenie intelektualne, wśród którego wzrósł Długosz, uderza przede wszystkim przepaścią wykształcenia między ludźmi, do których się jako duchowny dostał, a szlachtą, z której wyszedł. *Szujski Opow. 350.* **3.** Piękne **o.** ⟨*otaczająca przyroda; okolica*⟩: Lubiąc wygodę i piękne otoczenie, wybudowałem w Rydlówce dom ozdobny, założyłem piękny ogród kwiatowy, przyozdobiłem, słowem, dwór w sposób rozmaity. *Orzesz. Eli II, 123.* **4.** Przyrodzone, właściwe komu **o.** ⟨*żywioł; środowisko*⟩. **5.** *przestarz.* Żelazne **o.** ⟨*żelazne ogrodzenie, metalowe sztachety*⟩: Za jodłami i żelaznym otoczeniem dziedzińca dał się słyszeć tętent konia. *Orzesz. Klat. 216.* **6.** *przen.* **o.** kapitalistyczne, społeczne: Dopóki istnieje otoczenie kapitalistyczne istnieć musi i państwo socjalistyczne. *Państwo 4—5, 1955, s. 553.* Rodzina, szkoła, życie społeczne, państwo stanowią w rozumieniu Helwecjusza otoczenie społeczne. *Rudniań. Idea 24.* **7.** Wpływ otoczenia: Obcokrajowcy, ulegając przemożnym wpływom otoczenia, szybko przeobrażali się w Polaków. *Śliw. A. Lel. 3.* **8.** W otoczeniu: a) ⟨*będąc otoczonym (przez kogo); w asyście; w czyim towarzystwie*⟩: Zobaczył dużą grupę aresztantów w otoczeniu dworzan. *SW.*; b) W otoczeniu (czego ⟨*w obramowaniu, w otoku*⟩: Ciemna i gruba chmura w otoczeniu mniejszych i lżejszych sunęła samym środkiem nieba. *Orzesz. Niemn. II, 9.* **9.** *daw.* Być w czyim otoczeniu ⟨*w orszaku, w świcie*⟩: Przez siedem lat był w otoczeniu podskarbiego Tyzenhauza, zwiedził Niemcy, Francję i Włochy. *Sokoł. A. Dzieje II, 124.*

otrąbiać, otrąbywać *łow.* **o.** pióro, kitę, turzycę itp. ⟨*podczas rozkładu sygnalizować trąbką lub rogiem osobno każdy rodzaj zabitej zwierzyny*⟩: Najstarszy stopniem przedstawiciel służby łowieckiej ogłasza rozkład, po czym służba łowiecka otrąbia pióro, kitę, turzycę i sierść. *Hop. Jęz. 97.*

otrąbić, otrębywać 1. o. alarm, **o.** odwołanie alarmu; **o.** wyprawę, zwycięstwo ⟨*ogłosić za pomocą trąb*⟩: Gdy noc minęła spokojnie [...] otrąbiono całkowite odwołanie alarmu. *Koźn. Rok 110.* **o.** turniej(e): Na zamku krakowskim coraz częściej herold królewski otrębywał turnieje, na których trzeba było zabłyszczeć. *Smołka Szkice I, 166.* **2.** *daw.* **o.** c o: a) ⟨*napełnić co dźwiękiem trąby*⟩: Róg turzy do warg przyłożył, zadął weń pełną piersią i długim dźwiękiem otrębuje knieję. *Berw. Pow. 100*; b) ⟨*rozgłosić, rozpowszechnić co, uczynić znanym; roztrąbić co*⟩: Nieprzyjaciele nasi otrąbili po świecie niezgodę emigracji. *Mick. Polit. 128.* **3.** *łow.* **o.** zwierza, pokot ⟨*dać sygnał trąbką lub rogiem po każdorazowym zabiciu grubego zwierza*⟩: Na ubiciu wspomnianego niedźwiedzia, który był starym samcem i po otrąbieniu go, skończyło się na ten dzień polowanie. *Łow. Pol. 14, 1934.*

otrąbki o. migdałowe ⟨*makuchy pozostałe przy otrzymywaniu olejku migdałowego, używane jako kosmetyk*⟩.

otręby 1. o. zbożowe, owsiane, pszeniczne, ryżowe. **2.** (Ze)mleć, spytlować kogo na **o.** ⟨*(za)szkodzić komu i (z)gubić, (z)niszczyć kogo*⟩: Opinia publiczna zmiele cię na otręby, jeśli poobalasz takie zapisy. *Sienk. Połan. II, 212.* **3.** *przen.* Polecą z kogo **o.** ⟨*ktoś zostanie obity, zmaltretowany*⟩: Który by się wybrał z takim kazaniem do moich żołnierzy [...] poleciałyby z niego otręby, nimby się jeszcze obaczył. *Kaczk. Olbracht. III, 66.*

otrzeć p. **ocierać**

otrzeć się p. **ocierać się**

otrzymać, otrzymywać 1. o. uderzenie, ranę ⟨*zostać uderzonym, zranionym*⟩. **2. o.** miejsce, stanowisko, urząd; **o.** pozwolenie, pouczenie, przebaczenie, radę, rozgrzeszenie, wynagrodzenie ⟨*dostać, uzyskać*⟩. **o.** rozkaz, zakaz ⟨*dostać*⟩. **3.** *przestarz.* **o.** skutek ⟨*mieć, osiągnąć*⟩: Jeśliby prośba pomyślny otrzymała skutek i nasz Krakowiak u was się zjawił, mam nadzieję, że go zaszczycisz twoją protekcją. *Mick. Listy II, 378.* **4. o.** wykształcenie ⟨*zostać wykształconym*⟩. **5. o.** co w darze ⟨*dostać*⟩: Chcę otrzymać w darze ten z Wisły księżyc srebrny — ambasador republiki marzeń, minister spraw niepotrzebnych. *Bron. W. Nadz. 97.* **6. o.** czyją rękę ⟨*ożenić się z kim*⟩: Ile jest prawdy w pogłosce obiegającej miasto, że baron [...] będzie miał zaszczyt otrzymać wkrótce rękę starszej córki pana? *Orzesz. Argon. 27.* **7. o.** c o z c z e g o ⟨*uzyskać co z czego, spowodować, osiągnąć co z czego*⟩: Z węgla otrzymuje się [...] gaz świetlny i koks. *Wut. Kraj 159.*

otucha 1. Pełen otuchy. **2.** Czerpać z czego otuchę: Skąd czerpiesz, mój biedny, otuchę, co piersi twe krzepi? *Prusz. SW.* **3.** Doda(wa)ć komu otuchy. **4.** Krzepić, żywić w swym sercu otuchę. **5.** Nab(ie)rać otuchy: Przypatrywał się wynikom wczorajszej dorywczej pracy i nabierał otuchy. *Rus. Człow. 32.* **6.** Napełnić, natchnąć kogo (serce czyje) otuchą: Odwiedziny i obietnice Samentu nową otuchą napełniły serce faraona. *Prus SPP.* **7.** (S)tracić otuchę: Po kolacji, straciwszy resztę otuchy, pani Barbara poszła do Bogumiła. *Dąbr. M. Noce II, 61.* **8.** Tchnąć, wlać w kogo otuchę (w serce czyje): Jak się znalazłem na estradzie i przy fortepianie, tego już dzisiaj nie rozumiem — może być, że wlał we mnie cokolwiek otuchy kolega mój. *Przybysz. Współ I, 53.* **9.** Pierś wzbiera otuchą. *SFA.* **10.** Znaleźć w czym otuchę. **11. o.** napełnia serce. **12. o.** przychodzi: W chwili największej rozpaczy przychodzi czasem otucha, świta pociecha niespodziewana. *Krasz. Chata III, 145.* **13. o.** wstępuje w kogo (w serce czyje): Otucha wstąpiła w nią na nowo. *Sienk. SPP.* **o.** wstępuje w moje serce. *SW.*

otumaniać, otumanić 1. o. k o g o — c z y m ⟨*odurzać kogo, powodować u kogo stan zamroczenia*⟩: Szeleszcząca podszewka koperty otumaniła mnie zapachem lila... *Tuwim Sokr. 29.* **2.** Dać się komu otumanić: Ja tym ludziom dałem się otumanić, taką małpę, takiego poliszynela z siebie zrobić! *Berent Fach. 156.*

otupać, otupywać o. nogi z czego (z błota, ze śniegu).

otwarty 1. o-a ciężarówka, **o.** powóz ⟨*z nieosłoniętym miejscem dla jadących*⟩. **2.** Dyskusja, sprawa itp. **o-a** ⟨*nie rozstrzygnięta, nie rozwiązana*⟩: Zagadnienie przełomu w naszej prozie, w jej tematyce i metodzie artystycznego ujmowania zjawisk — jest sprawą wciąż otwartą. *Mateusz. R. Lit. 153.* **3. o-e** granice ⟨*nie oparte na przeszkodach naturalnych, jak góry, morze, rzeki itp.*⟩. **4.** *med.* Gruźlica **o-a** ⟨*stadium gruźlicy, w którym odbywa się w płucach proces czynny, zaraźliwy dla otoczenia*⟩. **5. o-e** zebranie ⟨*zebranie, w którym mogą brać udział nie tylko członkowie danej organizacji*⟩. **6.** Kraj **o.** ⟨*nie broniony niczym*⟩. **7.** Rachunek **o.** ⟨*przyznana komu możność korzystania z kredytu*⟩. **8.** Miejsce **o-e** ⟨*nie osłonione*⟩. **9. o.** opór, **o-a** walka, wojna ⟨*jawny (-a)*⟩: Nie śmiał stawić czoła żonie w walce otwartej bez narażenia na wstyd honoru chłopskiego. *Wikt. Burek 40.* **10. o-a** przestrzeń, równina, **o.** step ⟨*rozległa(-y, -e)*⟩: Na otwartych stepach wiatr zwiewa śniegi i przenosi je do zagłębień. *Radlicz Geogr. VIII, 308.* **11.** Rana **o-a** ⟨*nie zagojona*⟩: Rana była wciąż otwarta i gnoiła się w sposób odrażający. *Żer. Rzeka 75.* **12.** *jęz.* Sylaby, zgłoski **o-e** ⟨*zakończone na samogłoskę*⟩. **13. o.** umysł ⟨*chłonny, bystry, podatny na bodźce intelektualne*⟩. **14. o.** widok ⟨*rozległy*⟩. **15.** Na otwartym powietrzu ⟨*nie w budynku, nie pod dachem; pod gołym niebem*⟩: Z dala dochodziły odgłosy jakiejś zabawy na otwartym powietrzu. *Otw. Spot. 95.* **16.** Pod otwartym niebem ⟨*na otwartym powietrzu, pod gołym niebem*⟩: Przed budynkiem pod otwartym niebem czerniało duże boisko, a pośrodku stał ogromny dębowy walec do młócenia zboża. *Sier. Now. 223.* **17.** Z otwartymi rękami, ramionami (przyjąć, witać kogo) ⟨*gościnnie; serdecznie; z radością*⟩. **18.** Z otwartymi ustami (stać, gapić się, słuchać). **19. o.** d l a k o g o, d l a c z e g o: Stacja otwarta dla ruchu. *KJMK SPP.* **20. o.** z k i m lub w o b e c k o g o ⟨*szczery*⟩: Pani raczy być z nami otwartą. *Żer. SPP.*

otwierać, otworzyć 1. o. c o ⟨*odmykać coś zamkniętego*⟩; **o.** butelkę, antałek ⟨*odkorkowywać; odszpuntowywać*⟩; **o.** puszkę (konserw, sardynek), skrzynkę ⟨*odpakowywać*⟩; **o.** szufladę ⟨*wysuwać*⟩; **o.** walizkę. **2. o.** biuro, pracownię, zakład, sklep, restaurację: a) ⟨*rozpoczynać pracę, urzędowanie w biurze itp.*⟩: W większych miastach sklepy spożywcze otwiera się o godz. 7 rano; b) ⟨*zakładać*⟩: Otwieram pracownię fotograficzną, więc chodzi mi o klientów. *Rus. Człow. 26.* **3. o.** brzuch, piersi, żyły ⟨*rozcinać*⟩. **4. o.** dłonie ⟨*rozkładać*⟩. **5. o.** drogę, most, linię kolejową, tramwajową ⟨*oddawać do użytku (częściej w języku urzędowym: dokonać otwarcia drogi, mostu itp.)*⟩. **6. o.** sobie drogę ⟨*przebijać się, przeciskać; torować*⟩: Szeroką piersią jak taranem drogę sobie otwierając. *Orzesz. Mirt. 251.* Zostawało mu tylko bagnetem otworzyć sobie drogę do miasta. *Mochn. SW.* **7. o.** (przed kim) serce, głąb serca ⟨*wyjawiać komu własne, intymne uczucia, myśli; zwierzać się*⟩. **8. o.** zebranie ⟨*rozpoczynać*⟩. **9. o.** dziób, usta ⟨*rozdziawiać*⟩. **10. o.** fabrykę ⟨*uruchamiać*⟩. **11. o.** grób ⟨*odkopywać, rozkopywać*⟩. **12. o.** kłódkę, zamek ⟨*odryglowywać*⟩. **13. o.** rachunek (w banku) ⟨*zaprowadzać*⟩. **14. o.** kran, kurek ⟨*odkręcać*⟩. **15. o.** książkę, notes, zeszyt; pugilares ⟨*rozkładać*⟩. **16. o.** list, depeszę, kopertę ⟨*odpieczętowywać*⟩. **17.** *daw.* **o.** myśl, zdanie ⟨*wypowiadać, ujawniać swoje mniemanie, przekonanie, sąd*⟩: Gdy powrócił do Rzymu, otworzył zdanie swoje w senacie, aby wysłać wojsko do Afryki. *Kras. Życia VIII, 111.* **18. o.** nawias itp.: a) ⟨*w matematyce: znosić nawias i wykonywać odpowiednie działania*⟩; b) ⟨*przy dyktowaniu tekstu: wskaźnik, że od tego momentu dyktowany tekst należy ująć w nawias; dać nawias*⟩. **19. o.** oko, oczy ⟨*odmykać; budzić się*⟩: Zagłoba otworzył oko i począł nim mrugać na wpół przytomnie. *Sienk. Wołod. I, 148.* Jedno otworzywszy oko, chce jeszcze trochę pochrapać. *Tremb. Bajki 11.* **20. o.** komu oczy na co ⟨*ukazać prawdziwy stan rzeczy, pouczyć, uświadomić*⟩: Pomyślę o tym, żeby im oczy na różne rzeczy otworzyć. *Sienk. Now. VI, 275.* **21. o.** szeroko oczy na co ⟨*zdumiewać się, dziwić się*⟩. **22. o.** ogień, kanonadę ⟨*rozpoczynać, strzelanie z broni ręcznej lub armat*⟩: Gdy ofiary znalazły się na kładce zawieszonej nad dołem piaskowym, obsługa karabinów maszynowych ukryta w krzakach otwierała ogień. *Rudn. A. 323.* **23. o.** okres czego ⟨*rozpoczynać*⟩: Śmierć Kazimierza [Sprawiedliwego] otwiera nowy okres walk wewnętrznych w Polsce. *Grod. Dzieje 174.* **24. o.** przed kim perspektywy, nowe życie ⟨*stwarzać, dawać możliwości działania, nowego życia*⟩: Lektura pamiętnika Skulskiego otwiera również przed historykiem literatury ciekawe perspektywy. *Nowa Kult. 17, 1954.* Ta śmierć otwiera przed nią nowe życie. *Sienk. Bez dogm. III, 155.* **25. o.** płatki, kielichy (o kwiatach) ⟨*rozwijać, rozchylać*⟩: Młode pędy strzelają z drzew i nabrzmiałe pąki otwierają delikatne płateczki. *Rudn. H. Spart. 88.* **26. o.** ramiona ⟨*wyciągać, rozkładać*⟩: No, jak się macie? — rzekł, szeroko otwierając ramiona. *Prus Wiecz. 208.* **27. o.** scyzoryk ⟨*wysuwać ostrze z pochewki i stawiać na sztorc*⟩. **28. o.** skrzydła ⟨*rozpościerać*⟩. **29. o.** świetlicę, teatr ⟨*organizować; zakładać*⟩. **30. o.** testament ⟨*ujawniać w obecności osoby urzędowej treść pozostawionego testamentu*⟩. **31. o.** trumnę ⟨*odchylać, zdejmować wieko*⟩. **32. o.** widoki ⟨*ukazywać, odsłaniać*⟩: Zielone wzgórza zamykają tu zewsząd horyzont, drogi wiją się między nimi [...] a każdy skręt i każde wzniesienie nowe otwiera widoki. *Smol. J. Morze 96.* **33. o.** zwłoki ⟨*dokonywać sekcji zwłok*⟩: Gdy zachodzi podejrzenie zadania gwałtownej śmierci, zarządza się otwarcie zwłok

przez lekarza. *Kod. post. karn. 26.* **34. o.** c o — c z y m, np. **o.** drzwi kluczem. **35. o.** c o — z c z e g o, np. **o.** drzwi z zatrzasku.
przysł. **36** Czas wszystko otwiera, wyjawia.

otwierać się, otworzyć się 1. Dom się otwiera dla kogo ⟨*gospodarze domu chętnie kogo przyjmują*⟩: Domy zamożniejsze wyodrębniały się od mniej zamożnych i w ogóle niełatwo się otwierały dla wszystkich. *Lim. Pam. 316.* **2.** Drogi handlowe otwierają się dla kogo ⟨*jest możliwość nawiązania stosunków handlowych*⟩: Otwierały się dla Polski drogi handlowe, Gdańsk zapewnił dogodny odchód na morze Bałtyckie. *Kalin. Galic. 207.* **3.** Drzwi, podwoje (liczne, wszystkie) otwierają się przed kim ⟨*ktoś jest wszędzie chętnie przyjmowany*⟩: Przed jego uprzejmością i uczynnością wszystkie drzwi się otwierały na rozścierz. *Chłęd. Pam. I, 212.* **4.** Drzwi więzienia otwierają się ⟨*kogoś wypuszczają z więzienia*⟩: Ale w tym człowieku mieszka wielki duch [...] co go może będzie trzymać, tak długo, aż się kiedy drzwi więzienia otworzą. *Krasz. Brühl 210.* **5.** Niebo, pół nieba się otwiera (przed kim) ⟨*o kimś uradowanym, zachwyconym*⟩: Ofka była niezmiernie uradowana, już jakby pół nieba otworzyło się przed nią. *Kaczk. Olbracht. III, 371.* **6.** Oczy się komu otwierają ⟨*ktoś poznaje, uświadamia sobie prawdziwy stan rzeczy*⟩: Ale dziś mi się, panie, oczy otworzyły: sami rękawy powinniśmy zakasać albo, panie, kaput! *Żer. Opow. II, 119.* **7.** Perspektywy, widoki na przyszłość otwierają się przed kim ⟨*jest możliwość działania, rozwijania działalności*⟩: Wpływy „Proletariatu" coraz bardziej rosły. [...] Otwierały się przed partią nowe, szerokie perspektywy. *Prolet. 143.* **8.** Przepaść się między kim a kim otwiera ⟨*powstają różnice (poglądów), nieporozumienia nie dające się pogodzić; nie ma podstaw do pogodzenia się, do porozumienia się*⟩: Teraz wiedział już, że nic, do śmierci, nie zdoła wyrównać przepaści, jaka się między nimi otworzyła. *Perz. Las 229.* **9.** Rana, przetoka, wrzód otwiera się ⟨*odnawia się; nie goi się*⟩: Otworzyła się u Grzegorza na ręce pierwsza większa rana. *Sier. Dno 267*; *przen.* Otwierają się rany serca: Nie zagojone rany jego serca otworzyły się, ścisnął go żal głęboki. *Sienk. Ogn. II, 177.* **10.** Serce czyje otwiera się czemu: a) ⟨*ktoś podlega działaniu czego, lubuje się w czym*⟩: Serce starszego brata Krzysztofa otwierało się chciwie kadzidłom czci powszechnej. *Szajn. Szkice III, 230*; b) ⟨*ktoś zwierza się z czego*⟩: Najmilszym mi jest darem twoja przyjaźń szczera: tej się me serce zawsze z ufnością otwiera. *Niemc. Warn. 347.* **11.** Stanowisko, urząd, wakans otwiera się ⟨*jest możliwość otrzymania stanowiska, urzędu, wakansu*⟩: A właśnie w chorągwi, w której pan Skrzetuski porucznikował, otwierał się wakans po panu Zakrzewskim. *Sienk. Ogn. I, 80.* **12.** Upusty niebieskie otworzyły się ⟨*lunął deszcz rzęsisty*⟩: Biegła [...] ostatkiem sił, chwytając w spieczone usta powietrze, a tymczasem upusty niebieskie otworzyły się nad jej głową. *Sienk. Now. II, 90.* **13.** Usta się komu otworzyły ⟨*zaczął mówić, przemówił*⟩. **14.** Widok otwiera się na co ⟨*ukazuje się, roztacza się*⟩: Z okien moich otwiera się widok na pola. *SW.* **15.** *przen.* Ziemia otwiera się przed kim: Czasem mi się zdaje, że się ziemia otwiera przede mną i chce mnie pochłonąć. *Kaczk. Murd. II, 45.*

otwór 1. o. drzwiowy, okienny ⟨*wolna przestrzeń zaprojektowana w murze w celu połączenia budynku z otoczeniem; okno, drzwi*⟩: Przeciągi wiały na przestrzał pustymi otworami okiennymi. *Krucz. Sidła 127.* **2. o.** gębowy, nosowy, ustny; wydechowy; wlotowy, wylotowy ⟨*początek albo koniec przewodu*⟩. **3. o.** ssący ⟨*otwór, przez który się coś wchłania*⟩. **4. o.** ślepy ⟨*nie mający wylotu*⟩. **5.** *górn.* **o.** wiertniczy: a) ⟨*miejsce, w którym przeprowadzone były wiercenia w celu poszukiwania złóż kopalin użytecznych, np. ropy naftowej*⟩; b) **o.** a. odwiert ⟨*otwór wiertniczy oddany do użytkowania, tj. do eksploatowania złoża ropy naftowej, gazu ziemnego, wody mineralnej lub wody użytkowej*⟩; c) ⟨*przewód o niewielkiej średnicy wykonany w skale w celu założenia i odpalenia materiału wybuchowego*⟩: Przepisy górnicze regulują sposób obchodzenia się z otrzymanym materiałem, ładowania go do otworów wiertniczych i samo strzelanie. *Sęcz. Ochr. 25.* **6. o.** c z e g o: **o.** groty, sieni; **o.** rany, źrenicy. **7. o.** karabinu, armaty; lufy ⟨*wylot*⟩: Przed otworami karabinów i armat stały nieporuszone tłumy ludu. *Gill. Wspom. 15.* **8. o.** n a c o ⟨*wycięcie*⟩: W masce są otwory na oczy. *SW.* **9. o.** w c z y m ⟨*szpara, szczelina*⟩: Księżyc znalazł gdzieś otwór w obłokach i rzucił plamę srebrnej, drżącej łuski na dalekie wody. *Tyg. Ilustr. 8, 1904.* **10.** Wybić, wyciąć, wyłamać; wypiłować, wywiercić; zagrodzić, założyć, zamknąć, zapchać, zasłonić, zatkać **o. 11.** Stać otworem ⟨*być, pozostawać otwartym*⟩: Zastała mieszkanie stojące otworem, zamek od drzwi wyłamany. *Dygas. Now. V, 106.* Dopadł pałacu, drzwi stały otworem. *Słow. Ben. 297.* **12.** *przen.* Coś stoi przed kim otworem ⟨*nie ma przeszkód do osiągnięcia czego*⟩: Droga do urzędów i zaszczytów stała przed nim otworem. *Hist. star. 105.* **13.** *przen.* Świat (stoi) otworem przed kim: Siedzi u nas, choć cały świat przed nim otworem. *Sienk. Dram. 6.*

owacja 1. Długotrwała, serdeczna, żywiołowa **o. 2. o.** kwiatowa: Akt się kończył, rozpoczęła się dla primadonny owacja kwiatowa. Miotano kwiaty z lóż i krzeseł. *Wędr. 7, 1901.* **3.** Przyjmować owacje: Ozięble i niechętnie przyjmował [Lelewel] te owacje, nawet nie kłaniając się za nie, jakby one nie dla niego były. *Filarec. 141.* **4.** Przyjmować kogo z owacją (z owacjami). **5.** Urządzić (na cześć kogo), zgotować komu owację.

owad 1. o-y błonkoskrzydłe, łuskoskrzydłe, prostoskrzydłe; roślinożerne; tęgopokrywe. **2.** Bzykanie, brzęczenie owadów. **3.** Rój owadów.

owadobójczy Proszek **o.**, środki **o-e.**

owak 1. Tak i **o.**; i tak, i **o.**; i tak, i siak, i **o.** ⟨*w różny sposób; różnie, jakkolwiek*⟩: Tłumaczył się z tego przed ludźmi tak i owak. *Orzesz. Bene 77.* W małżeństwie bywa i tak, i owak. *Chodź. SW.* **2.** Ni tak, ni **o.** ⟨*ni to, ni owo, wymijająco*⟩: Odpowiadał mi ni tak, ni owak. *SW.* **3.** Nie można z nim ni tak, ni **o.** ⟨*w żaden sposób, ani w prawo, ani w lewo*⟩. **4.** Nie tak i nie **o.** ⟨*inaczej niż się przypuszcza*⟩: Zawsze na dwoje babka wróży. Nie tak i nie owak, a jakoś być musi. *Reym. Fron. 227.*

owaki 1. Taki czy **o.**: Wyjaśnić jego początki, to nie znaczy wcale ustalić, kiedy stoczona została pierwsza bitwa, zawarty taki czy owaki traktat. *Jasien. Świt 26.* **2.** *przestarz.* Taki **o.** ⟨*z pogardą, obelżywie o człowieku: byle jaki, marny, głupi, głupiec*⟩: Nie jestem ja znowu taki owaki. Mam i ja swój osobisty honor. *Żer. Biała 100.* **3.** *euf.* Ty taki **o.**! ⟨*wyzwisko*⟩: Naubliżać komu od takich owakich.

owal o. twarzy ⟨*zarys, układ twarzy, zwłaszcza jej dolna część*⟩: Jakaś smętność i zaduma słodki owal twarzy mroczy. *Konopn. Poezje II, 52.*

owca 1. o. ciemnorunna, domowa, dzika, górska, hodowlana, karakułowa, kożuchowa, mleczno-wełnista, stepowa; *przen.* zbłąkana **o.**: Nie lubię tułać się po świecie jak zbłąkana owca. *Orzesz. SPP.* **2.** Hodowla owiec; stado owiec. **3.** Strzyc **o-e. 4. o-e** beczą.

przysł. **5.** Kiedy owce strzygą, na baranie skóra drży. **6.** Kto ma owce, ten ma, co chce. **7.** Kto ma owce i pszczoły, ten gospodarz wesoły. **8.** Nie o owce mu idzie, tylko o wełnę. **9.** Wilkowi owcę poruczono.

owczy 1. o. ser. **2. o-a** ruń, **o-e** runo; **o-a** skóra. **3. o-e** stado ⟨*złożone z owiec*⟩.

owdzie Tu i **o.** (ówdzie), tam i **o.** ⟨*tu i tam, w niektórych miejscach, miejscami, gdzieniegdzie*⟩: Było jeszcze widno, ale tu i owdzie, na tle sinawego powietrza, drgały już bladym światłem elektryczne lampy. *Perz. Las 40.*

owędy Tędy i **o.**, tędy **o.**: a) ⟨*tu i tam, tu i ówdzie, wszędzie, we wszystkich kierunkach*⟩: Sam Szymszel chodził tędy owędy, aż natknął się na pana Niechcica i Katelbę. *Dąbr. M. Noce II, 94*; b) ⟨*tak i owak, w różny sposób*⟩: Próbuję z wami i tędy i owędy... *Roztw. Przepr. 114.*

owiany o. c z y m, np. **o.** wiatrem, mgłą, oparem, śniegiem; *przen.* **o.** niepokojem, smutkiem, melancholią: Z tajoną chytrością wbił wzrok w owianą niepokojem twarz Mianowskiego. *Kow. W. Rodz. 14.* **o.** duchem czego: Ośrodkiem najpoważniejszym naukowym na Śląsku była w XIII i w pierwszej połowie XIV wieku wrocławska szkoła katedralna, owiana jeszcze podówczas duchem polskim. *Piw. Hist. 166.*

owieczka 1. Parszywa **o.** ⟨*o człowieku złym, źle czyniącym*⟩: Niech tylko w stadzie szkolnym znajdzie się owieczka parszywa, dziecko zepsute lub z jakim złym nałogiem, to połowę stada albo i całe gorszy. *Prósz. Czyt. 8.* **2.** Zbłąkana **o.** ⟨*grzesznik, odstępca*⟩.

owies *przysł.* **1.** I w Paryżu nie zrobią z owsa ryżu. **2.** Siej owies w błoto, będziesz zbierał złoto.

owoc 1. Cierpki, niedojrzały, przejrzały, słodki, soczysty **o. 2. o-e** cytrusowe ⟨*cytryny, pomarańcze, mandarynki itp.*⟩. **3. o-e** jagodowe, pestkowe, ziarnkowe. **4. o.** pozorny, rzekomy, szupinkowaty ⟨*u niektórych roślin: owoc powstały z rozrośniętej zalążni słupka wraz z dnem kwiatowym, na którego powierzchni lub wewnątrz którego mieszczą się właściwe owocki*⟩. **5. o.** zakazany ⟨*to, co dla kogo z jakichś względów jest niedozwolone*⟩: Popłatniejsze trochę lekcje pozwalały mi na zakosztowanie niejednego zakazanego owocu. *Dąbr. Ig. Śmierć 48.* **6. o.** zbiorowy, złożony ⟨*owoc niektórych roślin (np. malin) powstały z większej ilości słupków zrośniętych ze sobą i sprawiających wrażenie jednolitego tworu*⟩. **7.** *przen.* **o-e** działalności, doświadczenia, trudów, zwycięstwa itd. ⟨*rezultaty, wyniki, plony, skutki*⟩. **8.** *przen.* **o.** małżeństwa ⟨*dziecko*⟩: Żona moja umarła, zostawiwszy mi córeczkę, jedyny owoc małżeństwa naszego. *Bogusł. W. Henryk 98.* **9.** Doczekać się owoców swej pracy. **10.** Wyd(aw)ać **o-e**: Jestem dziś szczęśliwy, widząc, że moje nauki, moje wskazówki, moje rady, wydały tak błogie owoce. *Jun. Now. 239.* **11.** Zbierać, zrywać **o-e. 12.** Po owocach ich poznacie ich. **13. o-e** się zawiązują, dojrzewają, opadają.

owocarski Przetwórstwo **o-e.**

owocny ⟨*dający rezultat, skuteczny, korzystny*⟩ **1. o-a** praca, dyskusja; **o-e** usiłowania: Mimo zmęczenia gadali jeszcze, leżąc na swych posłaniach w cieple i zaciszu, rozkoszując się wypoczynkiem po ciężkiej, lecz jakże owocnej pracy. *Meis. Sams. 79.* **2. o.** d l a k o g o, c z e g o: Ciekawe opowiadały szczegóły o tym okresie młodości, najwięcej owocnym dla jego umysłu. *Ask. SW.* **3. o.** w skutkach.

owocowy 1. Drzewka **o-e. 2.** *chem.* Cukier **o.** ⟨*fruktoza*⟩. **3.** Gorzelnictwo, przetwórstwo **o-e. 4.** Lody, przetwory **o-e**, wino **o-e** ⟨*z owoców*⟩. **5.** Muszka **o-a** ⟨*owad niszczący owoce*⟩. **6.** Sad **o.**

owocożerny Zwierzęta **o-e.**

owszem I **o.** ⟨*wyrażenie zastępujące twierdzenie, wyrażające zgodę na co, przyznanie racji; oczywiście, naturalnie, właśnie, a jakże, rozumie się, bardzo chętnie, bez wątpienia*⟩: Dzień był i owszem bardzo cudny i nie nazbyt gorący, niebo jasne, rozsłonecznione i pełne ptasiego świergotu. *Reym. Fron. 161.*

ozdabiać, ozdobić 1. o. c o — c z y m: **o.** salę stylowymi meblami; ścianę freskami; włosy klamrą, szyję naszyjnikiem. **2. o.** kogo medalem, krzyżem ⟨*nagradzać, obdarzać*⟩: Udał się do Petersburga na wydział prawny, który ukończył ozdobiony złotym medalem. *Zielon. L. Wspom. 118.*

ozdoba 1. o-y architektoniczne, kamieniarskie, rzeźbiarskie ⟨*elementy, motywy zdobnicze*⟩. **2. o-y** retoryczne, stylistyczne ⟨*figury, stanowiące elementy stylu*⟩. **3.** W całej ozdobie ⟨*w całej krasie, piękności, okazałości*⟩: Dziś piękność twą w całej ozdobie widzę i opisuję, bo tęsknię po tobie. *Mick. Tad. 9.* **4.** *przen.* Ktoś jest, stanie się ozdobą czego ⟨*ktoś jest, stanie się chlubą, dumą czego*⟩: Przepowiadano młodemu autorowi, że stanie się ozdobą polskiego Parnasu, perłą literatury, chlubą narodu. *Skiba Poziom. 217.* Taki człowiek jak pan jest ozdobą każdego domu. *Prus Przem. 165.* **5.** Mieć na sobie **o-y** ⟨*upiększenia, strojne dodatki*⟩: Nie miała na sobie żadnych ozdób, nie miała brylantów, jaśniała tylko poważną i dziwną pięknością. *Korz. J. Koll. 200.* **6.** Dla ozdoby, ku ozdobie czego (robić co) ⟨*dla ozdobienia, przystrojenia, upiększenia czego*⟩: Rozkazał wznieść rozmaite gmachy ku ozdobie i wygodzie miasta. *Kras. Życia X, 157.*

ozdobić p. **ozdabiać**

ozdobny 1. Kamienie **o-e** ⟨*używane jako ozdoba*⟩: Inne odmiany [krzemionki] używane [...] jako kamienie ozdobne, to ametyst, szafir, cytryn, jaspis, chalcedon, onyks i agat. *Płomyk 19, 1953.* **2.** Ogrodnictwo **o-e** ⟨*mające na celu uprawę roślin ozdobnych*⟩. **3. o-a** proza, **o.** styl ⟨*obfitująca(-y) w przenośnie i zwroty retoryczne*⟩. **4.** Rośliny, kwiaty **o-e** ⟨*uprawiane dla celów zdobniczych*⟩. **5.** Sukno **o-e**: Do najwyższych gatunków zaliczamy sukna ozdobne, używane na wypustki, wyłogi, lampasy itp. Wyrabiane są one z najprzedniejszej wełny australijskiej. *Kryń. J. Towarozn. II, 99.* **6.** Szkło **o-e** ⟨*zdobiące*⟩. **7. o-e** wydanie (dzieł) ⟨*o pięknej szacie graficznej*⟩.

oznaka 1. o. honorowa, wojskowa ⟨*godło, odznaka*⟩: W [...] szafie przechowywał zacny major mundury swoje wojskowe, epolety różnego stopnia, które kolejno zdobywał, i oznaki honorowe, które pierś jego zdobiły. *Jordan Pam. I, 52.* **2. o-i** zewnętrzne czego ⟨*objawy*⟩: Wrzał gniewem, którego oznaki zewnętrzne na tym tylko polegały, że czoło chmurzył i nozdrza nadymał. *Jeż Rotuł. 295.* **3. o.** c z e g o, np. **o.** gniewu, radości, uszanowania, zadowolenia; zdrowia: Z oznakami najwyższego uszanowania odprowadził do drzwi swego gościa. *Prus Wiecz. 15.* Rumieniec nie zawsze jest oznaką zdrowia — gorączka niekiedy wypędza go na oblicze. *Choj. Alkh. IV, 167.* **o-i** życia ⟨*znaki, objawy*⟩: Zaledwie słabe oznaki życia dawał. *Niemc. Jan 132.* **4.** Coś jest oznaką dobrego wychowania. *SFA.* Zjadł obiad na mieście, co mu się rzadko zdarzało i co już było pewną oznaką wykolejenia. *Goj. Rajs. I, 106.*

ozór 1. Jadowity, obmierzły **o.** ⟨*o osobie złośliwej, plotkarskiej, uszczypliwej*⟩. **2.** Wieprzowy, wołowy **o.** ⟨*potrawa z wieprzowego, wołowego ozora*⟩. **3.** Rozpuścić **o.** ⟨*napleść, mówić co niepotrzebnie, bez sensu, bez zastanowienia, nie kontrolować tego, co się mówi*⟩. **4.** Lizać ozorem; wywiesić **o.** (o psie). **5.** *pogard.* Pytlować ozorem ⟨*dużo i szybko mówić*⟩: Skaranie boskie! Pytlujesz [...] tym ozorem, nie można myśli zebrać. *Kosiak. Rick. II, 85.*

ożenić (się) 1. o. k o g o z k i m: Nie wiem, skąd ubrdałyśmy sobie, że ożenimy go z naszą ukochaną panną Józefą. *Warsz. młod. 44.*

przysł. **2.** Ożenienie za wczesne często bywa bolesne. **3.** Rannego wstania, rannej siejby i rannego ożenienia jeszcze nikt nie żałował. **4.** Bieda z biedą jak się ożeni, to się urodzi nędza. **5.** Kto się ożeni, ten się odmieni. **6.** Kiedy się ożenić, to z ładną panną. **7.** Ożenił się głód z nędzą i wydali płacz.

ożyć, ożywać 1. Duch w kim ożył ⟨*ktoś nabrał otuchy, zapału do czego*⟩: W mieszkańcach duch na nowo ożył, rzucono się do wzmocnienia miasta. *Oppman San Domingo 71.* **2.** Miłość, przyjaźń ożyła ⟨*odrodziła się*⟩: Odnaleźli się kilka miesięcy temu i przerwana przyjaźń ożyła na nowo. *Rudn. H. Spart. 207.* **3.** Oczy ożyły, twarz ożyła ⟨*oczy nabrały wyrazu, życia, blasku, stały się ruchliwe, żywe, wyraziste; twarz się ożywiła, nabrała wyrazu*⟩: Podniosła powieki, nagle ożyła jej cała twarz. *Jackiew. Wiosna 137.*

ożywienie 1. o. w czym, w dziedzinie czego. **2.** Z ożywieniem (mówić, zwrócić się do kogo) ⟨*z żywością*⟩. **3.** Wpadać w **o.**: Okazał się pojętnym słuchaczem i pani Barbara wpadała w coraz większe ożywienie. *Dąbr. M. Noce IV, 156.*

ożywiony 1. o-a rozmowa (toczy się, wywiązała się) ⟨*żywa, gorąca*⟩. **2. o.** handel, ruch ⟨*intesywny*⟩. **3. o-a** korespondencja ⟨*częsta wymiana listów, pisywanie do wielu osób i utrzymywanie tej łączności*⟩: Utrzymywać z kim ożywioną korespondencję. **4.** Materia, przyroda **o-a** ⟨*obdarzona życiem, żyjąca*⟩. **5.** Ktoś jest **o.** czym (uczuciami jakimi) ⟨*przejęty*⟩: Dał się poznać i pierwej, i później, jako człowiek zdolny, gorliwy, ożywiony uczuciami patriotycznymi. *Korzon Woj. III, 161.* **6.** Rozwijać ożywioną działalność ⟨*działać energicznie na jakimś polu, w jakiejś dziedzinie*⟩: Partia nasza rozwija niezwykle ożywioną działalność wydawniczą. *Dzierż. Pisma 165.* **7.** Utrzymywać z kim **o-e** stosunki towarzyskie ⟨*często bywać u znajomych, przyjaciół i przyjmować ich u siebie*⟩: Była lubiana, utrzymywano z nią ożywione towarzyskie stosunki. *Hertz P. Słow. 13.*

Ó

ósemka 1. ó. czegoś (np. masła) ⟨*opakowana kostka (masła) ważąca 1/8 kg*⟩. **2.** Książka w ósemkę ⟨*in octavo*⟩. **3.** *pot.* Jechać ósemką, wsiąść do ósemki ⟨*jechać tramwajem, wsiąść do dramwaju linii oznaczonej numerem 8*⟩. **4.** *sport.* Robić ósemki ⟨*robić ewolucję w łyżwiarstwie przypominającą kształtem cyfrę osiem*⟩: Przypasał jej łyżwy i zaczęli robić ósemki, ująwszy się za ręce. *Reym. Now. I, 425.* **5.** Wywijać, zakreślać ósemki ⟨*linie w kształcie cyfry osiem*⟩: Wywijał batem świszczące jak strzały ósemki. *Kosiak. Rick. II, 39.*

ósmy 1. ó-a część, jedna **ó-a** ⟨*jedna część całości podzielonej na osiem równych części*⟩. **2.** *pot.* **ó.** krzyżyk ⟨*o wieku człowieka, który skończył siedemdziesiąt lat*⟩. **3.** Żakiet siedem ósmych ⟨*długi, sięgający prawie kolan*⟩.

ów 1. A to, a owo; a to to, a to owo; to i owo; i to, i owo; że to, że owo ⟨*w wyliczaniu: wyrażenie zastępujące człony zdań lub zdanie wyodrębnione, ale bliżej nie sprecyzowane*⟩: W te pędy powinnaś lecieć. A nie, żebyś mi odszczekiwała, a to to, a to owo. *Mort. Wawrzek 181.* **2.** Ni to, ni owo, ani to, ani owo ⟨*wyrażenie ekspresywne, uwydatniające słaby stopień wyodrębnienia, typowości; coś nieokreślonego, niewyraźnego, niezdecydowanego, niezrozumiałego*⟩: Już potem tak z nim rozmawiali jak z kobyłą w błocie, ni to, ni owo. *Dygas. Now. VII, 194.* **3.** Ni z tego, ni z owego ⟨*bez powodu, przyczyny, wyjaśnienia, nie wiadomo skąd, dlaczego i po co*⟩: Ni z tego, ni z owego wszczęła się kłótnia. *SW.* Ni z tego, ni z owego wypalił do mnie list esencjonalnie poetyczny. *Słow. Listy I, 325.* **4.** Ten i ów, ten czy ów, ten lub ów, raz ten, raz ów ⟨*niejeden (spośród wielu); ktoś wybrany, wyróżniony z wielu*⟩: Zaczął iść powolnym, spacerowym krokiem, zatrzymując się co chwila, aby jakimś gestem zwrócić uwagę na ten lub ów szczegół swoich wywodów. *Par. Niebo 124.* **5.** *daw.* Tam i ów ⟨*w różne strony, na coraz to inne miejsce, coraz to gdzie indziej; tam i sam*⟩: Na łące dziewy i panny służebne ujrzałem, tam i ów się krzątające. *Słow. Król 31.*

ówczesny Ówczesnym obyczajem, zwyczajem ⟨*według obowiązującego wówczas zwyczaju*⟩: Włosy nosił ówczesnym zwyczajem długie, związane z tyłu czarną wstążką. *Sienk. Leg. 117.*

P

pacha 1. Po **p-y**: a) ⟨*po ramiona*⟩: Wyjęła sześć par białych, długich po pachy rękawiczek. *Zar. Wędr. 257.* Założywszy pod głowę ramiona obnażone aż po pachy, zapatrzyła się gdzieś błędnie. *Berent Ozim. II, 11.* Woda sięgała po pachy; b) *przestarz.* ⟨*po pachwiny*⟩: Śnieg upadł po pachy. *Pot. SW.* **2.** Pod pachą ⟨*pod ramieniem; między ramieniem a bokiem*⟩: Dźwigać, mieć, nieść (teczkę, książki); przyciskać (kolbę karabinu); ściskać, trzymać (kapelusz, parasol) pod pachą. Zrobił mi się wrzód pod pachą. *SW.* Robić co (np. iść, stać, biec) z czymś pod pachą: Wszedł z książką pod pachą. Kelner nadbiegł z serwetką pod pachą. **3.** Pod pachę ⟨*pod ramię; w dołek ramienny; między ramię a bok*⟩: Włożyć, wsadzić, wsunąć termometr pod pachę. Zabrać węzełek (zawiniątko, manatki, książki itp.) pod pachę. **4.** *pot.* Brać (wziąć), chwytać, podtrzymywać, prowadzić, ująć kogo pod pachę a. pod **p-y** ⟨*ująć pod ramię albo pod ramiona*⟩: Wziąłem ją pod pachę i zapuściliśmy się w głąb lasku. *Prus Now. I, 286.* Kilku studentów wzięło pod pachy gospodynię i wyprowadziło ją za drzwi. *Skiba Poziom. 168.* **5.** Brać się, (wziąć się) pod **p-y**: a) ⟨*ujmować się wzajemnie pod ramiona; przen. wspomagać się wzajemnie*⟩; b) a. w **p-y** ⟨*w boki*⟩: Wziął się pod pachy i gwizdał. *Oss. SW.* Stefan z boku stojąc, wziął się w pachy i przypatruje. *Krasz. Pam. 175.* **6.** Pić, ściskać, uciskać pod pachami ⟨*o stroju*⟩: Surdut pije go pod pachami. *SW.* Pocić się pod pachami. **7.** Skroić (szerzej), wyciąć, wykroić pachę ⟨*miejsce na rękaw*⟩. **8.** Strzelać spod pachy ⟨*nie mierząc, trzymając broń pod ramieniem*⟩. **9.** Szew może trzasnąć pod pachą ⟨*w miejscu, gdzie wszyty jest rękaw*⟩. **10.** *pot. środow.* Ubaw po **p-y** ⟨*doskonała zabawa*⟩.

pachnący (o osobie): Wpadła wystrojona i pachnąca, jadąc na jakiś raut. *Krasz. Czarna 190; przen.* Naokoło spoczywała jeszcze pachnąca, wielka cisza. *Morc. Wyrąb. I, 100.*

pachnąć, pachnieć 1. p. aromatycznie, cudownie, delikatnie, ładnie, mocno, odurzająco, przyjemnie, silnie, brzydko, okropnie, smakowicie. **2.** Coś pachnie ⟨*wydaje zapach, wonieje*⟩: Jaśminy, róże, wrzosy pachną. Co tu tak pachnie? Pachnie dym, pachnie żywica. *Was. W. Rzeki, 574.* **3.** Pachnie czym, ktoś (coś) pachnie czym a. od kogo czymś pachnie ⟨*zapach czego albo od kogo (czego) rozchodzi się, bije*⟩: Pachnie perfumami, świeżością, żywicą, miodem, świeżym chlebem, jabłkami, czosnkiem; stęchlizną, farbą itp. Z daleka pachniało od niej perfumami. *Górs. H. Tory 170; przen.* Pachnie wiosną, jesienią: Deszcz ustał, powietrze pachniało wiosną. *Tyg. Ilustr. 127, 1870.* **4.** Coś od niego złodziejstwem pachnie ⟨*wygląda na złodzieja*⟩. *SW.* **5. p.** c z y m (d l a k o g o, d l a c z e g o) ⟨*grozić, mieć konsekwencje*⟩: Wiesz, czym to pachnie? — kryminałem. Ten występek gardłem pachnie. *Troc.* Pachnie śmiercią, sznurem, szubienicą, guzem ⟨*grozić śmiercią itd.*⟩: Ta zbrodnia [...] pachnie sznurem dla niego samego. *Słow. Beatr. 197.* **6. p.** c z y m ⟨*być, wydawać się jakimś, zakrawać, wyglądać na co*⟩: Wszystkie takie definicje pachną zbytnio papierem. *Nowa Kult. 3, 1954.* Pachnieć trupem za życia. - Niech ciebie [kaduk] porwie z twymi horoskopami. [...] bo to, prawdę mówiąc magią pachnie. *Chodź. Pisma I, 442.* Pachnieć skandalem. - To pachnie czymś niedobrym. *Nowak K. Tak było. 56.* **7.** Komuś czymś pachnie ⟨*ktoś coś wyczuwa, czegoś się domyśla*⟩: Pachnie mi to zdradą. *SPP.* **8.** Pachnie wojną ⟨*zanosi się na wojnę*⟩: Wojną jakoś pachniało w tym czasie. *Konopn. Balcer 341.* **9.** Coś komu pachnie ⟨*coś komu odpowiada*⟩: Wypieszczona, wychuchana [...] Nie pachną jej nasze kąty. *Twórcz. 8, 1953, 52.* **10.** Coś (ktoś) komu pachnie ⟨*ktoś myśli o czym, pragnie czego, coś nęci kogo*⟩: Wiem ja dobrze, kędy żonka ci pachnie, a tak mi się zdaje, że już wielki czas jest po temu. *Kaczk. Olbracht. III, 180.* Jednemu wojenka pachnie, drugiemu uczty. *Sienk. Wołod. I, 38.* Cygan jej pachnie! *Krasz. Chat. I—II, 49.* Znam ja świat, ludzi i wiem, co im pachnie. *Sewer Nafta III, 151.* **11.** Ani mi to śmierdzi, ani pachnie ⟨*jest mi obojętne*⟩. **12.** I to pachnie, i to nęci: Osiołkowi w żłoby dano W jeden owies, w drugi siano. Uchem strzyże, głową kręci, I to pachnie i to nęci. *Fredro A. Jow. 156.*

przysł. **13.** Najlepiej pachnie, kto niczym nie pachnie.

pachnidło 1. Silne, wonne **p.** ⟨*płyn, pomada pachnąca*⟩. **2. p.** do rąk, do twarzy, do włosów. **3.** Woń pachnideł. **4.** Pokropić, skropić przesycić pachnidłem. **5.** Posmarować włosy pachnidłem. **6.** Odurzać, wonieć pachnidłami: Przesadzali się w elegancji [...] i wonieli pachnidłami o pół mili. *Szujski Portr. 78.*

pachnieć p. **pachnąć**

pacht 1. p. dożywotni ⟨*dzierżawa, arenda dożywotnia*⟩. **2.** Oddać, (wy)puścić co w **p.**: Chcą robotnika zaprzedać kapitaliście, a wieś oddać w pacht dziedzicom i bogaczom. *Bor. Kron. 19.* **3.** Robić co pachtem: To są krowy, co pachtem je doi. *Konopn. Balcer 12.* **4.** Trzymać co w pachcie: W pachcie trzymała krowy dworskie. *Dygas. Zając 86.* **5.** Wziąć w **p.**: Poza swymi przewagami [...] wzięła w pacht wszystkie centra kulturalne. *Boy Znasz. 24.*

pacierz • ⟨*modlitwa*⟩ **1.** Codzienny, (po)ranny, wieczorny; cichy, krótki; wspólny; zaduszny, pogrzebny, pokuty; różańcowy **p. 2.** Słowa pacierza. **3. p.** za kogo; za co; na intencję kogo, czego: za zmarłego; na intencję rodziców; do Przemienienia Pańskiego. **4.** *przen.* Na drutach jaskółki czernieją jak nuty, wedle których wiatr śpiewa swych westchnień pacierze. *Staff L. Poezje III, 96.* **5.** Po upływie kilku pacierzy; w kilka pacierzy; w dwa, trzy (za dwa, trzy) **p-e** ⟨*w krótkim czasie*⟩: Wyszedł i po upływie kilku pacierzy wrócił. *Prus Plac. 186.* W kilka pacierzy dwoje sanek zajechało przed dom. *Sienk. Wołod. I, 108.* W trzy pacierze prawie się skończyła ta uczta. *Konopn. Balcer 236.* **6.** Dzwonić na **p-e. 7.** Odklepać, trzepać pacierz(e). **8.** (U)klęknąć do pacierza. **9.** Zmówić, szeptać, mruczeć, mamrotać **p.** (**p-e**). **10.** Odprawiać **p-e** [nie: pacierz]. **11.** Mówić, powtarzać, umieć, znać co jak **p.** ⟨*doskonale, biegle, płynnie*⟩. **12.** *przestarz.* Jeszcze on zmówi za ciebie **p.** ⟨*przeżyje cię*⟩. **13.** *daw.* Odmawiać parszywe **p-e** ⟨*przeklinać, wymyślać po cichu*⟩. **14.** *daw.* Powiedzieć komu **p.** ⟨*reprymendę, naganę*⟩. **15.** Powtarzać (jak) za panią matką **p.** ⟨*powtarzać rzecz wyuczoną, bezmyślnie; naśladować kogo albo co bezkrytycznie*⟩. **16.** Coś dzieje się, trwa **p.**, dwa, trzy **p-e** ⟨*krótką chwilę, niedługo*⟩: Wszystko nie trwało dłużej nad dwa pacierze. *Sienk. Pot. V, 128.* **17.** Robić co dwa, trzy... dziesięć pacierzy ⟨*robić co określoną ilość czasu*⟩: Położył się krzyżem na posadzce i tak leżał z jakie dziesięć pacierzy. *Kaczk. Olbracht. II, 63.* **18.** Nie minął (jeden) **p.**, nie wyszedł **p.** a... ⟨*nie wiele czasu upłynęło, a...*⟩: Nie wyszedł pacierz, a z kotła już jadło dymi. *Konopn. Balcer 108*
• *gw.* ⟨*kręgosłup, krzyż*⟩ **19.** Mrowie mu przez **p.** przeszło.

pacierzowy 1. Rdzeń **p.** ⟨*substancja nerwowa znajdująca się w kręgosłupie*⟩; *przen.* ⟨*istota rzeczy, rzecz podstawowa, istotna*⟩. **2.** *anat.* Stos **p.** ⟨*kręgosłup*⟩. **3.** *pot.* krzyż **p.**: Złamał sobie krzyż pacierzowy i wcale bez jęku dał ducha Bogu. *Kaczk. Olbracht. I, 231.*

paciorek ⟨*koralik, perełka*⟩ **1.** Błyszczące, różnokolorowe, szklane **p-i. 2. p-i** naszyjnika, różańca a. różańcowe, korali a. koralowe, bursztynu a. bursztynowe. **3.** Sznur(ek) paciorków. **4.** Oczy (okrągłe) jak **p-i.** Dzień do dnia staje się podobny, jak dwa paciorki w różańcu. *Sienk. Now. III, 11.* **5.** *przen.* **p-i** (z) rosy. Okrągłe paciorki oczu śmiały mu się, były pełne radości. *Grabow. J. Opow. II, 151.* **6.** Nawłóczyć, nizać **p-i** (na nitkę, na sznurek). **7.** Naszywać, wyszywać co paciorkami: Koszyczek włóczkowy naszywany szklanymi paciorkami. *Sienk. SPP.*

pacyfikacja 1. Bezkrwawa, krwawa, stopniowa **p. 2. p.** kraju. **3. p.** tumultu ⟨*uśmierzenie*⟩. **4.** Przeprowadzić pacyfikację czego a. w czym (kraju; w okolicy, we wsi).

paczka 1. p. żywnościowa a. z żywnością, **p.** zagraniczna ⟨*przesyłka*⟩. **2. p.** z czym: ze słodyczami, z odzieżą, z książkami. **3. p.** książek, broszur, gazet, weksli, rachunków, banknotów, listów ⟨*plik*⟩. **4.** *przen.* Zebrała się paczka drobnych spraw, które na święta wygnały nas do Warszawy. *Weys. Żywot 232.* **5. p.** tytoniu, zapałek, herbatników ⟨*określona ilość tytoniu itp. w opakowaniu*⟩. **6. p.** sprawunków ⟨*tobołek, pakunek*⟩. **7.** Obładowany paczkami. **8.** Doręczyć paczkę. **9.** Wysłać paczkę (pocztą). **10.** Podać paczkę (więźniowi). **11.** Otrzymywać **p-i** ⟨*przesyłki*⟩. **12.** Owinąć w co (w papier) paczkę. **13.** Rozpakować, rozwinąć, zapakować paczkę. **14.** Włożyć co do paczki. **15.** Zebrać co w paczkę (pieniądze itp.). **16.** Związać w paczkę (listy). **17. p.** przychodzi, nadeszła (z poczty). **18.** *przen.* **p.** ⟨*grupa, grono, towarzystwo*⟩: Dobrana, zgrana **p.**, **p.** kolegów, znajomych, chłopców, wyrostków itp. **19.** Pójść gdzie, włóczyć się całą paczką: Kiedyś, wychodząc nad ranem z jakiegoś kabaretu całą paczką nad Wisłę. *Warsz. młod. 277.*

padać, paść 1. Paść jak długi (na ziemię) ⟨*upaść (na ziemię) całym ciałem*⟩. **2.** *przestarz.* (bić, uderzać, walić itp.) gdzie padło ⟨*nie patrząc gdzie, gdzie popadło*⟩: Gdy ojciec tylko gdzie bądź zdybał zaraz harapem po głowie, gdzie padło; trzeba było dobrze zmykać, żeby mniej dostać. *Łus. Pam. 24.* **3. p.** twarzą a. na twarz przed kim ⟨*w pokłonie kłaść się na ziemię*⟩: Cesarz odbierał cześć boską, poddani padali przed nim na twarz. *Hist. star. 262.* **4.** Paść grochem a. jak groch na ścianę ⟨*nie dać rezultatu, nie odnieść skutku*⟩: Projektowano reformę: ale głosy padły grochem na ścianę. *Tyg. Ilustr. 143, 1870.* Pochlebiał sobie może, że słowa jego nie padną jak groch na ścianę. *Tarnow. Stud. III, 9.* **5.** Paść ofiarą czego ⟨*zostać porwanym, zrabowanym przez kogo; stać się ofiarą kogo, czego*⟩: Scypion padł ofiarą zdrady tych, którym by najbardziej ufać był powinien. *Kras. Życia X, 101.* **6.** Paść rażony apopleksją, pod kulami a. od kuli, w pojedynku, na posterunku, pod razami, batami ⟨*zginąć*⟩. **7.** Paść rannym ⟨*zostać zranionym (zwykle w bitwie)*⟩. **8.** Paść trupem ⟨*zginąć, zwykle gwałtownie*⟩. **9.** Niech trupem padnę ⟨*wykrzyknienie oznaczające zapewnienie czego, rodzaj przysięgi*⟩: Niech tu trupem padnę, jeślim tego mało sto razy na własne oczy nie widział. *Sienk. Pot. I, 257.* **10.** Paść zemdlonym, bez zmysłów ⟨*zemdleć, stracić przytomność*⟩: Padła zemdlona na ręce Marysi. *Skarb. Starosta 145.* Zranił mi głowę, tak iż padłem bez zmysłów. *Prz. Tyg. Życia 3, 1875.* **11.** Paść na co ⟨*upaść*⟩: Paść na kanapę, na krzesło, na ziemię. **12.** Paść na miecz ⟨*przebić się mieczem*⟩: Brutus [...] złorzecząc losowi przeciwnemu cnocie, padł na miecz, który ostrzem do piersi obrócił, i tak życia dokonał. *Kras. Życia IX, 290.* **13.** *przestarz.* Paść na myśl ⟨*powziąć myśl, wpaść na myśl*⟩: U nas pierwszy Gallus cudzoziemiec, nie mogąc znaleźć historii, padł na szczęśliwą myśl zbierania podań i piosnek jeszcze żyjących. *Wiszn. Lit. I, 185.* **14.** Paść na wznak ⟨*upaść do tyłu na plecy*⟩. **15.** Paść na podatny (dobry) grunt, na podatną glebę, na dobrą rolę, na urodzajną niwę: Idee Kołłątaja padły na dobry grunt. *Fiedl. F. Konst. 40.* **16.** Paść (na polowaniu) ⟨*zostać ustrzelonym, ubitym*⟩: Na ostatnim polowaniu kółka myśliwskiego padło 2 dziki, 5 lisów i 25 zajęcy. **17. p.** od czego a. z czego ⟨*ginąć od czego*⟩: Padać od noża, od kuli; z wycieńczenia itp. Ludzie i zwierzęta padali z gorąca, a na polach i drzewach zaczął osiadać szary pył, pod którym umierają rośliny. *Prus Far. II, 45.* **18. p.** pod czym ⟨*zosta(wa)ć zwalonym przez co, przez uderzenie czego*⟩: Pada piękny łan jęczmienia pod sierpami stu żniwiarzy. *Witw.*

Piosnki 32. Puszcze padły pod siekierami. *Rodz. Dew. 150; przen.* Padaliśmy pod ciężarem trudów, pod chłostą okrucieństwa i toporem niezasłużonej kaźni. *Święt. A. Duchy 253.* **19.** Paść p o d k i m ⟨*o koniu: w czasie jazdy upaść (zdechnąć lub zostać zabitym)*⟩. **20.** Paść pod toporem ⟨*o drzewach: być ściętym*⟩: Dość drzew pod toporami padło: jedne dla tego, że widok zasłaniały, drugie, że były dobre na opał. *Jun. Pan. 59.* **21. p.** przy egzaminie ⟨*nie zdać egzaminu*⟩: Egzamin literacki, zwłaszcza jego część piśmienna, klauzurowa, jest to jedyny egzamin, przy którym procent padających zwykle wynosi połowę. *Jęz. Pol. 1938, 71.* **22.** Paść w gruz ⟨*rozpaść się w gruzy*⟩; *przen.* Niepodobna też nie widzieć, że w ciągu ostatnich lat kilkunastu zaszły olbrzymie wprost różnice obyczajowe, że padło w gruz wiele barier. *Boy Flirt VI, 284.* **23. p.** w próżnię ⟨*nie znajdować oddźwięku, nie mieć następstw, skutku*⟩: Zdawało się, że bierze go na cel, w obawie, by to, co powie, nie padło w próżnię. *Par. Niebo 77.* **24.** *przestarz.* **p.** w zwątpienie ⟨*wątpić o czym; popadać w zwątpienie*⟩: Tysiące ludzi padło w zwątpienie, tysiące opanował strach paniczny przed wszystkim, co się radykalnym zdawało. *Szujski Portr. 120.* **25.** Paść w boju, w walce, na polu walki, paść za ojczyznę ⟨*zginąć*⟩: Wielu starych, wyćwiczonych żołnierzy padło w krwawych bojach. *Bobrz. Dzieje III, 128.* **26.** Padać z c z e g o ⟨*tracić siły, omdlewać*⟩: Padać ze znużenia, zmęczenia, wycieńczenia. **27.** Paść z ręki kogo ⟨*zostać przez kogo zabitym*⟩: Wolę paść z ręki zdrajców, niż sam zdradzać żonę. *Fel. Barb. 39.* **28.** *książk.* Coś pada ciężarem komu, na kogo, na czyją duszę, na serce ⟨*coś gnębi kogo*⟩: Śmierć zaś jej ciężarem wielkim na serce by mu padła. *Gomul. Mieszczka 213.* **29.** Coś pada komu na duszę ⟨*ktoś odczuwa coś, doznaje jakiegoś stanu*⟩: Każde jej słowo jak krople balsamu padało na moją duszę i budziło w niej wiarę i otuchę. *Lam J. Głowy III, 76.* Staremu zaduma na duszę padła. *Konopn. Now. IV, 22.* **30.** *pot.* Coś pada komu na wątrobę ⟨*coś komu dokucza, coś kogo gnębi, leży na wątrobie*⟩: Zastał Marynę spłakaną i bardzo złą. — Czegóż się mażesz?... Co ci znowu padło na wątrobę? *Dygas. Now. I, 121.* **31.** Akcent, nacisk pada na c o ⟨*zostaje położony; coś albo jakaś strona czego zostaje uwypuklona*⟩: Z konieczności główny nacisk paść musiał na stronę polityczną dziejów. *Grod. Dzieje, s. VIII.* **32.** *sport.* Bramka, rekord pada ⟨*punkt w grach sportowych zostaje uzyskany przez jedną ze stron; rekord zostaje pobity*⟩. **33.** *książk.* Cień smutku pada na twarz czyją ⟨*smutek uwidacznia się na czyjej twarzy*⟩: Na twarz panny Adeli padł cień smutku. *Prus Emanc. I, 54.* **34.** Cios pada (skąd, z czyjej ręki) ⟨*ktoś zadaje cios, uderza*⟩: Nie wiedział, z czyjej ręki padł cios i gdyby nawet odważył się na skargę, nie mógłby wskazać sprawcy. *Święt. A. Twinko 143.* **35.** Śnieg pada. Rosa pada (na ziemię). **36.** Głosy (czyje) padają na kogo ⟨*ktoś opowiada się za kim, głosuje na kogo*⟩. **37.** Grom pada ⟨*bije*⟩: A burza wyje coraz wścieklej, grom po gromie pada. *Dzierzk. Szpic. 189.* **38.** Gromy padają na czyją głowę ⟨*ktoś jest ostro krytykowany, zwalczany; na kogoś oburzają się, pomstują*⟩. **39.** Hasło, rozkaz, sygnał, znak pada ⟨*jest dany*⟩: Czekali, aż [...] padnie sygnał wymarszu. *Żukr. Dni 162.* Naprzód! — padł rozkaz. *Wikt. Papież 390.* **40.** Krew czyja pada na kogo a. między kogo ⟨*śmierć czyja obciąża kogo albo jest powodem czego*⟩: Może krew moja na duszę wam padnie i zbudzi śpiący głos sumienia. *Rap. Maćko 52.* Krew padła między nich i nienawiść wyrosła. *Sienk. Ogn. I, 70.* **41.** Lęk, popłoch, strach, trwoga itp. pada na kogo ⟨*kogoś ogarnia lęk itd., ktoś doznaje uczucia lęku itd.*⟩: Padły na mnie lęki i powątpienia. *Kremer Listy II, 285.* Cóż to za popłoch padł na was? *Przybysz. Współ. II, 120.* Na całą Litwę wielka padła trwoga. *Mick. Ball. 15.* **42.** Liście padają z drzew ⟨*opadają*⟩. **43.** Miasto padło ⟨*poddało się, zostało zdobyte*⟩. **44.** Mrok pada na co ⟨*ściemnia się, robi się ciemno*⟩: Spostrzegł, że jest w Saskim Ogrodzie, na który zaczął już padać mrok wieczorny. *Prus Wiecz. 263.* **45.** Nazwisko czyje pada ⟨*zostaje przez kogoś wymienione (w rozmowie, na zebraniu itp.)*⟩. **46.** Obłęd pada na kogo ⟨*ktoś jest dotknięty obłędem*⟩. **47.** *pot.* Bieda pada na kogo ⟨*ktoś znajduje się w trudnej sytuacji, w kłopotach*⟩: Ech!... albo to raz bieda padnie na człowieka, a musi się nie dawać? *Prus Plac. 245.* **48.** Pomroka pada komu na oczy ⟨*ktoś traci (chwilowo) wzrok*⟩: Stałem jeszcze pod oknem, ale już nic nie widziałem. Jakaś pomroka padła mi na oczy, w głowie mi się kręciło, a w uszach dzwoniło. *Sztyrm. Katalept. II, 61.* **49.** Pytania, słowa (jakieś a. czego) padają ⟨*są wypowiadane*⟩: W czasie dyskusji padały różne pytania. Z ust bardziej krewkich padały pod nosem i obelżywe słowa. *Berent Ozim. I, 49.* **50.** Rdza pada na co ⟨*coś rdzewieje, pokrywa się rdzą*⟩: Liście zaś na drzewach jedne pożółkły, drugie czerwieniły się, jakby na nie rdza padła. *Jun. Pan. 151.* **51.** Słońce pada prosto w oczy ⟨*świeci*⟩. **52.** Strzał pada ⟨*ktoś strzela*⟩. **53.** Sztuka, utwór pada ⟨*nie ma powodzenia, schodzi szybko ze sceny*⟩: „Młodzi bohaterowie" sztuka nieznanego autora pada po dwóch przedstawieniach. *Boy Słowa 121.* **54.** Trup (gęsty) pada ⟨*w bitwie: ludzie giną, zostają zabici*⟩: Trup padał gęsty, bo tam mąż uderzał na męża, miecz na miecz. *Sienk. Ogn. II, 158.* **55.** Wybór (czyj) pada na kogo ⟨*ktoś zostaje wybranym przez kogo*⟩: Wybór jego padł na znanego nam już O. Janickiego. *Szujski Roztrz. 61.* **56.** (Wielka, główna) wygrana pada na loterii (na los loterii) ⟨*wylosowany numer loterii wygrywa*⟩; *przen.* Twoja uroda jest twoim wszystkim: losem na loterii, na którą wielka ma paść wygrana! *Wilk. P. Tak II, 107.* **57.** Wzrok czyj pada na co, oczy czyje padają na co ⟨*ktoś spogląda, kieruje wzrok na co*⟩: Wzrok jego padł na fotografię matki, zawieszoną nad łóżkiem. *Zap. G. Mił. 360.* **58.** Zaraza pada na zwierzęta, rośliny: Zaraza padła na kartofle. *Kłosy 340, 1872, 6.* **59.** Zwierzęta padają na jakąś chorobę, zarazę a. od jakiejś choroby, zarazy ⟨*zdychają*⟩: Zwierzęta i ptaki padały od jakiejś nieznanej choroby. *Sienk. Pot. I, 157.*

padół *poet.* Ziemski **p.**, **p.** płaczu ⟨*ziemia*⟩: Mieszkaniem swoim ziemski padół darzy, ale jest córką szczęśliwego Nieba. *Karp. Zab. VII, 52.* Osiemdziesiąt lat mija jak biedulę na tym padole płaczu. *Rzew. H. Pam. 110; przen. żart.* Koleżkowie kpinkowali, że ja już w łonie matki, w randze sześciomiesięcznego embriona, oczekując chwili wydostania się na ten padół rachunku różniczkowego, rozwiązywałem z nudów algebraiczne zadania o gońcach. *Żer. Opow. 8.*

pajac 1. Robić z siebie pajaca: a) ⟨*udawać głupca*⟩: Krystynie wydawało się oburzające, żeby człowiek, który ma rację, musiał z siebie robić pajaca i uciekać się do sztuczek. *Breza Niebo II, 185*; b) a. z kogo pajaca ⟨*traktować kogo jako głupca*⟩: Tego już stanowczo za dużo, nie dam z siebie robić pajaca. *Iwasz. J. Lato 63.* **2.** Wyglądać na pajaca ⟨*na błazna*⟩: Gdyby który z nas w infule wyszedł na ulicę, obawiam się, że dopiero wtedy wyglądałby na pajaca. *Boy Flirt. V, 119.*

pajęczyna 1. Biała, srebrna, wątła, wiotka **p. 2.** Nitka, siatka, sieć pajęczyny. **3.** *przen.* **p.** muślinu; **p.** marzeń, planów, **p.** zmarszczek ⟨*siatka*⟩. **4.** Cienki, słaby jak **p.** (o materiale). **5.** O(b)mieść, poo(b)miatać ze ścian, z mebli pajęczynę a. ściany, meble z pajęczyny; *przen. zł.* Omieść pajęczynę ⟨*skraść bieliznę ze strychu*⟩. **6.** O(b)motać kogo czym jak pajęczyną ⟨*starać się pozyskać, omamić, usidlić kogo czym*⟩: Obmotywał go śpiewnym gadaniem jak pajęczyną. *Gomul. Ciury I, 87.* **7.** Rwać się jak **p.**; *przen.* Wszystkie sprawy rwą się w ręku jak pajęczyna. *Orzesz. Eli II, 203.* **8.** Zasnuć pajęczyną (okno, otwór, przejście). **9.** Zaplątać się w pajęczynę (o musze). **10. p.** wisi, zwisa, zwiesza się; snuje się w powietrzu.

paka ● 1. p. drewniana ⟨*skrzynia służąca jako opakowanie*⟩. **2. p.** z desek. **3. p.** c z e g o: a) ⟨*plik, tobół złożony z czego*⟩: **p.** gazet, listów, korespondencji, banknotów; b) a. z c z y m ⟨*pudło, skrzynia wypełniona czym*⟩: **p.** ciastek, bakalii, książek, żywności, węgla itp. **4. p.** do c z e g o [nie: dla czego] ⟨*skrzynia służąca do czego*⟩. **5. p.** n a c o ⟨*skrzynia przeznaczona na co*⟩: **p.** na węgiel, na książki. **6. p.** o d c z e g o a. p o c z y m ⟨*używana do czego*⟩: **p.** od węgla a. po węglu; **p.** po obrazach. **7.** Dźwigać, nosić **p-i** ⟨*ciężary*⟩. **8.** Ładować **p-i** (na wóz, na statek). **9.** Pakować co w **p-i** (owoce, puszki z konserwami itp.). **10.** Wysłać pakę (pocztą). **11.** Załadować (wóz, wagon, magazyn) pakami.

● *gw. wojsk.* ⟨*areszt*⟩. **12.** Dostać się, iść, pójść do paki. **13.** Siedzieć, przesiedzieć (tydzień) w pace. **14. p.** grozi komu.

● **15.** *pot.* ⟨*grupa ludzi*⟩: Była tych ochlapusów i moczymordów w Wołkowicach setna paka — ale Wacio był ich herszt, król. *Zeg. Zmory 188.*

pakować 1. p. c o ⟨*układać, związywać w tobołki*⟩: Pakować rzeczy. **2. p.** plecak, tornister, walizkę. **3. p.** owoce, szkło, porcelanę ⟨*umieszczać w pudle w skrzyni zabezpieczając odpowiednio od uszkodzenia*⟩. **4.** *pot.* **p.** k o g o — d o c z e g o a. n a c o: a) ⟨*nalegać, aby ktoś gdzie wszedł albo zajął miejsce; kłaść go, wpychać*⟩: **p.** chorego do łóżka; dzieci do wagonu; rannego na wóz; pasażerów na statek; b) ⟨*umieszczać, wtrącać, zamykać*⟩: **p.** kogo do aresztu, do więzienia; do klasztoru; **p.** kogo do wojska ⟨*zmuszać do służby w wojsku*⟩. **5. p.** c o — d o c z e g o a. w c o: a) ⟨*wkładać*⟩: **p.** palec do buzi, kawały chleba do ust; rękę do kieszeni; kartofle do worka albo w worek; b) ⟨*dodawać*⟩: **p.** cebulę do kotletów; c) ⟨*umieszczać, ładować*⟩: **p.** kartofle do piwnicy, bagaże do wagonu; d) *przen.* ⟨*wprowadzać*⟩: Nie jestem tego zdania, aby do języka narodowego pakować słowa łacińskie. *Śniad. Pisma III, 13.* **6. p.** komu co do głowy a. w głowę ⟨*uczyć kogo forsownie*⟩: Pakowano mu do głowy mnóstwo niepotrzebnych wiadomości. **7. p.** komu kulę (w głowę, w pierś, w brzuch) ⟨*strzelając do kogo ranić go w głowę itp.*⟩. **8. p.** c o — n a c o ⟨*załadowywać*⟩: Pakować meble na samochód. **9. p.** c o — w c o (w interes, w ziemię) ⟨*wkładać dużo wysiłku, pieniędzy w co*⟩: Wszystkie pieniądze pakował w mieszkanie. **10. p.** co — w paczki, w pudełka ⟨*układać w określonych ilościach*⟩: **p.** zapałki w paczki po 10 pudełek; czekoladę w pudełka półkilogramowe; bawełnę w wielkie paki. **11. p.** co — w siebie ⟨*jeść dużo i łapczywie, opychać się czym*⟩: Łapczywie pakował w siebie chleb i mięso. *Jeż Uskoki II, 24.* **12. p.** na kogo obowiązki ⟨*nakładać na kogo obowiązki, obarczać kogo obowiązkami*⟩: Za dużo na niego pakujecie obowiązków. *Kowalew. S. Bliżej 178.*

pakt 1. p. polsko-radziecki, francusko-angielski itp. **2. p.** nieagresji, pokoju, przyjaźni. **3. p.** wojenny. **4. p.** m i ę d z y k i m a k i m: W listopadzie 1937 r. przystąpiły Włochy do „paktu antykominternowskiego", zawartego w r. 1936 między Niemcami a Japonią. *Piw. Monachium 38.* **5.** Podpisać, zawrzeć, zmontować, zerwać **p. 6.** Przystąpić do paktu ⟨*przyłączyć się*⟩. **7.** *przestarz.* Ułożyć pakta ⟨*zawrzeć porozumienie*⟩. **8.** *przestarz.* Wdać się w pakta z kim ⟨*zacząć pertraktacje; zawrzeć przymierze, sprzymierzyć się z kim*⟩: Podobno z czartami wdawszy się w pakta na niemałego pana się wykierował. *Kaczk. Gniazdo 25.* **9.** *daw.* Poprzysiąc pakta ⟨*potwierdzić pakt przysięgą*⟩: Żółkiewski otoczony starszyzną przystąpił do ołtarza i położywszy nań rękę, poprzysiągł w imieniu Władysława zawarte pakta. *Moracz. Dzieje VII, 71.* **10. p.** staje (między kim a kim).

pal 1. p. drewniany, żelazny; podwodny; mostowy ⟨*drąg zaostrzony*⟩. **2.** Dom, osada, most na palach: Zbudować dom na palach. **3.** Ciosać **p-e. 4.** Wbić, wbijać, zabić, zabijać **p-e** (graniczne) (w dno rzeki, jeziora). **5.** Przywiązać łódkę do pala u brzegu rzeki. *SW.* **6.** Ginąć, konać, umierać na palu ⟨*skończyć życie będąc wbitym na zaostrzony słup*⟩. **7.** Nawlec, wbić na **p.**: Straszliwy ten rodzaj kary był tym straszniejszy, że ofiary nawleczone na pal żyły czasem przez trzy dni. *Sienk. Wołod. III, 144.* Wezyr zaś przysiągł, że hardego magnata wbije na pal. *Prus Wiecz. 185.*

palący 1. p. ból ⟨*dojmujący, dokuczliwy*⟩. **2. p-a** ciekawość ⟨*nie dająca spokoju, zmuszająca do działania*⟩. **3. p-e** dotknięcie warg, **p-e** pocałunki ⟨*namiętne*⟩. **4. p-a** ironia ⟨*gryząca, zjadliwa*⟩. **5. p.** rumieniec, wstyd ⟨*piekący; przykry*⟩. **6. p.** smak czego (wódki) ⟨*piekący; ostry*⟩. **7. p-e** słońce, **p.** wiatr (pustyni) ⟨*piekące(-y)*⟩. **8. p-e** spojrzenie, oczy ⟨*wpatrujące się w kogo uporczywie, namiętnie*⟩. **9. p-a** sprawa, konieczność, **p-e** zagadnienie ⟨*pilna(-e), nie cierpiąca (-e) zwłoki*⟩. **10.** Przedział, wagon dla palących (tytoń).

palec 1. Serdeczny, średni, wielki, wskazujący **p. 2. p.** u ręki, nogi. **3. p-e** cienkie, długie, kościste; drżące, zgrabiałe. **4.** Bębnić palcami (po stole, po szybie). **5.** Podejść, skradać się, wsuwać się, wyjść, wysunąć się na palcach ⟨*ostrożnie, po cichu*⟩. **6.** Chuchać w **p-e** (z zimna). **7.** Gnieść co w palcach (np. orzechy). **8.** Grać, brzdąkać, wystukiwać melodię jednym palcem. **9.** Gryźć **p-e** (ze złości). **10.** Jeść palcami. **11.**

Nie móc palcem ruszyć, poruszyć (z powodu choroby). **12.** Nosić na palcu, ściągnąć z palca (pierścionek). **13.** Miąć co w palcach (papier, kapelusz). **14.** Obrócić się, wykręcić się na palcach. **15.** Podnieść (uroczyście) dwa **p-e** do góry ⟨*na znak przysięgi, przyrzeczenia*⟩. **16.** Pokazać, wskazać kogo, co palcem. **17.** Przebierać palcami (po instrumencie, po stole). **18.** Skaleczyć się, zaciąć się w **p. 19.** Spleść, zapleść **p-e. 20.** Stać, stanąć na palcach, wspiąć się na **p-e** (aby coś sięgnąć a. zobaczyć). **21.** Strzelić, (s)trzepnąć palcami. **22.** Trzymać **p.** na cynglu. **23.** Z palcem na cynglu (czekać, czatować itp.). **24.** Wpić się palcami w co: w poręcz krzesła, we włosy. **25.** Wyczuwać co palcami. **26.** Wykręcać; wyłamywać sobie z (trzaskiem) **p-e. 27.** Łamać (z zakłopotania) **p-e. 28.** Zwinąć co w palcach (np. papierosa). **29. p-e** u rękawic ⟨*miejsca do wkładania palców*⟩. **30. p-e** drętwieją komu. **31.** Goły jak **p.** ⟨*zupełnie biedny*⟩. **32.** Mały jak **p.** ⟨*bardzo mały*⟩. **33.** Sam (jeden) jak **p.** ⟨*zupełnie sam, bez najbliższej rodziny*⟩: Zostałem sam jak palec, nie wiedząc co począć. *Dasz. Pam. I, 59.* **34.** Gruby na **p.**, na dwa, na trzy **p-e** ⟨*tak gruby jak palec, dwa, trzy palce*⟩: Słonina gruba na trzy **p-e. 35.** Na owinięcie palca; tyle, co na owinięcie palca ⟨*maleńko, niewiele, troszeczkę, nic zgoła*⟩: Przysięgał, że wszystko wydał uczciwie, dla siebie nie wziął na owinięcie palca. *Żer. Uroda 316.* Jeśli fałszu dopatrzysz choć tyle, co na owinięcie palca, niech nam tu zaraz mistrz łby usiecze. *Gomul. Mieszcz. 194.* **36.** Ani palca wścibić, nie było (nie ma) gdzie palca wetknąć, palca by tam nie wcisnął ⟨*bardzo ciasno, tłoczno*⟩: Bywało, zajdzie do jakiej karczmy, a tam ani już palca wścibić. *Sienk. Wołod. I, 21.* Przez zbity tłum, gdzie już, jak to mówią, nie było gdzie palca wetknąć, przedzierać się zaczął szereg ułanów. *Żer. Char. 139.* Prastary, ciasny kościółek zapchany był tak szczelnie, że palca by tam nie wcisnął. *Żer. Uroda 31.* **37.** (Wszędzie) gdzie tknąć palcem ⟨*na każdym miejscu, na każdym kroku, w każdej dziedzinie*⟩: W bogatej naturze naszego polskiego społeczeństwa jest obok niepospolitej porcji demokracji, ogromna doza arystokracji wszędzie gdzie jeno tknąć palcem. *Szujski Portr. 59.* **38.** Być z kim jak dwa palce u ręki ⟨*żyć bardzo blisko, być w zażyłej przyjaźni z kim*⟩: Ojciec pani Jagienki był ze mną od młodu w nierozerwalnej przyjaźni. Przez całe życie byliśmy z sobą jak dwa palce u ręki. *Kaczk. Olbracht. III, 68.* **39.** Chodzić koło kogo a. czego (przed kim, przed czym) na palcach ⟨*obchodzić się z kim albo czym ostrożnie, uprzejmie*⟩: Ja nie szukam jakiegoś półbożyszcza, przed którym musiałbym chodzić na palcach. *Bliz. Rozb. 46.* W warsztacie poustawiano jakieś bańki z niebezpiecznym płynem i każą na palcach koło tego chodzić. *Berent Fach. 103.* **40.** *przen.* Dotknąć palcem czego ⟨*namacalnie się o czym przekonać*⟩: Widzę, że mówię z niewiernym Tomaszem, który nie wierzy, aż się rzeczy palcem dotknie; postawię zaraz świadka, który cię przekona. *Zabł. Mężowie 29.* **41.** *daw.* Dmuchać w **p-e** ⟨*być w wielkiej potrzebie; być gołym, łapę lizać*⟩: Przedtem dobrze w palce dmuchał, dziś karetą jeździ. *L.* **42.** Mieć długie **p-e** ⟨*kraść*⟩: Długie palce ma, lgnie mu do palców, smołę ma w ręku. *L.* **43.** Mieć co w palcach ⟨*znać się na czym, umieć co robić*⟩: Znała się na wszystkim. Każdą robotę miała w palcach. *Zar. Wędr. 136.* **44.** Mieć w małym palcu więcej (rozumu, wiedzy), niż kto inny w głowie ⟨*wiedzieć znacznie więcej od innych*⟩: Klonowski ma w małym palcu więcej rozumu niż my wszyscy w naszych głowach. *Lam J. Głowy II, 61.* **45.** Mały **p.** mi to powiedział ⟨*domyśliłem się*⟩. *Troc cyt. SW.* **46.** Nie (po)ruszyć palcem, nie chcieć do czego palca przyłożyć ⟨*nie chcieć nic zrobić*⟩. **47.** Okręcić, owinąć kogo koło a. dookoła palca ⟨*narzucić komu we wszystkim swą wolę, uczynić go uległym*⟩: Nie dała się żadnemu mężczyźnie koło palca owijać, o nie! *Kunc. Dni 239.* To wcale niezły, prostoduszny człowiek, nie ma w nim źdźbła chytrości. Owinę go dookoła palca. *Kossak Z. Krzyż. I/II. 231.* **48.** Podać, podawać komu jeden, dwa palce (na powitanie) ⟨*witać się z kim protekcjonalnie, lekceważąco*⟩: Pierwsza rzecz u nich elegancko się ubrać, by się zbliżyć do arystokratycznych kolegów, którzy im wtedy czasem protekcjonalnie podają jeden palec. *Nałk. W. Pisma 227.* **49.** *przen.* Pokazywać, wskazywać palcem ⟨*dokładnie wymieniać co, o czym wspominać*⟩: Autor przecie pokazuje palcem, że ten a ten człowiek ma te i te właściwości; a że jednocześnie pomija inne cechy, więc tym samym poprzednie wzmacnia. *Prus Studia 39.* **50.** Pokazywać, wytykać palcem a. palcami ⟨*uważać kogo za zniesławionego; zniesławiać kogo*⟩: Wstyd mi było pokazać się na ulicy... Zdawało mi się, że mnie wszyscy będą palcami wytykali. *Perz. Siostra 12.* **51.** Policzyć, zliczyć co można na palcach a. na palcach jednej ręki ⟨*czegoś jest bardzo mało*⟩: U nas sztuk nadających się do teatrów amatorskich bardzo jest niewiele i na palcach by je wszystkie zliczyć można. *Tyg. Ilustr. 116, 1870.* Na palcach jednej ręki policzyć można zakłady, które zasługują na wyróżnienie. *Gaz. Kuj. 303. 1954.* **52.** Położyć **p.** na ustach, przyłożyć **p.** do ust ⟨*gestem tym nakazać milczenie*⟩: Przyłożył palec do ust, zrobił tajemniczą minę i zaczął się rozglądać, wodząc dokoła oczyma. *Sewer Nafta II, 168.* **53.** Coś przechodzi przez czyje **p-e** ⟨*coś jest załatwione za pośrednictwem kogoś; ktoś jest zorientowany w czymś*⟩: Prowadzę meldunki. Polega to na tym, że wszystkie najintymniejsze sprawy tego domu przechodzą przez moje palce. *Nałk. Z. Gran. 73.* **54.** Puszczać przez **p-e** (majątek, pieniądze) ⟨*trwonić*⟩: Młodszy puścił przez palce cały majątek. *Żer. Opow. II, 259.* **55.** (Majątek, pieniądze) przeciekają komu przez palce ⟨*ktoś przepuszcza, trwoni pieniądze*⟩: Zarabiał dużo, ale przeciekało mu to przez palce, diabli wiedzą, kiedy i po co. *Putr. Rzecz. 469.* **56.** Przyłożyć, przykładać **p.** a. **p-e** do daszka (czapki) ⟨*o wojskowych: salutować*⟩: Oficer skłonił się przykładając palec do daszka czapki. *Żer. Uroda 390.* **57.** *daw.* Przyłożyć komu pięć palców do twarzy ⟨*spoliczkować kogo*⟩. **58.** Ssać **p-e** a. **p.** ⟨*biedować; skąpić, odmawiać sobie wszystkiego*⟩: Dziś patent z gimnazjum na wiele się nie przyda: bez grubych protekcji to nawet z dyplomem uniwersyteckim długo można ssać palce. *Syg. Wysadz. 61.* Na pieniądzach sypia, ale palec ssie. *Zar. Grusze 15.* **59.** Wyssać co z palca ⟨*zmyślić*⟩: Znalazły się dziesiątki dobrze poinformowanych osób, które powtarzały [...] dziesiątki wyssanych z palca plotek. *Brosz. Opow. 147.* **60.** Zagiąć, zakrzywić **p.** na kogo ⟨*mieć względem kogo jakieś (zwykle złe) zamiary; chcieć wyrządzić komu przykrość, chcieć szkodzić komu*⟩: Niechby kto na niego palec zakrzywił, to byśmy go na szablach rozniešli. *Sienk. Na polu 203.* **61.** Znać, umieć co na palcach a. znać co jak swoje pięć (dziesięć) palców ⟨*znać doskonale*⟩: Znał na palcach wszystkie intrygi dworskie. *Krasz. Sfinks I, 56.* Tę drogę zna jak swoje pięć palców. *Żer. Śnieg 3.*

palić 1. p. c o: a) ⟨*niszczyć ogniem*⟩: Palić dom, wieś, papiery, zwłoki w krematorium; b) ⟨*świecić czym*⟩: Palić lampę, latarkę, świecę, zapałkę, pochodnię. **2. p.** gaz: a) ⟨*paląc gaz świecić*⟩; b) ⟨*paląc gaz używać go do innych celów, np. do gotowania*⟩. **3. p.** ognie ⟨*ognisko*⟩: Czuwali ludzie i palili ognie przez noc całą. *Pol Obrazy I, 328.* **4.** *techn.* **p.** biel (z elektrolitu) ⟨*otrzymywać przez wypalanie*⟩. **5.** *przen.* **p.** kadzidła (czego) ⟨*schlebiać*⟩: Pochlebca wyśmienity, bo kpił w sercu z tych, którym kadzidła palił. *Brück. Kult. III, 333.* **p.** kadzidła pochlebstwa. **6. p.** kawę ⟨*przyrządzać za pomocą palenia*⟩; *daw.* **p.** wódkę, gorzałkę (stąd wódka przepalana a. przepalanka). **7. p.** c z y m ⟨*posługiwać się jakimś materiałem przy paleniu*⟩: **p.** węglem, drzewem, torfem, papierami itp. **8. p.** k o g o — c z y m ⟨*przypiekać*⟩: **p.** świecami, rozpalonym żelazem. Sztychowane były tablice, aby kat podług przepisu kości wyciągał i boki świecami palił. *T. Czacki. SW.* **9. p.** kogo spojrzeniem, ogniem nienawiści, zazdrości. **10. p.** na stosie: a) ⟨*spalać (np. zwłoki) na stosie*⟩: Zwłoki palono na stosie, po spaleniu gaszono ogień winem, a popioły składano do urny i chowano w mogile. *Hist. star. 62;* b) ⟨*powodować śmierć przez palenie*⟩. **11. p.** pod kotłami ⟨*utrzymywać ogień*⟩. **12. p.** w c z y m ⟨*rozniecać ogień w jakimś celu*⟩: **p.** w piecu, w kominku. **13.** Diabeł w kim pali ⟨*ktoś się czymś bardzo podnieca*⟩: Diabeł zaczął palić we mnie, poprzysiągłem sobie, choćby za cenę połowy życia, dostać ją koniecznie. *Kaczk. Murd. II, 11.* **14.** Dłonie, nogi, oczy, policzki, uszy palą kogo ⟨*pieką*⟩: Twarz rumieniec pali ⟨*piecze*⟩: Paliły mnie policzki od mrozu, gorącego mleka i wstydu. *Kow. A. Rogat. 127.* **15.** Pieniądz pali rękę czyją ⟨*kogoś krępują, oburzają otrzymane pieniądze*⟩: Kiedy on wyżebrał grosz jaki i mnie go przyniósł, mnie grosz ten rękę palił. *Orzesz. Z różnych II, 127.* **16.** Pragnienie kogo pali ⟨*dokucza komu*⟩; *przen.* Dzisiaj pragnienie pali moje piersi: chcę — nie wiem czego. *Rap. Maćko 54.* **17.** Rana pali kogo ⟨*piecze, dokucza*⟩. **18.** Wódka pali (gardło a. w gardle) ⟨*piecze*⟩. **19.** Słońce pali ⟨*przypieka*⟩. **20.** *przen.* Bruk pali komu nogi: Męczyła go i dławiła spiekota miejska, bruk palił i wykręcał mu nogi. *Żer. Syzyf. 49.* **21.** Ambicja, gorączka czynu pali kogo ⟨*nie daje spokoju, zmusza do działania*⟩: Paliła go urażona ambicja. Gdy coś postanowił, nie kapitulował łatwo. *Pytl. Fund. 58.* **22.** Chęć kogo pali ⟨*ktoś bardzo pragnie, chce czego*⟩: Paliła mnie od dawna chęć pomówienia z panem. *Twórcz. 1, 1954, 33.* **23.** Niecierpliwość pali kogo ⟨*ktoś się bardzo niecierpliwi*⟩. **24.** Pocałunek pali kogo: Niespodziewany pocałunek palił ją jak ogień, a wszystka krew wrzała w jej żyłach. *Łoz. Noce 83.* **25.** Radość pali komu pierś. **26.** Robota pali kogo ⟨*ponagla*⟩: Nie zatrzymuję dłużej waszmościów, bo i wypoczynku potrzebujecie, i mnie robota pali. *Sienk. Pot. I, 245. por.* Robota się komu pali (pod palić się). **27.** Upokorzenie, wstyd pali kogo ⟨*ktoś czuje się upokorzony, zawstydzony*⟩. **28.** Wzrok (czyj) pali kogo: Szyderczy wzrok pana Ernesta palił go jak ogień. *Pług Zagon II, 171.* **29.** Zazdrość kogo pali ⟨*ktoś doznaje uczucia zazdrości*⟩. **30.** Żądza (panowania, zemsty) pali kogo. **31.** Palony żądzą czego: Chciał gnać do bitwy, palony żądzą zemsty. *Par. Troj. 51.* **32.** Pal cię (go, was, ich itp.) sześć! ⟨*niech tam, wszystko mi jedno*⟩: Zresztą, pal cię sześć. Ja nie chcę, abyś ty na mnie narzekał. *Kosiak. Rick. II, 139.* **33. p.** komplementy ⟨*mówić, prawić komplementy*⟩: Wybornie palili komplementa do owych garderobek i pokojowych. *Polak w Paryżu 229.* **34. p.** mówki ⟨*wygłaszać przemówienia*⟩. **35. p.** (komu) prawdę ⟨*mówić*⟩: Palił w oczy każdemu gorzką prawdę. *Krasz. Int. 147.* **36. p.** reprymendę ⟨*wygłaszać*⟩: Pali mu siarczystą reprymendę o upadku dzisiejszej młodzieży. *Boy Flirt 28.* **37. p.** komu (dziesięć) kijów, batów ⟨*wymierzać określoną liczbę uderzeń kijem, batem*⟩. **38. p.** d o k o g o, co — w k o g o, w c o — z c z e g o ⟨*strzelać*⟩: **p.** do zająca. **39. p.** komu w łeb ⟨*strzelać do kogo celując w głowę*⟩; **p.** sobie w łeb ⟨*strzelając w głowę odbierać sobie życie*⟩: Półgłówki jeno w łeb sobie palą i słusznie czynią. *Choj. Alkh. IV, 59.* **40. p.** z pistoletów, z dział, **p.** na wiwat ⟨*strzelać*⟩; *żart.* Jakiejś ciemierzycy baba mnie poddała, bo paliłem z nosa jak z pistoletu. *Chodź. Pisma I, 370.*

palić się 1. p. się do czego ⟨*mieć wielki zapał do jakiejś pracy, pragnąć coś wykonywać*⟩: Opowiem wam przez drogę plan poematu. Palę się do niego. Piszę dniami i nocami. *Gomul. Ciury III, 124.* Palić się do roli (o aktorze). **2. p. się** d o k o g o a. d o c z e g o ⟨*pożądać, pragnąć kogo, czego*⟩: I czemuż na tę nimfę tak gorzko się żali, jeżeli się serdecznie dotąd do niej pali? *Tremb. Różne 100.* Księżę, tyś się wczoraj palił do mojego kasztanka i gniadosza chwalił, dziś zaraz w twym kwestarskim wozie pójdą oba. *Mick. Tad. 175.* **3. p. się** odblaskiem czego ⟨*odbijać blask czego*⟩: Włosy Marty paliły się odblaskiem zachodzącego słońca. *Jackiew. Jan 57.* **4. p. się** z ciekawości ⟨*być czego ogromnie ciekawym*⟩: Palimy się z ciekawości do następnego programu, który wejdzie na scenę już w grudniu. *Tryb. Rob. 271, 1954.* **5. p. się** ze wstydu ⟨*rumienić się, bardzo się wstydzić*⟩. **6.** Pali się pod kim ⟨*komuś się bardzo spieszy; komuś grozi w pewnym miejscu niebezpieczeństwo*⟩. **7.** Pali się (komu) w sercu ⟨*ktoś doznaje gwałtownych uczuć*⟩: W sercu się pali, w głowie się mąci. Biednaż ja, biedna. *Wol. Poezje I, 123.* **8.** Nie pali się ⟨*nie ma powodu do pośpiechu, do gwałtu, do rwetesu*⟩: Ja już muszę lecieć [...] Co takiego? Nie pali się przecież. *Perz. Siostra 73.* **9.** Niech się wali, niech się pali ⟨*niech się co chce dzieje*⟩: Siadłeś sobie w kącie, powiedziałeś: niech się wali, niech się pali, a ja sobie z boku, z boku... *Was. W. Gwiazdy 290.* **10.** *pot.* Wszystko się na nim pali ⟨*szybko się drze*⟩. **11.** Głowa czyja pali się czym a. do czego ⟨*ktoś zapala się do czego*⟩: I paliła się głowa junacka chęcią bojów i wojennych czynów. *Sienk. Pot. V, 220.* Zrobił majątek na dzierżawach, wszystkim zaraz pali się głowa do dzierżaw. *Fel. E. Syb. II, 147.* **12.** *żart.* Głowa się komu pali ⟨*ktoś jest rudy*⟩. **13.** Świeca, żarówka pali się ⟨*świeci*⟩. **14.** Oczy, źrenice czyje palą się (ogniem, blaskiem itp.) a. pali się komu w oczach ⟨*oczy czyje błyszczą*⟩: Pośród [...] twarzy bladej czarne jak aksamit źrenice paliły się ogniem bolesnym, niemal posępnym. *Orzesz. Na dnie II, 306.* Mówił żywo i zabawnie, paliło mu się w ciemnych oczach. *Weys. Żywot 70.* **15.** Gniew pali się (w oczach komu) a. czyje oczy palą się gniewem: Wściekłość miotała ludźmi, gniew palił się w oczach. *Morc. Urodzaj 105.* **16.** Niebo, zachód pali się, zorze palą się ⟨*świeci, świecą jaskrawym, czerwonym blaskiem*⟩: Zachód się palił łunami czerwono. *Asnyk Poezje I, 184.* **17.** Robota się komu pali ⟨*komuś śpieszy się z wykonaniem jakiejś roboty; ktoś ma pilną robotę do wykonania*⟩: Siedział zawsze w pierwszym rzędzie foteli [...] i rezonował. A nam paliła się robota. Nie było, naprawdę nie było czasu na takie fanaberie. *Solski Wspom. I, 232.* **18.** Robota pali się komu w rękach a. w ręku ⟨*ktoś szybko pracuje*⟩: Dawniej [...] robota paliła mi się w rękach, a teraz głowy nie mam do niczego. *Bogusz. Aniel. 124.* Dziewczynie robota paliła się w ręku. *Dąbr. M. Ludzie 29.*

palma 1. p. chlebowa, daktylowa; wysokopienna. **2.** Wachlarz, pióropusz, parasol palmy. **3. p.** ⟨*gałązka wierzbowa święcona w kościele w niedzielę palmową*⟩: Iść z palmą do kościoła. Święcić **p-y. 4.** Czapka z palmami ⟨*w dawnych szkołach: czapka z gałązkami laurowymi jako znakami szkolnymi*⟩: Miał na sobie uczniowski mundur, na głowie czapkę z palmami, na plecach tornister. *Żer. Syzyf. 144.* **5.** *przen.* **p.** pierwszeństwa, **p.** piękności, **p.** męczeństwa ⟨*wieniec, laur, korona, nagroda*⟩. **6.** Dać, przyznać komu, mieć palmę pierwszeństwa, piękności ⟨*uznać za zwycięzcę, za najlepszego; za najpiękniejszego*⟩: Nikt z nas nie będzie się zastanawiał nad tym, komu dać palmę pierwszeństwa: Wirgiliuszowi czy Homerowi. *Matusz. I. Twórcz. 85.* **7.** Ubiegać się, walczyć o palmę pierwszeństwa, *daw.* ubiegać się o palmę (za zręczność, siłę, poezję, sztukę) ⟨*w starożytnej Grecji: ubiegać się o wieniec laurowy, o najwyższą nagrodę*⟩. **8.** Przyznać komu palmę nad kim ⟨*przyznać pierwszeństwo*⟩: Rej z Nagłowic sam piszący wiersze, wnet uderzył czołem przed Kochanowskim i przyznał mu palmę nad sobą. *Syrok. Lit. II, 16.* **9.** Uzyskać **p-y** ⟨*najwyższe odznaczenie, tytuł, dyplom*⟩: Palmę doktorską w dziedzinie prawa uzyskał. *SW.* **10.** Wydrzeć (komu) palmę ⟨*wydrzeć pierwszeństwo*⟩: Lat dwadzieścia dom jego był pierwszym domem, on pierwszy w okolicy, a tu mu [...] przybywał obcy ktoś wydrzeć palmę. *Krasz. Jabł. II, 233.* **11.** Odnieść palmę męczeństwa ⟨*ponieść śmierć*⟩. *SW.*

palmowy 1. Aleja **p-a** ⟨*wysadzana palmami*⟩. **2.** Drzewo **p-e** ⟨*daktylowiec*⟩. **3. p.** gaj, las ⟨*składający się z palm*⟩. **4.** Mata **p-a** ⟨*wyrabiana z liści palmy*⟩. **5. p.** orzech, ziarno **p-e** ⟨*będący(-e) produktem palmy*⟩. **6. p-e** sklepienie (w gotyku) ⟨*w stylu gotyckim: sklepienie, którego łuki rozchodzą się z punktu środkowego wachlarzowato we wszystkie strony*⟩. **7.** *lit.* Procesja **p-a** ⟨*rodzaj prologu w przedstawieniu pasyjnym*⟩.

palnąć 1. p. k o g o, c o — w c o, p o c z y m, p r z e z c o ⟨*uderzyć*⟩: Palnął go w plecy, w kark, w głowę; po ramieniu; przez ucho. Następnego roku grad palnął po zbożach i wybił je do szczętu. *Krasz. Int. 103.* **2. p.** c z y m — o c o, w c o ⟨*rzucić, cisnąć*⟩: Palnąć garnkiem o ziemię; głową o słup; pięścią w stół, kamieniem w szybę, nogą w drzwi. **3.** *daw.* Krew palnęła komu do głowy ⟨*uderzyła*⟩: Z początku mnie to wzruszyło jakoś dziwnie aż krew mi do głowy palnęła, alem się w jednej chwili opamiętał. *Krasz. Z dzien. 65.* **4.** *daw.* **p.** komu (pięćdziesiąt) kijów ⟨*wymierzyć chłostę komu, spowodować chłostę kogo*⟩: Za lada przewinienie palnąć komu pięćdziesiąt kijów było u niego ledwie nie igraszką. *Łoz. Wal. Dwór 68.* **5. p.** d o k o g o, c z e g o — z c z e g o ⟨*strzelić*⟩: Palnąć do dzika z dubeltówki. **6. p.** kieliszek a. po kieliszku ⟨*wypić*⟩: Z powodu obmierzłej wilgoci zmuszeni byliśmy cztery razy dziennie palnąć po kieliszku wódki piołunówki. *Niemoj. J. Wspom. 237.* **7. p.** (kilka) mil drogi ⟨*przebyć kilka mil*⟩: Jeszcze tego samego dnia palnęliśmy sześć mil drogi. *Lam J. Głowy I, 63.* **8. p.** protokół, traktat, rozprawę, artykuł, anonim; wiersz poemat ⟨*napisać*⟩: Żebyście też wiedzieli, jaki protokół palnąłem... powiadam wam, piekielny. *Prus Kart. I, 42.* **9. p.** prawdę, reprymendę, komplement ⟨*powiedzieć*⟩. **10. p.** z bata, z bicza ⟨*strzelić z bata*⟩.

palny *daw.* Szkło **p-e** ⟨*zapalające*⟩: Szkło palne, które skupia w swojej soczewce wszechmocne jego [słońca] promienie. *Syrok. Lit. I, 3.*

palony 1. p. cegła, glina ⟨*wypalana*⟩. **2. p-e** pestki (bani) ⟨*przyrumieniane za pomocą palenia*⟩. **3.** Wódka **p-a** ⟨*krupnik*⟩.

palto 1. p. letnie, zimowe. **2. p.** na watolinie. **3.** Chodzić, wyjść w palcie, bez palta. **4.** Kłaść, wdziać, włożyć **p. 5.** Otulić się, zawinąć się w **p. 6.** Ubrać się w **p. 7.** Zdjąć **p.**

paluszek 1. Delikatne, małe, pulchne, różowe, zręczne **p-i. 2.** Na paluszkach ⟨*cicho, po cichu; ostrożnie, w tajemnicy*⟩: Na paluszkach, strzegąc się bacznie, żeby która tafla w posadzce nie skrzypnęła, wyszła do ogrodu. *Skiba Poziom. 10.* Wszystko odbyło się cicho, na paluszkach. *Słonim. Walki 42.* **3.** Pokazywać na paluszku ⟨*gestem tym określać wielkość albo ilość czego*⟩: [Dziewczynka] poczęła pokazywać na paluszku o jak małe wycieczki jej chodzi. *Sienk. Pust. 39.* **4.** Mój mały **p.** powiedział mi ⟨*domyśliłem się, wiem wszystko*⟩: Mój mały paluszek powiedział mi, Narcyz, że to twoja sprawka... przyznaj się. *Goj. Dziew. I, 111.*

przysł. **5.** Paluszek i główka to szkolna wymówka.

pała, pałka ● ⟨*kij*⟩ **1.** Bić, walić, uderzyć, zdzielić itp. pałą, pałką. **2.** *przen. pot.* Przeginać pałę, pałkę ⟨*przesadzać, przeciągać strunę*⟩: Słuszny i potrzebny spór z bezkrytyczną apologetyką liberalizmu [...] zaczyna prowadzić do „przegięcia pałki" w stronę przeciwną. *Pam. Lit. 1955, s. 391.*

● *uczn.* **3. p.** z historii, z matematyki itp. ⟨*zła, najgorsza ocena*⟩. **4.** Dostać, mieć, wziąć pałę: Wziąłem pałę z greckiego. Nie umiałem na pamięć Homera. *Żer. Dzien. I, 241.* **5.** Stawiać pały. Postawić, kropnąć uczniowi pałę.

● *pog.* **6.** Głupia, pała, pała jedna; tępa, zakuta pała ⟨*głupiec; hebes*⟩: Głupia pała benedyktyńska! cały świat krwawymi łzami zapłacze na niego i na ciebie, jeżeli puścisz go żywym. *Prus Wiecz. 179.* Rozumiesz to, pało jedna? *Strug Chim. II, 113.* **7.** *pog.* Golona pałka ⟨*mnich*⟩: Wziąć mi te golone pałki i zamknąć! — krzyknął jenerał. [...] niech aby z jednego działa dadzą z murów ognia, obydwóch mnichów każę natychmiast powiesić. *Sienk. Pot. III, 275.* **8.** *rub.* Nudna pała ⟨*nudziarz*⟩: To nic, obejdziemy się bez niego, nudna pała. *Reym. Ferm. II, 270.* **9.** *rub.* Szalona **p.** ⟨*narwaniec, szaleniec, awanturnik*⟩: Jak sam płochy i szalona pałka [...] podobnież w drugich złego humoru nie cierpiał. *Smol. W. Pisma III, 140.* **10.** *rub.* Mieć w pale, zalać pałę, pałkę ⟨*upić się*⟩: A pały mi w drodze nie zalej gorzałą, bo ze służby wylecisz! *Dygas. Now. V, 56.* Strzelec ostrożnie zdjął strzelbę znad łóżka [...] i zataczając się — gdyż zalał dziś nieźle pałkę — pośpieszył do domu. *Dygas. Zając 122.*

pałac 1. Okazały, słynny, wspaniały **p. 2. p.** królewski, magnacki, arystokratyczny, książęcy, biskupi; **p.** dożów (weneckich). **3. p.** czarodziejski, czarnoksięski. **4. p.** ze złota. **5.** *przen.* **p.** marzeń. **6. p.** kultury i nauki. **7. p.** młodzieży. **8.** Korpus, skrzydło, dziedziniec pałacu.

przysł. **9.** Wart Pac pałaca, a pałac Paca ⟨*wart jeden drugiego*⟩.

pałacowy 1. p. dziedziniec, ganek, pawilon, taras; **p-a** brama, komnata, sień, sala, weranda; skrzydło **p-e**, krużganki **p-e** ⟨*stanowiące część pałacu, należące do pałacu*⟩. **2.** Gwardia, służba, straż **p-a** ⟨*strzegąca pałacu, dworu panującego*⟩. **3.** Intryga, rewolucja **p-a** ⟨*dokonana w obrębie pałacu, skierowana zwykle przeciw osobie lub osobom mającym wpływ na panującego*⟩.

pałacyk p. myśliwski ⟨*służący do urządzania polowań*⟩.

pałać 1. p. c z y m ⟨*płonąć czym; pragnąć gwałtownie czego*⟩: Pałać żądzą czego (czynu, zemsty, odwetu, dowiedzenia się czego). **2. p.** niecierpliwością ⟨*bardzo się niecierpliwić*⟩. **3. p.** przepychem ⟨*bić w oczy jaskrawością kolorów, świateł*⟩: Istnieją ptaki, których upierzenie pała po prostu przepychem. *Żab. Tygr. 84.* **4. p.** c z y m — d o k o g o, c z e g o a. k u k o m u, c z e m u: Pałać nienawiścią, oburzeniem, zawiścią (do kogo, ku komu). Przybyłeś do ludu, co równie jak twój [...] pałał do swobody. *Brodz. Rozpr. 266.* **5.** *przen.* Coś pała komu, coś pała czym a. w czym: Oczy, źrenice pałają komu (niesamowitym, gorączkowym) blaskiem ⟨*błyszczą, żarzą się*⟩. Policzki pałają komu (rumieńcem) ⟨*płoną*⟩. Twarz pała komu (ogniem, rumieńcem, wstydem a. rumieńcem wstydu). Serce ogniem (miłości) pała. Myśli (gorące) pałają w czyjej głowie. Radość, uczucie, żar pała we wzroku a. w oczach czyich. Łuna pała (na niebie) ⟨*płonie, świeci jaskrawym blaskiem*⟩. Skronie pałają komu ⟨*są rozognione, rozpalone; ktoś jest rozgorączkowany*⟩.

pałka p. **pała**

pamiątka 1. Cenna, jedyna, trwała **p. 2. p.** narodowa, rodowa, rodzinna. **3. p.** c z e g o: Pamiątka przeszłości. **4.** Hydra pamiątek. **5. p.** skąd: z podróży, znad morza, z Zakopanego. **6. p.** p o k i m ⟨*rzecz pozostawiona przez kogo, zachowana po czyjej śmierci*⟩. **7.** Miłośnik, zbieracz pamiątek ⟨*pamiątkowych przedmiotów sztuki; rękopisów, listów itp. przedmiotów po znanych osobistościach*⟩. **8.** Miasto pamiątek ⟨*zabytków kulturalnych*⟩. **9.** Na pamiątkę ⟨*aby co upamiętnić; w upominku*⟩. **10.** Na wieczną rzeczy pamiątkę, ku wiecznej rzeczy pamiątce. **11.** Dać, ofiarować, przyjąć, schować, zachować co na pamiątkę: Ucałował telegram z rozczulenia i schował go na pamiątkę. *Boy Znasz 29.* Ofiarował mu zegarek na pamiątkę. Na pamiątkę proszę ode mnie przyjąć tę bagatelkę. *Szymon. W. Lichw. 114.* **12.** Wznieść co (pomnik) na pamiątkę czego (np. zwycięstwa). **13.** Wpisać się komu na pamiątkę (do albumu, do księgi). **14.** Wybić medal na pamiątkę (uroczystości, wydarzenia). **15.** Ustanowić co na wieczną rzeczy pamiątkę. **16.** *pot.* Mieć, nosić po czym, po kim a. od kogo pamiątkę ⟨*ślad*⟩: Ma pamiątkę po ospie, po bójce. Noszę od niego pamiątkę na twarzy, ale i on porządnie dostał po ramieniu. *Rzew. H. Pam. 11.* **17.** *pot.* Dam ja ci pamiątkę, nie bój się! ⟨*popamiętasz mnie!*⟩. **18.** Zostawić (po sobie) pamiątkę ⟨*rzecz pamiętną, godną pamięci*⟩: Zostawił piękną pamiątkę w ustanowieniu Katedry wymowy w akademii Krakowskiej. *Mech. Wym. I, 499.* **19.** *pot.* Zostawić komu (kobiecie) pamiątkę ⟨*o mężczyźnie: być sprawcą dziecka; zarazić kobietę chorobą weneryczną*⟩: Ach łaziła za nim jak nieprzytomna po ulicy, pamiątkę jej zostawił, musiała się jej pozbywać u lekarza. *Kurek Oc. 173.* **20. p.** zostaje po kim.

pamiątkowy 1. p. album, obraz, pierścień, sztych, zegarek itp. ⟨*będący pamiątką po kim lub po czym*⟩: Przypomniał sobie, że u Janka [...] oglądał kiedyś pamiątkową papierośnicę złotą — spadkową po jakimś stryju. *Breza Niebo 103.* **2. p-a** budowla ⟨*zabytkowa*⟩. **3.** Fotografia **p-a**, zdjęcie **p-e** ⟨*wykonane na pamiątkę czego*⟩. **4.** Tablica **p-a**; kamień **p.** ⟨*tablica, kamień ku czci kogo*⟩. **5. p.** znaczek pocztowy ⟨*związany z jakimś jubileuszem lub uroczystością*⟩.

pamięciowy 1. Metoda (nauczania, uczenia się), nauka **p-a** ⟨*polegająca na uczeniu się wszystkiego na pamięć*⟩. **2.** Obraz, rysunek, szkic **p.** ⟨*wykonany z pamięci*⟩. **3.** Opanowanie **p-e** (przedmiotu, tekstu, roli w sztuce) ⟨*przez pamięć*⟩: Niezupełne opanowanie pamięciowe roli nie pozwoliło dostatecznie cieniować szczegółów. *Boy Flirt. I, 106.* **4.** Rachunek **p.** ⟨*dokonywany w pamięci*⟩.

pamięć ● ⟨*zdolność zapamiętywania*⟩ **1. p.** chłonna, dobra, gruntowna, niesłychana, niepospolita, niezawodna, wierna, wyborna, zadziwiająca, słaba, językowa, muzyczna, słuchowa. **2.** Przeciążenie, utrata, zanik, zaćmienie pamięci. **3. p.** d o c z e g o: do tytułów, do cyfr, do twarzy. **4.** Dla pamięci ⟨*aby nie zapomnieć*⟩: Zanotować co dla pamięci. Zawiązać supełek dla pamięci. **5.** Bez pamięci: a) ⟨*bez przytomności*⟩: (U)paść bez pamięci. Pochylony nisko nad szufladą, tonął znów bez pamięci w białych, kropkowanych kartkach. *Sier. Now. 57.* Upić się bez pamięci ⟨*do nieprzytomności*⟩; b) ⟨*nieprzytomnie, bez opamiętania, niepowściągliwie*⟩. **6.** Na **p.**: a) ⟨*pamięciowo; tak aby powtórzyć, wymienić z pamięci*⟩: (Na)uczyć się czego; (wy)kuć co na pamięć (np. lekcję). Umieć, znać co na pamięć (np. wiersz, utwór, czyje wady); b) *przestarz.* ⟨*po omacku*⟩: Iść w ciemności na pamięć. *SW.* Trafić gdzie na **p.** Ogoliłem się po ciemku, na **p. 7.** W pamięci ⟨*pamięciowo, nie rachując na piśmie*⟩: Wykonać działanie arytmetyczne w pamięci. **8.** Z pamięci ⟨*z głowy, nie posługując się tekstem; szkicem, modelem*⟩: Cytować deklamować, wygłaszać (wiersz), wykładać, wyliczać; rysować, malować z pamięci. **9.** *pot.* Za (świeżej) pamięci ⟨*póki się pamięta, na świeżo, od razu*⟩: Trzeba będzie jutro za pamięci znieść ze strychu ten zamykany koszyk. *Dąbr. M. Noce III, 185.* Załatwić rzecz za świeżej pamięci, nie odkładając jej. *SW.* **10.** Za mojej, za jego, za ludzkiej pamięci ⟨*w okresie czasu, który czyjaś pamięć ogarnia*⟩: Modrzew za mojej pamięci sadzony wyrósł w potężne drzewo. *Chłęd. Pam. II, 339.* Za ludzkiej pamięci nie zdarzyło się nic podobnego w mieście. *Grusz. An. Żak 273.* **11.** Jeśli mnie **p.** nie zawodzi ⟨*jeżeli dobrze pamiętam*⟩: Zobaczylibyście się panowie, jeśli mnie pamięć nie zawodzi, po raz pierwszy od ośmiu lat. *Brand. K. Troja 110.* **12.** Jak pamięcią sięgnąć, jak **p.** sięgnie ⟨*od dawna, stale, jak ktoś może zapamiętać*⟩: Jak pamięcią sięgnąć, on i Gabryś po świecie chodzili [...] różności wyrabiali. *Bogusz. Kura 26.* Łąką, trawnikiem było to istotnie kiedyś przed stu, może przed dwustu laty i dalej het precz, jak tam pamięć sięgnie. *Konopn. Ludzie 364.* **13.** Budzić co w pamięci (obrazy przeszłości, wspomnienia). **14.** Mieć krótką **p.**: a) ⟨*nie móc czego zapamiętać, nie mieć zdolności zapamiętywania*⟩; b) ⟨*nie chcieć pamiętać o czym*⟩: Krótką mam pamięć? wątpisz? okrutna! na przekonanie — bądź dzisiaj z rana. *Ordon Poezje 66.* **15.** Mieć (dobrą) **p.** czego a. do czego ⟨*mieć zdolność zapamiętywania czego*⟩: Mieć (dobrą) **p.** ludzkich twarzy. Nie mam pamięci do nazwisk. **16.** Mieć co na pamięci a. mieć na pamięci, że... ⟨*pamiętać, uświadamiać co sobie*⟩: Tylko się nie zapominajmy i miejmy na pamięci, że łatwiej znosić brak przyjemności, niż ich używać umiarkowanie. *Dygas. Pióro 138.* **17.** Mieć co w pamięci ⟨*pamiętać co (dokładnie)*⟩. **18.** Nie dowierzać (swej) pamięci. **19.** Odjąć komu pamięć ⟨*pozbawić kogo pamięci*⟩: Wenus widocznie pomieszała ci zmysły, odjęła rozum, pamięć i dar myślenia o czymkolwiek innym jak miłość. *Sienk. Quo I, 183.* **20.** Odtworzyć (sobie) co w pamięci. **21.** Odzyskać **p. 22.** Coś komu przychodzi, nie przychodzi na **p.** ⟨*ktoś przypomina sobie coś, nie może sobie czegoś przypomnieć*⟩: Nazwisko jego nie przychodzi mi na pamięć. *SW.* **23.** Stracić **p.**: a) ⟨*stracić zdolność zapamiętywania, nie pamiętać nic, co było*⟩; b) a. Stracić **p.** rzeczy ⟨*stracić przytomność, świadomość*⟩: Przymknęłam oczy i straciłam pamięć rzeczy, które mię otaczały. *Orzesz. Pam. I, 8.* **24.** Szukać w pamięci (odpowiedniego wyrazu). **25.** Tracić **p.** (o czym). **26.** Coś ulatuje, wylatuje, wypada, wychodzi komu z pamięci (wzory matematyczne, wiadomości, obraz czego a. kogo) ⟨*wyszło, wywietrzało z pamięci*⟩. **27.** (U)tkwić komu w pamięci: Jego usiana zmarszczkami twarz o jasnych, zmętniałych oczach utkwiła mi w pamięci. *Brand. K. Troja 137.* Podania tkwią w pamięci tych leśnych ludzi bardzo żywo. *Sienk. SPP.* **28.** Utrwalić w pamięci. **29.** Wbić sobie co w **p.** ⟨*utrwalić w pamięci*⟩. **30.** Wypaść z pamięci: Dość raz na nią rzucić okiem, a nie tak łatwo wypadnie z pamięci. *Łoz. Wal. Dwór 13.* **31.** Wryć się w czyjej pamięci ⟨*utrwalić się w czyjej pamięci*⟩. **32.** Coś (ktoś) staje komu w pamięci ⟨*ktoś przypomina sobie o czymś*⟩. **33.** Wbić się, wrazić się w **p.**: Charakter tego oryginalnego krajobrazu wbił się nam dobrze w pamięć. *Krasz. Pisma 165.* **34.** Zachować co w pamięci ⟨*zapamiętać co*⟩. **35.** Zakarbować (sobie) co w pamięci (urazę, czyjeś słowa). **36.** Zapisać sobie co w pamięci. **37.** Coś zapada komu w **p.**: Była to nie tyle rozmowa, co swoisty Jaraczowy monolog — rozmyślanie. Zapadła mi ona mocno w pamięć. *Wrocz. K. Wspom. 90.* **38.** Zatrzeć co w pamięci. Zatrzeć się w pamięci: Wypadki wspomniane zatarły się w pamięci ludzi. *Nehr. Studia 270.* **39. p.** zawodzi kogo. **40. p.** komu wraca, powraca ⟨*ktoś odzyskuje pamięć*⟩. **41. p.** o k i m, o c z y m a. c z e g o przechowuje się wśród ludzi, nie wygaśnie (w sercu czyim), ginie, zaginęła, nie zaginie, żyje po dziś dzień (w czym), zaciera się, zatarła się, nie zatarła się.

● ⟨*wspomnienie o kim, o czym*⟩ **42. p.** ludzka, niewygasła, serdeczna, tkliwa, wdzięczna, zaszczytna, zła: Zachować co we wdzięcznej pamięci. Zostawić po sobie zaszczytną pamięć. **43. p.** c z e g o, np. braterstwa. Słodka pamięć szczęśliwego wieku. *Kras. Podstoli 13.* **44. p.** n a k o g o, n a c o ⟨*wzgląd na kogo, na co*⟩: **p.** na ojca, na dobre imię. **45. p.** o k i m, o c z y m: o bohaterze, o śmierci czyjej, o życiu czyim. **46.** Dowód pamięci o kim, o czym: Dać komu dowód pamięci. **47.** Być dowodem, stanowić dowód pamięci. **48.** Dla czyjej pamięci a. przez **p.** na kogo ⟨*ze względu na pamięć o kim*⟩: Dla jej pamięci też powinniśmy zapomnieć o wszystkich dawnych urazach. *Sienk. Połan. II, 5.* Przez pamięć na ciebie, moja droga, i ze względu na jego matkę, którą znałem [...] chciałam go wyrwać z tych fatalnych nafciarskich przyjaźni i zażyłości. *Sewer Nafta III. 32.* **49.** Smutnej pamięci (o wydarzeniu); sławnej, niesławnej, nieodżałowanej, przeklętej, wiecznej pamięci (o osobie): Zaraz po smutnej pamięci wojnach szwedzkich, plac Zamkowy zabudował się gęsto a bezładnie przez zbiedzonych mieszczan. *Gomul. Opow. 105.* **50.** Świętej pamięci ⟨*o osobie: zmarły*⟩: **51.** *pot. żart.* Od świętej pamięci ⟨*od dawna*⟩: Nie ma go tu: wyszedł już od świętej pamięci. *SW.* **52.** Ku wiekuistej pamięci ⟨*na pamiątkę*⟩: Zapisaliśmy nasze imiona ku wiekuistej pamięci w księdze hotelu. *Krasz. Pisma 257.* **53.** Opisać co (np. dzieje miasta) ku pamięci potomków. **54.** Być godnym pamięci ⟨*wspomnienia*⟩: Ten człowiek pamięci godzien. *SW.* **55.** Być wdzięcznym, (po)dziękować komu za (łaskawą) **p. 56.** Cofnąć się pamięcią do czego a. w co (w swoje dzieciństwo). **57.** Czcić, uczcić **p.** kogo: Kochałem moją matkę i uczczę jej pamięć. *Sewer Nafta III, 12.* Naród uczcił pamięć Tadeusza Kościuszki, sprowadzając jego zwłoki do królewskich grobowców na Wawelu i sypiąc mu w Krakowie wysoki kopiec. *Młyn. Dem. 24.* Uczcić pamięć kogo przez powstanie; jednominutowym milczeniem; wystawieniem pomnika, wmurowaniem tablicy. **58.** Dochować komu pamięci: Maria ci wiecznie pamięci dochowa. *Słow. Maria 108.* **59.** Grzebać w pamięci. **60.** *daw.* Mieć **p.** n a c o ⟨*pamiętać o czym, mieć wzgląd na co*⟩: Miej WMć Pan na to pamięć, żem człowiek żonaty. *Czar. Panna 87.* **61.** Polecać się (kogo) czyjej pamięci: Moja żona poleca się Pańskiej pamięci, zachwycona jest Dolą i Niedolą, którą dopiero czytać zaczynam. *Kron. Koresp. 283.* **62.** Poświęcić co pamięci czyjej ⟨*dedykować*⟩: Książkę tę poświęcam pamięci nieodżałowanej mojej żony. *Lim. Społ. XVIII, 6.* **63.** Przebiegać pamięcią (całe życie). **64.** Przekazać co pamięci (potomnych). **65.** Coś przetrwa, przeżyje w pamięci czyjej: Wspomnienia o nich [o Puławach] przeżyją w pamięci ludzkiej. *Koźm. Pam. I, 191.* **66.** Przysięgać (komu) na **p.** (ojca, matki). **67.** Przywołać co na **p.**: Jeszcze teraz można przywołać na pamięć tamten śmiech, właśnie tamten, który się rozległ w natłoczonej sieni jak sygnał radosny. *Was. W. Rzeki 461.* **68.** Przywodzić komu co na **p.** ⟨*przypominać co komu*⟩. **69.** Coś przychodzi komu na **p.** ⟨*ktoś przypomina sobie co*⟩: Co chwila przychodziły mu na pamięć i na usta gotowe już fragmenty, które wygłaszał z wielkim uczuciem. *Gomul. Ciury II, 149.* **70.** Sięgać pamięcią (w przeszłość). **71.** Szanować **p.** kogo: Prosiłem już cioci tyle razy, aby szanowała pamięć naszego ojca. *Bliz. Dam. 53.* **72.** Wracać pamięcią do czego (do młodych lat, do jakiegoś przeżycia, wydarzenia). **73.** Wskrzesić **p.** kogo a. czego, wskrzeszać pamięcią co (sny dziecinne, przeszłość). **74.** Wymazać kogo, co z pamięci. **75.** Zachować (serdeczną) **p.** o kim (o matce, o opiekunie, o przyjacielu). **76.** *przestarz.* Chować **p.** o kim ⟨*pamiętać, zachowywać we wspomnieniu*⟩: Piękne panie rzadko chowają pamięć o dawnych znajomych. *Orzesz. Na dnie II, 59.* **77.** Zaklinać kogo na **p.** czyją: Na pamięć twych rodziców, na wszystko cię zaklinam, nie mów nikomu, żeś tu kogo widział, żeś co słyszał. *Jun. Dworek 48.* **78.** Zostawić (dobrą, trwałą; niedobrą) **p.** (po sobie), zostawić po sobie **p.** czego (świątobliwego żywota, tchórza): Felix zostawił w Londynie niedobrą pamięć. Długu około 30 fr. i powiastkę, że uciekł. *Lel. Listy II, 158.* **79.** Żyć pamięcią czyją (np. zmarłej osoby) ⟨*żyć wspomnieniami o kim*⟩. **80.** Żyć w pamięci (potomnych). **81.** Cześć jego pamięci: Pozostawił wzór cnót rodzinnych i obywatelskich swoim następcom. Cześć jego pamięci! *Tyg. Ilustr. 7, 1904.*

pamiętać 1. p. doskonale, dokładnie, długo, piąte przez dziesiąte, raz na zawsze, jak przez sen ⟨*zatrzymywać, zachowywać w pamięci*⟩. **2. p.** k o g o, c o: ojca, matkę; drogę, każde słowo. **3. p.** k o g o, c o ⟨*o rzeczach: pochodzić z czyich (dawnych) czasów, być świadkiem czyich czasów, czyjego życia*⟩: Kredens ten jeszcze dziadka pamięta. *SW.* Sandomierz pamięta czasy najdawniejsze. *Hertz P. Not. 8. żart.* Włosy [miał] długie, które chyba nigdy nie pamiętały grzebienia. *Prus Dzieci 167.* **4. p.** k o m u c o: Pamiętali mu zawsze stare zasługi. *Nałk. Z. Mił. 54.* Pamiętać co komu do śmierci. **5.** *daw.* **p.** n a c o ⟨*mieć wzgląd na co*⟩: Pamiętaj też Tadeuszu i na tę stryja swego przestrogę, abyś nie przestał na tym, żeś posłyszał, przeczytał i zrozumiał to com Ci w tej książeczce powiedział. *Lel. Dzieje 10.* **6. p.** o k i m, o c z y m: Nikt tu o mnie nie pamięta? *Iwasz. J. SPP.* **p.** o obietnicy, o krzywdach, o zdrowiu. **7.** *pot.* Pamiętaj, ale pamiętaj! ⟨*weź to pod uwagę, licz się z tym, że...*⟩: Jeśli dokonasz tego, dostaniesz dwa razy większy worek złota... jeśli zdradzisz, to pamiętaj, że ręce Rzymu są długie, sięgają wszędzie. *Rudn. H. Spart. 190.* Pamiętaj, że pożałujesz tego. *SW.* **8. p.** że..., jak..., ile..., by..., kiedy...: Pamiętaj [...] że zawsze możesz liczyć na moją życzliwość i pomoc. *Sienk. Pust. 27.* Nie pamiętał, kiedy podnosił blaszaną klapę, aby wsunąć w jej otwór list. *Par. Niebo. 141.* **9.** Jakiego (jakiej) nikt nie pamiętał, jakiego dawno nie pamiętano, jakiego najstarsi ludzie nie pamiętają (nie pamiętali): Śnieg, jakiego najstarsi ludzie nie pamiętali. *Was. W. Rzeki 169.* Burza jakiej od lat nie pamiętano. **10.** *pot.* Ile pamiętam ⟨*jeżeli pamiętam*⟩: Ile pamiętam, po ostatnim widzeniu się zostałeś przy swoim. *Mick. Listy II, 416.* **11.** Niech mu (jej, im, ci itp.) Bóg (tego) nie pamięta ⟨*niech mu itp. (to) będzie zapomniane*⟩: Niech mu Bóg nie pamięta: nam wielką krzywdę wyrządził, a nie wiem zaprawdę, komu tym dogodził. *Kaczk. Olbracht. II, 18.* **12.** Nie **p.** o świecie bożym ⟨*zapomnieć o wszystkim*⟩: Taki byłem zgnębiony, żem o świecie bożym nie pamiętał. *Perz. Las. 247.* **13. p.** co zrobić ⟨*nie zaniedbać co zrobić*⟩: Pamiętaj donieść mi o tym. *Staszic SW.* Pamiętaj nie spóźnić się na obiad.

● *przysł.* **14.** Pamiętaj przychodzie, żyć z rozchodem w zgodzie.

pamiętnik 1. p. historyczny, literacki. **2. p-i** Paska, Żeromskiego. **3.** Chodzący **p.** ⟨*osoba znająca albo przypominająca dzieje czego*⟩. **4.** Pisać, napisać (swój, swoje) **p., p-i. 5.** Zapisywać (wydarzenia) w pamiętniku. **6.** Ogłosić (drukiem) czyj(e) **p., p-i.**

pamiętny 1. p. rok, **p.** widok, wypadek, pożar; **p-a** chwila, data; bitwa, klęska; **p-e** przemówienie, **p-a** rozmowa, **p-e** wydarzenie, zwycięstwo ⟨*niezapomniany(-a, -e), godny(-a, -e) pamięci, nie dający(-a, -e) się zapomnieć*⟩. **2. p.** c z e g o a. n a k o g o, n a c o; o k o g o, o c o; *daw.* o c z y m ⟨*pamiętający o czym, mający wzgląd na co; dbały o kogo, o co*⟩: **p.** obietnicy, czyich zasług; **p.** na swoje obowiązki, na czyje przestrogi, na słowa, na krzywdy; dbały i **p.** na wszystko; **p.** o swoje dzieci. Król po zawartym pokoju, pamiętny o bezpieczeństwie Inflant, obronne zamki tej krainy powierzył starostom. *Rzew. Zamek 350.* **3. p.** c z y m ⟨*sławny czym, dzięki czemu*⟩: Miejscowość pamiętna bitwą. Rok pamiętny jakimś wydarzeniem, np. zwycięstwem. **4. p.** d l a k o g o, c z e g o ⟨*tkwiący w czyjej pamięci, ważny, doniosły*⟩: Uroczystość, reforma, wydarzenie **p.** dla obywateli. W pamiętnym dla oświaty polskiej roku 1740 utworzył Konarski w Warszawie swoje Collegium nobilium. *Chrzan. J. Lit. 378.* **5. p.** k o m u ⟨*upamiętniony, zapamiętany przez kogo, znany komu*⟩: Miejsca pamiętne komu od dziecka.

pan ● ⟨*mężczyzna, zwłaszcza przyzwoicie odziany, dobrze ułożony*⟩ **1.** Elegancki, dystyngowany, kulturalny, poważny, wykwintny **p. 2. p.** w okularach, w futrze; z bokobrodami: To był prawdziwy mistrz, ten czarnooki pan z bokobrodami. *Par. Niebo 38.* **3.** Starszy **p.**: a) ⟨*starszy wiekiem mężczyzna*⟩; b) ⟨*starszy członek rodziny, np. dziadek, ojciec w przeciwieństwie do dorosłego syna itp.*⟩. **4.** *przestarz.* Surdutowy **p.** ⟨*ubrany w surdut, przen. zamożny*⟩: Kobieta okazywała mu nawet respekt głęboki, jako surdutowemu panu. *Bał. Dziady 191.* **5.** *gw. środ.* Dobry **p.** ⟨*dobry klient*⟩: Dobry pan, w wyobrażeniu naszych dorożkarzy, jest ten, który każe prędzej jechać i podwójny albo potrójny kurs płaci za to. *Tyg. Ilustr. 207, 1863.*

● ⟨*tytuł w bezpośrednich zwrotach do osoby lub w grzecznościowych wypowiedziach o osobie, zwykle łącznie z nazwiskiem, imieniem, nazwą zawodu, stanowiska itp.*⟩. **6. p.** Jan, **p.** Kowalski, **p.** inżynier, **p.** doktor, **p.** profesor, **p.** radca itp.; **p.** kapitan, **p.** major, **p.** generał itp.; **p.** prezydent; **p.** sąsiad; *daw.* **p.** starosta, **p.** podczaszy, **p.** łowczy, **p.** podstoli itp.;

p. dziedzic, **p.** ojciec; *żart.* **p.** mikita ⟨*lis*⟩. **7.** Szanowny **p.**, wielce szanowny panie ⟨*zwroty grzecznościowe stanowiące np. nagłówek listów do osób mniej znanych*⟩. **8.** *daw.* Panowie szlachta ⟨*zwrot, jakim tytułowała się szlachta*⟩. **9.** *daw.* Imć **p.**, **p.** dobrodziej. **10.** *ucz.* **p.** nauczyciel; **p.** od historii, od matematyki ⟨*nauczyciel; nauczyciel danego przedmiotu*⟩. **11.** **p.** posterunkowy ⟨*policjant*⟩: Jakże bolesne spojrzenie obracają na pana posterunkowego te żyjące zwłoki człowiecze. *Żer. Przedw. 321.* **12.** *wiech.* **p.** władza ⟨*policjant, milicjant*⟩. **13.** *daw.* **p.** drążkowy ⟨*nie rodowity, tytułujący się panem*⟩: Drobnicki jest prawdziwy polski szlachcic, a nie taki pan drążkowy, co my ich teraz tuzinami w Warszawie naliczyć możemy. *Skarb. Starosta 26.*

● **14.** *pot.* Panie, panie tego; panie drogi, panie święty, proszę pana itp. *daw.* panie dobrodzieju (skrócone: panie dzieju) ⟨*zwroty bezmyślnie powtarzane, nie kierowane wprost do rozmówcy*⟩: Ja tu, panie, mam młóckę, odstawy, a tu rzucaj, panie, wszystko i jedź. *Konopn. Now. II, 38.* Nie będą się teraz Janowiacy wynosili, panie tego, nad innych. *Prus Kron. IV, 456.* **15.** *pot.* Rozumie **p.**, wie **p.**, widzi **p.** ⟨*zwroty wtrącane do zdania, podkreślające w sposób poufały treść zdania*⟩: Zasłabła w nocy [...] bóle jakieś, wie pan, kobieca historia! *Krucz. Sidła 126.* Widzi pan, w naszym przedsiębiorstwie [...] jest pewna głębsza myśl społeczna. *Ibid. 275.* **16.** *daw.* Proszę łaski pana ⟨*zwrot chłopa do osoby „wyższego" stanu: do urzędnika, dziedzica itp.; woźnicy, dorożkarza do właściciela pojazdu lub do klienta*⟩: Dostaniesz dobrze na piwo, ale tak jedź, żebyś na krzyżowej drodze wjechał wprost między tych jezdnych... Rozumiesz? — Rozumiem, proszę łaski pana. *Skiba Poziom. 260.*

● *daw.* **17.** **p.** feudalny ⟨*feudał*⟩. **18.** Wielki, znakomity **p.**, **p.** z panów, z dziada pradziada; **p.** w każdym calu, jakich mało, co się zowie ⟨*arystokrata, magnat*⟩: Jeżeli kogo wynosząc, mówimy: pan z panów, słusznie by mówić pan z chłopów. *Leszcz. SW.* **19.** **p.** zamku, wielu wsi a. na zamku, na wielu wsiach ⟨*właściciel, dziedzic*⟩. **20.** **p.** krakowski, wileński ⟨*kasztelan*⟩: Zamiast „kasztelan" używali Polacy nieraz wyrazu „pan". Mówiono więc pan krakowski, pan wileński, a żony ich nazywano: pani krakowska pani wileńska itp. *Glog. Słow. 164.* **21.** Samowładny **p.** ⟨*władca, despota*⟩. **22.** **p.** udzielny ⟨*władca niezależny, suwerenny*⟩. **23.** Rada panów ⟨*senat*⟩. **24.** Sobie **p.** ⟨*człowiek wolny, niezależny*⟩: Mam rodziców, nie jestem sobie panem. *Troc.* **25.** *dziś żywe* **p.** stworzenia: a) ⟨*człowiek*⟩; b) *żart.* ⟨*mężczyzna*⟩: Niechże dla ciebie przestanę już być ulubioną papugą [...] Ja jestem człowiekiem, doprawdy lepszym od wielu wąsatych panów stworzenia. *Święt. Pisma IV, 141.* **26.** *żart.* **p.** i władca ⟨*mąż*⟩. **27.** Bawić się w pana, chorować na (wielkiego) pana, grać rolę, udawać wielkiego pana; uchodzić za wielkiego pana; dąć się wielkim panem ⟨*udawać arystokratę, człowieka zamożnego, wpływowego*⟩: Bawił się wciąż w pana i spędzał czas na podróżach. *Perz. Raz 64.* Chorujący na wielkiego pana, próżny aż do obrzydzenia, miał wszystkie wady dawniejszych galicyjskich półpanków. *Chłęd. Pam. II, 120; przen.* W orszaku gwiazd tyś [Księżycu] ciurą jest, a dmiesz się wielkim panem [...] Idioto ty — udajesz świat, a mówią nam gwiaździarze, że jednej karczmy nie ma tam na całym twym obszarze! *Zag. Chochl. 70.* **28.** *iron.* Wielki mi **p.**! ⟨*chłystek, golec*⟩: — Wielki mi pan, że tam zegarczynę ma w kieszeni! *Wol. Dom I, 132.* **29.** Być, stać się panem czego: a) ⟨*być władcą, zwierzchnikiem czego; panować nad kim, nad czym*⟩: Cezar stał się panem Rzymu podstępem i zdradą. *Kras. Życia IX, 168.* We wcześniejszych czasach ojciec był bezwzględnym panem całej rodziny, dowolnie rozporządzał żoną i dziećmi. *Bystr. Dzieje II, 116*; b) ⟨*opanować co*⟩: W miarę postępu wiedzy i techniki człowiek staje się panem przyrody. - Największą sztuką dyplomaty jest być panem namiętności swych. *Libelt Pedag. 36*; c) ⟨*opanować co dokładnie, być mistrzem w jakim zawodzie lub sztuce*⟩: Jest tu Słowacki panem kompozycji i formy. *Kleiner Słow. I, 126*; d) ⟨*być, stać się właścicielem, posiadaczem czego*⟩: Wszystko gładko i dobrze poszło [...] Jesteśmy panami trzystu morgów wybornego terenu. *Sewer Nafta II, 166*; e) ⟨*dysponować czym swobodnie*⟩: Rozmaicie zatrudniony, nie jest panem swego czasu. *L.* **30.** Być panem swej woli ⟨*postępować według swej woli, zgodnie ze swą wolą; mieć prawo dysponowania swoją osobą i swoim mieniem*⟩: Nie są woli swojej panami, nic zatem czynić nie mają bez wiedzy tego, któremu są w dozór oddani. *Kras. Podstoli 174.* **31.** *przestarz.* Być panem zdrowych zmysłów ⟨*być zupełnie normalnym*⟩: Starościc nie był panem swych zdrowych zmysłów, a tym samym i legalnym panem swej woli. *Łoz. Wal. Dwór 241.* **32.** Być, zostać panem placu ⟨*zostać zwycięzcą, opanować co*⟩: Lud został panem placu, wpadł do domu celnego, porozdzierał księgi rachunkowe i wszystko podpalił. *Chłęd. Hist. 368.* **33.** Być, czuć się, stać się panem sytuacji, położenia: Oleśnicki, który walką o sukcesję istotnie kierował, był panem sytuacji. *Dąbr. J. Dzieje 312.* Zaraz po śmierci króla Zborowscy powzięli plan, by wtargnąć zbrojno do Krakowa [...] i stać się na czas bezkrólewia panami położenia. *Śliw. A. Bat. 14.* **34.** Być panem życia i śmierci ⟨*dysponować czyim życiem; rządzić, kierować czym samowładnie*⟩: Faraon miał władzę nieograniczoną był panem życia i śmierci swych poddanych. *Hist. Star. 17.* **35.** Poczynać sobie, traktować kogo, żyć z kim za **p.** brat ⟨*poufale*⟩. **36.** Fagasować wielkim panom, trzymać się klamki możnych panów ⟨*służyć, wysługiwać się wielkim panom*⟩ *por.* Trzymać się pańskiej klamki (pod pański): Ku starości chce mu się fagasować wielkim panom. *Prus Lalka I, 205.* **37.** Mówić do kogo, tytułować się przez a. per **p.**, nazywać kogo panem ⟨*używać tej formy w zwrotach do mężczyzny*⟩: Dajmy też sobie pokój z tytułowaniem się per pan. *Sienk. Połan. III, 26.* Nie nazywaj mnie, knocie, „panem". W sztuce nie ma żadnego państwa. Wszyscyśmy koledzy i kwita! Mów do mnie po prostu: ty. *Gomul. Wspom. 23.* **38.** *daw.* Obrać sobie kogo za pana ⟨*obrać królem, wybrać na króla*⟩: Przemogła wymowa króla i starszeństwa, którzy dobrze umieli wyświecić korzyści wynikające dla Polski, jeżeli syna potężnego mocarza obierze sobie za pana. *Stadn. Syn. 147.* **39.** Otaczać się panami ⟨*o kobiecie: otaczać się wielbicielami, pozwalać sobie asystować*⟩: Agnieszka wcześnie zaczyna się otaczać panami — rzekła z przekąsem. *Dąbr. M. Noce III, 24.* **40.** Dwom panom służyć. *por.* Dwom Bogom służyć: Trudno dwom panom służyć w jednym czasie, króla polskiego i cesarza

Rzymu podpierać radą. *Szujski Zbor. 27.* **41.** Wyjść na pana ⟨*zdobyć stanowisko, bogactwo*⟩: Ale ty, Rzędzian, zawsze u fortuny za pazuchą siedzisz i jak widzę, na pana wyszedłeś. *Sienk. Pot. III, 72.* **42.** Znać pana (zwykle w formie rozkaźnika: znaj, znajcie pana, niech zna, niech znają pana) ⟨*oceniać, podziwiać czyją hojność*⟩: Dałem mu sto złotych za fatygę, niech zna pana. Znajcie pana, bierzcie złoto; nie stoję ja pan o złoto. *Wysp. Wes. 122.* **43.** Żyć jak **p.** ⟨*wygodnie, zamożnie*⟩: Żył jak pan w wygodach i dostatku. *Korz. J. Krewni 386.*

● ⟨*Bóg*⟩ **44. P.** Niebios, **P.** nad pany, **P.** Wszechmogący, **P.** Zastępów. Chrystus **P.**, **P.** Jezus. **P.** Zbawiciel ⟨*Jezus Chrystus*⟩. **45.** Przyjąć Pana Boga ⟨*przyjąć komunię*⟩: We środę raniutko Artem się wyspowiadał nabożnie, oczyścił duszę, przyjął Pana Boga. *Pług Zagon I, 234.* **46.** *podn. daw.* Zasnąć w Panu a. zamknąć w Panu oczy ⟨*umrzeć*⟩: Bywało, kto w sąsiedztwie zamknie w Panu oczy, mój ojciec, w uczynności braterskiej ochoczy, śpieszy i losem sierot troska się najczulej. *Syrok. Wyb. 134.*

przysł. **47.** Czego panowie nawarzą, tym się poddani poparzą. **48.** Jaki pan, taki sługa. **49.** Każdy pan za swoje trzy grosze. *SFA.* **50.** Serce nie sługa, nie zna, co to pany.

panama *przestarz.* Być zamieszanym w panamę ⟨*w aferę, w wielkie oszustwo*⟩.

pancerz 1. p. stalowy a. ze stali, żelazny, srebrny, złocisty, nabijany srebrem, złotem, ze srebrnych łusek. **2.** Pierś okuta, zakuta w **p. 3.** Rycerz w **p.** zakuty. **4.** *przen.* Śnieżny, lodowy **p.**; **p.** obojętności: Przywdziewał niejako pancerz obojętności i postanawiał sobie znosić wszystko cierpliwie. *Dygas. Molk. 70.* **5.** Gors (koszuli) wykrochmalony jak **p.**

panewka Spalić na panewce ⟨*nie wypalić (o dawnej broni palnej)*⟩: Pociągnął cyngiel. Pęc! Spaliło na panewce. *Prus Now. II, 194; przen.* ⟨*nie udać się, nie powieść się*⟩: Jednakże sprytny manewr spalił na panewce. *Twórcz. 7, 1954, 227.* Szli wesprzeć powstanie Niemców, które gdy spaliło na panewce, pozostali w Szwajcarii. *Lel. Listy II, 429.*

pani 1. Elegancka, wytworna **p.** ⟨*kobieta, zwłaszcza przyzwoicie ubrana; dama*⟩. **2.** Starsza **p.**: a) ⟨*kobieta starsza wiekiem*⟩; b) a. **p.** starsza ⟨*starszy członek rodziny, np. babka, matka itp. w przeciwieństwie do młodszych (dorosłych) członków rodziny*⟩: Pani starsza pisała z Paryża, wczoraj list otrzymałem. Zdrowe są obie, panienka biega po Paryżu, jak po Podgrodziu. *Sewer Nafta III, 231.* **3.** *żart.* Stara **p.** ⟨*tyłek*⟩: Za ten żart sto plag wziął w starą panią. *Pot. SW.* **4.** *iron.* lub *pogard.* Wielka **p.** ⟨*osoba udająca damę, osoba zarozumiała, wynosząca się nad innych*⟩: Wielka mi pani! służyła za bonę u zawiadowcy, a teraz zadziera nosa jak jaka naczelnikowa. *Reym. Now. V, 80.* **5. p.** ⟨*tytuł w bezpośrednich zwrotach do osoby lub w grzecznościowych wypowiedziach o osobie, zwykle łącznie z imieniem, nazwiskiem, nazwą zawodu, stanowiska, tytułem męża itp.*⟩. **p.** Janina, **p.** Kowalska, **p.** doktor ⟨*lekarka*⟩, **p.** doktorowa ⟨*żona doktora*⟩, **p.** przełożona, **p.** dyrektor (w urzędzie), **p.** dyrektorka (w szkole), **p.** dyrektorowa ⟨*żona dyrektora*⟩ itp.; **p.** sąsiadka; *daw.* **p.** starościna, **p.** podstolina itp. ⟨*żona starosty, podstolego*⟩, **p.** hrabina ⟨*żona hrabiego lub kobieta mająca ten tytuł*⟩, **p.** dziedziczka ⟨*żona dziedzica lub właścicielka majątku*⟩. **6.** Szanowna **p.** (wielce szanowna p.) ⟨*forma dziś używana w zwrotach grzecznościowych do osób mniej znanych*⟩. **7.** *daw.* Jejmość, ichmość, waszmość **p.**; **p.** dobrodziejka. **8.** (W zwrotach do arystokracji): Jaśnie wielmożna, jaśnie oświecona **p. 9.** Księżna **p.** Dostojna, miłościwa **p.** Najjaśniejsza **p.** ⟨*o królowej albo cesarzowej; do królowej albo cesarzowej*⟩. **10.** *uczn.* **p.** nauczycielka, **p.** od polskiego, od matematyki itp. ⟨*nauczycielka; nauczycielka danego przedmiotu*⟩. **11.** Bawić **p-e** ⟨*w towarzystwie zajmować kobiety rozmową*⟩: Kręcił się wśród gości, bawił panie, pokazywał panom stajnie i w ogóle starał się reprezentować. *Mostow. Kariera 323.* **12.** Być panią czego ⟨*dysponować czym, mieć możność decyzji o czym, rządzić czym; stać się posiadaczem czego*⟩: Po śmierci męża swego Łukasza z Górki, ujrzała się na nowo panią swoich losów i swego majątku. *Kraus. Łaski I, 235; przen.* W Prowancji liryka była wszechwładną panią literatury od wieków. *Poręb. Studia 39.* **13.** Być panią czyich marzeń, snów, natchnień; czyjego serca ⟨*być przedmiotem czyich marzeń, natchnień, uczuć*⟩: Charyta jest jedynowładna serca mojego pani! Ona! prócz niej żadna! *Zabł. Doktor 281.* **14.** Być panią morza a. mórz ⟨*władać na morzu*⟩: Jak długo punkt ciężkości interesów bałtyckich spoczywał w interesach handlowych, tak długo panią tego morza była Hanza. *Szeląg. Bałtyk 47.* **15.** Być panią swej woli ⟨*być zależną tylko od własnej woli, postępować według swej woli*⟩: Każde zachcenie twoje będzie rozkazem... Będziesz panią swej woli... i swoją osobą nudzić cię zbytecznie nie będę. *Narzym. Pozyt. 65.* **16.** Być panią swych uczuć, być panią siebie ⟨*opanować uczucie, nie ujawniać swych uczuć*⟩: Aż wreszcie nie będąc panią swych uczuć, z wielkim żalem zapłakała i pod pretekstem słabości nerwowej wyszła do swojej sypialni. *Sztyrm. Pow. I, 231.* Była kobietą ostrożną i zawsze panią siebie. *Tyg. Ilustr. 128, 1870.* **17.** Być panią u siebie ⟨*rządzić się samodzielnie, niezależnie od nikogo*⟩: Zatęskniła za swobodą, którą, jak sądziła, da jej małżeństwo. Być panią u siebie! Robić, co się chce! Rządzić, wydawać rozkazy. *Krzyw. I. Bunt 181.* **18.** Być, stać się panią położenia ⟨*opanować co całkowicie, móc dysponować czym albo kim dowolnie*⟩. **19.** Być z kim na **p.**, mówić komu a. do kogo **p.** ⟨*używać tej formy w zwrotach do kobiety*⟩: Dlaczego ty jej mówisz: pani?... przecież to ona twoja wujenka. *Bliz. Dam. 76.* **20.** Chorować na (wielką) panią, udawać panią ⟨*udawać osobę zamożną, arystokratkę*⟩: Nieznośna baba; choruje na wielką panią, a zaciąga lichwiarskie długi. *Wójc. Lit. 194.* **21.** Mówię, powiadam **p.**; wie **p.**, rozumie **p.**; proszę **p.**; moja **p.**, droga **p.** ⟨*zwroty wtrącane do zdania, podkreślające w sposób poufały treść zdania*⟩: To z dawnych czasów, jeszcze pogańskich, ale takie, powiadam pani, żywe, że jakbym widział. *Dąbr. M. Noce II, 81.* **22.** Żyć jak **p.** ⟨*dostatnio i wygodnie*⟩.

panienka 1. Młoda, młodziutka, szesnastoletnia **p.**; wiejska **p. 2. p.** na wydaniu. **3.** Delikatny jak **p. 4.** Chodzić z panienką a. z panienkami ⟨*zalecać się do młodych dziewcząt*⟩: Coraz częściej słyszało się, że ktoś chodził z panienką tyle miesięcy, a potem przestawał. *Goj. Dziew. I, 180.* **5.** Święta, Przeczysta,

Przenajświętsza **P.** ⟨*Matka Boska*⟩. **6.** *pot.* **p.** z okienka ⟨*urzędniczka pocztowa załatwiająca interesantów (przy okienku)*⟩.

panieński 1. Cera **p-a** ⟨*świeża*⟩. **2.** Chór **p.** ⟨*złożony z młodych dziewcząt*⟩. **3.** Czasy, lata **p-e** ⟨*przed zamążpójściem*⟩. **4.** Cześć, cnota **p-a**; wianek **p.** ⟨*dziewictwo*⟩. **5.** Wrażliwość **p-a** ⟨*właściwa młodej dziewczynie, dziewczęca*⟩. **6.** Pokój **p.** ⟨*przeznaczony dla dziewcząt; zajmowany przez dziewczęta*⟩. **7. p.** rumieniec ⟨*żywy*⟩. **8.** Skórka **p-a** ⟨*rodzaj masy z cukru i różnych dodatków, sprzedawanej jako przysmak dla dzieci*⟩. **9.** Stan **p.** ⟨*staropanieństwo*⟩: Zmarła w stanie panieńskim. *Ask. Poniat. 129.* **10.** *daw.* Szkoła, klasztor **p.** ⟨*żeński*⟩

panieństwo 1. Lata, czasy panieństwa ⟨*lata, czasy dziewczęce, przed wyjściem za mąż*⟩. **2.** Trwać, usychać, żyć w panieństwie; być skazaną na **p.** ⟨*trwać w stanie niezamężnym, nie wychodzić za mąż; nie móc wyjść za mąż*⟩: Znakomita część tej ludności [w Anglii], z powodu emigracji mężczyzn, skazana jest na panieństwo. *Niwa VI, 1875, 644.* **3.** Utracić **p.** ⟨*stracić dziewictwo*⟩.

panika 1. Nagła, okropna, olbrzymia, straszna, straszliwa **p. 2. p.** wojenna. **3. p.** p r z e d c z y m: przed kryzysem ekonomicznym. **4. p.** ogarnia (kogo, co), powstaje, robi się, wzrasta. **5. p.** udziela się komu. **6.** Budzić, robić, siać, szerzyć, wywoływać, wzniecać panikę. **7.** Ulegać panice, poddawać się; popadać, wpadać w panikę. **8.** Cofać się, pierzchać, uciekać w panice.

panna ● ⟨*młoda kobieta, niezamężna (dziewica)*⟩ **1.** Dorosła **p. 2.** Dorodna, ładna, piękna, przecudna (przecudnej urody) **p. 3.** Rezolutna, światowa, posażna **p. 4. p.** na wydaniu, *pot.* **p.** do wzięcia. **5.** *pot.* szyk **p.** ⟨*elegancka*⟩. **6.** *daw.* Panny dworskie, panny dworu panny służebne a. z fraucymeru ⟨*dworzanki*⟩; **p.** respektowa ⟨*rezydentka u pani domu jako jej przyjaciółka*⟩: Pani domu miała dwór własny, fraucymer, składający się z panien respektowych i rezydentek. *Bystr. Dzieje II, 247.* **7.** Leśna **p.** ⟨*rusałka*⟩. **8.** *przestarz.* **p.** pokojowa, **p.** służąca, **p.** garderobiana ⟨*pokojówka*⟩. **9.** Stara **p.** ⟨*kobieta, która nie wyszła za mąż, niezamężna*⟩: Zostać starą panną. **10. p.** z dobrego domu, **p.** z towarzystwa. **11. p.** do szycia, **p.** podręczna ⟨*w pracowniach rzemieślniczych: pomocnica, uczennica w jakimś fachu*⟩. **12. p.** sklepowa ⟨*ekspedientka*⟩. **13. p.** bufetowa ⟨*w barze, restauracji: ekspedientka przy bufecie*⟩. **14. p.** do dzieci ⟨*bona*⟩. **15. p.** do towarzystwa. **16. p.** Janka, **p.** Kowalska, **p.** doktorówna, *daw.* **p.** starościanka, Imć, Jejmość **p.** (ekonomówna). Mościa **p.** ⟨*tytuł stosowany w zwrotach do kobiety niezamężnej z dodaniem imienia, nazwiska, niekiedy tytułu ojca*⟩. **17.** *pot.* Chodzić do panny, mieć pannę ⟨*mieć damę swego serca, narzeczoną*⟩. **18.** Konkurować o pannę, oświadczyć się o rękę panny, *daw.* palić koperczaki do panny. **19.** Nadskakiwać pannom, skakać koło panien ⟨*zalecać się*⟩. **20.** Raić komu pannę ⟨*swatać kogo*⟩: Rajono mu panny, lecz upierał się przy kawalerskim życiu. *Kow. A. Rogat. 12.* **21.** Wyrosnąć na pannę. **22.** Wyglądać jak **p. 23.** Zarumienić się, zawstydzić się jak **p.**

● 24. p-y benedyktynki, dominikanki, sakramentki, wizytki *daw.* zakonne ⟨*zakonnice, mniszki*⟩.

● 25. Najświętsza (Maria) **P. P.** nad Panny ⟨*Matka Boska*⟩. **26.** Panno święta! ⟨*wykrzyknienie wyrażające podziw, zdumienie itp.*⟩: Co za rwetes, Panno święta. *Twórcz. 1, 1954, 113.*

pannica 1. Duża, dorodna, dorosła **p. 2.** Wyrosnąć na (dużą) pannicę.

panoramiczny 1. p-e zdjęcie (terenu) ⟨*obejmujące szeroki widok, szeroki odcinek horyzontu*⟩. **2.** Ekran **p.**

panować 1. p. n a d k i m, n a d c z y m; *daw.* komu ⟨*opanować kogo albo co całkowicie; rządzić, kierować czym*⟩: **p.** nad sumieniem czyim, nad słowem, **p.** nad koniem, nad kierownicą; nad nartami; nad swoimi odruchami; nad wzruszeniem, smutkiem, nad sercem. **2. p.** nad sobą ⟨*być panem siebie, umieć się pohamować*⟩. **3. p.** nad sytuacją: Klęczał z dość głupią miną, widocznie wzruszony; dwudziestoletnia oblubienica zdawała się o wiele lepiej panować nad sytuacją. *Boy Znasz 60.* **4. p.** n a d c z y m ⟨*górować, sterczeć, wznosić się ponad otoczenie*⟩: Zamek obronny [...] panował nad okolicą. *Rzew. H. Zamek 112.* Duży nos zgrubiał i zanadto panował nad twarzą. *Chłęd. Barok. 387.* **5. p.** komu ⟨*mówić komu per pan*⟩. **6.** Ktoś panuje n a d k i m, n a d c z y m, w c z y m; *daw.* komu ⟨*jest władcą, ma najwyższą władzę, rządzi*⟩: Lechowie [...] panowali samowładnie nad brańcami wojennymi. *Mick. Hist. 80.* Dynastia Jagiellonów panowała w Polsce bez mała dwa wieki. **7.** Coś panuje w głowie czyjej, w sercu czyim ⟨*ktoś jest opanowany jakąś myślą, uczuciem*⟩: A w tej prześlicznej główce dziewczątka jedna tylko myśl od tego czasu panowała. *Dygas. Now. V, 16.* W sercu jej jedno tylko panuje uczucie — piekąca zazdrość. *Orzesz. Na dnie II, 191.* **8.** Ktoś panuje (u kogoś) w sercu ⟨*ktoś zdobył czyjeś uczucie*⟩: Pożycie z osobą obojętną, wówczas gdy w sercu panuje inna, byłoby męczarnią nie do zniesienia. *Bliz. Dam. 98.* **9.** Coś panuje w c z y m a. g d z i e ⟨*jest, występuje, daje się odczuć*⟩. Chaos, zgoda, niezgoda, harmonia panuje (gdzie): Między nami [...] najserdeczniejsza panowała harmonia. *Niemoj. J. Wspom. 188.* Słabe mocarstwo, w którym niezgoda panuje. *Jak. W. SW.* Milczenie panuje: Przez dłuższą chwilę panowało milczenie. (Ożywiony) ruch (spokój) panuje na ulicy. Popłoch panował (w obozie). Upały panują w mieście. Wesołość panuje, zapanowała na sali. Zwyczaj panuje ⟨*jest powszechny*⟩: W epoce brązu panował zwyczaj palenia zwłok. *Czekan. Człow. 67.* Epidemia (grypy) panuje (w mieście) ⟨*sroży się, ogarnia (miasto)*⟩. *przysł.* **10.** Kto źle rozkazuje, niedługo panuje.

panowanie 1. Obce **p. 2. p.** k o g o: Panowanie Stefana Batorego. *żart.* Przeminął karnawał — rozpoczęło się panowanie śledzia i żurku. *Wędr. 9, 1901.* **3. p.** n a c z y m, np. **p.** na morzu. **4. p.** n a d c z y m, np. **p.** nad światem, **p.** nad językiem, nad sobą: Powoli odzyskiwała panowanie nad sobą. *Zap. G. Pam. 71.* **5.** Za panowania (czyjego) ⟨*w czasie, w okresie panowania*⟩: Za panowania Zygmunta Augusta. **6.** Dostać się, przejść pod czyje **p.**: Powiat czerwonogrodzki przeszedł w 1772 r. pod panowanie Austrii. *Balin. M. Polska III, 113.* **7.** Dzierżyć, objąć, rozciągnąć, rozszerzyć, (u)gruntować, umocnić, ustalić, utrwalić, utwierdzić **p.**: [Chrobry] gruntuje panowanie swoje na całym obszarze szczepu Wiślan, na ziemi krakowskiej i sandomierskiej. *Bobrz. Dzieje I, 70.* **8.** Jęczeć, zostawać, znaleźć się pod (czyim) panowaniem: Egipt [...] jęczy pod panowaniem najeźdźców zwanych Hyksami. *Sinko Lit. I/1, 18.* **9.** Podbić kogo, co, zagarniać co pod swe **p.**: Cywilizacja postępuje wciąż naprzód i zagarnia pod swe panowanie coraz to nowe obszary barbarzyńskiego świata. *Tyg. Ilustr. 35, 1904.* **10.** Poddać co pod **p.** czego: Te popędy dała nam także natura, a zadaniem człowieka jest poddać je pod panowanie rozumu. *Sinko Lit. II/1, 71.* **11.** Podlegać czyjemu panowaniu. **12.** Wydrzeć komu **p.**, wyzuć kogo z panowania. **13.** Wyłamać się, wybić się, wydobyć się spod czyjego panowania. **14. p.** czyje kończy się, skończyło się.

pantałyk Zbić z pantałyku ⟨*zbić z tropu, zachwiać w przekonaniu, przeszkodzić w wykonaniu zamiaru*⟩: Nie lada czym dał się, jak to mówią, zbić z pantałyku. *Łoz. Wal. Dwór 28.*

pantofel 1. p-e letnie, tenisowe, gimnastyczne, sportowe. **2. p-e** damskie, męskie. **3. p-e** ciepłe, domowe, ranne, nocne. **4.** Dziurawe, stare, zdarte **p-e**; przydeptane, rozdeptane, wydeptane, zadeptane **p-e. 5. p-e** sukienne, skórzane, lakierowane ⟨*lakierki*⟩, safianowe. **6. p-e** z cienkiej, giemzowej skórki. **7.** Kłapać, szurać, stukać pantoflami: Kłapiąc pantoflami, szedł przez ciemnawy korytarzyk. *Krucz. Sidła 8.* **8.** *pot.* Być pantoflem ⟨*pantoflarzem*⟩. **9.** *pot.* Siedzieć pod czyim pantoflem ⟨*ulegać komu we wszystkim, być zahukanym, zawojowanym przez kogo*⟩: Siedzieć pod pantoflem żony. **10.** *pot.* Trzymać kogo pod pantoflem ⟨*narzucać komu swoją wolę, nie pozwalać mu na samodzielne decyzje*⟩: Jak ognia bała się zarzutu (zresztą niezupełnie słusznego), że męża trzyma pod pantoflem. *Dąbr. Ig. Matki 79.* **11.** Dostać się, popaść pod **p.**: Dostał się od razu pod pantofel swojej nowej żony. *Prus Kron. V, 330.*

pantofelek *żart.* Nie narodził się człek taki, co by w walce z tobą nie legł — każdy pójdzie do niewoli pod... dozgonny pantofelek. *Wędr. 5, 1901.*

panujący 1. Ród **p.** ⟨*zasiadający na tronie*⟩. **2.** Dynastia **p-a. 3.** Język **p.** ⟨*urzędowy*⟩: W średniowieczu w całej prawie Europie łacina była językiem panującym. **4.** Klasa, warstwa **p-a** ⟨*mająca władzę, sprawująca rządy*⟩. **5.** Religia **p-a,** wyznanie **p-e** ⟨*będące religią większości obywateli danego kraju*⟩. **6.** Zwyczaj, gust **p.**, moda **p-a** ⟨*zwyczaj powszechnie znany, przestrzegany, zachowywany; moda aktualna w pewnym okresie*⟩.

pański 1. Fortuna **p-a** ⟨*znaczna, wielka*⟩: Fortuna pańska... nazwisko piękne... stosunki... co to i mówić! *Orzesz. Niemn. III, 256.* **2.** *daw.* **p-e** dni ⟨*dni pańszczyźniane, pańszczyzna*⟩. **3. p-a** mina, próżność, hojność ⟨*wielkiego pana, magnacka; pompatyczna, okazała*⟩. **4.** Rezydencja **p-a** ⟨*okazała*⟩. **5.** *daw.* Sądy **p-e** ⟨*sądy patrymonialne*⟩. **6.** Po pańsku ⟨*hojnie; wystawnie*⟩: Zapłacił za kurs snać po pańsku, gdyż mu się dorożkarz ukłonił nisko. *Syg. Wysadz. 8.* Dom [...] prowadzili wystawnie, po pańsku nawet. *Jun. Now. 63.* **7.** Z pańska ⟨*naśladując pana; niby pan*⟩. Wyglądać z pańska. Ubrać się z pańska. **8.** Dom, przybytek **P.**; świątynia **P-a** ⟨*świątynia, kościół*⟩. **9.** *przen.* Pracownik winnicy Pańskiej ⟨*kapłan, misjonarz*⟩. **10.** Robota około winnicy Pańskiej ⟨*pełnienie obowiązków kapłańskich, duszpasterskich*⟩. **11.** Przemienienie **P-e. 12.** Przystępować do stołu Pańskiego ⟨*do komunii*⟩. **13.** Roku pańskiego 1600 ⟨*od narodzenia Chrystusa*⟩. **14.** Służka **p-a** ⟨*mniszka, zakonnica*⟩. **15.** Święty **p.** ⟨*osoba święta*⟩. **16.** Święci **p-y**! ⟨*wykrzyknienie wyrażające podziw, zdumienie, oburzenie itp.*⟩: Święci pańscy, skąd ci ludzie biorą tyle czasu, aby ślęczyć godzinami i prokurować takie epistoły. *Sport. 6, 1954.* **17.** Wieczerza **P-a** ⟨*ostatnia wieczerza*⟩. **18.** Wniebowstąpienie **P-e.** Zmartwychwstanie **P-e. 19.** Na rany **P-e**! ⟨*wykrzyknienie wyrażające różne uczucia; odpowiada wykrzykieniu (na) rany Boskie!, (na) rany Chrystusa!*⟩. **20.** Czekać, prosić zmiłowania pańskiego.

państwo ● ⟨*zorganizowana forma rządzenia (klasy panującej) na określonym terytorium; kraj tak rządzony*⟩ **1. p.** absolutne, burżuazyjne, demokratyczne, demokracji ludowej, konstytucyjne, kościelne, ludowe, plemienne, robotników i chłopów, socjalistyczne, stanowe, *daw.* krzyżackie a. zakonne. **2. p.** militarne, zaborcze; niepodległe, niezawisłe, niezależne, suwerenne; **p.** sukcesyjne. **3. p.** w państwie: Wszędzie tam rządzili Niemcy, nawet na księcia niewiele się oglądając; słowem miasta i wsie niemiecke zaczęły tworzyć niejako państwo w państwie. *Balih. M. Polska III/2, 135.* **4.** Herb państwa, stolica państwa. **5.** Kształtowanie się, upadek, wskrzeszenie państwa. **6.** Pokojowe współistnienie państw o różnych systemach społecznych. **7.** Rozdział, rozdzielenie a. oddzielenie Kościoła od państwa. **8.** Skarb państwa. **9.** Świadczenia na rzecz państwa. **10.** (U)tworzyć, założyć, zorganizować **p. 11.** *przen.* **p.** mrówek, trzmieli; **p.** roślinności; **p.** ciszy i milczenia; **p.** sztuki ⟨*świat; kraj; dziedzina*⟩. **12. p.** cieniów a. **p.** podziemne ⟨*w mitologii greckiej: Hades*⟩. **13.** Rządzić państwem. **14.** Przejąć co na własność państwa (np. przemysł) ⟨*upaństwowić*⟩. **15.** Coś się psuje (zepsuło) w państwie duńskim ⟨*zaczyna się źle dziać*⟩.

● **16.** Szanowni **p.** ⟨*tytuł grzecznościowy w zwrotach do osób mniej znanych*⟩: Łączę słowa poważania dla obojga Szanownych Państwa. *Sienk. Koresp. II, 3.* **17.** Drodzy, kochani **p.** ⟨*w zwrotach do osób zaprzyjaźnionych*⟩. **18.** *daw.* Ichmość **p.** a. ichmość **p.** dobrodzieje: Chciał on poznać swoje sąsiedztwo i nie mógł lepiej zacząć jak od szanownego domu ichmość państwa dobrodziejów. *Krasz. Poezje 166.* **19.** Najjaśniejsi **p.** ⟨*o królu i królowej, o cesarzu i cesarzowej*⟩. **20.** Wielcy **p.** ⟨*zamożni, wpływowi ludzie; iron. ludzie zadzierający nosa, udający „wielkich"*⟩: Panią Teresę znał jeszcze za jej czasów pensjonarskich, gdy wysyłana przez matkę, zachodziła często do Laternów pożyczyć parę groszy na obiad. A teraz — wielcy państwo, wysokie progi. *Nałk. Z. Romans 6.* **21. p.** Kowalscy, **p.** doktorostwo, kapitanostwo itp. ⟨*mąż z żoną, małżeństwo (Kowalscy itp.)*⟩: **p.** Kowalscy wyjechali na urlop. **22.** Pozwolą **p.**? (zwykle z bezokolicznikiem) a. pozwolą **p.**, że...: Wyjął z bocznej kieszeni krótką fajeczkę i zapytał lękliwie: — Państwo łaskawi pozwolą? *Morc. Ptaki 8.* Pozwolą **p.**, że otworzę okno. **23.** *pot.* Proszę państwa ⟨*zwrot dołączany lub wtrącany do zdania, podkreślający w sposób poufały treść zdania*⟩. **24.** Starsi **p.** ⟨*rodzice w przeciwieństwie do dorosłych dzieci*⟩:

Starsi państwo i panienka posadzili mnie za stołem obok siebie, częstowali winem. *Sewer Biedr. 174.* **25.** Służyć u państwa ⟨*być służącą u osób zamożnych*⟩: Teraz się stawia, że u lepszych państwa służyła. *Życie Lit. 12, 1954.*

pańszczyzna *daw.* **1.** Odrabiać, odbywać, pełnić pańszczyznę: W XV w. gotowe już było jarzmo, w którym chłop polski przez 300 lat miał odrabiać pańszczyznę dla pana. *Święt A. Hist. I, 156.* **2.** Zaprowadzić pańszczyznę. **3.** Znieść, (z)likwidować pańszczyznę. **4.** Uwolnić, zwolnić (chłopów) od pańszczyzny. **5.** *przen.* **p.** ⟨*ciężka praca, ciężki obowiązek*⟩: Moja służba, jaką przy macosze mojej pełnię, dopiero mi się wydała prawdziwą pańszczyzną. *Korz. J. Wdow. 446.*

pańszczyźniany *daw.* **1.** Lud, niewolnik, robotnik **p.** ⟨*odrabiający pańszczyznę*⟩. **2.** Powinności, roboty, świadczenia **p-e** ⟨*wynikające z pańszczyzny*⟩. **3.** Czasy **p-e** ⟨*czasy, w których obowiązywała pańszczyzna*⟩. **4.** Folwark **p.**, gospodarstwo **p-e** ⟨*oparte na systemie pańszczyźnianym*⟩. **5.** Jarzmo **p-e**, ucisk, przymus **p.** ⟨*pańszczyzna*⟩. **6. p.** obszarnik, właściciel ziemski ⟨*utrzymujący, zachowujący w swoich majątkach system pańszczyźniany*⟩. **7.** System **p.**, gospodarka **p-a** ⟨*feudalny system gospodarczy polegający na stosowaniu przymusu darmowej pracy (w określone dni) na rzecz pana*⟩.

I papa *zdr.* ⟨*ojciec*⟩ **1.** Drog , kochany **p. 2.** Zostać szczęśliwym papą: Jestem najszczęśliwszym małżonkiem, a z początkiem lata spodziewam się zostać równie szczęśliwym papą. *Sienk. Koresp. I, 264.*

II papa 1. p. bitumiczna, smołowcowa. **2.** Arkusz, rolka papy. **3.** Kryć dach papą. **4.** Zedrzeć z dachu papę.

III papa 1. Dać komu; rznąć, trzasnąć, uderzyć kogo w papę ⟨*w twarz*⟩: Wszystkiemu złemu on przyczyną! Na moje słowa niech go pani w papę trzaśnie! *Zabł. Mężowie, 26.* **2.** Dostać, wziąć w papę ⟨*otrzymać uderzenie w twarz*⟩.

papier ● 1. Biały jak **p.**; zbladł jak **p.**; cienki jak **p. 2. p.** d o c z e g o [nie: dla czego] ⟨*służący do czego*⟩: Papier do pakowania, do owijania, do powiększeń fotograficznych. **3. p.** n a c o ⟨*przeznaczony na co*⟩: Na kolanach miał rozłożony papier na okruszynki. *Par. SPP.* **4. p.** o d c z e g o, p o c z y m a. z c z e g o ⟨*pozostały po czym, zdarty z czego, odwinięty z czego*⟩. **5. p.** z c z e g o ⟨*zrobiony z czego*⟩: Papier ze szmat, z drzewa, z makulatury, ze słomy, z bawełny. **6. p.** biały, bibulasty, biblijny, bezdrzewny, czerpany, pergaminowy, japoński, welinowy. **7. p.** gładki, liniowany, kratkowany, rysunkowy. **8. p.** pakowy ⟨*do pakowania*⟩. **9. p.** światłoczuły ⟨*do zdjęć fotograficznych*⟩. **10. p.** szklisty a. ścierny ⟨*szmergiel*⟩. **11.** *daw.* **p.** stemplowy ⟨*papier ze znakami wodnymi i z wyciśniętą opłatą stemplową*⟩. **12.** *fot.* **p.** przekwaszony ⟨*papier fotograficzny poddawany działaniu zbyt kwaśnego utrwalacza*⟩. **13.** Ryza, libra, bela papieru. **14.** Świstek, zwitek, kartka papieru. **15.** Wyłożyć co papierem (wnętrze pudełka, półkę w szafie). **16.** Zawinąć co w **p. 17.** *przen.* Drukowany **p.** ⟨*czasopismo, książka*⟩. **18.** Być, pozostać na papierze ⟨*być tylko w teorii, w projekcie; nie być nigdy wykonanym, wprowadzonym w życie, urzeczywistnionym*⟩: Większość jego rozkazów pozostała na papierze. *Wojtk. Gen. 167.* **19.** Być świstkiem papieru, traktować co jak(o) świstek papieru ⟨*nie honorować, nie szanować czego, nie uznawać poprzednio przyjętych zobowiązań*⟩. **20.** Przelać, przenieść, rzucić, wylać na **p.** ⟨*napisać, utrwalić na piśmie*⟩: Porywał się, by chwycić pióro i przenieść na papier, co tam wrzało w środku. *Dzierzk. Pow. II, 95.* Wierszyki te w wesołych chwilach rzucone na papier, dobitniej może malują poetę niż inne jego dzieła. *Syrok. Lit. II, 38.* Tajemnic historii serca nie odważyli się wylać na papier z zupełną otwartością. *Sztyrm. Katalept. II, 14.* **21. p-y** do podpisania ⟨*pisma, dokumenty*⟩. **22. p-y** po kim ⟨*dokumenty, korespondencja, pisma pozostałe po zmarłym*⟩: W papierach po autorze znalazł się brulion listu. *Orkan Pomór 207.* **23.** Rodzinne **p-y** ⟨*dokumenty, pamiątki rodzinne*⟩. **24.** Urzędowy **p.** a. urzędowe **p-y** ⟨*pisma, dokumenty urzędowe*⟩: Machnął ręką i zabrał się do swoich urzędowych papierów. *Par. Niebo 208.* **25.** *daw.* Uwierzytelniające **p-y** ⟨*listy uwierzytelniające*⟩. **26.** *daw.* **p-y** królewskie ⟨*dokumenty, akta podpisywane przez króla, korespondencja króla*⟩: Skarbiec oraz archiwum, gdzie przechowywano papiery królewskie, senatu i sejmu, nazywał się w Polsce Metryką. *Glog. Słow. 5.* **27.** Doręczyć (urzędowy) **p.** ⟨*pismo, dokument*⟩. **28.** Odebrać (ze szkoły, z urzędu) **p-y** ⟨*dokumenty*⟩. **29.** (U)porządkować, przeglądać, rozłożyć **p-y.** Sprawdzać **p-y** ⟨*dokumenty*⟩. **30.** (Za)grzebać się w papierach ⟨*pracować intensywnie, oddawać się z przejęciem pracy umysłowej*⟩: Przez parę godzin siedziałem dosłownie zagrzebany w leżących przede mną papierach. *Orzesz. Z różnych I, 11.*

● 31. p-y procentowe, zastawne ⟨*akcje*⟩. **32. p-y** publiczne ⟨*akcje, pożyczki, obligacje itp.*⟩. **33. p-y** wartościowe ⟨*przemysłowe*⟩. **34.** Płacić papierami; mieć x złotych, rubli, franków itp. papierami ⟨*banknotami, w banknotach, nie w bilonie*⟩: Mam dziewięćdziesiąt rubli papierami. *Prus Emanc. III, 17.* **35.** Ulokować (gotówkę, kapitał, większą sumę) w papierach. **36.** *przen.* **p-y** czyje spadają ⟨*zaczyna mu się gorzej powodzić*⟩: Papiery szambelana zaczęły nagle spadać. *Choj. Alkh. I, 186.* **p-y** czyje idą, poszły w górę ⟨*czyjaś sprawa bierze dobry obrót, ktoś zyskuje na znaczeniu, komuś zaczyna się dobrze powodzić*⟩: No, teraz trzeba dobić targu. Ustąpił najgłówniejszy współzawodnik i papiery moje jeszcze bardziej poszły w górę. *Dygas. Pióro 35.*

przysł. **37.** Papier jest cierpliwy ⟨*pisze się wiele rzeczy bezwartościowych albo pisze się wielokrotnie i bezskutecznie o tym samym*⟩.

papierek 1. p. od cukierka. **2.** *lekcew.* Urzędowy **p.** ⟨*dokument urzędowy*⟩. **3.** Dwudziestozłotowy, pięćdziesięciozłotowy itp. **p.** ⟨*banknot dwudziestozłotowy itp.*⟩: Zmienić papierek (stuzłotowy). **4.** Wypłacić papierkami. **5.** Dwa, trzy, cztery itp. **p-i** po x złotych ⟨*dwa, trzy itd. banknoty po x złotych*⟩: Wyjął z portfelu plik stuzłotówek odliczył sześć papierków i położył na stole. **6.** *lekcew.* Poświęcać czas papierkom ⟨*pracy biurowej, nieproduktywnej*⟩. **7.** *lekcew.* Przekładać **p-i** ⟨*pracować w biurze, urzędować*⟩. **8.** *pot.* Wykazywać się papierkiem ⟨*zaświadczeniem*⟩: Wykazał się papierkiem, że był chory.

9. Wymienić srebro na **p-i** ⟨*monety srebrne na banknoty*⟩.

papierkowy 1. p-a robota ⟨*biurowa, nie produkcyjna*⟩. **2. p.** stosunek do kogo a. do czego ⟨*biurokratyczny*⟩.

papieros 1. p. monopolowy, swojej roboty. **2. p.** z długim, z krótkim paleniem. **3.** Niedopałek papierosa. **4.** Paczka, pudełko papierosów. **5.** Fabryka, wytwórnia papierosów. **6.** Częstować, poczęstować papierosem (papierosami). **7.** Otrząsnąć popiół z papierosa. **8.** Palić, wypalić, zapalić papierosa (papierosa za papierosem). **9.** Palić **p-y** ⟨*być palącym*⟩. **10.** Przejść (do palarni), wyjść (na korytarz) na papierosa ⟨*aby zapalić papierosa*⟩. **11.** Przypalić papierosa (od drugiego papierosa, od lampy). **12.** Robić (sobie) **p-y** (z gotowych gilz i tytoniu). **13.** Skręcić papierosa ⟨*zawinąć tytoń w bibułkę*⟩. **14.** Robić co z papierosem w ustach: Z papierosem w ustach wyciągnął się w fotelu. *Perz. Las 153.* **15.** Zaciągnąć się papierosem (dymem z papierosa). **16.** Zadymić papierosami (pokój).

papierowy 1. p. abażur, latawiec; serwetka, ozdoba, koronka, wycinanka, zabawka **p-a** ⟨*zrobiony(-a) z papieru*⟩. **2.** Torba, torebka **p-a**, sznurek, worek **p. 3.** Taśma **p-a. 4.** Wełna **p-a** ⟨*skrajki używane do pakowania owoców lub przedmiotów łatwo tłukących się*⟩: **5.** Papierowej cienkości: Plasterek sera cienkości papierowej. **6.** *przen.* Policzki, wargi **p-e** ⟨*blade jak papier*⟩. **7. p.** bohater, postać, figura **p-a** (utworu) ⟨*nierealna, sztuczna, martwa, nie mająca cech żywego człowieka*⟩. **8. p-e** łzy ⟨*wylewane na papier, w konwencjonalnych, sztucznym stylem pisanych żalach, trenach itp. utworach*⟩. **9.** Działalność, robota **p-a** ⟨*czysto formalna, biurokratyczna, polegająca na pisaniu okólników, zarządzeń itp.; działalność niepraktyczna, jałowa*⟩. **10. p.** kierownik, dyrektor, minister ⟨*nominalny tylko, nieenergiczny*⟩: On nie był stworzony na papierowego ministra. *Ask. Stulecia 392.* **11.** Obietnica, zgoda **p-a** ⟨*rzucona na wiatr, nie dotrzymana; zewnętrzna, pozorna*⟩. **12.** Prawa, reformy, ustawy, umowy, sojusze **p-e** ⟨*pozostające na papierze, nigdy nie wykonywane*⟩: To były papierowe sojusze, które nie zdały egzaminu życia. *Nowe Drogi 5, 1955, s. 10.*

papieski 1. Audytor **p. 2.** Błogosławieństwo **p-e. 3.** Bulla **p-a**, breve **p-e**, dekret **p. 4.** Ceremoniał **p.** ⟨*ceremoniał obowiązujący na dworze papieskim*⟩. **5.** Dwór **p. 6.** Dyspensa **p-a. 7.** Gwardia, milicja **p-a. 8.** *daw.* Inkwizytor **p. 9.** Nuncjusz **p. 10.** Państwo **p-e** ⟨*watykańskie*⟩. **11.** Sąd **p. 12.** Tiara **p-a** ⟨*korona papieska, oznaka godności papieskiej*⟩. **13.** Tron **p. 14.** Wstąpić na tron **p.**, zasiąść na tronie papieskim ⟨*zostać obranym papieżem*⟩.

papież 1. Nieomylność papieża (w sprawach dogmatów wiary). **2.** Posłuchanie (audiencja) u papieża. **3.** *przen.* **p.** pozytywistów (o Aleksandrze Świętochowskim). **4.** Być w Rzymie i papieża nie widzieć ⟨*nie obejrzeć, nie zwiedzić rzeczy najważniejszej w jakiejś miejscowości albo w jakimś mieście*⟩.

papiloty 1. Cała w papilotach, z główką w papilotach (o kobiecie). **2.** Kręcić, zakręcić, zawijać, zaplatać **p. 3.** Zakręcić włosy w **p.**, zawijać włosy na **p. 4.** Włosy poskręcane w **p.**, uwolnione z papilotów.

papka 1. Błotnista, śnieżna **p. 2.** Mączna **p. 3.** Karmić dzieci papką. **4.** Rozetrzeć co na papkę. **5.** Rozgotować co na papkę.

paplać 1. *pot.* **p.** bez przerwy, jak baba, co ślina do ust przyniosła ⟨*mówić szybko; pleść, ględzić*⟩. **2. p.** c z y m a. j a k: Paplać jakimś językiem, żargonem; po francusku, po niemiecku. **3. p.** c o: niezrozumiałe wyrazy. **4. p.** o c z y m: o miłości, o tym i owym, o niczym. **5. p.** po mieście, po znajomych ⟨*rozgadywać*⟩: Służąca Świerkowskich paplała po mieście najdziwaczniejsze historie. *Żer. Opow. 185.*

papuga Jak **p.** ⟨*bezmyślnie*⟩: Mówić, paplać, powtarzać co, wyuczyć się czego jak **p.**

papuzi 1. p. kolor, strój ⟨*jaskrawy*⟩. **2.** Barwy **p-e.**

I para ⟨*ciało lotne*⟩ **1. p.** wodna. **2. p.** przegrzana. **3. p.** cynku; wodoru; alkoholu. **4.** Obłok, tuman, pary. **5.** Pęcherzyki pary. **6.** Ciśnienie pary (w kotle). **7.** Buchać parą (o gorących potrawach, o pomieszczeniach wypełnionych parą itp.). **8.** Gotować na parze. **9.** Nasycić (przestrzeń) parą. **10.** Puścić parę, poddać pary (o maszyniście na parowozie). **11.** Zachodzić parą (o szybach, okularach). **12. p.** kłębi się, bucha kłębami, unosi się, idzie z czego: Para szła z koni, okrytych ciepłymi, grubymi kocami. *Pol Obrazy I, 28.* **13. p.** skrapla się, osiada na szybach. **14.** Co pary w piersiach ⟨*co sił, co tchu, szybko*⟩: Co pary w piersiach czmychał przed siebie. *Żer. SPP.* **15.** Psia **p.**! ⟨*rodzaj przekleństwa = psia dusza! (por. psiakrew!)*⟩: Psia para — wykrzyknął ze złością [...] Gdzie mój beret? *Bron. J. Ogn. 54.* **16.** Stać pod parą (o maszynach, statkach, flocie ⟨*być gotowym do ruchu, do pracy, do drogi*⟩. **17.** Ruszyć, pędzić pełną parą a. całą siłą pary (o pociągu, statku parowym); *przen.* Roboty przy budowie mostu ruszyły pełną parą. **18.** Puścić ostatnią parę ⟨*umrzeć*⟩: Pewno jegomość ostatnią parę puścił. *Sienk. Ogn. IV, 177.* **19.** Puścić parę z ust (o czym) ⟨*wspomnieć, powiedzieć o czym*⟩. **20.** Nie puścić pary z ust, z gęby ⟨*nic nie powiedzieć, przemilczeć, zachować w tajemnicy*⟩: Nie chcąc [...] ranić ojcowskiego serca mojego, przede mną pary z gęby nie wypuściła! *Prus Kłop. 113.*

przysł. **21.** U chłopa wiara, jak u psa para. *por.* Chłopu i psu nie należy wierzyć.

II para ⟨*dwie osoby, dwie sztuki czego*⟩ **1. p.** butów, okularów; **p.** pistoletów; **p.** rąk; **p.** gołębi, koni itp. **p.** przyjaciół. **2.** *fiz.* **p.** sił ⟨*dwie równe i równoległe siły działające w przeciwnych kierunkach*⟩. **3. p.** narzeczonych ⟨*narzeczeni*⟩. **4.** Zakochana **p.** ⟨*kochankowie*⟩. **5.** Do pary: a) ⟨*parzysto, w liczbie parzystej*⟩: Jest nas dwanaście osób, a więc do pary; b) ⟨*parzysty, z tej samej pary*⟩: Dobrać buty, rękawiczki, pończochy do pary. **6.** Nie do pary: a) ⟨*w wyliczeniu: o liczbie nieparzystej lub przedmiotach nieparzystych*⟩; b) ⟨*inny, nie należący do pary*⟩: Pończochy nie do pary. **7.** Nie od pary ⟨*zupełnie inny, nie należący do pary, nie stanowiący pary*⟩: But, rękawiczka nie od pary. **8.** Iść, pójść z kim w parze ⟨*najczęściej o dzieciach: stanowić z kim parę w czasie spaceru, przemarszu itp.*⟩. **9.** *przen.* Iść w parze z czym ⟨*towarzyszyć czemu*⟩. **10.** Posuwać się (w tańcu), tańczyć **p.** za parą. **11.** Maszerować, wchodzić parami (o ludziach). **12.** Lecieć parami (o samolotach). **13.** Zaprzęgać konie, woły parami. **14.** Rymować się parami ⟨*o wierszach*⟩. **15.** Łączyć się w **p-y** (o zwierzętach). **16.** Przybrać sobie kogo do pary: Powinien jeszcze sobie przybrać do pary swojego przyjaciela od serca. *Dygas. Pióro 73.* **17.** Skojarzyć parę ⟨*doprowadzić do małżeństwa*⟩: Chwilami obiecywał sobie [...] nie mieszać się już więcej do niczego, następnie zaś wracał mimo woli do myśli skojarzenia tej pary z tym większym uporem. *Sienk. Wołod. I, 166.* **18.** Szukać pary. **19.** Ustawić się w **p-y**. **20.** Tańczyć w dwie **p-y**, w pięć par.

parada 1. p. wojskowa ⟨*uroczysty przegląd wojska, defilada*⟩. **2.** *pot.* Całej parady ⟨*wszystkiego, wziąwszy razem*⟩: Miałem całej parady pięć złotych. **3.** Jak na paradzie, jak na paradę ⟨*uroczyście*⟩: Pułkownik stał sztywno; jak na paradzie. *Strug Ojc. 27.* Strojny, wystrojony jak na paradę **4.** *pot.* I cała (i skończona) **p.** ⟨*i basta, i już, i koniec*⟩: Gadają, że tylko mandryl na nią [na szopkę] iść może — więc się nie idzie i cała parada. *Żer. Syzyf. 138.* **5.** Nie od parady ⟨*istotny, rzeczywisty, nie malowany; mocny, tęgi*⟩: Zęby nie od parady. - Poznasz, żem przyjaciel nie od parady. *Dygas. Now. VIII, 145.* Głowę ma nie od parady. **6.** *pot.* Od parady, od wielkiej parady: a) ⟨*uroczysty; na uroczystość, na paradę*⟩: Ubranie od parady. - Tylko od wielkiej parady przywdziewał czarną czamarę. *Rog. J. Bohat. II, 51*; b) ⟨*z imienia tylko, dla popisu*⟩: Chciałabyś, żebym tylko mężem był od parady. *L.* **7.** *pot.* Wielka (mi) **p.** ⟨*nic wielkiego, cóż to wielkiego*⟩: Wielka parada! wszak nic na tym nie stracę. *SW.* **8.** Z (wielką) paradą ⟨*z szykiem, z okazałością, z przepychem*⟩: Ubrać się z największą paradą. - Wesele odbywało się z ogromną paradą. *Dygas. Beld. 184.* **9.** *posp.* Wchodzić, włazić komu w paradę ⟨*przeszkadzać komu, stawać w poprzek czyim zamiarom*⟩: Obawiam się, że się nasi goście pospóźniają. Ta idiotyczna burza wlazła nam w paradę. *Andrz. Popiół 133.*

paradny 1. *wojsk.* **p.** krok ⟨*defiladowy*⟩. **2.** *daw.* **p.** pokój ⟨*salon, pokój gościnny*⟩. **3.** *daw.* **p.** strój ⟨*uroczysty, galowy*⟩. **4. p.** sobie!; to paradne! ⟨*zabawny, zabawne*⟩: Ha! ha! to paradne, miała dwójki z języków i pisuje do druku. *Reym. Now. IV, 266.*

paradować 1. p. p o c z y m: po ulicach, po mieście. **2. p.** w c z y m: w mundurze, w stroju (uroczystym); w powozie. **3. p.** c z y m: karetą, koczem.

parafia 1. Objąć parafię ⟨*o księdzu: zostać proboszczem parafii*⟩. **2.** Przenieść się na inną parafię. **3.** Objechać parafię.

parafialny 1. Dom **p.** ⟨*należący do parafii*⟩. **2. p-a** gęś ⟨*kobieta ograniczona, bez polotu, bez szerszych horyzontów*⟩. **3.** Gust, smak **p.** ⟨*zaściankowy, prymitywny, naiwny*⟩. **4.** *żart.* **p.** lowelas: Za każdym [...] kapelusikiem kobiecym oglądał się, uśmiechem parafialnego lowelasa zdobiąc twarz. *Orzesz. Na dnie II, 211.* **5.** *daw.* Szkoła **p-a** ⟨*w dawnej Polsce szkoła elementarna prowadzona przez księży*⟩.

paragon 1. *przestarz.* Wejść, wchodzić z kim w **p.** ⟨*równać się z kim, współzawodniczyć z kim*⟩: Co do fortuny mojej, i ta wejść może z waszą w paragon. *Sienk. Ogn. I, 73.* **2.** Wypisać **p.** ⟨*kwit, zlecenie do kasy*⟩.

paragraf 1. p. prawa, ustawy, kodeksu karnego, pragmatyki (służbowej). **2.** Na mocy tego a tego paragrafu kodeksu ⟨*na podstawie odpowiedniego przepisu kodeksu*⟩. **3.** Ktoś a. coś podpada pod jakiś **p.** (kodeksu) ⟨*do kogo albo do czego stosuje się odpowiednie przepisy (kodeksu)*⟩. **4.** Podzielić, rozdzielić (tekst) na paragrafy ⟨*na odpowiednie ustępy, części, punkty*⟩. **5.** Podzielić (tekst) paragrafami ⟨*rozczłonkować go oddzielając odpowiednimi znakami* (§)⟩.

paraliż 1. p. kończyn, mózgu; *przen.* **p.** woli. **2.** Paraliżem tknięty, ruszony, rażony. **3.** Dostać paraliżu. **4.** Ulec paraliżowi. **5. p.** owładnął kim, ruszył, tknął, trzasnął kogo. **6.** Do stu paraliżów! ⟨*przekleństwo: do stu diabłów!*⟩. **7.** Żeby go (je, ich itp.) **p.** tknął, skręcił ⟨*przekleństwo*⟩: Przez noc komary — żeby je paraliż skręcił — pocięły nas tak, że pali twarz, palą ręce i nawet stopy w grubych wełnianych skarpetkach. *New. Archip. 25.*

parasol 1. p. męski, damski. **2. p.** spadochronu, **3.** *przen.* **p.** gałęzi. **4.** Otworzyć, rozpiąć, rozpostrzeć, rozłożyć; zamknąć, zwinąć **p. 5.** Ochraniać, osłaniać, zasłaniać parasolem. **6.** Iść, pomykać, przesuwać się itp. pod parasolem. Mżył deszcz jesienny i ludzie skuleni pod parasolami biegli z pośpiechem. *Żer. Nawr. 206.*

parawan 1. Oddzielić, przedzielić co, zasłonić, zastawić parawanem. Obstawić (łóżko) parawanem. **2.** Schować się za **p.**; *przen.* Znów zagadywał i chował się za parawan słów. *Goj. Dziew. II, 27.* **3.** Osłaniać się parawanem czego, kryć się za **p.** a. za parawanem czego. **4.** Coś jest, staje się (czym, dla kogo) parawanem; coś służy za **p.**: Nie chcę, żeby moje nazwisko służyło za parawan. *Andrz. Popiół 161.*

pardon 1. Bez pardonu ⟨*gwałtem, bez ceremonii; bez litości, bezwzględnie*⟩: Zabrać co; usunąć kogo, walczyć z kim, z czym bez pardonu. **2.** *daw.* Prosić o **p.**, nie prosić o **p.** a. nie prosić pardonu ⟨*prosić (nie prosić) o litość, o darowanie życia*⟩: Gdyby był o pardon prosił, byłby coś zapewne oberwał, ale nie bardzo może. *Jeż Uskoki II, 209.* Nikt ze Szwedów nie prosił pardonu, ale go też i nie dawano. *Sienk. Pot. V, 205.*

park 1. p. francuski ⟨*urządzony i utrzymywany na sposób francuski*⟩. **2. p.** dworski, pałacowy; podmiejski. **3. p.** leśny. **4.** Dziki, stary **p. 5. p.** narodowy ⟨*rezerwat*⟩. **6. p.** samochodowy ⟨*zestaw samochodów przedsiębiorstwa*⟩.

parlament 1. p. jednoizbowy, dwuizbowy ⟨*składający się z izby niższej i wyższej*⟩. **2.** Członek parlamentu. **3.** Posiedzenie, sesja parlamentu; izby parlamentu; uchwała parlamentu. **4.** Interpelacja w parlamencie. **5.** Wybory do parlamentu. **6.** Kandydować, posłować do parlamentu. **7.** Zwołać, odroczyć, rozwiązać **p.**

parlamentarny 1. Grupa, frakcja **p-a** (jakiegoś stronnictwa, partii). **2.** Komisja **p-a. 3.** Mniejszość, większość **p-a. 4.** Mówca **p. 5.** Republika, monarchia

p-a. 6. Sesja **p-a. 7.** Trybuna **p-a**: Przemawiać, złożyć oświadczenie z trybuny parlamentarnej ⟨*w parlamencie*⟩. **8.** Unia **p-a** (dwóch krajów). **9.** Walki, rozgrywki, boje **p-e. 10.** Życie **p-e.**

parol 1. *daw.* **p.** rycerski ⟨*przyrzeczenie, rodzaj przysięgi*⟩. **2.** *daw.* **p.** honoru ⟨*słowo honoru*⟩: Ofiaruję na to przysięgę, kaucją albo parol honoru. *Tremb. Listy I, 248.* **3.** *daw.* **p.** żołnierski ⟨*umówione hasło*⟩. **4.** *daw.* Stawić się na parol, wziąć kogo (do niewoli), wypuścić, zwolnić na **p.** ⟨*na słowo*⟩: Wedle regulaminu jeńców wojennych można zwalniać na parol, jeśli pozwalają na to prawa ich własnego kraju. *Ehrl. Prawo 411.* **5.** *daw.* Dotrzymać, nie dotrzymać parolu; złamać **p. 6.** Zagiąć **p.** na kogo, na co ⟨*zapragnąć kogo, czego, powziąć jakieś względem kogo a. czego zamiary*⟩: Ot [...] pewna jestem, że już zagiął parol na tę śliczną parafiankę. *Korz. J. Wdow. 292.*

I parowy 1. *daw.* Koń **p.** ⟨*mechaniczny*⟩. **2.** Turbina **p-a** ⟨*poruszana za pomocą pary*⟩. **3.** Statek **p.** ⟨*parostatek, parowiec*⟩.

II parowy 1. *daw.* Pańszczyzna **p-a** ⟨*obowiązek odrabiania pańszczyzny parą koni*⟩. **2.** *daw.* Poddany **p.** ⟨*mający obowiązek odrabiania pańszczyzny parą koni*⟩.

parskać, parsknąć 1. p. c z y m a. z c z e g o, np. **p.** pianą (o koniu). **p.** ze złości. **2. p.** n a k o g o: Anusia poczęła w końcu parskać na miecznika jak kotka. *Sienk. Pot. VI, 70.* **3. p.** jak koń, jak (młody) źrebak, jak kot. **4. p.** śmiechem a. ze śmiechu (rzadziej od śmiechu); **p.** chichotem; komu w oczy ⟨*wybuchać śmiechem*⟩: Weseli ludzie albo mu parskali w oczy, lub też nie zważali na to, co robił. *Smol. W. Pisma III, 105.*

parszywy 1. p. interes ⟨*zły, kiepski*⟩. **2. p.** nastrój. **3. p-a** owca ⟨*wyrzutek, odszczepieniec*⟩. **4. p-e** życie ⟨*nędzne, podłe*⟩: Czemu się boję, o co się boję? O to swoje parszywe życie? *Was. W. Gwiazdy 9.* **5.** Odpędzać kogo, odtrącać, odsuwać, zostawić jak parszywą owcę, jak parszywego psa ⟨*bezlitośnie, zdecydowanie, bezwzględnie odtrącać itd.*⟩: Ona by chciała, żeby mnie tak bez ratunku, jak parszywego psa, na zdechnięcie zostawić. *Zap. G. Ptak I, 135.* *przysł.* **6.** Jedna parszywa owca całe stado zaraża.

partes *daw.* z partesu, jak z partesu a. z partesów, jak z partesów ⟨*godnie, uroczyście*⟩. Stąpać, gadać, prawić, spoglądać itp. (jak) z partesu (z partesów): Bierze zatem ułożoną minę, stąpa z partesów na kształt karmnego prałata. *Tremb. Bajki 9.*

partia ● **1. p.** gości, dzieci ⟨*grupa*⟩. **2. p.** gór, lasów ⟨*część*⟩. **3. p.** towaru; **p.** książek. **4.** Przywozić, sprowadzać, wysyłać co, (kogo) partiami ⟨*częściowo, w mniejszych ilościach, grupami*⟩: Sprowadzać towar partiami. Przewozić więźniów partiami. Jadać partiami (w przedszkolu, w pensjonacie). **5.** *daw.* **p.** powstańcza ⟨*oddział powstańczy*⟩: Liczne partie powstańcze, same niewiele zdolne przedsięwziąć, mogły być wszelako pewne, że ich nieprzyjaciel po zapadłych puszczach szukać nie będzie. *Sienk. Pot. VI, 175.* **6.** Utworzyć, zebrać partię ⟨*zorganizować oddział wojskowy, powstańczy, partyzancki*⟩: Wolej mi [...] partię utworzyć! Będę Szwedów podchodził, jako inni podchodzą. *Sienk. Pot. VI, 18.*

● **7. p.** utworu (literackiego, muzycznego, naukowego itp.) ⟨*pewien odcinek, pewna część utworu*⟩. **8. p.** śpiewana, tenorowa, tytułowa (w operze, w operetce). **9. p.** Halki, Janusza, Jontka itp. **10. p.** solowa ⟨*część utworu muzycznego lub część roli wykonywana przez solistę*⟩: Grać, śpiewać, wykonać partię solową.

● **11. p.** bridża; golfa; szachów, bilardu itp. ⟨*gra od początku do końca w bridża itp.*⟩. **12.** Przegrać, wygrać partię (w karty, w szachy itp.). **13.** Zasiąść do partii (bridża, szachów). **14.** Zagrać partię (np. bilardu).

● **15.** *daw.* Bogata, świetna, odpowiednia, nieodpowiednia **p.** ⟨*małżeństwo; ewentualny kandydat lub ewentualna kandydatka do małżeństwa*⟩. **16.** Szukać partii dla panny. **17.** Znaleźć, odrzucić (świetną) partię. **18.** Być, stanowić (dobrą) partię.

● **19. p.** polityczna ⟨*aktywna część klasy społecznej zjednoczona w politycznej organizacji*⟩. **20. p.** bolszewicka, marksistowsko-leninowska; socjalistyczna; chłopska; robotnicza, rewolucyjna. **21.** Polska Zjednoczona Partia Robotnicza. Komunistyczna Partia Związku Radzieckiego. **22.** Bratnie **p-e** ⟨*partie krajów obozu socjalistycznego*⟩. **23. p.** opozycyjna (w parlamencie). **24. p.** pokojowa; wojenna ⟨*dążąca do pokoju; do wojny*⟩. **25. p.** dworska ⟨*stronnicy dworu (monarchy)*⟩. **26.** Być członkiem partii. **27.** Przyjąć (kogo) do partii; wykluczyć (kogo) z partii. **28.** Wstąpić do partii (politycznej).

partyjny 1. Aktywista **p. 2.** Doświadczenie **p-e** ⟨*nabyte w organizacji partyjnej*⟩. **3.** Gwara **p-a** ⟨*specjalne wyrażenia i zwroty używane w środowisku partyjnym*⟩. **4.** Władze **p-e. 5.** Kadry **p-e. 6.** Konferencja **p-a**; obrady **p-e**, zebranie **p-e. 7.** Organ **p.** ⟨*dziennik reprezentujący oficjalne poglądy partii w różnych dziedzinach życia*⟩. **8.** Organizacja **p-a.** Podstawowa organizacja partyjna (POP). **9.** Praca **p-a. 10.** Szkoła **p-a.** Szkolenie **p-e. 11.** Towarzysz **p.** ⟨*należący do partii*⟩. **12.** Upomnienie **p-e. 13.** Życie **p-e.**

partyzantka 1. Bić się, brać udział, walczyć w partyzantce. **2.** Organizować, prowadzić partyzantkę ⟨*walkę podjazdową*⟩. **3.** Pójść, zaciągnąć się do partyzantki. **4.** *przen.* Uprawiać partyzantkę (dziennikarską, kulturalną).

parzyć 1. p. c o, np. kawę, zioła, rumianek. **2. p.** sobie co: Parzyć sobie usta gorącą zupą. **3. p.** c z y m: Słońce parzyło żarem. **4. p.** w c o: Piasek parzył w stopy. Gorące naczynie parzy w ręce. **5.** *rub.* **p.** kogo kijem ⟨*bić*⟩: Z tyłu zbity tłum ciśnie go w plecy, a z przodu chodzą halabardnicy i parzą każdego kijami, co wystąpi z szeregu. *Kaczk. Olbracht. II, 246.* **6.** Pokrzywa parzy. **7.** Ciasto parzone.

pas ● **1. p.** skórzany, rzemienny, parciany. **2. p.** napędowy, transmisyjny ⟨*służący do przenoszenia ruchu z wału korbowego na maszynę*⟩. **3. p.** ratunkowy ⟨*służący do utrzymywania się na wodzie w razie katastrofy statku, łodzi*⟩. **4. p.** (lity) słucki ⟨*szeroki, jedwabny pas, przetykany nićmi złotymi, noszony przez szlachtę przy stroju uroczystym*⟩. **5. p.** żołnierski, oficerski. **6. p.** z ładownicami. **7. p.** elastyczny ⟨*rodzaj obciskającego gorsetu noszonego* *przez kobiety*⟩. **8. p.** przepuklinowy, rupturowy ⟨*rodzaj bandaża zabezpieczającego przed przepukliną*⟩. **9.** Za pasem ⟨*blisko*⟩: Noc była za pasem. *Ossol. Frasz. 29.* Żniwa za pasem. **10.** Dopiąć, poprawić pasa. **11.** Opasać się, przepasać się pasem. **12.** Spiąć (żupan) pasem. **13.** Sprać, wyłoić, zbić, wybić kogo pasem. **14.** Oberwać od kogo pasem. **15.** Kłaść, włożyć rękę za **p. 16.** Zatknąć co za **p.** (np. siekierę). **17.** Przytroczyć do pasa a. u pasa (zwierzynę). **18.** Wisieć u pasa (o szabli, sztylecie). **19.** Wyciągnąć co zza pasa. **20.** *przen. daw.* Brać się, imać się, chodzić za **p-y** ⟨*mocować się*⟩: [Łódź] z wiatrami za pasy chodzi. *Tremb. Różne 94.* **21.** *daw.* Otrzymać, pozyskać **p.** rycerski ⟨*być pasowanym na rycerza*⟩. **22.** Przyciągać, zaciskać pasa ⟨*oszczędzać; głodować*⟩: Przednówek tego roku nie był specjalnie dokuczliwy, ale przecież biedni dorocznym zwyczajem musieli zaciskać pasa. *Zal. W. Traktory 167.* **23.** Siedzieć z rękami założonymi za pasem, trzymać ręce za pasem; zatknąć, włożyć ręce za **p.** ⟨*czekać bezczynnie*⟩.

● ⟨*talia*⟩ **24.** Do pasa ⟨*do linii bioder, do talii*⟩: Nagi do pasa. Rozebrać się do pasa. Wiązać fartuszek do pasa. **25.** Do **p.** ⟨*do linii bioder, do talii*⟩: Błoto, śnieg po **p.** Brnąć po **p.** w śniegu, w wodzie. Brodzić po **p.** w wodzie. Zapadać po **p.** w bagno, w śnieg, w wysoką trawę. **26.** Broda po **p.** a. w **p.** ⟨*długa*⟩. **27.** W **p.** ⟨*nisko*⟩: Giąć, zginać się, pokłonić się w **p. 28.** W pasie ⟨*w talii*⟩: Cienki, wcięty; wąski, szeroki w pasie. Objąć kogo w pasie. Ścisnąć się czym w pasie (np. sznurówką).

● **29. p.** turystyczny ⟨*strefa*⟩. **30.** Leśne **p-y** ochronne ⟨*pasy lasu osłaniające od wiatrów*⟩. **31. p.** lasu, kosodrzewiny, wrzosu, łąki, zarośli itp. ⟨*wydłużony odcinek przestrzeni porośniętej lasem, kosodrzewiną itd.*⟩. **32. p.** światła ⟨*smuga*⟩. **33. p.** wybrzeża ⟨*mniej lub więcej szeroka linia brzegu, odcinek wybrzeża*⟩. **34. p.** zabudowań ⟨*wydłużony odcinek zabudowanej przestrzeni*⟩. **35.** W **p-y** ⟨*w smugi jednolitego koloru lub różnokolorowe*⟩: Koszula, krawat w **p-y.** Malowany w **p-y** (komin statku, słup graniczny, budka strażnicza).

pasać, paść 1. p. zwierzęta domowe ⟨*pilnować ich na pastwiskach*⟩: **p.** owce. **2.** Paść k o g o, c o — c z y m ⟨*karmić, opychać*⟩: Paść kury ziarnem; dzieci słodyczami. **3.** Paść oczy c z y m ⟨*patrzeć na kogo, na co z przyjemnością, z satysfakcją; sycić wzrok czym, napawać się widokiem czego*⟩: Straszliwy watażka siedział opodal na zydlu i pasł oczy przerażeniem jeńca. *Sienk. Ogn. III, 67.* **4.** *pot.* Jemu (tobie) świnie pasać, powinien(-eś) świnie pasać ⟨*do niczego się nie nadaje(-sz), jest(-eś) niezdolny*⟩: Głupia jesteś, jak stołowe nogi, świnie powinnaś pasać. *Perz. Cud. 72.* **5.** *rub.* Świnie z kim **p.** ⟨*być z kim za pan brat*⟩: Czy ty ich znasz, czyś ty z nimi świnie pasł, że niby wiesz o nich to i tamto? *Ritt. Noc. 3.* **6.** *posp.* Świń z kimś nie pasać ⟨*nie życzyć sobie czyichś poufałości, nie pozwalać na czyje poufałości (zwykle w odpowiedzi na czyjś zbyt poufały zwrot)*⟩: Co za ty? Świń z panem nie pasłem. *Andrz. Popiół 168.*

pasać się, paść się 1. p. się j a k, n a c z y m a. w c z y m ⟨*o zwierzętach domowych: żywić się na pastwisku, w lesie itp.*⟩: W pobliżu taboru pasą się stadem wyprzężone woły. *Pol Obrazy I, 219.* Gęsi pasą się na ugorze. - Zajączek jeden młody, korzystając ze swobody, pasł się trawką, ziółkami, w polu i ogrodzie. *Kras. Bajki 36.* **2.** Paść się c z y m ⟨*jadać co, żywić się czym*⟩: Klejem owsianym tylko się pasę. *Chopin Wyb. 25; przen.* Był dosyć ciekawy i rad pasł się nowinką, którą mógł parę dni przeżuwać. *Krasz. Kołk. 50.* **3.** Paść się czyją (ludzką, chłopską itp.) krzywdą, na czyjej (ludzkiej itp.) krzywdzie, z czyjej (ludzkiej itp.) krzywdy ⟨*bogacić się z krzywdą kogo, żyć kosztem kogo, czego*⟩: Rzemieślnik, mospanie, który pracuje uczciwie, więcej znaczy niż niejeden panek, co się pasie ludzką krzywdą i próżniaczy całe życie. *Bał. Dziady 165.* **4.** Oczy pasą się c z y m ⟨*patrzą na co z rozkoszą, napawają się czym*⟩: Pasą się oczy wspaniałym widokiem. *Kras. Monach. 62.*

pasek ● **1. p.** skórzany, rzemienny. **2.** Paski podróżne ⟨*do wiązania bagażu*⟩: Ściągnąć tobołek paskami. **3. p.** do c z e g o, np. **p.** do ostrzenia brzytwy, **p.** do spodni, **p.** do zegarka na rękę. **4. p.** o d c z e g o, np. od spodni, od spódnicy, od płaszcza, od ładownicy. **5. p.** u c z e g o a. p r z y c z y m, np. **p.** u tornistra, u plecaka, a. przy plecaku, u kamizelki, u butów. **6.** Pantofle na **p.** a. na **p-i. 7.** *pot.* Gra w **p.** ⟨*gra hazardowa, polegająca na tym, że gracz ma wskazać oznaczone miejsce w odpowiednio zwiniętym pasku*⟩: A za miastem, za Warszawą, gdzie wiślany lód i piasek, tracą grosz, zebrany krwawo, na grę, co się zowie pasek. *SW.* **8.** *przen.* ⟨*handel spekulacyjny, polegający na ukrywaniu towarów i sprzedawaniu ich przy dużym na nie popycie po wygórowanych cenach*⟩. Skupywać towar na pasek. Zbijać majątek na pasku. **9.** Opasać się, przepasać się paskiem. **10.** Nosić spodnie na pasku. **11.** Ostrzyć brzytwę na pasku. **12.** Wszyć spódnicę, suknię w **p.** ⟨*w listewkę obejmującą talię*⟩. **13.** *przen.* Popuścić paska ⟨*pozwolić sobie na więcej (szczególnie w jedzeniu)*⟩: Chleba krajał co chciał. Wolno mu było przy tym paska popuścić i najmniej godzinę po obiedzie poleżeć. *Tyg. Ilustr. 188, 1863.* **14.** Prowadzić, wodzić na paskach (dziecko zaczynające chodzić). **15.** Trzymać na pasku ⟨*powściągać co, temperować*⟩: Będę swoją wyobraźnię trzymał na pasku, jak niemowlę, co się chodzić jeszcze nie nauczyło. *Sztyrm. Katalept. II, 8.* **16.** Chodzić na pasku kogo ⟨*być na czyich usługach; być narzędziem w czyich rękach*⟩: Chodziła szlachta na pasku Jaśnie Wielmożnych. *Brück. Kult. II, 385.* **17.** Prowadzić, wodzić kogo na pasku ⟨*narzucać komu sposób postępowania; robić z kim, co się podoba*⟩. Nie chciałem prowadzić cię na pasku moich zasad. *Sewer Zyzma 178.* Wszak znasz kobiety... Każda z nich, gdy jest tylko ładna i bogata, lubi nas wodzić na pasku. *Rog. J. Bohat. II, 173.*

● **18. p.** lasu, zarośli itp. **19. p.** morza, kontynentu ⟨*wąska linia brzegu*⟩. **20. p.** papieru ⟨*wąska taśma*⟩. **21.** Pociąć papier na (w) **p-i. 22. p.** słoniny, wędzonki (ukroić) ⟨*cienki, wąski plasterek*⟩. **23.** W **p-i**: Bluzka, koszula, suknia w **p-i.**

pasja 1. Szlachetna, twórcza **p. 2. p.** badawcza, naukowa; bibliofilska, karciana, myśliwska, malarska, polemiczna, teatralna (do teatru) ⟨*zapał, namiętność*⟩. **3. p.** c z e g o: **p.** czytania, pisania, poznania (czego); **p.** pracy. **4. p.** d o c z e g o [nie: dla czego]: do obrazów, do koni, do podróży. **5.** Najwyższa, tłumiona, szewska **p.** ⟨*wściekłość, złość, gniew*⟩: Mnie już szewska pasja ogarnia, jak pomyślę, że mnie rodzona ciotka po prostu okradła! *Reym. Now. V, 53.* **6.** Napad, wybuch pasji. **7.** W pasji; od pasji a. z pasji (co robić) ⟨*w furii; z wściekłości*⟩: Gryźć wargi w pasji. Trząść się cały, zaciskać pięści z pasji. Wrzeć od (wewnętrznej, tłumionej) pasji. **8.** Z pasją (co robić): a) ⟨*z furią, ze złością*⟩: Krzyknąć, zawołać, rzucić (ostre słowa); rzucić, cisnąć, uderzyć (czym) z pasją; b) ⟨*z werwą, z zapałem*⟩: Badać co, pracować, uczyć się, pisać, grać (na scenie, na instrumencie) z pasją. **9.** Budzić, zaszczepiać w kim pasję (do czego) ⟨*zapał*⟩. **10.** Być w pasji ⟨*złościć się, wściekać się*⟩: W okrutnej jestem pasji. *Czart. SW.* **11.** Coś jest, staje się czyjąś pasją ⟨*namiętnością*⟩: Moją pasją są książki. *Borowy Kam. 134.* **12.** Doprowadzić, przywieść kogo do pasji ⟨*do wściekłości*⟩: Dzwoniono [w klasie] małym dzwoneczkiem, co mogło doprowadzić człowieka najmniej nerwowego do ostatniej pasji. *Żer. Syzyf. 103.* **13.** Mieć pasję czego a. do czego ⟨*namiętność*⟩: Miał pasję musztrowania (kogo). Miał pasję podróżowania a. do podróży. **14.** Wkładać w co (całą) pasję ⟨*zapał, namiętność*⟩: Cokolwiek robią, wkładają w to całą, na jaką ich stać, pasję. *Witkiew. S. Utwory 110.* **15.** Wpaść w pasję ⟨*we wściekłość*⟩. **16 p.** bierze, dławi, mija, ogarnia, opanowuje, porywa, zdejmuje kogo; wzbiera w kim.

pasjans 1. Kłaść, rozkładać, układać, stawiać **p.** a. pasjansa. **2. p.** wychodzi, nie wychodzi.

paskudny 1. p-a choroba, rana ⟨*niebezpieczna, groźna*⟩. **2. p-e** jedzenie ⟨*niesmaczne, niezdrowe*⟩. **3.** Pogoda **p-a** ⟨*deszczowa*⟩. **4. p.** postępek ⟨*haniebny*⟩. **5. p-e** słowa ⟨*obelżywe; nieprzyzwoite*⟩. **6. p-e** spojrzenie ⟨*złe, ponure*⟩. **7. p-a** sprawa ⟨*niejasna, nieprzyjemna, niebezpieczna*⟩. **8. p-e** uczucie ⟨*przykre, nieprzyjazne, np. zawiść, zazdrość itp.*⟩. **9. p.** zapach ⟨*niemiły*⟩. **10. p-e** zimno ⟨*przejmujące, nieprzyjemne*⟩.

pasmo 1. p. dymu; babiego lata; światła ⟨*smuga*⟩. **2. p.** gór (Karpat, Karkonoszy), pagórków, wzgórz ⟨*łańcuch*⟩. **3. p.** lądu, lasu ⟨*pas*⟩. **4. p.** nici, przędzy, włóczki ⟨*pęczek*⟩. **5. p.** włosów ⟨*promień*⟩. **6.** *przen.* **p.** klęsk, myśli, nieszczęść, wydarzeń, zabaw ⟨*ciąg, nieprzerwany szereg*⟩. **7.** Być, stać się, wydawać się jednym (nieprzerwanym) pasmem czego (nudy, cierpienia itp.). **8.** Ciągnąć się, rozciągać, rysować się pasmem (o górach, wzgórzach, lasach). **9.** Nawijać (nici, wełnę) na pasma. **10.** Układać się w pasma (o dymach, mgłach). **11.** *książk.* (Śmierć, prządka, kula) przecięła **p.** czyjego życia a. dni czyich ⟨*ktoś umarł, został zabity, poległ*⟩: Dwie kule uderzyły go prawie jednocześnie w piersi i przecięły pasmo dni młodego bohatera. *Pam. powst. 31.* **12. p.** (dymu, mgły; *przen.* wspomnień) snuje się, płynie, przesuwa się, przewija się.

I pasować 1. *daw.* **p.** na rycerza, **p.** rycerzem ⟨*nadawać godność rycerza przepasując go pasem rycerskim*⟩: Pasowali na rycerzy królowie bądź przed bitwami, bądź po odniesionych zwycięstwach lub po koronacjach swoich publicznie na rynku krakowskim. *Głog. Słow. 299.* **2. p.** k o g o n a k o g o ⟨*wynosić kogo do jakiej godności*⟩.

II pasować 1. p. c o ⟨*dopasowywać*⟩: **p.** okna, drzwi, szuflady. **2.** Coś pasuje do czego ⟨*dobrze przylega, jest odpowiednie, jest w sam raz*⟩: Klucz pasuje do zamka. Laska pasuje do ręki. **3.** Ktoś a. coś pasuje, nie pasuje do czego ⟨*ktoś albo coś harmonizuje z czym*⟩: Pantofelki pasują do sukni. Uczesanie pasuje, nie pasuje do twarzy. Była ustępliwa, zgodna, jakoś nie pasowała do tej dufnej w siebie rodziny. *Braun. Lewanty 48.* **4. p.** do siebie ⟨*odpowiadać sobie, mieć dużo cech wspólnych*⟩: Pasowali do siebie: obaj mieli puste głowy i puste serca. *Kosiak. Bud. 155.* **5. p.** n a k o g o *przestarz.* **p.** komu do figury ⟨*o ubraniu: dobrze na kim leżeć*⟩: Płaszcz ojca pasował na niego jak ulał. **6.** Pasuje jak osioł do karocy, jak garbaty do ściany ⟨*zupełnie nie pasuje*⟩: **7.** *pot.* Nie pasuje, nie pasuje (komu), żeby...; nie pasuje (komu) co robić ⟨*nie wypada, nie przystoi*⟩: Mówiliście dopiero co, że wam jako ojcu nie pasuje z rodzonymi dziećmi po sądach się włóczyć. *Jun. Antrop. 112.*

III pasować p. z c z e g o ⟨*rezygnować*⟩: Ostatecznie od razu człowiek nie pasuje z marzeń młodości. *Kunc. Dni 177.*

pasować się p. się z c z y m ⟨*borykać się; mocować się, walczyć; męczyć się, łamać się*⟩: **p. się** z niedźwiedziem; **p. się** ze śmiercią; **p. się** z sobą; **p. się** z myślami; **p. się** z chorobą, z cierpieniem, z nędzą.

pasta p. do obuwia, do podłogi, do zębów; **p.** pomidorowa ⟨*masa*⟩.

pasterski ● **1.** Chata, koliba, zagroda **p-a.** Szałas **p.** ⟨*przeznaczony dla pasterzy*⟩. **2.** Fujarka **p-a** ⟨*wykonana przez pasterza, używana przez pasterza*⟩. **3.** Gospodarka **p-a** ⟨*oparta na hodowli bydła*⟩. **4.** Ognisko **p-e** ⟨*rozpalane pod gołym niebem przez pasterzy*⟩. **5.** Ludność **p-a,** ludy **p-e** ⟨*trudniące się pasterstwem*⟩. **6.** Pies **p.** ⟨*używany do pilnowania bydła*⟩. **7.** Pieśń, poezja **p-a** ⟨*idylliczna, sielankowa*⟩. **8.** Życie **p-e** ⟨*właściwe pasterzom*⟩.
● **9.** Błogosławieństwo **p-e** ⟨*biskupie*⟩.

pasterz 1. p. bydła, kóz, owiec. **2. p.** duchowny ⟨*ksiądz*⟩. **3. p.** serc. **4. p.** parafii ⟨*proboszcz*⟩. **5. p.** ludów: Pamiętaj, że pewniejsze oddasz usługi narodowi sposobiąc się na dzielnego lekarza, aniżeli marząc o roli pasterza ludów. *Prus Przem. 46.* Jeden pasterz i jedna owczarnia.

pastewny Buraki **p-e,** kukurydza **p-a** ⟨*przeznaczone na paszę*⟩. *bot.* Rośliny, zboża **p-e** ⟨*trawiaste*⟩.

pastuch 1. p. bydła, owiec. Konny **p. 2.** Być, służyć za pastucha.

pastuszy *książk.* ⟨*pasterski*⟩ Chata **p-a;** szałas **p.;** schronisko **p-e.** Fujarka, ligawka **p-a.** Kij **p.** Ognisko **p-e.** Pieśń, piosenka **p-a.**

pastwa 1. Paść, stać się pastwą czego (pożaru, płomieni, zaborczości, żartu itp.) ⟨*ofiarą*⟩: Pastwą zaborczości krzyżackiej padła teraz Żmudź, którą rycerze zakonni podbijali pod pretekstem szerzenia chrześcijaństwa. *Piw. Prusy 24.* [Świerk] staje się pastwą kornika. *Radw. Świat 93.* **2.** Oddać, wydać kogo, co; rzucić (być rzuconym); pozostawić, zostawić (kogo, co) na pastwę (śmierci, rozmyślań; żołdactwa; zwierzętom itp.) *daw.* wydać pastwą ⟨*wydać* *na łup, na ofiarę*⟩: Wydał nieszczęśliwe miasteczko na pastwę rozbestwionego żołdactwa. *Sok. Stycz. 197.* Rzucili żołnierza na pastwę losu, zostawili go w boju nierównym, wydali go na pastwę śmierci. *Was. W. Rzeki 526.* I zostawiony sam sobie, rzucony pastwą dla swojej głowy, Gustaw dumał dnie całe. *Krasz. Poeta 52.*

pastwić się p. się n a d k i m a. n a d c z y m ⟨*znęcać się*⟩: Nie ja się nad nim pastwię, ale on sam siebie męczy. *Słow. Książę, 366.* **p. się** nad zwierzętami. Wiatr [...] pastwił się nad falami i statkiem. *Sienk. Listy I, 65. daw.* **p. się** c z y m: Oni niewinni! nie wiedzą, co znaczy dzika przemoc, co słabych pastwi się niedolą. *Grudz. Poezja 124.*

paszcza 1. Szeroka, rozwarta, potworna **p. 2. p.** uzbrojona w (straszliwe) kły. **3. p.** zwierzęcia (wilka, lwa, wieloryba); *przen.* **p.** otchłani. **4. p-e** armatnie, armat (dział): **p-e** armat zionęły ogniem. **5. p.** w paszczę: Wilk tak się ściął paszcza w paszczę z wydrą, że chociaż go nieco wyciągnęła na brzeg, nie mogła się wyrwać z jego paszczy i tak wydra jak wilk leżały nieżywe na brzegu. *Pol Obrazy II, 139.* **6.** Otworzyć, rozewrzeć, rozdziawić paszczę. **7.** Chwycić co w paszczę. **8.** Trzymać w paszczy. **9.** Wpaść komu w paszczę: I nikt pewnie nie wie, czy zwierz uszedł, czy wzięty: nikt zgadnąć nie zdoła, czy wpadł w paszczę Kusego, czyli też Sokoła. *Mick. Tad. 60.* **10.** Wydobyć, wyrwać, wydrzeć kogo, co (się) z czyjej paszczy (również *przen.*): Wyrwał kuzyna z paszczy jakobinów. *Smolka SPP.* **11.** Dostać się komu w paszczę *przen.* ⟨*znaleźć się w niebezpieczeństwie*⟩: To srogi człek, jemu się w paszczę dostać, jak wilkowi głodnemu. *Krasz. Baśń 30.* **12.** Iść, leźć jak lwu w paszczę ⟨*narażać się na zgubę, na niebezpieczeństwo*⟩. **13.** Leźć, rzucać w paszczę śmierci ⟨*narażać na śmierć*⟩: Sami leźli w paszczę śmierci. *Putr. Wrzes. 345.* Krzywonos [...] rzucał tysiące mołojców w paszczę śmierci. *Sienk. Ogn. II, 216.* **14.** Rzucić komu co w paszczę ⟨*poświęcić co*⟩: Jakąż dziś sumę mamy na spłatę do rzucenia w paszczę rekinowi? *Sewer Nafta III, 228.*

paszczęka *książk.* ⟨*paszcza*⟩ **1. p.** zwierzęcia (lwa, psa, szczupaka, węża). **2.** *przen.* **p.** śmierci. **3.** Rozdziawiona, zębata **p. 4.** Chwycić co w paszczękę. **5.** Kłapać paszczęką. **6.** Otworzyć, rozerwać, rozdziawiać paszczękę. **7.** Leźć, włazić w paszczękę (lwu) ⟨*narażać się na niebezpieczeństwo, na śmierć*⟩: Zapuszczał się w środek Budziaku, właził, jak mówiono, w paszczękę lwu. *Sienk. Ogn. I, 52.*

paszport 1. p. dyplomatyczny ⟨*wydawany dyplomatom*⟩. **2.** Fałszywy, lewy **p. 3. p.** krajowy, zagraniczny. **4.** Dostać, otrzymać, uzyskać **p. 5.** Mieć **p.** w (zupełnym) porządku. **6.** Legitymować się (własnym, swoim, cudzym) paszportem. **7.** *przestarz.* Przebywać, mieszkać, przyjechać za paszportem. **8.** Przedłużyć **p. 9.** Sprawdzać **p-y** (na granicy). **10.** Wizować **p. 11.** (Wy)dać, wystawić **p. 12.** (Wy)starać się o **p.**, wyrobić (sobie, komu) **p.**

paszportowy Biuro **p-e** ⟨*wydające paszporty*⟩. Formalności, przepisy **p-e** ⟨*związane z wyrobieniem lub kontrolą paszportu*⟩.

pasztet 1. p. rybny ⟨*z ryb*⟩, **p.** witaminowy ⟨*z produktów zawierających witaminy, np. z wątroby, ikry itp.*⟩. **p.** z drobiu, z zająca, z wątróbki, z różnych gatunków mięsa. **2.** A to (ot) **p.**, piękny **p.**, masz **p.**! ⟨*a to nieprzyjemność!*⟩. **3.** Wleźć, wpakować się a. kogo w **p.** ⟨*mieć z czym kłopot, znaleźć się w trudnej, nieprzyjemnej sytuacji*⟩: A to wlazłem w pasztet; będę miał niechętnego namiestnika Galicji, który może bardzo łatwo stać się moim przełożonym. *Chłęd. Pam. II, 78.*

paść p. **padać**

paść p. **pasać**

paść się p. **pasać się**

patatajka *pot.* Na patatajkę ⟨*byle jak, na poczekaniu*⟩: Wykonać co, sklecić, zrobić na patatajkę.

patelnia 1. p. c z e g o ⟨*tyle, ile mieści się na patelni*⟩: **p.** jajecznicy. **2.** Położyć na patelni. **3.** Rzucić na patelnię. **4.** Smażyć na patelni. **5.** *oboz.* Pójść na patelnię ⟨*być spalonym w krematorium*⟩. **6.** Wykładać, wyłożyć co jak na patelni a. na patelnię ⟨*przedstawić rzecz jasno, otwarcie, szczerze; ujawnić wszystkie okoliczności jakiej sprawy*⟩: Nie pora bawić się w szarady. — Zgoda! [...] Wyłożę rzecz jak na patelni. *Choj. Alkh. III, 17.*

patent ● **1. p.** n a c o (na wynalazek, na maszynę parową itp.). Otrzymać, wziąć **p.**, *przen.* **p.** na nieśmiertelność, na nieomylność, na znakomitość itp.: Kto mi dał patent na nieomylność. *Orzesz. Ad astra 235.*

● **2.** *przestarz.* ⟨*świadectwo ukończenia szkoły, uczelni*⟩: **p.** maturalny ⟨*świadectwo*⟩. **p.** lekarski, inżynierski ⟨*dyplom*⟩; **p.** oficerski ⟨*nominacja*⟩. **3.** Otrzymać, uzyskać **p. 4.** Zdać na **p.**

patentowany 1. p-e powagi ⟨*ludzie cieszący się powszechnym autorytetem*⟩. **2.** *przestarz.* Świeżo **p.** ⟨*świeżo dyplomowany, świeżo upieczony*⟩. **3.** *żart.* **p.** głupiec, niezdara, osioł ⟨*zupełny, bezdenny, beznadziejny*⟩.

patentowy Urząd **p.** *przestarz.* Złodziej **p.** a. patentowany ⟨*zawodowy*⟩: Porobił znajomości z patentowanymi złodziejami. *Bał. SW.*

patos 1. p. aktorski, deklamatorski, teatralny, dramatyczny, szlachetny, tragiczny; fałszywy, sztuczny. **2. p.** romantyczny. **3. p.** pożegnania, patriotyzmu, nowego życia; **p.** morza. **4.** Czytać, deklamować, mówić, wygłaszać co z patosem. **5.** Wpadać w **p.**

paternoster Palnąć, powiedzieć, wyciąć, wypalić komu **p.** ⟨*zrobić wymówkę; udzielić nagany*⟩: Powiedział taki paternoster panu Henrykowi, że aż mi żal go było. *Reym. Now. IV, 272.* Usłyszeć od kogo **p.**

patriotyczny 1. Czyn **p.**; dar **p.**; manifestacja **p-a. 2.** Obowiązek **p.**; **p.** obywatel, mieszkaniec (miasta, kraju). **3.** Pieśń, poezja, liryka, twórczość (literacka), literatura **p-a**; wiersz **p. 4.** Postawa **p-a** (obywateli) **5.** Przemówienie **p-e. 6.** Uczucie **p-e**; **p.** zapał.

patrol 1. Gęste **p-e**; silny, wzmocniony **p.**; **p.** konny, pieszy. Lotne **p-e. p.** milicyjny, policji, policyjny, wojskowy, lotniczy. **p.** nocny, dzienny. **p.** oficerski, **p.** rozpoznawczy. **p.** milicji, wojska, żandarmerii, piechoty. **p.** nieprzyjacielski. **2.** Natknąć się, trafić na **p.** Posłać, wysłać **p.** a. kogo na **p.** Rozesłać, rozsyłać **p-e.** Rozstawić, rozrzucić **p-e** (po mieście). **3.**

przestarz. Odbywać **p-e**: Utworzył też zaraz straż miejską i ta przez trzy dni warty zaciągała i odbywała patrole. *Demb. L. Wspom. I, 279.* **4. p-e** chodzą, ciągną, krążą (po mieście), przechodzą, przeciągają, przejeżdżają, **p-e** pojawiają się (na ulicach miasta). **5. p.** aresztuje, zatrzymuje, zabiera kogo.

patron 1. p. myśliwych ⟨*św. Hubert*⟩, **p.** rybaków ⟨*św. Piotr*⟩. **p.** rycerzy ⟨*św. Jerzy*⟩. **2. p.** kościoła, zakonu. **3.** *daw.* **p.** przy trybunale ⟨*adwokat*⟩. **4.** Być patronem kogo, czego ⟨*opiekunem*⟩: Hermes był patronem kupiectwa. *przen.* Pewnego wieczora, księżyc, co to bywa opiekunem i patronem wszelkich cierpień miłośnych, ukazuje mu ogród sąsiedzki, a w tym ogrodzie [...] dwie panny. *Kremer Listy I, 293.* **5.** Mieć, uważać kogo za swego patrona, obrać sobie za patrona ⟨*opiekuna*⟩. **6.** Pasować kogo na patrona czego: Autorzy fraszek [...] pasują Sowiźrzała na patrona humorystyki polskiej. *Krzyż. J. Rom. 167.*

patronat 1. Coś odbywa się pod patronatem czyim: Bawiła go myśl o schadzce pod patronatem przyszłej teściowej. *Perzyń. Raz 260.* **2.** Objąć, sprawować nad czym **p.**: [Prus, Orzeszkowa, Sienkiewicz] byli pierwszymi mistrzami Konopnickiej, oni także sprawowali w pewnej mierze ideowy patronat nad jej debiutem. *Pam. Lit. 3, 1955, 2.* **3.** Powierzyć komu **p.** nad czym: Patronat nad tym konwiktem [...] powierzył Szółdrski kapitule. *Łukasz. Hist. III, 499.* **4.** Wziąć co pod swój **p.**

patrzeć, patrzyć 1. p. ku komu, ku czemu; na kogo, na co ⟨*spoglądać*⟩: **p.** badawczo, bezmyślnie, czule, groźnie, nieśmiało, pilnie, uważnie, wymownie; ukradkiem, zezem, spod oka, spod okularów: Z zadartą nieco twarzyczką patrzała ku niemu, uśmiechnięta. *Par. Niebo. 130.* **2. p.** na kogo, na co: Milczeli długo, nie patrząc na siebie. *Sier. Now. 213.* **3.** Ledwie na oczy patrzy ⟨*o kimś sennym: komuś oczy się kleją*⟩: Taka już rozespana [...] że ledwie na oczy patrzy. *Bogusz. Wał. 19.* **4. p.** daleko, szeroko, wysoko ⟨*mieć umysł szeroki; mieć ambitne plany*⟩: Zostawiłem cię w Petersburgu innym zupełnie [...] żywym, namiętnym, aleś patrzał wysoko i wzrokiem orlim sięgałeś w rozległe przestworze. *Korz. J. Wdow. 334.* **5. p.** (w jakiś sposób) na kogo, na co: a) ⟨*wyrażać coś spojrzeniem*⟩: **p.** (na kogo, na co) smutno, wesoło itp.; **p.** błędnym wzrokiem, rozszerzonymi źrenicami. **p.** z niedowierzaniem, ze współczuciem, ze zgrozą itp. ⟨*wyrażać spojrzeniem niedowierzanie itp.*⟩; b) ⟨*odnosić się do kogo, czego, traktować kogo, co jakoś*⟩: Ludzie drwią z nas albo krzywo na nas patrzą. *Prus Now. III, 284.* Patrzyła na sprawki syna z pobłażliwością. **6.** Coś komu a. jakoś komu z oczu patrzy ⟨*ktoś coś wyraża oczami, komuś coś maluje się w oczach; ktoś wygląda na jakiegoś człowieka*⟩: Z oczu mu patrzyła wdzięczność bezbrzeżna i spokój. *Rodz. Dew. 272.* Czasem tak mu dziko z oczu patrzy, jak wówczas, gdy mnie porywał. *Krasz. Seraf. 131.* Gospodarzom jakoś wilkiem z oczu patrzy, może i źli ludzie. *Sienk. Wołod. I, 54.* Bardzo mu mile z oczu patrzy. *Zap. G. SPP.* Poczciwie mu z oczu patrzy. **7.** Diabeł komu z oczu patrzy ⟨*ktoś wygląda niebezpiecznie*⟩: Tobie diabeł z oczu patrzy. *Groza Wład. II, 177.* **8. p.** na co z boku ⟨*nie angażując się osobiście, obserwować co; traktować, oceniać obiektywnie*⟩: Będziesz rad pomówić z kimś, kto ma zdrowy rozsądek i z boku patrzy na twoje postępowanie. *Zap. G. Dram. 167.* **9. p.** wilkiem, **p.** na kogo wilkiem ⟨*mieć wyraz dziki, wrogi, niechętny; odnosić się do kogo nieufnie, niechętnie*⟩: Ten Mellechowicz wilkiem patrzy. *Sienk. Wołod. II, 11.* Już od dłuższego czasu widzę, że większość tu na mnie patrzy wilkiem. *Lut. Próba 9.* **10. p.** na co czyimi oczami: Idealny redaktor — pisma czy książki — umie się poddać melodii danego utworu, jego rytmowi. Umie patrzeć oczyma danego autora. *Życie Lit. 49, 1954. s. 2.* **11. p.** na co okiem a. oczami malarza, poety, przyrodnika ⟨*zapatrywać się na co jak malarz, poeta, przyrodnik*⟩: W Staszicu rośnie w tych latach chęć poznawania ziemi, na którą pisarz woli patrzeć oczami przyrodnika, nie poety. *Mikul. Spot. 30.* **12. p.** na co jakoś ⟨*zapatrywać się na co w pewien sposób*⟩: **p.** serio na życie. **p.** na świat (na sprawy, na życie) czarno, różowo. **13. p.** (na co, na kogo) jak urzeczony. **14. p.** na kogo, jak na szaleńca, wariata, idiotę itp. ⟨*uważać kogo za szaleńca itp.*⟩: Ależ nie patrzcie na mnie jak na idiotę. *Par. Niebo 207.* Zaczęła patrzeć na Lipeckiego, jak na sentymentalnego niedołęgę. *Perz. Las 137.* Kręciło się tam wiele służby w liberii, a wszystko patrzyło na mnie, jak na raroga: w istocie bowiem kostium mój wyzywał w szranki zuchwale i modę, i porę roku. *Lam J. Głowy IV, 129.* **15. p.** na co jak wół na malowane wrota ⟨*z podziwem, ze zdumieniem*⟩. **16. p.** na co jak kozioł, jak osioł na wodę ⟨*nic nie rozumieć*⟩. *SFA.* **17. p.** na co z wysoka ⟨*traktować pobłażliwie*⟩: Uczcie się patrzeć z wysoka na małostki ziemi. *Boy Słowa 158.* **18. p.** na kogo z wysoka ⟨*traktować lekceważąco, odnosić się do kogo z dumą*⟩: Tłum [...] go lekceważy, szlachetniejsi litują się nad nim — on jednak na jednych i na drugich patrzy z wysoka. *Gomul. Ciury I, 142.* **19.** Jest na co **p.** ⟨*rzecz godna widzenia*⟩. *SFA.* **20.** Nie ma na co **p.** ⟨*lichota*⟩. *SW.* **21.** Nie móc **p.** na co ⟨*denerwować się czym*⟩: Nie pijże — woła pani Barbara — ja na to patrzeć nie mogę. *Dąbr. M. Noce II, 198.* **22.** Nie móc **p.** a. nie chcieć **p.** na co, na kogo (na siebie) ⟨*nie cierpieć kogo, mieć kogo dość; nie cierpieć się*⟩: Nieraz już patrzeć na ciebie nie mogę. *Goj. Dziew. II, 91.* Teraz łaknęli tego suchego chleba, nie mogli już patrzeć na racuchy. *Goj. Dziew. I, 41.* Tak obmierzli jedno drugiemu, że patrzeć na siebie nie mogą. *Kit. Opis. 276.* **23. p.** komu na ręce (na łapy) a. na palce: a) ⟨*pilnować kogo, aby nie trwonił pieniędzy a. nie kradł*⟩: Patrzyła wszystkim na ręce, jakby to ona jedyna była uczciwym człowiekiem. *Was. W. Rzeki 293*; b) ⟨*spodziewać się datku, pomocy materialnej*⟩. **24.** Ktoś a. coś patrzy na kogo a. na co ⟨*ktoś a. coś ma wygląd kogo, czego, jest podobny(-e) do kogo, czego, ma pozór czego*⟩: To bardzo na maminą moralność patrzy. *Zap. G. Dram. 149.* Ten człowiek patrzy na Turka. *Słow. Marek 38.* **25.** Coś na kogo patrzy ⟨*ktoś wygląda na sprawcę czego, jest zdolny do czego*⟩: To na nią patrzy, a nie na Irenę. *Goj. SPP.* **26.** *nieos. pot.* Na deszcz patrzy ⟨*będzie deszcz, zanosi się na deszcz*⟩. **27.** Nie **p.** na nic ⟨*nie zważać na nic*⟩: Uniesiony namiętnością nie patrzał na nic — rzucał się jak ryś, prosto do oczu, nie tylko pojedynczym ludziom, ale całym tłumom. *Witk. Utwory 107.* **28. p.** czego: a) ⟨*wypatrywać,* *czekać na co*⟩: I wpił się we mnie okiem rozpalonym [...] jak ptak patrzący łupu. *Makusz. Połów 165*; b) ⟨*zwracać uwagę, zważać na co, zajmować się czym*⟩: Potem już i ścieżki nie patrzył pod nogami, wpadł do wrębu i na wprost biegł po zdradliwych wertepach. *Ork. Rozt. 225*; c) ⟨*pilnować, strzec; dbać o co, starać się o co*⟩: Wszyscy Mniszchowie zwykle swego dobra głównie patrzyli. *Tyg. Ilustr. 203, 1863, 314*. A wy patrzcie swojej roboty, jak wam tu dobrze. *Przyj. 17, 1953, s. 3.* **29. p.** czego po kim, od kogo ⟨*spodziewać się, oczekiwać*⟩: Czynu patrzym po twej ręce. *Wysp. Legion 192*. Od kogo patrzysz zbawienia? *Czegoż chcą? 10.* **30. p.** po kim, po czym ⟨*rozglądać się po kim, po czym; oglądać co ze wszystkich stron*⟩: **p.** po ludziach, po twarzach. Badawczo po wszystkich kątach patrzył. *Zap. G. SPP.* **31. p.** przez co: przez szpary powiek, przez szkło powiększające, przez lornetkę. *przen.* **p.** przez palce, przez szpary na co ⟨*nie chcieć widzieć, patrzeć pobłażliwie*⟩: Zrazu ciotka patrzyła przez palce na te jego sprawki. *Mort. Wiano. 248*. Patrzycie przez szpary, jak ten chłystek [...] bałamuci dziewczynę, nad którą macie opiekę. *Bliz. Dam. 137.* **32. p.** w kogo, w co: w lusterko, w okno, w ziemię, w gwiazdy, w twarz (komu) ⟨*spoglądać, przyglądać się*⟩. **33. p.** w kogo, na kogo jak w tęczę, jak w wyrocznię ⟨*wpatrywać się z natężeniem, z zachwytem, z uznaniem; zachwycać się kim*⟩: Jak w wyrocznię patrzyła na mówiącego. *Krasz. Int. 20.* **33a. p.** jak sroka w gnat ⟨*uporczywie*⟩: A ten chudeusz obok ciebie, co tak patrzy na mnie jak sroka w gnat? Kto to? *Morc. Ptaki 103.* **34. p.** komu, czemu oko w oko ⟨*zachować względem kogo, czego postawę nieugiętą, aktywną*⟩: Trzeba rzeczywistości, choćby najprzykrzejszej patrzeć oko w oko. *Wędr. 20, 1901, s. 383.* **35. p.** w czyje serce ⟨*obserwować czyje uczucia, znać czyje uczucia*⟩: Oto niech Bóg, który teraz patrzy w serce moje, potępi mnie na zawsze, jeślim nie pragnął jej szczęścia. *Sienk. Dram. 106.* **36. p.** komu w kieszeń, portfel itp. ⟨*wyciągać, wyłudzać od kogo pieniądze*⟩: Nie dość, że z jej towarzystwa miał sromotne udręczenie, na dobitkę kuta baba wciąż patrzała mu w kieszenie. *Wędr. 19, 1901, s. 380.* **37. p.** w przyszłość ⟨*przewidywać przyszłość, zastanawiać się nad przyszłością; ustosunkowywać się do przyszłości*⟩: To są żarty człowieka nie patrzącego w przyszłość. *Dąbr. M. Noce II, 155.* Pani boisz się przyszłości, pani nie patrzysz w nią z ufnością i nadzieją. *Sienk. Dram. 52.* **38.** *gw.* Coś **a.** ktoś się komu patrzy: a) ⟨*coś a. ktoś się komu podoba*⟩: Ta książka mi się patrzy, chciałbym ją mieć. Powiedz no, a Janek ci się nie patrzy? *Past. Trzeba 45*; b) Coś się komu patrzy od kogo ⟨*coś się należy*⟩: Litkup mi się patrzy od was. *Grusz. An. Żak. 95.* **39.** Miło, aż miło **p.**; (aż) serce rośnie **p.**; ciężko, (aż) serce się kraje, (aż) żal **p.** (na kogo, ną co) ⟨*ktoś lub coś sprawia swoim widokiem przyjemność lub przykrość; robi się przyjemnie lub przykro, gdy się patrzy*⟩: Patrzeć na niego aż miło. *Kras. SW.* Aż serce rosło patrzeć. *Konopn. Imag. 176.* **40.** Strach (jest) **p.** ⟨*robi się straszno, gdy się patrzy*⟩. **41.** *pot.* Rychło, tylko patrzeć (jak) ⟨*za chwilę*⟩: Czy aby Anka dość przywiozła gałganów, czy starczy jej do owijania ran twoich? Rychło patrzeć, jak się otworzą. *Sier. Dno 222.* Nadejdzie, tylko patrzeć. **42.** Patrz, patrzaj, patrzajcie, patrzcie państwo, patrzeć; patrzcie go, ją itp.; patrzcie no! ⟨*wykrzyknienie zwracające uwagę na co albo wyrażające zdziwienie, wydziwianie, oburzenie itp.*⟩: Patrzaj! już wieczór! spałem kilka godzin, bośmy też dziś trąbili uczciwie. *Wol. Koresp. II, 85.* Patrzcie państwo! takie to małe, a takie już nieposłuszne! *Korz. J. Tad. 40.* Patrzcie mnicha! że go przyjmuję grzecznie, chce mnie za nos wodzić. *Mick. Tad. 173.* Tam gdzie był rów — stoi magistrat [...] a tam na piaseczku patrzeć — szkoła stoi. *Twórcz. 7. 1955, s. 63.* Patrzcie ją, jaka mi dowcipna, do łóżka mnie pakuje. *Bał. Dom 52.* Patrzcie go! na szlochy mu się zebrało. *Pytl. Poż. 153.* **43. p.** za kim ⟨*oglądać się za kim; ubiegać się o kogo*⟩: Kto by chłopom wierzył [...] jednej przysięga, a za drugą patrzy. *Grusz. Ar. Huzar. 27.* **44.** Oczy czyje patrzą łagodnie, chmurnie itp. ⟨*ktoś ma spojrzenie łagodne, chmurne itp.*⟩. **45.** *przestarz.* Okna patrzą na ogród, na ulicę itp. ⟨*wychodzą*⟩.

patyk 1. Suche **p-i.** Wiązka patyków. Lizak na patyku. **2.** Strugać **p.**; wystrugać co z patyka. **3.** Ubranie wisi na kim jak na patyku. **4.** Igła gruba jak **p. 5.** *pot. środow.* Trzy **p-i** ⟨*trzy tysiące zł*⟩: To cię będzie kosztowało trzy **p-i.**

patyna 1. p. wieków, czasu, dawności; (dawnego) dostojeństwa. **2.** Kłaść na co, nadać czemu patynę: Zsuwało się już ku zachodowi słońce i kładło na wodę złotą patynę niby laserunek. *Reym. Ferm. II, 187.* **3.** Pokryć, powlec (się) patyną: Miedziany dach pokrywa się patyną; *przen.* Autor umiał lekką patyną powlec język utworu. *Kleiner Mick. I, 356.*

pauza 1. p. kilkuminutowa ⟨*przerwa czasowa*⟩. **2.** Dzwonek na pauzę a. ogłaszający pauzę (w szkole). **3.** Wielka (duża) **p.** ⟨*w szkole dłuższa przerwa między lekcjami, zwykle w połowie zajęć*⟩. **4.** Zrobić, uczynić (dłuższą) pauzę (w mówieniu). **5.** Zrobić co (np. ocknąć się, zacząć mówić, otrząsnąć się z zamyślenia itp.) po (dobrej, pewnej) pauzie. **6.** Oddzielać, być oddzielonym pauzą, pauzami: Motywy oddzielone są w ruchu melodycznym pauzami, które tworzą cezury. *Lissa Zarys 104.* **7.** Kłaść w tekście pauzę ⟨*znak pisarski — myślnik*⟩. **8. p.** następuje, trwa, powstaje.

paw 1. Krzyk pawia. Ogon pawia. **2.** Puszyć się, pysznić się jak **p.** Być pawiem i papugą narodów: Polsko! lecz ciebie błyskotkami łudzą; pawiem narodów byłaś i papugą, a teraz jesteś służebnicą cudzą. *Słow. Grób Agamemnona (19).*

pawi 1. Kolor **p.** ⟨*niebieskozielony*⟩. **2.** Krzyk **p.** Ogon **p. p-e** mięso: Kiełbasa z pawiego mięsa. **3. p-a** próżność, **p-a** wielobarwność. **4. p-e** oczy: Wzór tkaniny w **p-e** oczy. **5.** Stroić się w **p-e** pióra a. piórka ⟨*puszyć się, nadymać się*⟩: Pruderia ustrojona w pawie piórka frazesów. *Prz. Tyg. Życia 26, 1868, 229.*

pawiak *reg. warsz.* Dostać się na **P.** Siedzieć na Pawiaku ⟨*w więzieniu*⟩.

paznokieć 1. Długie, krótkie, płaskie; różowe, lakierowane **p-e. 2.** Pilnik do paznokci. **3.** Ani na **p.** ⟨*nic a nic, zupełnie nie*⟩: Ani na paznokieć od posłuszeństwa nie odstąpili. *Moracz. Dzieje VIII, 33.* **4.** Czyścić, obcinać, piłować, polerować, szlifować **p-e. 5.** Drapać, drzeć co, wpić się w co paznokciami. **6.** *pot.* Mieć czego za **p.** ⟨*mieć bardzo mało, nie mieć prawie wcale*⟩: Z robotą wszędzie jednako, kto chce, to ma jej za paznokieć, a kto chce — po uszy. *Zar. Grusze 15.* **7.** Nigdzie nie wścibić paznokcia ⟨*nie ma się o co zaczepić*⟩: Studnia na półczwarta łokcia, za wysokie progi na lisie nogi; zrąb tak gładki, że nigdzie nie wścibić paznokcia. *Mick. Wiersze 352.* **8.** Połamać (sobie) **p-e. 9.** Skoczyć komu do oczu z paznokciami. **10.** Wbić (sobie) drzazgę za **p. 11.** Wbić, wpić (sobie) do bólu (aż do bólu) **p-e** w dłoń. **12.** Zadrasnąć kogo paznokciem. **13.** Zeskrobywać co paznokciem.

pazucha ⟨*zanadrze*⟩: Chować, schować; kłaść, włożyć; pakować, wpakować; wetknąć, wsunąć co (chustkę, książkę, rękę itp.) za pazuchę. Sięgnąć za pazuchę. Mieć, trzymać, ukrywać co za pazuchą; *przen.* Prawdy za pazuchą nie trzyma i rąbie wszystko w oczy. *Bron. J. Siostrz. 96.* Wyciągnąć, wyjąć co (chustkę, woreczek, karty) zza pazuchy.

pazur 1. Ostre, tępe; krogulcze **p-y** (zwierzęcia). **2. p-y** narzędzia, kotwicy ⟨*zakrzywione odnogi, zakończenia, końce*⟩. **3.** Zębami i pazurami ⟨*zawzięcie, zacięcie*⟩: Bronić się zębami i pazurami. - Dziś już na pewno wiem, za kim on tęsknił w Bułgarii, dla kogo zębami i pazurami zdobywał majątek. *Prus Lalka III, 27.* **4.** *daw.* Brać, wziąć się na pazury ⟨*wysilać się, aby czego dopiąć*⟩: Ucieka, biorąc na pazury. *Koch W. SW.* **5.** Być w czyich pazurach; dostać się, wpaść w czyje pazury ⟨*dostać się w czyją moc*⟩: Dam ja tobie nie takie poczęstne, jak kiedy wpadniesz w moje pazury! *Kaczk. Olbracht. II, 244.* **6.** Drzeć, drapać, rwać, szarpać, rozgrzebywać, rozdrapywać pazurami. **7.** Wczepić się, wpić się w co pazurami. **8.** Rzucić się na kogo, skoczyć komu do oczu z pazurami. **9.** Nie mieć kogo za psi **p.** ⟨*mieć za nic*⟩: Cudzych mężów usidlają dla zabawy, a później ich nie mają za psi pazur. *Twórcz. 5, 1953, 38.* **10.** Trzymać (kogo, co) w żelaznych pazurach ⟨*dawać się komu we znaki*⟩: W pierwszych dniach marca po tęgich mrozach trzymających świat w ciągu całego prawie lutego w żelaznych pazurach, nastała odwilż. *Żer. Ludzie II, 36.* **11.** Trzymać się czego pazurami ⟨*trzymać się czego, tkwić, obstawać przy czym uparcie*⟩. **12.** Wydrzeć komu co z pazurów (również *przen.*). **13.** Wysunąć, schować pazury. **14.** Zatopić w czym pazury (również *przen.*).

pazurek 1. Ostre **p-i. 2.** *żart.* Lwi **p.** *p.* lwi pazur: W ostatnim plebiscycie [...] znać twój lwi pazurek przyjacielu. *Teka Stańczyka 27.* **3.** Włazić, wleźć komu za **p-i** ⟨*dokuczyć, dać się we znaki*⟩: Oni mi włazili za pazurki... Hoho... nie masz wyobrażenia, com ja z nimi przeszedł. *Żer. Prom. 53.* **4.** Wpaść w czyje **p-i**: Wpadł w pazurki wdowy-narzeczonej i musiał tańczyć, jak mu zagrała. *Żer. Przedw. 185.* **5.** Wysuwać **p-i**: Wysuwała pazurki i umiała walczyć do upadłego, aż postawiła na swoim. *Boy Mar. 254.*

pączek ● 1. p. kwiatowy, liściowy, mieszany. Świeża, uśmiechnięta jak **p.** róży. **2.** Puszczać, wypuszczać **p-i** (o drzewach, krzakach); rozwijać się z pączka (o liściach, kwiatach). **3.** *przen.* Być w pączku ⟨*być w zalążku, w organizacji*⟩: Tu także mieści się narodowe muzeum, od niedawna zawiązane, a tym samym w pączku ledwie dotąd będące. *Tyg. Ilustr. 208, 1863, 367.* **4. p-i** zawiązują się, nabrzmiewają, pękają, rozwijają się, rozchylają się (na drzewach).

● 5. p. na oleju ⟨*wypiek*⟩. Tłusty, pulchny jak **p.** (smażony); wyglądać jak **p.** w maśle ⟨*doskonale*⟩. Smażyć, wypiekać **p-i.**

pąk p. kwiatowy. Puścić, wypuścić **p-i** (o roślinach). Wiązać, zawiązywać się w **p-i**; stanąć w pąkach, strzelać pąkami (o krzewach). Bzy osypane pąkami; **p-i** nabrzmiewają, rozkwitają (na drzewach); rozchylają się (w słońcu); wywijają się (z drzew).

pąs 1. Cały, cała w pąsach: Patrzyła na nich z taką złością, cała w pąsach, jakby o niej mówili. *New. Arch. 256.* **2.** Oblać się pąsem (krwi) ⟨*o kimś: zaczerwienić się ze wstydu, z irytacji, z gniewu*⟩: Pani Śnicowa bladła i oblewała się pąsem. *Żer. Char. 48.* **3.** Okryć się pąsem ⟨*o twarzy czyjej*⟩. **4.** Stanąć w pąsach ⟨*zaczerwienić się*⟩: Dowódca batalionu pierwszy złożył życzenia pani chorążynie i rękę ucałował. Zauważyli wszyscy, że stanęła w pąsach. *New. Chłopiec 143.* **5. p-y** biją na kogo, oblewają kogo a. twarz komu, uderzają na kogo ⟨*ktoś się rumieni, wstydzi*⟩: Skoro o tym pomyślę, pąsy na mnie biją. *Zap. G. Dram. 100.*

pchać 1. p. c o ⟨*popychać*⟩: **p.** wózek, rower. **2. p.** nos w cudze sprawy ⟨*wtrącać się do cudzych spraw*⟩. **3.** *książk.* **p.** taczkę życia: Pchałem taczkę życia, jak wszyscy śmiertelni. *Sienk. Dram. 125.* **4. p.** wojsko ⟨*wysyłać, posyłać w większej ilości*⟩: **p.** wojsko na front, do jakiego kraju. **5. p.** c o d o c z e g o: kraj do zguby, do wojny. **6. p.** c o w c o ⟨*napychać co czym*⟩: Pchać siano w worek. **7.** *pot.* **p.** c o w k o g o, w c o ⟨*podtykać co komu, łożyć na co, na czyje potrzeby*⟩: Co zarobi, wszystko pcha w synka. *SW.* Pchać pieniądze w handel, w towar. **8. p.** w siebie, w kogo (jedzenie) ⟨*objadać się, opychać się (kogo)*⟩: Pchaj w siebie, kiedyś taki głodny! *Orzesz. Sylwek 48.* **9.** *pot.* **p.** w kogo jak w dziurawy worek ⟨*nie móc nastarczyć*⟩. **10. p.** k o g o d o c z e g o a. n a c o ⟨*kierować, usilnie namawiać do czego, pomagać w czym*⟩: Pchać do biura; do handlu; do nauki; na lekarza. **11.** Coś kogo pcha do kogo ⟨*coś zmusza kogo do pójścia do kogo, do bywania u kogo*⟩: Do Witkowskich pchała go siła przyzwyczajenia. *Reym. Ferm. II, 79.* **12.** Coś kogo pcha d o k o g o, d o c z e g o, k u c z e m u a. n a c o ⟨*coś zmusza kogo do działania, do starań, zabiegów o co*⟩: Na tę drogę wielkości pchał go i brak sukcesów w życiu światowym. *Boy Balz. 15.* Pragnę wracać, muszę, jakaś mnie siła pcha do powrotu. *Sewer Nafta III, 242.* **13.** Coś ich pcha ku sobie ⟨*czują ku sobie pociąg*⟩.

przysł. **14.** Nie pchaj rzeki, sama płynie ⟨*nie rób rzeczy niepotrzebnej*⟩.

pchać się 1. p. się kupą ⟨*cisnąć się, tłoczyć się*⟩. **2. p. się** d o c z e g o: do drzwi, do sali, do tramwaju ⟨*cisnąć się, tłoczyć się*⟩, **p. się** do miasta, do urzędów ⟨*starać się usilnie dostać, ubiegać się o co*⟩. **3. p. się** do ataku ⟨*przeć, nacierać*⟩. **4. p. się** dokąd, do jakiego kraju ⟨*starać się wtargnąć siłą, starać się (go) zająć*⟩: Prusacy pchają się do Hiszpanii po to, ażeby Francję we dwa ognie wziąć. *Jeż Dypl. 81.* **5. p. się** w górę ⟨*rosnąć*⟩. **6. p. się** w życie ⟨*dążyć do czego lepszego, starać się wybić*⟩: Bywało z głodu piszczy brzuch, w kieszeni same dziury: lecz pcha się w życie chłopiec zuch. *Oppman Warsz. 17.* **7. p. się** pomiędzy kogo ⟨*narzucać się ze swoją osobą, wpraszać się*⟩: Dorobkiewicz, co pcha się pomiędzy książęta [...] póty jest w cenie, póki pełne ma kieszenie. *Hertz B. Bajki. 239.* **8.** *pot. rub.* **p. się** d o c z e g o ⟨*wsiadać, wpychać się*⟩.

pchany p. ciekawością, żądzą, nieprzepartą siłą.

pchła Wytrząsać **p-y** (o psie). **p.** skacze, gryzie, tnie.

pchnąć 1. p. c o ⟨*popchnąć*⟩: **p.** drzwi. **2. p.** depeszę; gońca ⟨*wysłać*⟩. **3 p.** pracę ⟨*posunąć naprzód*⟩. **4. p.** co na nowe tory ⟨*skierować*⟩: Zarówno literaturę piękną, jak naukę pchnął humanizm na nowe tory i to jego ogromna zasługa. *Chrzan. I. Lit. 27.* **5. p.** kogo czym: a) ⟨*popchnąć*⟩: **p.** kogo ręką, kijem, łokciem; b) ⟨*przebić*⟩: **p.** kogo nożem, lancą, szpadą. **6. p.** k o g o, c o d o c z e g o a. d o k ą d ⟨*wysłać co prędzej, rzucić*⟩: **p.** kogo do walki. **p.** posłańca, list do kogo. **7. p.** k o g o d o c z e g o a. n a c o ⟨*skierować*⟩: **p.** syna na wyższą uczelnię. **8. p.** kogo do upadku ⟨*spowodować czyj upadek*⟩. **9. p.** kobietę na ulicę ⟨*zmusić do nierządu, spowodować, że została nierządnicą*⟩. **10. p.** k o g o w c o ⟨*wepchnąć, wtrącić, wrzucić*⟩: Pchnął go w ogień, w wodę. *Troc SW.* **11. p.** komu kogo w ramiona ⟨*narzucić komu kogo*⟩: Przez głupi żart, chcąc męża wystawić na próbę, gąska ta pchnie go niechcący w ramiona innej kobiety. *Boy Flirt I, 196.*

pchnąć się p. się nożem, sztyletem ⟨*przebić się*⟩: Byłabym się pierwej nożem pchnęła, niżbym miała iść w moc tego zbója. *Sienk. Ogn. II, 36.* **p. się** w górę ⟨*wyrosnąć, wybujać*⟩: Przez wakacje chłopak pchnął się w górę. *SW.*

pchnięcie p. nożem, szpadą; w pierś, w serce, w brzuch. Jednym pchnięciem (powalić, zabić kogo). Dostać, otrzymać **p.** (lancą, bagnetem, szpadą). (Od)parować **p.** Złożyć się do pchnięcia (bagnetem). Przebić, przeszyć kogo (kilkoma) pchnięciami.

pech 1. *pot.* A to **p.**! co za **p.**! to się nazywa **p.**! ⟨*wykrzyknienie mające usprawiedliwić czyjeś niepowodzenie*⟩: — A to pech! [...] Wszystko się nie składa. *Bartel L. Ludzie 150.* **2.** Coś komu przynosi pecha ⟨*coś jest powodem czyjegoś niepowodzenia*⟩: Gracz w karty, uważając, że zajmowane przezeń miejsce przynosi mu „pecha", zmienia je lub okręca się na krześle, zaznaczając w ten sposób zmianę. *Bystr. Ludozn. 189.* **3.** Mieć pecha ⟨*nie mieć szczęścia do czego*⟩: Potrzeba mieć jednak szczególnego pecha — [...] raz jeden w życiu nauczyłem się roli i właśnie spektakl odwołano. *Kosiak. Now. 142.* **4. p.** prześladuje, ściga kogo. **5. p.** chciał, że...; **p.** winien, że...

pedagogiczny 1. Doświadczenie **p-e**; rutyna, praktyka **p-a** ⟨*na polu pedagogiki*⟩. **2.** Działalność, praca **p-a. 3.** Dzieła, książki **p-e** ⟨*dotyczące nauczania i wychowania*⟩. **4.** Studium **p-e** (uniwersyteckie). **5.** Wydział **p.** uniwersytetu. **6.** Nauki **p-e** ⟨*zajmujące się pedagogiką, związane z nauczaniem i wychowaniem*⟩. **7.** Rada **p-a** (w szkole) ⟨*kolegium, obejmujące wszystkich nauczycieli danej szkoły*⟩. **8.** Talent **p.**; zdolności **p-e** ⟨*wychowawcze*⟩. **9.** *książk.* lub *żart.* Ciało **p-e** ⟨*wszyscy nauczyciele danej szkoły*⟩.

pedał 1. Nacisnąć **p-y** (roweru) ⟨*ruszyć, zacząć jazdę na rowerze*⟩: Machinalnie skoczyłem na siodełko, ująłem kierownik, nacisnąłem pedały i — jak lokomotywa potoczyłem się gładkim chodnikiem. *Prus Now. III, 207.* **2.** Nacisnąć (mocniej, silniej) **p-y** ⟨*przyśpieszyć jazdę*⟩: Nacisnąłem silniej pedały i — jużem ją dopędził. *Prus Now. III, 224.* **3.** Pracować pedałem (w fortepianie). **4.** *żart. rub.* Wyciągać **p-y** ⟨*wyciągać nogi, iść szybko, podążać*⟩: Wyciągaj **p-y**, bo nie zdążymy na pociąg.

pedanteria 1. Drobiazgowa, śmieszna **p. 2.** Dokładny, skrupulatny, punktualny aż do pedanterii. **3.** Odznaczać się pedanterią. **4.** Robić co z (całą) pedanterią (np. prowadzić rachunki, układać jakieś przedmioty, robić korektę artykułu, książki). **5.** Wpadać w pedanterię.

pegaz Wsiąść na pegaza, *daw. poet.* jeździć pegazem ⟨*próbować sił jako poeta, zajmować się poezją, sztuką*⟩.

pełnia 1. p. morza ⟨*pełne morze*⟩. **2. p.** lata ⟨*punkt kulminacyjny, rozkwit*⟩. *przen.* **p.** blasków; możliwości, wyrazu, człowieczeństwa, szczęścia, prawdy, talentu itp.: Rozwinąć całą pełnię talentów i zdolności. *SW.* **3.** W pełni (czego) ⟨*w rozkwicie*⟩: (Być) w pełni młodości, urody, sił (twórczych), sił i zdrowia, wieku i sił, władz umysłowych, władz ducha i ciała itp. **4.** Żniwa w pełni ⟨*w punkcie kulminacyjnym*⟩: Zabawa w całej pełni. Wiosna była; przygotowania były w całej pełni. W pełni, w całej pełni, *daw.* do pełni ⟨*całkowicie, zupełnie, w zupełności*⟩: Owoce w pełni dojrzałe. **5.** Czuć, odczuwać co w (całej) pełni. **6.** Doceniać (wagę czego, talent czyj) w całej pełni. **7.** Korzystać z czego, osiągnąć co (np. swój cel), odpowiadać za co, zasłużyć na co (na zaufanie, na powodzenie), zrozumieć co w całej pełni. **8.** Robota (praca) wre w całej pełni. Jego zdolności handlowe rozwinęły się w całej pełni. *Meis. Sześciu 34.* **9.** Cieszyć się pełnią swobód. Korzystać z pełni praw; używać pełni praw obywatelskich. **10.** Mieć, uzyskać, skupiać w swych rękach pełnię władzy. **11.** Mówić o czym, twierdzić co z pełnią przekonania. **12.** Odzyskać pełnię sił. **13.** Tchnąć pełnią czego: Cała jego postać tchnęła pełnią męskiej siły. *Gomul. Mieszczka II, 111.* **14.** Zapewnić komu (sobie) pełnię rozwoju. **15.** Żyć całą pełnią życia. Zaznać pełni życia.

pełnić 1. p. dyżur, służbę, wartę, straż ⟨*odbywać*⟩. **2. p.** obowiązki: a) ⟨*spełniać, sprawować*⟩: Przez pewien czas pełnił obowiązki nauczyciela w szkole zamojskiej. *Chrzan. I. Lit. 204*; b) ⟨*zastępować w urzędowaniu*⟩: Nie jestem dyrektorem, pełnię tu zastępczo obowiązki dyrektora. *Rus. Paw. 16.* **3.** Pełniący obowiązki (dyrektora) ⟨*zastępujący go w urzędowaniu*⟩. **4. p.** posługi około kogo a. przy kim ⟨*usługiwać komu*⟩. **5. p.** (swoją) powinność ⟨*spełniać*⟩. **6. p.** przeznaczenie ⟨*wypełniać*⟩: Pełnił to przeznaczenie z wielkim bohaterstwem. *Par. Niebo 51.* **7. p.** rolę kogo a. czego (np. gospodarza) ⟨*spełniać*⟩: Organu fara nie miała. Tymczasem rolę organu pełniła kapela. *Gomul. Mieszczka 89.* **8. p.**

urząd (marszałka sejmu), władzę nad czym a. nad kim ⟨*sprawować*⟩: Są pewne poszlaki, że możny w wiekach średnich ród Nałęczów [...] pochodzi od urzędników książęcych pełniących władzę nad opolem. *Wiedza i Życie 6, 1953, 419.* **9. p.** zajęcia ⟨*wykonywać*⟩: Ale dlaczego ja tych zajęć pełnić nie mogę? *Żer. Dzien. II, 257.* **10.** *daw.* **p.** ⟨*spełniać, wypełniać, wykonywać*⟩: **p.** obietnice, przykazania, pańszczyznę, czyją wolę. **11. p.** kufle, puchary: a) ⟨*napełniać*⟩; b) ⟨*wychylać*⟩: Kufle wysuszali, pełniąc do dna. *Brud. SW.* **12. p.** przestępstwa, zbrodnie ⟨*popełniać*⟩.

pełno 1. Nalać **p.** (wody, wina, herbaty, zupy itp.) ⟨*po brzegi, po wręby naczynia*⟩. **2. p.** k o g o, c z e g o ⟨*mnóstwo, wiele*⟩: **p.** kupujących, znajomych, gości, książek (na półkach), kwiatów, słońca (w pokoju). **p.** roboty (czeka na kogo). **p.** (mieć) kłopotów. Pełno radości i krzyku. *Mick. Ball. 31.* Wszędzie pełno ruchu, życia, wesołości, światła, powietrza, błękitu. *Sienk. Mieszan. 202.* **3. p.** jest k o g o g d z i e ⟨*wszędzie się kręci, wszędzie jest*⟩. Pełno go było we wszystkich pokojach. **4.** W kimś jest **p.** czego ⟨*ktoś odznacza się czym*⟩: Nie wygląda na nudziarę, pełno w niej życia. *Dąbr. M. Noce III, 123.* **5.** *przestarz.* Komuś jest w brzuchu **p.** ⟨*ktoś jest syty, objedzony*⟩: Oźrzalcom w brzuchu pełno, a w mieszku nic nie masz. *Rej SW.* **6.** Oddać, wyzyskać co, wypowiadać się pełniej, najpełniej [!] *rus.* zam. lepiej; w pełni, w całej pełni.

pełnomocnictwo 1. Formalne, nadzwyczajne, szerokie, zupełne **p-a. 2. p.** d o c z e g o a. w s p r a w i e c z e g o: **p.** do działania w czyim imieniu, do zawarcia umowy, do ustępstw. **p.** w sprawie wydzierżawienia sadu. **3.** Ustawa o pełnomocnictwach. **4.** Dać komu, cofnąć **p. 5.** Udzielić komu pełnomocnictw. **6.** Domagać się (nadzwyczajnych) pełnomocnictw. **7.** Mieć, (u)zyskać, otrzymać, wziąć od kogo **p.** (do czego a. w sprawie czego). **8. p.** wygasa.

pełnomocnik ⟨*prawny przedstawiciel*⟩ **1. p.** k o g o: **p.** właściciela majątku; wierzyciela. **p.** króla, cesarza a. królewski, cesarski. **p.** jakiegoś państwa, rządu, miasta. **2. p.** d o c z e g o; do zawarcia traktatu; do odbudowy miasta, do walki z analfabetyzmem. **3.** Mianować kogo pełnomocnikiem. **4.** Przysłać, wysłać pełnomocnika. **5.** Występować jako czyj **p.** a. w charakterze czyjego pełnomocnika. **6.** Zarządzać czym (majątkiem, przedsiębiorstwem) przez pełnomocnika.

pełny 1. p. kubek, talerz, **p-a** szklanka ⟨*wypełniony (-a) po brzegi, po wręby*⟩. **2. p-a** butelka ⟨*nie napoczęta*⟩: Nalej piwa z pełnej butelki. **3. p.** po brzegi. **4.** Siedzieć przy pełnym dzbanie. **5. p.** akord, **p-a** nuta, **p.** ton ⟨*harmonijnie brzmiący*⟩: O! jak dzwoni! o! jak śwista w klatce kos... Co za nuta pełna, czysta! Co za głos! *Gomul. Pieśni 151.* **6. p-e** południe ⟨*w pełni*⟩: Było pełne południe, gdy [...]. *Żer. Naw. 264.* **7. p-e** ziarno ⟨*całe*⟩. **8. p-e** kształty, ramiona ⟨*zaokrąglone, krągłe*⟩. **9. p-e** policzki; **p-e** wargi; **p-a** twarz. **p.** na twarzy. Osoba pełna w sobie, pełnej tuszy. **10.** Koń pełnej krwi ⟨*czystej*⟩. *przen.* Kobieta pełnej krwi: Lady Makbet jest pełnej krwi kobietą. *Boy Flirt I, 105.* **11. p.** a. pełen czego: Pełen humoru, werwy, energii, życia, dowcipu, uszanowania. Osoba **p-a** wdzięku. Sala **p-a** milczącego tłumu; mieszkanie **p-e** obrazów; szuflada **p-a** rupieci. Droga **p-a** wybojów. Twarz **p-a** piegów. Oczy **p-e** mądrości, ognia, łez. Słowa **p-e** goryczy; usposobienie **p-e** słodyczy. Życie **p-e** przygód (o osobie doznającej jakiegoś uczucia): Hermina pełna była otuchy co do mojej przyszłości. *Lam J. Głowy III, 6.* **12.** Mieć głowę pełną kłopotów ⟨*być skłopotanym, mieć różne zmartwienia*⟩: Pani jest pogodnie dzisiaj nastrojona, a ja mam głowę pełną kłopotów. *Bogusz. Aniel. 116.* **13.** Pełnym kłusem (o koniu): Konie gnały (pędziły) pełnym kłusem. **14.** *pot.* pełnym gazem a. na pełnym gazie (o samochodzie) ⟨*całą siłą*⟩: Samochód ruszył pełnym gazem. **15.** Do pełna ⟨*po brzegi, po wręby*⟩: Nałożyć kartofli w garnek, nalać herbaty w szklankę do pełna. **16.** W pełnym biegu ⟨*w całym pędzie*⟩: Pociąg był w pełnym biegu. Wskakiwać do tramwaju w pełnym biegu. **17.** W pełnym rynsztunku, w pełnej zbroi ⟨*całkowicie uzbrojony*⟩: Stanąć do apelu w pełnym rynsztunku. **18.** W pełnym słońcu ⟨*całkowicie oświetlony*⟩: Dom stał w pełnym słońcu. **19.** W pełnym toku ⟨*w trakcie intensywnego wykonywania, załatwiania, w pełni*⟩: Prace przy budowie mostu, przygotowania do uroczystości były w pełnym toku. **20.** Mieć **p-e** kieszenie; czyjeś kieszenie są **p-e** ⟨*być zamożnym; ktoś jest zamożny*⟩: Żeby pan wiedział, jak mi to jest obojętne, czy kieszenie moje są pełne, czy puste! *Ritt. Duchy 17.* **21.** Mieć **p-e** ręce roboty ⟨*dużo, wiele*⟩. **22.** Mieć **p-e** uszy czego (np. muzyki, recytacji itp.). **23.** Mówić, śpiewać pełnym głosem ⟨*silnym, donośnym*⟩: Mówiła pełnym głosem, wyraźnie śpiewnie. *Goj. Dziew. I, 103.* **24.** *daw.* Pełnym gardłem ⟨*na całe gardło*⟩: Pełnym krzyknął gardłem. *Troc SW.* **25.** Oddychać pełną piersią. **26** Płynąć pod pełnym żaglem a. pod pełnymi żaglami ⟨*z rozwiniętymi żaglami*⟩. **27.** Siedzieć, słuchać w pozie pełnej uszanowania. Pochylić głowę w pełnym uszanowania pokłonie; powitać kogo pełnym uszanowania ukłonem. **28.** *rus.* [!]: **p.** skład (kolegium), **p-e** rozwiązanie (zadania), **p-e** wydanie dzieł, **p.** tekst, **p-e** zadowolenie, **p-a** tolerancja, **p-a** szerokość drogi, **p-e** dwie godziny, dwa miesiące itp. W pełnym tego słowa (wyrazu) znaczeniu. Dawać pełny obraz czego — (lepiej w tych i podobnych wypadkach zastąpić wyraz *pełny* wyrazami *całkowity, zupełny*).

pełzać, pełznąć 1. p. p o c z y m ⟨*czołgać się*⟩: Ślimak pełznie po trawie. Bluszcz pełza po murze ⟨*pnie się*⟩. Czołgi pełzną po nierównym terenie. Mgły pełzają po górach. Dym pełznie po ziemi. Cień pełznie po ścianach. Światło pełza po posadzce ⟨*przesuwa się*⟩. Chmury pełzają po niebie. *przen.* Nieszczęśliwi, wy którzy pełznąc po tym świecie, nad każdą chwilą płaczecie. *Krasz. Poezja I, 31.* **2. p.** na brzuchu: Człowiek, kot pełznie na brzuchu. **p.** na rękach i na nogach, na czworakach; **p.** rakiem: Niemowlęta pełzają na czworakach, rakiem. **3. p.** c z y m — p o c z y m *przen.* Pełzając wzrokiem po całej jej postaci, podniecał w sobie żądzę. *Sienk. Na polu 216.* **4. p.** p r z e d k i m ⟨*płaszczyć się przed kim*⟩. **5. p.** w prochu u czyich nóg.

pełznąć Barwy, blaski pełzną ⟨*blakną*⟩. *przestarz.* **p.** na niczym. *p.* spełznąć. Ogłoszone konwencje, dobrodziejstwa pełzną na niczym. *Niemc. Pam. 1807. 129.* Wszystkie najściślejsze obrachowania moje pełzną na niczym. *Orzesz. Eli II, 203.*

penaty Opuszczać rodzinne **p.** ⟨*dom rodzinny*⟩. Wracać do swoich penatów.

pendant Stanowić **p.** do czego. Być jakby **p.** do czego ⟨*być odpowiednikiem, uzupełnieniem czego; mieć w czym swój odpowiednik*⟩: Motyw ten (np. w utworze muzycznym) stanowi **p.** do motywu poprzedniego.

Penelopa Wierna jak **P.** Czekać wiernie na powrót małżonka jak **P.** Robota Penelopy ⟨*robota nie mająca końca*⟩.

pensja • ⟨*stałe wynagrodzenie*⟩ **1. p.** głodowa, stała; wysoka **p. p.** miesięczna. **2.** Dać, płacić, wypłacać, wyznaczyć pensję. **3.** Odebrać, pobierać, otrzymywać, wybrać, wziąć z góry pensję. **4.** *przestarz.* Iść na pensję ⟨*na emeryturę*⟩. **5.** Podwyższyć, obniżyć, obciąć, zniżyć pensję. **6.** Potrącać, wytrącać co komu z pensji. **7.** Utrzymywać się z pensji. Nie móc wyżyć z pensji.
• ⟨*dawniejsza nazwa szkoły żeńskiej*⟩ **8.** Przełożona pensji. **9.** Chodzić, uczęszczać na pensję. **10.** Oddać, posyłać córkę na pensję. **11.** Opuścić, skończyć, ukończyć pensję. **12.** Uczyć, wykładać; uczyć się na pensji.

pensum *przestarz.* **p.** z c z e g o (np. z retoryki) ⟨*zadana część materiału lekcyjnego do nauczenia się na pamięć; ćwiczenie do odrobienia*⟩: Odrabiać, przepisywać pensa. Zadawać **p.** (do wyuczenia na pamięć). *przen.* Żmudne pensa [...] wam ksiądz podkanclerzy zadał układaniem archiwum koronnych. *Niemc. Jan 52.*

perełka 1. (Kwiatki, ząbki) drobne jak **p-i. 2.** Sznur(ek) perełek. **3.** Haftować perełkami; garnirować, nabijać (np. szkatułkę) perełkami. **4.** Nawlekać **p-i. 5.** Rozsypywać **p-i. 6.** *przen.* **p-i** rosy; potu; ząbków; **p-i** poezji. **7.** Łza spłynęła perełką (po policzku, po sukni). **8.** Moja ty perełko! ⟨*pieszczotliwie do człowieka*⟩.

perfekcja Dojść do perfekcji w czym, doprowadzić co do perfekcji ⟨*osiągnąć w czym wprost doskonałość*⟩: W drobnej plastyce artyści bizantyjscy doszli do prawdziwej perfekcji. *Wiedz. 17, s. 17.* Osiągnąć w czym perfekcję.

periodyczny 1. p-e ataki choroby (gorączki) ⟨*powtarzające się w określonym czasie*⟩. **2. p-e** deszcze ⟨*padające w określonych okresach, np. w krajach tropikalnych w porze letniej*⟩. **3. p-e** wylewy rzeki. **4. p-e** bunty, wojny ⟨*wybuchające co pewien czas*⟩. **5. p-e** zmiany. **6.** Broszury, druki, publikacje, pisma, wydawnictwa **p-e** ⟨*ukazujące się w określonych odstępach czasu: codziennie, co tydzień, co miesiąc itp.*⟩. **7.** Komety **p-e** ⟨*ukazujące się okresowo w dających się przewidzieć terminach*⟩. **8.** Wagi **p-e** ⟨*automatycznie napełniające zbiorniki do określonego ciężaru, stosowane do pakowania gotowych produktów*⟩.

perlisty 1. p-e bryzgi fal. **p.** deszcz. **2. p-e** dźwięki, tony, trele (kanarka). **3. p-e** fale ⟨*perłowego koloru*⟩. **4.** *łow.* **p-e** parostki (kozła, jelenia) ⟨*drobne wyrostki okrywające rogi tych zwierząt*⟩. **5. p-e** poszycie dachu: Wyjątkowo zdarza się czasem w Radomskiem poszycie „perliste", układane na zmianę gładko i w schodki. *Pol. Szt. Lud. 1, 1955, 31.* **6. p.** pot ⟨*kroplisty*⟩. **7. p-a** rosa. **8. p-e** szmery, pluski (kaskady, strumyka). **9. p.** śmiech. **10. p-e** wino.

perła 1. Czarna **p. 2. p.** różowa, żółta, szarawa. **3. p.** kałakucka, uriańska. **4.** Prawdziwe, fałszywe, sztuczne **p-y. 5.** Sznur pereł. **6.** Naszyjnik z pereł. **7.** Poławiacz pereł. **8. p.** pierwszej wielkości, najczystszej wody (również *przen.*). **9.** *przen.* **p.** szczęścia; wdzięku. **10.** Perły ząbków, rosy. **11. p.** towarzystwa, rodziny (o osobie); **p.** literatury, poezji, liryki (o utworze). **12.** Gwiazdy iskrzą się jak **p-y. 13.** Łzy padają jak **p-y. 14.** Sadzić, wysadzać, naszywać perłami. Naszyjnik, grzebień wysadzany perłami. Szaty naszywane perłami. **15.** Woda ocieka (z gałęzi, z liści) deszczem pereł. **16.** Rosa wisi perłami (na okiściach traw). **17.** Ktoś a. coś stanowi perłę czego: Nauki dawane Anieli, sceny z Albinem (w „Ślubach panieńskich" Fredry), wszystko to prawdziwe perły komizmu i humoru. *Gost. Przeszł. 145.* **18.** Rzucać (miotać) perły między (przed) wieprze (świnie) (*Mat. VII, 6*). **19.** Znaleźć, wyłowić perłę w czym (również *przen.*): Zdarzało się bowiem, że w głębi dzielnic zamieszkałych przez rojną ubogą ludność, wyławiano prawdziwą perłę wdzięku i młodości. *Sienk. Quo I, 114.*

perłowy 1. p-a muszla, koncha. **2.** Kolia, przepaska **p-a** ⟨*z pereł*⟩. **3.** Bawełna **p-a** ⟨*nici bawełniane do haftu*⟩. **4. p.** kolor ⟨*biały z odcieniem popielatym*⟩. **5.** Tonacja **p-a** (obrazu). **6. p-e** niebo. **7. p-a** rosa (błyszczy na kwiatach). **8. p.** blask; **p-a** jasność. **p.** świt, brzask. **9 p-e** ząbki ⟨*jak perły*⟩. **10.** Fasola **p-a** ⟨*gatunek fasoli*⟩. **11.** Kasza **p.** ⟨*gatunek kaszy jęczmiennej*⟩.

permanencja W permanencji: Obradować, odbywać zebrania, posiedzenia w permanencji [lepiej: bez przerwy].

peron Pusty, zapchany, zatłoczony **p. p.** kolejowy. Czekać, stać na peronie; chodzić, spacerować po peronie. Pociąg odjeżdża z I, II peronu. Wpaść, wtłoczyć się na **p.**; zatrzymać się przed peronem (o pociągu). Wyjść na **p.**, wysiąść (z wagonu) na **p.**

peronowy Hall **p.** ⟨*zawierający perony*⟩.

perora 1. Długa, szumna **p.** ⟨*przemówienie*⟩. **2.** Ojcowskie **p-y** ⟨*rady, nauki*⟩. **3.** Słuchać, wysłuchać perory. **4.** Prawić, wyciąć, wyrznąć, wypalić komu perorę a. **p-y** ⟨*dawać, rady, nauki; robić wymówki*⟩: Cała przejęta macierzyńskim uczuciem, poczęłam prawić mu perorę. *Orzesz. Ad astra 332.* **5.** *przestarz.* Prawić, mieć, ułożyć perorę, witać kogo perorą, wystąpić z perorą ⟨*wygłosić, ułożyć przemówienie, witać kogo przemówieniem, wystąpić z przemówieniem*⟩.

perski 1. p. kobierzec, pas; **p-e** tkaniny; **p-a** makata; **p-e** wazy. **2.** Bez **p.** ⟨*gatunek lilaka (syringa persica)*⟩. **3.** Karakuły **p-e** ⟨*barany, futro o gęstym, silnie skręconym włosie, barwy zwykle czarnej*⟩. **4. p.** proszek ⟨*dawniejszy środek owadobójczy*⟩. **5.** Pszenica **p-a** ⟨*gatunek pszenicy*⟩.

persona *daw.* dziś *książk.* lub *żart.* ⟨*osobistość*⟩. Dostojna, poważna, znaczna; ważna, wielka, wysoko postawiona **p.**: Muszą to być znaczne jakieś persony, skoro mogą panu wojewodzie rozkazy dawać. *Sienk. Pot. IV, 114.* Rozejrzeliśmy się dyskretnie dokoła, przypuszczając, że oprócz nas bawi w tym dniu w gromadzie jakaś wyjątkowo ważna persona, którą prezes chce szczególnie uhonorować. *Twórcz. 4, 1954, 148.* **p.** dramatu ⟨*osoba, postać*⟩.

personalny 1. Akta **p-e**; dane **p-e** ⟨*dotyczące czyjejś osoby*⟩. **2.** Ataki, wycieczki, napaści **p-e** ⟨*osobiste*⟩. **3.** Autorytet **p.** kogo ⟨*osobisty*⟩. **4.** Kierownik, szef **p.** ⟨*odpowiedzialny za personel*⟩. **5.** Referat, wydział **p.** (przedsiębiorstwa, urzędu) ⟨*osobowy, zajmujący się personelem i jego sprawami*⟩. **6.** Unia personalna ⟨*unia państw mających wspólnego monarchę, ale zachowujących odrębne instytucje*⟩. *przen.* Za sklepem spożywczym rozpostarł się duży sklep apteczny, połączony unią personalną jego właścicielki z posiadaczem magazynu materiałów, nie wiadomo dlaczego zwanych: krótkimi. *Korcz. Trzy 47.* **7.** Zmiany **p-e** (w ministerstwie, w rządzie) ⟨*osobowe*⟩.

personel ⟨*zespół osób oddanych wspólnej pracy zawodowej*⟩ **1. p.** administracyjny. Fachowy, techniczny, pomocniczy, naukowy, kierowniczy; stały **p. p.** nauczycielski. **p.** kobiecy (teatru). **2.** Cały **p.** (przedsiębiorstwa, urzędu). **p.** ambasady, fabryki, redakcji, sklepu, szkoły, hotelu a. hotelowy, szpitala a. szpitalny, teatru itp. **3.** Powiększyć, zredukować, zmniejszyć, zmienić **p.**

perspektywa 1. Daleka, szeroka, rozległa, zamglona **p.** *przen.* Nowe, nęcące, pomyślne, najlepsze; straszne **p-y. 2. p.** porównawcza. **3. p.** c z e g o a. n a c o; ogrodu, ulicy; na łąkę, na miasto, na zatokę: Obraz z perspektywą, *przen.* **p.** wysiłku (przeraża kogo), **p.** zabawy (pociąga kogo); **p.** podróży, zwycięstwa; **p.** czasu, rozwoju przyszłości; **p.** na wyjazd, na awans. *iron.* Ładna, śliczna **p.**!: Śliczna perspektywa! nocleg pod gołym niebem, na wilgotnej ziemi, żaby, komary. *Pług Zagon I, 153.* **4.** Ginąć w perspektywie: Dal krajobrazu ginie w świetnej, fioletowej perspektywie. *Tyg. Ilustr. 48, 1904, 926.* **5.** Wycinać perspektywę ⟨*wycinać drzewa dla widoku*⟩. **6.** Zamykać, zasłaniać perspektywę ulicy (o jakimś budynku, wieży itp.). **7.** *przen.* Mieć co (np. wycieczkę) w perspektywie ⟨*w planie, na widoku*⟩. **8.** Mieć przed sobą (najlepsze) perspektywy na przyszłość. **9.** *daw.* Oglądać co (np. pole bitwy) przez perspektywę ⟨*przez lornetkę*⟩. **10.** Patrzeć na co przez perspektywę czego (radości, smutku): Oczy jego patrzyły na „Starą" [basztę] przez pryzmat uczuć dzieciństwa, przez perspektywę wszystkich smutków i radości, których ta ruina była świadkiem i jak gdyby sędzią. *Żer. Prom. 23.* **11.** Oceniać co, patrzeć na co, widzieć co z perspektywy lat a. z perspektywy dziejowej, historycznej; z perspektywy całości: Trzeba na finał Prologu spojrzeć z perspektywy całości „Dziadów" części trzeciej. *Kleiner Mick. II/1 286.* **12.** Tracić, zatracać perspektywę (perspektywy); otwierać (sztuce, nauce) perspektywy ⟨*stwarzać, dawać możliwości*⟩: Hasła romantyczne otwierały sztuce nowe perspektywy. *Bar. Kum. 160.* **13.** Wykładać (na wyższej uczelni) perspektywę. **14. p.** na co otwiera się: Z przodu otwierała się perspektywa na łąkę. *Orzesz. Prow. 42.* **15.** *przen.* **p-y** czego rysują się (jasno), uśmiechają się komu, odsłaniają się przed kim lub przed czym.

perswazja 1. Łagodna, lekka, usilna, rozsądna, rozumna **p. 2.** (Po)wstrzymać kogo od czego, skłonić kogo do czego perswazją a. perswazjami. **3.** (U)słuchać czyich perswazji. **4.** *przestarz.* Udawać się do perswazji ⟨*stosować perswazję*⟩: Z początku zawsze [...] do perswazji się udawał. *Orzesz. Anast. 137.* **5.** Ulec perswazji a. perswazjom. **6.** Użyć perswazji. **7.** Zwrócić się z perswazją do kogo. **8.** Zrobić co, zgodzić się na co, ustąpić pod wpływem perswazji. **9.** Perswazje pomagają (nie pomagają), skutkują (nie skutkują), przydają się na co (nie przydają się) itp.: Wszelkie moje perswazje nie odniosły żadnego skutku. *Lam J. Rozmait. 288.*

pertraktacje 1. Wstępne, mozolne, przewlekłe **p. 2. p.** pokojowe, handlowe. **3. p.** o c o: o podwyżkę płac; o terytorium. **4. p.** z k i m a. m i ę d z y k i m a k i m: **p.** z robotnikami, z rządem, z przedstawicielami (przedsiębiorstwa); między delegatami związku a rządem; między przedstawicielami państw, między robotnikami a dyrekcją; między lokatorami a administracją itp. **5.** Podjąć, rozpocząć, zakończyć, przerwać, zerwać **p. 6.** Prowadzić **p. 7.** Reprezentować kogo w pertraktacjach. **8.** Wchodzić z kim, wdać się w **p. 9. p.** ciągną się, toczą się, przewlekają, wloką się, trwają, utknęły, zostały zakończone.

peryferia 1. p-e miasta ⟨*odległe dzielnice, krańce miasta*⟩. **2.** *przen.* **p.** zainteresowań; **p.** literatury. *żart.* Miał na sobie [...] spodnie u dołu za krótkie [...] a u góry również za kuse, niezdolne zakryć peryferii doskonale okrągłego brzucha. *Żer. Wspom. 33.* **3.** Leżeć na peryferiach a. na peryferii czego ⟨*na krańcach*⟩: Największe wysokości Afryki południowej leżą na peryferii wklęsłej płyty centralnej. *Lewiń. J. Afr. 25.* *przen.* Historia Chin nie była uwzględniana w podręcznikach szkolnych, dzieje i kultura chińska leżały na peryferiach zainteresowań europejskich przed wiekiem oświecenia. *Pam. Lit. 1955, IV, 408.* **4.** Mieszkać na peryferiach (miasta).

perypetie 1. Dramatyczne, niebezpieczne, zabawne **p. 2. p.** rodzinne; **p.** losu; powieści. **3.** Akcja utworu, powieść pełna perypetii. **4.** Ktoś, coś ulega (różnym) perypetiom ⟨*kolejom losu*⟩. **5.** Opisywać, opowiadać, przedstawiać czyje (swoje) **p. 6.** Osiągnąć, zdobyć, załatwić co po długich perypetiach.

perzyna 1. Iść, pójść, zamienić w perzynę ⟨*spalić doszczętnie, zniszczyć*⟩: Przechodzą wojny; wsie i miasta idą w perzynę. *Marc. Pisma I, 150.* Krzyżacy przeważną część kraju zamienili w perzynę. *Szujski Opow. 194.* **2.** Leżeć w perzynie ⟨*w zgliszczach*⟩: Miasteczka leżały w perzynie. *Sienk. Ogn. III, 186.* **3.** Obalić, rozbić, rozrzucić w perzynę ⟨*w proch*⟩: Łatwiej rozrzucić w perzynę to, co żyje dzisiaj, niż zbudować to, co ma żyć jutro. *Krasiń. Iryd. 53.* Kilku czy kilkunastu jeźdźców hiszpańskich rozbijało w perzynę tysiączne armie Azteków. *Żab. Rodz. 44.*

pestka 1. p. owocu. **2.** Wypluwać **p-i** (owocu). **3.** Gryźć, jeść **p-i** (bani). **4.** Być pestką czego ⟨*ośrodkiem, centrum*⟩: Kolebką Warszawy a zarazem jej rdzeniem i „pestką" jest dzielnica staromiejska. *Gomul. Hist. ulic 23.* **5.** *posp.* Zalać się w pestkę ⟨*zupełnie, do nieprzytomności*⟩: Poszli pić, zalali się w pestkę. *Żukr. Dni 41.*

petycja 1. p. d o k o g o, np. do króla, do rządu, do władz, do parlamentu. **2. p.** o d k o g o, np.

od kobiet, od posłów. **3. p.** o c o a. w s p r a w i e c z e g o: **p.** o zniesienie monopolów; w sprawie uwolnienia aresztowanych działaczy itp. **4.** Domagać się, żądać czego w petycji. **5.** Nadsyłać **p-e. 6.** Opracować, *przestarz.* wygotować petycję do kogo. **7.** Podać, przedstawić, wnieść, złożyć petycję. **8.** Uchwalić petycję, tekst petycji. **9.** Zwrócić się z petycją do kogo.

pewien p. **pewny**

pewnie 1. Czuć się, iść, płynąć, trzymać co **p.** ⟨*z poczuciem pewności*⟩: Niezbyt pewnie trzymać się na nogach. **2.** To **p.** bajdy ⟨*zapewne, prawdopodobnie*⟩: **p.** niedługo umrze. To **p.** jego matka. **p.** dziś przyjdzie. Miał **p.** z pięćdziesiąt lat.

pewność 1. Absolutna, bezwzględna, dostateczna, niezachwiana, niezłomna **p. 2. p.** wewnętrzna. **3. p.** ruchów, działania, wywodów; jutra, zwycięstwa: O pewności tego zwycięstwa wątpić niepodobna. *Troc.* **4. p.** oka, ręki (przy celowaniu, strzelaniu, rysowaniu). **5. p.** rysunku. **6. p.** siebie ⟨*zadufanie w siebie, dufność, śmiałość*⟩: Arogancka pewność siebie. Ta pewność siebie Koperkiewicza zbiła wnet z tropu pana Walerego. *Dygas. Gorz. II, 82.* **7.** Dla pewności (co zrobić) ⟨*aby się upewnić, aby mieć pewność, na wszelki wypadek*⟩: Dla pewności zostawisz na tym oto stole tę sakiewkę, którą dostałeś. *Sienk. Quo I, 198.* **8.** Z pewnością ⟨*wprawnie, z poczuciem pewności*⟩: Poruszać się z największą pewnością. Urządzenie służące do zwalniania balastu musi działać z absolutną pewnością. *Probl. 3, 1954, 191.* **9.** Z (całą, wszelką) pewnością ⟨*na pewno*⟩: Przyjdę z wszelką pewnością. Wiedzieć, stwierdzić, utrzymywać ustalić co z całą pewnością. Do jutra wypogodzi się z pewnością. **10.** *pot.* Z pewnością, że... ⟨*wiadomo; zapewne*⟩: Z pewnością, że w mojej pracy jest mnóstwo błędów, niedopatrzeń i braków wszelkiego rodzaju, boć jestem człowiekiem. *Prus Studia 211.* **11.** Dawać **p.**: Podpis obudzał tylko domysły — pewności nie dawał. *Gomul. Ciury I, 109.* **12.** Mieć **p.** że...; mieć, zyskać bezwzględną **p.**, sto procent pewności ⟨*być całkowicie pewnym*⟩: Mogąc rozrządzić taką sumą, zyskuję sto procent pewności, że się plan uda. *Fred. J. Żyw. 66.* **13.** Nabrać pewności siebie. **14.** Nabrać pewności, że..., ⟨*upewnić się o czym*⟩; zdobyć, zyskać **p. 15.** Odebrać komu **p.** siebie: Uczucie wstydu onieśmieliło go, odbierając mu pewność siebie i swobodę. *Sewer Nafta III, 43.* **16.** Odznaczać się pewnością siebie. **17.** Odzyskać **p.** siebie. **18.** Tracić **p.** (siebie). **19.** Nic nie stracić z pewności siebie: Podobno nic nie stracił ze spokojnej pewności siebie. *Brand. K. Antyg. 339.* **20.** Wypowiadać co, wygłaszać z (wielką) pewnością siebie. **21.** Wzbudzać **p.**: Samym swoim wyglądem wzbudzał pewność i zaufanie. *Dąbr. M. Noce III, 104.* **22.** Zachować **p.** siebie. **23.** Zachwiać się w swej pewności. **24. p.** (siebie) bije od kogo, opuszcza kogo.

pewny, pewien ● **1.** Pewny sukces, strzał, zarobek; pewna lokata kapitału, pewne źródło (wiem to z pewnego źródła), pewna zguba, śmierć (grozi komu), pewne zwycięstwo (odnieść). **2.** Pewny a. pewien czego: swojej pamięci, wzajemności, siebie. **3.** Pewny a. pewne, *daw.* to pewna jak amen w pacierzu. Pewne jak dwa razy dwa jest cztery. (Słowo) pewne jak mur. **4.** Na pewno *daw.* za pewne ⟨*z pewnością, z całą pewnością*⟩: Utrzymywać co, twierdzić, liczyć na co, wiedzieć na pewno. Przyjdę na pewno. Słyszałem za pewne, że Dahlman syt łupów pragnie zamknąć kantor. *Choj. Alkh. IV, 68.* **5.** *przestarz.* Działać na pewno ⟨*mając pewność skuteczności działania*⟩: Sapieha lubił działać na pewno, bał się każdego nierozważnego kroku. *Sienk. Pot. IV, 221.* **6.** Być pewnym czego, (że..., czy...) ⟨*mieć pewność, że...*⟩: Był pewny jej wzajemności. Był pewny wygranej. Byli pewni zwycięstwa. Jestem prawie pewien, że zostawiłem parasol w biurze. - No, a pan... a ty Bogumile? — zwrócił się Ostrzeński do szwagra, z którym nigdy nie byli pewni, jak mają sobie mówić. *Dąbr. M. Noce II, 143.* **7.** Być pewnym kogo ⟨*mieć do niego zaufanie*⟩: Była pewna swego męża. **8.** Być pewnym siebie ⟨*mieć zaufanie do siebie, mieć śmiałość*⟩. **9.** Być pewnym swego ⟨*mieć pewność co do czego, być przekonanym o słuszności swego stanowiska*⟩: O ile się założysz? [...] Nawet o milion. Jestem pewny swego. Waham się, czy to honorowo. Bo wiem już teraz, że wygram. *Ritt. Duchy 20.* **10.** Coś (jest) pewne ⟨*niezawodne*⟩: Pogoda pewna. Dwója pewna. **11.** Jest pewne, jest rzeczą pewną, że... To pewna, że...; Że był Polak — to pewna. *Rol. Nowe. 100.* **12.** Ktoś jest pewny, to człowiek pewny ⟨*można na nim polegać, można mu ufać*⟩. **13.** Czuć pewny grunt pod nogami: Konie czując pewniejszy grunt pod nogami, pomknęły szybko. *Jun. Mazur. 115.* **14.** Dowiedzieć się coś pewnego. **15.** Szukać pewnego gruntu. **16.** Stanąć na pewnym gruncie (również *przen.*): Socjologia, chcąc stanąć na pewnym gruncie, musi przede wszystkim wesprzeć się na szerokiej podstawie faktów. *Kulcz. L. Socjol. 18.* **17.** Iść, przejść, wejść pewnym krokiem. **18.** Stanąć na pewnych nogach: *przen.* ⟨*uzyskać, zdobyć, zapewnić sobie dobre warunki materialne, źródła utrzymania*⟩: Gdy stanę na pewnych nogach, wtenczas i dla serca może się coś znaleźć. *Bliz. Dam. 47.* **19.** Mieć pewne oko, pewną rękę (do strzału, do rysunku). **20.** Mieć pewny kawałek chleba ⟨*zapewnione źródło utrzymania*⟩. **21.** Powiedzieć, wypowiedzieć co pewnym głosem ⟨*w którym nie ma wahania, stanowczym*⟩. **22.** Złożyć co w pewne ręce ⟨*osobie godnej zaufania*⟩.

● **23.** Pewna ilość, liczba czego ⟨*nieokreślona*⟩: Pewna liczba rodzin, pewna ilość wody. **24.** Pewien mój przyjaciel ⟨*jeden z moich przyjaciół*⟩. **25.** Pewien żołnierz, przechodzień; pewna osoba itp. ⟨*jakiś, jakaś*⟩. **26.** *euf. żart.* Pewna część ciała ⟨*tyłek*⟩: Srogie cięgi dostała pewna część ciała. *Ejs. Bajki 71.* **27.** Osoba w pewnym wieku ⟨*starsza*⟩: Nie lubię takich uśmiechów u osób w pewnym wieku. *Prus Lalka III, 19.* **28.** Ludzie pewnej daty: Większa część tegoż towarzystwa składa się z ludzi pewnej daty. *Bog. Wiz. 83.* **29.** Pewnego razu, dnia ⟨*kiedyś*⟩, pewnego pięknego poranku; pewnej nocy itp. **30.** W pewne dni ⟨*w niektóre*⟩: W pewne dni tylko jadał mięso. **31.** Co pewien czas ⟨*od czasu do czasu*⟩; na pewien czas ⟨*na jakiś czas*⟩; od pewnego czasu ⟨*od jakiegoś czasu*⟩; przez pewien czas ⟨*przez jakiś czas*⟩; po pewnym czasie, po upływie pewnego czasu ⟨*po jakimś czasie*⟩: Od pewnego czasu stracił humor. **32.** Do pewnych granic (być odpornym, ustępliwym itp.). **33.** Pod pewnym względem, pod pewnymi względami: Różnić się w poglądach pod pewnymi względami. **34.** W pewnej chwili, w pewnym momencie ⟨*w jakiejś, w określonej chwili*⟩: W pewnej chwili otwarto gwałtownie drzwi. **35.** W pewnej mierze, w pewnym stopniu, do pewnego stopnia, w pewnym zakresie, w pewnym sensie ⟨*w jakiejś mierze itd.*⟩: Człowiek w pewnej mierze ograniczony. Jako młody chłopak, byłem chorobliwie nieśmiały. I dotąd pozostało mi to w pewnym stopniu. *Perz. Las 66.* Miał do pewnego stopnia słuszność. **36.** W pewnym wypadku, w pewnych wypadkach ⟨*w określonym, w określonych*⟩: W pewnych wypadkach masz rację. **37.** Z pewnym wahaniem, rezerwą itp. ⟨*z niejakim*⟩: Powiedzieć, zrobić co, zgodzić się na co z pewnym wahaniem. Zachowywać się, wypowiadać co (się) z pewną rezerwą. Obliczyć co z pewnym przybliżeniem. Spoglądać z pewnym zakłopotaniem. Wrócić, patrzeć w przyszłość z pewną otuchą. Robić co z pewnym trudem, wysiłkiem. **38.** Coś robi na kim pewne wrażenie ⟨*widoczne*⟩: Zrobiło to na nim pewne wrażenie. **39.** Czuć pewien niesmak. **40.** Mieć pewien wpływ na co. **41.** Odegrać pewną rolę. **42.** Rzucać pewne światło na co ⟨*charakteryzować co w pewien sposób*⟩. **43.** Mieć do kogo pewną sprawę, pewien interes, pewną prośbę: Mam do pana interes, pewną prośbę, o której chciałbym pomówić. *Żer. Prom. 70.* **44.** Okazywać pewne zainteresowanie czym, pewną życzliwość komu ⟨*niejaką, w pewnym stopniu*⟩. **45.** Mieć pewne zastrzeżenia co do kogo lub czego. **46.** Opowiedzieć, przytoczyć pewien fakt. **47.** Powziąć pewien plan. **48.** Uzyskać pewien wpływ. **49.** Przynosić pewną ulgę ⟨*niejaką*⟩. **50.** Wpłacić; wypłacić pewną kwotę (sumę) ⟨*jakąś, bliżej nie określoną, znaną tylko stronom*⟩. **51.** Otrzymać co, uzyskać za pewną opłatą ⟨*nieznaczną*⟩.

pęcherz 1. Błony, szyby z pęcherza ⟨*wysuszone błony pęcherzowe, służące dawniej za szyby*⟩. **2. p-e** n a c z y m, p o d c z y m, np. na dłoniach, pod palcami (u nóg): Od intensywnego wiosłowania porobiły mu się **p-e** na dłoniach. **3. p.** na wodzie ⟨*bąbel, bańka*⟩. **4.** *anat.* **p.** moczowy ⟨*narząd ciała w jamie brzusznej, w którym zbiera się mocz*⟩. **p.** płodowy ⟨*błony otaczające jaje płodowe*⟩. **5.** *zool.* **p.** pławny (u ryby). **p.** powietrzny ⟨*u owadów: naczynie błoniaste służące do oddychania*⟩. **6. p.** w odlewie ⟨*próżnia w surowiźnie powstała podczas odlewania*⟩. **7.** Choroba pęcherza; chory (chorować) na **p. 8.** Nadęty **p.** *przen.* ⟨*osoba próżna, zarozumiała*⟩: Pomocnik głównego artysty fabrycznego [...] był nadętym pęcherzem. Mały, krzywy, nieufny sobek. *Grad. Trzech 218.* **9.** Nadęty jak **p.**; nadymać się jak **p.** ⟨*puszyć się*⟩: Rozparł się w boki, nadął się jak pęcherz i powiedział mi srogie kazanie. *Kaczk. Murd. II, 12.* **10.** Być cały w pęcherzach. Mieć co (ręce, twarz) całe w pęcherzach ⟨*pokryte pęcherzami*⟩: Krystyna była już cała w pęcherzach, wypełnionych jasną cieczą. *Zar. Wędr. 81.* **11.** Komuś wyskakują na czym pęcherze (czyjaś skóra pokrywa się pęcherzami): Na palcach wyskoczyły mu pęcherze. *Prus Lalka II, 267.* **12.** Pływać na pęcherzach a z pęcherzami ⟨*na wysuszonych i wypełnionych powietrzem błonach pęcherzowych*⟩. **13.** Przywiązać kotu **p.** do ogona ⟨*rodzaj złośliwej zabawy*⟩: Ulubioną jego zabawką było przywiązywać kotom pęcherze do ogonów. *Sztyrm. Pow. I, 131.* **14.** Biegać, latać jak kot z pęcherzem ⟨*nerwowo; bez określonego celu i rezultatu*⟩: Od dwu dni biegam rozdrażniony, jak kot z pęcherzem. *Prus Emanc. I, 275.* Zapewne, że nie latałem po mieście, jak kot z pęcherzem, ale nie było dnia, żebym nie załatwiał jakichś spraw. *Strug Wspom. 185.*

pęczek (*lm* pęczki) **1. p.** kwiatów ⟨*wiązanka*⟩ (zwykle o kwiatach drobnych lub o kwiatach polnych): **p.** fiołków, konwalii, bratków, niezapominajek. **2. p.** rzodkiewek, marchwi, szparagów. **3. p.** słomy, zboża ⟨*snopek*⟩; kłosów, chrustu ⟨*wiązka*⟩. **4. p.** włókien konopnych. **p.** piór. **p.** włosów. **5. p.** bawełny, jedwabiu (do haftowania) ⟨*motek*⟩. **6. p-i** traw: Podwórze małe [...] z pęczkami traw wśród kamieni. *Zeg. Zmory 110.* **7.** *przen.* **p.** promieni (słońca) ⟨*smuga*⟩. **8.** Wiązać w **p-i** (zboże, słomę). **9.** Sprzedawać co (warzywa, kwiaty) na **p-i. 10.** *pot. żart.* Przywieziono go a. przyjechał w pęczku słomy (do miasta) ⟨*o kimś nieokrzesanym, naiwnym*⟩.

pęcznieć 1. p. c z y m a. o d c z e g o: Szafa pęcznieje książkami a. od książek. [Słowa] stopniowo nabrzmiewały goryczą, pęczniały bólem. *Morc. Wyr. 49.* [Utwór] pęczniejący od groteski. *Pam. Lit. 1954, 104.* **2. p.** z c z e g o: **p.** ze złości, z odrazy, z gniewu, z zawiści, z ciekawości. **3.** Kłosy, nasiona, pąki pęcznieją: Pęczniały pąki na bzach. *Ziel. S. Pol. 328.* **4.** *żart.* Brzuch komu pęcznieje ⟨*rośnie*⟩. **5.** Głowa pęcznieje komu od czego (od kłopotów) ⟨*ktoś się czymś kłopocze*⟩. **6.** Kieska czyja, konto czyje pęcznieje ⟨*komuś przybywa majątku*⟩.

pęd ● **1.** Gwałtowny, niepohamowany, nie(po)wstrzymany, szalony **p. 2. p.** na złamanie karku. **3. p.** żywiołowy. **4.** Owczy **p.** ⟨*bezmyślne naśladowanie innych*⟩. **5. p.** powietrza, wiatru; bryły, kuli, pociągu; rzeki; krwi; bitwy. **6. p.** (k o g o) d o c z e g o ⟨*gwałtowne zainteresowanie czym, dążenie do czego, działanie w jakimś kierunku*⟩: **p.** (młodzieży) do sportu, do kształcenia się, do oświaty itp. **7.** Pędem ⟨*szybko, co tchu*⟩: Pędem (szalonym) biec, gnać, rwać, uciekać, puścić się, śmignąć, wpaść, ruszyć itp. **8.** Pędem burzy, błyskawicy, pioruna, strzały (gnać, uderzyć na co, na kogo, lecieć itp.): Pędem burzy lecieli. *Malcz. Maria 61.* **9.** W pędzie, w dzikim (największym, zawrotnym, szalonym) pędzie (ruszyć, jechać, mknąć, mijać kogo, co, wpaść gdzie). **10.** *pot.* W te pędy ⟨*w lot, od razu*⟩: Panienka w te pędy zeszła i mówi coś do niego. *Prus Wiecz. 124.* W świętej głupocie swojej wydałby w te pędy i tamten skarb. *Żer. SPP.* **11.** Hamować, wstrzymać **p.** ⟨*o samochodzie*⟩. **12.** Iść całym pędem, walić ze strasznym pędem. Nabierać pędu ⟨*o maszynie*⟩. **13.** Wziąć (największy) **p.** ⟨*o koniach, o wojskowych formacjach konnych itp.*⟩: Wszystkie chorągwie zerwały się z miejsca, ruszyły zrazu kłusem, potem wzięły pęd największy. *Śliw. A. Sob. 265.* **14.** Wytracać **p.** ⟨*o maszynach, statkach, samochodach, samolotach: tracić szybkość po wyłączeniu motoru na skutek tarcia*⟩. **15.** *przen.* Budzić, rozbudzać **p.** do czego (np. do turystyki).

● **16. p-y** (roślin): Bujne, szlachetne, młode **p-y. 17. p.** główny; **p-y** boczne, nadziemne, odziemne, podziemne. **18. p-y** roczne, wieloletnie. **19.** (Wy)puszczać **p-y** (o roślinie). **20.** Podcinać (roślinie) **p-y. 21.** Prowadzić (roślinę) na (trzy) pięć pędów.

pędzić ● **1. p.** k o g o, c o — c z y m ⟨*popędzać, gnać*⟩, np. **p.** bydło; **p.** niewolników, więźniów; **p.** chmury (o wietrze): Więźniów trzciną pędzą w trop kaprale. *Jabł. SW.* **2. p.** k o g o, c o — d o c z e g o ⟨*napędzać, naglić*⟩: Siciński pędził chłopów do pracy w święta i niedziele. *Mick. SPP.* Pastuszkowie pędzili już bydło do obór. *Olcha Most I, 5.* **3.** Coś pędzi kogo do czego: Rozterka wewnętrzna pędziła Urbina do czynów hazardownych. *Święt. A. Obraz II, 103.* Niewidoma siła pędziła mnie w świat. *Sztyrm. Katalept. I, 178.* Ciekawość pędziła go do nauki. **4. p.** k o g o (jak psa); **p.** od siebie ⟨*przepędzać, przeganiać, odpędzać od siebie*⟩: Mnie pędzi, gdzie tylko spotka, stale mu zawadzam. *Żukr. Zioła. 193.* **5. p.** kogo — przed sobą: Pędził przed sobą Kartagińców, którzy przestraszeni nie tak ogromem wyprawy, jak sławą Pyrra, nigdzie kroku dotrzymać mu nie śmieli. *Kras. Życia VIII, 251.* **6. p.** c z y m: Pędzący ostatkiem letkiewicz. *Prz. Tyg. Życia 4, 1875, 37.* Pędzony głodem, pragnieniem. Samochód pędzony ropą ⟨*poruszany*⟩. **7.** Jakby (go, ich) kto (kijem) pędził ⟨*pośpiesznie*⟩: Biegną do mnie, jakby ich kto pędził. *Kras. Lucjan 185.* Zbiegł z estrady tak szybko, jakby go ktoś stamtąd pędził kijem. *Pięt. Biaław. 17—18.* **8. p.** bimber, samogon, wódkę ⟨*robić*⟩. **9.** *górn.* **p.** chodnik, pochylnię ⟨*przebijać, budować*⟩: Pędzić pochylnię wzdłuż uskoku. *Morc. Pokład 80.* Pędzenie chodnika posuwało się szparko. *Morc. Ptaki 235.* **10. p.** dni, czas, wiek, *przestarz.* chwile ⟨*spędzać*⟩. Pędzę przy jego łóżku co dzień długie chwile. *Krasiń. Listy II, 352.* **11. p.** (czyją) wodę na swój młyn ⟨*wyzyskiwać kogo a. co na swoją korzyść*⟩: Mieli w nim dogodnego dla siebie partnera. Pomagali mu chętnie, pędząc jego wodę na swój młyn. *Ask. Uwagi 318.* **12. p.** w górę (o pędach, latoroślach) ⟨*rosnąć szybko, bujać*⟩. **13. p.** żywot, życie ⟨*żyć*⟩. Życie wstrzemięźliwe pędził. *Kras. Bajki. 7.*

● **14. p.** ⟨*biec, jechać pędem*⟩: **p.** (dokąd) co sił, co tchu, bez tchu, ile sił w nogach, co koń wyskoczy (o jeźdźcu), całą siłą pary (o pociągu, statku); w skok, w cwał, cwałem, galopem (o koniu, jeźdźcu), w podskokach, susami, *gw.* w derdy; jak opętany, jak szalony, jak wariat; jak wiatr, jak wicher, jak huragan, jak na skrzydłach, jak strzała, lotem strzały, *daw.* strzałą; na oślep, na złamanie karku, z wywieszonym językiem, ozorem (o psie); z szaloną szybkością. **15. p.** c z y m a. n a c z y m: motocyklem, samochodem; na koniu, na wielbłądzie; na rowerze. **16. p.** c z y m; d o c z e g o; n a c o; p o c o; p o c z y m; p r z e z c o; z c z e g o; z a k i m, z a c z y m: **p.** ulicami (miasta), chodnikiem; do ataku; na obiad; po wiadomości; po kamieniach, po skałach, po piachu, po asfalcie, po szosie; chmury pędzą po niebie; przez wieś, przez pole; z góry, ze schodów: za zbiegiem, za lisem, za motylem. **17. p.** z c z y m ⟨*śpieszyć się z czym*⟩: Nauczyciele ogromnie pędzą z kursami, egzaminy za pasem, a my prawie nie mamy czasu, aby odetchnąć. *Dygas. Robins. 51.*

przysł. **18.** Młodość, płochość pędzi wiatr ⟨*młodość jest niezrównoważona, zmienna, lekkomyślna*⟩.

pęk ⟨*wiązka, wiązanka, plik*⟩ **1. p.** bananów włoszczyzny, włosów, wstążek, grzybów (suszonych), trawy, trzciny, rózeg, słomy, chrustu; drutu, skór, flag; banknotów; kluczy. **2. p.** promieni, światła ⟨*wiązka, smuga*⟩.

pękać, pęknąć 1. ⟨*(za)rysować się, rozłamać się, rozprysnąć się*⟩: Lustro, mur, szklanka; sprężyna, szyba pęka, pękła. Rury pękają, pękły (od mrozu). **2.** Pociski, bomby, granaty, szrapnele pękają ⟨*rozrywają się, wybuchają*⟩. **3.** Wrzód pękł. **4.** Szelki pękły (komu) ⟨*zerwały się*⟩. Ubranie pęka na kim a. pęka w szwach; szwy pękły ⟨*rozpruły się, puściły*⟩. **5.** Ciasto, chleb pęka (w piecu). **6.** Łupiny kasztanów pękają. **7.** Pąki pękają ⟨*otwierają się, rozwijają się*⟩. **8.** Skóra (na palcach) pęka. **9.** *przen.* **p.** z gniewu, ze śmiechu, ze złości ⟨*gwałtownie się gniewać, śmiać, złościć; nie posiadać się z gniewu, złości; śmiać się do rozpuku*⟩: Tadeusz, opiły trucizną zazdrości, zdawał się obojętny, a pękał ze złości. *Mick. Tad. 150.* Myślałem, że pęknę od złości. *Łoz. Szlach. I, 92.* Dowiedziawszy się o tym, o mało z gniewu nie pękł. *Krasz. Chata I—II, 59.* **10.** Sto, tysiąc itp. złotych pękło ⟨*poszło, kosztowało*⟩: Przeszło tysiąc złotych już pękło... fiut! poszło... a końca ani widać. *Krasz. Szalona 161.* **11.** Struna pękła ⟨*za daleko się posunięto, przeholowano, przesadzono w czym*⟩: Zdawało się, że już przeciągnięta struna pęknie, że katastrofa nieunikniona. *Jun. Wod. 43.* **12.** (Dobry) nastrój pęka, pękł ⟨*psuje się, zepsuł się*⟩: Ze zjawieniem się Lipeckiego przyjazny nastrój pękł. *Perz. Las 77.* **13.** *przen.* Niebo, widnokrąg pęka ⟨*błyska się*⟩: Czasem widnokrąg pęka od końca do końca i anioł burzy na kształt niezmiernego słońca rozświeci twarz. *Mick. Tad. 271.* **14.** Głowa czyja, mózg czyj a. komu pęka (od czego): Dużo ją obchodzi, co tam gadają, kiedy jej głowa pęka od własnych trosk. *Bogusz. Ludzie 174.* Wszystkie kombinacje wynalezienia sztuki robienia złota, nad którymi mózg mój pękał, były daremne. *Libelt Gra 183.* **15.** Serce pęka, pęknie komu ⟨*ktoś bardzo cierpi, doznaje uczucia wielkiej przykrości*⟩: A choć mi serce pęka — śmiech mię bierze. *Słow. Ben. 162.* Zdawało się, że serce mu pęknie, tak wezbrało żałością. *Grusz. An. Żak. 189.* **16.** Skronie pękają (od nawału przeżyć). Uszy, bębenki w uszach pękają komu (od hałasów, wrzasku): Huk młotów krótkimi seriami dolatywał na przemian [...] wydawało się, że bębenki pękną w uszach. *Braun Lewanty 113.* **17.** Coś pęka (pękło) między kim a kim ⟨*coś się psuje, psują się stosunki*⟩: Od czasu głupiej wyprawy do Lip jakiś cień przeleciał między nim a Stachem, coś między nimi pękło. *Krzyw. I. Bunt. 189.* **18.** Coś pękło w czyjej duszy ⟨*w kimś nastąpiła nagła zmiana*⟩: Owego wieczora pękło coś w jego duszy, czyniąc go na resztę dni żyjącym trupem. *Gomul. Ciury I, 103.* **19.** *pot.* Choćby(m) pękł, żeby(m) miał pęknąć, to... ⟨*choćby nie wiadomo co miało się stać, choćby nie wiem co*⟩: Żeby miał pęknąć, ożenię go z panią Stawską! *Prus Lalka III, 84.* **20.** Bodajeś pękł! ⟨*wykrzyknienie wyrażające oburzenie, rodzaj wymyślania*⟩: Bodejeś pękł ze swoim łgarstwem! *SW.*

pęknięty p. dzwon, garnek.

pępek 1. p. świata ⟨*punkt centralny, najważniejszy*⟩: Kuchnia ta była dla domowników pępkiem świata. *Iw. Księżyc 220.* **2.** *pot.* Leżeć, wylegiwać się do góry pępkiem ⟨*nic nie robić, próżnować*⟩. **3.** Zapatrzyć się we własny **p.** ⟨*nic poza sobą, swoimi sprawami nie widzieć*⟩: Zapatrzy się czasem człowiek we własny pępek i świata za nim nie widzi. *Lut. Sprawa 122.*

pęta 1. p. na nogi, na ręce. *przen.* **p.** niewoli, obowiązku, tradycji, miłości: Więzy lub pęta miłości są przyjemną niewolą. *Brodz. Synon. 152.* **2.** Przeciąć, rozciąć **p.** (jeńcowi, koniowi). **3.** Rozwiązać komu **p.**, zdjąć z kogoś **p.** (*dosł.* i *przen.*). **4.** Skrępować kogo pętami (*dosł.* i *przen.*). **5.** *przen.* Nałożyć, narzucić **p.** komu, na kogo a. na co: Nakładanie jakichkolwiek pęt na wolną myśl ludzką poczytywał Lelewel nie tylko za nieszczęście, ale i za zbrodnię. *Chrzan. I. Lel. 34.* **6.** Pójść w **p.** ⟨*do niewoli*⟩: Wiele już ludu poszło w pęta, a mało kto zawczasu zbiec mógł ratując życie. *Krasz. Baśń 298.* **7.** Potargać, stargać, skruszyć, zrzucić z siebie, zerwać **p.** (niewoli). **8.** *przen.* Uwolnić (kogo) od pęt a. z pęt; wydobyć kogo z pęt: Oni (rodzice) mnie za mąż wydali, niech oni mnie z tych pęt uwolnią. *Zap. G. Pam. 140.* **9.** *przen.* Wywikłać się, wyzwolić się (kogo) z pęt (czego). **10. p.** krępują kogo; kruszeją, spadają z kogo.

pętać się 1. p. się komu pod nogami ⟨*plątać się, przeszkadzać*⟩. **2. p. się** na świecie ⟨*żyć bez celu*⟩: Po co [...] pęta się na tym świecie? Komu jest potrzebny? *Putr. Rzecz. 434.* **3. p. się** p o c z y m ⟨*włóczyć się, wałęsać się*⟩: po mieście, po ulicy, po nocy.

pętelka Zrobić, przyszyć pętelkę. Zapiąć (guzik) na pętelkę.

pętla 1. p. arkanu, stryczka. **2.** *łow.* **p.** na jastrzębie ⟨*rodzaj sidła na ptaki drapieżne*⟩. **3. p.** tramwajowa ⟨*tor w kształcie pętli, zwykle na końcowej stacji, służący do wprowadzania wozu na tor przeciwnego kierunku*⟩. **4.** Zarzucić komu pętlę (na szyję), zaciskać pętlę (komu na szyi). **5.** Wykonywać **p-e** ⟨*w lotnictwie: wykonywać samolotem ewolucje powietrzne w kształcie pętli (loopingi)*⟩. **6. p.** zaciska się. *przen.* Mam wrażenie, że zaciska się pętla i że już nie na długo starczy mi sił. *Hirsz. Hist. 296.*

pęto p. kiełbasy. *poet.* Skruszyć **p.**: Ktoś cię uwolni z dłoni, co ciemięży, ktoś cię uwolni i pęto twe skruszy. *Staff God. 22.*

piach 1. Grzęznąć, zaryć się w piachu, zaryć się w **p.** (o wozie, kole). **2.** Rosnąć na piachach (o niektórych roślinach, np. trawach, sosnach). **3.** Zalesić **p-y. 4.** *przen.* Oczy **p.** zasypie ⟨*śmierć spotka kogo, ktoś umrze, zostanie pochowany, przysypany ziemią*⟩: Niedługo oczy piach zasypie, na usta suche spadną grudy: jednaki Kres, choć różne trudy. *Słonim. Poezje 127.*

piać 1. Kogut (kur), bażant pieje. *przen.* W obu stawach piały żab niezliczone hordy. *Mick. Tad. 212.* **2.** *książk.* **p.** hymny (pochwalne) na cześć czyją ⟨*opiewać, wychwalać co lub kogo*⟩: Ten poeta amorów [...] pieje hymny na cześć wiosny. *Siem. L. Dzieła I, 201.* **3.** *pot.* **p.** z radości ⟨*wypowiadać w sposób entuzjastyczny swoją radość*⟩: Londyńczycy szaleli, gazety piały z radości. *Kożn. Rok 114.* **4.** *pot.* **p.** ze złości ⟨*złościć się, wydawać głosy o wysokiej tonacji, podobne do piania koguta*⟩: Zachariasz słuchał tej przemowy cierpliwie, a gdy kobieta aż piała ze złości [...] rzekł jej spokojnie [...]: Mówię ci, idź! *Jun. Bracia 198.* **5.** *pot.* **p.** z zachwytu ⟨*unosić się w zachwytach, wypowiadać pochwały; zachwycać się czym*⟩: Kwiryna piała z zachwytu, nigdy nie przypuszczała, że można się w ten sposób uczyć! *Goj. Dziew. I, 188.*

piana 1. Biała, srebrzysta, śnieżna; brudna, mętna, krwawa **p. 2.** Puszysta **p. 3. p.** morska: Pewnego jasnego poranku wynurzyła się ona [Wenus] z piany morskiej nie opodal wyspy Cypru. *Mark. W. Mit. 44.* **4.** Fircyk, chwat z morskiej piany: Patrzcie go, jaki chwat z morskiej piany. *Święt. A. Pisma I, 217.* **5.** Bryzgi piany. **6.** Grzywa pian. **7.** Płaty, strzępy piany. **8. p.** na piwie, z piwa. *przen.* **p.** koronek. **9.** *przen.* Z pianą na ustach ⟨*ze wściekłością*⟩: Wykrzykiwać co z pianą na ustach. Zmęczony, z pianą na ustach, nieprzytomny, padł na łoże. *Mark. W. Mity 142.* **10.** Bryzgać, pryskać pianą (o morzu, potoku, wodospadzie). **11.** Okryć się, pokryć się pianą, być, stanąć w pianie (o koniach). **12.** Toczyć pianę: Oczy jego obłąkane, milczy i z ust toczy pianę. *Słow. Marek, 65.* **13.** Ubić (białko) na pianę. **14. p.** pryska, bryzga. **15. p.** toczy się z pyska (psu, koniowi). **16. p.** występuje komu na usta, na wargi, okrywa komu usta: Piana okryła mu usta, oczy krwią nabiegły. *Zachar. Kres. 17.*

piasek 1. Czysty, biały, żółty; drobny, gruby, gruboziarnisty **p. 2.** Miałki, sypki, grząski **p. 3. p.** po kostki, po kolana. **4. p.** gliniasty. **5. p.** wulkaniczny ⟨*drobne cząsteczki lawy*⟩. **6. p.** formierski ⟨*piasek z domieszką gliny, stosowany w odlewnictwie*⟩. **7.** Szczery **p.** ⟨*grunt piaszczysty*⟩. **8.** *med.* **p.** moczowy ⟨*osad ziarnisty tworzący się w narządach moczowych*⟩. **9. p-i** aluwialne ⟨*powstałe w epoce aluwium*⟩; **p-i** dyluwialne. **10. p-i** wydmowe; pustynne **p-i** a. **p-i** pustyni. **11.** Lotne, ruchome **p-i. 12. p-i** zwiewne ⟨*wydmy*⟩. **13.** Deszcz piasku. Ława piasku. Tuman piasku. Morze, ocean piasków (na pustyni). **14.** Worek piasku a. z piaskiem. **15.** Garść piasku (rzucić na czyją trumnę). **16.** Ziarnko piasku. **17.** Sypki jak piasek (o śniegu). **18.** Tyle tego, co piasku w morzu ⟨*ogromnie dużo*⟩. **19.** Bawić się w piasku (o dzieciach). **20.** Nawiać, zawiać piaskiem (drogę, krzewy). **21.** Posypać, wysypać (alejkę, ulicę, izbę) piaskiem. **22.** Posypać, zasypać list piaskiem ⟨*dawny sposób suszenia atramentu*⟩. **23.** (U)grzęznąć w piasku (o wozie). **24.** Wypłukiwać z piasku grudki złota. **25. p.** chrzęści, skrzypi (pod nogami). **26.** *przen.* Budować na piasku ⟨*opierać się na czymś niepewnym, nietrwałym*⟩: Całą moją przyszłość budowałem na ślepej wierze w twoją miłość i pokazało się, żem budował na piasku. *Sienk. Now. VI, 119.* **27.** Gryźć **p.**: a) ⟨*konać upadłszy na ziemię*⟩: Tnę po karku — jęknął — z konia spada i zębem piasek gryzie. *Beł. Dram. I, 126*; b) *pot.* ⟨*nie żyć, umrzeć, być pochowanym*⟩: On już dawno piasek gryzie. **28.** Nasypać komu piasku na oczy ⟨*pochować go*⟩: Jeszcze ja tobie piasku na oczy nasypię. *Zabł. Zabob. 85.* *euf.* Nasypali piasku! *Par. Niebo 115* ⟨*wykrzyknienie wyrażające uczucie niezadowolenia, zdumienia, rodzaj euf. przekleństwa*⟩. **29.** Osiąść na piasku (na mieliźnie) ⟨*mieć niepowodzenie*⟩. **30.** Pisać na piasku ⟨*puszczać w niepamięć*⟩: Człowiek złośliwy dobrodziejstwa wzięte na piasku pisze, urazy zaś na marmurze rysuje. *L.* **31.** Pływać po piasku ⟨*kłamać*⟩.

piastować **1. p.** czyje dzieci, młodsze rodzeństwo ⟨*opiekować się, strzec, wychowywać*⟩. **2. p.** kogo na ręku (na rękach) ⟨*niańczyć*⟩. **3. p.** dozór nad czym, (wysokie) stanowisko, urząd, władzę, koronę, mandat poselski ⟨*sprawować, pełnić, mieć*⟩: Sejm piastuje najwyższą władzę w narodzie. *L.* **4. p.** język, literaturę, koncepcję sztuki ⟨*pielęgnować, uprawiać*⟩. **5. p.** nadzieję, **p.** c o a. obraz czego w duszy a. na dnie duszy, w sercu; myśl, ideę, ideały, marzenia, cele: Czego pragnęła, jakie piastowała nadzieje dla siebie i świata — nie wiedziałem. *Orzesz. Wesoła 24.* Piastował w duszy obraz swej pierwszej miłości. *Perz. Cud. 238.* **6.** *przestarz.* **p.** w swym łonie ⟨*tworzyć, wyłonić z siebie*⟩: Ratusz warszawski piastował w łonie swoim komitet do urządzenia kas przezorności dla rzemieślników. *Prus Kron. IV, 79.* Wiek XV piastował w swym łonie brzemię pamiętnych w dziejach świata wypadków. *Mochn. O duchu 32.* **7.** *daw.* dziś *książk.* **p.** c o ⟨*trzymać, dzierżyć*⟩: Ranny leżał piastując pod bokiem karabin. *Żukr. Dni 251.* Piastował pod pachą flet w zielonym pokrowcu. *Morc. Pokład 335.*

piaszczysty **1.** Dno **p-e**; **p-a** droga, ścieżka, **p.** trakt, gościniec; **p-a** ziemia, rola; **p.** ił; **p-a** plaża, **p-e** wybrzeże; **p-a** pustynia, **p-e** morze, **p.** ocean. **2.** Wichury **p-e** a. piaskowe ⟨*niosące piasek w krajach pustynnych*⟩. **3. p-e** wzgórze, **p.** pagórek, **p-a** wydma. Zaspy **p-e**.

piąć się **1. p. się** czym: **p. się** ścieżką, żlebem. **2. p. się** d o c z e g o a. k u c z e m u: Zielone kuliste głowice drzew pomarańczowych pną się do słońca. *Reym. Now. I, 317.* Niebotyczne sosny zdają się piąć ku obłokom. *Dzierz. Rodz. 14.* *przen.* Nie piął się do zaszczytów. *Chrzan. I. Lit. 378.* **3. p. się** do góry a. pod górę ⟨*wznosić się*⟩: Dym piął się do góry. Ścieżka pnie się pod górę. **4. p. się** n a c o: **p. się** na strome zbocze (góry). *przen.* Com zyskał na wysokie pańskie pnąc się progi! [...] nic się z moim lepszego nie zrobiło stanem, prócz marnego wspomnienia, że gadałem z panem. *Karp. Zab. VII, 78.* **5. p. się** p o c z y m: Droga pnie się po zboczu Dzikie wino pnie się po ścianie. *przen.* Jak pierwej pięliśmy się po stopniach zwycięstw, tak teraz zlatywaliśmy na dół po stopniach klęsk. *Siem. L. Brodz. 77.*

piątek **1.** Wielki **p.** ⟨*ostatni piątek przed Wielkanocą*⟩. **2.** Świątek czy **p.**, w **p.** i świątek, w świątki i piątki ⟨*w dni świąteczne i powszednie, bez przerwy; zawsze jednakowo*⟩: Zawsze w żakiecie — świątek czy piątek — biała kamizelka z czarnymi guzikami zapięta pod górę i czarna muszka. *Warsz. młod. 142.* **3.** Ani świątku ani piątku: Ja to nawet w niedzielę teraz nie mogę [...] U nas ani świątku, ani piątku. *Hertz B. Term. 92.* **4.** Krzywić się jak środa na piątek: Więc dlaczego wyglądasz, jak zmokła kura i krzywisz się, jak środa na piątek? *Jun. Dworek 109.*

przysł. **5.** Wolę tu w piątek, niż tam w niedzielę ⟨*wolę u siebie nędzę niż u kogoś dostatki*⟩. **6.** Kto w piątek śpiewa, ten w niedzielę płacze. **7.** Piątek dobry początek. **8.** Jaki piątek, taki świątek.

piąty **1.** Potrzebny jak piąte koło u wozu (w bryce) ⟨*zupełnie niepotrzebny*⟩: Ty tam potrzebny jak piąte koło w bryce. *Rzew. H. Zamek 258.* **2.** Być piątym kołem; czuć się, plątać się gdzie, traktować kogo jak piąte koło u wozu ⟨*być, czuć się niepotrzebnym; traktować kogo jako rzecz niepotrzebną*⟩: Weźcie mnie z sobą [...] Będę trochę piątym kołem, ale to nic. *Sienk. Połan. II, 171.* **3.** Wiadomości z piątej ręki ⟨*pośrednie, bardzo niepewne*⟩: Ludzie kopali ziemniaki, opowiadając sobie niezliczone plotki i wykoszlawione wiadomości z piątej ręki. *Kurek Grypa 65.*

picie Jedzenie i **p.**: Jedzenia i picia było w bród. Woda (zdatna, niezdatna) do picia.

I pić **1. p.** chciwie, łapczywie, łykami, hustami; **p.** (alkohol) jak bąk, jak bela, jak beczka dziurawa, jak but dziurawy, jak smok, jak szewc, jak stary, jak ułan; bez opamiętania, do upadłego, do nieprzytomności, do umoru a. na umór, na zabój, na potęgę; *daw.* wielką gębą. **2. p.** do poduszki; strzemiennego; na zgodę. **2a. p.** i jeść (jeść i pić): Jedli i pili, co szyja strzymała. *Kaczk. Olbracht. III, 421.* Nie pije, nie pali, nie gra w karty. **3. p.** c o — c z y m a. z c z e g o: **p.** kawę, herbatę, zioła; wódkę, wino, piwo; **p.** szklanką, kieliszkiem; ze szklanki, z filiżanki; (wodę) ze źródła. *przen.* **p.** pełną piersią czyste powietrze. Słońce pije rosę. Pił muzykę wszystkimi zmysłami. *Boy Znasz 74.* **p.** wiedzę a. ze źródła wiedzy. **4. p.** czyje zdrowie a. za zdrowie, w czyje ręce ⟨*wznosić toast za czyjeś zdrowie*⟩: Gospodarz [...] pił zdrowie gości w ręce Pańci. *Par. Niebo 42.* Piję za zdrowie dam. **5. p.** d o k o g o ⟨*robić aluzję, przytyk do kogo*⟩: Do kogo pił, nie mogłem zrozumieć, bo stosunków miejscowych nie znam. *Krasz. Walery 28.* **6. p.** do lustra ⟨*samotnie, bez towarzystwa*⟩. **7. p.** z kim ⟨*w towarzystwie kogo, w kompanii*⟩: Popijał wraz z swymi gośćmi z kubków złoconych stary miód lipcowy. *Kaczk. Olbracht. II, 264.* **8.** *żart.* **p.** pod język ⟨*pić alkohol niczym nie zagryzając*⟩. **9. p.** kielich goryczy ⟨*mieć przykrości, przykre przeżycia*⟩: Ja goryczy kielich także piłem zawsze i wszędzie! *Krasiń. Drobne 85.* **10. p.** krew czyją ⟨*wyzyskiwać kogo*⟩: A gospodarze onych [pałaców] najczęściej bez cudu piją krew i żrą ciało jęczącego ludu. *Tremb. Różne 39.* **11.** Pije piwo, którego nawarzył ⟨*ponosi konsekwencje swego postępowania*⟩: Kwaśnego bardzo, hrabio, nawarzyłeś piwa, rad nierad pić go musisz. *Zabł. Pojedn. 241.* **12.** *żart.* Buty **p.** wołają ⟨*są dziurawe*⟩.

przysł. **13.** Kto pije, długo żyje (ten żyje). **14.** Kto siła pije, rad się pobije.

II pić ⟨*uwierać*⟩: Frak, rękaw pije. Buty piją (w podbiciu).

I piec **1. p.** kuchenny; chlebowy, piekarski; kaflowy, pobielany. **2. p.** krematoryjny, muflowy, kruszcowy. **3. p.** elektryczny, koksowy a. koskowniczy, wentylacyjny itp. **4. p.** do (pieczenia) chleba; do ogrzewania mieszkania; do wytopu stali. **4a.** Gruby jak **p.** Dziewka, babka jak **p.** **5.** Gorąco bucha, idzie od kogo a. na kogo jak z pieca: Kiedy weszła, buchnęło na nią gorąco jak z pieca. *Perz. Las 56.* **6.** Prosto z pieca, jak wyszedł z pieca: chleb prosto z pieca; *przen.* ⟨*na świeżo, zaraz po ukazaniu się*⟩: Produkt jego twórczości można zaraz czytać na gorąco, tak jak wyszedł z pieca. *Irzyk. Muza 18.* **7.** Stawiać, przestawiać **p.** **8.** Napalić w piecu. **9.** Wygrzewać się przy piecu. **10.** Wsunąć, wsadzić (chleb, mięso); włożyć [nie: dać] co do pieca. **11.** Pójść do pieca ⟨*zo-*

stać spalonym⟩: Alboby te [ławy] zepsuli podróżni, alboby w czasie zimowym poszły do pieca. *Kras. Podstoli 258.* **12.** Rzucić do pieca ⟨*spalić*⟩: Rzucić listy, papiery do pieca. **13.** Nadawać się tylko do pieca ⟨*do spalenia, do niczego*⟩. **14.** Podpierać piece w domu ⟨*nic nie robić*⟩: Fortunka była wystarczająca na życie uczciwe, ale to nie racja, abym ja chłop już dojrzały i oficer, podpierać miał piece w domu i próżniacze wiódł życie. *Łoz. Wł. Narwoj. 49.* **15.** *przestarz.* Przechodzić, przełazić piecem a. przez piec z klasy do klasy ⟨*dostawać promocję przez pobłażliwość lub przez protekcję*⟩: Adaś, który w gimnazjum z klasy do klasy piecem przechodził, w uniwersytecie okazywać zaczął talenty niebywałe. *Żer. Opow. 121.* **16.** *pot.* Siedzieć, leżeć za piecem ⟨*nie ruszać się z domu, nie brać w czym udziału*⟩: Mnie zdrowemu za piecem nie siedzieć. *Chodź. Pisma III, 77.* Ja przecie wiem, co mówię, bom również za piecem nie siedział, gdy młodzi szli ginąć. *Żer. Przedw. 326.* Jak król będzie formalnym królem, a przyjdzie do wojny [...] to on mi nie da za piecem leżeć. *Rzew. H. Zamek 307.* **17.** Wychowywać się za piecem, (wy)chowany za piecem ⟨*o osobie bez wychowania, prymitywnej, nieokrzesanej*⟩: Słuchajno, tylko zaprezentujże mi się dobrze, niech nie powiedzą, żeś za piecem wychowana. *Bliz. Dam. 66.* **18.** Zachciało mu się szybki z okna, kafelka z pieca ⟨*ma dziwne zachcianki*⟩.

przysł. **19.** Bywał Janek u dworu, wie, jak w piecu palą. **20.** Z różnych pieców chleb jeść nie zawadzi.

II piec 1. p. c o — z c z e g o: **p.** chleb, baby (wielkanocne) — z mąki; z ciasta; z płatków owsianych. **2. p.** c o — n a c z y m a. w c z y m: **p.** mięso, drób na blasze, na rożnie. Nie powie nic, choćby go żelazem rozpalonym piekli (przypiekali). **3. p.** raki a. raczki ⟨*rumienić się, dostawać rumieńców*⟩: Panna zaczynała, jak to mówią, piec raczki, a kawaler nadrabiał miną. *Bog. Wizer. 165.* Może mam przed nim, dygnąwszy trzy razy [...] piekąc rak po raku, prosić lękliwie, aby bez urazy przyjął odpowiedź. *Fredro A. Śluby 18.* **4.** Buty, pnatofle pieką ⟨*cisną powodując pieczenie*⟩. **5.** Policzki pieką kogo ⟨*palają komu*⟩. **6.** Rana piecze; oczy, powieki, odciski pieką kogo ⟨*sprawiają piekący ból*⟩. **7.** Słońce piecze ⟨*dopieka*⟩. **8.** Zgaga kogo piecze ⟨*ktoś odczuwa pieczenie w dołku, w gardle itp.*⟩. **9.** *przen.* Ciekawość, sumienie, wstyd piecze (kogo); żądze pieką (kogo) ⟨*dokuczają, nie dają spokoju*⟩: Ciekawość mnie piekła — poszedłem do Hawryłowicza — i bardzo dobrze zrobiłem. *Krasz. Walery 33.* **10.** Coś kogo piecze w sercu ⟨*ktoś doznaje przykrego uczucia, coś komu sprawia przykrość*⟩: Piekło go w sercu to wszystko, co jej powiedział. *Was. W. Gwiazdy 166.*

piechota 1. Pułk, oddział piechoty. Żołnierz, oficer piechoty, *daw.* piechota wybraniecka. **2.** Obsadzić (pozycję, miasto itp.) piechotą. **3.** Służyć w piechocie, *daw.* sprawić piechotę (do pochodu, do ataku). **4. p.** maszeruje, ciągnie, rusza (do ataku), obsadziła (teren), zajęła (wieś).

piechotą, na piechotę 1. Pójść, przejść, obejść (całe miasto), wędrować, wracać (do domu), wybrać się gdzie piechotą a. na piechotę. **2.** Zrobić (kilkadziesiąt kilometrów), odbywać drogę (podróż) piechotą a. na piechotę. **3.** *pot.* To **p.** nie chodzi ⟨*to ma swoją wartość, to nie byle co*⟩: Dukat zawsze dukatem, piechotą nie chodzi. *Wysp. Noc. 119.* Taki majątek jak moje Zagrajewice piechotą nie chodzi. *Bliz. Rozb. 47.*

piecyk 1. p. elektryczny: a) ⟨*część kuchenki elektrycznej do pieczenia potraw*⟩; b) ⟨*przyrząd elektryczny służący do ogrzewania pomieszczenia*⟩. **2. p.** kuchenny ⟨*część trzonu kuchennego wyłożona blachą do pieczenia potraw, ciast itp.*⟩. **3.** Piec ciasto (mięso) w piecyku. **4. p.** szamotowy ⟨*wylepiony gliną szamotową, utrzymującą dłużej ciepło*⟩. **5. p.** trocinowy ⟨*opalany trocinami, służący do ogrzewania pokoju*⟩. **6. p.** żelazny ⟨*okrągły lub czworokątny piecyk, służący do ogrzewania izb nie mających pieców (często i do gotowania potraw)*⟩.

piecza 1. p. ojcowska, moralna, lekarska. **2.** Troskliwa **p. 3. p.** o k o g o, o c o; o k i m, o c z y m: **p.** o pszczołach. **4. p.** o k o ł o c z e g o: Pieczy około opatrzenia zamków żadnej nie było. *Proch. Żółk. 35.* **5. p.** n a d k i m, n a d c z y m: **p.** nad małoletnim; nad biblioteką. **6.** Mieć co na pieczy ⟨*troszczyć się o co*⟩: Wielcy panowie [...] mieli tylko swoje własne i krewnych swoich dobro na pieczy. *Szajn. Jadw. I, 207.* **7.** Mieć kogo a. co w swojej pieczy ⟨*w opiece, pod opieką*⟩: *przen.* Gdy noc ma miasto w swojej pieczy, dzieją się w domu straszne rzeczy: przemyka czarny cień za cieniem, podłoga skarży się skrzypieniem. *Słob. Wiersze 53.* **8.** Mieć pieczę o kim, o czym: Snać lichą pieczę ma dziedzic o swoim słudze: Chudyś jak gnojowa deska. *Lem. Bajki 12.* Miał pieczę o swoim zdrowiu i powierzchowności. *Sztyrm Katalept. I, 14.* **9.** Mieć, objąć, sprawować, wykonywać pieczę nad kim, nad czym: Przewodniczący spółdzielni ma pieczę nad majątkiem spółdzielni. *Stat. Spółdz. 39.* Bezpośrednią pieczę nad organizacją sprawował ks. Ściegienny. *Młyn. Dzieje 101.* Do opiekuna należy wykonywanie pieczy nad osobą i majątkiem poddanego opiece. *Zoll Prawo cyw. IV, 69.* **10.** Mieć się na pieczy ⟨*na baczności*⟩: Musi się Pan Starosta dobrze mieć na pieczy. *Groza Poezje 144.* **11.** Otaczać kogo, co pieczą ⟨*opieką*⟩: Osobliwą pieczą otaczał Staszic szkoły. *Brück. Kult. IV, 308.* Tylko stary generał otaczał młodego pieczą i grzecznościami. *Żer. Ur. 29.* **12.** Polecić, poruczyć, powierzyć kogo, co czyjej pieczy a. komu pieczę czego, pieczę nad kim, nad czym: Losy nasze, Reginko, twej polecam pieczy. *Zabł. Zabob. 25.* Poruczamy go twojej pieczy z zupełnym zaufaniem. *Rog. J. Bohat. II, 30.* Psom powierzywszy nad owcami pieczę, zwalił się pasterz i śpi w cieniu drzewa. *Hertz B. Bajki 224.* **13.** Powierzyć owce pieczy wilków ⟨*oddać kogo (co) na pastwę kogo, czego*⟩: Konstytucja ta poddała [...] mieszczan władzy starostów tak w rzeczach administracji, jako też w sprawach sądowych, cywilnych, tj. powierzyła owce pieczy wilków, że użyjemy porównania z bajki. *Korzon Wewn. 285.* **14.** (Po)zostawać pod czyją pieczą: W szkołach tak dawnych pod duchowną pieczą zostających [...] jak w nowo otwieranych świeckich, miano na celu formowanie człowieka moralnego i zacnego obywatela dla rzeczypospolitej. *Lel. Dzieje 177.* **15.** Wymagać pieczy: Rodzina jest najpiękniejszą formą życia społecznego, ale życie rodzinne wymaga pieczy. *Hirsz. Hist. 158.* **16.** Niech cię Bóg (Jehowa) ma a. chowa w swej pieczy ⟨*niech cię ma w swej opiece*⟩: Niech wejrzy na cię wszechwładny Jehowa i w swojej pieczy cię chowa. *Tyg. Ilustr. 51, 1899, 1011.*

pieczeń 1. p. duszona, pieczona; z rożna. **2. p.** barania, wołowa; z sarny, z jelenia. **3. p.** rzymska ⟨*zapiekana z mięsa mielonego, klops*⟩. **4.** *przestarz.* **p.** u kogo jadać ⟨*być pieczeniarzem*⟩: Bolało go od dawna, że ta chudzizna molów książkowych, pijąc jego wino i jedząc jego pieczenie, tak górne o sobie miała wyobrażenie. *Zachar. Kres. 263.*

pieczęć 1. p. okrągła, owalna, prostokątna; rznięta w kamieniu ⟨*stempel do wyciskania znaku*⟩. **2. p.** gliniana, lakowa, metalowa, ołowiana, woskowa; z laku, z wosku; **p.** wisząca (na sznurze) ⟨*znak wyciśnięty na czymś*⟩. **3. p.** firmowa, urzędowa, państwowa, *daw.* kanclerska (podkanclerska): a) ⟨*stemple*⟩; b) ⟨*znak*⟩. **4. p.** n a c z y m: **p.** na dokumencie, na liście, na meblu (zajętym np. przez komornika). *przen.* **p.** milczenia, smutku, tajemnicy: Głód powyciskał sine pieczęcie na twarzach starych wojowników. *Sienk. Pot. V, 35.* **5.** *daw.* **p.** koronna (mniejsza, większa) ⟨*urząd podkanclerski, kanclerski*⟩: Oddał król pieczęć mniejszą koronną Ossolińskiemu. *Szajn. Szkice III, 248.* Wakowały dwie pieczęci koronne: wielka po zmarłym Wielopolskim i mniejsza po Radziejowskim, wyniesionym na godność prymasa. *Śliw. A. Sob. 305.* **6.** Kłaść, położyć, wycisnąć **p.** (na dokumencie, na liście). **7.** Przyłożyć, przybić **p.** (do czego). **8.** (Za)-opatrzyć (dokument) w **p.** a. pieczęcią. **9.** Oderwać, rozerwać, zerwać; skruszyć; przełamać, rozłamać; zdjąć **p.** (lakową, woskową): Kmicic rozłamał pieczęć i przy świetle latarni, umieszczonej przy koźle kolaski, czytał. *Sienk. Pot. IV, 204.* Zdjął pieczęć i otworzył szkatułę. *Leśm. Klech. 98.* **10.** Naruszyć, tknąć **p.**, **p-i**: Pieczęci były [przy skarbonce] nie tknięte. *Niedź. Grzech 30.* Biada, jeśli woskowej naruszysz pieczęci! Oto masz list. *Słow. Maria 23.* **11.** Zamknąć co, nałożyć na co siedem **p-i** ⟨*uczynić niedostępnym*⟩: Książki Anatola France'a zamknięte są na siedem pieczęci dla śledzienników. *Pomian. Widow. 254.* Zdejmuje żal głęboki, że nie wydano prawa, które by kazało prywatny żywot poety zamknąć na siedem pieczęci. *Loren. Dwadz. 158.* **12. p.** (czego), siedem (sto) **p-i** leży na czym, zamyka co ⟨*coś jest niedostępne*⟩: Jest to jedna z tych tajemnic duszy ludzkiej, na których leży siedem pieczęci dla najgłębszego badacza. *Sztyrm. Katalept. II, 65.* Księgę duszy mojej zamknęło przed światem i ludźmi sto mocnych pieczęci. *Orzesz. Listy II/2, 241.* Usta jej [...] zamykała pieczęć doskonałego milczenia. *Orzesz. Bieguny 19.*

pieczony p. indyk; **p-e** mięso, jabłka. Kasztany **p-e**; **p-e** prosię; **p.** kapłon. *pot. euf.* Kurczaki pieczone! ⟨*rodzaj przekleństwa*⟩.

piedestał 1. p. posągu, pomnika ⟨*podstawa, cokół*⟩. *przen.* **p.** sławy. **2.** Dźwignąć, wynosić, wynieść na **p.**; posadzić, (po)stawić na piedestale: Niemiecka poezja naśladowców Osjana [...] wyniosła barda na piedestał wieszcza narodowego. *Kleiner Mick. II/1, 71.* Tajemniczość dodaje uroku, stawia na piedestale. *Przyb. Warsz. I, 216.* **3.** Stać na piedestale: Chciał wobec żony stać na piedestale pańskości, honoru, rozumu i wszelkich innych przymiotów. *Lam J. Kariery 229.* **4.** Runąć, spaść, strącić (kogo), zrzucić, zejść z piedestału: Spadł był już [...] z piedestału [...] i przestał być jej ideałem. *Orzesz. Z różnych. I, 259.* W tym momencie wyniesienia i blasku zaczęła się tragedia, która go zrzuciła w oka mgnieniu z piedestału. *Łun. Wspom. 324.*

piekący p. wstyd; **p-a** zazdrość. **p-a** sprawa, **p-e** zagadnienie.

piekielny 1. p-a awantura ⟨*okropna*⟩. **2.** Bestie, furie **p-e**. **3. p.** ból ⟨*okropny, straszny, nieznośny*⟩. **4.** Bramy **p-e** go nie przemogą ⟨*nic go nie zmoże*⟩. **5. p-e** katusze, cierpienia: Była to twarz już półtrupia [...] straszna przez swój wyraz piekielnych cierpień. *Sienk. Pot. IV, 125.* **6.** Czeluść, otchłań **p-a**, *przen.* Salonów się strzeż!... bo to czeluść piekielna. *Prus Kron. III, 65.* **7. p.** głód (odczuwać). **8. p-a** wrzawa. **9. p-e** intrygi (snuć, robić) ⟨*wyrafinowane, szatańskie, złośliwe*⟩; **p.** plan (zemsty), **p-a** zemsta. **10. p.** skwar, upał, żar ⟨*okropny, nie do zniesienia*⟩. **11. p.** śmiech ⟨*szyderczy, przejmujący grozą*⟩. **12. p-e** wrażenie (zrobić na kim) ⟨*nadzwyczajne, niezwykłe*⟩. **13. p-a** wściekłość ⟨*okropna, straszna*⟩: Oczy jego pałały ogniem piekielnej wściekłości. *Żer. Wiatr 210.*

piekło 1. Ciągłe **p.** między nimi ⟨*awantury, wrzaski, kłótnie*⟩. **2.** Nieczyste potęgi piekieł ⟨*diabli*⟩ *przen.* Uczyń skruchę i wyrzeknij się wszelkich związków z nieczystymi potęgami piekieł, które dybią na twoje doczesne i wieczne zbawienie. *Lam J. Kron. 173.* **3. p.** boleści, rozpaczy, nędzy, zazdrości; swarów itp.: Doświadczył piekła zazdrości. *Gomul. Ciury I, 105.* **4.** Z piekła a. z piekła rodem, *daw.* zza siedmiu piekieł ⟨*okropny*⟩: Stałabym się jędzą z piekła. *Bogusł. W. Cud 92.* Łotr, potwór; śmiech; myśl z piekła rodem. Los mnie obdarzył był takim podstarościm, frantem zza siedmiu piekieł. *Kaczk. Murd. I, 23.* **5.** Czuć (w duszy, w piersiach) **p.**, przechodzić **p.** a. przez **p.**; przeżyć **p.**: Boże! — co za piekło przechodziłem w tej krótkiej chwili!!! *Gard. Trzech 46.* Obaj przeszli piekło trzech lat wojny. *Strug Krzyż II, 280.* Przeżyć całe piekło rozpaczy. *Żer. Dzien. II, 427.* **6.** Mieć (gdzie) **p.** ⟨*nieprzyjemności, awantury*⟩: Mógł być pewnym, że w razie nieprzychylenia się do próśb żony, piekło będzie miał w domu. *Choj. Alkh. IV, 175.* **7.** Palić piekłem ⟨*dokuczać w okropny sposób, sprawiać wielką przykrość*⟩: Wzgardliwe spojrzenie paliło piekłem w duszy. *Wol. Poezje I, 28.* **8.** Poruszyć **p.**: a) ⟨*użyć wszelkich środków*⟩: Gdy komu ambicja szepcze i nienawiść podburza, poruszyłby piekło. *Węg. Organy 161*; b) ⟨*wzywać piekło do pomocy; sadzić diabłami*⟩: Pan Zagłoba wrzeszczał, przeklinał, poruszał całe piekło, wzywał wszystkich nieszczęść, klęsk, chorób — groził wszelkimi rodzajami mąk i śmierci. *Sienk. Ogn. II, 55.* **9.** Poruszyć niebo i **p.** ⟨*użyć wszelkich środków dobrych i złych, aby dopiąć celu*⟩: Stanisław Krogulecki ginie od szabel napastników. Wdowa [...] porusza niebo i piekło, aby pomścić męża. *Łoz. Wł. Praw. I, 240.* **10.** Pójść do piekła; gorzeć, smażyć się w piekle ⟨*wg wyobrażeń religijnych: po-*

nosić karę w życiu pozagrobowym za ciężkie grzechy popełnione za życia⟩. **11.** Straszyć kogo piekłem. **12.** Pójść, skoczyć (choćby) w **p.** a. do piekła ⟨*ważyć się na wszystko*⟩: Za fuzją w piekło by poszedł. *Prus Kłop. 18.* Od tej chwili zrozumiał, że za tą kobietą pójdzie choćby do samego piekła. *Dąbr. Ig. Matki 372.* **13.** Robić, podnieść, urządzić **p.**, narobić piekła ⟨*awanturować się*⟩: Piekło robiła o byle co. *Kow. A. Rogat. 21.* Stary narobił za to w domu piekła! *Dygas. As 43.* **14.** Wyrwać kogo z piekła ⟨*przyjść z pomocą komu w jego okropnym położeniu*⟩. Wyrwałeś mnie z tego piekła i powiedziałeś, że mi życie uratujesz. *Morc. Inż. 85.* **15.** Zaklinać się na niebo i **p.** ⟨*na wszystko*⟩: Zaklinał się na niebo i piekło, że krzywdy swojej nie podaruje. **16.** Zamienić co w **p.**, zrobić co piekłem ⟨*uczynić nieznośnym, obrzydzić co komu*⟩: Stała się pysznym aniołem, zamieniając cały dom, niegdyś tak cichy, w piekło. *Siem. L. Brodz. 8.* Waćpan ten dom zrobisz piekłem. *Słow. Maz. 195.* **17.** Zaprzedać duszę piekłu: Dziwić się można, że podania o Stadnickim nie mówią o zaprzedaniu przez niego duszy piekłu, o aliansie z szatanem. *Łoz. Wł. Praw. II, 288.* **18.** Choćbym miał w piekle gorzeć ⟨*rodzaj zaklęcia, przyrzeczenia, przysięgi*⟩: Ja ci mojej ojcowizny nie daruję, choćbym miała w piekle gorzeć. *Sewer Biedr. 43.* **19.** Choćby się **p.** sprzysięgło ⟨*mimo wszelkie przeszkody*⟩: Potrafi zwalczać na pozór niepokonane przeszkody i choćby się piekło sprzysięgło, zawsze — na wieczór tańcujący — znajdzie pieniądze, karetę i orkiestrę, złożoną bodaj z trzech grajków. *Prus Wyb. 104.* **20.** Jakby się **p.** sprzysięgło ⟨*powstawały coraz to nowe trudności, przeszkody*⟩: Jakby się piekło na nas sprzysięgło, wszystkie najmądrzejsze plany w łeb wzięły. *Krech. Lux* w: *Tyg. Ilustr. 1900, 40, 794.* **21.** Jak w **p.** (w)rzucił. *Troc SW* ⟨*ginęło bez śladu*⟩. **22. p.** rozpętało się, zrobiło się ⟨*powstała kłótnia, awantura, bójka itp.*⟩: Od słowa — do słowa, od przycinka — do przycinka i rozpętało się piekło. *Mort. Wawrzek 181.* Zrobiło się takie piekło, że wszystkie myśli zmąciły mu się w mózgownicy. *Brzoza Bud. 78.* **23.** Niech go (cię, ich) **p.** pochłonie! Bodaj(eś), żeby(ś) z piekła nie wyjrzał, nie wylazł!, *euf.* piekła nie widział! ⟨*rodzaje przekleństw*⟩: Pocom ja ciebie spotkała? Niechżeby cię lepiej piekło pochłonęło. *Strug Krzyż II, 166.* Żeby z piekła nie wyjrzeli łotry! *Jun. Antrop. 96.*

przysł. **24.** Jak się człowiek przyłoży, to mu i w piekle niezgorzej ⟨*do wszystkiego można przywyknąć*⟩.

pielesze 1. Opuścić domowe, rodzinne **p. 2.** (Po)wrócić do rodzinnych (domowych) pieleszy a. w rodzinne (domowe) **p.**: Wrócę oto w domowe pielesze i będę siedział spokojnie, końca wojny wyglądając. *Sienk. Pot. VI, 88.* **3.** Wyrwać kogo z domowych pieleszy: Ale czy to stare przyzwyczajenie do wędrówek i przygód, czy zadawniona uraza wyrwały znów Heraklesa z domowych pieleszy. *Mark. W. Mity 179.*

pieniądz 1. Drobne, duże, wielkie **p-e**; składkowe pieniądze; zaoszczędzone pieniądze. Pieniądze państwowe, publiczne. **2. p.** papierowy ⟨*banknot*⟩, **p.** srebrny, złoty, miedziany itp. ⟨*moneta*⟩. **3. p-e** dla kogo: Przyszły **p-e** dla ojca. **4. p-e** n a c o: na drogę, na kupno, na życie. **5. p-e** z a c o: za sprzedany towar, dom itp. **6.** Dewaluacja pieniądza. **7.** Obieg pieniędzy. **8.** Przekaz z pieniędzmi a. na **p-e. 9.** Brać **p-e. 10.** Ciułać, gromadzić, oszczędzać, składać, zbierać na co (na czarną godzinę) **p-e**; żałować na co pieniędzy. **11.** Gonić za pieniędzmi. **12.** Grać (w karty, w jakąś grę) na **p-e. 13.** Kupić co za ostatnie **p-e**; za gotowe, za uczciwie zapracowane **p-e**; za drogie, za tanie, za małe **p-e. 14.** Kusić kogo pieniędzmi. **15.** Łożyć na co **p-e. 16.** *żart.* Nie cuchnąć (nigdy) pieniędzmi ⟨*nie mieć pieniędzy*⟩. **17.** Nie poskąpić pieniędzy. **18.** Obracać na co **p-e**; obracać pieniędzmi. **19.** Obsypywać kogo pieniędzmi. **20.** *przestarz.* Odżałować na co pieniędzy ⟨*nie poskąpić*⟩: Lepiej więc raz na taki wydatek pieniędzy odżałować, niżeli na insze zbytki, mniej trwałe, a daleko więcej kosztujące. *Kras. Podstoli 144.* **21.** Otrzymać (zapłatę, sumę) w pieniądzach. **22.** Podjąć, podnieść **p-e** (z banku, z książeczki PKO). **23.** Umieścić (w banku, na książeczce PKO), wnieść do kasy, złożyć w kasie (w banku) **p-e. 24.** Przelać **p-e** na czyje konto. **25.** Potrzebować pieniędzy. **26.** Pożyczyć pieniędzy. **27.** (Prze)liczyć **p-e. 28.** Puszczać w obieg **p-e. 29.** Rozrzucać, rozdawać, trwonić, tracić **p-e. 30.** *pot.* Puszczać, wyrzucać na co a. na bruk **p-e. 31.** Szastać, sypać pieniędzmi. **32.** Starcza, nie starcza na co pieniędzy **33.** Stracić (na czym) **p-e**, (u)topić w czym **p-e. 34.** Użyć pieniędzy na co. **35.** Wkładać w co **p-e. 36.** Wybijać (np. srebro) na **p-e. 37.** Wyciągać od kogo **p-e. 38.** Wycofać **p.** z obiegu. **39.** Wydawać **p-e. 40.** Wydusić z kogo **p-e. 41.** Wygrać **p-e** (na loterii, w karty). **42.** *daw.* Wyjść z pieniędzy ⟨*wydać pieniądze*⟩: Chciałbym mamie zrobić niespodziankę, a jakoś wyszedłem z pieniędzy. *Wol. Dom. II, 17.* **43.** Wyłożyć na stół **p-e. 44.** Wymieniać (na co) **p-e. 45.** Zaopatrzyć kogo w **p-e. 46.** Zmienić **p-e** (na drobniejsze). **47.** Zwracać (komu) **p-e. 48. p-e** idą, szły (wyszły); płyną (jak woda), rozchodzą się; przychodzą; topnieją (w rękach czyich). **49. p.** ma wartość, nie ma (żadnej) wartości. **50. p-e** pracują na co (na kogo). **51.** *rub.* Psie **p-e** ⟨*nędzne, małe*⟩: Kupić, sprzedać co za psie **p-e** ⟨*za bezcen*⟩. **52.** Za żadne **p-e** ⟨*za nic*⟩: Ani ja, ani inni koledzy moi za żadne na świecie pieniądze rąk swoich i sumienia splamić by nie chcieli. *Orzesz. Z różnych I, 249.* Nie uczynię tego za żadne **p-e. 53.** Być przy pieniądzach, mieć **p-e**, mieć pieniędzy jak piasku; *rub.* siedzieć na pieniądzach ⟨*mieć dużo pieniędzy, być bogatym*⟩: Jest się czemu zadziwić [...] Kiedy ten, co na kartach dni i nocy trawi, zawsze jest przy pieniądzach i dzieciom zostawi. *Zab. 1/2, 107.* Z pewnością siedzi na pieniądzach. Tych Malinowskich wysoko szacują. *Krzyw. J. Bunt 96.* Na pieniądzach sypia, ale palec ssie. *Zar. Grusze 15.* **54.** *pot.* Dać **p-e** do miasta ⟨*na zakupy w mieście, na targu*⟩. *SPP.* **55.** Dojść, przyjść do pieniędzy, zbić (na czym) **p-e** ⟨*dużo zarobić, stać się zamożnym*⟩: Jak kiedy przyjdę do pieniędzy, to ciebie zrobię swoim kasjerem. *Tyg. Ilustr. 181, 1863, 107.* **56.** Mieć **p-e** do wyrzucenia ⟨*mieć nadmiar pieniędzy*⟩: Już ci mówiłem, że jeżeli masz pieniądze do wyrzucenia, możemy w której ze stacji pośrednich wziąć pociąg osobny. *Dzierzk. Rodz. 127.* **57.** Obrać kogo z pieniędzy ⟨*obedrzeć*⟩. **58.** Przyjść do pieniędzy ⟨*dorobić się, dojść do zamożności*⟩: Wacio nigdy nawet na rejenturze nie dojdzie do pieniędzy. *Dąbr. M. SPP.* **59.** Robić **p-e** ⟨*dorabiać się majątku*⟩. **60.** Robić co dla pieniędzy ⟨*dla zysku*⟩: Najprawdopodobniej jest tak: panna idzie za mąż dla pieniędzy. *Prus Lalka II, 312.* **61.** Rzucać **p-e** w błoto ⟨*marnować*⟩: Drukować na swój koszt księgę, której paręset egzemplarzy już się rozeszło, a paręset jeszcze leży, byłoby w błoto pieniądze rzucić. *Lel. Listy I, 273.* Jestem biedny człowiek [...] i nie mogę rzucać pieniędzy w błoto. *Prus Wiecz. 130.* **62.** Trząść się za pieniędzmi ⟨*być chciwym*⟩: Hołysz, a hardy! i niby cnotliwy, a za pieniędzmi aż się trzęsie! *Dzierzk. Obrazy 116.* **63.** Zbić **p-e** ⟨*dorobić się*⟩: Niekiedy marnotrawca wygląda jak chodząca cnota w porównaniu z dorobkiewiczem, dla którego wszystkie sposoby są dobre, aby zbić pieniądze. *Dygas. Gorz. I, 203.* **64.** Coś zjada **p-e** ⟨*pochłania*⟩. **65.** Znają go jak zły **p.** (*SW*) (zły szeląg) ⟨*znają go bardzo dobrze*⟩. **66.** **p-e** się kogo nie trzymają ⟨*ktoś jest rozrzutny*⟩: Znany jest, że trochę lubi „bujać", że go się pieniądze nie trzymają. *Boy Flirt IX, 163.*

przysł. **67.** Kupiłbym wieś, ale pieniądze gdzieś. **68.** Miłość bez pieniędzy, wrota do nędzy. **69.** Pieniądze są okrągłe, toczą się ⟨*łatwo je wydać*⟩.

pienie 1. Chóralne, uroczyste **p-a. 2. p-a.** żałobne kościelne, religijne, pobożne, pogrzebowe ⟨*śpiewy, pieśni*⟩. **3.** Odprawić, wykonać **p-a** (kościelne). **4. p-a** poety ⟨*pieśni, poezje*⟩. **5.** *poet.* **p.** słowika, ptasząt; chóru, kapłanów ⟨*śpiew, pieśni*⟩: Zięby miłym powietrze napełniają pieniem. *Zab. X/1, 56.*

pieniek 1. p. drzewa (wierzby, sosny itp.) **2. p.** do rąbania drzewa, gałęzi, kości itp. **3.** Rąbać, rozrąbywać drwa, kości na pieńku. **4. p.** zęba ⟨*korzeń pozostający w szczęce po spróchnieniu zęba*⟩. **5.** Mieć z czym na pieńku ⟨*być w niezgodzie, nie stosować się do czego*⟩: Jeszcze nie śpisz? [...] Oj, na pieńku macie z regulaminem! *Kowalew. S. Bliżej 178.* **6.** Mieć z kim na pieńku ⟨*mieć z kim porachunki, mieć urazę do kogo*⟩: Bardzo dobrze, żem cię tu przydybał samą, mamy z sobą [...] na pieńku. *Bliz. Dam. 1908.* **7.** Nie chcieć kłaść zdrowej głowy na pieńku ⟨*nie chcieć ryzykować, narażać się*⟩. **8.** Nie położę głowy na pieńku, że to prawda ⟨*nie dam głowy, nie gwarantuję, że to prawda*⟩.

pieniężny 1. Datek, wkład **p. 2.** Pomoc **p-a. 3.** Gospodarka **p-a** (w przeciwieństwie do naturalnej) ⟨*oparta na pieniądzu*⟩. **4.** Interesy, kłopoty, sprawy **p-e. 5.** Ludzie **p-i; p-a** wdówka ⟨*z pieniędzmi, zamożni(-a)*⟩. **6.** Malwersacje **p-e. 7.** Marzenie **p-e** ⟨*o pieniądzach*⟩. **8.** Nagroda, premia **p-a** ⟨*w pieniądzach, w gotówce*⟩. **9.** Obieg **p. 10.** Odszkodowanie **p-e. 11.** Przekaz **p. 12.** Reforma **p-a. 13.** Strata **p-a. 14.** Środki **p-e** ⟨*pieniądze*⟩. **15.** Teoria **p-a** Kopernika. **16.** (Wielka, mała) wartość **p-a** czego. **17.** Zobowiązanie **p-e. 18.** *daw.* Żołnierz **p.** ⟨*najemny*⟩.

pień 1. p. drzewa (rosnącego): Cienki, gładki, gruby, koślawy, nagi, niski, obumarły, odwieczny, olbrzymi, pochyły, potężny, prosty, sędziwy, sękaty, smukły, strzelisty, stary, spróchniały, uschły, wyniosły, wysoki **p. 2.** Rosnąć, rozrastać się, wyrastać w **p.** (o drzewie). **3.** Sterczeć (nagimi) pniami (o drzewach, lasach). **4.** Strzelać, wystrzelać (prostym) pniem do góry, ku niebu (o drzewach). **5. p.** ściętego drzewa; wykarczowany **p.** ⟨*pniak*⟩. **6.** Ociosany, okrągły **p.**; **p.** z gruba (z grubsza) ciosany ⟨*kloc, kłoda*⟩. Tratwa zbita z pni. **7. p.** do rąbania drzewa, mięsa ⟨*pieniek*⟩. **8.** *żegl.* **p.** masztu ⟨*dolna, najgrubsza część, kolumna masztu*⟩. **9.** *anat.* **p.** mózgowy, nerwowy, współczulny. **10. p.** pszczeli ⟨*ul*⟩. **11.** *miner.* **p.** solny ⟨*złoże w postaci słupa*⟩. **12.** *jęz.* **p.** wyrazu ⟨*temat słowotwórczy*⟩. **13.** *przen.* **p.** dymu, pnie kominów. **14.** Tępy jak **p.**; leżeć, siedzieć jak **p.** ⟨*nie mówiąc ani słowa; ani się nie poruszyć*⟩. **15.** Na pniu ⟨*przed ścięciem*⟩: Sprzedać zboże, las na pniu. I na pniu lasek sprzedawszy młodziutki, chwycił się wreszcie obyczajem pańskim, karcianych igrzysk i pędzenia wódki. *Gomul. Poezje 100.* **16.** *daw.* Dać głowę na **p.** a. głowę na pniu położyć ⟨*pod miecz katowski*⟩. **17.** Kląć, przeklinać, zaklinać kogo, co w **p.** ⟨*w żywy kamień; przeklinając potępić całkowicie*⟩: W pień przekleniesz dolę swoją czarną. *Konopn. Imag. 102.* Ze złości wyklinała w pień, co żyje. *Wójc. Klechdy I, 185.* **18.** *przen.* Odciąć, oderwać (kogo), oddzielić się od (rodzinnego) pnia ⟨*pozbawić rodziny, ojczyzny; skazać (się) na tułaczkę*⟩: Był latoroślą od rodzinnego pnia oderwaną, wspaniale wyrastającą na niwie obcej. *Orzesz. Ad astra 21.* Gałęzie odcięte od pnia rodzinnego, macierzystego ⟨*tułacze*⟩. *SFA.* **19.** Pochodzić, rozwinąć się, wyjść, wyodrębnić się, wyrosnąć z jednego, wspólnego itp. pnia ⟨*mieć wspólny początek*⟩: Język polski [...] wyodrębnił się był z ogólnego pnia słowiańskiego. *Szober Gram. 262.* Baryczkowie [...] wyrośli z pnia rodzimego i zajmowali przez szereg lat poważne w republice miejskiej stanowisko. *Tyg. Ilustr. 50, 1899, s. 992.* **20.** Wybić, wyciąć, wykłuć, wyrznąć, wysiec, wymordować w **p.** ⟨*zupełnie, co do nogi*⟩: Zamek bronił się mężnie przez trzy tygodnie, po czym został zdobyty i wszyscy w nim w pień wycięci. *Sienk. Ogn. II, 124.* Rodzina cała bez litości w pień wymordowana. *Słow. Sen 166.* **21.** Wyprzeć się czego; nie wiedzieć czego a. o czym w **p.** ⟨*wyprzeć się zupełnie; nic nie wiedzieć, zupełnie nie wiedzieć*⟩: W pień się wyprę wszystkiego. *Lubow. Niet. 237.* Tymczasem chorągwie doszły na dwadzieścia kroków do brzegu i stanęły długą linią wzdłuż koryta. Nikt z oficerów ni żołnierzy nie wiedział w pień, dlaczego to czynią. *Sienk. Pot. V, 132.*

przysł. **22.** Rączy, by pień na ptaki ⟨*o człowieku nieruchawym*⟩.

pieprz 1. p. angielski, turecki, czerwony. **2.** Ziarnko pieprzu. **3.** Wódka z pieprzem. **4.** Suchy jak **p.**; schnąć, wyschnąć, wysuszyć jak **p.** a. na **p.**: Drzewo wysuszone na **p. 5.** Gdzie **p.** rośnie ⟨*w egzotycznych krajach; daleko, jak najdalej*⟩: Drapnąć, zmykać, uciekać, wiać; wyrywać; przepędzić kogo gdzie **p.** rośnie. Dzień prześliczny, a tu siedź... Drapnąłbym stąd gdzie pieprz rośnie... choćby zobaczyć, jak trawa zielona wygląda... *Gąs. W. Pig. 22.* **6.** Jak gdyby ziarnko pieprzu rozgryzł

⟨*okropnie, niemiłosiernie*⟩: Skrzywił się, jak gdyby ziarnko pieprzu rozgryzł. *Przem. Jakobin 129.* **7.** *pot.* Jakby mu kto pieprzu nasypał ⟨*niespokojnie*⟩: Lata jakby mu kto pieprzu nasypał. **8.** Dać, zadać komu pieprzu ⟨*pognębić kogo*⟩: Ha! Zadałem mu pieprzu! Umyślnie udałem ucieczkę, żeby go za sobą wywabić. *Sienk. Ogn. IV, 66.* **9.** Dodać do czego pieprzu ⟨*ostrości, gryzącego lub drażniącego dowcipu*⟩: *SFA.* **10.** *żart.* Nie pieprz, Pietrze, wieprza pieprzem, bo przepieprzysz, Pietrze, wieprza pieprzem ⟨*zdanie ilustrujące trudną wymowę grup spółgłoskowych*⟩.

pieprzny p-a potrawa ⟨*zaprawiona pieprzem*⟩. **p.** dowcip ⟨*rubaszny, nieprzyzwoity, tłusty*⟩. **p-a** sztuka; **p-e** słowa.

pieprzyk p. na twarzy, na szyi ⟨*plamka na ciele*⟩. *przen.* Mieć **p.**, dodawać pieprzyka(-u) ⟨*być, czynić interesującym*⟩: Owacja była śliczna i miała dla smakoszów swój pieprzyk. *Boy Flirt I, 90.*

piernik 1. Miodowy, toruński **p. 2.** *euf.* Stary, zatabaczony **p.** ⟨*stary pryk*⟩. **3.** Stać się piernikiem ⟨*zestarzeć się, zniedołężnieć*⟩: Szlagon, ożeniwszy się, rzadkim gościem bywał na jarmarkach, stawał się przedwcześnie piernikiem. *Krzywosz. Dług. 7.* **4.** *pot.* Co ma **p.** do wiatraka? ⟨*co ma jedno do drugiego?*⟩.

przysł. **5.** Gdańska gorzałka, toruński piernik, krakowska panna, warszawski trzewik — najlepsze rzeczy w Polsce. **6.** I piernikiem go nie zwabisz. **7.** Jaki piernik, taka dziurka; jaka matka, taka córka.

pierś 1. Muskularna, szeroka, rozrosła; płaska, wklęsła, zaklęsła, zapadła, zapadnięta **p.** ⟨*o mężczyźnie lub kobiecie: klatka piersiowa*⟩, również w *lm*: muskularne, szerokie itd. **p-i. 2. p.** bujna, falująca a. bujne, krągłe **p-i; p-i** wydatne, słabo rozwinięte ⟨*o kobiecie*⟩: Długo stała nieruchoma, z falującą piersią, z półotwartymi ustami. *Święt. A. Obraz I, 253.* **3.** *patol.* **p.** kurza a. łódkowata ⟨*pierś wystająca, z boków ściśnięta, pectus carinatum*⟩. **4. p.** macierzyńska, matczyna, ojcowska: Przycisnąć dziecko do macierzyńskiej (ojcowskiej) piersi. *przen.* **p.** żelazna, stalowa (lokomotywy). **p.** aksamitna (kwiatu). **5. p.** kapłona, indyka ⟨*mięso z piersi*⟩. **6.** *pot.* Chory, słaby na **p-i** ⟨*na suchoty, na gruźlicę*⟩. **7.** Całą, pełną piersią ⟨*głęboko, swobodnie*⟩: Odetchnąć, oddychać całą piersią. Pełną piersią chłonąłem woń cyklamenów, róż, i jaśminów. *Kasp. Boh. 139.* *przen.* On jeden zakosztuje szczęścia, a przynajmniej całą piersią żyć będzie. *Tyg. Ilustr. 139. 1870, s. 101.* **8. p.** o **p., p.** w **p.** a. piersią w **p.** ⟨*bezpośrednio*⟩: Ścierać się, walczyć, uderzyć (na siebie) **p.** o **p.** a. **p.** w **p.** Konne pułki uderzyły o siebie pierś w pierś. *Sienk. Pot. VI, 156.* Stanąłem tak, abyśmy, gdy się odwróci, stanęli piersią w pierś [...] Po prostu zagrodziłem drogę. *Prusz. K. Kar. 154.* **9.** Z całej piersi, z głębi piersi: Jakże nie huknie z całej piersi. *Żer. SPP.* Westchnąłem z głębi piersi. *Słow. SW.* **9a.** Bronić, osłaniać, zasłaniać, zastawiać kogo, co własną piersią. a. własnymi piersiami ⟨*walczyć w czyjej obronie*⟩: Kiedyby mi przyszło tego człowieka piersią moją zastawić, to bym chętnie to zrobił. *Kaczk. SW.* **10.** Być przy piersi (o dziecku) ⟨*być oseskiem, niemowlęciem*⟩: Wózek dla Jasia, w którym jeszcze Władka i Julcię, gdy były przy piersi, wożono, gwałtownie wymagał naprawy. *Niedź. Dzieło 158.* **11.** Chwytać, wciągać co w piersi (np. powietrze). **12.** Czuć ciężar na piersiach: Czuł ciężar na piersiach i trudność w oddychaniu. *Prus Dzieci. 57.* **13.** Czuć zmorę na piersiach ⟨*być gnębionym przez co, mieć zmartwienie*⟩: Staś sam czuł przecie na piersiach zmorę. *Sienk. Pust. I, 181.* **14.** Dać piersi (dziecku) ⟨*nakarmić je mlekiem z piersi*⟩. **15.** Dobyć głosu, wydobyć głos (słowa) z piersi: Słowa z mych piersi wydobyć nie mogę, czuję i rozkosz, i żałość, i trwogę. *Fred. A. Mąż 155.* **16.** (Iść, chodzić) w rozchełstanej na piersiach koszuli. **17.** Odstawić, odsadzić (dziecko) od piersi ⟨*przestać karmić piersią*⟩. **18.** Położyć, złożyć głowę na czyjej piersi: Objąwszy mnie za szyję, położył głowę na moich piersiach. *Sienk. Now. IV, 203.* **19.** (Po)wstrzymać, (przy)taić, zapierać, zatrzymać dech w piersi a. w piersiach; dech oddech zamiera w czyjej piersi (z emocji): Wszystkie drzewa stanęły nieruchome, jakby dech w piersiach tając. *Gomul. Kajet 26.* Widok ten zaparł mu oddech w piersi na chwilę. *Kaczk. Olbracht. II, 115.* Mały rycerz poznawszy już całą siłę przeciwnika nacierał tak żywo, że świadkom dech zamarł w piersi. *Sienk. Ogn. III, 159.* **20.** Przycisnąć, przygarnąć, (przy)tulić kogo, co do piersi: Przycisnęła obie ręce do piersi, falującej przyśpieszonym oddechem. *Orzesz. Pam. II, 120.* Objął syna ramieniem, przygarnął do piersi tak mocno, aż się małemu na policzku odbiły guziki z kamizelki. *Żukr. Dni 299.* *przen.* Wraz z nią, pokochałem znowu życie i ludzi — chciałbym świat cały do piersi przycisnąć. *Wilk. P. Por. I, 45.* **21.** Przypatrywać się, spoglądać (na co) bez tchu w piersiach. **22.** Robić piersiami (*gwałtownie oddychać, ziajać*): Z wysiłku obaj robią piersiami, żyły na czole wystąpiły im, twarze w pąsie. *Zielon. L. Wspom. 47.* **23.** Rozbić się o **p.** czyją ⟨*zostać powstrzymanym, odpartym; ponieść klęskę w walce z kim*⟩: O pierś polskiego rycerstwa w długoletnich i uporczywych walkach w XV w. rozbiła się największa wówczas w Europie potęga militarna, zakon krzyżacki. *Choł. Duch 119.* **24.** Rozdzierać, rozrywać **p.** czyją a. czyje **p-i** ⟨*o płaczu*⟩: Szlochanie rozdarło na nowo jej piersi. *Sienk. Pot. VI, 231.* Jakieś straszne łkanie rozrywało mu piersi, dusiły go łzy. *Rėym. Now. II, 75.* **25.** Rozedrzeć szaty na piersiach (na znak protestu). **26.** Schylić, pochylić, zwiesić głowę na piersi; głowa opadła komu na piersi. **27.** Siedzieć z dzieckiem u piersi a. przy piersi ⟨*karmić dziecko piersią*⟩. **28.** Skierować w **p.** czyją (miecz, lufę rewolweru itp.). **29.** Skrzyżować ręce na piersi a. na piersiach. **30.** Uciekać co tchu w piersiach a. że ledwie tchu w piersiach staje. **31.** *książk.* Ulżyć wezbranej piersi westchnieniem ⟨*westchnąć*⟩: Pan Longinus ulżył wezbranej piersi westchnieniem podobnym do sapnięcia miecha kowalskiego. *Sienk. Ogn. III, 45.* **32.** Wstrząsać czyją piersią ⟨*o łkaniu, płaczu*⟩: Milczała, z twarzą ukrytą w dłoniach, z piersią łkaniem wstrząsaną. *Gomul. Miecz II, 185.* **33.** Wydzierać się, wydobywać się, wyrywać się z piersi czyjej ⟨*o jęku, westchnieniu*⟩: Z piersi młodziana wydobył się jęk bolesny. *Wilk. P. Wieś II, 189.* Z piersi wszystkich obecnych wydarło się jedno głuche westchnienie. *Orzesz. Klat. 316.* **34.** Wykarmić kogo (własną) piersią (*dosł.* i *przen.*): Matka urodziła mnie w boleściach i piersią swoją wykarmiła na życie ziemskie. *Sztyrm. Katalept. I, 166.* **35.** Wypiąć, wyprężyć **p.** **36.** *książk.* Wyssać co z piersi matki ⟨*odziedziczyć co po matce; mieć co zaszczepione, wpojone przez matkę*⟩. **37.** Złożyć (komu) ręce na piersi a. na piersiach: Oczy miała spuszczone, ręce złożyła na piersiach jak niewolnica wschodnia. *Gomul. Miecz. I, 187.* Złożył mu ręce na piersiach, na nim położył na krzyż łuk i kołczan i tak na powrozach spuścili go powoli w dół. *Rzew. H. Zamek. 59.* **38.** Zrywać **p-i**: a) ⟨*powodować ból w piersiach*⟩: Porwał go znów kaszel [...] zrywał mu piersi, miotał ciałem. *Berent Próchno 193*; b) ⟨*zamęczać się stałym mówieniem lub krzykiem*⟩: Czyż się was dziś nie dowołam? Piersi zrywam, serce ledwie mi nie pęknie, a wy nic. *Gomul. Mund. 16.* **39.** **p.** czyja faluje; podnosi się (szybkim, głębokim oddechem), wznosi się (westchnieniem), rozdziera się (płaczem). **40.** **p-i** kogo bolą ⟨*odczuwa dolegliwości w klatce piersiowej*⟩. **41.** **p.** (kobiety karmiącej) przybiera. **42.** (O uczuciach doznawanych przez kogoś): *książk.* Coś ciśnie **p.** ciężarem; ciężar (jakiś) ciśnie **p-i** czyje ⟨*coś gnębi kogo*⟩. **43.** Coś chwyta kogo za **p-i**: Strach i zgroza chwyciły go za piersi. *Sienk. Pust. I, 83.* **44.** Coś kipi komu w piersiach: Burza uczuć kipiała mu w piersiach i uderzała do głowy: gniew, niepewność, nieokreślona obawa, tęsknota. *Prus Dzieci 168.* **45.** Coś napełnia komu **p-i**: Zimna wzgarda napełniała mu piersi. *Żer. Przedw. 331.* **46.** Coś rozsadza, rozpiera **p.** czyją a. czyje **p-i**: Radość rozsadzała mi piersi. *Sienk. Bez dogm. III, 54.* Mnie niecierpliwość piersi rozpiera. *Kaczk. Olbracht. III, 137.* **47.** Coś ściska komu **p.** a. kogo w piersi: Tajemnicze przeczucie ściskało mi pierś gwałtownie. *Sztyrm. Katalept. I, 243.* Wraca z miasta blada i zmieniona, aż mnie coś ścisnęło w piersi. *Weys. Józ. Żywot 232.* **48.** Coś wzbiera komu w piersiach a. **p.** czyja wzbiera czym: Na tę myśl wielka gorycz wezbrała mu w piersiach. *Sienk. Pust. I, 181.* **49.** Czuć co w piersiach: Wilczek nie czuł w piersiach dostatecznej odwagi. *Choj. Alkh. IV, 102.* **50.** Serce dygocze, zadygotało, łomoce, tłucze się, wali (młotem) komu w piersi (ze strachu, z niepokoju, z radości): Serce tłukło się w piersiach. *Żer. Przedw. 331.* Serce waliło mu w piersiach młotem, szedł wystraszony z duszą na ramieniu. *Dygas. Beld. 138.* **51.** Serce w piersi zamiera, wyskakuje (komu) z piersi: Na to wspomnienie serce zamarło mu na chwilę w piersiach. *Sienk. Pust. I, 50.*

przysł. **52.** Pierś mężnego za puklerz stoi.

pierworodny Syn, potomek **p.** ⟨*najstarszy, pierwszy*⟩.

pierwotny **1.** **p-a** akumulacja kapitału ⟨*w okresie powstawania kapitalizmu: koncentracja kapitału osiągana przez wywłaszczenie bezpośrednich producentów*⟩. **2.** Ludy **p-e**. **3.** Zwierzęta **p-e** ⟨*przedpotopowe, żyjące w odległych epokach geologicznych*⟩. **4.** **p-i** mieszkańcy (miasta, kraju) ⟨*najdawniejsi*⟩. **5.** **p-e** siedziby ludzkie. **6.** Puszcza, roślinność **p-a**; las **p.** ⟨*dziewiczy*⟩. **7.** **p.** plan, zamiar, pomysł, **p-a** koncepcja ⟨*początkowy(-a), pierwszy(-a)*⟩. **8.** **p-a** przyczyna czego ⟨*początkowa*⟩. **9.** **p-a** nazwa czego. **10.** **p-e** znaczenie czego. **11.** **p-e** społeczeństwo ⟨*będące w początkowym stadium rozwoju*⟩. **12.** Tekst **p.** ⟨*oryginalny, taki jaki był z początku*⟩. **13.** **p-a** redakcja dzieła. **14.** **p-e** wierzenia ⟨*prymitywne*⟩. **15.** Wspólnota **p-a**. **16.** **p-a** wspólnota rodowa ⟨*dawna organizacja społeczeństwa bezklasowego*⟩.

pierwszeństwo **1.** Dać, oddać, przyznać komu, czemu **p.** (przed kim, przed czym; nad kim): Jego znaczenie i wola na tym miejscu dawały mu przed wszystkimi pierwszeństwo. *Bog. Kapit. I, 42.* **2.** Dobijać się, ubiegać się, walczyć współzawodniczyć o **p.**: Celniejsi fotografowie dobijali się o pierwszeństwo zdjęcia wizerunku sławnego artysty. *Tyg. Ilustr. 193, 1863, 221.* **3.** Korzystać z pierwszeństwa a. z prawa pierwszeństwa. **4.** *książk.* Mieć, dzierżyć **p.** (przed kim). **5.** Osiągnąć, zdobyć, zyskać **p.** **6.** Ustąpić komu pierwszeństwa. **7.** **p.** należy się komu.

pierwszomajowy Akademia **p-a**, obchód **p.** Zobowiązanie **p-e**. Defilada **p-a**. Demonstracja **p-a**. Odezwa **p-a**. Pochód **p.**; uroczystości **p-e**. Święto **p-e**.

pierwszorzędny **1.** **p.** aktor, mówca, fachowiec, rzemieślnik (krawiec), sportowiec; **p.** talent, **p.** znawca czego ⟨*znakomity*⟩. **2.** **p.** człowiek. **3.** Droga **p-a**: a) ⟨*główna*⟩; b) ⟨*w znakomitym stanie*⟩: Kraj ten ma pierwszorzędne drogi. **4.** **p-e** dzieło, **p.** film, **p-a** książka. **5.** Gatunek **p.** (towaru). **6.** Materiał, towar **p.** ⟨*doskonałej jakości*⟩. **7.** **p.** hotel; **p-a** restauracja ⟨*pierwszej kategorii*⟩. **8.** **p-e** jedzenie, pożywienie ⟨*doskonałe*⟩. **9.** **p-a** obsada sztuki ⟨*najlepszymi siłami (aktorami)*⟩. **10.** **p-a** rola (w teatrze) ⟨*główna*⟩. **11.** Odgrywać pierwszorzędną rolę w czym ⟨*ważną*⟩. **12.** (Rzecz) pierwszorzędnej wagi, doniosłości, wartości, pierwszorzędnego znaczenia; (artysta) pierwszorzędnej miary, wielkości; (towar) pierwszorzędnego gatunku, pierwszorzędnej jakości; wypadek pierwszorzędnej doniosłości. **13.** **p-e** stanowisko ⟨*wysokie, odpowiedzialne*⟩. **14.** Ulica **p-a** ⟨*główna, pryncypalna*⟩.

pierwszy **1.** **p.**: a) ⟨*poprzedzający następnych, w kolejności czasowej najwcześniejszy*⟩: **p.** akt (sztuki); **p.** klient, interesant, mąż, przechodzień; **p.** rozdział (utworu, pracy naukowej), pocałunek, śnieg; **p-a** podróż, próba czego, spowiedź, wizyta, żona; **p-e** dzieciństwo, pokolenie (roślin, zwierząt, ludzi), słowa, uczucie, wrażenie; wydanie (utworu); b) ⟨*poprzedzający następnych w kolejności przestrzennej*⟩: **p.** żołnierz (w szeregu); **p.** budynek, wagon (pociągu, tramwaju) itp.; **p.** z dwu; **p.** w życiu. **2.** **p.** ⟨*najważniejszy, najznakomitszy*⟩: **p.** oficer, mechanik (na statku); radca (ambasady, urzędu, dworu), skrzypek (w orkiestrze), szermierz, tenor (w operze), żołnierz: Wołodyjowskiego otaczała [...] sława pierwszego żołnierza Rzeczypospolitej. *Sienk. Wołod. I, 98*; **p-a** dama (dworu, towarzystwa). **3.** **p.** d o c z e g o ⟨*skory, jedyny*⟩: **p.** do pracy, do zabawy, do bitki; *pot.* Do tego to on pierwszy. **4.** **p.** w c z y m ⟨*najlepszy*⟩: **p.** w boju, we współzawodnictwie. **5.** **p.** bieg (silnika): Brać górkę na pierwszym biegu. **6.** **p-e** danie ⟨*potrawa podawana na początku obiadu*⟩: Na pierwsze danie szły wszelkie mięsiwa [...] gotowane i przysmażane; na drugie danie mięsiwa, ale pieczone [...] na trzecie wety. *Brück. Kult. III, 80.* **7.** Pierwszego dnia ⟨*w pierwszym dniu*⟩: Zaraz pierwszego dnia Zaklicki pisze się do lekarza i idzie na izbę chorych. *Rudn. A. Żołn. 76.* **8. p.**, najpierwszy dom, ród ⟨*znakomity, najznakomitszy*⟩: Być spokrewnionym z najpierwszymi domami. **9. p.** elegant ⟨*znany, największy*⟩. **10. p.** gniew, **p-a** złość ⟨*najgwałtowniejszy(-a)*⟩: Zrobić co w pierwszym gniewie, w pierwszej złości. Pierwsza złość minęła kogo. **11. p-a** godność ⟨*najwyższa*⟩: Ofiarowano mu [...] pierwszą godność w Koronie. *Kub. Szkice II, 25.* **12. p.** hotel ⟨*najlepszy, najwykwintniejszy*⟩. **13.** Jeden z pierwszych: a) ⟨*znajdujący się w pierwszej grupie osób lub rzeczy*⟩: Wysiadłem jeden z pierwszych. *Prusz. Karabela 61.* Jedną z pierwszych rzeczy, które pani Urszula Hipolitowa spostrzegła, było pianino. *Dąbr. M. Noce II, 19*; b) ⟨*znakomity, wpływowy*⟩: Pochodzić z jednej z pierwszych rodzin w kraju. - Nosił jedno z najpierwszych we Francji nazwisk. *Ask. Studia 145.* **14. p-a** klasa ⟨*w szkole: klasa najniższa*⟩. **15.** Krzyż, order pierwszej klasy. **16.** Stawiać **p-e** kroki ⟨*być początkującym, zaczynać co*⟩: [Lubecki] był Stanisława Niemcewicza uczniem; pod jego kierunkiem stawiał pierwsze kroki w zawodzie obywatelskim. *Smolka Lubec. II, 97.* **17.** Ceremoniować się o **p.** krok: Już pan Sapieha z panem Czarnieckim poczynają sobie świadczyć i o pierwszy krok się ceremoniować. *Sienk. Pot. V, 97.* **18.** W pierwszej linii ⟨*przede wszystkim*⟩. **19. p.** obowiązek ⟨*najważniejszy*⟩: Pierwszym obowiązkiem człowieka i obywatela jest praca na chleb powszedni. *Kaczk. Olbracht. III, 284.* **20. p-a** okazja, sposobność ⟨*najbliższa*⟩: Przy pierwszej okazji wspomnieć o czym. Skorzystać z pierwszej okazji. **21. p.** okres ⟨*początkowy*⟩: W pierwszym okresie swej działalności nie wykazał się niczym szczególnym. **22. p-a** osoba ⟨*najważniejsza*⟩: W rodzinie rzymskiej pierwszą osobą był ojciec. *Ser. Hist. 159.* **23. p.** i ostatni ⟨*jedyny*⟩: Była to moja pierwsza i ostatnia rozmowa z tym niezwykłym człowiekiem. *Fiedl. A. Biz. 34.* Pierwszy i ostatni raz ci to mówię ⟨*więcej nie powiem*⟩. **24. p.** plan: wybijać się, wysuwać się na **p.** plan. Mieć co na pierwszym planie. Na pierwszy plan wybijał się dziurawy szezlong, ustawiony pod oknem. *Brand. K. Sams. 141.* **25.** Po **p-e** ⟨*najpierw*⟩; po **p-e**... po drugie ⟨*najpierw... następnie*⟩: Chciałbym wiedzieć: po pierwsze, o jakich jednostkach mówisz? *Dąbr. M. Noce II, 209.* [Nie opowiadała o sobie] dlatego po pierwsze, że bardzo niewiele zajmowała się sama sobą, i po drugie, że nikt się nią bardzo nie zajmował. *Orzesz. Przędze 73.* **26.** Po raz **p.**, **p.** raz w życiu: Widział to po raz pierwszy w swym życiu. *Żer. Uroda 25.* Pierwszy raz w życiu zdarzało mu się być samemu wieczorem w zupełnie pustym mieszkaniu. *Perz. Uczn. 195.* **27. p-a** pomoc ⟨*doraźna, tymczasowa*⟩: Udzielić rannemu pierwszej pomocy. Dać komu pierwszą pomoc. **28. p-e** potrzeby ⟨*najpilniejsze*⟩: Na najpierwsze potrzeby łożył (skąpo!) Płaza. *Żer. Dzieje II, 243.* Mam zaledwie na opędzenie pierwszych potrzeb. *SW.* Artykuł pierwszej potrzeby: Gazeta stała się artykułem pierwszej potrzeby. *Jackow. Książ. 154.* **29. p-a** redakcja (artykułu, utworu, pracy naukowej) ⟨*wstępna*⟩. **30.** Pierwsi rodzice ⟨*wg wierzeń religijnych chrześcijańskich: Adam i Ewa*⟩: Czy pójdziemy na pustynię zjadać szarańcze i miód leśny, a odziewać się liśćmi figowymi jak pierwsi rodzice w raju? *Orzesz. Pam. I, 292.* **31. p.** rząd (w teatrze) ⟨*najbardziej wysunięty do przodu*⟩. **32.** *przestarz.* Pierwszego rzędu ⟨*znakomity, doskonały*⟩: Jest to [...] żołnierz pierwszego rzędu. *Kaczk. Anunc. II, 35.* **33.** W pierwszym rzędzie [!] *germ.* **34.** (Naj)pierwsza rzecz ⟨*najważniejsza*⟩: Pierwsza rzecz to [...] poszła zamknąć na powrót okiennicę. *Dąbr. M. Noce II, 65.* Hej, podać stolik do gry! Najpierwsza rzecz u mnie żyć wesoło. *Zabł. Firc. 30.* **35. p.** sen ⟨*zaraz po uśnięciu, najmocniejszy*⟩: Wyrwać kogo, zerwać się z pierwszego snu. **36. p-e** skrzypce; grać, objąć **p-e** skrzypce ⟨*odgrywać najważniejszą rolę, mieć wpływ na co, decydować o czym*⟩: Badeni bierze za szefa biura prezydialnego hofrata Freiberga, człowieka bardzo zdolnego, który pod Taafem grał pierwsze skrzypce. *Chłęd. Pam. II, 155.* **37. p-e** słyszę ⟨*nigdy o tym nie słyszałem*⟩: Może kupiec bierze tyle, ale żeby to dostawał rzemieślnik, pierwsze słyszę. *Goj. Dziew. I, 39.* **38. p-e** stadium (rozwoju) ⟨*początkowe*⟩. **39. p.** stopień (podoficerski, oficerski, generalski, naukowy). Oparzenie pierwszego stopnia ⟨*powierzchowne*⟩. *mat.* Równanie pierwszego stopnia ⟨*z jedną niewiadomą*⟩. Pierwszego stopnia, *daw.* pierwszej gildy ⟨*pierwszorzędny, zwykle w znaczeniu ujemnym*⟩: Huncwot, nicpoń, krętacz pierwszego stopnia (pierwszej gildy). **40. p-e** śniadanie: Lew już był syty. Zjadł wołu na pierwsze śniadanie. *Hertz B. Bajki 43.* **41. p-e** święto ⟨*pierwszy dzień podwójnego święta, np. Bożego Narodzenia, Wielkanocy*⟩. **42.** [Gwiazda] pierwszej wielkości, jasności: *przen.* Był [...] gwiazdą pierwszej wielkości w konstelacji szlacheckiej, do której należał. *Skarb. Pam. 90.* **43.** Pierwszej wody, pierwszego kalibru ⟨*znakomity*⟩: Urazy nie chowam, bo mnie nie lada kto zwyciężył, ale gracz pierwszej wody. *Sienk. Pot. I, 147.* Był to [...] intrygant pierwszej wody, niebezpieczny w walce a bardzo niepewny w przymierzu. *Grabiec Warsz. 180.* Blahetka powiada, że zrobię furorę, bom wirtuoz pierwszego kalibru. *Chopin Wyb. 40.* **44. p-e** zapowiedzi: Dzień ślubu się zbliżał. Wyszły już pierwsze zapowiedzi. *Bał. Dziady 224.* **45. p-a** zasada ⟨*najważniejsza*⟩. **46. p-a** zmiana (w fabryce). **47.** *przen.* **p-e** źródło ⟨*miejsce, skąd co pochodzi; powód, przyczyna*⟩: Czerpaliśmy u pierwszego źródła wszelkie informacje o przebiegu sprawy polskiej na Konferencji Pokojowej. *Dłus. K. Wspom. 48.* **48.** Na **p.** ogień ⟨*jako pierwszy, jako pierwszego*⟩: Na pierwszy ogień Emilianow wyrwał Kazika i od razu kropnął mu pałkę. *Perz. Uczn. 88.* Iść, pójść, wysunąć na pierwszy ogień ⟨*iść, wysunąć do boju w pierwszej linii*⟩: *przen.* Mógł w poważnym teatrze wysunąć na pierwszy ogień to, co mu się najmniej udało. *Tyg. Ilustr. 5, 1900. 97.* **49.** Na **p-e** zawołanie ⟨*w każdej chwili*⟩: Nie domyślałem się, aby zakon mógł na pierwsze zawołanie rozporządzać tak znacznymi sumami. *Choj. Alkh. I, 342.* **50.** Od pierwszego spojrzenia, wejrzenia ⟨*od razu, natychmiast*⟩: Podobać się, zakochać się od pierwszego wejrzenia. Od pierwszego wejrzenia wydał mu się bardzo sympatyczny. *Perz. Las 139.* **51.** Od pierwszej chwili: Od pierwszej chwili ten domek mi się podobał.

Ritt. Dom. 9. **52.** O pierwszym brzasku ⟨*o świcie*⟩: O pierwszym brzasku dnia zbudził nas. *Lam J. Głowy II, 134.* **53.** W pierwszej chwili ⟨*na razie, zrazu, początkowo*⟩: Ignaś w pierwszej chwili obraził się i już miał odejść. *Goj. Dziew. I, 47.* **54.** W pierwszych dniach, tygodniach, latach itp. ⟨*w początkowej fazie tego okresu*⟩. **55.** W pierwszą parę (iść, pójść) ⟨*rozpoczynającą, prowadzącą taniec*⟩: Starosta [...] na zaproszenie gospodarza poszedł poloneza w pierwszą parę z panią Drobnicką. *Skarb. Starosta 47.* **56.** Z pierwszego małżeństwa: Z pierwszego małżeństwa miał troje dzieci. *Orzesz. Z różnych III, 139.* **57.** Z pierwszej ręki ⟨*bezpośredni*⟩: Oparł się na źródłach z pierwszej ręki, mnóstwo nowych wydobywał. *Bobrz. Dzieje I, 11.* Kupić, nabyć co z pierwszej ręki. **58.** Za pierwszej bytności: Wpadł do Cierniów, do stryja Michała, którego bardzo, już za pierwszej bytności, polubił. *Żer. Uroda 58.* **59.** *daw.* Za pierwszą okazją ⟨*przy najbliższej okazji*⟩: Wszak podkomorzemu przyrzekłem bić się za pierwszą okazją. *Bełc. Hun. I, 240.* **60.** Za pierwszym razem: Tylko za pierwszym i drugim razem doznała uczucia wstydu, z udręczeniem spoglądała na panią, którą tak oszukiwała. *Goj. Dziew. I, 200.* **61.** Być pierwszym, zrobić co pierwszym: Był pierwszy na mecie. No, co się stało! Kazik pierwszy na nogach! *Perz. Uczn. 87.* Pierwsza Frania wyciągnęła rękę i zapukała w szybę. *Goj. Dziew. I, 194.* Pierwszy by mnie (go, cię) w łyżce wody utopił. **62.** Być pierwszą ręką kogo ⟨*głównym pomocnikiem*⟩. **63.** Brać (jako) pierwszych ⟨*w pierwszej kolejności*⟩: Dziesięć ulic wymietli przez jedną noc. Takich jak pan brali pierwszych. *Brand. K. Sams. 118.* **64.** *przestarz.* Iść z kim o **p-e** ⟨*współzawodniczyć, rywalizować*⟩: Spory poemat Schulze'go [...] tak jest niemiłosiernie nudny i ckliwy, że chyba mogłaby z nim iść o pierwsze nasza „Świątynia Wenery w Knidos". *Siem. Dzieła I, 16.* **65.** *daw.* Odbywać **p-e** pole ⟨*brać udział w pierwszej wyprawie wojennej*⟩: Pan Maksymilian pod okiem naszym odbywał pierwsze pole i na wstępie pokazał siebie nieodrodnym potomkiem wielkich swoich przodków. *Rzew. H. Zamek 359.* **66.** Przechodzić swój **p.** chrzest ⟨*odbywać co po raz pierwszy*⟩: Błocho, aresztowany wraz z wielu aktywnymi członkami „Samopomocy", przechodzi swój pierwszy chrzest więzienny w więzieniu tarnowskim. *Ludzie KPP 154.* **67.** Bodaj, oby, żeby go (mnie, cię, ich) **p-a** kula nie minęła! ⟨*rodzaj złorzeczenia*⟩: Usłyszawszy rumot i komendę, myślałem bodaj mnie pierwsza kula nie minęła, że to alarm. *Prus Kłop. 70.*

przysł. **68.** Pierwsze koty za płoty ⟨*pierwsze niepowodzenie nie idzie w rachubę*⟩. **69.** Wolę tu być pierwszy, niż tam ostatni.

pierwszyzna Nie **p.** (komu) to ⟨*nie nowina, nic nowego, rzecz zwykła*⟩: Mówili, że to nie pierwszyzna Radziwiłłom ze szlachciankami się żenić. *Sienk. Pot. V, 194.*

pierze 1. *posp. żart.* **p.** na głowie ⟨*włosy*⟩. **2.** Skubać **p.** Oskubać (drób) z pierza. **3. p.** ronić, tracić ⟨*o ptakach: pierzyć się*⟩. **4.** Nastroszyć **p.** (o ptaku). **5.** Nie być z pierza ⟨*być twardym, odpornym*⟩: Ja z pierza nie jestem i potrafię, i umiem znosić więcej aniżeli moje chude plecy udźwignąć potrafią. *Lamus 5, 1909/10, 119.* **6.** Porastać, obrastać w **p.** ⟨*dochodzić do majątku, znaczenia*⟩: Skromnie żyjąc wśród trosk, zachodów nieustannych, zaczęli nareszcie porastać w pierze. *Dygas. Swojcz. 123.* **7.** *daw.* Zdobić się cudzym pierzem ⟨*korzystać z cudzego dorobku, wyzyskiwać cudze zasługi*⟩: Cudzym się pierzem często zdobim. *Skar. SW.* **8. p.** leci, sypie się a. aż **p.** posypie się, będzie leciało ⟨*w gwałtownej walce*⟩: *przen.* Nie zadziobią mię one kruki! [...] mam i ja dziób w potrzebie i szpony wysunę. Będą pierze leciały! *Gomul. Miecz. I, 174.*

przysł. **9.** Znać ptaka po pierzu.

pies 1. p. bezpański, uliczny, podwórzowy, pokojowy, owczarski. **2. p.** rasowy; **p.** wilczur; **p.** bydlarz ⟨*porywający się na bydło*⟩. **3.** Wściekły **p. 4.** *łow.* **p.** aporter ⟨*który aportuje ubitą zwierzynę*⟩; **p.** dzikarz ⟨*używany do polowania na dziki*⟩; **p.** gończy ⟨*używany do gonienia i napędzania zwierzyny; ogar*⟩; **p.** legawy ⟨*używany do polowania na ptactwo błotne; wyżeł*⟩; **p.** myśliwski a. do polowania; **p.** nornik ⟨*używany do polowania na lisy i borsuki w norach; jamnik, foksterier*⟩; **p.** płochacz ⟨*używany do wypłaszania zwierzyny; spaniel*⟩; **p.** posokowiec ⟨*używany do tropienia postrzelonego zwierza, znaczącego ślad farbą (posoką)*⟩. **5. p.** morski ⟨*foka*⟩. **6.** Cmokać, gwizdać na psa; drażnić, odpędzać psa; opędzać się od psów; spuścić psa ze smyczy, z łańcucha; puścić psa na odyńca; szczuć kogo psami; ułożyć psa (do polowania). **7. p.** aportuje (zwierzynę), łasi się, merda ogonem, tuli ogon (pod siebie), służy, szczeka, skomli, skowyczy, ujada, warczy, wyje; waruje; kąsa, gryzie; wietrzy, wystawia (zwierzynę). **8.** Psy kogo opadły. **9. p.** wabi się ⟨*nazywa się*⟩: Jak się wabi ten **p.**? **10.** *przen.* **p.** niewierny ⟨*obraźliwa nazwa dawana niemahometaninowi przez mahometan*⟩: Ałłach wielki i sprawiedliwy... On sprawił to wszystko dla tym większego psów niewiernych pognębienia. *Jeż Rotuł. 324.* **11.** *pot.* **p.** n a c o a. n a k o g o: a) ⟨*srogi, bezwzględny*⟩: Był typowym podoficerem polskim starego typu. Pies na rekrutów. *Prusz. Trzyn. 305*; b) ⟨*zachłanny, wielki amator*⟩: **p.** na kobiety; c) *daw.* **p.** n a c o ⟨*leń, nierób*⟩: Stadnik maści złota, cóż po tej sierści, gdy pies do roboty! *Koch. W. SW.* Pies to na robotę, na pisanie, do uczenia się. *Troc SW.* **12.** Jak **p.**: a) ⟨*bardzo*⟩: Wierny, zły jak **p.** Zmarznąć jak **p.**; b) ⟨*bezwstydnie, bezczelnie*⟩: Kłamie jak **p. 13.** Jak psa, jak psu ⟨*bez litości, bezlitośnie, bez skrupułów, bezwzględnie*⟩: Odtrącić kogo, (po)rzucić, wypędzić, wyrzucić z domu, zwymyślać; zatłuc, zbić kogo jak psa. Palnąć komu w łeb jak psu. **14.** Ni **p.**, ni wydra ⟨*ni to, ni owo*⟩: Przemycano w tygodnikach tak zwanych literackich głównie tendencje społeczne [...] ale pismo takie to ni pies, ni wydra. *Przybysz. Współ. II, 110.* **15.** Pod psem a. pod ostatnim (zdechłym) psem ⟨*niżej wszelkiej krytyki; w złym stanie*⟩: Obiady, robota, pogoda; zdrowie itp. pod psem. **16.** Czuć się pod psem ⟨*czuć się niedobrze*⟩: Widzisz, znowu zaczęły dokuczać stawy [...] Czuję się pod psem. *Breza Uczta 92.* **17.** (Tyle), co **p.** napłakał ⟨*bardzo mało, prawie nic*⟩ *por.* Co kot napłakał: Magda mniej zje, ale i tyle robi, co pies napłakał. *Prus Plac. 17.*

18. *daw.* Jakby na psa łyko wdział ⟨*na nic wszelkie przestrogi*⟩ *por.* Groch o ścianę. **19.** Jak na psa łyko. *Mącz.* ⟨*nie odczuwa kary, przywykł do upokorzeń*⟩. **20.** Błąkać się, tułać się, wałęsać się, włóczyć się jak (bezpański, błędny) **p.** ⟨*tułać się, włóczyć się bez celu*⟩: Nie mając dokąd iść, błąkam się oto jak pies, co to się zwlecze i wałęsa od wsi do wsi. *Żer. Uroda 243.* **21.** Być, warować jak **p.** (na łańcuchu, na uwięzi) ⟨*nie mieć swobody, nie móc się nigdzie ruszyć*⟩: Psiakrew, a człowiek musi warować całe noce jak pies na łańcuchu. *Reym. Now, V, 158.* Jestem tu jak pies na uwięzi i gryzę korekty „Wallenroda". *Mick. Listy I, 332.* **22.** Być za psa, mieć kogo a. nie mieć kogo za psa ⟨*nie szanować; nie mieć za nic; lekceważyć, kogo, gardzić kim*⟩: Za psa miałbym tego, co by mi nie chciał oddać. *Reym. Now. IV, 134.* Były czasy, były [...] że był za psa człek. *Woyk.* w: *Tyg. Lit. 35, 1842, 275.* Poniewiera nim, nawet za psa go nie ma. **23.** Chodzić za kim jak **p.** ⟨*chodzić krok w krok, nie odstępować*⟩: Jego koń chodził za nim jak pies i przybiegał na gwizd z pastwiska. *Grusz. An. Od Karpat. 41.* **24.** Czuć się, używać jak **p.** w studni ⟨*czuć się źle, niewygodnie*⟩: Używałem jak pies w studni. *Gąs. W. Pig. 6.* **25.** Czuć się, spoglądać, wyglądać itp. jak zbity **p.** ⟨*czuć się zmaltretowanym*⟩: Było mu jakoś nieswojo, czuł się jak zbity pies. *Brzoza Bud. 112.* Spoglądała na przechodzących jak zbity pies i rzadko się śmiała. *Braun Lewanty 193.* **26.** Dbać o kogo, o co jak a. tyle co **p.** o piątą nogę ⟨*nic, wcale nie dbać*⟩: Tyle dbam o to, jak pies o piątą nogę. *L.* Brudny sknera, dbał o nas tyle, co pies o piątą nogę. *Bliz. Rozb. 158.* **27.** Gonić, pędzić kogo jak psa a. jak psa wściekłego ⟨*odpędzać kogo od siebie, prześladować kogo*⟩: Goniono mnie, jak psa wściekłego. *Berw. Pow. I, 272.* **28.** *pot.* Gryźć się jak dwa psy, jak psy o kość ⟨*żyć w niezgodzie*⟩. **29.** Leżeć u nóg jak **p.** ⟨*być posłusznym, uległym; być wiernym*⟩: Leży u moich nóg jak pies i błaga mię o jeden uśmiech. *Żer. Uroda 165.* **30.** Pocałować psa w nos ⟨*nie uzyskać czego, nic nie zyskać, odejść z kwitkiem*⟩: Ho, jaki mądrala [...] obłowił się niezgorzej, a teraz powiada: pocałuj psa w nos, odjeżdżam. *Reym. Ferm. II, 76.* **31.** Położyć się jak **p.** na progu ⟨*pilnować, strzec czego*⟩: Ale jedno mi pozostaje, obrona mojego gniazda. Jak pies się położę na progu i nie dam, rozumiesz, nie dam. *Iwasz. J. Odbud. 53.* **32.** Pomiatać kim jak psem: Tu się ludźmi pomiata jak psami, że aż wstyd. *Wyg. Jel. 248.* **33.** Pójść na psy ⟨*pójść na marne, zmarnować się*⟩. Ciężka praca moja pójdzie na psy. *Sewer Biedr. 33.* **34.** *wulg.* Szczekać jak **p.** ⟨*kłamać, obgadywać kogo*⟩: W oczy bym mu plunął i powiedział, że szczeka jak pies. *Jun. Bracia 230.* **35.** Urwać się jak **p.** z łańcucha ⟨*zerwać się; korzystać ze swobody*⟩: Wiatr się urwał skądś jak pies z łańcucha i począł targać liście na drzewach. *Jun. Can. 127.* **36.** Uważać kogo za psa ⟨*za człowieka bez litości, bezwzględnego, srogiego*⟩: W pułku miał jak najgorszą opinię, uważano go za psa, za ludożercę. *Rudn. A Żołn. 47.* **37.** Węszyć jak **p.** ⟨*szukać czego, podejrzewać co*⟩. **38.** Wieszać psy na kim ⟨*obmawiać, oczerniać kogo; potępiać*⟩: Jeszcze za to na mnie psy wieszają, taka to tutaj wdzięczność! *Rzew. SPP.* Może jemu się coś złego przytrafiło, a my tu psy na nim wieszamy. *Prom. Opow. 156.* **39.** Wydrzeć co komu jak psu z gardła ⟨*z wielkim trudem, z narażeniem się na niebezpieczeństwo*⟩: Pan Sobieski kozactwu i tatarstwu znów te strony wydarł jak psu z gardła. *Sienk. Wołod. II, 16.* **40.** Wygnać, wypędzić (ciężko, żal) psa a. psa by nie wypędził; pogoda, że psa (z budy, z domu) by nie wypędził ⟨*okropna*⟩: Paskudna zadymka, że psa ciężko wygnać. *Bał. Ryby 80.* **41.** *przen.* Wypuścić na kogo sforę psów ⟨*wypuścić na kogo złośliwych prześladowców*⟩. **42.** Zdychać jak **p.** ⟨*umierać w nędzy i opuszczeniu*⟩: Niejeden z poddanych tego wielkiego pana [...] zdycha jak pies, opuchły z głodu i nędzy. *Żer. Dzien. I, 171.* **43.** Zejść (schodzić) na psy ⟨*stracić siły, zbiednieć, podupaść; nie mieć żadnego znaczenia*⟩: Już tak bezsilna, na takie psy zeszła. *Sienk. SPP.* Na psy zeszły tradycje. *Bartosz. SPP.* **44.** Zwymyślać (kogo) jak psa ⟨*zwymyślać najgorszymi wyrazami*⟩. **45.** Żyć jak **p.** z kotem ⟨*żyć w niezgodzie*⟩: Ci panowie żyli z sobą od niepamięci jako pies z kotem [...] byliby się w łyżce wody potopili nawzajem, gdyby to mogli. *Kaczk. Anunc. II, 204.* **46.** *pot.* (Czy) to **p.**? ⟨*(czy) to nic nie znaczy, jest bez znaczenia*⟩: A moje starania to pies? **47.** Na psa urok! ⟨*zaklęcie; zła wróżba niech się nie na mnie (nie na nim) sprawdzi*⟩: Dziecko było, na psa urok, tłuste i nabite. *Bał. Dziady 23.* Wam, Magdusiu, na psa urok, kury darzą się prześlicznie. *Dygas. Marg. 145.* **48.** Zdechł **p.**! ⟨*wszystko przepadło*⟩: Zbijam się z pantałyku, buch kasztan do rowu i zdechł pies. *Bart. A. Serce 10.* **49.** Żeby tak **p.** płakał, jak to prawda ⟨*zupełna nieprawda, wierutne kłamstwo*⟩. **50.** *pot.* **p.** (na kogo) nie spojrzy, (za kim) się nie obejrzy ⟨*nikt*⟩: Za byle pokraką wszystkie baby latają. Tylko za brzydką kobietą pies się nie obejrzy. *Perz. Raz 235.* **51.** *iron.* Jak **p.** na ich majątku (u)siądzie, to ogon już za granicę położy (za granicą się znajdzie) ⟨*o czymś małym, niewielkim co do obszaru*⟩: Pozbierał sobie [...] moc takiej szlachty, co to jak pies na ich dziedzictwie siądzie, to ogon za granicą trzyma. *Tyg. Ilustr. 7, 1904, 132.* **52.** **p.** z nim (z wami, z tobą) tańcował; **p.** go (cię, ich) trącał; **p.** go (ich) bierz. Jechał go (cię, ich) **p.** ⟨*wulg. przekleństwa*⟩. **53.** Ty psie! Psie jeden! Ty psie pogański! zbójecki! Ty wściekły, zapowietrzony, parszywy psie! ⟨*wyzwiska*⟩: Nie macie prawa budowli mojej nachodzić! [...] psy jedne! zbójcy! grabieżniki! *Jun. Bracia 147.*

przysł. **54.** Byś swemu psu i nogę uciął, przecie on za tobą pójdzie. **55.** Co się kupi tanie, psom się to dostanie (tanio kupisz, psom wyrzucisz; tanie mięso psi jedzą). **56.** Cudzemu psu, cudzemu koniowi i cudzej żonie nie trzeba dowierzać. **57.** Gdzie wielkie stado, psów wiele trzeba. **58.** Idź psie, idź ogonie ⟨*o leniwych, którzy się wzajem chcą wyręczać*⟩. **59.** Kto miłuje przyjaciela, miłuje i psa jego. **60.** Kto trzyma dużo psów i koni, taki rychło majątek strwoni. **61.** Lepszy dobry pies niż zły człowiek. **62.** Nie ciągnij psa za ogon, bo ukąsi ⟨*nie narażaj się na niebezpieczeństwo*⟩. **63.** Nie dla psa kiełbasa (nie dla kota sadło, szperka) ⟨*nie dla ciebie (dla niego) to przeznaczone: nie masz (nie ma) co się o to starać, ubiegać*⟩. **64.** Nie jednemu psu Łysek ⟨*nie o tobie, nie o nim mowa*⟩. **65.** Pies siana nie zje i krowie nie da ⟨*o nieużytym samo-*

lubie⟩. **66.** Pies szczeka, wiatr niesie ⟨*nie należy zwracać uwagi na plotki*⟩. **67.** Pies szczeka, a wiatr niesie, rozleci się to po lesie. *Rej SW.* **68.** Pies tym lepszy, im gorszy. **69.** Przyjdzie na psa mróz ⟨*przyjdzie na każdego bieda*⟩. **70.** Psa nie drażnij ⟨*nie budź licha*⟩. **71.** Psu i chłopu nigdy nie trzeba wierzyć. **72.** Psy wyją, a miesiąc świeci ⟨*trzeba być wyższym nad obmowy ludzkie*⟩. **73.** Stary pies i stary sługa najczęściej kończą w nędzy. **74.** Strzeż się psa, co milczkiem kąsa ⟨*strzeż się obłudnika*⟩. **75.** Tego (tej obelgi itp.) pies nie zliże ⟨*tego nie da się usunąć, załagodzić, zatuszować*⟩. **76.** Wolno psu i na Pana Boga a. na Bożą Mękę szczekać ⟨*nikt nie uniknie obmowy*⟩. **77.** Wśród serdecznych przyjaciół psy zająca zjadły (*Kras.*) ⟨*nie należy liczyć na pomoc innych*⟩. **78.** Zjadł pies sadło ⟨*sumienie go gryzie za zły uczynek*⟩.

piesek 1. p. pokojowy, salonowy. **2.** Bonoński **p.** ⟨*bonończyk, gatunek pieska pokojowego*⟩. **3. p.** pinczerek. **4. p.** ziemny ⟨*chomik*⟩. **5.** Drewniany, pluszowy, gumowy itp. **p.** ⟨*zabawka wyobrażająca psa, zrobiona z drzewa, pluszu, gumy itp.*⟩. **6. p.** od (do) butów ⟨*przyrząd do ściągania butów z cholewami*⟩. **7.** *pog.* Drobny, mały, jakiś tam **p.** ⟨*nic nie znaczący urzędnik*⟩: Jakiś piesek tam, spuszczony z kanclerskiej smyczy [...] ukąsił mnie zarzutem kłamstwa. *Święt. A. Obraz. I, 180.* **8.** Pod pieskiem *p.* pod psem: Jak na urzędnika — raport pod pieskiem; a jak na literata nowela i owszem podła! *Reym. Now. 201.* Pogoda jest tu ciągle pod burym pieskiem. *Sienk. Koresp. II, 194.* **9.** Służyć przed kim a. komu na dwóch łapkach jak **p.** ⟨*być usłużnym, nadskakującym dla kogo*⟩: Niechże jej się nie zdaje, że będzie służył przed nią na dwóch łapkach jak potulny i wierny piesek. *Meis. Wraki 388.*

przysł. **10.** Kto mię miłuje i pieska mego szanuje. **11.** Małe pieski gorsze od dużych.

pieski 1. p. charakter ⟨*zajadły*⟩: To dobry chłop, złote serce, tylko taki pieski charakter. *Nałk. Z. Romans 123.* **2. p-e** życie ⟨*nędzne, marne*⟩. **3. p.** syn, **p-e** nasienie, **p.** synu! ⟨*wyzwiska*⟩: Złapię siekiery i zgładzę pieskie nasienie. *Prus SW.* **4.** *euf.* Pieska twoja niebieska! ⟨*przekleństwo*⟩. **5.** Pływać po piesku ⟨*jak pies, chlapiąc rękami i nogami*⟩.

pieszczota 1. Czuła, gorąca, lekka, matczyna, miłosna, namiętna, nieśmiała, niewinna, słodka, tkliwa, wymuszona, zmysłowa **p. 2. p.** dziecka, matki, *przen.* oczu; słońca, wiatru, fali. **3.** Spragniony, syty pieszczot; pragnąć czyich pieszczot, tęsknić do pieszczot. **4.** Darzyć, obdarzać; obsypywać, zasypywać kogo pieszczotami. **5.** Dotykać czego z pieszczotą. **6.** Nie zaznać pieszczot czyich (np. matczynych). **7.** Otaczać kogo pieszczotami; wychowywać w pieszczotach: Matka otoczyła go pieszczotami, osypała pocałunkami. *SW.* **8.** W pieszczotach wychowany. *Troc.* **9.** Rozkoszować się pieszczotami kogo; pieszczotą czego (wiatru, słońca). **10.** Rozpływać się w pieszczotach. **11.** Ty moja pieszczoto! ⟨*zwrot do osoby kochanej*⟩. **12. p.** przejmuje kogo dreszczem.

pieszczotliwy p. głos, ton, ruch (ręki, ciała), wzrok; **p-a** mina; **p-e** spojrzenie, słowa ⟨*wyrażające pieszczotę*⟩. **p-e** dotknięcie (dłoni), **p-e** muśnięcie, **p.** powiew (wiatru). **p-a** nazwa, **p-e** wyrażenie.

pieszo p. i konno (posuwać się, walczyć). Bić się, walczyć, potykać się **p.** Iść, przyjść, dojść, pójść, pognać, pobiec, udać się gdzie **p.** Odbyć, przebyć drogę, wędrować **p.** Zrobić x km **p.**

pieśń 1. p. bojowa, narodowa, rycerska, żołnierska. **2. p.** solowa. **3. p-i** obrzędowe, weselne, taneczne (korowodowe). **4. p-i** narodowe, cygańskie, murzyńskie. **5. p.** dworska, miłosna, rycerska. **6. p.** dziękczynna, pogrzebowa, pokutna, żałobna. **7.** Dzika, rzewna, smutna, swawolna, tęskna **p. 8. p.** uroczysta, zwycięska. **9. p.** epiczna, liryczna. **10. p.** ludowa, *daw.* gminna. **11. p.** nabożna, religijna, świecka. **12. p.** natchniona, rewolucyjna. **13. p.** odwieczna, prastara. **14. p.** poranna, wieczorna; *przen.* Żaby zaczęły rechotać swoją pieśń wieczorną. *Reym. Now. I, 271.* **15. p.** słowicza a. słowika. **16. p.** bez słów. **17.** Poemat w trzech pieśniach ⟨*częściach*⟩. **18. p.** nad pieśniami: Pieśń nad pieśniami Salomona; *przen.* Pieśń nad pieśniami rozpoczął słowik. *Dygas. Now. V, 226.* To, co jej Henryk mówił, przypominało pieśni nad pieśniami dawniejszych jej wielbicieli. *Perz. Raz 54.* **19.** Festiwal, zespół pieśni i tańca **20.** *książk.* Z pieśnią na ustach: Wszystko się tu [na Polesiu] odbywa z pieśnią na ustach [...] Począwszy od poswatania, aż do ostatecznego połączenia dwojga narzeczonych. *Tyg. Ilustr. 179, 1863, 82.* Maszerować z pieśnią na ustach. **21. p.** c z e g o: **p.** buntu, szczęścia, tryumfu, zachwytu, zemsty, zwycięstwa; *przen.* **p.** lasu, morza. **22. p.** o k i m, o c z y m: **p.** o Sobótce, o ojczyźnie, o miłości, o sławie. **23.** *gw. środ.* Cześć pieśni ⟨*skończyło się, koniec*⟩: Chodziłam z nim trochę, ale kiedyś zrobił mi piekielną awanturę i cześć pieśni. *Kob. 13, 1962, s. 2.* **24.** Dzwonić **p.** a. dzwonić, zanosić się pieśnią ⟨*o ptakach, szczególnie o skowronkach: śpiewać*⟩: Skowronki [...] dzwoniły pieśń poranną. *Reym. Now. I, 71.* Wysoko w górze zawieszony nieruchomo [...] zanosi się dzwoniącą pieśnią skowronek. *Was. W. Rzeki 156.* Z zagonów [...] dzwoniąc srebrzystą pieśnią, zrywały się skowronki. *Orzesz. Broch. I, 14.* **25.** Grać, skomponować, stworzyć **p. 26.** Intonować, nucić, śpiewać, zawodzić **p.**; wykonać **p. 27.** Napisać **p. 28.** Opiewać kogo w pieśni (w pieśniach). **29.** Rozbrzmiewać pieśnią (pieśniami): Cała puszcza [...] rozbrzmiewała weselną pieśnią ptaszęcej miłości. *Ejs. Pusz. 44.* Przez całą zimę dom rozbrzmiewał pieśniami. *Goj. Dziew. I, 114.* **29a.** Snuć **p.** (z duszy). **30.** Tryskać, (wy)buchać pieśnią. *przen.* Iskry pieśnią tryskają z hutniczego pieca. *Tuw. Rzecz. 78.* **31.** Uderzać w **p.** ⟨*o ptakach: śpiewać*⟩: Otrzeźwiony wieczornym chłodem słowiczek w pieśń uderza w gęstwinie. *Kaczk. Anunc. I, 218.* **32.** Wypowiedzieć co (się) w pieśni. **33.** Zagrzewać pieśnią do boju, do walki. **34.** Zamknąć w **p.**: Jakże się to kocha to wszystko swoje, co zamknął Moniuszko w pieśni Stefana przy akompaniamencie starego kurantowego zegara: „Matko moja miła". *Żer. Dzien. II, 487.* **35. p.** brzmi: Ludzi we mgle nie widać, tylko sierpy, kosy i pieśni brzmią, jak muzyki niewidzialne głosy. *Mick. Tad. 170.* **36. p.** bucha (z tysiąca piersi). **37. p.** (słowicza) dzwoni a. podzwania. **38. p.** kołysze (sercem), milknie, zamilkła, przebrzmiała, napełnia (pokój), płynie, rozchodzi się (po rosie), skarży się na co.

pietr *pot. rub.* Nagnać, napędzić komu pietra ⟨*nastraszyć, przestraszyć kogo*⟩: A toście mi pietra napędzili. *Bał. SW.*

pietyzm **1. p.** d l a k o g o, d l a c z e g o a. w o b e c c z e g o: Pietyzm wobec klasycznej poezji. **2.** Mieć, żywić **p.** dla kogo: Miał podziw i żywił zabobonny pietyzm dla „wielkiego" Napoleona. *Żer. Op. 261.* **3.** Otaczać kogo, co pietyzmem: Pamiątki po Niej [matce] otaczane były szczególnym pietyzmem. *Solski Wspom. I, 40.* **4.** Chronić, ochraniać co, odnosić się do kogo, czego, przechowywać co, traktować co z pietyzmem: Przechowywać z pietyzmem pamiątki po kim. Traktował każdą w jego utworach rolę ze szlachetnym pietyzmem. *Loren. Dwadz. 74.* Tekst ustalono z pietyzmem i drobiazgową filologiczną sumiennością. *Rocz. Lit. 1936, 100.*

pięć **1.** Dostać, otrzymać, postawić **p.** ⟨*dostać itp. najwyższą ocenę, najwyższy stopień: bardzo dobrze*⟩. **2.** Zdać egzamin na **p. 3.** Jakby (do) pięciu nie umiał zliczyć ⟨*jakby był nierozgarnięty, tumanowaty*⟩: Wysłuchawszy o co właściwie rzecz idzie, stanął, jakby pięciu zliczyć nie umiał. — To być nie może! — wybąknął wreszcie. *Łoz. Wal. Szlach. I, 90.* **4.** Zaczynać od pięciu gołych palców ⟨*nie mając nic; od pracy rąk*⟩: I tyś zaczynał od pięciu gołych palców. I o tobie może z przekąsem mówili. *Żer. Biała 64.*

pięknie **1. p.** chodzić, mówić, pisać. **2.** Kłaniać się, (po)dziękować **p.** (w formułach grzecznościowych): kłaniam się **p.**; dziękuję **p.** itp. ⟨*uprzejmie*⟩. **3.** *pot.* Ładnie-**p.** ⟨*niby grzecznie*⟩: Przegadali się z Figurą [...] Niby nic, ładnie pięknie, ale się przegadali. *Kowalew. M. Kamp. 189.* **4.** *książk.* Poczynać sobie **p.** ⟨*dzielnie walczyć*⟩: Książę Bogusław pod Beresteczkiem pięknie sobie poczynał. *Sienk. Pot. I, 221.* **5.** Wszystko to **p.**, ale... ⟨*to racja, na wszystko zgoda, ale...*⟩: Wszystko to pięknie, panie Matkowski, ale to nieładnie, że tak od rana, już przy śniadaniu, było parę kieliszków. *Szan. J. Teatry 55.* Wszystko to bardzo pięknie, ale my z Bodziem, jak ci wiadomo, nie jadamy pieczeni. *Dąbr. M. Noce II, 208.* **6.** *iron.* Pięknie(ś) się spisał!, **p.** się tu prowadzicie! Pięknieśmy mu odpłacili za gościnność, nie ma co mówić. *Sienk. Wołod. I, 200.*

przysł. **7.** Z każdym pięknie, z nikim szczerze ⟨*gładko*⟩.

piękno **p.** w sztuce. Poczucie piękna. Odczuwać, rozumieć **p.**

piękność **1.** Idealna, skończona; okrzyczana, sławna **p.** (zwykle o osobie). **2. p.** k o g o, c z e g o: kobiety, oczu, poezji, duszy, uczuć itp. **3.** Rzadkiej piękności (osoba, pierścień, koń). **4.** W całej piękności: Wiosna już w całej krasie, w całej piękności. *Fel. E. Syb. III, 277.* Wystąpić w całej piękności. **5.** Dodawać komu, czemu piękności: Wyniosłe czoło i rzymski nos dodawały piękności jego obliczu. *Sienk. Pot. IV, 80.* **6.** Nie grzeszyć pięknością ⟨*być brzydkim*⟩ **7.** Odkrywać coraz to nowe piękności czego a. w czym. **8.** Odznaczać się pięknością (o mieście, okolicy). **9.** Olśniewać (kogo) pięknością: Olśniła go nie tylko swoją pięknością, ale także rozumem. *Święt. A. Nałęcze 42.* **10.** Słynąć z piękności (o osobach, widokach). **11.** Złość piękności szkodzi ⟨*czyni szpetnym*⟩: Tylko nie złość się stary, — zawołał. — Złość piękności szkodzi. *Andrz. Popiół 277.*

piękny **1. p.** jak Apollo, jak anioł, jak malowanie, jak róża, jak marzenie, jak bóstwo. **2. p.** charakter ⟨*szlachetny, zacny*⟩. **3. p.** dzień; **p-e** lato ⟨*pogodny(-e)*⟩. **4. p.** kraj, kolor, dom, ogród, kwiat, obraz itp., **p-e** miasto, drzewo; **p-a** twarz, suknia itp. ⟨*cudny(-e, -a), śliczny(-e, -a)*⟩. **5. p.** język, utwór, wiersz ⟨*odpowiadający kanonom piękna*⟩. **6. p-a** muzyka. **7. p.** mężczyzna, **p-a** kobieta ⟨*urodziwy (-a)*⟩. **8. p-a** myśl, **p.** zamiar ⟨*chwalebna(-y)*⟩. **9.** *żart.* Piękniejsza połowa rodzaju ludzkiego ⟨*kobiety, płeć piękna*⟩: Mieliśmy zwyczaj w koleżeńskim gronie żartować z „fatygantów", z tych ludzi, od których piękniejsza połowa rodzaju ludzkiego wymaga tysiąca drobnych usług. *Lam J. Głowy III, 28.* **10. p-e** ręce, nogi ⟨*kształtne*⟩. **11.** Pięknej roboty (pierścień). **12. p-a** rzecz ⟨*chwalebna*⟩: Piękna rzecz między mężami zacnymi przodkować, ojczyźnie dobrze radzić, strapionych ratować. *Bardz. SW.* **13. p-e** rzeczy! ⟨*wykrzyknienie wyrażające oburzenie, dezaprobatę*⟩: Piękne rzeczy! — powtarzała, załamując ręce ciotunia — piękne rzeczy!... natrę mu uszów porządnie za to hultajstwo. *Skiba Poziom. 76.* **14. p-e** słowa, słówka ⟨*komplementy; frazesy*⟩: Najpiękniejsze słówka nie przeistoczą fałszu na prawdę. *Gol. Wym. 158.* Chciał mię złowić na piękne słówka. *SW.* Zbył go pięknymi słówkami. *SW.* **15. p-a** sumka ⟨*znaczna*⟩. **16.** Sztuki **p-e**: Wystawa sztuk pięknych. **17. p.** wiek ⟨*znaczny, niemały*⟩: Osiemdziesiąt lat — to piękny wiek! *SW.* **18. p-e** wykształcenie ⟨*gruntowne, wszechstronne*⟩. **19.** Pięknego wzrostu ⟨*słusznego*⟩: Na progu stała pięknego wzrostu kobieta czarno ubrana. *Krasz. Zadora 110.* **20.** Pewnego pięknego dnia, poranku, wieczora ⟨*jakiegoś dnia itp.*⟩: Poszła pewnego pięknego dnia w świat za pierwszym mężczyzną, który się jej nawinął. *Boy Flirt I, 222.* **21.** Jeden z najpiękniejszych: widoków, obrazów itp.; jedna z najpiękniejszych chwil (w życiu): Grała jeden z najpiękniejszych nokturnów Szopena. *Żer. Prom. 126.* **22. p.** c z y m: Piękne wyrazem duszy oblicze. *Pług Zagon I, 10.* Twarz piękna kształtem i wyrazem. *Święt. A. Duchy 252.* **23.** *daw.* Na **p-e** ⟨*na dobre, całkowicie, zupełnie*⟩: Jejmość [...] zastałem haniebnie cichą i pokorniutką. Rozniemogła się nawet w tych czasach na piękne. *Kaczk. Grób II, 250.* Ogrodnik oparł się o mur komina i już chrapał na piękne. *Zachar. Jarema 71.* **24.** *iron.* **p.** (mi) a. **p.** z ciebie... (z rzecz. lub przym.) ⟨*wyraża zaprzeczenie treści zawartej w towarzyszącym rzeczowniku lub przymiotniku, naganę, przymówkę*⟩: Czekaj mnie, nie śpij, powrócę o trzeciej. Piękna mi trzecia, słońce jak w dzień świeci. *Fredro A. Śluby 3.* Piękny kawaler! Albo ziewa przy pannie, albo jak mruk siedzi. *Dygas. Pióro 90.* Piękny z ciebie zbójnik! Niewinne baby i dzieci katować, a starościńskim dał się wziąć jak baran.

Kaspr. Bunt 6. **25.** Mieć piękną kartę w historii, w dziejach ⟨*mieć zasługi, zasłużyć się w przeszłości*⟩: Psy te [bernardyńskie] mają od dawna piękną kartę w historii [...] wsławiły się odgrzebywaniem spod śniegu podróżnych, zbłąkanych w górach szwajcarskich. *Dyak. Przyr. 82—83.* Zarówno więc w dziejach spontanicznego kształtowania się języka jak i w dziejach celowej, świadomej pracy nad jego uprawą [...] ma Warszawa piękną kartę. *Dor. Rozm. 11.* **26.** Przewijać się piękną nicią przez co ⟨*przedstawiać się pięknie, okazywać się pięknym*⟩: Piękną nicią przewija się przez opowiadanie stosunek między ojcem a synem. *Rocz. Lit. 1937, 196.* **27.** Widzieć co w pięknych kolorach ⟨*w różowych*⟩: Wszystko w pięknych widział kolorach. *Lel. Listy II, 235.* Teraz, kiedy nadzieja złagodziła ból dotkliwy, przebaczasz światu i widzisz go w piękniejszych kolorach. *Bog. Rodin, I, 355.* **28.** Zostawić po sobie **p-e** imię ⟨*chwalebne wspomnienie*⟩.

przysł. **29.** Nie to piękne, co piękne, ale co się komu podoba.

pięść **1.** Silna, potężna, twarda **p.** **2.** **p.** jak młot **3.** Guz jak **p.** **4.** Twarz drobna jak **p.** **5.** Mocny w gębie i w pięści ⟨*wymowny i silny fizycznie*⟩: Piotr z Ossy Ożga [...] szlachcic wyjadacz, jowialista, do tańca i do różańca, mocny w gębie i w pięści. *Łoz. Wł. Praw. I, 30,* **6.** *iron.* Podobny, pasujący jak **p.** do oka ⟨*zupełnie, nic niepodobny*⟩: Zobaczcie no go razem z panem Marcinem, to jak pięść do oka. *Wol. Dom. I, 132.* **7.** Prawo pięści ⟨*prawo silniejszego, bezprawie*⟩: W kraju, przez który przeciągała wielokrotnie zawierucha wojenna, panowało prawo pięści. *Piw. Hist. 139.* **8.** Siła pięści *przen.*: A owo najwyższe wcielenie siły pięści [...] ów Napoleon, zwany „Wielkim", jakże duchowi memu wydał się mały, nędzny i wstrętny! *Gomul. Kajet 171.* **9.** Zbrojny pięściami ⟨*bez broni, z gołymi rękami*⟩: Powstańcy w początkach wojny, nie mając ani jednego karabina, rzucić się musieli na wroga zbrojni pięściami i odwagą swoją. *Gill. Wspom. 27.* **10.** Walić, trzasnąć, uderzyć pięścią (w stół, w łeb, w kark, w brzuch); dać komu, poczęstować kogo, zajechać, zdzielić (kogo) pięścią w łeb, między oczy: Dał mu pięścią w pysk. *Boh. SW.* **11.** Bić się, walczyć na **p-i** ⟨*boksować się*⟩. **12.** Czuć **p.** nad sobą: Ten opój burgrabia wyprawia zawsze brewerie, kiedy nie czuje nad sobą mojej pięści. *Wędr. 12, 1901, 222.* **13.** Doskakiwać do kogo, rzucić się na kogo, okładać kogo pięściami. **14.** Dostać pięścią (w kark). **15.** Pogrozić (pięścią), wygrażać, wytrząsać komu pod nosem (pięściami). **16.** Mieć twardą **p.**, być twardej pięści a. twardy w pięści ⟨*bić, walić mocno*⟩. Ojciec usposobienie miał gwałtowne, pięść twardą. *Krucz. Paw. 143.* Jako że była prędka i twardej pięści, wywlokła go spoza stołu, sprała, co wlazło. *Reym. Fron. 105.* **17.** Palnąć się pięścią w czoło: Palnąłem się pięścią w czoło: tyżeś to, literacie, poeto — tutaj! Na Smolnej? *Żer. Dzien. I, 417.* **18.** Podeprzeć głowę pięściami. **19.** Pokazywać komu **p.** ⟨*grozić*⟩: W ten sposób pięść pokazując Polsce, wymowny minister [...] pośrednio wyciągał rękę do Rosji. *Ask. Uwagi 214.* **20.** Powalić kogo pięścią. **21.** Coś (sprzeczka, kłótnia) prowadzi do pięści ⟨*do bójki*⟩. **22.** Tłuc się na **p-i.** **23.** Trzeć, przecierać oczy pięściami. **24.** Wydrzeć co komu uzbrojoną pięścią ⟨*zbrojnie*⟩. **25.** Pokazywać uzbrojone **p-i** ⟨*stosować terror militarny*⟩: Wróg pokazywał nie tylko pazury, lecz dobrze uzbrojone pięści. *Twórcz. 4, 1954, 155.* **26.** Zacisnąć pięści a. zacisnąć **p.** w kułak. **27.** Zwinąć dłoń w **p.** **28.** *wulg.* Zamknąć, zatkać komu gębę pięścią ⟨*zmusić do milczenia uderzeniem pięści*⟩: Pierwszemu, co zacznie pyskować, pięścią zamknę gębę. *Sewer Biedr. 201.* Pięścią ci gębę zatkam. *L.* **29.** Zrobić porządek zbrojną pięścią: [Komenda naczelna niemiecka] pewna bliskiego tryumfu na Zachodzie, rada była wprzód zbrojną pięścią zrobić w mig porządek na Wschodzie. *Ask. Uwagi 332.* **30.** **p-i** zaciskają się; spadają na kogo a. czyją głowę, kark itp. **31.** **p-i** były w robocie; przyszło do **p-i** ⟨*pobito się*⟩: Od słów przyszło do pięści. *Piotr. R. Pam. II, 130.* *przen.* **32.** **p.** czyja ciąży nad czym: Pięść Metternicha ciążyła nad całokształtem życia, unosząc się groźnie nad każdym przejawem niezależności obywatelskiej. *Śliw. A. Lel. 131.*

pięta **1.** Od pięt do karku ⟨*od góry do dołu, całkowicie*⟩: Mróz po mnie poszedł od pięt aż do karku. *Kaczk. Murd. I, 224.* **2.** *iron.* Dekoltowana do pięt ⟨*zupełnie naga*⟩: Rysuje dekoltowane do pięt Murzynki albo smaczne dziewczęta z Hawanny. *Ask. Hist. 185.* **3.** Bić, ścisnąć (konia) piętami ⟨*przynaglać go do biegu*⟩: Wołodyjowski dojrzał go z dala i ścisnął również piętami swego gniadego wołoszyna. *Sienk. Wołod. III, 190.* **4.** Gnał, że tylko **p-y** migały (śmigały w powietrzu) ⟨*bardzo prędko*⟩. **5.** Gubić **p-y** (uciekając) ⟨*szybko uciekać*⟩: Damy im pieprzu, aż pięty pogubią umykając. *Sienk. Pot. III, 91.* **6.** Mieć kogo na piętach a. za piętami ⟨*mieć tuż tuż za sobą*⟩: Kiedy kładł palto, siedzący podnieśli się. Schodził ze schodów z uczuciem, że ma ich na piętach. *Otw. Czas. 50.* **7.** *euf.* Mieć kogo, co w pięcie ⟨*nie dbać o kogo, o co; nie liczyć się z kim, nie interesować się kim lub czym*⟩: Nie trzeba go sądzić z tego, co gada. Profesor ma w pięcie jego gadanie. *Nałk. Z. Rom. 123.* Mam w pięcie twoje złośliwości. *Olcha Most II, 164.* **8.** Mieć rozum, rozsądek, dowcip w piętach ⟨*być pozbawionym rozumu itd.*⟩: Zawsześ miał dowcip w piętach i dlatego takeś przed Sapiehą zmiatał, ażem cię znielubił i sam gotówem pójść do Sapiehy. *Sienk. Pot. VI, 86.* **9.** Mieć więcej w pięcie (rozumu), niż ktoś inny w głowie: Wiedz o tym, że mam więcej rozumu w pięcie, niż waść w głowie. *Zabł. Dzieła I, 259.* **10.** Następować komu na **p-y** ⟨*iść, postępować za kim tuż tuż; gonić kogo*⟩: Przednie oddziały następowały cofającemu się nieprzyjacielowi stale na **p-y.** **11.** Obrócić się, wykręcić się, wywinąć się, zakręcić się na pięcie ⟨*odwrócić się*⟩: Zakręcił się na pięcie i wybiegł z sali. *Bron. J. Ogn. 37.* **12.** *przestarz.* Podnieść piętę na kogo ⟨*uzuchwalić się przeciw komu*⟩. *SFA.* **13.** Pokazywać, *przestarz.* zbierać **p-y** ⟨*uciekać*⟩: Nie wiadomo, co by nastąpiło, gdyby z dala nie ryknął wolec trwogą zdjęty i kundlów ujadanie nie rosło co chwila, a którym Wilk roztropny wnet pokazał pięty. *Lem. Bajki 31.* **14.** *daw.* Położyć co pod piętę ⟨*poniechać czego*⟩: Opamiętaj się, panie Michale, a te dziecinne szkrupuły połóż pod piętę. *Rzew. H. Listop. II, 37.* **15.** Poszło komu w **p-y**

⟨*zrobiło mu się nieprzyjemnie, dało mu się we znaki*⟩: Takem mu powiedział, że mu aż w pięty poszło. *SW*. **16.** *łow.* Przetropić w piętę ⟨*iść śladami wstecz do punktu wyjścia zwierzyny*⟩: Wilk, sznurując trop w trop, stawia stopy ściśle w trop poprzednika. W takim wypadku trzeba je przetropić w piętę, tj. wstecz do miejsca, gdzie się schodziły. *Hop. Jęz. 83.* **17.** (Serce, dusza) siedzi, idzie, ucieka, zagląda komu w **p-y** ⟨*ktoś stracił odwagę, przeląkł się*⟩: Chwata udajesz, a serce ci w pięty zagląda. *Reym. Now. IV, 134.* Tak się przestraszył, że kaganek upuścił na ziemię, dusza też poszła mu w pięty i drapnął. *Kaczk. Olbracht. I, 216.* U żołnierza [...] który nie broń, ale szklankę ma w ręku, dusza siedzi w piętach. *Chodź. Pisma I, 434.* **18.** Sięgać do pięt, aż za **p-y** (o ubraniu) ⟨*być długim aż do ziemi*⟩. **19.** Świecić bosymi, gołymi, nagimi piętami ⟨*chodzić, występować boso*⟩: Biegnij pierwszy i włóż chociaż buty [...] Jakże trębacz, otwierający tak uroczyste zebranie, będzie świecił bosymi piętami. *Bron. J. Ogn. 179.* **20.** *daw.* Wiercić piętą: a) ⟨*stać jak na rozżarzonych węglach, być w opałach, w strachu*⟩: Nieborak z strachu piętą wierci. *Troc*; b) ⟨*kręcić się, szlifować bruki, być wiercipiętą*⟩: U dworu tylko piętą wierci i więcej na marmurze wysłuży, niźli żołnierz w polu. *Troc.* **21.** Wywijać piętą ⟨*tańczyć*⟩: Teraz już nie umiem jedwabnych słóweczek, ani wywijać piętą, ni składać piosneczek. *Groza Poezje 120.*

przysł. **22.** W piętę mierzył, w nos uderzył.

piętka 1. p. chleba ⟨*przylepka*⟩. **2.** Odepchnąć (konia) w piętkę ⟨*cofnąć (konia) do tyłu*⟩: Jeździec konny nie miał tu już miejsca, by się zawrócić i był zmuszony, albo zsiąść z konia i odepchnąć go w piętkę, albo przesadzić tę fatalną szczerbę. *Pawł. Wspom. 178.*

piętno 1. p. n a c z y m ⟨*znak, znamię*⟩: **p.** na ciele, na twarzy, na czole. **2.** Kłaść na kogo **p.**, wypalić (niewolnikowi, zbrodniarzowi) **p.** na czym. **3.** Sine piętna pod oczami ⟨*sińce*⟩. **4.** *przen.* Indywidualne, osobiste, hańbiące, mocne, niezatarte, trwałe **p. 5. p.** artyzmu, niezwykłości, oryginalności; cierpienia, hańby, nędzy, niedołęstwa, śmieszności; zbrodni; sprawcy, zdrajcy. **6. p.** chwili, epoki. **7.** Nosić na sobie **p.** (czego) ⟨*w znaczeniu dodatnim lub ujemnym: znamię*⟩: Francuszczyzna w modzie, a zatem i nasze listy piętno mody na sobie noszą. *Kras. Podstoli 133.* **8.** Nadawać komu, czemu **p.** (czego): Szerokie blizny na czole i twarzy, jedno wszystkim [Lisowczykom] dzielności i męstwa nadawały piętno. *Dzied. Lisow. I, 131.* **9.** Naznaczyć kogo piętnem (czego, np. hańby). **10.** Wybić, wycisnąć, zostawić swe **p.**: Na wszystkich swych pracach wycisnął jednak artysta wybitne piętno swej indywidualności. *Biul. Hist. Szt. 2, 1954, 213.* Żadne męczące rozmyślania nie poorały zmarszczek na tym czole i piętna swego nie zostawiły na nim. *Narzym. Ojczym 4.* **11.** Zachować; zetrzeć, zdjąć z kogo **p.** Przyrzekał poprawę i prosił o zdjęcie z niego tego hańbiącego piętna. *Morc. Ptaki 233.*

piętro 1. Dolne, górne; niższe, wyższe **p. 2.** Podziemne **p-a** (np. budowli, kopalni, mrowiska). **3.** Dom o jednym piętrze, o dwóch, trzech, o wielu piętrach a. na dwa, trzy **p-a** ⟨*jednopiętrowy, dwupiętrowy, trzypiętrowy, wielopiętrowy*⟩. **4.** Biegać, latać po piętrach: Nóg już nie czuję od ustawicznego latania po piętrach. **5.** Mieszkać na pierwszym, drugim itp. piętrze. **6.** Mieścić się na (pierwszym, drugim itp.) piętrze (o lokalu, biurze, klasie szkolnej itp.): Na piętrze, a właściwie na pięterku mieściła się właśnie „kwatera" młodego podporucznika. *Żer. Uroda 52.* **7.** Prowadzić, wieść na piętro (o schodach, drzwiach): W głębi były oszklone schody prowadzące na piętra. *Żer. Dzieje II, 130.* **8.** Spaść, wypaść, zrzucić co z (piątego, ósmego) piętra. **9.** Wejść, wbiec, na (drugie, trzecie, dziesiąte itp.) piętro. **10.** Zajmować, wynająć całe piętro ⟨*ogół lokali na piętrze*⟩. **11.** *przen. daw. żart.* Piętra na głowie, fryzura o (trzech) piętrach ⟨*włosy wysoko upięte*⟩: Czyliż włosy zapięte w warkocze [...] nie piękniej się wydają, jak owe rozczochrane i napudrowane piętra na głowie? *Bork. L. Paraf. 12.* **12. p.** gór: W górach, w piętrze alpejskim Karpat, rosną karłowate wierzby wysokogórskie. *Szaf. Bot. 360.* **13.** Na **p.** ⟨*do wysokości, na wysokość piętra*⟩: Ujrzałem, żem był w okopie, który zamykała brama, na piętro otoczona wałem. *Pol. Moh. 19.* **14.** Piętrami ⟨*częściami, partiami*⟩: Rycynus wyrasta u nas na chłopa wysoko, kolejno piętrami kwitnie i owocuje. *Żukr. Zioła 85.* **15.** Wznosić się piętrami ⟨*o falach morskich, o ukształtowaniu terenu, koronach drzew itp.*⟩: Wicher z tryumfem zawył, a na mokre góry wznoszące się piętrami z morskiego odmętu wstąpił jenijusz śmierci. *Mick. Wiersze 186.* Gdy ruszysz ku północy, rzeźba kraju wznosi się piętrami, buduje się coraz wyżej. *Kremer Listy I, 300.* Splątane, piętrami wznoszące się korony drzew nie pozwalały resztkom światła przedrzeć się niżej. *Makowiec. Przyg. 5.*

piętrowy Prycze **p-e** ⟨*ustawione jedne nad drugimi*⟩.

piguła p. śnieżna a. ze śniegu. Robić, lepić **p-y**. Rzucać w siebie, obrzucać się pigułami.

pigułka 1. p. homeopatyczna, reformacka, *przen.* Gorzka **p.** ⟨*przykrość*⟩: Była to pigułka dla braciszka bardzo gorzka, bo pan Alfred mimo hrabiowskiej korony dostał od księżniczki Kamilli olbrzymiego kosza. *Dzierz. Szpic. 149.* **2.** Osłodzić, ocukrować (komu) pigułkę, owinąć (gorzką pigułkę w opłatek) ⟨*podać rzecz przykrą w formie delikatnej; złagodzić wyrządzoną przykrość uprzejmością, grzecznością*⟩: Odczuć było można dyplomatyczne owijanie gorzkiej pigułki w opłatek. *Gard. Trzech. 107.* Gdy aktorowi prasa dopiekła, on starał się mu osłodzić tę pigułkę, opowiadając jakąś anegdotkę lub jakąś nowo upieczoną ploteczkę. *Ower. Ramp. 354.* **3.** Przełknąć, połknąć (gorzką) pigułkę ⟨*wysłuchać przykrych wymówek, docinków; mieć przykre przeżycie*⟩: Kartka, którą mi pisze, nie jest pochlebną dla nas [...] ale widzi Pan, ja tę pigułkę przełknąć mogę. *Przybysz. Współ. I, 83.* **4.** Połknąć ołowianą pigułkę ⟨*zastrzelić się*⟩. *SW*. **5.** Poczęstować pigułką ⟨*poczęstować kulą; zastrzelić*⟩: Nie ma co żartować... Dla romansu pigułką gotów poczęstować. *Fredro A. Intr. 8.*

pijacki 1. p. bełkot, głos: Mówić co pijackim głosem. **2. p-a** czkawka. **3. p-a** drzemka, **p.** sen. **4.**

p-a kompania, **p-e** towarzystwo. **5. p.** nałóg. **6. p.** nos, **p-a** twarz. **7. p.** obłęd, szał: Dostać szału pijackiego. **8. p-e** okrzyki, śpiewy, wrzaski. **9. p-a** serdeczność. **10.** Śmiech **p. 11. p.** upór: Twierdzić co, wykrzykiwać z pijackim uporem. **12.** Po pijacku ⟨*w sposób właściwy pijakowi*⟩: Oczy błyszczące po pijacku.

pijak Nałogowy, notoryczny, zawołany **p.** Nie każdy pijak, co pije. *L.* Nie ten **p.**, co pije, ale ten, co się upija.

pijany 1. Dobrze, kompletnie, zupełnie **p.**; **p.** do nieprzytomności, jak bydlę, w sztok. **2. p.** głos, wrzask, wzrok ⟨*pijacki*⟩: **p-e** oczy. **3. p.** c z y m: **p.** winem; *przen.* miłością, szczęściem, pochlebstwem. Pijani wschodem słońca i szumem zbóż. *Kasp. Boh. 62.* **4.** Po pijanemu ⟨*będąc pijanym; w stanie nietrzeźwym*⟩: Awanturować się, zaczepiać kogo; wygadać się z czym po pijanemu. **5.** Trzymać się czego jak **p.** płotu ⟨*uporczywie coś utrzymywać, w czymś trwać*⟩: To tylko wy, Niechcice [...] trzymacie się ziemi jak pijany płotu. *Dąbr. M. Noce II, 90.* Gdy co owładniesz, trzymaj się tego silnie, jak pijany płota!... Lepsza pewność żelazna, niż nadzieja złota. *Fredro A. Benet 264.* **6.** Zachwiać się, zatoczyć się jak **p.**

przysł. **7.** Co u trzeźwego w głowie, to u pijanego w mowie.

pijawka 1. Stawiać, przystawiać, postawić komu **p-i. 2.** Obstawić kogo pijawkami. *przen.*: **3. p-i** społeczne, wielkokapitalistyczne ⟨*wyzyskiwacze*⟩: Zmuszeni są udawać się do lichwiarzy, tych pijawek społecznych. *Tyg. Życia, 1876, 78.* **4.** Czepiać się, uczepić się kogo, czego; przyczepić się, przypić się do kogo, do czego, ssać kogo jak **p.**: Oburącz pochwycił flaszkę, przypiął się do niej jak pijawka, a po niejakim czasie oddał ją swemu pomocnikowi. *Dygas. Złam. 203.* **5.** Toczyć, wysysać krew z kogo jak **p.**

przysł. **6.** Pijawka wrzodu się nie ima.

pilno Komuś jest **p.** (do kogo, do czego, w co): Gdzie ci tak pilno? Pilno mu było do domu; do roboty; do matki, do żony. Podróżnemu pilno było w drogę. *Gomul. Miecz II, 151.*

pilność 1. Niesłychana, niezmordowana, ogromna, wielka, wzorowa **p. 2. p.** w c z y m (w pracy, w nauce): Odznaczać się pilnością w pracy. **3.** Brać się (wziąć się) do czego, oddawać się czemu, przykładać się do czego (do nauki) z pilnością: Wrócił do swej roboty, wziął się do niej z podwójną pilnością. *Prus Wiecz. 225.* **4.** Celować, dojść do czego (do rezultatów), wyjść na kogo pilnością: Zaczął od kalafaktora, a pilnością i nauką wyszedł na dyrektora. *Koźm. Pam. I, 159.* Chłopcom brakowało zdolności i pamięci do nauki. Celowali za to pilnością. *Mikul. Spot. 15.*

pilnować 1. p. k o g o, c z e g o ⟨*strzec czego; mieć nadzór nad czym*⟩: **p.** dziecka, więźnia; **p.** porządku, interesów; bydła, sadu. Granicy pilnowało pospolite ruszenie ludzi dobrej woli. *Szew. Kleszcze 85.* **2. p.** c z e g o ⟨*zajmować się czym*⟩: Ojciec nie pilnuje rzemiosła — cały warsztat na głowie Kaspra. *Korz. J. Majst. 420.* Ksiądz niech pilnuje ołtarza i konfesjonału, co jemu się mieszać do spraw świeckich. *Grusz. Ar. Tys. 63.* **3. p.** garnków ⟨*zajmować się gotowaniem*⟩: Ty garnków pilnuj, a do mnie się nie wtrącaj, kiedyś baba! *Prus Plac. 129.* **4. p.** pieca ⟨*nie ruszać się z domu*⟩: Zniewieściały szlachcic podczas wojny pieca pilnuje. *Staszic Uwagi 175.* **5. p.** siebie ⟨*nie wtrącać się do cudzych spraw*⟩: Pilnuj siebie — dlaczego ciągle wtrącasz się do mnie? *Pięt. Białow. 67.* **6. p.** swego podwórka ⟨*zajmować się tylko swoimi sprawami*⟩: Tu mógłby kto powiedzieć: co nam po angielskiej abstrakcyjności, pilnujmy swego podwórka. *Dor. Rozm. 70.*

przysł. **7.** Pilnuj sam swego, nie spuszczaj się na drugiego. **8.** Pilnuj swego nosa, nie cudzego grosza. **9.** Szewc dratwy, krawiec igły powinien pilnować.

pilny 1. p. czytelnik, pracownik, uczeń ⟨*gorliwy, oddany czemu*⟩. **2. p.** list; **p-e** potrzeby, sprawunki, wydatki; **p-a** robota ⟨*nie cierpiąca zwłoki, nagły, konieczny*⟩. **3. p.** interes, **p-a** sprawa: Mieć do kogo **p.** interes. Chcieć kogo widzieć a. widzieć się z kim w pilnej sprawie. **4.** *pot.* Nic pilnego, nie ma nic pilnego ⟨*rzecz, sprawa nie jest pilna*⟩: Niech zaczeka, nic pilnego!... Ja teraz nie mam czasu. *Prus To i owo, 40.* **5. p.** d l a k o g o: Myślał o innych rzeczach, pilniejszych dla niego w tej chwili niż dalekie morze. *Was. W. Pierw. 23.* **6. p.** w c z y m: **p.** w pracy, w naukach. **7.** Mieć coś pilnego (do roboty), omówić z kim coś pilnego: Mam z nim omówić coś pilnego. *Ritt. Duchy 88.* **8.** *przestarz.* Mieć **p-e** baczenie a. **p-e** oko na kogo, na co ⟨*pilnie uważać*⟩: Trzeba było mieć pilne baczenie nie tylko na maszyny, lecz i na uczniów. *Balc. Ocz. 17.* Rozkazał tajemnie, pilne mieć oko na Wipnera. *Trent. Demon 7.* **9.** *przestarz.* Mieć, dawać na co **p-e** ucho a. łowić co pilnym uchem ⟨*pilnie słuchać; pilnie zwracać uwagę na co*⟩: Ja tu na wszystko mam pilne ucho. *Sienk. Wołod. II, 131.* Pilnym uchem każdy wyraz łowię. *Pług Zagon III, 69.* **10.** Zasługiwać na pilną uwagę: Propozycja, wiadomości zasługują na pilną uwagę. **11.** Zwracać pilną uwagę ⟨*pilnie uważać*⟩: Pan Zagłoba [...] zawsze ostrzegał, że przy takim zbiorowisku ludzi [...] pilną trzeba zwracać uwagę, by na hultajów nie trafić. *Sienk. Wołod. I, 177.*

piła 1. p. drzewna, tracka, kołowa. **2.** Chrzęst, świst, gwizd, zgrzyt piły. **3. p.** świszcze, zgrzyta, warczy; rznie, tnie (drzewo). **4.** Grać na pile. **5.** *przen.* Ktoś a. coś jest, staje się itp. piłą a. nudną piłą ⟨*ktoś jest nudny, coś jest nudne, nieciekawe*⟩: W konwersacji był cokolwiek piłą. *Ritt. Duchy 19.* Zebranie zmieniło się w nudną piłę. *Braun Lewanty 167.*

piłat 1. Jak Piłat w Credo ⟨*zupełnie nie w porę; jak tylko można*⟩: Potrzebnaś nam tu waszeć, tak jak Piłat w „Credo". *Zabł. Sarm. 140.* Dwernicki wykręca się jak Piłat w Credo. Co innego przyrzekał Zaliwskiemu, a co innego teraz gada i pisze. *Bork. K. Pam. 107.* **2.** Dostać się jak Piłat w Credo ⟨*niepotrzebny, nie na swoje miejsce*⟩. *SFA.* **3.** Jak Piłat umywa ręce ⟨*wypiera się*⟩. *SFA.*

I piłka ⟨*narzędzie*⟩: **p.** ogrodnicza, stolarska, ślusarska. Ciąć, obcinać, rznąć co piłką.

II piłka ⟨*kula sprężysta do gry*⟩ **1.** Długa, krótka **p.** ⟨*w tenisie: daleko (na koniec kortu), blisko, tuż przy siatce, padająca*⟩. **2.** Łatwa **p.**; Zepsuć łatwą piłkę ⟨*w grze w tenisa: nie odbić jej lub odbijając umieścić w siatce*⟩. **3. p.** tenisowa. **4.** Grać w piłkę: a) ⟨*o dzieciach: bawić się piłką*⟩; b) ⟨*uprawiać sport: piłkę nożną, siatkówkę, koszykówkę itp.*⟩. **5.** *pot.* Kopać piłkę ⟨*grać w piłkę nożną*⟩. **6.** (U)-plasować piłkę ⟨*podać graczowi lub wbić do bramki*⟩. **7.** Posłać piłkę (na aut, w róg kortu itp.). Skierować piłkę. Wybić piłkę na aut, na środek boiska. **8.** Wydłużać piłkę ⟨*w grze w tenisa: posyłać piłki coraz dłuższe*⟩. **9.** Wyłapywać **p-i** ⟨*o bramkarzu w grze w piłkę nożną*⟩. **10.** Zgasić piłkę ⟨*lecącą z góry piłkę zatrzymać nogą*⟩. **11.** Piłka ląduje w siatce, wychodzi na aut. **12.** *pot. sport.* **p.** jest okrągła ⟨*wyniku meczu nie można przedwcześnie przesądzać (przed zakończeniem gry)*⟩. **13.** Odbijać się jak **p.**: Te zdania odbiły się od jej uwagi jak piłka od ściany. *Prus Emanc. I, 181.* **14.** Odskakiwać, podskakiwać, skakać jak **p.** (Po)toczyć się jak **p.**: Złapał Hipolita za kołnierz i rzucił nim o ziemię tak, że jak piłka potoczył się po schodach. *Ritt. Most 78.* **15.** Rzucać kim, czym jak piłką: Los rzucał nimi jak piłką. *Jun. Dworek 120.* Morze rzucało wątłą łodzią jak piłką. *Zmor. Podania 60.* **16.** *przen.* Być piłką ⟨*być biernym obiektem czyjego działania*⟩, bawić się kim jak piłką: Panie Kochanku, chociaż zresztą taki poczciwy i miły człowiek, był całe życie piłką stronnictw. *Szujski Portr. 65.* Chandra na przemian z raptowną wesołością bawią się mną jak piłką. *Unił. Pam. 81.*

piłować 1. p. c o: **p.** drzewo ⟨*przecinać, rznąć*⟩; **p.** paznokcie ⟨*szlifować*⟩; *iron.* **p.** skrzypce a. na skrzypcach ⟨*źle grać na jakim instrumencie; grać ciągle ten sam utwór; rzępolić*⟩; **p.** arię, akompaniament: Wtem — na podwórzu odezwała się katarynka i poczęła piłować znaną arię. *Prus Now. II, 153.* **2. p.** k o g o o c o ⟨*naciskać o co, domagać się czego*⟩: Piłujcie ich o dane rezultatów strajku i warunków pracy przed strajkiem. *Dzierż. Pisma 139.* **3. p.** k o g o c z y m, o c o ⟨*zanudzać*⟩: Zaraz po obiedzie zabrał Nikodema do swego gabinetu i zaczął go piłować sążnistym wykładem o szczegółach kwestii. *Mostow. Kariera 142.* **4. p.** k o m u c o — c z y m ⟨*dokuczać*⟩: Dziś choroba od rana piłuje mi stawy najostrzejszymi bólami. *Święt. A. Duchy 215.*

piołun 1. p. c z e g o: **p.** ironii, sarkazmu. **2.** Być piołunem dla kogo: Dla niego ta żona piołunem, a dla mnie byłaby słodyczą. *L.* **3.** Płacić piołunem: Za nasze dobre serca płacą nam piołunem. *Tyg. Ilustr. 34, 1904, 644.* **4.** Poić kogo piołunem: Piołunem żałość go poiła. *Oppman Kron. 15.* **5.** Zaprawić piołunem ⟨*goryczą*⟩: Jego anegdoty zaprawione piołunem sarkazmu. *Rocz. Lit. 1938, 101.* Mam chleba kawałek na starość, gdybyś mi go jejmość piołunem nie zaprawiała. *Krasz. Int. 124.*

piorun 1. Burza z piorunami. **2.** Chmura brzemienna piorunami. **3.** Trzask, łoskot piorunów. **4.** Uderzenie, cios pioruna. **5.** Węże, zygzaki piorunów. *przen.*: **6.** Pioruny słów, gniewu, przekleństw. **7. p-y** w oczach, w twarzy. **8.** Spłonąć, zapalić się, *przestarz.* pójść od pioruna ⟨*spalić się*⟩: Spłonął dom od pioruna. *SW.* Od pioruna cała gorzel poszła. *Dygas. Now. V, 208.* **9. p-y** uderzają, walą; **p.** huknął, padł, roztrzaskał, strzaskał, zdruzgotał (drzewo, maszt), runął, strzelił (z nieba), trzasnął, uderzył (w co), wpadł (do izby); *przen.* Tak się rozwiała chmura, z której miał spaść piorun na głowę Lelewela. *Śliw. A. Lel. 372.* **10.** Jak **p.**, jak **p.** z jasnego nieba ⟨*nagle, gwałtownie, niespodzianie*⟩: Wieść ta spadła na nią jak piorun. *Dygas. Gorz. I, 172.* Wtem drzwi się otworzyły i pan Zagłoba wleciał jak piorun do izby. *Sienk. Ogn. II, 2.* Spadał, jak piorun z jasnego nieba, na mniejsze szwedzkie oddziały. *Bojko Pisma 91.* **11.** Piorunem: a) ⟨*szybko*⟩: Wypaść, wrócić, ubrać się, zrobić co piorunem. Czas leci piorunem; b) ⟨*nagle*⟩: Wieść o znalezionych pieniądzach gruchnęła piorunem po Noskowicach i rozeszła się w okolicy. *Dygas. Właść. 39.* **12.** Jak (jakby) piorunem rażony (tknięty), jakby (go) **p.** raził, jakby (w niego) **p.** strzelił (uderzył): Padł, jakby piorunem rażony. Pomieszany wchodzi i staje jak piorunem rażony, ujrzawszy przy stopniach ołtarza pannę Katarzynę. *Wójc. Zar. IV, 88.* Utknął nagle wśród drogi, nie mogąc postąpić dalej ani kroku. Jakby go piorun raził. *Choyn. Kuź. 181.* Tak go zwalił z kulbaki, jak gdyby piorun w niego uderzył. *Kaczk. Olbracht. I, 287.* **13. p.** z jasnego nieba ⟨*rzecz nieoczekiwana nagła, nagły cios, nagłe nieszczęście*⟩: Na jego głowę spadł piorun z jasnego nieba. *SW.* **14.** Do pioruna (z kim)!, do jasnego pioruna! do stu, u stu, do kroćset, do wszystkich piorunów!; u pioruna! ⟨*wykrzyknienia wyrażające oburzenie, gniew itp.*⟩: Do pioruna z babami! Czegoż znowu chce ten stary grzmot? *Reym. Ferm. I, 69.* Co jest z wami do jasnego pioruna? Śpicie? Dwie godziny was wołam. *Kurek Ocean 266.* Odpowiadaj, do kroćset piorunów! *Łoz. Wal. Noce 165.* Wynoście się do wszystkich piorunów! *Niedź. Dzieło 23.* **15.** Idź do pioruna! Co u pioruna!? (A) niech to jasny **p.** (A) niech, żeby go, mnie, cię (ich itp.) **p.** trzaśnie!; niech jasne **p-y** pobiją, spalą! Bodaj (niechże) to (go, ich itp.) (jasne, najjaśniejsze) **p-y** zatrzasły (zatrzasną) ⟨*przekleństwa*⟩: Oto masz, bracie, za swoją pracę. A niech to jasny piorun! *Brzoza Bud. 120.* Niech mnie piorun trzaśnie, jeżeli słowo rozumiem. *Choj. Alkh. I, 100.* A niech was pioruny zatrzasną! Stary czeka i wścieka się, a wy, bestie, hulacie i pijecie. *Sewer Nafta I, 64.* **16.** Choćby **p-y** biły ⟨*mimo wszelkich (największych) przeszkód*⟩: W ogóle mam takie usposobienie, że jak co postanowię, to choćby pioruny biły, muszę przeprowadzić. *Perz. Szczęście 187.* **17.** Miotać, rzucać itp. pioruny a. piorunami (na kogo, na co) ⟨*oburzać się; wyrażać (wzrokiem) oburzenie*⟩: Wzrok jego miotał pioruny. *Skiba Poziom. 36.* Ten człowiek, kiedy chce, strzela piorunami z powiek. *Słow. SW.* **18.** Kląć, nakląć, sadzić, sypać piorunami ⟨*przeklinać*⟩: Szewc [...] targał chłopaków za uszy i klął na nich [...] siarczystymi piorunami. *Bał. Dziady 23.* **19.** Razić (kogo) piorunem a. jak piorunem: Każde słowo piorunem mnie raziło. *Dzierzk. Pow. II, 74.* Raziłeś nas jak piorunem wieścią o majątkowej ruinie, jaka cię spotkała. *Orzesz. Na dnie I, 120.* **20.** Zażegnać **p-y** ⟨*zapobiec awanturze*⟩: Pozostanie to na zawsze zasługą

pani Barbary, że umiała wtedy zażegnać pioruny. *Dygas. Pióro 32.*
przysł. **21.** I w pogodę piorun uderzy.

piorunujący 1. p. cios ⟨*rażący jak piorun*⟩. **2.** Efekt, skutek **p.** ⟨*nagły, natychmiastowy*⟩. **3. p.** głos ⟨*odznaczający się siłą pioruna, grzmiący*⟩: Zawołać piorunującym głosem. **4. p-e** spojrzenie ⟨*wyrażające oburzenie; gromiące kogo*⟩: Wpadł w nadzwyczajny zapał, rzucał piorunujące spojrzenia spod najeżonych brwi, a z ust jego płynęły zdroje wymowy. *Dygas. Pióro, 96.* **5.** Wieść **p-a** ⟨*nagła, wstrząsająca*⟩. **6. p-e** wrażenie (wywrzeć na kim) ⟨*wstrząsające*⟩. **7. p-e** zwycięstwo ⟨*szybkie, nagłe*⟩. **8.** Z piorunującą szybkością (coś się szerzy). **9. p.** przebieg (np. choroby).

piosenka *książk.* **piosnka 1. p.** ludowa, pasterska, wiejska; **p.** taneczna; cygańska, murzyńska; kabaretowa, operetkowa; żołnierska. **2.** *przen.* Spod korzeni bulgotało srebrną piosenką źródełko. *Was. W. Pierw. 12.* **3.** Z piosenką (z piosnką) na ustach (maszerować, wędrować). **4.** Śpiewać, nucić, gwizdać, pogwizdywać piosenkę; wyśpiewywać piosenki: Rząd kosiarzy otawę siekących wciąż brząka pogwizdując piosenkę. *Mick. Tad. 170.* **5.** Usypiać dziecko piosenką. **6.** Ta sama codzienna piosenka ⟨*to samo w kółko*⟩: Znów ta sama piosenka! Przecież ja nie mogę tracić całych dni na przechadzki. *Krzywosz. Jula 39.* **7.** Śpiewać zwykłą piosenkę ⟨*powtarzać to samo*⟩: Kupcy śpiewają zwykłą, coroczną piosenkę, że wełna nie dość szlachetna, że źle myta itp. *Sienk. Sprawy 78.* **8.** Śpiewać czyją piosenkę ⟨*przytakiwać, basować komu*⟩: Co tobie w głowie, że z każdym, co nie śpiewa twojej piosenki, zaczepki szukasz? *Rzew. H. Zamek 305.*

piórko 1. p. czaple, orle; pawie **p.**: Krakuska ⟨*czapka*⟩ z pawim piórkiem. Kapelusz z piórkiem. **2.** Lekki jak **p.** ⟨*bardzo lekki*⟩. **3.** (Lekko) jak **p.** (unieść kogo, podnieść co). **4. p-a** trawy: Młoda trawa puszcza zielone piórka. **5. p.** do zębów ⟨*wykałaczka*⟩: Dłubać piórkiem w zębach. **6. p.** do ścierania kurzu. **7.** (Na)stroszyć piórka (o ptaku). **8.** Skubać **p-a** ⟨*drzeć pierze*⟩. **9.** *przestarz.* Mieć zdatność do piórka ⟨*mieć zdolności pisarskie*⟩: Ja widzę [...] że ty masz zdatność do piórka, umiesz się wypisać gładko, wygadać płynnie. *Dygas. Pióro, 22.* **10.** Rysować, rysunek (wykonany) piórkiem ⟨*rodzaj techniki w grafice*⟩: Miniatury rysowane piórkiem. **11.** Porastać w **p-a** ⟨*bogacić się; zyskiwać na znaczeniu*⟩: Nie dość było Niemcom wrocławskim, że się mogli spokojnie bogacić, ale porósłszy w piórka, zaczęli podnosić głos i w sprawach politycznych. *Piw. Hist. 65.* **12.** *iron.* Smarować piórkiem na papierze ⟨*pisać; być kancelistą, urzędnikiem*⟩: Chłopakowi patrzy z oczu łatwy chlebuś, piórkiem smarować po papierze, albo przy ołtarzu mszę odprawiać. *Sewer Biedr. 76.* **13.** Stroić się w cudze (obce) **p-a** a. w (fałszywe, pawie) **p-a** czego *zob.* Stroić się w cudze pióra: Wójcicki cieszył się [...] niezachwianą powagą, wierzono w jego uczciwość, chociaż w piórka obce chętnie się stroił. *Brück, Lit. 249.* Nie brakło wśród nich [...] zwykłych rzezimieszków, oszustów i ladacznic, strojących się w fałszywe piórka tytułów i dobrego urodzenia. *Sokoł. A. Dzieje I, 20.* Pruderia ustrojona w pawie piórka frazesów. *Prz. Tyg. Życia 26, 1868, 229.*

pióro ● 1. p. ptasie. Sterowe **p-a** (w ogonie ptaka). Czaple, pawie **p-a** (u czapki); strusie **p-a** (u kapelusza *daw.* u hełmu rycerskiego). **2.** Wachlarz ze strusich piór. **3.** Kapelusz, hełm z piórami. **4.** Pęk piór. **5.** Miotełka z piór (do ścierania kurzu). **6.** Lekki jak **p.** ⟨*bardzo lekki*⟩: Czuję się lekki jak pióro. *Grabiń. Tor. 290.* **7.** Muskać dziobem swe **p-a** (o ptaku). **8.** (Na)stroszyć, nastrzępić **p-a** (o ptaku). **9. p-a** sypią się, posypały się (w walce ptaków). **10.** Stroić się w **p-a**: Wykpiwać z królów starostwa intratne, stroić się w pióra, futra i kutasy, oto są rysy magnatów wydatne. *Bart. A. Sat. 11.* **11.** Błyszczeć pożyczanymi piórami, *por.* Stroić się w cudze pióra: Lekkomyślna chęć błyszczenia pożyczanymi piórami zawiodła go zbyt daleko. *Lam J. Kor. 179.* **12.** Porastać w (złote i srebrne) **p-a** ⟨*bogacić się, dorabiać się*⟩: Tak to z roku na rok marząc o powrocie do kraju, a jednocześnie porastając w złote i srebrne pióra Seweryn Baryka całą duszę wkładał w synka. *Żer. Przedw. 15.* **13.** Stroić się w cudze **p-a** ⟨*przywłaszczać sobie cudze godności, zaszczyty; korzystać z cudzych zasług; przypisywać sobie cudze zasługi*⟩: Kpiliście [...] że stroi się w cudze pióra, więc wrócił do dawnego nazwiska. *Prus Lalka I, 213.* **14.** *poet.* Ulecieć, wzbić się orlimi pióry ⟨*tworzyć poezje, oddawać się natchnieniu poetyckiemu*⟩: Nadeszła pora... i orlimi pióry dziś ja już mogę ulecieć do góry! *Grudz. Ideal. 38.* **15. p.** wiosła ⟨*płaska część końcowa*⟩. **16. p.** w resorze ⟨*jeden z pasów sprężynowych*⟩. **17. p-a** żelazne u kopii ⟨*pręty wpuszczone w drzewce, służące do osadzenia grotu*⟩. **18.** *łow.* **p.** ⟨*zwierzyna lotna, ptactwo*⟩: strzelać do pióra; stosować, używać psa na **p.**

● **19. p.** do pisania. **20. p.** stalowe, złote, wieczne **p. 21. p.** gęsie (używane dawniej do pisania): Maczać **p.**, pisać, rysować piórem. Rysunki wykonane piórem. **22.** Braterstwo po piórze ⟨*braterstwo literackie*⟩. **23.** Bractwo od pędzla i pióra ⟨*cyganeria artystyczna*⟩. **24.** Mistrz pióra; ludzie, pracownicy pióra. **25.** Znakomite, najznakomitsze, wytrawne, najlepsze **p-a** (kraju, epoki) ⟨*pisarze*⟩: Pismo spełniało rozległe zadania, skupiając w swojej redakcji wytrawne pióra. *Wóyc. K. Walka I, 12.* Skupiało ono [pismo „Monitor"] wszystkie najlepsze pióra epoki z Krasickim na czele. *Krzyż. J. Lit. 425.* **26.** Utwór młodzieńczego, dojrzałego pióra. **27.** Pociąg do pióra ⟨*do pisania*⟩: Poczuł od wczesnej młodości [...] pociąg do pióra. *Brück. Kult. IV. 365.* **28.** Zdolność do pióra ⟨*zdolności literackie*⟩: Pewna zdolność do pióra jest, zdaje się, od dawna wrodzona naszej rodzinie. *Sienk. Leg. 6.* **29.** Jednym pociągnięciem pióra a. za jednym pociągnięciem pióra (przekreślić co, zdecydować, wprowadzić, znieść). **30.** Kilkoma pociągnięciami a. w kilku pociągnięciach pióra (opisać, ująć co, scharakteryzować itp.): W kilku pociągnięciach pióra autor tworzy typ, chwytając od razu najcharakterystyczniejsze rysy. *Sienk. Listy II, 188.* **31.** Brać się, jąć się, wziąć się do pióra; parać się, pracować piórem; *daw.* wziąć **p.** ⟨*zajmować się pisarstwem*⟩. **32.** Cisnąć się pod pióro ⟨*nasuwać się podczas pisania*⟩: Słowa same cisnęły się pod pióro. *Goj. Dom*

49. **33.** Krzewić co, służyć komu (jakiej sprawie), wojować, walczyć o co, zwalczać kogo, co piórem ⟨*za pomocą słowa pisanego*⟩. **34.** Mieć świetne, lekkie, giętkie, ostre, wyrobione, łatwe; ciężkie, rozwlekłe **p.** a. łatwość, lekkość, świetność pióra ⟨*sposób pisania, styl*⟩: Miała dar doskonałego wykładu i świetne pióro. *Hirsz. Hist. 95.* **35.** Mieć temperament w piórze ⟨*pisać żywo*⟩: Dzika bestia, ale ma w piórze temperament, indywidualność. *Dygas. Pióro 143.* **36.** Nosić w sobie aspiracje do pióra. **37.** Oddać **p.** swoje na usługi kogo a. czego. **38.** Ostrzyć, wyostrzyć, zaostrzyć (sobie) **p.** (na kogo, na co; przeciw komu, czemu) ⟨*pisać cięte artykuły, satyry itp.*⟩: Arkadiusz pisał książki przeciwko dyzunitom, a szczególniej zaostrzył pióro przeciw Krzysztofowi Porońskiemu arianinowi. *Wiszn. Lit. VIII, 307.* **39.** (S)kreślić wymownym piórem ⟨*wymownie opisać*⟩: Żywe wzory skuteczniej przemawiają, niż najwymowniejszym skreślone piórem. *Koźm. Pam. I, 1956.* **40.** Skruszyć, złamać, rzucić, odłożyć **p.**, zawiesić **p.** na kołku, złożyć **p.** ⟨*przestać pisać, zaprzestać twórczości pisarskiej*⟩: Skruszył pióro i umilkł. *Krasz. Latarn. IV, 74.* **41.** Stępić ostrze swego pióra. **42.** *daw.* Trzymać **p.** ⟨*być sekretarzem*⟩: Towarzystwo prezesa nie miało; pióro trzymał Dubois, jako sekretarz stały. *Smol. W. Pisma II, 57.* **43.** *daw.* Używać kogo do pióra ⟨*do czynności kancelaryjnych*⟩: Odgadując w tym młodzieńcu niepospolite zdolności wziął go w r. 1431 na swój dwór, zaczął używać do pióra i różnych poleceń. *Dzied. Oleśn. II, 9.* **44.** Władać (dobrze) piórem ⟨*pisać dobrze, opanować sztukę pisania*⟩: Niepodobna zaprzeczyć tym autorom [...] mistrzowskiego władania piórem. *Kremer Listy I, 90.* **45.** Władać piórem łacińskim ⟨*pisać po łacinie*⟩: Władając z łatwością piórem łacińskim, płynniej jednakże i dokładniej wyrażał się po polsku. *Mech. Wym. II, 495.* **46.** Wrócić do pióra ⟨*do pisarstwa*⟩: Chciał wrócić do pióra, ale tym razem nie jako publicysta, lecz historyk. *Mikul. Spot. 36.* **47.** Zarabiać, dorabiać piórem (na życie); żyć z pióra; utrzymywać się pracą pióra ⟨*z twórczości pisarskiej*⟩: Żyjąc z pióra często bywał w kłopotach finansowych. *Michal. Książ. 73.* [Słowacki] pragnął zarabiać piórem. *Kleiner Słow. I, 202.* **48.** Coś jest czyjego pióra a. wyszło spod czyjego pióra ⟨*ktoś jest autorem czego*⟩: Wiersz jest pióra znanego poety. Wyszła ona [broszura] spod pióra Kołłątaja. *Smol. Przewrót 390.* **49.** (Tego) żadne **p.** nie opisze, nie zdoła opisać; jakież **p.** zdołałoby (to) opisać: Lubił ten widok, te walne facecje, których żadna mowa nie wyliczy i żadne pióro nie opisze. *Żer. Syzyf. 82.* **50. p.** wypada komu z ręki, coś wytrąca komu **p.** z ręki ⟨*ktoś nie może pisać; coś odbiera komu chęć do pisania; zmusza do porzucenia, zaprzestania pisania*⟩: Pióro mi wypada z ręki, kiedy spojrzę na otchłań podłości, do jakiej chciwość doprowadzić może. *Szymon. W. Lichw. 223.* Sprawy [...] majątkowe i liczne gospodarskie wytrąciły mu pióro z ręki. *Nehr. Studia 107.*

piramidalny p-e głupstwo, kłamstwo ⟨*wielkie*⟩. **p.** osioł ⟨*wielki głupiec*⟩. *żart.* A to piramidalne! ⟨*to rzecz nadzwyczajna*⟩.

pirrusowy p-e zwycięstwo ⟨*wątpliwe, pozorne, równe klęsce*⟩: Odnieść **p-e** zwycięstwo.

pisać 1. p. ortograficznie, nieortograficznie; kaligraficznie; niewyraźnie ⟨*brzydko*⟩; na kolanie ⟨*w pośpiechu, niestarannie*⟩. **2. p.** alfabetem greckim, łacińskim, cyrylicą, grażdanką itp. **3.** Pióro pisze dobrze ⟨*działa, funkcjonuje dobrze*⟩. **4.** Umieć **p.** ⟨*być piśmiennym*⟩: Umieć **p.** i czytać; umieć **p.** i rachować. **5. p.** a **p.** ⟨*pisać intensywnie, dużo*⟩: Wziąłem się do roboty, wychodzę rzadko, piszę a piszę. *Mick. Listy II, 92.* **6. p.** c z y m; n a c z y m; w c z y m: **p.** ołówkiem, kredą, atramentem; (wiecznym) piórem; *przen.* Satyra łzami pisana. *Kremer Listy I, 162*; **p.** na tablicy, na pergaminie, na kartce; **p.** na maszynie ⟨*posługując się maszyną do pisania*⟩; **p.** po ścianie, palcem po szybie; *przen.* Słońce znikło, olbrzymia igła błyskawicy zaczęła pisać po niebie złowrogie swe hieroglify. *Dzierzk. Rodzina 156;* **p.** w księdze, w zeszycie itp. **7.** *przen.* **p.** szablą: Łeb szlachecki to rejestr, na którym coraz inna ręka szablą pisze. *Sienk. Pot. IV, 153.* Mój poeta szablą pisał dzieje. *Siem. L. Brodz. 96.* **8. p.** c o a. j a k ⟨*tworzyć na piśmie*⟩: **p.** referat, książkę, pracę naukową, wiersze; **p.** prozą, wierszem; **p.** stylem (lekkim, kwiecistym, suchym, urzędowym); **p.** po polsku, po łacinie, po francusku. **9. p.** muzykę do wiersza; **p.** piosenki do słów ⟨*(s)komponować*⟩. **10. p.** (c o) d l a k o g o: **p.** dla sceny, dla swoich, dla potomności ⟨*tworzyć, układać*⟩: Pisał powiastki dla dzieci. *SPP.* **11. p.** d o k o g o: do rodziców, do przyjaciół. Brat do mnie (lub mi) o tym pisał; ale: Brat niedawno do mnie [nie: mi] pisał. *SPP.* **12. p.** do druku ⟨*być pisarzem, literatem*⟩: Wybacz pan, żeś literat nie poznałem wcale. Ach! pan piszesz do druku! *Prz. Tyg. Życia 11, 1875, 130.* **13. p.** o c o ⟨*prosić o co pisemnie*⟩: Pisz o wszystko, co ci będzie potrzebne. *Dąbr. M. SPP.* **14. p.** o k i m, o c z y m: o Warszawie, o swych przeżyciach, o sztuce, o teatrze. **15. p.** s k ą d: z Paryża. **16. p.** pod pseudonimem. **17.** Co tam pisze? [!] ⟨*co tam jest napisane*⟩. **18.** Pisz na Berdyczów a. każ (im) pisać na Berdyczów ⟨*próżne starania, daremnie się trudzisz (trudzą)*⟩: Osiemkroć albo pisz na Berdyczów, moja panno. *Narzym. Pozyt. 32.* Dobry mój ludu, nie słuchaj ty tych paniczów [...] Pisać im każ na Berdyczów. *Zag. Chochl. 20.* **19. p.** nad kim krzyżyk ⟨*stawiać nad kim krzyżyk, rezygnować z kogo, nie liczyć na niego, uważać za straconego*⟩: Z magnatami sprawa najtwardsza. Gdy kto raz odtrącony, krzyżyk nad nim piszą, i — amen! *Gomul. Miecz I, 116.* **20.** *pot. iron.* Nie przy mnie (przy nim) pisane ⟨*nie znam się (nie zna się) na tym*⟩: Ja się tam nie rozumiem na pańskich książkach. Nie przy mnie pisane. *Reym. Now. IV, 107.* **21.** Coś jest pisane widłami ⟨*jest niepewne*⟩: Czeka na wiadomość od tego, co to się z nią powinien żenić, choć to, między nami powiedziawszy, widłami pisano. *Krasz. Szalona 162.* **22.** Coś komu jest pisane a. ktoś komu jest pisany ⟨*coś jest czyim przeznaczeniem, spotka go; ktoś jest komu przeznaczony*⟩: Człowiek nigdy nie wie, co mu pisane, przed niczym się nie trzeba zarzekać. *Was. W. Rzeki 75.* Jednemu z nas już śmierć pisana! *Sienk. Pot. IV, 182.* Jędrek! [...] a jak je obie odnajdziesz, to... opiekujże się, aby zaś źle nie było... Bóg wie, może mi ona pisana. *Sienk. Pot. VI, 172.* **23.** Jakby(ś) pisał na piasku

⟨*nie zostawiając śladu; nietrwale*⟩: [Trzeba] otworzyć sobie nową rubrykę tego rodzaju charakterów, którym wszystko łatwo wyrazisz, lecz nietrwale, jakbyś pisał na piasku. *Kamień. Pam. 162.*
przysł. **24.** Jak (jakim) cię widzą, tak (takim) cię piszą.

pisać się 1. p. się c z y m ⟨*uważać za kogo; być uważanym za kogo*⟩: Senatorowie nie pisali się poddanymi króla. *Glog. Słow. 434.* **2. p. się** c z y m a. s k ą d ⟨*używać nazwiska, tytułu*⟩: Otrzymał honorowy tytuł beja i pisze się oficjalnie nazwiskiem Walber-bey. *Wędr. 43, 1901, 852.* Jan król czeski, pisał się [...] królem polskim. *Moracz. Dzieje I, 181.* Kochowscy pieczętowali się Nieczują, pisali się z Kochowa z przydomkiem Sarna. *Siem. L. Portr. I, 78.* **3.** *pot.* **p. się** do lekarza ⟨*zapisać się, zgłosić się*⟩: Zaraz pierwszego dnia Zaklicki pisze się do lekarza i idzie na izbę chorych. *Rudn. A. Żołn. 16.* **4. p. się** n a c o ⟨*zgadzać się z czym, akceptować co*⟩: Nie na wszystkie te [Chmielowskiego o Reju] poglądy pisać się można. *Łoś Wiersze 79.* Pisząc się obu rękami na wiele z tez [...] profesora, chciałbym jednak do nich dorzucić parę uwag ogólniejszej natury. *Rocz. Lit. 1932, 147.* **5.** *daw.* Piszę się z (głębokim, najgłębszym) uszanowaniem ⟨*formuła kończąca list*⟩.

pisane *pot.* Znać **p.**; nie znać pisanego ⟨*umieć; nie umieć czytać*⟩: List sam zaniósł, a ponieważ Zośka nie znała pisanego, przeczytał, śmiał się i cieszył. *Sewer Biedr. 89.*

pisanie 1. Przybory do pisania. **2. p.** na maszynie. Umiejętność czytania i pisania. **3.** Sztuka pisania ⟨*sztuka pisarska*⟩. **4.** *daw.* Sztuka pięknego pisania ⟨*kaligrafia*⟩. **5.** *daw.* Bawić się pisaniem ⟨*pisać, uprawiać pisarstwo*⟩: Ten, który się pisaniem bawi, przywyka do dobrego stylu i gładkiego rzeczy wyrażania. *Zabawy III/2, 254.* **6.** Wziąć się do pisania ⟨*zająć się pisarstwem*⟩: Wczoraj wieczorem także myślałem o tym, żeby wziąć się do pisania. *Perz. Las 45.*

pisany 1. Dzban **p.** ⟨*malowany we wzory, ozdobiony rysunkami*⟩. **2. p-e** jajko. **3. p-e** motyle ⟨*różnie ubarwione, pstre*⟩: Wielorakobarwne, nakrapiane i pisane motyle latają z miejsca na miejsce. *Żer. Puszcza 10.* **4.** Prawo **p-e** ⟨*sformułowane i utrwalone na piśmie*⟩. **5.** Słowo **p-e.**

pisarski 1. Dorobek **p. 2.** Kariera **p-a. 3.** Narzędzia **p-e** ⟨*narzędzia służące do pisania*⟩. **4.** Praca **p-a**; rzemiosło **p-e. 5.** Spuścizna **p-a. 6.** Sztuka **p-a. 7.** Talent **p.**, żyłka **p-a. 8.** Warsztat **p.**: Wziąć utwór na warsztat pisarski. Mieć utwór na warsztacie pisarskim. **9.** Znaki **p-e** ⟨*znaki przestankowe; interpunkcja*⟩.

pisarz 1. p. historyczny, polityczny, społeczny, teatralny ⟨*autor dzieł, historycznych, politycznych itd.*⟩. **2. p.** renesansowy, romantyczny; starożytny. **3.** Płodny, świetny, znakomity **p. 4. p.** postępowy, tendencyjny. **5.** Ulubiony **p.** (kogo): Słowacki był jego ulubionym pisarzem. **6. p.** gromadzki ⟨*kancelista zatrudniony w gromadzie*⟩. **7.** *daw.* **p.** grodzki, miejski ⟨*notariusz*⟩. **8. p.** królewski, wielki koronny, **p.** wielki litewski ⟨*dawne urzędy*⟩. **9. p.** ziemski: Piastował urząd pisarza ziemskiego łukowskiego, wyrobił sobie opinię biegłego prawnika i poszanowania doznawał u możnych. *Smol. W. Pisma II, 299.* **10.** *daw.* **p.** prowentowy ⟨*kancelista zatrudniony w zarządzie majątku ziemskiego*⟩: Powiedz proszę, jak się to stało, że służąc niedawno za pisarza prowentowego [...] kupiłeś dobra za 600 000 zł. *Niemc. Sieciech 21.* **11. p.** sądowy ⟨*protokolant sądowy*⟩. **12. p.** wojskowy ⟨*kancelista wojskowy*⟩.

pisemny Ćwiczenie **p-e**, praca **p-a** ⟨*na piśmie*⟩. **p-e** upoważnienie, **p.** wniosek. Rozkaz **p. p-e** stwierdzenie, zobowiązanie. Wypowiedź **p-a.**

piskorz Wić się, wyśliznąć się, wywinąć się jak **p.**: Wił się jak piskorz, krzyczał, miotał się jak oszalały. *Grabow. J. Opow. II, 104.* Wykręcać się jak **p.** ⟨*zręcznie*⟩: Musiałem się wykręcać jak piskorz. *Sienk. SPP.*

pismo ● 1. p. ⟨*sposób pisania; system znaków*⟩: Bite, czytelne, nierówne, niewyraźne, niewyrobione; kaligraficzne, zamaszyste **p.** ⟨*sposób pisania*⟩. **2. p.** ideograficzne, obrazkowe (obrazowe), egipskie, zgłoskowe (sylabiczne) ⟨*system znaków*⟩. **3. p.** drukowane ⟨*druk*⟩. **4. p.** maszynowe ⟨*rodzaj czcionek właściwy maszynom do pisania*⟩: Koperta [...] zawierała kartkę papieru pokrytą wyraźnym pismem maszynowym. *Hertz P. Sedan 35.* **5. p.** nutowe ⟨*nuty*⟩. **6.** (Ozdobne) **p.** rondowe ⟨*rondo*⟩. **7. p.** ręczne ⟨*w przeciwieństwie do druku pisane ręką*⟩. **8.** Własnoręczne **p.** czyje ⟨*charakter pisma właściwy tej osobie; tekst pisany ręką danej osoby*⟩: Czy to jest własnoręczne pismo pańskie? *Prus Dusze 147.* **9. p.** stenograficzne ⟨*stenografia*⟩. **10.** Wynalazek, wynalezienie pisma ⟨*sztuki pisania*⟩. **11.** Poznać czyje **p.** a. poznać (kogo) po piśmie ⟨*po charakterze pisma*⟩. **12.** Na piśmie ⟨*pisemnie*⟩: Dowód, układ na piśmie. Dać, mieć co, opracować co, potwierdzić, sformułować co na piśmie, złożyć oświadczenie na piśmie. **13.** Bronić (sprawy) słowem i pismem. Stwierdzić co pismem ⟨*na piśmie*⟩. **14.** *książk.* Utrwalać na piśmie a. w piśmie ⟨*zapisywać*⟩: Najdawniejsi już tłumacze musieli się zastanawiać nad swoją praktyką i od czasu do czasu jakąś myśl o niej utrwalali w piśmie. *Borowy Studia II, 7.* **15.** Władać jakim językiem w słowie (w mowie) i piśmie.

● 16. p. ⟨*list, dokument, dowód na piśmie*⟩: **p.** w sprawie czego. **17. p.** odręczne (przesłać) ⟨*tekst własnoręcznie pisany*⟩. **18. p.** oficjalne, urzędowe (wysłać, otrzymać). **19. p.** okólne ⟨*okólnik*⟩. **20. p.** sekretne, poufne. **21.** Doręczyć **p. 22.** Słać **p.** za pismem. **23.** Przesłać, wysłać, złożyć (komu), wystosować do kogo **p.** ⟨*list, wniosek, petycję itp.*⟩. **24. p.** ⟨*list, wniosek itp.*⟩ poszło, zostało wysłane. **25.** *przen.* Czuć, poczuć przeczuć, przewąchać, zwęszyć, zwąchać **p.** nosem ⟨*zorientować się w sytuacji, domyślić się, o co chodzi; przeczuć co*⟩: Dawne wyrażenie „poczuć piżmo nosem" dobrze się tłumaczyło, lepiej w każdym razie niż dzisiejsze powstałe z tamtego „poczuć pismo nosem". *Por. Jęz. 4, 1949, 33.* Słuchaj no Józiak... tyś chłopak niegłupi i zwąchasz pismo nosem. *Wol. Dom. II, 129.* Powąchać **p.** nosem: Miałem zupełnie w ręku tego chłystka [...] mogłem mu taką puścić fimfę, żeby siarczyście powąchał pismo nosem. *Łoz. Wal. Dwór. 252.*

● **26. p.** ⟨*czasopismo, dziennik*⟩: **p.** codzienne, periodyczne, ilustrowane, satyryczne, brukowe, literackie, polityczne, postępowe, społeczne. **27.** *daw.* **p.** czasowe ⟨*czasopismo*⟩: W przeciągu [...] trzydziestu kilku lat napotykamy tylko parę utworów jego [Bryndzy] w pismach czasowych. *Tyg. Ilustr. 199, 1863, 279.* **28.** Poczytne **p. 29. p.** tygodniowe ⟨*tygodnik*⟩. **30. p.** ulotne ⟨*ulotka*⟩. **31.** Numer, rocznik pisma. **32.** Dostać się na szpalty pisma ⟨*być publikowanym*⟩: W r. 1900 [...] zaczęły one [tj. bajki] dostawać się na szpalty pism warszawskich. *Hertz B. Bajki 6-7.* **33.** Prenumerować, redagować, wydawać, zawiesić **p. 34.** Ukazać się, zamieścić (artykuł), omówić, poruszyć jaką sprawę, wypowiadać się na łamach pisma: Czasem na łamach pism wypowiadał się w sprawie teatru. *Ower. Ramp. 359.* **35. p.** wychodzi, ukazuje się. **36. P.** św. ⟨*Stary i Nowy Testament*⟩. **37.** Uczony w piśmie: [W wierszu Mickiewicza] Faryzeusze, uczeni w piśmie, stają się jako „mędrcy" przedstawicielami zimnego i pysznego rozumu. *Kleiner Mick. II/1, 463; żart.* Nie jestem muzykologiem, a więc uczonym w piśmie znawcą wszystkich spraw muzycznych. *Rudz. Muz. 13.*

● **38. p-a** ⟨*dzieła*⟩: Pisma Mickiewicza, Sienkiewicza. Wybór pism Kraszewskiego. **39.** Pisma pośmiertne ⟨*dzieła wydane po śmierci czyjej*⟩. **40.** Pisma zbiorowe (jakiego autora) ⟨*dzieła wszystkie*⟩. **41.** Wydać pisma (jakiegoś autora).

przysł. **42.** Mowa — wiatr, a pismo grunt (*przysł. litewskie*).

pisnąć 1. Nie śmieć **p.** ⟨*nie śmieć się odezwać*⟩: Kiedy starszy przemówił, młodzież pisnąć nawet nie śmiała. *Makow. W. Dios. 96.* **2. p.** słowo (słówko) a. słowem (słówkiem) ⟨*powiedzieć co, odezwać się, donieść o czym*⟩: Nikt się nie domyśli o naszym współdziałaniu [...] nikt tu ani słowa nie piśnie. *Dzierzk. Rodzina 109.* O zagubionych pieniądzach słówka nikomu nie pisnął, tylko się truł sam w sobie. *Dygas. Złam. 42.* Jeśli słówkiem piśniesz, żeś mnie widział, opowiem wszystko. *Płomyk 1, 1952, 8.* **3.** Jak rak świśnie, a ryba piśnie ⟨*nigdy*⟩: Ty myślisz, że oni będą wojować? Akurat, jak rak świśnie, a ryba piśnie. *Was. W. Rzeki 93.*

piszczący p. głos ⟨*piskliwy*⟩.

piszczeć 1. Dziecko, pies, mysz, sowa, pisklę piszczy; wóz, koła wozu piszczą. **2. p.** c z y m: Wóz piszczał hamulcami. *Meis. Sams. 154.* **3.** (aż) **p.** d o c z e g o, aż **p.**, żeby, ażeby... ⟨*pragnąć czego bardzo*⟩: A któż piszczy do przeprowadzki? [...] ja bym tam jeszcze na starych śmieciach pomieszkał. *Kunc. Dni 46.* Każda aż piszczy, ażebym się z nią ożenił. *Prus Now. III, 44.* **4.** (aż) **p.** z c z e g o: z uciechy, z radości, z zachwytu. **5.** Co tam piszczy **na** dnie ⟨*co się w tym kryje*⟩: Ale co tam piszczy na dnie? [...] Nie chcą, aby Stanisław został w Błędomierzu. *Iwasz. J. Odbud. 45.* **6.** Dusza aż piszczy w kim ⟨*ktoś czegoś bardzo pragnie*⟩: Dusza aż piszczy we mnie, żeby to mieć swoją niewiastę kochaną, a co na którą spojrzę, to już tam inny żołnierz kwaterą stoi. *Sienk. Pot. I, 279.* **7.** Dopóki dusza w nim piszczy ⟨*dopóki żyje*⟩: Chłopa każe w worku u belki zawiesić i batogować, dopóki dusza w nim piszczy. *Wilk. P. Wieś II, 216.* **8.** Robota aż piszczy ⟨*jest pilna*⟩: Co za głupstwo! Tyle czasu zmarnować na stanie w ganku z założonymi rękami, gdy robota aż piszczy. *Zar. Wędr. 301.* **9.** *pot.* Wiedzieć, wyczuć, co w trawie piszczy ⟨*być zorientowanym w sytuacji*⟩: Niechaj się uczy, by wiedziała, co w trawie piszczy, i by słyszała, jak trawa rośnie. *Morc. Ptaki 171.* Te parę dni nauczyły mnie dużo. Wyczułem, co naprawdę w trawie piszczy. *Mort. Dni. I, 104.*

piśmienniczy Dorobek **p.** (kogo); twórczość **p-a** ⟨*literacka*⟩.

piśmienny 1. Człowiek **p.**: a) ⟨*umiejący pisać*⟩; b) *daw.* ⟨*oświecony, wykształcony*⟩: Radbym od was, piśmiennych ludzi, co słyszał. *L.* **2.** Dowód, dokument **p. 3. p-a** odpowiedź, polemika, rezygnacja; **p-e** zobowiązanie ⟨*na piśmie*⟩. **4.** Ćwiczenie **p-e**, egzamin **p.** [lepiej: pisemne, pisemny]. **5.** Język **p.** ⟨*język literacki pisany*⟩. **6.** Papier **p.** ⟨*na którym można pisać, nadający się do pisania*⟩. **7. p-e** zabytki ⟨*zabytki językowe pisane, w języku pisanym*⟩. **8. p-e** zbiory ⟨*zawierające dokumenty pisane*⟩: Pierwszymi u Greków piśmiennymi zbiorami były przysłowia, sentencje, gnomy, wyroki, które na tabliczkach zapisane, składano do świątyń lub przy nich zawieszano. *Lel. Bibliot. 10.*

pitka I do pitki i do wybitki (Ani do pitki, ani do wybitki) *por.* I do tańca, i do różańca.

pitny Miód, sok **p.**, woda **p-a** ⟨*zdatna do picia*⟩.

pityjski Odpowiedź **p-a** ⟨*dwuznaczna*⟩.

piwko (Młode) **p.** wyszumiało, *daw.* uchodziło się ⟨*młodość ustatkowała się, wyżyła się*⟩: Nieraz młode piwko się wyszumi, ale nic nie pozostawi, prócz brudnych mętów. *Gost. Przeszł. 120.* Szalona to za młodu była głowa, nim się piwko uchodziło. *Chodź. Pisma I, 339.*

piwny 1. Libacja **p-a** ⟨*polegająca na piciu piwa*⟩. **2.** Oczy, źrenice **p-e** ⟨*koloru piwa (brązowego)*⟩. **3.** Zupa, *daw.* polewka **p-a** ⟨*przyrządzana z piwa grzanego z serem*⟩.

piwo 1. Ciemne, jasne **p. 2. p.** angielskie, bawarskie, okocimskie, pilzneńskie. **3. p.** grzane. **4.** *pot.* Jedno **p.**; dwa, trzy piwa ⟨*jedna porcja; dwie, trzy porcje piwa*⟩: Zamówić, postawić trzy piwa. **5.** Antałek **p.** a. z piwem. **6.** Butelkować **p.** ⟨*rozlewać do butelek*⟩: Całe sąsiedztwo sproszone zostało [...] piwo butelkowano, wódki nalewano na owoce i słodzono. *Krasz. Siekierz. 162.* **7.** Ściągać **p.** do antałków. **8.** Warzyć **p. 9.** Pić **p.**; pójść, wstąpić na **p.** (na kufelek piwa); siedzieć przy piwie. **10.** Nawarzyć (komu, sobie) piwa ⟨*spowodować kłopot, nieprzyjemność*⟩: Ja cię przestrzegam [...], że możesz nam wszystkim, jak jesteśmy, piwa nawarzyć. *Jun. Bracia 70.* Pani Kasztelanowa napisała list i przez to nawarzyła piwa, a teraz nic nie chce zrobić, żeby umitygować brata. *Skarb. Starosta 106.* **11.** *daw.* **p.** z sieczki warzyć ⟨*robić próżną robotę, bez sensu*⟩. **12.** Pić **p.**, którego się sobie nawarzyło ⟨*ponosić konsekwencje swego postępowania*⟩: Ha!

nawarzyliście sobie sami piwa, teraz je tedy pijcie! *Jun. Bracia 102.* Kiedy Piłka piwa nawarzył, niech Piłka go [je] wypije. *Dzierzk. Obrazy 61.* Kwaśnego bardzo, hrabio, nawarzyłeś piwa, rad nie rad pić go [je] musisz. *Zabł. Dzieła II, 241.* **13.** Z tego piwa nie będzie ⟨*nic z tego*⟩: Konkluzja może być taka, że z tego piwa nie będzie i kwasu, i że od kobierca nawet się wracają częstokroć. *Chodź. Pisma I, 257.* **14.** Młode **p.** burzy ⟨*młodość szumi, szaleje*⟩: I w rzeczy samej, któryż młody nie szaleje? Kto słyszał, żeby młode nie burzyło piwo? *Zabł. Dzieła II, 172.* **15.** *pot.* **p.** rozbiera kogo ⟨*działa na kogo*⟩.

przysł. **16.** Jakiegoś piwa (piwka) nawarzył, takie (wy)pij ⟨*ponieś konsekwencje swego postępowania*⟩. **17.** Młode piwo musi wyszumieć ⟨*młodość musi się wyżyć*⟩.

piwonia Czerwienieć, (za)czerwienić się, pokraśnieć, (za)rumienić się, płonąć jak **p.**

piżmo 1. Woń, zapach piżma. **2.** Pachnieć piżmem. Poczuć, przeczuć, przewąchać, zwąchać **p.** nosem ⟨*przeczuć co, domyślić się czego*⟩ *zob.* pismo.

plac 1. p. miejski, publiczny. **2.** Pusty, nie zabudowany **p. 3. p.** składowy ⟨*służący za skład czego, np. desek*⟩. **4. p.** targowy (targowisko). **5. p.** tenisowy ⟨*kort*⟩. **6. p.** Teatralny, Zamkowy (w Warszawie). **7.** *daw.* wakujący **p.** ⟨*miejsce, stanowisko*⟩: Dopiero po oduczeniu pięciu kursów mógł teologii profesor przy wakującym placu ubiegać się o doktorstwo teologii i miejsce między ojcami uniwersytetu. *Śniad. Pisma I, 61.* **8.** *przestarz.* **p.** wyścigowy ⟨*pole wyścigowe*⟩. **9. p.** bitwy. **10. p.** ćwiczeń, musztry, zbiórek. **11. p.** budowy ⟨*miejsce*⟩. **12. p.** d o c z e g o, np. **p.** do zabaw, do ćwiczeń. **13. p.** p o d c o: **p.** pod pomnik, pod budowę (domu). **14.** *przestarz.* Dać **p.** komu ⟨*ustąpić*⟩: Daliśmy wszyscy plac gospodarzowi, poznawszy, iż ma upodobanie sam jeden gadać i być słuchanym. *Kossak. Ksiądz 22.* **15.** Nie dotrzymać, *daw.* nie dostać placu ⟨*nie sprostać, nie oprzeć się komu*⟩: Podufaj Panie naszej i szabli, i zbroi, a uznasz, że nam Turczyn placu nie dostoi. *Rzew. J. Zabaw. 69.* **16.** *przestarz.* Pierzchnąć z placu ⟨*uciec*⟩: Wraz wszyscy pierzchać z placu poczęli. *Zabawy III/1, 52.* **17.** *przestarz.* Robić plac komu ⟨*robić miejsce, ustępować z drogi*⟩: Sam wjazd od portu do zamku trwał dobre dwie godziny, bo nikomu tam nie robiono wielce placu. *Konopn. Ludzie 224.* **18.** *daw.* Stanąć, znaleźć się na placu ⟨*stanąć do walki, do pojedynku*⟩: Stawaj na placu, taki synu, bierz w łapę pistolet, a nie, to cię fagasom każę rozszarpać na szczątki. *Żer. Grzech 51.* W chwili stanowczej znalazła się na placu siła polska o połowę słabsza od tej, na jaką liczył Kościuszko, wyjeżdżając z Warszawy. *Korzon Wewn. VI, 291.* **19.** *daw.* Umrzeć na placu ⟨*na miejscu*⟩: Wypiwszy duszkiem półtora garnca starego wina, umarł na placu. *Kras. Hist. 16.* **20.** Ustępować z placu ⟨*ustępować, wycofywać się; być w regresji*⟩: Nudna „monumentalna rzeźba" [...] choć ustępuje już z placu, ma jednak jeszcze dużo zwolenników. *Witk. Sztuka 573.* Po obiedzie ustępuje z placu... Niech się Gucio żeni. *Krasz. Pan. 145.* **21.** Zostać, pozostać na placu: a) ⟨*zostać*⟩: Koło stołu już było luźniej [...] Został na placu wujcio Michał, który teraz dopiero dorwał się do opowieści o swym potwornym krachu. *Żer. Przedw. 135.* Pozostał na placu jako aspirant do ręki panny Aliny. *Weys. Żywot 43;* b) ⟨*polec, zginąć*⟩. **22.** Co na placu to nieprzyjaciel *zob.* Co na drodze to nieprzyjaciel: Siadaj i zajadaj, co na placu to nieprzyjaciel: sztuka mięsa dobra, przybyłeś na nią w samą porę. *Krasz. Int. 122.*

przysł. **23.** Kto się śmierci boi, placu nie dostoi.

placek 1. p-i wielkanocne. **2. p.** z powidłami, ze śliwkami, z serem, z makiem, z rodzynkami, **p.** przekładany. **3.** Kukurydzowy (kukurydzany, kukurydziany), owsiany **p.**; **p.** jęczmienny a. z jęczmienia. **4.** Piec **p-i** (wielkanocne, owsiane). **5.** Smażyć **p-i** (kartoflane). **6. p-i** łysiny: Włosy układała starannie w ten sposób, żeby nie było widać żałośnych placków łysiny. *Jaroch. Niemił. 63.* **7.** Kłaść się, leżeć, padać plackiem ⟨*kłaść się na brzuchu, padać na twarz; przen. uwielbiać bezkrytycznie*⟩: Pies wilczek mijał ją w podskokach i kładł się plackiem pokornym na jej drodze. *Goj. Pow. 124.* Myślałam, że jej zawrócisz głowę, że padnie przed tobą plackiem. *Krasz. Szalona 75.* **8.** Brać co pod **p-i** ⟨*używać jako podkładki przy pieczeniu ciasta (żartobliwie o utworze nieudolnym, nie nadającym się do druku)*⟩: Wiersze te nadają się tylko do tego, aby je brać pod **p-i**.

plaga *daw.* Dać, wziąć **p-i** ⟨*chłostę*⟩. Wyliczyć komu sto plag ⟨*razów, uderzeń*⟩. (A) to istna p.! ⟨*męka, utrapienie, nieszczęście*⟩.

plama, plamka 1. p. jasna, ciemna, barwna, biała, czarna itp.; tłusta **p.**; w znaczeniu *przen.* ⟨*hańba*⟩; **p.** moralna; **p.** niezatarta, niezmazana, wieczna **p. 2. p.** atramentu a. od atramentu, wilgoci, zacieku, krwi; **p-y** ognistych rumieńców. **3.** Ceglaste **p-y** (na twarzy), sine **p-y** (pod oczami). **4. p-y** wątrobiane. **5. p.** n a c z y m, np. **p.** na ubraniu; na ciele; *przen.* na sumieniu, na honorze, na nazwisku. **6.** Białe **p-y** ⟨*miejsca w dzienniku wykreślone przez cenzurę, pozostawione jako puste*⟩: Numer wyszedł z białymi plamami. *Putr. Rzecz. 149.* **7.** Rycerz bez plamy (bez skazy). **8.** *astr.* **p-y** słoneczne a. na Słońcu. **9.** Czyścić, wyczyścić (na ubraniu), wywabić (z ubrania) plamę. **10.** Dostać plam (na ciele). **11.** Odrzynać się, odcinać się jasną (jaskrawą) plamą od (ciemnego) tła. **12.** Oczyścić z plam, zmyć, zmazać, zetrzeć plamę ⟨*zrehabilitować się*⟩: Jeżeliście co w tym karnawale ostatnim zgrzeszyły, to teraz czas jest pokuty, oczyszczenia się ze wszystkich plam. *Prz. Tyg. Życia 7, 1875, 81.* Chciał zmyć plamę ciążącą na imieniu stryja. *Sokoł. A. Stycz. 333.* **13.** *daw.* Ponieść plamę na czym: Niedawnoś straszną poniósł plamę na honorze. *Zabł. Firc. 106.* **14.** Rzucić plamę na co, okryć co plamą (imię czyje) ⟨*zniesławić*⟩. **15.** Szukać plam na słońcu ⟨*doszukiwać się wad tam, gdzie ich nie ma*⟩: Tradycyjna sława Homera [...] drażniła chwalców teraźniejszości i kazała im [...] szukać plam na jego słońcu. *Sinko Lit. I/1, 38.* Znaleźć na czym plamę: Przysięgam, że ni na mojej tarczy, ni na moim sumieniu najmniejszej plamy nie znajdziesz. *Sienk. Pot. I, 136.* **17.** *pot.* **p.** nie chce puścić ⟨*nie daje się wywabić*⟩. **18.** Czarne, jasne **p-y** migocą (zamigotały) komu przed oczami. **19. p-y** występują komu na czym a. na co (na policzkach, na twarzy, na szyi a. na policzki itp.). **20. p.** pada na kogo, na cześć czyją, imię czyje. (Żadna) **p.** nigdy nie postała na czci kogo.

plamisty 1. Kolor **p.** ⟨*łatwo przyjmujący plamy*⟩: Kolor biały jest bardzo plamisty. *SW.* **2.** Tyfus (dur) **p.** **3.** *zool.* Hiena **p-a.**

plamka *zob.* plama **1.** Niebo bez plamki ⟨*bez chmurki, zupełnie czyste, pogodne*⟩. **2. p.** na oku ⟨*cętka, zwykle rudego koloru na tęczówce*⟩. **3.** *zool.* **p.** oczna ⟨*u pierwotniaków plamka wrażliwa na światło*⟩. **4.** *anat.* Ślepa **p.** siatkówki. Żółta **p.** siatkówki ⟨*miejsce najbardziej czułe na światło*⟩. **5.** Nie mieć (na sobie) żadnej plamki ⟨*być zupełnie czystym*⟩.

plan 1. Ambitne, awanturnicze, dalekosiężne, fantastyczne, szerokie, wielkie **p-y** ⟨*pomysły, zamiary, zamysły*⟩; szatański **p.**; **p-y** małżeńskie (czyje). **2. p.** roczny, trzyletni, pięcioletni, sześcioletni itp.; długoterminowy (długofalowy) ⟨*zarys działalności, pracy w jakimś zakresie na określony przeciąg czasu*⟩. **3.** (Narodowy) **p.** inwestycyjny; **p.** produkcyjny, techniczny (produkcji), wydawniczy; **p.** generalny, indywidualny, szczegółowy; ramowy **p.** (płacy); **p.** mobilizacyjny, operacyjny, wojenny. **4. p.** c z e g o: ataku, bitwy, wojny, kampanii, podboju, wyprawy; podróży; uzbrojenia, rozbrojenia, reformy; odbudowy i rozbudowy (miasta), rozwoju (rolnictwa, przemysłu itp.); urlopów; **p.** zemsty; **p.** działania, pracy; lekcji (w szkole), zajęć, wykładów (na wyższej uczelni); obrotu towarowego, wydobycia węgla. **5. p.** c o d o c z e g o; n a c o ⟨*projekt, zamiar, zamysł*⟩: Obmyślił plany co do owego spadku. *Dąbr. M. SPP.* Jakie są twoje plany na przyszłość? Jaki zawód sobie obierzesz. *Orzeszk. Wacł. III, 204.* **6. p-y** o c z y m: Snuli plany o [...] świetnej przyszłości. *Bobr. Matka 155.* **7. p-y** w c z y m: **p-y** w polityce zagranicznej. **8. p.** budynku, miasta, fortecy ⟨*rysunek, szkic sytuacyjny*⟩. **9. p.** sytuacyjny (miasteczka). **10.** *poligr.* **p.** układu graficznego gazety ⟨*makieta*⟩. **11. p.** utworu literackiego, pracy naukowej ⟨*szkic kompozycji utworu, pracy*⟩. **12.** Drugi, dalszy **p.** obrazu ⟨*odległość (od oka patrzącego), perspektywa*⟩. **13.** Według z góry ułożonego planu (pracować, działać). **14.** *daw.* Z planu ⟨*planowo, celowo*⟩: Żaden figiel ani pochlebstwo zbliżyć nas do niego nie mogły, widać z planu unikał towarzyszów. *Krasz. Wybór. 17.* **15.** Coś jest w planie kogo ⟨*ktoś coś planuje*⟩. **16.** Działać według planu (z góry ułożonego). **17.** Kreślić, układać plany (zabaw, wycieczek). **18.** Mieć co w planie: Nie miał w planie ucieczki. *Otw. Czas. 50.* **19.** Mieć na kogo **p-y**: Wydała mamę i barona z sekretu, że na mnie mają już pewne plany. *Krasz. Seraf. 56.* **20.** Mieć swoje **p-y** co do czego: Co do przyszłości miała swoje plany. *Kosiak. Now. 49.* **21.** Nosić się z planem a. z planami ⟨*planować co, mieć plany*⟩. **22.** Przyjść z gotowym planem ⟨*ze skonkretyzowanym pomysłem*⟩. **23.** Roić **p-y** czego. **24.** Rysować **p.** (budynku). **25.** Nakreślić, obmyślić, popierać, powziąć, przeprowadzić, wprowadzić w życie, wykonać, wypracować, zmienić **p. 26.** (Po)krzyżować, pomieszać (komu) **p-y**, zniweczyć czyje **p-y**: Przyszła reformacja i biskupom pokrzyżowała plany. *Bobrz. Dzieje II, 88.* **27.** Schodzić (zejść), spychać (zepchnąć), ustępować (ustąpić), usuwać (usunąć) na daleki, dalszy, ostatni **p.**: Pierwotny sens obrzędu schodzi na dalszy plan, obrzęd zmienia się w zabawę. *Bystr. Kult. 313.* Wiek XIX dzielnicę staromiejską i nowomiejską [...] zepchnął na plan ostatni. *Gomul. Hist. ulic 6.* **28.** Snuć (szerokie, śmiałe, fantastyczne itp.) **p-y**: Cesarzowa Katarzyna, ująwszy w swą rękę rządy Rosji w końcu 1762 r., snuła zaraz plany ambitne w polityce zagranicznej. *Korzon Wewn. III, 37.* **29.** Sporządzić, zrobić, *daw.* zdjąć **p.** (miejscowości). **30.** Trzymać się planu. **31.** (U)knuć (zdradziecki, szatański) **p. 32.** Ukrywać swoje **p-y** przed kim. **33.** Ułożyć **p.** (książki, wycieczki, zemsty). **34.** Urządzić co z planem: Urządził [...] wszystko z planem, żeby mieć każdą rzecz pod ręką. *Rus. Człow. 54.* **35.** Wchodzić w **p.** czego: Opisy bitew nie wchodzą w plan dzieła niniejszego. *Korzon Wewn. VI, 320.* **36.** Włóczyć się (po ulicach) bez planu ⟨*bez celu*⟩. **37.** Wtajemniczać kogo w swoje **p-y**: Nie uważał za konieczne wtajemniczać w swoje plany ani żony, ani nikogo z rodziny. *Mort. Dni I, 28.* **38.** Wykonać, wyprodukować ponad **p.** (pewną ilość czego). **39.** Wykonać, *pot.* wyrobić **p.** (w x procentach). **40.** Wystąpić z planem (czego). **41.** Usunąć (co) na dalszy **p. 42.** Wytknąć sobie **p.** (działania). **43.** Zamówić (u architekta) **p.** (domu). **44.** *pot.* Zawalić **p.** (produkcji). **45.** Zwierzać się ze swych planów (komu). **46. p.** dojrzewa, przewiduje (wykonanie czego), powiódł się, rozbił się o co, rozchwiał się, spełzł na niczym, udał się, upadł, wziął w łeb, zarysowuje się; **p.** (roczny) jest zagrożony; został wykonany. **47. p-y** (czyje) runęły. **48. p.** (czego) zrodził się w czyjej głowie.

planowanie 1. p. długookresowe, długofalowe. **2. p.** przestrzenne, gospodarcze. **3.** Wydział, departament planowania. **4.** Szkoła (główna) planowania i statystyki.

planowy 1. p-a akcja, działalność, praca; **p-e** szkolenie ⟨*realizowane według planu*⟩. **2. p.** odjazd, przyjazd (pociągu) ⟨*o ściśle oznaczonym, z góry zaplanowanym czasie*⟩.

plaster, plasterek 1. p. kiełbasy, szynki, sera. **2.** Krajać (wędlinę, ser, owoce) na plastry, na plasterki, w plastry, w plasterki. **3.** Przyłożyć **p.** (do rany, na bolące miejsce): *przen.* Pieprzny mu plaster przyłożył do rany ⟨*zamiast ulgi dodał mu boleści*⟩. *SW.* **4.** Plasterek przyłożyć ⟨*chcieć zaspokoić byle czym*⟩. *SFA.*

platforma 1. p. kolejowa ⟨*wagon towarowy odkryty*⟩. **2.** *przestarz.* Przednia, tylna **p.** tramwaju ⟨*przedni, tylny pomost*⟩. **3. p.** wozu, samochodu ciężarowego; *przen.* ⟨*podstawa, zasada*⟩. **4. p.** polityczna, ideologiczna. **5. p.** dyskusji, porozumienia, wspólnej walki przeciwko komu lub czemu. [!] Stać na platformie czego ⟨*opierać się na czym, przyjmować co za podstawę czego*⟩.

platoniczny p-a sympatia; **p.** stosunek; **p-e** rojenia: Może istnieć platoniczny stosunek, ale miłość platoniczna jest takim samym nonsensem jak np. nie świecące słońce. *Sienk. Bez dogm. III, 99.* **p-e** małżeństwo.

platynowy p-a plomba (w zębie). *przen.* **p-e** włosy ⟨*bardzo jasne, koloru platyny*⟩. **p-a** blondynka, blondyna.

pląs W pląsach ⟨*w podskokach tanecznych*⟩: W żywych pląsach wbiegł do pokoju. *Bog. Rodin II, 205. daw.* dziś *poet.* lub *żart.* Pójść, puścić się w **p-y** ⟨*w taniec*⟩: Potem ktoś zaczął brzdąkać na fortepianie — jedna i druga para puściła się w pląsy. Reszta zdradzała niedwuznaczną skłonność do snu. *Jesien. Świt 12. przen.* Po błoniach w pląsy puścił się zefir i motylami pomiata. *Dygas. Now. V, 159.*

plątać się 1. Nici się plączą ⟨*gmatwają, supłają*⟩. **2. p. się** w c z y m ⟨*gmatwać się, wikłać się*⟩: **p. się** w odpowiedzi, w zeznaniach. **3. p. się** m i ę d z y c z y m: O Boże — wzdychała Karolina plącząc się między pniami w prawo i lewo. Długo tak szła w nocy. *Żer. Przedw. 215.* **4. p. się** p o c z y m a. n a c z y m: Spal to przecież, niech się to nie plącze po mieszkaniu. — I ruchem palców popchnął po stole pomięte kartki maszynopisu. *Nałk. Z. Gran. 290.* Plątał się po domu bezczynnie. *Nałk. Z. Niec. 51.* Zaangażował on gromadę mierności, które nie rozumiem na co, plątały się na scenie. *Tyg. Ilustr. 110, 1870, 68.* **5.** Coś komu plącze się po głowie ⟨*ktoś o czymś myśli*⟩: Po głowie plączą się różne myśli, ułamki rozmów, wątpliwości i niepokoje. *Kowalew. M. Kamp. 82.* **6. p. się** pod nogami: Zapadał się w śniegu, kożuch plątał mu się pod nogami. *Żukr. Piór. 128.* **7. p. się** w c o ⟨*wikłać się w co*⟩: Szczęsny Potocki, póki nie wpadł w sidła Wittowej, chował ściśle uczciwość małżeńską i w żadne się uboczne miłostki nie plątał. *Czartk. Tulcz. 17.* **8. p. się** komu w głowie ⟨*mącić się, kręcić się*⟩: Plątało mi się w głowie wszystko razem: domysły, informacje, ubiegłe fakty. *Brand. K. Troja 222.* **9.** C o ś plącze się z c z y m ⟨*miesza się*⟩: W izbie szare światło poranku plątało się z czerwonym blaskiem ognia. *Prus Plac. 126.* **10.** Język się komu plącze ⟨*ktoś bąka, mówi bez związku*⟩: Język mu się plątał, gdy przyszło coś dłużej opowiedzieć. *Kosiak. Rick I, 14.* **11.** Myśli plączą się komu ⟨*mącą*⟩: W mnogich zdarzeń i wniosków natłoku myśli samopas plączą się bezładnie. *Mick. Graż. 32.* **12.** Nogi się komu plączą ⟨*ktoś chwieje się na nogach, idzie niepewnym krokiem, słania się*⟩: Hesia czuła bezwiednie wlepione w nią spojrzenia konkurenta i plątały się jej trochę nogi. *Krzyw. I. Bunt 83.*

pleciony p. fotel, **p-e** sandały.

plecy 1. Atletyczne, barczyste, chude, szerokie, wąskie; przygarbione, zgarbione **p.**; **p.** pałąkowate, zgięte w kabłąk. **2.** Szeroki, rozrosły w plecach. **3.** Bóle pleców. **4.** Cios batem przez **p.**; nożem w **p. 5. p.** marynarki, palta, sukni ⟨*tylna część garderoby przypadająca na plecy*⟩. **6. p.** krzesła, łóżka, kanapy ⟨*oparcie*⟩. **7.** Bić, klepać kogo (się wzajemnie) po plecach. *Krzyw. I. Gorzk. 33.* **8.** Brać, wziąć kogo, co (dziecko, worek), zarzucić sobie co na **p.** (tobołek, strzelbę, chustkę), przerzucić, przewiesić przez **p.** (łuk). **9.** Czochrać się, trzeć się plecami o co (o ścianę, o futrynę). **10.** Dźwigać, nieść co na plecach (walizkę, worek itp.); iść z czym na plecach (ze strzelbą). **11.** Leżeć, spać na plecach ⟨*na wznak*⟩. **12.** Obnażyć **p. 13.** Oprzeć się o co, przywrzeć do czego, wesprzeć się o co plecami. **14.** Prostować **p. 15.** Dreszcz, ziąb, mrowie (prze)chodzi (komu), przebiega po plecach. **16.** Siedzieć, stać plecami do kogo, do czego ⟨*odwrócony tyłem do kogo, czego*⟩. **17.** Spadać komu na **p.** (o włosach): Włosy oswobodzone ze szpilek spadają jej na plecy. *Par. Niebo 272.* **18.** Uderzyć, palnąć kogo w **p.**, ściągnąć kogo przez **p. 19.** Założyć ręce za **p.** ⟨*spleść je z tyłu*⟩. **20.** Zasłonić kogo, co a. komu co plecami. **21.** Zdjąć co z pleców (tobołek). **22.** Zwrócić się plecami do czego ⟨*tyłem*⟩: Siedział [...] plecami zwrócony do okna. *Orzesz. Z różnych III, 348.* **23.** *euf.* Kolanem w plecy ⟨*uderzając kolanem w tyłek wyrzucić kogo; przen. usunąć z pracy*⟩: Dali robotę ważną, pensję piękną, a potem powiedzieli, że niezdolny i kolanem w plecy! *Orzesz. Iskry 43.* **24.** (Po)za plecami kogo ⟨*poza kim, bez jego wiedzy*⟩: Poza jego plecami romansowała z kim innym. *Chłęd. Hist. 127.* Wszyscy go nazywali „Zyziem" (zdrobniałe Zygmunt), a poza plecami: Zyzem, ponieważ miał jedno oko zezowate. *Ower. Ramp. 352.* **25.** Chować się, kryć się za czyimi plecami a. za czyje **p.** (również *przen.*): Kryjecie się za moimi plecami, zamiast spotkać się ze mną oko w oko! *Leśm. Klech. 213.* Jesteś nędznym tchórzem [...] Chowasz się za moje plecy przed odpowiedzialnością za to, coś zrobił. *Meis. Sześciu 123.* **26.** *daw.* Dawać sobie **p.** ⟨*wspierać się wzajemnie plecami*⟩: Wołosi i Węgrzy trzymali się karniej od naszych, niełatwo się dawali rozrywać, tworzyli ciała zbite i plecy sobie dawali, była tam u nich jeszcze jakaś komenda. *Kaczk. Olbracht. II, 369.* **27.** Mieć **p.**: a) ⟨*mieć protekcję*⟩: Na stanowiska urzędowe dostawali się nie ci, którym należały one się wedle zasług, lecz ci, którzy silniejsze mieli „plecy". *Wędr. 43, 1901, 856*; b) *daw.* Mieć za sobą a. w kim **p.** ⟨*mieć protektora w kim*⟩: Wszyscy radzi mieć po dawnemu twoje plecy za sobą w Nieświeżu. *Rzew. H. Pam. 285.* Miałem plecy w namiestniku. *Łęt. Wspom. 119.* **28.** (Mieć) **p.** giętkie: Umie koło swoich interesów chodzić. Głowa dobra, plecy giętkie. *Jun. Now. 175.* **29.** *przen.* Nadstawić pleców ⟨*szukać guza*⟩: Gdzie kto nahajkę podniesie, to ty musisz mu zaraz swoich pleców nadstawić. *Kaczk. Olbracht. II, 126.* **30.** Obrócić się, odwrócić się plecami do (od) kogo, czego: Odwracali się ode mnie plecami, dając mi niedwuznacznie do zrozumienia, że tu pomiędzy nimi jestem intruzem. *Wędr. 43, 1901, 859.* Nie będzie chciał nigdy słuchać złej muzyki, obróci się plecami do szmirowatego oleodruku. *Brosz. Feliet. 24.* Nie przemówiwszy do nikogo słowa wprost od stołu pokazała wszystkim plecy. *Orzesz. Melanch. II, 159.* **31.** Pochylić, zgiąć, przygarbić **p.**: *przen.* Wiek pochyli plecy [...] ognik w oku jak ogarek świecy zatli się i przygaśnie, świat się nagle ściemni — i już będzie tu po nas. *Dobrow. S. Rzecz. 34.* **32.** Pokazać **p.** ⟨*uciec*⟩: Mieczowi haniebnie plecy pokazali. *Rzew. H. Zamek 331.* **33.** Zadać komu cios w **p.** ⟨*zaatakować kogo znienacka, podstępnie, wtedy kiedy się tego najmniej spodziewa*⟩: Wtem ktoś krzyknął: zdrada! [...] że to nam niby cios w plecy zadano. *Dobrow. S. Spart. 118.* **34.** *pot.* Wziąć manatki na **p.** ⟨*zabrać swoje rzeczy*⟩: — Chociaż najlepiej — podług mnie, to wziąć manatki na plecy i dalej! — dokąd oczy poniosą. *Dąbr. M. Noce II, 113.* **35. p.** kogo bolą, broczą krwią (pod batem). **36. p.** czyje zgarbiły się a. garbią się komu (coraz więcej).

plemię (*lm* plemiona) **1.** Człowiecze, ludzkie, *daw.* Adama **p.** ⟨*ród ludzki*⟩: Dam ci w dziedzictwo wszystko ludzkie plemię. *Kochan. SW.* **2.** Gadzinowe, jaszczurcze, podłe, wężowe **p.** ⟨*nikczemnicy, zwykle o zakonie krzyżackim*⟩: Łacno rajtarom i bratom łby zmieciem, potem fusknechtów wziąwszy pod podkowy do szczętu plemię jaszczurcze wygnieciem. *Mick. Graż. 31.* **3.** Dzikie **p-a, p-a** koczownicze ⟨*szczepy*⟩. **4. p-a** germańskie, słowiańskie; afrykańskie, mongolskie, kaukaskie, indiańskie itp. *przen.* Poeta jakiś z plemienia „dekadentów" nadesłał do redakcji wiersz. *Boy Znasz 99.*

plenarny Posiedzenie **p-e** (np. sejmu) ⟨*z udziałem wszystkich członków*⟩.

plenipotencja 1. Generalna, nieograniczona, zupełna **p. 2. p.** rejentalna. **3. p.** o d k o g o — n a c o, n a i m i ę c z y j e, d o c z e g o a. c z e g o: Oto plenipotencja na imię moje wydana przez barona. *Orzesz. Eli II, 12.* **4.** Dać, mieć, otrzymać, wziąć plenipotencję: Mam zupełną plenipotencję do ukończenia interesu. *Krasz. Latarn. II, 35.*

plenum 1. p. kongresu, komitetu centralnego (partii), zarządu głównego (związku zawodowego), sejmu, zjazdu. **2.** Rozszerzone **p. 3.** Obrady, posiedzenie **p.**: Obrady IX Plenum KC PZPR. **4.** Postawić, przedstawić, rozważyć (sprawę) na **p. 5. p.** odbyło się. **6. p.** uchwaliło (rezolucję), ustaliło (wytyczne).

pleść 1. p. c o: łapcie, kobiałki, rogoże; włosy, warkocze, bizun w sześcioro; wianek. **2. p.** o k i m, o c z y m: **p.** o sztukach pięknych. A gdym z tobą — mniejsza o to, co tam ludzie o nas plotą. *Świdz. Poezje 62.* (Sam) nie wie, co plecie. **3. p.** c z y m: Kwiecień — plecień, bo plecie niby zimą, niby latem, a przeplata wszystko kwiatem. *Dyak. Przyr. 95.* **4. p.** c o — z c z e g o: Kosz z wikliny, rogoże z łyka. **5.** *pot.* **p.** bajdy (bajki), bzdurstwa, coś bez związku, ni to, ni owo; niestworzone rzeczy, od rzeczy, trzy po trzy; że to ni przyszyć, ni przyłatać ⟨*mówić niedorzeczności, rzeczy bez sensu*⟩: Plótł trzy po trzy. *Skiba Poziom. 261.* Kurosz, kiedy był głodny, miewał najlepszy humor i plótł niestworzone rzeczy. *Jun. Wod. 20.* Ty już zupełnie od rzeczy pleść zaczynasz. *Perz. Szczęście 175.* **6. p.** jak opętany, jak stara baba, jak w gorączce: Chryzostom się zniecierpliwił, wstał i powiedział mu z wielkim naciskiem: — Pleciesz jak opętany. *Kaczk. Olbracht. II, 105.*

plewa 1. Oczyścić, wyłuskać ziarno z plewy, *przen.* ⟨*oddzielić rzeczy wartościowe od bezwartościowych*⟩: Ponieważ nie chciał sobie zadawać pracy oczyszczania ziarna z plewy, łowił te tylko wrażenia, które najjaskrawiej stawały mu przed oczyma. *Choj. Alkh. I, 35.* **2.** Brać plewę za ziarno: To taka przykra i upokarzająca rzecz brać towarzyską plewę za ziarno! *Sienk. Połan. II, 254.* **3.** Odróżniać ziarno od plewy: Pamięć ludu jest sprawiedliwa. Potrafi odróżnić ziarno od plewy. *Pomian. Widow. 79.* **4.** Brać, wziąć, ułowić, złowić, złapać kogo (starego wróbla) na **p-y** ⟨*łudzić, wprowadzić w błąd, oszukać*⟩. **5.** Łapać się, dać się nabrać, złapać na **p-y** ⟨*dać się oszukać*⟩. To mnie obraża, że ludzie mnie mogą mieć za tak łatwowiernego, że się dam złapać na plewy. *Chłęd. Pam. II, 196.* Zna się dobrze na tym wszystkim i jego już nikt nie nabierze na plewy! *Morc. Ptaki 11.* **6.** Być plewą na wiatr rzucaną: Aby słowa nie były plewą na wiatr rzucaną, trzeba ją obciążyć cetnarami nauki. *Libelt Pedag. 44.*

przysł. **7.** Starego wróbla nie weźmiesz na plewy (Nie da się stary wróbel na plewach ułowić).

plomba p. (w zębie) cementowa, metalowa, porcelanowa, złota, platynowa. **p.** ołowiana, metalowa (na drzwiach, worku). Założyć, zdjąć plombę. Zerwać [nie: zniszczyć] plombę.

plon 1. Bogate, sowite, obfite, mizerne **p-y. 2. p.** jesienny; **p-y** rolne. **3. p.** zbóż, buraków; *przen.* **p.** pracy (literackiej), poszukiwań, obrad. **4. p.** z hektara. **5.** Dać, przynieść, osiągnąć, uzyskać (dobre) **p-y. 6.** Doczekać się plonu. **7.** Podnieść, podwyższyć **p-y. 8.** Zniszczyć **p-y** (o gradzie, szarańczy itp.). **9.** Być plonem czego ⟨*rezultatem*⟩: Plonem naszej pracy były nie tylko wyniki naukowe, ale i zdobycie ludzkich serc. *Hirsz. Hist. 37.* **10.** Wydać, zebrać (bogaty, pierwszy) **p.** a. (bogate, pierwsze) **p-y**; *przen.* Wycieczka na Krym wydaje jako plon wspaniałe sonety krymskie. *Boy Mick. 233.* Mogę z dumą stwierdzić, że mój wysiłek wydał bogaty plon. *Hirsz. Hist. 60.* Nie patrzcie, czy wam przypadnie plon zbierać. Naprzód! — a z piersią do poświęceń zdolną! *Rom. Poezje IV, 89.* Zbierać bogate umiejętności plony. *Mrong. SW.* **11. p.** dojrzewa.

plotka 1. Bzdurne, kłamliwe, rodzinne, wyssane z palca, złośliwe **p-i**; dziennikarska **p.** ⟨*wiadomość nieprawdziwa*⟩. **2. p.** a. **p-i** o k i m, o c z y m. **3.** Dawać powód do plotek. **4.** Narazić kogo na **p-i. 5.** Coś okazuje się plotką, zakrawa na plotkę. **6.** Opowiadać, powtarzać, roznosić, (roz)puszczać, puszczać w kurs, rozsiewać, szerzyć **p-i**: Ja nie lubię powtarzać plotek, mówić coś złego o ludziach, póki się sama nie przekonam. *Tyg. Ilustr. 36, 1904, 682.* **7.** Przynosić **p-i. 8.** Puścić, zmyślić plotkę (puszczać **p-i**): Wcale się na nią nie gniewałem! Któż to znowu puścił taką plotkę? *Reym. Now. V, 180.* **9.** Robić **p-i**, narobić plotek (na kogo, o kim): — E, moja mała [...] Nie rób plotek o koleżankach. *Meis. Sams. 113.* **10.** (Miasto, wieś, dom) trzęsie się, wrze od plotek. **11. p-i** chodzą (o kim, o czym; że...), dochodzą (do kogo), kursują, krążą, powstają: Pan Kazimierz złożył nam wizytę, z czego znów powstała plotka, że stara się o rękę naszej Kloci. *Jun. Now. 95.* **12. p.** gruchnęła (o czym), (po mieście), że...; dobiegła do kogo.

przysł. **13.** Plotka wyleci wróblem, a wraca wołem.

plucha 1. Okropna, obrzydliwa **p.** ⟨*deszcz, niepogoda*⟩.

przysł. **2.** Gdy w maju plucha — w czerwcu posucha.

pluć, plunąć 1. p. c z y m: flegmą, krwią; *przen.* Pluli na nas kulami. *Jun. Dworek 62.* Karabin plunął długą serią. Łuski posypały się jak groch. *Żuł. Rzeka 85.* Silnik zaczął gdakać, plując błękitnym dymem. *Meis. Arkt. 100.* **2. p.** przez zęby. **3. p.** n a c o: na podłogę, na ziemię; *przen.* ⟨*odrzucić co*⟩: **p.** na mrzonki, na głupstwa, na pieniądze. Pluń na wszystko, co minęło: na własną boleść i na cudzą nikczemność. *Prus Lalka III, 233.* **4. p.** n a k o g o — c z y m ⟨*wygadywać na kogo, wymyślać komu, obrzucać go czym*⟩: Pienił się i pluł na niego najgorszymi wyzwiskami. *Putr. Rzecz. 105.* **5. p.** w garść, w dłoń, w ręce: Zawinął rękawy, plunął w garść i stanął w tak groźnej pozycji, że... *Jun. Antrop. 210.* Plunąłem w ręce i wziąłem się do roboty. *Kowalew. A. Bliżej 47.* **6. p.** w sufit, *daw.* **p.** wyżej nosa ⟨*pysznić się*⟩: Już on do stropu pluje, już nie po ziemi, lecz po ludziach depce. *Pot. SW.* **7. p.** k o m u w c o: **p.** w twarz, *wulg.* w pysk, w oczy ⟨*okazać wstręt, pogardę*⟩: Miał szczerą ochotę w twarz mu plunąć i na tym zakończyć rozmowę. *Perz. Cud 131.* W oczy bym mu plunął i powiedział, że szczeka jak pies. *Jun. Pan. 230.* **8. p.** sobie w twarz ⟨*wyrzucać sobie co*⟩. **9. p.** i łapać ⟨*spędzać czas bezczynnie*⟩. *SFA.* **10. p.** z armat; gradem kul, żelazem ⟨*strzelać*⟩: Skoczą więc na pomoc pospolitacy, którzy byli najbliżej, ale kiedy to pluną do nich z armat — w nogi! *Sienk. Pot. V, 147.* Rebelianci plunęli w oczy oblegającym gradem kul ognistych. *Rol. SW.*

plus Zaliczyć do plusów, zapisać co na plus, uważać za plus ⟨*uznać za dodatnie, korzystne*⟩: W dorobku artystycznym teatru Polskiego wystawienie „Dyliżansu" zaliczone będzie, oczywiście, do plusów. *Loren. Dwadz. 93.* Nie zapisać się ani na **p.**, ani na minus ⟨*niczym się nie wyróżniać*⟩: Nie zapisał się niczym wydatnym ani na plus, ani na minus. *Ower. Ramp. 407.*

płaca 1. p. dzienna, tygodniowa, miesięczna, roczna. **2. p.** stała, zarobkowa. **3.** Głodowe, niskie **p-e. 4.** Siatka płac. **5.** Wysokość płac. **6. p.** na godzinę; za wieczór; od sztuki. **7.** Obniżka, podwyżka płac. Obniżyć, obciąć, podwyższyć **p-e. 8. p.** wynosi x zł.

przysł. **9.** Jaka praca, taka płaca.

płachta 1. Brezentowa, lniana, zgrzebna; pokutnicza **p. 2. p.** namiotowa. **3. p.** żagla; **p.** śniegu, mgły, dymu; chmury; gazety; *przen.* Niepewność czarne płachty zwątpienia rzucała na sny jego złociste. *Choj. Alkh. I, 360.* **4.** Przykryć, okryć, zakryć co płachtą: łóżko, zwłoki czyje. Okrywać co jakby płachtą: Dym okrywał całe pole jakby płachtą. *Prus Kron. III, 239.* **5.** Zawiązać (pościel) w płachtę. **6.** Być dla kogo czerwoną płachtą; działać na kogo jak czerwona **p.** (na byka) ⟨*drażnić, doprowadzać do (najwyższej) irytacji*⟩: Klasycy czasem z nim [tj. Odyńcem] się kłócili, ale nie on odbierał im sen [...] lecz Mickiewicz, który był dla nich zawsze czerwoną płachtą i rozindyczał najbardziej flegmatycznych wielbicieli Horacjańskiej estetyki. *Bar Kum. 65.* Opinia „Komunisty, który brał czynny udział w strajkach" — działała na panów dyrektorów, jak czerwona płachta na byka. *Balc. Ocz. 115.* **7.** Wywiesić, zatknąć białą płachtę ⟨*jako symbol pertraktacji pokojowych lub poddania się*⟩: Wywiesił białą płachtę na znak, że się poddaje. *New. Archip. 286.* Tatarzy zatknęli co prędzej na żerdź białą płachtę [...] tak aby z dala mogli być rozpoznani, jako wysłańcy pokojowi. *Sienk. Ogn. I, 237.*

przysł. **8.** Z młodu w tafcie, a na starość w płachcie.

płacić 1. p. c o: **p.** długi, procenty, rachunek, podatki, cło, komorne itp.; **p.** od sztuki. **2. p.** c z y m ⟨*uiszczać należność; oddawać, odwdzięczać się*⟩: **p.** gotówką, pracą itp. Teraz znowu pije i moją pracą, moim potem płaci. *Sienk. Now. II, 238.* Nadto drogo kupuje ukontentowanie, kto je zdrowiem płaci. *Kras. Podstoli 118.* **3. p.** (k o m u) wdzięcznością, niewdzięcznością. **4. p.** wzajemnością ⟨*odwzajemniać się*⟩: A Julcia czy płaciła panu wzajemnością? *Orzesz. Wesoła 19.* **5. p.** (c z y m) — z a c o: a) ⟨*ponosić koszty*⟩: **p.** (gotówką) za składowe, za utrzymanie, za naukę; **p.** za co wekslami; b) ⟨*odpłacać, odwzajemniać się czym*⟩: **p.** za dobre serce, podłością za dobrodziejstwa, sercem za serce, wet za wet, zemstą za krzywdę itp. Trafili tym razem na twardego przeciwnika, który był zdecydowany płacić im pięknym za nadobne. *Koźn. Dzies. 241.* To pan Jan dobrym za złe płaci, bo on wcale do mnie nie ma nienawiści. *Sienk. Dram. 162.* **6. p.** c z y m ⟨*odpowiadać czym, przypłacić czym, narazić się na jakąś karę; ryzykować co (utratę czego)*⟩: Fałszywy świadek krzywoprzysięstwo palcami płaci. *P. cheł. SW.* **7. p.** głową, życiem ⟨*odpowiadać głową, ponieść śmierć; zostać skazanym na śmierć; ryzykować życie*⟩: Gdy się przy czym uparł [...] nie cofnął się, choćby życiem przyszło płacić. *Krasz. Baśń 377.* **8. p.** krwią ⟨*w bitwie: być narażonym na rany, na śmierć*⟩: Gdzie się toczy walka, tam i zwycięzcy nieraz podatek krwią płacą. *Dygas. As 91.* **9. p.** skórą ⟨*otrzymywać karę cielesną*⟩: Chłopcy mieli w domu dużą swobodę, za której nadużycie czasami tylko płacili skórą. *Bystr. Dzieje II, 142.* **10. p.** k o m u [nie: kogo]: Przestał płacić urzędnikom [nie: urzędników]. *SPP.* **11.** *daw.* **p.** u k o g o ⟨*mieć znaczenie*⟩: Postać wiele oznacza, ta najwięcej płaci u dworu. *Kras. Wiersze 147.* **12. p.** z a k o g o: **p.** za kogo długi. **13.** *daw.* Coś nie płaci ⟨*nie popłaca, nie przynosi dochodu*⟩: Sam przecież mówiłeś, że te dwa lata będą ciężkie, bo koniczyna nie płaci. *Dąbr. M. Noce II, 88.*

przysł. **14.** Chciwy dwa razy płaci. **15.** Czas płaci, czas traci.

płacz 1. Głośny, gwałtowny, nieutulony, rozpaczliwy, rozdzierający, rzewny, serdeczny, spazmatyczny, tłumiony, zawodzący **p. 2. p.** dziecka, matki; *przen.* wiolonczeli. **3.** Skłonny do płaczu. **4.** Spazm płaczu. **5.** Wstrząsany płaczem. **6.** Ściana płaczu: I albo zawrócicie, albo ta ściana stanie się dla was ścianą płaczu. *Nowa Kult. 10, 1955, 6.* **7. p.** i zgrzytanie zębów (zębami) (*Mat. VIII, 12*) ⟨*rozpacz*⟩: W teatrze brzmią hymny tryumfu, nadzieja sławy głowy zawraca, a za kulisami płacz i zgrzytanie zębami. *Tyg. Ilustr. 137, 1870, 80.* **8.** Ryknąć, wybuchnąć płaczem. **9.** Dostać ataku (spazmatycznego) płaczu. **10.** Jest komu do płaczu ⟨*zbiera mu się na płacz, chce mu się płakać*⟩: Do płaczu mi, nie do śmiechu mi. *L.* **11.** Mówić, narzekać z płaczem, na wpół z płaczem. **12.** Nie móc się wstrzymać, powstrzymać od płaczu. **13.** Pobudzić kogo do płaczu. **14.** Rzucić się na kogo (komu na szyję) z płaczem. **15.** Skrzywić się, stulić usta do płaczu. **16.** Uderzyć w **p.**; w **p.**, a ona w **p.** ⟨*wybuchnąć płaczem*⟩: Pani Małgorzata znowu w płacz. *Prus Lalka, II, 163.* **17.** Utulać kogo (dziecko) w płaczu; utulić się w płaczu: Matka się w płaczu utulić nie może. *Groza Pisma I, 4.* **18.** Trząść się (cały) od płaczu a. w płaczu. **19.** *daw.* Zajść się od płaczu: Zaszła się od płaczu i pochylona na kanapę jęczała. *Krasz. Czarna 51.* **20.** Zanosić się, zanieść się płaczem, od płaczu [rzadziej: z płaczu]: Te ostatnie słowa domawiał zanosząc się od płaczu. *Korz. J. Tad. 121.* Upadła matce do nóg i zaniosła się żałosnym płaczem. *Prus Emanc. II, 133.* **21.** Zapuchnąć od płaczu. **22.** Zbiera się komu na **p.**: Zbierało mu się na płacz chwilami. *Niedź. Grzech. 1.* **23.** **p.** dławi kogo (w piersiach), dusi, porywa, porwał kogo, rozdziera serce, wstrząsa kim (piersią czyją), wzbiera w kim.

płaczący **p.** głos: Mówić, narzekać płaczącym głosem. Mina **p-a.** Brzoza, wierzba **p-a.**

płakać **1.** **p.** cicho a. po cichu, głośno a. wniebogłosy, rzewnie, serdecznie, spazmatycznie, żałośnie; *przen.* Wszyscy akademicy, a pomiędzy nimi i Gianbatista płakali rzewnymi sonetami. *Chłęd. Barok 199.* **2.** **p.** jak baba. **3.** **p.** czego, *daw.* do czego ⟨*napierać się czego z płaczem*⟩: Józio płakał bębenka, a Helenka róży. *Moraw. SW.* W domu wygodnym któżby płakał do bud leśnych, do jaskiń albo do jam podziemnych? *Śniad. Pisma IV, 9.* **4.** *daw.* **p.** kogo ⟨*opłakiwać*⟩: Płacze miłego męża Igora. *Tuwim Rzecz. 98.* Przypominają sobie boje, przypominają rannych i płaczą poległych. *Kaczk. Trad. 208.* **5.** **p.** na kogo, na co ⟨*wyrzekać z płaczem na kogo, skarżyć się, żalić na kogo, na co*⟩: Ile to razy matka na nią płakała. *Wędr. 28, 1901, 542.* **p.** na biedę. **6.** **p.** nad kim, nad czym: **p.** nad losem, nad nieszczęściem czyim, nad samym sobą. Rzewnie płakały nad grobem swej opiekunki. *Libelt Gra 180.* Płakał ojciec łakomy nad synem rozrzutnym. *Kras. SW.* **7.** **p.** po kim, za kim, za czym ⟨*po stracie kogo, czego*⟩: Płakałem za tobą jak baba. *Prus Dzieci 39. przen.* Patrzaj, te wszystkie piękne brunetki, blondynki płaczą dziś po mnie. *Niemc. Powrót 50.* O ziemio włoska, gdy w serca żałobie rzucam twe błonia, nie płaczę po tobie. *Krasiń. Drobne 81.* **8.** **p.** przed kim, np. **p.** przed matką. **9.** **p.** z czego, np. **p.** ze szczęścia, ze wstydu, z bólu, ze złości, z radości, z żalu, z gniewu. **10.** Usiąść i **p.**: Plecak był tornistrem z tamtej wojny, niepakownym i niewygodnym [...] Jednym słowem — usiąść i płakać. *Koźniew. Rok 79.* **11.** *przen.* Serce (komu) płacze: Mam iść na wojenkę [...], a serce mi płacze o ciebie niebogę. *Bał. Poezje 225.* Wiatr płacze, struny płaczą.

płaski **1.** **p.** jak stół. **2.** **p.** grunt, **p-a** nizina, okolica, równina. **3.** *mat.* Powierzchnia **p-a** ⟨*znajdująca się na jednej płaszczyźnie*⟩. **4.** Geometria **p-a** ⟨*planimetria*⟩. **5.** **p.** kamień ⟨*spłaszczony, nie okrągły*⟩. **6.** **p.** kapelusz ⟨*o niskiej spłaszczonej główce*⟩. **7.** *anat.* Kości, mięśnie **p-e.** **8.** **p.** łeb (ryby, gada), **p.** nos, twarz **p-a** ⟨*spłaszczony(-a)*⟩. **9.** Obcęgi **p-e** ⟨*o szczypcach spłaszczonych*⟩. **10.** **p-a** papierośnica, puderniczka, torba; **p.** zegarek ⟨*o kształcie spłaszczonym*⟩. **11.** Pędzel **p.** ⟨*z włosiem płasko przyciętym*⟩. **12.** **p-e** piersi ⟨*zapadłe*⟩. **13.** *jęz.* Samogłoski **p-e** ⟨*wymawiane ze spłaszczeniem warg*⟩. **14.** **p-e** sklepienie ⟨*równe, niewypukłe*⟩. **15.** **p-a** stopa ⟨*platfus*⟩. **16.** **p.** talerz ⟨*płytki*⟩. **17.** Zwierciadło **p-e** ⟨*niewypukłe i niewklęsłe*⟩. **18** **p.** *przen.* ⟨*bez polotu, płytki; niesmaczny, czczy*⟩: **p.** umysł; **p-a** dusza; **p.** pochlebca, **p-e** pochlebstwo.

płaszcz **1.** **p.** ambulatoryjny, szpitalny ⟨*biały kitel noszony przez służbę szpitalną*⟩. **2.** **p.** azbestowy ⟨*zabezpieczający pracownika przed żarem i odpryskami*⟩. **3.** **p.** brezentowy, gabardynowy, gumowy, płócienny, prochowy; **p.** nieprzemakalny, **p.** od deszczu, **p.** letni, zimowy; **p.** podbity futrem. **4.** **p.** damski, **5.** **p.** gronostajowy, koronacyjny, królewski, purpurowy. **6.** **p.** krzyżacki ⟨*noszony przez członków zakonu krzyżackiego*⟩. **7.** **p.** mniszy; przywdziać **p.** mniszy ⟨*wstąpić do zakonu*⟩. **8.** **p.** operacyjny (lekarski) ⟨*nakładany przez lekarza do operacji*⟩. **9.** **p.** podróżny, uczniowski, wojskowy, żołnierski; **p.** rybacki. **10.** **p.** słomiany ⟨*używany do zabezpieczania roślin, np. krzaków róż*⟩. **11.** **p.** silnika ⟨*metalowa osłona zabezpieczająca silnik*⟩. **12.** **p.** włosów (rozpuszczonych na ramiona). **13.** *przen.* **p.** dumy. Nad Borkami i okolicą całą, cicha noc letnia rozpostarła płaszcz gwiaździsty. *Jun. Mazur. 281.* **14.** Pod płaszczem (czego) ⟨*pod pozorem, pod pretekstem*⟩: Nieprzyjaciele jawni to mniejsza [...] ale ci pod płaszczem patriotyzmu ukryci zdrajcy i ciemiężcy ludu, tych wykryć to dopiero sztuka. *Teka Stańcz. 57.* **15.** Chować co, nieść pod płaszczem. **16.** Narzucić (na ramiona), wdziać, włożyć, zarzucić (na siebie, na kostium), zdjąć, zrzucić **p.** **17.** Okryć się płaszczem; okutać się, otulić się, owinąć się, zawinąć się płaszczem a. w **p.** **18.** Ubrać się w **p.** **19.** Zrolować **p.** **20.** Czuć się bezpiecznym pod czyim płaszczem; uciec się pod czyj **p.** ⟨*pod opieką; pod opiekę*⟩. **21.** Okrywać (się), pokrywać płaszczem; przyodziać w **p.**; *przen.* Na wojnie [...] prywata nieraz płaszczem dobra publicznego się okrywa. *Sienk. Sprawy 5.* Prawdziwie jesienna słota bez nadziei szarym, wilgotnym płaszczem pokrywała wszystko. *Krasz. Opow. 263.* Stoki górskie pokryły się zielonym płaszczem roślinności. *Wierchy 1937, 84.* **22.** Rozsypać się płaszczem (o włosach): Kasztanowate włosy rozsypały się gęstym, czerwonawym płaszczem po ramionach. *Krzywosz. Jula 60.*

płaszczyk **1.** **p.** damski, dziecięcy. **2.** Lekki **p.** **3.** Narzucić **p.** na ramiona. **4.** Zrzucić z siebie (z ramion) **p.** **5.** Pod płaszczykiem czego ⟨*pod pozorem*⟩: Skubano go ze wszystkich stron [...] pod płaszczykiem koleżeństwa i przyjaźni. *Sztyrm. Katalept. I, 25.* **6.** Osłonić się, pokryć się płaszczykiem czego; przywdziać **p.** czego: Egoizm i materialne interesa pokryły się płaszczykiem ideału. *Prz. Tyg. Życia 11, 1875, 129.* **7.** Przykryć coś płaszczykiem miłości chrześcijańskiej. **8.** Służyć komu za **p.** czego ⟨*osłaniać kogo*⟩: Czy rozumiesz, że wielkość dostojeństw służyć powinna Panom za płaszczyk ich zbrodni? *Bogusł. W. Henryk 142.*

płaszczyzna 1. Bezdrzewna, nie kończąca się, nieprzejrzana, rozległa, szeroka **p.** (kraju) ⟨*równina*⟩. **2. p.** śnieżna, lodowa a. lodu; morza, nieba, pól ⟨*płaska powierzchnia*⟩. **3. p.** obrazu. **4. p-y** figur geometrycznych. **5.** Leżeć w jednej (na jednej) płaszczyźnie: Proste równoległe leżą w jednej płaszczyźnie. **6.** *przen.* **p.** porozumienia: Nasze poglądy nie mogą znaleźć wspólnej płaszczyzny porozumienia. *Życie Lit. 12, 1954, 12.* **7.** Działać w (na) dwóch płaszczyznach: Artysta, który za pośrednictwem poezji wywiera wpływ na swych czytelników, działa niejako na dwóch płaszczyznach. *Jęz. Pol. 1939, 39.* **8.** Poruszać się, dokonywać się, rozgrywać się w płaszczyźnie czego: Dramat rozgrywa się w płaszczyźnie psychicznej. *Kleiner Mick II/1, 166.* Dyskusje poruszają się niekiedy w różnych płaszczyznach. *Szob. Straż. 91.* Zestawienie nauki historycznej z naukami ścisłymi dokonywać się musi w innej płaszczyźnie, a mianowicie w dziedzinie metody. *Hand. Hist. 29.* **9.** Rozpatrywać co na płaszczyźnie czego: Zagadnienie neologizmów należy w językoznawstwie rozpatrywać na płaszczyźnie słowotwórstwa i semantyki. *Styl. 237.*

I płat 1. p. blachy ⟨*kawał*⟩. **2. p.** mięsa, skóry. **3.** *anat.* Dolne, górne **p-y** (płuc). **4.** Płatami odpadać (o tynku), padać (o śniegu), schodzić (o skórze), spadać (o pianie): Biegli dalej, aż biała piana poczęła spadać płatami z koni. *Sienk. Pot. II, 194.* **5.** (Czarne, czerwone) **p-y** latają, migają komu przed oczami.

II płat *daw.* Dać, dawać pieniądze w płat ⟨*na procent*⟩: Szlachta już częstokroć sprzedawała majętności, osiadała w mieście i jak mówiono pieniądze w płat, to jest na procent dawała. *Moracz. Dzieje VI, 228.*

płatać Psikusy, psoty, kawały **p.** ⟨*urządzać, stroić*⟩: Będę ja mu psie figle płatał. *Zabł. Dzieła II, 72.*

płatek 1. p. kwiatu a. kwiatowy. **2. p.** śniegu. **3. p-i** owsiane ⟨*rodzaj kaszy z gniecionego owsa; zupa z tej kaszy, owsianka*⟩. **4. p-i** złota ⟨*do złocenia np. ram*⟩. **5.** Padać płatkami ⟨*o śniegu*⟩. **6.** (Po)krajać w **p-i** (ser, cytrynę itp.).

płatniczy Środek **p.** ⟨*jednostka monetarna*⟩. Trudności **p-e**: Znalazł się w trudnościach płatniczych. *SW.* Zobowiązanie **p-e** (państwa).

pławić p. k o g o — w c z y m ⟨*nurzać*⟩: **p.** bydło, konie. Chcąc jednak pierwej dociec zupełnej pewności pławił ją [czarownicę] na powrozie w stawie podstarości. *Kras. SW.*

pławić się 1. *przen. książk.* **p. się** w słońcu, w zbytkach, w rozkoszy ⟨*kąpać się, opływać*⟩: Wiaterek roztrząsał wilgotne rzeźwe zapachy pól, pławiących się leniwie w słońcu. *Reym. SW. przestarz.* **2. p. się** we łzach ⟨*rozpływać się we łzach*⟩.

płaz 1. Okładać, uderzać płazem ⟨*płazować*⟩: Zaś pan Roch począł swego (konia) nie tylko ostrogami bóść, ale płazem szabli okładać. *Sienk. Pot. V, 83.* **2.** Coś uchodzi (komu) *daw.* idzie, poszło płazem ⟨*bezkarnie*⟩: Nie ujdzie płazem jemu despekt taki! ja mu pokażę, gdzie zimują raki! *Pług Zagon III, 24.* Rzecz, jak wiele rzeczy u nas, poszła płazem: nie chciano przez politykę toczyć wojny z duchowieństwem. *Niemc. Pam. 1830, 102.* **3.** Puścić płazem: Takich figlów płazem nie puszczę. *Skiba Poziom. 72.*

płciowy 1. Akt, stosunek **p.** ⟨*spółkowanie*⟩. **2.** Dobór **p. 3.** Dojrzewanie **p-e**, dojrzałość **p-a. 4.** *anat.* Gruczoły, komórki; organa **p-e** ⟨*rozrodcze*⟩. **5.** Podniecenie **p-e**, pociąg **p. 6.** Potencja, pobudliwość, niedomoga; rozkosz, powściągliwość, wstrzemięźliwość **p-a.**

płeć 1. p. ciemna, czerstwa, gładka, jasna, oliwkowa, śniada, zdrowa ⟨*cera*⟩. **2. p.** żeńska ⟨*rodzaj*⟩: Dziecko płci żeńskiej. **3. p.** piękna, słaba, damska, niewieścia, nadobna ⟨*kobiety*⟩: Postanowił wyprawić podwieczorek w jednym z obszerniejszych zamiejskich ogrodów [...] z szampanem i muzyką, ale co głównie, z płcią piękną. *Dzierzk. Szpic. 108.* Mszcząc zatem krzywdy całej płci niewieściej, nadobna Klara poprzysięgła sobie, nie uszczęśliwić żadnego z czcicieli. *Fred. A. Śluby 40.* **4.** Osoby, przedstawiciele itp. płci obojga ⟨*osoby itp. jednej i drugiej płci; mężczyźni i kobiety*⟩.

płomień 1. Czerwony, jaskrawy, jasny, równy, żywy **p. 2. p.** ogniska, łuczywa, palnika, świecy; *przen.* **p.** entuzjazmu, miłości, nienawiści (w oczach); **p.** niezgody, wojny; **p.** krwi, rumieńca. **3.** Blask, żar płomienia. **4.** Morze płomieni. **5.** Gorący jak **p. 6.** Oczy (ogniste) jak **p-e. 7.** Buchać (wybuchnąć), lizać, oświetlić, palić się (zapalać się), rozgorzeć, strzelać, świecić, (za)płonąć płomieniem: Ogień [...] lizał płomieniem szerokie podniebienie komina. *Fred. A. Trzy 66. przen.* Purpurowym płomieniem zapala się zorza pod lasem. *Żer. Opow. 68.* Długo tajona namiętność buchnęła płomieniem. *Sewer Poboj. 17.* **8.** Błyskać płomieniem, ciskać **p-e** (o oczach czyich). **9.** Mieć, zapalać **p.** a. **p-e** w oczach. **10.** Być, stanąć w płomieniach: Cała wieś stanęła od razu w płomieniach. *Kaczk. Olbracht. I, 84. przen.* Oczy mu się złością iskrzyły, a cała twarz była w płomieniach. *Dygas. Swojcz. 111.* Stała w płomieniu rumieńca. *Orzesz. Mirt. 50.* Cały w płomieniach gniewu [...] skoczył z wysokości. *Krasz. Sfinks I, 312.* Gdzie stąpił, tam ziemia stawała w płomieniach, a krew płynęła strumieniami. *Śliw. A. Bat. 124.* **11.** *książk.* Ginąć w płomieniach, znaleźć śmierć w płomieniach a. wśród płomieni ⟨*spalić się żywcem*⟩: Bieży na stos, upada na zwłokach, ginie w płomieniach i dymu obłokach. *Mick. Graż. 42.* **12.** *przen.* Iść płomieniem ⟨*gwałtownie, szybko jak płomień*⟩: Widzieli go już z daleka, jak szedł płomieniem przez tłum. *Ork. SPP.* **13.** Oddać co na pastwę płomieni; paść, stać się pastwą płomieni: Domy na małej przestrzeni ściśnięte stawały się łatwą pastwą płomieni. *Chłęd. Szkice 192.* **14.** Pójść z płomieniem ⟨*spalić się, spłonąć*⟩: Wszystko wyschło jak siarka [...] Gdyby iskra [...] poszłoby wszystko z płomieniem. *Tyg. Ilustr. 188, 1863, 175.* **15.** Przytłumić, rozdmuchać, zgasić **p. 16.** Rozniecić, rozpalić, wzniecić **p.** (wojny, rewolucji; w sercu, w duszy). **17.** Szerzyć się jak **p.**: Zapał wojenny szerzył się jak płomień. *Sienk. Pust. 140.* **18. p.** błyska, bucha, chwieje się, gaśnie, migocze (zamigotał i zgasł), liże (dach), obejmuje, ogarnia (budynek), strzela, syczy, wystrzelił (ponad dach), (wy)dobywa się (skąd), żarzy się: Gdy płomień strzelił jaśniej, widać było ciemne, drewniane ściany ogromnej izby z nadzwyczaj niskim, belkowanym sufitem. *Sienk. Pot. I, 9—10.* Płomienie ogarnęły domostwa. *Łoz. Wł. Praw. I, 267. przen.* Całą jej istotę ogarnął płomień, rozpętanej, wariackiej radości. *Strug Ojc. 275.* **19. p.** bucha, uderza a. **p-e** (gniewu itp.) uderzają (komu) na twarz; (jakby) **p.** przelatuje, przebiega komu przez twarz: Z oczu strzeliły mu gromy rozpaczy i wściekłości, na twarz uderzył płomień. *Sienk. Ogn. II, 32.* Na jego widok drgnął nagle i jakby płomień przeleciał mu przez oblicze. *Sienk. Ogn. III, 146.* **20. p.** pali się (w czyich oczach). *przysł.* **21.** Więcej dymu, niż płomieni.

płonąć 1. Ogień, ognisko płonie ⟨*pali się*⟩. **2.** Lampa, świeca, zapałka płonie; światła (elektryczne), latarnie płoną ⟨*palą się, świecą*⟩. **3.** Niebo (o zachodzie słońca), zorza (na wschodzie) płonie ⟨*świeci jaskrawym blaskiem*⟩. **4.** Gwiazdy płoną (w granacie nieba). **5. p.** na stosie ⟨*o książkach, ludziach: palić się*⟩. **6.** C o ś a. k t o ś płonie o d c z e g o l u b z c z e g o: Dachy płonęły od zachodzącego słońca. *przen.* Płonął od ciekawości lub z ciekawości, od pochwał, od wstydu lub ze wstydu, od żądzy: Musiała płonąć od tych pochwał. *Goj. Dzień 109.* Płonąc ze wstydu wyznawał, że istotnie miał do niej niejaką „męską skłonność". *Żer. Uroda 324.* **7. p.** k u k o m u (d o k o g o) — c z y m: Płonie ku niemu tajoną miłością. *Pam. Lit. 1950, 812.* **8. p.** jak panna ⟨*rumienić się*⟩. **9. p.** jak gwiazdy (o oczach) ⟨*błyszczeć*⟩. **10.** C o ś płonie — c z y m: a) ⟨*świeci, błyszczy, jaśnieje*⟩: Niebo zorzami płonie. *Kaspr. Ball. 44*; b) ⟨*wyraża czyjś stan; jest znamieniem czyichś doznań*⟩: Dziecinne oczy płoną ciekawością. *Was. W. SPP.* Głowa i serce płonęły mu żarem. *Choj. Alkh. III, 26.* Policzki płoną purpurowym rumieńcem. *Zap. G. Dzień 160.* **11.** K t o ś płonie c z y m ⟨*ktoś pragnie czego, doznaje jakichś uczuć; pała czym*⟩: Płonął chęcią czego, ciekawością, entuzjazmem, miłością (ogniem miłości), nienawiścią, oburzeniem, pragnieniem czego, szczęściem, zazdrością, zemstą, żądzą czego. Hrabia wstydem, widzę, płonie? *Zabł. Dzieła II, 184.* **12.** Coś płonie w oczach (czyich): W oczach jej płonęła miłość. *Orzesz. Na dnie II, 300.* W źrenicach płonął ogień niewysłowionej tkliwości. *Orzesz. Mirt. 115.* **13.** C o ś płonie w k i m — d o k o g o: Miłość płonie, żądze płoną (w kim do kogo).

płonny 1. Obawy, urojenia **p-e** ⟨*na niczym nie oparte, bezpodstawne*⟩: **2.** *geol. górn. miner.* Minerał, materiał, urobek **p.**; skała **p-a** ⟨*nieużyteczny(-a)*⟩. **3.** wysiłki **p-e** ⟨*bezowocne, daremne*⟩.

płot 1. p. chruściany, drewniany, kamienny, siatkowy, sztachetowy, wiklinowy. **2. p.** z żerdzi, z desek, z kołków, z drutu kolczastego. **3.** *iron.* Śmiały jak baba za płotem ⟨*udaje zucha, kiedy mu nic nie grozi*⟩. **4.** Być, stać; uwiązać (np. konia) u płotu; przesadzić, przeskoczyć **p.**; przeleźć, przeskoczyć przez **p.**; wleźć na **p. 5.** (O)grodzić, zagrodzić płotem; okolić, otoczyć, obwieść płotem. **6.** Odgrodzić się od kogo, czego płotem; *przen.* ⟨*odseparować się, odizolować się całkowicie*⟩: Odgrodził się od ludzi płotem obojętności na ich sprawy. **7.** *daw.* Chodzić koło płotu ⟨*mówić ogródkowo; nie postępować otwarcie*⟩: Szczerze nic nie odpowie, chodzi koło płotu. *Pot. SW.* **8.** Stać, pochylać się płotem ⟨*stać blisko siebie szeregiem, tworzyć jakby płot*⟩: Wikliny stały nad wodą zwartym płotem. Rusznice pochyliły się płotem i huknęła salwa jakby na mustrze. *Sienk. Wołod. III, 172.* **9.** Strzelać zza płotu ⟨*napadać z zasadzki; godzić w kogo nie ujawniając się*⟩. **10.** Czepiać się, trzymać się kogo, czego jak pijany płotu ⟨*czepiać się, trzymać się kogo, czego kurczowo; nie odstępować kogo, czego ani na krok*⟩: Dawnych zwyczajów trzymają się, niby pijani płotu. *Kłok. SW.* **11.** Wyrzucić za **p.** ⟨*usunąć jako coś niepotrzebnego*⟩. **12.** Zdychać, zdechnąć (jak pies) pod płotem ⟨*zginąć marnie*⟩. **13.** Znaleźć kogo pod płotem; *przen.* ⟨*przygarnąć bezdomnego*⟩. **14. p.** biegnie, ciągnie się skąd dokąd; otacza co.

płotek *sport.* Bieg przez **p-i** ⟨*z rozstawionymi na trasie płotkami w określonych odstępach*⟩.

płócienny Papier **p.** ⟨*ze szmat*⟩.

płód 1. Żywy, martwy **p.**, **p.** płci męskiej, żeńskiej ⟨*zarodek ludzki lub zwierzęcy w okresie embrionalnym*⟩. **2.** Spędzić, strącić **p.**; spędzenie płodu ⟨*(wywołać) sztuczne poronienie*⟩. **3. p.** nie donoszony, poroniony ⟨*nieudany, marny utwór artystyczny*⟩. **4. p-y** ⟨*dobra przyrody*⟩: **p-y** leśne, polne, mineralne; **p-y** ziemi. **5.** *przen. książk.* **p.** fantazji, talentu; **p-y** epoki; pióra czyjego ⟨*dzieło(-a)*⟩.

płótno 1. p. brezentowe, namiotowe, żaglowe; **p.** cienkie, grube, surowe, zgrzebne; **p.** szare. **2. p.** krawieckie ⟨*usztywniające, wszywane w klapy itp. części garderoby*⟩. **3. p.** niewarowe ⟨*nie parzone i nie bielone, prosto z krosien*⟩. **4. p.** podsadzkowe ⟨*tkanina używana do obijania tam podsadzkowych w kopalni*⟩. **5. p.** na koszule, na pościel, na ścierki. **6.** Zblednąć jak **p.** ⟨*zblednąć w widocznym stopniu*⟩. **7.** Bielić **p. 8.** Rzucić, przenieść (np. pomysł) na **p.** ⟨*namalować obraz*⟩.

płuco 1. p. prawe, lewe. Prześwietlenie płuc. **2.** Rozedma płuc. **3.** Zapalenie płuc. **4.** *pot.* chory na **p-a. 5.** *przen.* **p-a** miasta, zielone **p-a** ⟨*o skwerach, zieleńcach, parkach miejskich*⟩. **6.** Kogoś kłuje w płucach. **7.** Wciągnąć w płuca (świeże) powietrze. **8.** Zrywać sobie **p-a** (krzycząc).

pług 1. p. ciągnikowy, traktorowy ⟨*mechaniczny o napędzie silnikowym; traktor*⟩. **2. p.** odśnieżny ⟨*urządzenie, maszyna do usuwania śniegu z dróg, ulic itp.*⟩. **3.** *przen.* **p.** czasu; **p.** wojny (przeorał co). **4.** Ciągnąć **p.** (o zwierzętach, zwykle o koniach, wołach). **5.** Krajać (glebę, ziemię, ściernisko) pługiem. **6.** Kroczyć za pługiem (o rolniku); Chodzić za pługiem. **7.** Wrócić do pługa (po skończonej wojnie). **8.** Wychodzić w pole z pługiem (o rolniku).

płukać 1. p. c o — c z y m: **p.** gardło rumiankiem, wodą utlenioną. **2. p.** c o — w c z y m: **p.** bieliznę w chlorku, w wodzie. **3.** *żart.* **p.** gardło

⟨*pić napoje alkoholowe*⟩. **4. p.** jelita, żołądek ⟨*dokonywać zabiegu polegającego na przepuszczeniu przez jelita, żołądek płynu w celu usunięcia z nich niepożądanych lub trujących substancji*⟩.

płynąć, pływać 1. p. czym, przez co, po czym: **p.** rzeką, morzem a. przez rzekę, przez morze; **p.** po jeziorze, po rzece, po morzu. **2. p.** czym — po czym: **p.** łodzią po jeziorze. **3. p.** jakimś sposobem (stylem): **p.** żabką, kraulem, delfinem. **4.** Płynąć strumieniem, rzeką ⟨*obficie, jak strumień, jak rzeka*⟩: Wino płynie strumieniem. **5.** Płynąć ku czemuś pełnymi, wszystkimi żaglami ⟨*szybko, z rozmachem, dążyć do jakiegoś celu*⟩. **6.** Płynąć pod prąd, przeciw wodzie ⟨*przeciwstawiać się panującym obyczajom, poglądom itp.; opierać się czemu; walczyć z czym*⟩. **7.** Płynąć z prądem ⟨*poddać się panującym obyczajom; postępować zgodnie z panującymi obyczajami, poglądami*⟩. **8.** Coś płynie z czego ⟨*wynika z czego, jest następstwem czego*⟩: Postępowanie jego płynie ze szlachetnych pobudek. **9.** Pływać w czym: **p.** w maśle, w słoninie, w tłuszczu, w śmietanie, w sosie itp. ⟨*o potrawie: być obficie okraszonym, zaprawionym masłem, sosem itd.*⟩: Makaron pływa w sosie pomidorowym; *przen.* ⟨*opływać w co, doświadczać czego, mieć czego w obfitości*⟩: Nie w szczęściu i dostatku, ale w trudnościach i długach pływa. *L.* **10.** Rzeka, strumień płynie ⟨*toczy swe wody*⟩. **11.** Auta, pojazdy płyną po jezdni ⟨*jadą, pędzą równo, szybko i cicho*⟩. **12.** Samoloty, żurawie, dzikie gęsi płyną (pod chmurami) ⟨*lecą*⟩. **13.** *przen.* Mgła, zapach, melodia płynie skąd; głos płynie (po rosie) ⟨*rozchodzi się, rozprzestrzenia się*⟩. **14.** Życie płynie; dni, minuty, lata itp. płyną ⟨*mija, mijają*⟩. **15.** Korek pływa po powierzchni wody ⟨*unosi się, utrzymuje się na powierzchni wody*⟩. **16.** Pieniądze płyną jak woda ⟨*wychodzą, są wydawane albo napływają*⟩. **17.** Prąd (elektryczny) płynie ⟨*biegnie po przewodach*⟩. **18.** Ślinka komu do ust płynie ⟨*ktoś ma wielką ochotę na co, zwykle na coś smacznego, co lubi*⟩.

przysł. **19.** Trudno przeciw wodzie płynąć ⟨*zwalczać zbyt potężne przeciwności*⟩.

płynny 1. p-e czytanie ⟨*biegłe*⟩; **p-a** wymowa ⟨*łatwa*⟩; **p.** wiersz ⟨*potoczysty, gładki*⟩. **2. p-a** granica między czym a czym ⟨*nieostra*⟩. **3.** Kontur **p.**; linia **p-a** ⟨*falisty(-a), nie łamany(-a)*⟩. **4. p.** metal ⟨*roztopiony*⟩. **5. p.** owoc ⟨*surowy sok, wyciskany z owoców lub jagód*⟩. **6. p-e** ruchy czyje (np. narciarzy, tancerzy) ⟨*harmonijne*⟩.

płyta 1. p. betonowa, marmurowa, metalowa, miedziana, stalowa, szklana, terrakotowa, żeliwna, żelbeto(no)wa; **p.** izolacyjna, ognioodporna ⟨*płaski kawał betonu, kamienia itp. w kształcie tafli, obrobionej za pomocą odpowiednich narzędzi*⟩. **2. p.** fotograficzna ⟨*klisza*⟩. **3. p.** gramofonowa, patefonowa ⟨*krążek z ebonitu lub innego materiału z nagranym tekstem lub melodią*⟩. **4.** Koncert z płyt. **5.** Odtworzyć płytę.

płytki 1. Człowiek; umysł, sąd **p.** ⟨*powierzchowny*⟩. **2. p.** głos ⟨*charakteryzujący się płytkim oddechem, sprawiający wrażenie skrępowanego*⟩. **3. p-e** botki ⟨*o mocno wyciętych bokach*⟩. **4. p.** oddech ⟨*słaby*⟩. **5.** *daw.* **p-a** rana ⟨*powierzchowna, niegłęboka*⟩. **6. p-a** rzeka, woda; **p-e** jezioro, **p-e** przejście ⟨*o małej głębokości*⟩. **7. p.** sen, **p.** półsen ⟨*słaby, lekki*⟩. **8. p.** talerz ⟨*płaski, używany zwykle do drugiego dania*⟩.

płytko Oddychać **p.** ⟨*słabo, powierzchownie*⟩. Spać, usnąć **p.** ⟨*lekko*⟩.

pływacki Sport **p.** ⟨*pływanie*⟩; zawody **p-e.**

pływać p. **płynąć**

pływający Boja, kotwica **p-a**; ⟨*utrzymująca się na powierzchni wody*⟩.

pobić 1. p. beczkę, kadź itp. ⟨*wtłoczyć na nią obręcz*⟩. **2. p.** rekord ⟨*uzyskać wynik lepszy od uznanego dotąd za najlepszy*⟩. **3. p.** zboże ⟨*o deszczu, gradzie: przygnieść do ziemi, przybić*⟩. **4. p.** kogo — czym ⟨*potłuc, poturbować*⟩: **p.** kogo pięścią, kijem. **5. p.** kogo — w czym ⟨*zwyciężyć, prześcignąć, pokonać*⟩: **p.** kogo w wyścigu, w grze, w turnieju.

pobierać, pobrać 1. p. co: **p.** krew do analizy, **p.** próbkę czego ⟨*czerpać; brać, w jakimś celu*⟩. **2.** Pobierać opłaty, podatki, komorne ⟨*ściągać*⟩. **3.** Pobierać emeryturę, rentę ⟨*otrzymywać*⟩.

pobliże W pobliżu ⟨*niedaleko czego; blisko*⟩: W pobliżu nie było nikogo. Drzewa rosły w pobliżu wody.

pobłażanie Z pobłażaniem ⟨*pobłażliwie*⟩: Patrzeć na czyje wybryki z pobłażaniem.

pobłażliwość Coś zasługuje, nie zasługuje na **p.**: Nie jest to bowiem grymas jednostek, ale surowe wypełniania Zakonu, co w żadnym razie nie zasługuje na śmiech, ale raczej na pobłażliwość i uwzględnienie. *Prus Kron. II, 369.*

pobłogosławić 1. p. kogo, co ⟨*udzielić błogosławieństwa; życzyć pomyślności, szczęścia itp.*⟩: **p.** dzieci. **2. p.** związek małżeński, ślub ⟨*o księdzu: udzielić ślubu*⟩. **3. p.** komu, czemu: **p.** czyim zamiarom.

poboczny 1. *przestarz.* **p-a** linia (rodziny, rodu) ⟨*osoby spokrewnione z główną linią rodziny przez wspólnego przodka*⟩. **2.** Przedmiot **p.** studiów ⟨*dodatkowy*⟩. **3.** *daw.* **p.** syn ⟨*nieślubny*⟩. **4.** Uzyskać co drogami pobocznymi ⟨*w sposób nielegalny*⟩: Starał się uzyskać dyplom drogami pobocznymi.

poborowy 1. Komisja **p-a** ⟨*kwalifikująca przydatność poborowych (także koni) do wojska*⟩. **2.** Rocznik **p.** ⟨*podlegający poborowi*⟩. **3.** Wiek **p.** ⟨*określona granica wieku dla mężczyzn podległych obowiązkowi poboru do wojska*⟩.

pobożny 1. *hist.* Bank **p.** ⟨*instytucja dobroczynna powstała w XVI w. wypożyczająca ubogim pieniądze na niski procent*⟩. **2. p.** domysł; **p-e** westchnienie, życzenie ⟨*będący(-e) w sferze pragnień, ale nie mający(-e) realnych podstaw*⟩. **3. p-a** pieśń ⟨*związana z tematyką religijną*⟩. **4. p-e** rozmyślania, **p-e** życie ⟨*zgodne z przepisami religijnymi*⟩.

pobór 1. p. rekruta, rezerwistów; **p.** do wojska ⟨*powołanie do wojska*⟩. **2. p-y** urzędnicze, dyrektorskie; **p-y** pracowników ⟨*pensja, wynagrodzenie*⟩; wypłacać, podwyższyć **p-y.**

pobrać p. **pobierać**

pobranie Za pobraniem (pocztowym); wysłać przesyłkę za pobraniem ⟨*o poczcie: doręczyć przesyłkę po zainkasowaniu zleconej kwoty od adresata przesyłki*⟩.

pobudka ● **1. p.** bojowa a. do boju ⟨*sygnał, hasło*⟩. **2.** Zagrać pobudkę; zatrąbić na pobudkę. ● **3.** Czysta, ukryta **p.** ⟨*zachęta, bodziec*⟩. **4. p.** d o c z e g o: **p.** do dobrego, do złego, **p.** do sławy, do czynu. **5.** Z pobudek jakich (co robić) ⟨*z powodów, z impulsów*⟩: Zataił prawdę z pobudek osobistych. **6.** Domyślać się czyichś pobudek. **7.** Nie wchodzić w czyje **p-i**. **8. p.** działa, wpływa na kogo, na co; kieruje, powoduje kimś; skłoniła kogo do czego.

pobudliwość 1. Wzmożona, zwiększona **p.**; **p.** nerwowa, płciowa; **p.** nerwów, serca; **p.** artystyczna. **2.** Próg pobudliwości ⟨*maksymalna zdolność reagowania na bodźce*⟩.

pobudzać, pobudzić p. c o ⟨*powodować powstanie jakiejś reakcji, czynności, stanu*⟩: **p.** apetyt; **p.** ciekawość. **p.** d o c z e g o ⟨*da(wa)ć impuls do czego*⟩: **p.** do myślenia, do czynu; **p.** kogo do śmiechu.

pobudzający Środki **p-e** ⟨*leki wzmagające czynność serca, układu nerwowego*⟩.

pobyt 1. p. n a c z y m, w c z y m ⟨*bytność, przebywanie*⟩: **p.** na wyspie, na ziemi; na wsi; **p.** w mieście, w górach; **p.** w gimnazjum. **2.** Karta pobytu a. na **p.** ⟨*dowód zamieszkania niestałych mieszkańców miasta*⟩.

pocałować 1. p. mocno, namiętnie, nieśmiało, serdecznie; po ojcowsku, po siostrzanemu, ze czcią, z macierzyńską czułością, z dubeltówki. **2. p.** k o g o, c o — w c o: **p.** kogo w głowę, w rękę, w twarz, w usta. **3. p.** klamkę ⟨*odejść, nie zastawszy kogo, odejść z niczym*⟩. **4.** *wulg.* Pocałuj mnie w nos ⟨*rób, co chcesz, nic mnie nie obchodzi; nie zważam na nic*⟩.

pocałowanie 1. Z pocałowaniem ręki ⟨*bardzo chętnie, skwapliwie*⟩: Jeżeli on zechce się z tobą ożenić, wyjdziesz z pocałowaniem ręki. *Prus Emanc. III, 209.* **2.** Dać, podać (komu) co do pocałowania (np. rękę).

pocałunek 1. Długi, głośny, gorący, namiętny, serdeczny, słodki, szczery **p. 2.** Zdradziecki **p. 3.** Oddać (komu), przes(y)łać komu (ręką), wycisnąć, złożyć (na czym) **p.**: Złożył na jej czole pocałunek. *SW.* **4.** Musnąć komu czoło, policzek; zamknąć komu usta pocałunkiem. **5.** Okry(wa)ć, pokrywać, obsyp(yw)ać pocałunkami: Obsypywał pocałunkami jej ręce. Pochwycił jej ręce i pokrywał pocałunkami.

pochlebiać, pochlebić 1. p. k o m u, c z e m u: Pochlebia jego miłości własnej, wzbija w ambicję i terroryzuje zarazem. *Fredro J. Żyw. 31.* **2.** Pochlebiać (*rzad.* pochlebić) sobie: a) ⟨*liczyć na co, spodziewać się, być pewnym czego, wierzyć w co*⟩: Kto tu pochlebi sobie, że zna serce cudze. *Mick. Graż. 28.*; b) ⟨*mieć sobie co za dobre, poczytywać sobie co za zaletę*⟩: Oj! ludzie, ludzie... czego oni nie mówią, dlatego też ja, pochlebiam sobie, nie wierzę nigdy obmowie. *Lubow. Niet. 214.* **3.** Coś pochlebia komu a. czyjej ambicji, dumie itp. ⟨*coś umacnia kogo w mniemaniu o swojej wartości, pobudza, potęguje czyją ambicję, dumę itp.*⟩: Hołd, oddany moim zdolnościom, pochlebiał mi. *Sewer Pam. 145.*

pochłaniać, pochłonąć 1. p. c o ⟨*o ludziach i zwierzętach: połykać, zjadać, pożerać*⟩: **p.** potrawy, napoje. **2. p.** książki, powieści, drukowane słowo itp. ⟨*czytać chciwie, dużo, szybko*⟩. **3. p.** ofiary ⟨*powodować śmierć, kalectwo ludzi, ruinę rzeczy lub instytucji*⟩: Epidemia pochłonęła wiele ofiar. **4. p.** sumy, krocie, koszta itp. ⟨*pociągać za sobą (znaczne) sumy, wydatki*⟩: Budowa kombinatu metalurgicznego pochłonęła wielkie sumy. **5.** *chem. fiz.* Pochłaniać ciepło, tlen, dwutlenek węgla itp. ⟨*absorbować, chłonąć*⟩: Rośliny pochłaniają dwutlenek węgla. **6.** Coś kogo pochłania ⟨*zajmuje całkowicie, absorbuje*⟩: Praca twórcza pochłaniała go całkowicie. - Pochłonęła go stokroć ważniejsza sprawa. *Perz. SPP.* **7.** Ktoś, coś pochłania czyją uwagę ⟨*absorbuje, wzbudza zainteresowanie*⟩: Oglądany projekt nowego mostu pochłonął jego uwagę. **8.** Pochłaniać kogo, co oczami, wzrokiem ⟨*wpatrywać się w kogo, w co z zachwytem, pożądliwością*⟩: Żadna kobieta dotąd nie zrobiła na nim takiego wrażenia. Pochłaniał ją oczyma. *Bał. Dziady 183.* **9.** Jakby go (ją) ziemia pochłonęła ⟨*zniknął (znikła) bez śladu*⟩: Od kilku dni nie mogę znaleźć teczki — jakby ją ziemia pochłonęła.

pochmurny 1. p. dzień; **p-a** noc ⟨*niepogodny(-a)*⟩. **2. p-a** twarz; **p.** wzrok ⟨*wyrażająca(-y) ponurość, posępny nastrój*⟩. **3. p-e** milczenie ⟨*ponure, posępne*⟩.

pochodzenie 1. p. robotnicze; **p.** społeczne ⟨*rodowód*⟩. **2.** Z pochodzenia ⟨*z urodzenia, z rodu*⟩: Był chłopem z pochodzenia. *Nałk. Z. SPP.* **3.** Teoria pochodzenia gatunków ⟨*teoria biologiczna Darwina*⟩.

pochodzić 1. p. k o ł o c z e g o, z a c z y m ⟨*poczynić starania, zabiegi o co*⟩: **p.** koło interesów. Warto za tym pochodzić. *SW.* **2. p.** o d k o g o, o d c z e g o a. z c z e g o ⟨*wywodzić się od kogo, być dostarczonym, zrobionym, spowodowanym przez kogo, przez co*⟩: Rana pochodzi od tępego narzędzia, od uderzenia. Wiadomość pochodzi od niego, z wiarogodnego źródła. **3.** Głos pochodzi skąd ⟨*bierze początek*⟩: Nie mógł zorientować się, skąd głos pochodzi. *Prus Far. III, 30.*

pochop *przestarz.* **1.** Nowy, wielki, największy **p. 2. p.** d o c z e g o ⟨*pobudka, podnieta; przyczyna, okazja*⟩: **p.** do pisania, do twórczości. **3.** Brać, wziąć **p.** d o c z e g o: Imię miał Faustyn, z czego wziął pochop do podpisywania się „Szczęsny". *Dygas. Piszcz. I, 147.* **4.** Dać komu **p.** d o c z e g o: Przeżyta przygoda dała mu pochop do napisania noweli.

pochować p. k o g o, **p.** k o g o w grobie: a) ⟨*pogrzebać, złożyć w grobie*⟩; b) **p.** k o g o ⟨*być przekonanym, że ktoś nie żyje*⟩: Żyjesz [...] A myśmy cię pochowali. *Sier. Dno 299.*

pochować się Niech się wszyscy (inni) pochowają ⟨*forma przechwałki*⟩: Umiem też grać w bilard, że [...] niech się wszyscy markierzy pochowają. *Orzesz. Z różnych I, 38.*

pochód 1. p. demonstracyjny, protestacyjny; zwycięski, tryumfalny, uroczysty, zwycięski **p.** ⟨*zorganizowany przemarsz*⟩. **2. p.** pogrzebowy, żałobny ⟨*kondukt*⟩. **3.** Otwierać, rozpoczynać, zamykać **p.** ⟨*stanowić początek, koniec grupy pochodowej*⟩. **4.** Wyruszyć w (dalszy) **p.** ⟨*w (dalszą) drogę*⟩. **5.** Iść, kroczyć w pochodzie. **6.** Znaczyć czym (np. krwią, grobami, pożogą, rabunkiem) swój **p.** ⟨*swoje przejście, swój przemarsz*⟩. **7. p.** rusza, uformował się, zatrzymał się.

pochwa 1. Ceratowa, skórzana, metalowa **p.** ⟨*futerał*⟩. **2. p.** n a c o: **p.** na strzały. **3.** Dobyć miecza, szabli; wyjąć miecz, szablę, nóż z pochwy.

pochwalić p. Pana Boga ⟨*wypowiedzieć formułę (powitania): niech będzie pochwalony Jezus Chrystus*⟩.

pochwalony Niech będzie **p.** (Jezus Chrystus) ⟨*forma pozdrawiania utrzymująca się głównie na wsi*⟩.

pochwała 1. Niezasłużona, przesadna, wielka, zasłużona **p. 2.** Żądny pochwał. **3. p.** c z e g o, z a c o; d l a k o g o, d l a c z e g o: **p.** głupoty, **p.** za odwagę. Kobiety są wrażliwe na wszelką publiczną pochwałę dla bliskich im mężczyzn. *Sienk. SPP.* To było pochwałą osoby kompetentnej dla jego gry. *Nałk. Z. SPP.* **4.** Otrzymać, zyskać pochwałę (od kogo — za co). **5.** Obsypywać kogo pochwałami. **6.** Pragnąć, nie pragnąć pochwał. **7.** Przesadzać się, rozpływać się, rozwodzić się w pochwałach (nad kimś, nad czymś). **8.** Można powiedzieć na jego pochwałę, że... ⟨*można mu to przyznać, że...*⟩. **9.** Zasłużyć na pochwałę. **10. p.** spotyka kogo, należy się komu za co.

pochwycić 1. p. k o g o, c o — z a c o: **p.** kogo za ręce, za głowę, za bary. **2. p.** władzę, rządy, ster rządów ⟨*osiągnąć władzę, zacząć kierować, rządzić*⟩: Partia opozycyjna pochwyciła ster rządów. **3. p.** czyj wzrok, spojrzenie ⟨*spostrzec, zauważyć*⟩. **4. p.** k o g o w objęcia ⟨*objąć ramionami, uścisnąć kogo*⟩. **5. p.** na języki ⟨*obgadać, obmówić*⟩: Panienka w twoim wieku nie może się afiszować, bo ją pochwycą na języki. *Prus Emanc. II, 117.* **6. p.** w lot ⟨*zrozumieć, zorientować się szybko, od razu*⟩: **p.** w lot myśl czyją. **7. p.** za broń, za oręż ⟨*wystąpić zbrojnie, stanąć do walki*⟩: Ludność chwyciła za broń. **8. p.** za serce ⟨*wzruszyć, rozczulić; ująć*⟩: Pieśń odśpiewana z uczuciem pochwyciła wszystkich za serce. Hetmanowa tym swoim postępkiem dziwnie go pochwyciła za serce. *Kaczk. SW.* **9. p.** k o m u — k o g o, c o sprzed nosa ⟨*porwać komu co; zabrać, uprzedzając w tym kogoś*⟩: **p.** komu sprzed nosa pannę, towar itp. **10.** *przestarz.* **p.** tchu ⟨*zaczerpnąć powietrza, odetchnąć*⟩: Musiała chwilami przystawać, aby tchu pochwycić. *Dygas. Właśc. 109.* **11.** *przen.* sen, skurcz kogo pochwycił.

pochwycić się p. się n a c z y m ⟨*uświadomić sobie co, spostrzec się*⟩: Pochwycił się na tym, że zaczyna myśleć o czym innym.

pochwytać *przestarz.* **p.** kogo na kradzieży ⟨*złapać na kradzieży, stwierdzić czyją kradzież bezpośrednio*⟩: Przekupstwo toczyło biurokrację i pochwytano na kradzieży ministrów i adiutantów królewskich. *Choj. Rew. 35.*

pochyba *daw.* Bez pochyby ⟨*niewątpliwie, z pewnością*⟩: W powieściopisarstwie [...] można bez pochyby stwierdzić głęboką tendencję ku realizmowi. *Rocz. Lit. 1932 s. 107.*

pochylać, pochylić p. p r z e d k i m, p r z e d c z y m czoło, głowę ⟨*wyrażać komu hołd, uznanie*⟩: Przed bohaterem pochylmy głowy. *Czerwień. Poezje 99. książk.* Starość pochyliła go (ją) ku ziemi ⟨*przygięła, zgarbiła*⟩.

pochylony *książk.* **p.** starością, latami ⟨*zgarbiony, przygnieciony*⟩: Starzec **p.** latami.

pochyły *przysł.* Na pochyłe drzewo i kozy (wszystkie kozy) skaczą.

pociąg ● 1. p. dalekobieżny, dzienny, nocny, osobowy, podmiejski, towarowy; **p.** motorowy, parowy, **p.** pośpieszny, przyśpieszony ⟨*zespół wagonów poruszający się po szynach*⟩. **2. p.** pancerny ⟨*opancerzony i uzbrojony w działa i karabiny maszynowe*⟩; **p.** sanitarny ⟨*służący do przewożenia rannych w czasie wojny*⟩. **3.** Bieg, szybkość pociągu. **4.** Jechać pociągiem ⟨*odbywać podróż koleją*⟩; jechać w pociągu ⟨*jadąc znajdować się (siedzieć) w pociągu*⟩. **5.** Podstawi(a)ć **p.** ⟨*zestawiony na dalszych torach przesuwać na tor przy peronie, z którego ma odjechać*⟩. **6.** Wyjść na **p.** ⟨*udać się na dworzec na spotkanie osoby przyjeżdżającej*⟩. **7.** Zatrzymać **p. 8.** Zestawić **p.** (*KJMK*). **9. p.** odchodzi, przychodzi, wlecze się, zwalnia; nadjeżdża, wpada na co; wykoleił się, rozbił się; spóźnił się, ma spóźnienia x minut, przybył (przyszedł) z opóźnieniem. **10. p-i** zderzyły się.

● **11.** Mimowolny, niemały, niepohamowany, nieprzezwyciężony, niewymowny, wielki **p.** ⟨*skłonność, chęć, upodobanie*⟩. **12. p.** d o c z e g o, d o k o g o: **p.** do trunków, do kobiet; do zabawy; do eksperymentowania, do majsterkowania. **13.** Mieć **p.** d o k o g o, d o c z e g o: Miał **p.** do mechaniki.

pociągać, pociągnąć 1. p. k o g o, c o — z a c o: **p.** kogo za rękę, za włosy, za połę płaszcza. **2. p.** k o g o — d o c z e g o, z a s o b ą ⟨*por(y)wać, wciągać, skłaniać*⟩: **p.** kogo do walki, do zguby, do złego. Kwiryna przeszła ze spuszczonymi powiekami i pociągnęła siostry Mossakowskie za sobą. *Goj. Dziew. I, 73.* **3. p.** k o g o do świadczeń itp. ⟨*zmusić, zniewolić*⟩. **4. p.** k o g o — c z y m ⟨*zniewalać, zyskiwać, wzbudzać sympatię*⟩: Wszystkich pociągnął swoim zachowaniem, swoją wymową. *SW.* **5.** Pociągać brzytwę (na pasku) ⟨*poostrzyć*⟩. **6.** Pociągnąć linię ⟨*narysować, wykreślić*⟩. **7.** Pociągać nogą, nogami ⟨*poruszać się nie zginając nogi (nóg) w kolanie (w kolanach)*⟩. **8.** Pociągać wąsa ⟨*szarpać*⟩: Chrząkał, wąsa pociągał — na sercu leżało mu inne jeszcze pytanie, którego nie śmiał wyjawić. *Gomul. Miecz II, 113.* **9. p.** miód, wino, wódkę itp. ⟨*popijać sobie, pić z upodobaniem*⟩: Wśród Węgrów nabrał zwyczaju tęgo pociągać węgrzyna. *Kossak Z. Dziedz.* w: *Kier. 21 1957.* Pociągnął wina. *Słow. Ben. 131.* **10. p.** papierosa, **p.** z fajeczki ⟨*palić tytoń, zaciągać się dymem tytoniu*⟩: Pociągnął z fajeczki i kłębami dymu [...] osłonił towarzyszy. *Sewer Poboj. 71.* **11.** Niedługo pociągnąć a. długo nie pociągnąć ⟨*umrzeć wkrótce*⟩: Wyglądał źle i mówili, że niedługo pociągnie. **12.** Ktoś, coś kogo pociąga ⟨*nęci, budzi sympatię*⟩: Pociągały ją stroje, błyskotki. **13.** Coś pociąga za sobą skutki, trudności itp. ⟨*powoduje co, przyczynia się do czego*⟩: Brak dostatecznych funduszów pociąga za sobą trudności w pracach badawczych. **14. p.** c o — farbą, bejcą, kolorem, politurą itp. ⟨*pokrywać; pomalować*⟩: **p.** drzewo bejcą; ściany kolorem. **15.** Wiatr, powiew pociąga skąd, od czego ⟨*wieje, napływa*⟩: Silny wiatr pociągał od morza.

pociągły p-a twarz ⟨*podługowata, owalna*⟩.

pociągnięcie 1. p. dyplomatyczne, polityczne ⟨*posunięcie*⟩. **2.** Mądre, niemądre, nieprzemyślane **p.** ⟨*działanie, postępowanie*⟩.

pociągowy 1. Siła **p-a** ⟨*służąca do poruszania narzędzi rolniczych lub pojazdów*⟩. **2.** Zwierzę **p-e** ⟨*używane do pracy; do poruszania pojazdów, narzędzi rolniczych*⟩. **3.** Drużyna **p-a** ⟨*zespół ludzi obsługujących pociąg*⟩.

pocić *przestarz.* **p.** czoło ⟨*trudzić się nad wymyślaniem czego; suszyć sobie głowę*⟩: Łamią sobie głowy, spekulują, pocą czoła, jakby łatwiej wykopać jamkę na cudzej drodze. *Sztyrm. Pow. II, 54.*

pocić się 1. p. się z c z e g o, o d c z e g o ⟨*pokrywać się potem*⟩: **p. się** ze strachu, od pracy. **2. p. się** n a d c z y m ⟨*mozolić się, trudzić się, wysilać się, łamać sobie głowę*⟩: Cały wieczór pocił się nad trudnym zadaniem. **3.** Mury się pocą ⟨*pokrywają się wilgocią*⟩. **4.** Okna, okulary się pocą ⟨*pokrywają się rosą, zachodzą mgłą*⟩.

pociecha 1. niewielka, słaba **p.** z k o g o, z c z e g o ⟨*mała pomoc z kogo; nie na wiele się to przyda*⟩. **2. p.** religijna: przyjmować **p-y** religijne. **3.** Sto *rzad.* tysiące pociech ⟨*wiele zabawy, rozrywki, śmiechu*⟩: Mieliśmy z nim (było z nim) sto pociech. Sto pociech było, gdy zaczął przy definicji czy wzorze jąkać się i peszyć. *Zeg. Zmory 434.* Niezmiernie [był] śmieszny, tysiące mieliśmy pociech z niego. *Niemc. Sieciech 36.* **4.** Na pociechę ⟨*ku pocieszeniu*⟩: Obiad się wreszcie skończył na pociechę Karola. *Reym. SPP.* Czyś [...] aniołem na moją pociechę zesłanym? *Kras. SW.* **5.** Doznać, doświadczyć, nie zaznać; potrzebować, szukać pociechy. **6.** Czerpać z czego pociechę. **7.** Ktoś, coś jest, staje się czyją pociechą, ktoś ma z kogo pociechę ⟨*ktoś, coś sprawia komu radość, daje zadowolenie, uprzyjemnia życie*⟩: Córka była największą pociechą rodziców. Trunek stał się jego wyłączną pociechą. **8.** *książk.* Lać w serce czyje pociechę (balsam pociechy). **9.** Przynosić komu pociechę (słowo pociechy). **10.** Znaleźć w czymś pociechę: Znaleźć nie mogłem pociechy w niczym na świecie. *Mick. SW.* **11.** Będzie z kogo **p.** ⟨*ktoś będzie jednostką wartościową; móc się kimś chlubić jako jednostką wartościową*⟩: Będzie jeszcze z ciebie pociecha. *Jun. Antrop. 133.* **12. p.** wstępuje w serce.

po ciemku: a) ⟨*bez światła, w ciemności*⟩: Siedzieć po ciemku; b) ⟨*gdy jeszcze jest ciemno, bardzo wcześnie*⟩: Wstawać po ciemku.

pocierać p. konopie, len ⟨*międlić, oczyszczać z twardych cząstek*⟩. *daw.* **p.** cudze kąty, progi ⟨*wycierać cudze kąty; mieszkać, żyć u kogo; na czyim utrzymaniu, na czyjejś łasce*⟩.

pocieszać się, pocieszyć się 1. p. się c z y m: **p. się** pijaństwem, rozpustą; nadzieją. **2.** Pocieszyć się p o k i m, p o c z y m ⟨*uspokoić się w smutku, znaleźć pociechę, nabrać otuchy*⟩: Anna pocieszyła się wkrótce po stracie męża i zaraz znalazła drugiego. *Łoz. Wł. Praw. II, 39.* Pocieszył się wkrótce po śmierci matki. *SW.* **3. p. się** w duchu, w myśli ⟨*wewnętrznie, prowadząc wewnętrzny monolog*⟩.

pocisk 1. p. karabinowy, rakietowy; **p.** dymny, gazowy; burzący, kruszący, świetlny, zapalający. **2.** Grad pocisków (posypał się). **3.** *przen.* **p-i** krytyki, potwarzy. **4.** miotać, rzucać **p-i** na kogo. **5.** Wypuścić, wyrzucić, wystrzelić **p. 6. p.** pada skąd, ugodził kogo, w kogo, w co.

począć 1. (Nie wiedzieć) co **p.** ⟨*nie wiedzieć, zastanawiać się itp., co zrobić, co uczynić*⟩: Nie wiedział, co ze sobą począć. **2.** I znów płacz — i znów załamywanie rąk — co ja nieszczęsna pocznę, dokąd się zwrócę! *Goj. Dziew. II, 92.* **3. p.** dziecko ⟨*zajść w ciążę; dać życie (embrionowi)*⟩: Trzyma oto w ramionach dziecko, które poczęła, wynosiła i porodziła. *Zar. SPP.*

początek 1. *mat.* **p.** łuku ⟨*pierwszy punkt na krzywej uporządkowanej*⟩; **p.** wektora ⟨*punkt zaczepienia wektora*⟩; **p.** współrzędnych ⟨*punkt o współrzędnych zerowych*⟩. **2.** Na **p.** ⟨*na pierwszy raz, na pierwszy okres; tymczasem*⟩: Jak na początek otrzymał wcale niezłą pensję. **3.** Na początku, z początku ⟨*w chwili rozpoczęcia się czego*⟩: Zaraz na początku kampanii mój kolega był wzięty w niewolę. *Fredro A. SPP.* Z początku było mu ciężko, potem się przyzwyczaił. **4.** Od początku zacząć co, robić co itp. ⟨*od nowa; jeszcze raz*⟩: Czytał od początku. **5.** Od początku świata ⟨*od bardzo dawna*⟩. **6.** Z początkiem (tygodnia, miesiąca, roku itp.) ⟨*w pierwszym okresie; z nastaniem, z rozpoczęciem czego*⟩: Z początkiem roku akademickiego rozpoczął wykłady. **7.** mieć **p.**, *daw.* wywodzić początki, pochodzić z początków ⟨*zaczynać się, wywodzić się, pochodzić skąd*⟩: Starożytny ród Sobieskich [...] wywodził swe początki z zamierzchłej przeszłości. *Sliw. A. Sob. 15.* **8.** Mieć **p-i** czego ⟨*mieć elementarne wiadomości w jakimś zakresie, nie być w czym zaawansowanym; w odniesieniu do chorób — być w ich wczesnym stadium rozwojowym*⟩: Ma dopiero **p-i** matematyki. - Zaczęło mi się chwilami zdawać, że muszę mieć początki obłędu. *Reym. Now. V, 273.* **9.** *pot.* Zrobić **p.** ⟨*być pierwszym kupującym*⟩.

przysł. **10.** Dobry początek połowa roboty.

poczciwie p. komu z oczu patrzy ⟨*ktoś wygląda na dobrego, łagodnego człowieka, dawniej również: na uczciwego, moralnego*⟩.

poczciwość Poczciwości mężczyzna, kobieta itp. ⟨*o bardzo dobrym sercu*⟩. *daw.* Na **p.** ⟨*na (moją) uczciwość; doprawdy*⟩: Na poczciwość nie pisnę! *Bog. Kapit. II, 193.*

poczekać Poczekaj, ja ci dam! ja cię nauczę! ⟨*pogróżka*⟩: Poczekaj! Popamiętasz ty mnie. *Kosiak. Rick. I, 40.*

poczekanie Na poczekaniu ⟨*bez długich przygotowań, bezzwłocznie, natychmiast, w tej chwili*⟩: Przyrządzić obiad; wymyślić usprawiedliwienie, naprawić motor, rozstrzygnąć kwestię na poczekaniu.

poczet 1. p. sztandarowy ⟨*grupa osób, której powierzono niesienie sztandaru lub straż przy nim*⟩. **2.** *kult.* **p.** rzymski ⟨*okres 15-letni używany przy obliczaniu kalendarza, w szczególności przy obliczaniu daty Wielkanocy*⟩. **3.** Na **p.** ⟨*jako zaliczka na co, na rachunek czego*⟩: Zaliczyć areszt tymczasowy na poczet kary; wypłacić zaliczkę na poczet poborów; wpłacić jaką sumę na poczet długu. **4.** W **p.** błogosławionych, świętych (zaliczyć kogo).

poczęstunek 1. Skromny **p. 2.** Wynieść komu **p.**; zaprosić kogo na **p.**

poczta 1. p. francuska ⟨*rodzaj zabawy towarzyskiej*⟩. **2. p.** pantoflowa ⟨*plotkarski sposób rozpowszechniania wiadomości; plotki, pogłoski*⟩: Wiadomość rozeszła się szybko pocztą pantoflową. **3. p.** pneumatyczna ⟨*urządzenie przesyłające rurami korespondencję za pomocą sprężonego powietrza*⟩. **4. p.** polowa ⟨*dział łączności wojskowej mający za zadanie dostarczanie wojsku listów i przesyłek w strefie działań wojennych, w czasie manewrów, ćwiczeń itp.*⟩. **5.** *hist.* Jechać, wyjechać pocztą ⟨*pojazdem konnym instytucji przewożącej podróżnych, korespondencję oraz przesyłki*⟩. **6.** Odebrać, przynieść pocztę ⟨*listy, przesyłki*⟩. **7.** Odpisać, wysłać co odwrotną pocztą ⟨*natychmiast po otrzymaniu listu*⟩. **8.** Pisać rzemienną pocztą ⟨*przez okazję*⟩: Napisała do mnie rzemienną pocztą. *Choyn. SPP.* **9.** Pracować na poczcie ⟨*w urzędzie pocztowym*⟩. **10.** przeglądać pocztę ⟨*korespondencję*⟩. **11.** Przesłać, rozesłać co (np. zawiadomienia, zaproszenia) pocztą. **12.** Wyjąć pocztę ze skrzynki ⟨*listy, korespondencję, przesyłki*⟩.

pocztowy 1. *daw.* dzień **p.** ⟨*w którym przychodziła poczta*⟩. **2.** Pobranie, zaliczenie **p-e**: Przesłać książkę za zaliczeniem pocztowym. **3.** Przekaz **p.** ⟨*formularz wypełniany przy przesyłkach pieniężnych pocztą*⟩. **4.** Skrytka **p-a. 5.** Skrzynka **p-a** ⟨*do wrzucania listów*⟩. **6.** Stempel **p. 7.** Ścieg **p.** ⟨*jeden ze ściegów ręcznych: ścieg ciągły*⟩. **8.** Urząd **p.** ⟨*poczta*⟩. **9.** Wagon **p.** ⟨*specjalny wagon w pociągu do przewożenia poczty*⟩. **10.** Znaczek **p.**

poczucie 1. Dobre, złe **p.** ⟨*świadomość swego stanu fizycznego, samopoczucie fizyczne*⟩. **2. p.** językowe ⟨*praktyczna znajomość poprawnych form językowych; praktyczna umiejętność posługiwania się poprawnymi formami językowymi*⟩. **3. p.** narodowe ⟨*świadomość narodowa*⟩. **4. p.** czasu, grozy, bezpieczeństwa, rzeczywistości ⟨*zdawanie sobie sprawy z czego*⟩. **5. p.** delikatności, humoru, smaku, piękna, sprawiedliwości ⟨*uczulenie, wrażliwość na co*⟩. **6. p.** godności osobistej (własnej), krzywdy, niższości, pewności siebie, winy, wyższości ⟨*świadomość czego*⟩. **7. p.** obowiązku ⟨*skłonność do wykonywania obowiązków*⟩. **8. p.** odpowiedzialności ⟨*uświadomienie sobie ciążącej na nim odpowiedzialności*⟩. **9.** Mieć **p.** czego; nie mieć poczucia czego (żadnego poczucia) ⟨*mieć świadomość czego, zdawać sobie sprawę z czego; odznaczać się skłonnością do czego; nie zdawać sobie sprawy z czego; nie wykazywać żadnej skłonności do czego, wrażliwości na co*⟩: Miał poczucie doznanej krzywdy. Nie miał poczucia obowiązku. **10.** Zatracić poczucie czego. **11. p.** czego odzywa się w kim.

poczuć 1. p. c o: a) ⟨*odebrać wrażenie za pomocą węchu, smaku, dotyku, zmysłu temperatury itp.*⟩: **p.** zapach, chłód, dotknięcie, czyjś wzrok na sobie, smak soli; **p.** ból, zmęczenie; b) ⟨*doznać jakiego uczucia, zostać opanowanym przez jaką namiętność*⟩: **p.** dla kogo wdzięczność, **p.** przypływ odwagi, **p.** do kogo sympatię; **p.** radość, smutek, wstręt, zadowolenie, zniechęcenie. Poczuł wszystkim swoim jestestwem niezmierną nędzę i zupełną samotność człowieka. *Żer. SPP.* **2.** *pot.* **p.** c o — u k o g o ⟨*zwietrzyć, przewąchać*⟩: Uderzył do niej, bo poczuł u niej pieniądze. *SW.* **3.** *posp.* **p.** wolę bożą ⟨*dojrzeć, rozbudzić się seksualnie*⟩.

poczuć się 1. p. się dobrze, źle; **p. się** osłabionym ⟨*zacząć się czuć dobrze itp. pod względem fizycznym lub psychicznym*⟩. **2.** *rzad.* **p. się** d o c z e g o ⟨*uznać się obowiązanym do czego*⟩: Piotr Rozłucki poczuł się do solidarności z odłamem tej generacji starszej. *Żer. Uroda 358.* **3. p. się** na siłach ⟨*zdać sobie sprawę, że się czemuś podoła*⟩. **4. p. się** w swoim żywiole ⟨*zacząć dawać upust swoim zamiłowaniom, skłonnościom itp. znalazłszy się w korzystnych po temu warunkach*⟩. **5. p. się** matką ⟨*spostrzec, że się jest w ciąży*⟩. **6. p. się** k i m (np. artystą, Polakiem) ⟨*uświadomić sobie, że się jest np. artystą, Polakiem*⟩.

poczuwać się 1. p. się d o c z e g o: a) ⟨*przyznawać się przed sobą do czego*⟩: **p. się** do winy; b) ⟨*uważać się za zobowiązanego, powołanego do czego*⟩: **p. się** do odpowiedzialności za kogo, za co, do obowiązku względem kogo, czego; c) ⟨*uważać się za kogo*⟩: **p. się** do polskości, do kuzynostwa z kim. **2.** *przestarz.* **p. się** na siłach ⟨*czuć, że się czemuś podoła*⟩.

poczynać *przestarz.* dziś *książk.* **p.** sobie w taki lub inny sposób ⟨*postępować, zachowywać się w taki lub inny sposób*⟩: **p.** sobie bezwzględnie, mężnie, wesoło, zbyt swobodnie itp. Wódz tym śmielej sobie poczyna, im swoich żołnierzy pewniejszy. *Sienk. SPP.*

podać, podawać 1. p. k o m u — c o ⟨*dać do rąk; wręczyć*⟩: **p.** klientowi towar. **2. p.** komu palto, płaszcz itp. ⟨*pomóc włożyć*⟩. **3. p.** komu konia ⟨*przyprowadzić komu konia, aby go dosiadł*⟩. **4.** *książk.* **p.** komu ramię ⟨*podsunąć rękę ugiętą w łokciu do oparcia się*⟩: Podawał mi ramię do poloneza. *Orzesz. Pam. I, 247.* Podał jej ramię i wprowadził na salę. **5. p.** komu rękę: a) ⟨*uścisnąć (na powitanie, pożegnanie lub na znak zgody)*⟩; b) *przen.* ⟨*pomóc komu, zaopiekować się kim*⟩: W ciężkiej chwili przyjaciele podali mu rękę. **6. p.** komu rękę do pocałowania ⟨*wyciągnąć, podsunąć*⟩. **7. p.** sobie ręce: a) ⟨*połączyć się z kim dla wspólnego działania*⟩: Wobec groźby najazdu nieprzyjaciela zwaśnione plemiona podały sobie ręce; b) ⟨*pogodzić się*⟩: Podali sobie ręce adwersarze. *Syrok. SPP.* **8. p.** do stołu; **p.** kolację, obiad, kawę itp. ⟨*postawić, stawiać na stole kolację, obiad itp.; usłużyć przy posiłku*⟩. **9. p.** świadków itp. ⟨*wymienić*⟩. **10. p.** dowód, myśl, projekt, przykład, rację, środki, warunki ⟨*przytoczyć, wymienić*⟩. **11. p.** informację, wiadomość itp. ⟨*o dziennikach, radiu: zakomunikować, przytoczyć*⟩. **12. p.** co do wiadomości komu ⟨*zakomunikować co komu*⟩. **13.** Podawać (sobie) co z rąk do rąk, z ust do ust ⟨*przekazywać sobie kolejno*⟩: Piłkę podawano sobie z rąk do rąk. Wiadomość podawano sobie z ust do ust. **14. p.** co w wątpliwość ⟨*wyrazić wątpliwość na jakiś temat*⟩: Podać w wątpliwość czyje twierdzenie. **15. p.** do druku ⟨*ogłosić drukiem*⟩. **16. p.** kogo do sądu, **p.** skargę ⟨*wnieść skargę do sądu*⟩. **17. p.** kogo do nagrody; na listę kandydatów, gości zaproszonych ⟨*zaproponować, zgłosić*⟩. **18.** *sport.* **p.** piłkę: a) ⟨*w tenisie, siatkówce itp.: zaserwować*⟩; b) ⟨*w piłce nożnej, siatkówce, itp.: kopnąć lub rzucić do innego gracza*⟩. **19. p.** sygnał ⟨*zasygnalizować*⟩. **20.** *daw.* **p.** tył ⟨*uciec z pola bitwy*⟩: Najemny żołnierz zaczął już tył podawać. *Gomul. Miecz II, 136.* **21.** *daw.* **p.** ucha ⟨*przychylić się do czyjej prośby*⟩: Niech Jehowa [...] na mój głos swego poda ucha. *Zab. XIII/2, 1776, s. 413.*

podać się, podawać się 1. p. się z a k o g o ⟨*udzielić informacji co do swojej osoby (zwykle nieścisłych lub fałszywych)*⟩: **p. się** za lekarza, za kuzyna kogo. **2.** *daw.* **p. się** na śmiech, na żarty ⟨*narazić się na śmiech, na żarty*⟩: Samochcąc się podaje na żarty i śmiechy. *Zabł. Sarm. 71.*

podanie ● 1. p. d o k o g o, d o c z e g o ⟨*pismo z prośbą o co*⟩: **p.** do ministra, do dyrektora; do działu kadr, do sądu. **2. p.** o c o: **p.** o stypendium, o przyjęcie na wyższą uczelnię. **3.** Napisać, odrzucić, przyjąć, wręczyć komu, złożyć **p. 4.** Załatwić **p.** (odmownie, pozytywnie). **5. p.** wpłynęło (do kogo, do urzędu).

● 6. p. ludowe, góralskie, śląskie, kaszubskie, mazowieckie, krakowskie itp. ⟨*legenda, tradycja*⟩. **7. p.** o k i m, o c z y m: **p.** o smoku, o zaczarowanej królewnie. **8.** Notować, zbierać **p-a** (ludowe). **9. p.** (o czym) krąży, obiega między ludem, zachowało się. **10. p.** głosi, niesie, że...

podaniowy 1. Papier **p.** ⟨*do pisania podań*⟩. **2.** Postać **p-a** ⟨*legendowa*⟩.

podany p. naprzód ⟨*pochylony*⟩: Cała naprzód podana, z trwogą w oczach wsłuchiwała się w jego słowa. *Orzesz. SW.*

podarunek 1. Cenny, kosztowny, imieninowy, ślubny **p. 2. p.** o d k o g o; **p.** d l a k o g o: **p.** od męża; **p.** dla córki, dla narzeczonej. **3.** Dawać, robić komu, odbierać od kogo podarunki; dać, zrobić, przywieźć komu **p. 4.** Da(wa)ć, rozd(aw)ać co, mieć co od kogo w podarunku: Co dzień całe drogie nakrycie rozdawano w podarunku biesiadnikom. *Mick. Hist. 60.*

podatek 1. p. obrotowy **p.** lokalowy, spadkowy; **p.** od wynagrodzeń itp. **2. p.** pośredni ⟨*wymierzany od poszczególnych aktów obrotu i przedmiotów konsumpcji*⟩. **3. p.** łanowy ⟨*w dawnej Polsce: podatek płacony przez chłopów od łanu*⟩. **4.** Zaległe **p-i. 5. p.** o d c z e g o, z c z e g o: **p.** od dochodu, od nieruchomości, od kapitału; od psów; **p.** z morga, z hektara a. od morga, od hektara. **6.** Nakładać, ściągać, wybierać **p-i**; płacić **p-i. 7.** Obłożyć co podatkiem. **8.** Ktoś zalega z podatkami a. **p-i** zalegają komu: Zaległy mu podatki, a nie było ich czym płacić. *Sienk. SPP.*

podatny 1. p. grunt ⟨*nadający się, odpowiedni*⟩. **2.** *techn.* Połączenia, sprzęgła **p-e** ⟨*zrobione z gumy, pasa, sprężyn itp.; miękkie, elastyczne*⟩. **3. p.** d o c z e g o ⟨*zdatny, nadający się do czego*⟩: Nie okazała się podatną do takich żartów. *Dąbr. M. SPP.* **4. p.** n a c o ⟨*łatwo poddający się czemu*⟩: Organizm **p.** na choroby; człowiek **p.** na wpływy.

podawać p. **podać**

podawczy Biuro **p-e** ⟨*przyjmujące i wysyłające korespondencję danej instytucji*⟩.

podbić, podbijać 1. p. kraj, naród, państwo itp. ⟨*zawojować, zdobyć*⟩. **2. p.** normy, stawkę; papiery (wartościowe), akcje itp. ⟨*spowodować podniesienie ceny, normy, stawki itp.; podnieść normę itp.*⟩. **3. p.** konia ⟨*dopuścić, aby okulał*⟩. **4. p.** c o — c z y m ⟨*umocnić co, przymocować co do czego od spodu*⟩: **p.** strop słupami; **p.** kołdrę prześcieradłem; płaszcz jedwabiem; **p.** buty (podeszwy) gwoździami. **5. p.** zupę śmietaną, mlekiem, jajami; **p.** koniak, wino jajami ⟨*zaprawić*⟩. **6. p.** k o g o ⟨*przy licytacji: podwyższyć sumę dawaną przez innego licytanta*⟩: Naród chciwy, do kupna aż piszczy, więc jeden drugiego podbija. *Jun. Bracia 17.* **7. p.** k o g o c z y m ⟨*pozyskać, zdobyć kogo czym*⟩: **p.** kogo cierpliwością, dobrocią, rozumem. Podbiła mię swymi wdziękami. *SW.* **8.** Podbić komu oko (oczy) ⟨*uderzeniem spowodować sińce koło oka (oczu)*⟩. **9.** *przestarz.* Podbić czyje oczy ⟨*podobać się komu, oczarować kogo*⟩: Wiosennymi wdziękami swymi oczy króla podbiła. *Orzesz. Czciciel 137.* **10. p.** czyje serce ⟨*zyskać czyją sympatię, miłość, rozkochać, rozmiłować kogo w sobie*⟩: Piękność jej była z tych, co czarują, co podbijają serca. *Morzk. Bożek 14.* **11. p.** komu nogę (nogi) ⟨*uderzyć, kopnąć kogo w nogę tak, żeby się przewrócił; podciąć komu nogi*⟩. **12. p.** sobie nogę, kopyto ⟨*o zwierzęciu: okuleć*⟩.

podbiegunowy 1. Koło **p-e** ⟨*równoleżnik (66 1/2° szerokości geograficznej) odgraniczający strefę otaczającą biegun*⟩. **2.** Strefa **p-a** ⟨*rozciągająca się od koła biegunowego do bieguna*⟩.

podbierać, podebrać 1. p. kartofle (ziemniaki) ⟨*przed kopaniem wyjmować spod krzaków po kilka wyrośniętych sztuk*⟩. **2. p.** ule, barcie, pszczoły ⟨*wyjmować z uli (z barci) część miodu*⟩.

podbijać p. **podbić**

podbity p-e oczy ⟨*podsiniałe*⟩: **p-e** oczy z niewyspania.

podbój 1. p. kraju, narodu ⟨*zdobycie orężem*⟩; *przen.* **p.** serc(a), dusz ludzkich. **2.** Dokonać podboju (również *przen.*). **3.** Ulec podbojowi (o kraju, plemieniu, narodzie itp.). **4.** wyruszyć, wysłać kogo na **p.**

podbramkowy *żart.* Sytuacja **p-a** ⟨*trudna, przykra*⟩.

podebrać p. **podbierać**

podchodzić, podejść 1. Podchodzić nieprzyjaciela itp. ⟨*napastować, niepokoić, szarpać*⟩: On to Chowańskiego podchodził tak, że aż nagrodę na jego głowę wyznaczono. *Sienk. Pot. III, 324.* **2. p.** zwierzynę ⟨*podkradać się, zbliżać się do zwierzęcia; jak najbliżej zwierzęcia; ukradkiem, niepostrzeżenie*⟩. **3.** Podchodzić do lądowania, do startu ⟨*o samolocie, lotniku: przygotowywać się do lądowania, do startu*⟩. **4.** *daw.* Podchodzić n a k o g o, n a c o ⟨*wyglądać na kogo, na co; być podobnym do kogo, do czego*⟩: Jaspani żona podchodziła jakoby na kameleona. *Zabł. Szlafm. 227.* **5.** Ktoś, coś podchodzi pod prawo, pod miarę; do prawa, do miary itp. ⟨*może być zakwalifikowany(-e) do czego, przypasowany(-e) do czego*⟩: Jako polityk i teoretyk wielki Bakon w pospolitym życiu podchodził pod zwykłą miarę ludzi. *Niwa VI, 1874, s. 779.* **6.** *daw.* Coś podchodzi komu pod pióro ⟨*nasuwa się podczas pisania*⟩: Sformułowania same podchodzą mu pod pióro. **7.** Serce podchodzi komu do gardła ⟨*ktoś doznaje silnej emocji połączonej z pewnego rodzaju zaburzeniami w działalności serca*⟩: Przez chwilę wydało mu się, że serce podchodzi mu aż do gardła. *Sienk. Pust. I, 172.* **8.** Wnętrzności, żołądek podchodzą komu do gardła ⟨*ktoś ma mdłości*⟩. **9.** *pot.* **p.** w jakiś sposób do zagadnień, spraw, czynności itp. ⟨*zapatrywać się w jakiś sposób na zagadnienie itp.; ujmować zagadnienie itp. w jakiś sposób*⟩: Do sprawy wychowania młodzieży podchodził inaczej niż inni. **10.** *pot.* **p.** w jakiś sposób (np. życzliwie, z życzliwością itp.) do ludzi ⟨*traktować ludzi, ustosunkowywać się do ludzi w jakiś sposób*⟩.

podchwycić, podchwytać p. czyje słowa (słowo): a) ⟨*powtórzyć ostatnie słowa (słowo) rozmówcy w celu nawiązania do nich swojej wypowiedzi*⟩: Uważam sobie za obowiązek wziąć udział w tym rozwoju wypadków [...] Michalina podchwyciwszy ostatnie słowa syna, wołała: — Za obowiązek, i to obowiązek społeczny. *Dąbr. M. Noce II, 210*; b) a. **p.** kogo za słowa (słowo) ⟨*w rozmowie, polemice, przy badaniu opierać się na poszczególnych słowach, wypowiedziach rozmówcy lub badanego; (z)łapać za słowa, czepiać się słów*⟩: W badaniu był grzeczny, uprzejmy, nie straszył i nie podchwytywał słów. *Lim. Pam. 265.*

podchwytliwy p-e pytanie ⟨*podstępne, zdradliwe*⟩.

podciąć, podcinać 1. p. k o m u, rzadziej: c z e m u (np. nadziei, chęci) skrzydła ⟨*zniechęcić kogo, uniemożliwić komu działanie, pozbawić kogo zapału, nadziei, chęci itp.*⟩: Wyszli ze Lwowa pełni zapału i wiary. Ale już wnet podcięto skrzydła ich ochocie. *Orkan Droga 144.* **2. p.** korzenie czego (np. działalności, narodowości, przemysłu, handlu, rolnictwa) ⟨*nie pozwolić się czemu rozwijać, niszczyć co u podstaw*⟩. **3.** *sport.* **p.** piłkę ⟨*w tenisie: nadać piłce rotację wsteczną, powodującą krótkiego kozła i niski lot*⟩. **4. p.** komu nogę (nogi): a) ⟨*uderzyć, kopnąć, kogo w nogę (w nogi), wpaść komu pod nogi tak, aby stracił równowagę*⟩: Z rozpędu podciął nogi jakiejś pani, że omal nie upadła. *Grabow. J. Opow. II, 72*; b) ⟨*o wzruszeniach, przeżyciach, alkoholu: odebrać, odbierać władzę w nogach, podziałać obezwładniająco, paraliżująco*⟩: Niezmierne znużenie podcinało mu nogi. *Strug Ojc. 37.*

podciągać, podciągnąć 1. p. mur, budowlę itp. ⟨*budować w górę, wznosić wyższe piętra*⟩. **2. p.** popręgi (u siodła) ⟨*ciaśniej ściągać*⟩. **3. p.** spodnie ⟨*ciągnąć ku górze*⟩. **4. p.** szelki ⟨*skracać*⟩. **5. p.** c o — p o d c o: a) ⟨*podsuwać*⟩: **p.** kolana pod brodę; b) ⟨*wsuwać, wprowadzić*⟩: **p.** nogi pod kołdrę, pod płaszcz; c) ⟨*sprowadzać, zaliczać do czego*⟩: Wszystko podciągnęli pod jedną kategorię. *SW.* **6. p.** k o g o w c z y m ⟨*podnosić, nieść na wyższy poziom, doskonalić*⟩: **p.** kogo w pracy; **p.** kogo w matematyce.

podciągać się, podciągnąć się p. się w c z y m ⟨*osiągać lepsze wyniki; douczać się*⟩: **p. się** w pływaniu, w matematyce; w pracy.

podcięty 1. Jak kwiat **p.**, jak kosą **p.**; jak lilia **p-a** (chyli się, ginie, pada, umiera, więdnie itp.) ⟨*o człowieku słabym, słabnącym, niknącym w oczach, umierającym po nagłym ciosie*⟩: Kula przeszyła mu serce. Padł jak kosą podcięty. **2.** Jak **p.** batem (biczem) (poderwać się, skoczyć, wstać, zerwać się itp.) ⟨*szybko, gwałtownie, raptownie, nagle*⟩.

podcinać p. **podciąć**

poddać, poddawać 1. p. kark pod jarzmo ⟨*pójść dobrowolnie albo pod przymusem w niewolę; zgodzić się na przemoc, na pracę ponad siły*⟩: Groźbą miecza zniewoleni, poddawali karki pod jarzmo zakonu. *Proch. Szkice 57.* **2. p.** k o g o, c o przesłuchaniu, oględzinom, próbie, egzekucji, rewizji itp. ⟨*przesłuchać; obejrzeć, próbować itp.*⟩: Poborowych poddano szczegółowym oględzinom lekarskim. **3. p.** co pod rozwagę, do rozważenia, pod sąd itp. ⟨*żądać, chcieć, zgadzać się, aby to było rozważone, sądzone itp.*⟩.

poddać się, poddawać się 1. p. się rewizji, operacji, diecie, kwarantannie, uściskom itp. ⟨*pozwolić, dać się zrewidować, operować, uściskać; zgodzić się na zastosowanie czego (diety itp.)*⟩. **2. p. się** chorobie, nieszczęściu, rozpaczy, urokowi, ciszy itp. ⟨*dać się opanować; ulec czemu*⟩: Publiczność poddała się urokowi głosu tenora.

podegrzać *przestarz.* **p.** czuprynę ⟨*podpić, upić się*⟩: Wpadli z junacka i z rwetesem, bo już snadź dobrze czupryny podegrzali węgrzynem. *Łoz. Wł. Narwoj. 66.*

podejmować, podjąć 1. p. pieniądze (z banku, z kasy), towar (z magazynu) ⟨*brać pieniądze z banku, z kasy, towar z magazynu*⟩. **2. p.** badania, bój, działalność, podróż, pracę, produkcję, próbę czego, starania, strajk, trud, walkę, wyprawę, wysiłek, zadanie ⟨*rozpoczynać; brać na siebie; przedsiębrać badania itp.*⟩: Podjął zaś ten trud w tym celu, żeby zbić pewną sumę na wielką podróż. *Żer. SPP.* **3. p.** śpiew; melodię, rozmowę itp.

⟨*przyłączać się do czyjego śpiewu itp., powtarzać za kim (melodię), nawiązywać (rozmowę)*⟩. **4.** *przestarz.* **p.** koszty ⟨*ponosić koszty; wydawać pieniądze*⟩: Koszta podjęte przez Panów zapewne zwrócone będą przez mego ojca. *Słow. Horszt. 375.* **5.** Podjąć rękawicę ⟨*przyjąć wyzwanie*⟩: Podjął śmiało rękawicę rzuconą mu przez Francuza i polemikę swą z godnością [...] przeprowadził. *Wind. Koch. 110.* **6. p.** uchwałę ⟨*uchwalać co*⟩. **7. p.** zobowiązanie ⟨*zobowiązać się do czego*⟩. **8.** *przestarz.* **p.** pod kolana, pod nogi, za nogi ⟨*obejmować, ściskać za kolana, za nogi przy niskim pokłonie*⟩: Witano go [...] pokornie, całując po rękach i podejmując pod nogi. *Sienk. Pot. I, 28.* **9.** Podejmować, rzadziej: podjąć k o g o — c z y m ⟨*przyjmować, przyjąć jako gościa; ugaszczać, gościć; (po)częstować*⟩: **p.** kogo herbatą i ciastkami.

podejrzany 1. p. sposób, **p.** wygląd kogo a. czego; podejrzanej czystości (kołnierzyk, chusteczka, bielizna itp.) ⟨*wzbudzający(-a), nasuwający(-a) podejrzenie, niepewny(-a), wątpliwy(-a)*⟩. **2. p.** o c o ⟨*posądzany, podejrzewany*⟩: **p.** o autorstwo, o plagiat, o zbrodnię.

podejrzeć, podglądać p. k o g o, c o ⟨*podpatrzyć (-ywać), (wy)śledzić*⟩.

podejrzenie 1. Bezpodstawne, krzywdzące, niejasne, niesłuszne, uzasadnione **p.** ⟨*posądzenie kogo o co*⟩. **2. p.** n a k o g o; o c o; c o d o k o g o, c o d o c z e g o: Mam na niego podejrzenie, że...; **p.** o zdradę. W panu Smolickim zaczynało się budzić podejrzenie co do władz umysłowych Kazika. *Perz. SPP.* **3.** Budzić, wzbudzić, odwrócić, powziąć, rzucać(-ić) na kogo; ściągać(-nąć) na kogo, na siebie; uśpić czyje, zwalić na kogo **p. 4.** Mieć kogo, co w podejrzeniu ⟨*podejrzewać*⟩: Nie chciał [...] żeby się na niego Laura gniewała, żeby go miała w podejrzeniu. *Żer. Przedw. 239.* Oczyścić się z podejrzeń; podać kogo w **p. 5.** Uwolnić się od podejrzeń. **6. p.** ciąży na kim, nad kim, kiełkuje, rośnie w kim (w czyjej duszy), pada na kogo, powstaje w kim (w czyjej duszy), wkrada się do czyjej duszy.

podejrzewać 1. p. k o g o — o c o: **p.** kogo o zdradę, o romans z kim, o malwersację. **2. p.** w k i m — c o: Nie umiała podejrzewać w ludziach fałszu, wszelkie czułości brała za dobrą monetę. *Twórcz. 3, 1954, s. 178.*

podejrzliwość 1. Chorobliwa **p. 2.** Z podejrzliwością (oglądać co, przyglądać się komu, czemu, słuchać czego; odnosić się do czego). **3.** Rozbudzić w kim **p. 4. p.** rośnie w kim (w czyjej duszy).

podejrzliwy p. uśmiech, wzrok; **p-e** spojrzenie; myśl **p-a** ⟨*nieufny(-e, -a), niedowierzający(-e, -a)*⟩.

podejście 1. *pot.* Krytyczne, właściwe, niewłaściwe **p.** ⟨*sposób traktowania kogo, czego, ujmowania czego; sposób zapatrywania się na co*⟩. **2. p.** d o k o g o, d o c z e g o: **p.** pisarza do zagadnienia. Miał niewłaściwe podejście do ludzi.

podeprzeć, podpierać 1. p. c o — c z y m: **p.** dom belkami, drzwi kołkiem; głowę rękami; upadającego ramieniem; *przen.* **p.** co dowodami ⟨*poprzeć, stwierdzić*⟩. **2.** Podpierać ściany, piec ⟨*stać bezczynnie pod ścianą, pod piecem; stać z powodu braku miejsca siedzącego*⟩: Armia kelnerów melancholijnie podpierała ściany. *Zap. G. Mił. 35.* Wszystkie miejsca [...] były zajęte tak dalece, że niektórzy z obecnych musieli podpierać piec i ściany. *Prus Drobiaz. 204.*

podeprzeć się, podpierać się 1. p. się c z y m ⟨*wesprzeć się, na czym; pomóc, sobie (zwykle przy chodzeniu) czym*⟩: **p. się** laską, kijem; **p. się** ogonem (o ptaku, np. o dzięciole). **2. p. się** rękami, łokciami ⟨*oprzeć głowę na rękach, łokcie o stół*⟩. **3.** Podpierać się nosem ⟨*pracować z wielkim wysiłkiem; dobywać ostatnich sił*⟩: Dla kogo ja oszczędzam, dla kogo się nosem podpieram. *Twórcz. 5, 1955, s. 125.* **4. p. się** pod boki, w boki ⟨*oprzeć dłonie na biodrach; ująć pod boki*⟩: Podparła się pod boki i zaczęła coś wykrzykiwać.

podeptać 1. p. c o — c z y m: **p.** trawę (butami). **2.** Niech cię kaczki podepczą! ⟨*wykrzyknienie wyrażające zniecierpliwienie, oburzenie, podziw itp.*⟩. **3.** *przen.* ⟨*zhańbić, sponiewierać, znieważyć*⟩: **p.** honor, przysięgę, prawa.

poderwać, podrywać 1. Poderwać konia (lejcami) ⟨*ściągnąć lejcami*⟩. **2. p.** wędkę ⟨*szarpnąwszy podnieść w górę*⟩. **3.** *przen.* ⟨*podkopać, osłabić*⟩: **p.** zdrowie czyje, autorytet czyj; wiarę w co, dobrobyt czyj. **4.** Coś kogo podrywa, poderwało: a) (z miejsca, na równe nogi) ⟨*powoduje gwałtowne powstanie*⟩: Usłyszał podejrzany szmer, który go poderwał na równe nogi; b) ⟨*ktoś gwałtownie reaguje, zareagował na co; ktoś nie może spokojnie usiedzieć na miejscu*⟩: Mnie aż coś podrywa na krześle. *Berent Fach. 199.* **5.** *gw. środ.* Poderwać babkę ⟨*poznać dziewczynę, zawrzeć z nią znajomość*⟩.

przysł. **6.** Cicha woda brzegi podrywa (rwie).

podeszły 1. p. wiek ⟨*starość*⟩: Mimo podeszłego wieku czuł się jeszcze rześki. **2. p.** wiekiem *daw.* **p.** w wieku, w starości ⟨*stary*⟩: Choć **p.** w latach, poruszał się lekko. Dama **p-a** wiekiem.

podeszwa 1. Twardy jak **p.** ⟨*bardzo twardy, łykowaty*⟩: Pieczeń twarda jak podeszwa. **2.** *przestarz.* Od głowy do podeszwy ⟨*od stóp do głów*⟩. **3.** *rzad.* Pokazywać **p-y**; zbierać piasek na podeszwę. *Troc* ⟨*uciec, uciekać*⟩. **4.** *pot.* Włazić komu pod **p-y** ⟨*być bardzo uniżonym wobec kogo; płaszczyć się przed kim*⟩: Wobec podwładnych wyniosły, zwierzchnikom właziłby pod podeszwy.

przysł. **5.** Skórka na buty, język na podeszwę ⟨*o człowieku wygadanym, wykrętnym*⟩.

podglądać p. **podejrzeć**

podgórski 1. Klimat **p.**; miejscowość **p-a. 2.** Lodowiec **p.** ⟨*lodowiec dolinny tworzący u podnóża gór jednolitą pokrywę*⟩.

podgrzewacz p. pary, wody, powietrza ⟨*urządzenie przy kotle parowym do podgrzewania wody zasilającej kocioł, powietrza dopływającego do paleniska i pary*⟩.

podhalański 1. Gwara **p-a** ⟨*właściwa mieszkańcom Podhala*⟩. **2.** Dach **p.** ⟨*półszczytowy, charakterystyczny dla budownictwa Podhala*⟩.

podjazdowy 1. Potyczka, utarczka, walka **p-a** ⟨*w której biorą udział podjazdy*⟩. **2.** Metoda **p-a** (walki, ataku); również *przen.* **3.** Wojna **p-a** ⟨*w której strona słabsza stosuje taktykę unikania generalnych bitew i zwalczania przeciwnika niespodziewanymi napadami przy pomocy niewielkich oddziałów*⟩.

podjąć p. **podejmować**

podjechać, podjeżdżać 1. p. do góry, w górę ⟨*unosić się do góry; wznosić się*⟩: Kurtyna podjechała do góry. Kamizelka podjeżdża komu do góry. **2.** *posp.* Podjeżdżać nieprzyjemnie, **p.** czym ⟨*pachnieć brzydko, zalatywać*⟩: Beczka podjeżdża śledziami.

podkładać, podłożyć 1. p. ogień ⟨*podpalać, zapalać*⟩: Biegli z żagwiami od budynku do budynku, podkładając ogień. *Reym. Fron. 125.* **2. p.** do pieca, na ogień ⟨*dorzucać paliwa, podsyca(-ić) ogień w piecu*⟩: Adam podkładał do pieca, ile razy matka mu kazała. *Grusz. An. Od Karpat 22.* **3. p.** muzykę pod tekst literacki (pod fragmenty akcji itp.) ⟨*dostosowywać muzykę do utworu literackiego*⟩: Dowolnie podkładał muzykę pod fragmenty akcji na wskroś dramatycznej. *Loren. SPP.* **4. p.** słowa, tekst itp. pod muzykę ⟨*dostosowywać utwór literacki do utworu muzycznego*⟩: Tłumaczył i podkładał pod muzykę libretto francuskiej operetki. *Gomul. Obraz 6.* **5.** *łow.* **p.** psy ⟨*puszczać psy po tropie zwierza*⟩: **p.** psy na lisa.

podkowa, podkówka 1. p-y pod oczami ⟨*półkoliste sińce*⟩. **2.** W podkowę ⟨*półkoliście*⟩: Stoły, zabudowania ustawione w podkowę. **3.** (S)krzywić, wygiąć(-inać), wykrzywi(a)ć usta, wargi w podkowę, w podkówkę ⟨*układać usta, wargi w grymas okazując chęć do płaczu*⟩: Usteczka jej drżały, to wykrzywiając się w podkówkę, to rozchylając się w nieśmiałym uśmiechu. *Górs. H. Tory 153.*

podkusić 1. p. k o g o — d o c z e g o ⟨*kusząc skłonić kogo do czego, najczęściej do czegoś złego, niekorzystnego dla niego*⟩: Podkusił go do kradzieży, do hulanki. **2.** Diabeł mnie podkusił, licho mnie podkusiło do czego a. co zrobić ⟨*forma usprawiedliwienia, wyrzutu skierowanego do siebie*⟩: Ej, licho mnie podkusiło martwić pana. *Tyg. Ilustr. 181, 1863.*

podlać *przysł.* I stary odmłodnieje, jak sobie podleje! ⟨*podpije*⟩.

podlecieć 1. *posp.* Co podleciało, gdzie podleciało ⟨*bez wyboru, wszystko jedno co; nie wybierając miejsca, gdzie popadło*⟩: [Koń] kładł się, było nie było, gdzie podleciało. *Wiech Śmiej I, 229.* **2.** *posp.* Coś kogo podleciało ⟨*coś komu przyszło do głowy, ktoś wpadł na jakiś nieoczekiwany pomysł*⟩: Ni stąd ni zowąd coś go podleciało i rozpuszczał się, jak dziadowski bicz. *Wikt. Burek 8.*

podlegać 1. p. prawu, ustawie, mobilizacji ⟨*być objętym prawem itp.; podpadać pod prawo itp.*⟩: Sędziowie są niezawiśli i podlegają tylko ustawom. *Konst. PRL 269.* **2. p.** chorobie ⟨*być chorym, niedomagać*⟩: Marynarze na równi z innymi podlegają chorobie morskiej. **3.** Coś nie podlega wątpliwości (*daw.* również bez przeczenia) ⟨*coś jest bezsporne, jasne, oczywiste, niewątpliwe*⟩: Jego wybór na przewodniczącego stowarzyszenia nie podlegał wątpliwości. Nie mam zwyczaju dalej prowadzić rozmowy, jeżeli to, co mówię, może podlegać wątpliwości. *Kamień. Pam. 241.*

podległy 1. p. kraj, naród itp. ⟨*niesamodzielny, hołdowniczy, lenny*⟩. **2.** *daw.* **p.** stan ⟨*stan chłopski lub mieszczański*⟩: Urodzić się w podległym stanie. **3. p.** k o m u, c z e m u ⟨*zawisły od czyjej władzy, zależny od kogo, czego, podporządkowany komu, czemu; podwładny*⟩: Wasal **p.** suwerenowi. Ludy **p-e** berłu monarchy. **4. p.** prawu, ustawie itp. ⟨*objęty prawem itp., podpadający pod prawo itp.*⟩.

podleźć *przysł.* Gdzie nie można przeskoczyć (przejść), tam podleźć trzeba ⟨*gdzie nie można nic zdobyć uczciwie, tam trzeba użyć podstępu*⟩.

podłoga 1. p. drewniana, ceglana, kamienna, marmurowa; **p.** parkietowa; **p.** z desek, z klepki (dębowej, bukowej), z plastyku. **2.** Pasta do podłogi. **3.** Froterować, pastować, zaciągać; myć, szorować podłogę. **4.** Kłaść, układać podłogę. **5. p.** skrzypi, trzeszczy.

podłogowy 1. Deska **p-a** ⟨*do układania podłogi*⟩. **2.** Stolarka **p-a** ⟨*roboty związane z układaniem podłóg*⟩.

podłość 1. Nikczemna **p.** ⟨*niegodziwość, łajdactwo*⟩. **2.** Popełnić **p.** ⟨*czyn podły*⟩. **3.** Zarzucić komu **p.** **4.** Dopuścić się podłości. **5.** Splamić się (życie swoje) podłością ⟨*czynem podłym*⟩: Żadną podłością życia swego nie splamił. *Dmoch. SW.*

podłoże 1. p. gliniaste, kamienne, nieprzepuszczalne, wapienne ⟨*podglebie, podgrunt*⟩. **2. p.** klasowe, ekonomiczne, polityczne, religijne ⟨*podstawa, tło*⟩. **3. p.** c z e g o, **p.** d o c z e g o, p o d c o ⟨*podstawa, podkład, również przen.*⟩: **p.** jezdni; **p.** charakteru, uczucia; **p.** niepowodzeń; **p.** do agitacji; **p.** pod asfalt, pod budowę nawierzchni, pod posadzkę. **4.** Na podłożu: Choroba na podłożu nerwowym. **5.** U podłoża czego (leży co): U podłoża wszystkich ekonomicznych poglądów Staszica leży teza klasycznej ekonomii burżuazyjnej, że ziemia i praca są źródłem wszelkich bogactw. *Ekon. 3, 1954, s. 185.* **6.** Być podłożem, stanowić, stwarzać **p.** czego: Nieświadomie stwarzał podłoże do agitacji. *SPP.*

podłożyć p. **podkładać**

podły 1. p. człowiek, zdrajca ⟨*nikczemny, niegodziwy*⟩. **2. p.** czyn; **p-a** intryga ⟨*haniebny(-a)*⟩. **3. p.** materiał; **p-e** jedzenie, papierosy ⟨*lichy(-e), marny (-e), kiepski(-e)*⟩.

podmiejski 1. Kolej, komunikacja **p-a** ⟨*środki lokomocji łączące miejscowości położone w pobliżu miasta (do około 100 km) z jego granicą*⟩. **2. p-a** okolica, **p-e** osiedle ⟨*znajdująca(-e) się w pobliżu miasta*⟩.

podmorski *przestarz.* **p.** telegraf ⟨*telegraf, którego kable są prowadzone po dnie mórz i oceanów*⟩.

podmuch 1. p. wiatru ⟨*silny powiew*⟩. **2. p.** wybuchu ⟨*silny pęd powietrza spowodowany wybuchem*⟩.

3. p. jesieni, wiosny, zimy ⟨*powiew jesienny, wiosenny, zimowy (zwykle jako zapowiedź nadchodzącej pory roku)*⟩.

podniebienie 1. p. miękkie ⟨*tylna część sklepienia jamy ustnej zakończona języczkiem*⟩. **p.** twarde ⟨*kostna część sklepienia jamy ustnej*⟩. **2.** *przen.* Rozkosze podniebienia ⟨*smakowite potrawy, smakołyki*⟩.

podniesiony 1. p-a temperatura ⟨*wyższa niż normalnie; gorączka*⟩: Mieć podniesioną temperaturę. **2.** Z podniesionym czołem (iść, robić co) ⟨*dumnie, jawnie; nie wstydzić się*⟩.

podnieść, podnosić 1. p. hałas, płacz, protest, wrzask, wrzawę; rebelię, powstanie, pospolite ruszenie, spór ⟨*rozpocząć; wszcząć hałas, wrzask itp.*⟩. **2. p.** głos: a) ⟨*mówić głośno; krzyczeć*⟩: Uczennice bały się jej, choć nigdy nie podnosiła głosu. *Prus Emanc. I, 7*; b) ⟨*mówić lub śpiewać wyższym tonem*⟩: Podnosił niekiedy głos do tonów po prostu śpiewnych. *Par. Król 81*; c) *daw.* ⟨*zabrać głos; wystąpić, w jakiej sprawie; odezwać się; przemówić; wypowiedzieć się*⟩: Gdy wymowny Jan Zborowski podnosił głos w obronie brata, płakali obecni posłowie i senatorowie. *Mech. Wym. I, 628.* **3. p.** zasłonę ⟨*odsłonić*⟩. **4. p.** kwalifikacje, stopę życiową, wydajność pracy, normy, pensję, płacę, zarobki, zyski; **p.** poziom czego, sławę, powagę czyją, wartość; **p.** nastrój, odwagę, urodę, zapał ⟨*podwyższyć, powiększyć, poprawić, (s)potęgować; wzmóc*⟩. **5. p.** kwestię, myśl, sprawę, wątpliwości ⟨*poruszyć, wysunąć*⟩. **6. p.** oczko w pończosze ⟨*pochwycić, złapać prujący się ścieg*⟩. **7. p.** wzrok ⟨*zwrócić spojrzenie, zwłaszcza w górę; spojrzeć*⟩. **8. p.** pieniądze, sumę, kapitał (z banku, z kasy) ⟨*wybrać, odebrać, odbierać, wycofać*⟩. **9.** Podnieść przyłbicę ⟨*wystąpić jawnie, nie ukrywając się, bez obawy, bez lęku*⟩: Zdecydował się porzucić swoje [...] incognito i wstąpił nareszcie z podniesioną przyłbicą w szranki dziennikarskich zapasów. *Prus Drobiaz. 73.* **10.** Podnieść rękawicę ⟨*przyjąć wyzwanie*⟩: Czekam, co przeciwko temu odpowie Przecławski [...] Gdyby jednak nie podniósł rękawicy, ja sam ją podejmę. *Grab. Mick. Listy 287.* **11. p.** rękę na kogo ⟨*zamierzyć się targnąć się, porwać się na kogo*⟩: Tego despektu nie zrobię, żebym rękę podniósł na własnego ojca. *Sewer Biedr. 157.* **12. p.** rękę na siebie ⟨*odebrać sobie życie*⟩. **13. p.** ręce do góry ⟨*poddać się, skapitulować*⟩. **14.** *daw.* **p.** rogi ⟨*stać się butnym, zaczepnym*⟩. **15.** Podnieść sztandar czego ⟨*przewodzić czemu, stanąć na czele czego*⟩: Podnieść sztandar buntu, powstania, postępu. **16.** *przestarz.* Podnieść uszy: a) ⟨*natężyć słuch, być czujnym, bacznym*⟩: Dwór natychmiast podniósł uszy i swymi smoczymi oczami obejrzał się za powodami, jakich mógłby użyć za pozór do wyłamania się z warunków ugody. *Moracz. Dzieje IX, 168*; b) ⟨*być dobrej myśli*⟩: Jakoż wszyscy nabrali jakoś otuchy i [...] uszy do góry podnieśli. *Niemoj. J. Wspom. 373.* **17. p.** czyje zalety, zasługi, cnoty; czyją dzielność, odwagę, dobroć itp. ⟨*wychwalić, wysławić*⟩. **18.** *daw.* **p.** czyje zdrowie ⟨*wznieść toast za czyje zdrowie*⟩: Już z nalanymi kielichami stali i zaraz zdrowia nasze podnosili. *Kaczk. Murd. I, 149.* **19. p.** znaczenie czego ⟨*uwydatnić*⟩. **20. p.** żagle ⟨*rozpiąć żagle; przen. rozpocząć żeglugę*⟩. **21.** *mat.* **p.** do kwadratu, do sześcianu ⟨*zwiększyć dwukrotnie, trzykrotnie*⟩. **22.** *mat.* **p.** do potęgi naturalnej ⟨*pomnożyć daną wielkość przez siebie samą tyle razy, ile wskazuje wykładnik potęgi*⟩. **23.** *mat.* **p.** do potęgi rzeczywistej ⟨*wyznaczyć ciąg przybliżeń o potęgach wymiernych*⟩. **24.** *mat.* **p.** do potęgi wymiernej ⟨*do potęgi m i wyciągnąć pierwiastek stopnia n*⟩. **25. p.** kogo na tron ⟨*wybrać, ogłosić królem*⟩. **26.** podnieść kogo na nogi: a) ⟨*zmusić do przebudzenia się i do wstania*⟩: Dźwięk budzika [...] podniósł nas wszystkich na nogi. *Cent. Wyspa 113*; b) ⟨*zaalarmować*⟩: Nie próbowała nawet wejść do więźniów. Runge podniósłby cały statek na nogi. *Melc. Statek 169*; c) ⟨*uzdrowić, wyleczyć*⟩: Lekarstwo podniosło go na nogi. **27. p.** k o g o, c o z upadku, z ruiny ⟨*dźwignąć; wspomóc, wyratować; odbudować*⟩: Polacy po wojnie wspólnym wysiłkiem całego społeczeństwa podnosili z ruin fabryki, odbudowywali przemysł. **28.** Coś kogo podnosi, podnosiło ⟨*coś nie daje komu spokoju, podrywa, zmusza kogo do działania*⟩: Aż go podnosiło coś, żeby bić, łamać, tłuc. *Jun. Bracia 216.* **29.** Strach podnosi, podniósł włosy komu ⟨*komuś pod wpływem strachu zjeżyły się włosy*⟩.

podnieść się, podnosić się 1. p. się z upadku, z nędzy ⟨*podźwignąć się moralnie; wyzwolić się, wyratować się*⟩: Wielkość człowieka polega na podnoszeniu się z upadku, na przezwyciężaniu własnych słabości. *Morc. Ptaki 206.* **2.** Ceny, dochody, koszty, wydatki podniosły się ⟨*wzrosły, zwiększyły się*⟩. **3.** Hałas, krzyk, wrzask itp.; płacz, lament się podniósł ⟨*wszczął się, powstał*⟩. **4.** Kurtyna podniosła się ⟨*została podniesiona; rozpoczęto widowisko*⟩. **5.** Wiatr się podniósł ⟨*zerwał się*⟩. **6.** Włosy (komu) podnoszą się na głowie ⟨*powstają, jeżą się (ze strachu, grozy)*⟩.

podnieta 1. Gorączkowa, niespokojna, zmysłowa **p.** ⟨*stan podniecenia, podniecenie*⟩. **2. p.** d o c z e g o ⟨*pobudka, bodziec, zachęta*⟩: **p.** do pracy, do czynu. **3.** Mieć podnietę do czego. **4.** Stać się podnietą, stanowić podnietę do czego. **5. p.** działa na kogo.

podniosły p-e uczucie (uroczyste, wzniosłe).

podnosić p. **podnieść**

podnosić się p. **podnieść się**

podnóżek 1. *przestarz.* dziś *żart.* Sługa i **p.**, najniższy **p.** ⟨*wyrażenie konwencjonalnie grzecznościowe z odcieniem czołobitności, uniżoności*⟩. **2.** Być czyim podnóżkiem ⟨*być uniżonym, służalczym*⟩.

podobać się 1. Co, gdzie, ile, jak się komu (żywnie) podoba, podobało ⟨*jak kto chce, co kto woli*⟩: Robił, co mu się żywnie podobało. **2.** *iron.* A to mi się podoba! ⟨*do czego to podobne, a to ładna historia, cóż to znowu!*⟩. **3.** *pot.* Tak mi się podoba ⟨*tak chcę*⟩: Zrobiłem to, bo tak mi się podobało.

podobieństwo 1. Rodzinne, uderzające, zadziwiające, zupełne **p. 2. p.** c z e g o: **p.** rysów (twarzy). **3.** *mat.* **p.** figur geometrycznych ⟨*odpowiedniość jednoznaczna punktów dwóch figur, przy której* *stosunek odległości dwóch punktów jednej figury do odległości odpowiednich punktów drugiej figury jest stały*⟩. **4.** **p.** d o k o g o, d o c z e g o. **5.** **p.** w c z y m (d o k o g o): **p.** w oczach, w twarzy, w postawie (do ojca). **6.** Na **p.** ⟨*podobnie jak...*⟩: Okrzyki brzmiały na podobieństwo grzmotu dział. *Sienk. Pot. VI, 5.* **7.** Doszukiwać się w kim, w czym podobieństwa do kogo, do czego; dopatrywać się między czym a czym podobieństwa. **8.** Mieć z kim **p.** ⟨*mieć cechy podobne do kogo, wspólne z kim*⟩: Kobieta mająca z nią wiele podobieństwa. *Orzesz. SPP.* **9.** **p.** zachodzi między kim a kim: Między nimi zachodzi pewne podobieństwo. *SW.*

podobnie **1.** **p.** jak ⟨*tak, jak; tak samo, jak*⟩: W starości, podobnie jak w dzieciństwie, chronologia nie odgrywa żadnej roli. *Dygas. Piszcz. I, 211.* **2.** I tym **p.** ⟨*przy wyliczaniu, wymienianiu czego jednego za drugim: w sposób podobny, jak przedtem*⟩: Po mieście krążą różne środki lokomocji: tramwaje, autobusy, taksówki i tym podobnie.

podobny **1.** **p.** bliźniaczo, uderzająco, jak dwie krople wody, kubek w kubek ⟨*zupełnie podobny; identyczny, jednakowy*⟩: Kubek w kubek do ojca podobny. **2.** *mat.* Figury geometryczne **p-e** ⟨*mające odpowiednie kąty równe i odpowiednie boki proporcjonalne*⟩. **3.** *mat.* pierwiastki **p-e** ⟨*mające ten sam stopień i to samo wyrażenie podpierwiastkowe*⟩. **4.** *mat.* Wyrazy **p-e** ⟨*mające te same czynniki literowe i te same wykładniki potęg, a różniące się tylko czynnikami określanymi cyfrowo, czyli współczynnikami*⟩. **5.** **p.** c z e m u: Godzina godzinie, dzień dniowi płynął podobny. *Krasz. Latarn. IV, 21.* **6.** **p.** d o k o g o, d o c z e g o: syn podobny do ojca, do matki; sen podobny do omdlenia. Pagórki podobne do mrowisk. *Prus SPP.* **7.** **p.** d o k o g o, d o c z e g o — c z y m: Barwą i kształtem całkiem podobny do innych. *Mick. SPP.* **8.** *pot.* **p.** do ludzi ⟨*przystojny, niebrzydki*⟩: Kiedy ogarnęła się trochę i przyczesała włosy, niby smoła czarne — to była podobna do ludzi. *Jun. Bracia 25.* **9.** *przestarz.* **p.** do prawdy ⟨*prawdopodobny*⟩: To co o nim mówią, jest podobne do prawdy. **10.** Do czego to podobne? ⟨*jak to wygląda? kto to widział? kto słyszał?*⟩: Do czego to podobne, żeby taki smarkacz palił papierosy. **11.** Coś podobnego ⟨*coś w tym rodzaju, rzecz podobna*⟩: Przysłuchaj się pan, jak się to mówi do pań. Pan pewnie nigdy nie zdobędzie się na coś podobnego. *Bał. Dom 28.* **12.** *pot.* Coś podobnego! ⟨*wyrażenie oznaczające zdumienie, oburzenie itp.; jak można! kto to widział!*⟩: Pierwszy raz w życiu spotkałem się z taką arogancją. Coś podobnego! **13.** Czy podobna? ⟨*czy to możliwe, prawdopodobne? czy jest rzeczą możliwą prawdopodobną?*⟩: Czy podobna, aby to zrobił człowiek tak szlachetny. Czy podobna się nie śmiać na takie androny! *Zabł. Firc. 57.*

podpadać **1.** **p.** pod zmysły ⟨*ogarniać zmysłami, postrzegać*⟩: Zjawiska podpadające pod zmysły. **2.** Co, jaki itp. pod rękę, pod oko podpada, podpadnie, podpadło ⟨*co się trafi, co się zdarzy; bez wyboru*⟩: Czytał, co mu pod rękę podpadło. **3.** **p.** oczom, pod oczy ⟨*zwracać czyją uwagę, być zauważonym*⟩: Krajobraz jest płaski. Nic szczególnego oczom nie podpada. **4.** *przestarz.* **p.** winie ⟨*być uznanym za winnego*⟩: Dość na tym, że sobie cudzą własność przyswajam, iżbym podpadł winie. *Kras. Podstoli 250.* **5.** *przestarz.* **p.** ruinie ⟨*wpadać, popadać w ruinę, zostać zrujnowanym*⟩.

podpalacz **p.** wojenny, **p.** świata ⟨*ten, kto dąży do wywołania wojny, podżegacz wojenny*⟩: Pokój musi zwyciężyć wszystkie ciemne siły podpalaczy świata i podżegaczy wojennych. *Pokój 38.*

podparty *sport.* Przysiad, siad **p.** ⟨*z podparciem się rękami*⟩.

podpędzić **1.** *pot.* **p.** robotę a. z robotą ⟨*przyspieszyć robotę, pospieszyć się z robotą*⟩. **2.** *pot. żart.* **p.** komu kota (częściej: popędzić) ⟨*nastraszyć kogo*⟩: Możemy Zenona postraszyć [...] Kota mu podpędzić. *Koźn. Piątka 109.*

podpierać p. **podeprzeć**

podpierać się p. **podeprzeć się**

podpis **1.** Własnoręczny, zamaszysty **p.**; **p.** nieczytelny, **p.** z zakrętasem. **2.** **p.** n a c z y m, p o d c z y m: **p.** na dokumencie; **p.** pod aktem, deklaracją, oświadczeniem. **3.** Dać, kłaść, położyć (na czym, pod czym) swój **p.** ⟨*podpis(yw)ać co*⟩. **4.** Dać na co **p.** ⟨*podpisując zezwolić na co, zobowiązać się do czego*⟩: Daję ci czas do namyślenia, papiery dopiero jutro będą gotowe... Uprzedzam cię, że musisz dać podpis. *Krasz. Latarn. III, 57.* **5.** Opatrzyć, opatrywać co podpisem: Artykuliki tak drobne, że nie warto ich opatrywać podpisem. *Mick. SPP.* **6.** Podrobić, sfałszować czyj **p.** **7.** Przedstawić (dokumenty, papiery, akt) do podpisu.

podpuszczać, podpuścić **1.** **p.** mleko ⟨*powodować skwaśnienie, ścięcie za pomocą podpuszczki*⟩. **2.** **p.** nieprzyjaciela na strzał ⟨*pozwalać zbliżyć się na odległość strzału*⟩: Podpuścili nieprzyjaciół na strzał i zasypali ich pociskami. *SW.* **3.** **p.** samca do samicy ⟨*doprowadzać w celu kopulacji*⟩.

podrabiać, podrobić **p.** dokumenty, pieniądze, dzieła sztuki, podpis ⟨*(s)fałszować*⟩.

podrażniony **1.** **p-a** miłość własna ⟨*urażona, zadraśnięta*⟩. **2.** Mieć **p-e** nerwy ⟨*być zdenerwowanym, doprowadzonym do zdenerwowania, irytacji; znajdować się w stanie silnego podniecenia nerwowego*⟩.

podręczny **1.** Apteczka **p-a** ⟨*będąca pod ręką, z której można korzystać w każdej chwili; pomocnicza*⟩. **2.** Biblioteka **p-a** ⟨*wydzielone książki z księgozbioru, z których można korzystać bezpośrednio w czytelni przy bibliotece*⟩. **3.** Mapa **p-a**; słownik **p.** ⟨*nieszczegółowa(-y), do użytku doraźnego*⟩. **4.** Szafka **p-a**, stolik **p.** ⟨*pomocnicza(-y)*⟩.

podróż **1.** Dalsza, forsowna, krótka, nocna, wielomiesięczna **p.** **2.** **p.** powietrzna, zagraniczna. **3.** **p.** poślubna; **p.** służbowa. **4.** **p.** c z y m: **p.** koleją, samochodem, samolotem, statkiem, okrętem; końmi; **p.** morzem, lądem. **5.** **p.** do Ameryki, do Francji, do ZSRR, do obcych krajów, na drugą półkulę, na Kaukaz; **p.** w głąb Afryki, w góry (południowoamerykańskie). **6.** **p.** po świecie, po kraju; **p.** naokoło świata. **7.** **p.** na tamten świat, *daw.*

żart. **p.** niebieska ⟨*śmierć*⟩: Niedługo się w podróż niebieską wybierze. *L.* ⟨*niedługo umrze*⟩. **8.** Cel podróży. **9.** Dziennik podróży. **10.** Koszta podróży: Zwrot kosztów podróży. **11.** Towarzysz(ka) podróży. **12.** Gotować się do podróży. **13.** Odbyć, podjąć, przedsięwziąć **p.**: Ostatnie wrażenia bardziej go wyczerpały, aniżeli cała podróż, którą odbył. *Dygas. SPP.* **14.** Puścić się; udać się, wybrać się, wyruszyć w **p.**; wyprawi(a)ć kogo w **p.**: Wyprawiał w podróż syna. *Krasz. SPP.* **15.** Życzyć komu szczęśliwej podróży. **16. p-e** kształcą.

podróżniczy 1. Literatura **p-a**; dzieła **p-e** ⟨*zawierające opisy podróży, mówiące o podróżach i podróżnikach*⟩. **2.** Żyłka **p-a** ⟨*skłonność, zamiłowanie do podróży*⟩.

podróżny 1. Bagaż, pled, powóz, strój **p.**; sakwa, torba, walizka **p-a**; przybory **p-e** ⟨*służące do podróży; potrzebne w podróży*⟩. **2.** Osoba **p-a** ⟨*odbywająca podróż, podróżująca*⟩. **3.** Trud **p.** ⟨*związany z podróżą*⟩. **4.** Po podróżnemu ⟨*w sposób przystosowany do podróży*⟩: Ubrany po podróżnemu.

podrwić 1. p. sprawę ⟨*popsuć, pogorszyć sprawę przez niezręczne, niewłaściwe postępowanie; pokpić sprawę*⟩: Niech mi daruje, ale podrwił sprawę w tym razie. *Oss. SW.* **2. p.** głową ⟨*zrobić, palnąć głupstwo, popełnić niedorzeczność, postąpić niewłaściwie*⟩: Rada była głupia i pomysł głupi [...] Boś podrwił głową. *Sienk. Pot. VI, 48.*

podrygi 1. Ostatnie **p.** ⟨*konwulsje, drgające ruchy umierającego człowieka lub zdychającego zwierzęcia; przen. ostatnie rozpaczliwe wysiłki, ostatnie chwile*⟩: To były już ostatnie podrygi reakcji. *Brück. Kult. IV, 48.* **2.** W podrygach ⟨*w podskokach*⟩: Widziałem czarną, wysoką sylwetkę w ciągłych ukłonach i podrygach. *Sienk. SPP.*

podrywać p. **poderwać**

podrzeć 1. p. co na (drobne) strzępy, kawałki, cząstki: Podarł na najdrobniejsze cząsteczki kartkę. *Par. SPP.* **2.** *przestarz.* **p.** c o — (c z y m) ⟨*poszarpać*⟩: **p.** ciało kłami, pazurami. Charty zająca podarły. *SW* ⟨*rozszarpały na kawałki*⟩. **3. p.** buty, odzież ⟨*zniszczyć, zużyć, znosić*⟩. **4. p.** pierze ⟨*obedrzeć z szypułek*⟩.

podrzucać, podrzucić 1. p. głowę a. głową, ramionami, rękami ⟨*unosić w górę gwałtownymi ruchami (gwałtownym ruchem)*⟩. **2. p.** ogień ⟨*ukradkiem podpalać*⟩. **3. p.** dziecko: a) ⟨*pozbyć się pozostawiając je u kogo albo gdzie potajemnie*⟩; b) *pot.* **p.** komu dziecko ⟨*pozostawi(a)ć, odd(aw)ać komu dziecko na pewien czas pod opiekę*⟩: Codziennie, gdy wychodzi po zakupy, podrzuca dziecko sąsiadom. **4.** *pot.* **p.** k o g o, c o — d o k ą d ⟨*podwozić, dostarczać*⟩: **p.** znajomych (swoim autem) do teatru; materiały do redakcji. **5.** C o ś k o g o ś (*rzad.* k i m ś) aż podrzuca, kogoś podrzuca furia, gniew, wściekłość ⟨*ktoś jest opanowany przez furię, gniew, wściekłość; drży z furii, gniewu, wściekłości*⟩: Biegał po pokoju podrzucany furią. *Święt. A. Nałęcze 184.*

podsekretarz p. stanu ⟨*wiceminister*⟩.

podskakiwać, podskoczyć 1. p. na jednej nodze, lekko, jak piłka; z radości ⟨*wykonywać skoki, wykonać skok (do góry)*⟩. **2.** Akcje podskoczyły (o 50%); kurs (akcji, papierów) podskoczył ⟨*nagle wzrosła ich wartość*⟩. **3.** Serce podskoczyło komu do gardła ⟨*serce komu zabiło szybciej, gwałtowniej na skutek emocji, wzruszenia itp.*⟩. **4.** Temperatura podskoczyła ⟨*podniosła się*⟩. **5.** Termometr podskoczył ⟨*rtęć w termometrze podniosła się*⟩. **6.** Towar podskoczył w cenie ⟨*cena towaru wzrosła; podwyższono cenę towaru*⟩.

podskok 1. Śmieszne **p-i. 2. p-i** w tańcu. **3.** W podskokach ⟨*w lansadach*⟩: biec, sadzić, zbliżać się w podskokach.

podstawa 1. Chwiejna(-e), fałszywa(-e), krucha(-e); mocna(-e), niewzruszona(-e), obiektywna(-e), pewna(-e), silna(-e), słaba(-e), trwała(-e), zdrowa(-e) **p.** **(p-y)**. **2. p-y** ekonomiczne, klasowe, materialne, naukowe, prawne, terytorialne. **3.** *geol.* **p.** erozyjna a. erozji ⟨*poziom morza przy ujściu rzeki lub poziom rzeki przy ujściu dopływu*⟩. **4.** *jęz.* **p.** słowotwórcza ⟨*wyraz lub wyrażenie, od którego utworzona jest formacja pochodna*⟩. **5. p.** c z e g o ⟨*to, na czymś coś stoi, opiera się; dolna część czego, np. budowli, kolumny, rzeźby; fundament, cokół, piedestał, podsłupie*⟩: **p.** kolumny, lampy, posągu, wieży, tronu, domu, wzgórza itp.; *mat.* **p.** graniastosłupa, trójkąta, walca ⟨*dolna płaszczyzna, dolny bok*⟩; *przen.* **p.** bytu, działania, egzystencji, istnienia, myślenia, polityki, rozwoju, utrzymania, wychowania, wykształcenia, życia. **p.** cywilizacji, moralności, nauki, państwa, społeczeństwa, światopoglądu, teorii, ustroju, wiedzy. **6.** *meteor.* **p.** chmur ⟨*odległość między dolną granicą chmury a ziemią (lub poziomem morza)*⟩. **7.** *anat.* **p.** czaszki ⟨*dolna część czaszki*⟩. **8.** *mat.* **p.** potęgi ⟨*przy potęgowaniu: liczba podnoszona do potęgi*⟩. **9. p.** d o c z e g o: **p.** do zmiany pracy, do otrzymania wyższej pensji. **10.** Nie bez podstawy ⟨*nie bezzasadnie*⟩: Mówię to nie bez podstawy. **11.** Pozbawiony wszelkiej podstawy (logicznej, moralnej). **12.** Praca u podstaw ⟨*jedno z haseł pozytywizmu, nawołujące do pracy nad ekonomicznym i kulturalnym podniesieniem wsi*⟩. **13.** Na podstawie c z e g o ⟨*na zasadzie czego; opierając się na czym*⟩: Twierdzę to na podstawie badań, obserwacji. **14.** Budować przyszłość, życie na nowych podstawach. **15.** Być, leżeć u podstawy czego. **16.** Dać czemu jakie (np. naukowe) **p-y. 17.** Mieć podstawę **(p-y)** do czego (np. do krytyki). **18.** Opierać, oprzeć co na jakiej podstawie (np. na pewnej, na stałej) lub na jakich (np. na pewnych, na stałych) podstawach. **19.** Mieć, przyjąć, wziąć co za podstawę: Za podstawę pracy mojej przyjąłem głównie dyplomata nasza. *Hube R. SW.* **20.** Stać się podstawą czego, czyjego poglądu. **21.** Coś daje, stanowi, tworzy podstawę czego, do czego; służy za podstawę czemu. **22.** Coś jest, dzieje się bez podstawy ⟨*bez istotnej przyczyny, powodu*⟩.

podstawiać, podstawić 1. p. komu stołka ⟨*rozmyślnie komu szkodzić; źle mu się przysłużyć*⟩. **2. p.** kark, głowę, szyję pod topór ⟨*narażać się na śmiertelne niebezpieczeństwo, ryzykować życie*⟩. **3. p.** pociąg, wagony itp. ⟨*wprowadzić pociąg z bocznicy kolejowej na tor, z którego ma ruszyć w drogę*⟩.

podstęp 1. Chytry, haniebny, prosty, zwykły **p.** ⟨*wybieg dla oszukania kogo, podejście, zasadzka, intryga*⟩. **2.** Uciec się, uciekać się do podstępu. **3.** Zażyć kogo podstępem. **4. p.** kryje się za czym, tkwi w czym, udał się, nie udaje się.

podsumować, podsumowywać p. dyskusję, obrady itp. ⟨*zebrać i zwięźle (z)referować najważniejsze sprawy poruszane w dyskusji itp.; (z)reasumować*⟩.

podsunąć, podsuwać 1. p. c o — p o d c o: **p.** poduszkę pod głowę; **p.** pięść komu pod nos. **2. p.** co pod oczy ⟨*pokaz(yw)ać zbliżając do oczu*⟩. **3. p.** myśl, pomysł, radę ⟨*podpowiedzieć, zaproponować, zasugerować*⟩. **4. p.** k o m u k o g o ⟨*nastręczyć, naraić*⟩: Warto by też pomyślić o Hrabiego losie — czyby się nie udało podsunąć mu Zosię? *Mick. Tad. 138.*

podsycać, podsycić p. ogień; ognisko, płomień (czym); *przen.* **p.** namiętność, uczucie, żądzę; niezgodę, walkę.

podsypać, podsypywać *przestarz.* **p.** panewkę, rusznicę, strzelbę ⟨*sypiąc umieścić proch na panewce itp. przed strzałem*⟩. *przestarz.* **p.** pieniędzy w jakiej sprawie ⟨*dać pieniędzy w celu pomyślnego załatwienia jakiej sprawy; przekupić kogo*⟩.

podszewka 1. p. p o d c o: **p.** pod płaszcz. **2.** Ubranie na podszewce. **3.** Znać, pamiętać co od podszewki, znać podszewkę czego ⟨*znać zakulisowe szczegóły jakiejś sprawy, ukrywane tło, źródło czego*⟩: Znał dobrze podszewkę życia literackiego we Francji. *Par. Alch. 342.*

podszyć 1. *daw.* **p.** buty, obuwie ⟨*dać nowe przyszwy; dać nowe podszycie*⟩. **2.** *rzad.* **p.** kogo tchórzem ⟨*napędzić komu strachu, przestraszyć kogo, wywołać lęk*⟩: Tak mi się markotno zrobiło, tak nogi pode mną zadygotały, jakby mnie kto tchórzem podszył! *Zachar. Kres. 251.*

podszyty 1. Las, bór **p.** c z y m (np. krzakami) ⟨*mający podszycie*⟩. **2.** Tchórzem **p.** ⟨*lękliwy, tchórzliwy*⟩: Junak w słowach, a tchórzem podszyty. *Tarnow. SPP.* **3.** Wiatrem **p.** ⟨*o odzieży: lekki, lichy, przepuszczający zimno*⟩: Płaszczyk wiatrem **p.**

podszywany *przestarz.* **p.** przyjaciel, **p-a** genealogia ⟨*udany, fałszywy przyjaciel; fałszywa genealogia*⟩.

podtrzymać, podtrzymywać 1. p. autorytet, dyscyplinę ⟨*nie dopuścić do osłabienia, zaniku autorytetu, dyscypliny*⟩. **2.** Podtrzymywać dyskusję, rozmowę ⟨*nie przerywać dyskusji, rozmowy, wciągać do niej rozmówcę*⟩: Nie podtrzymywał rozmowy, więc się urwała. **3. p.** ogień: a) ⟨*podsycić ogień dodając paliwa*⟩; b) ⟨*nie przerywać strzelania*⟩: Artyleria podtrzymywała ogień. **4. p.** tradycje ⟨*zachow(yw)ać tradycje; nie dopuścić do ich zaniku*⟩. **5. p.** czyje zdanie ⟨*poprzeć*⟩.

podupadać, podupaść 1. p. na siłach, na zdrowiu; na duchu ⟨*tracić siły, zdrowie; ducha; słabnąć*⟩: Stary Glinowski od trzech lat ciągle podupadał na zdrowiu. *Dygas. SPP.* **2. p.** na nogi, na oczy, na uszy.

poduszczenie Z czyjego poduszczenia (zrobić, popełnić co).

poduszka 1. p. puchowa. **2.** *anat.* **p.** podeszwowa ⟨*spód stopy, podeszwa*⟩. **3.** *archit.* **p.** kapitelu ⟨*górna część kapitelu, na której leży architraw; abakus*⟩. **4.** *hutn.* **p.** łożyska ⟨*oprawa, w której spoczywają panewki łożysk*⟩. **5.** *bot.* **p-i** mchu ⟨*gruba warstwa mchu utrzymująca wilgoć*⟩. **6.** *anat.* **p-i** palców ⟨*spodnia część palców u rąk i nóg*⟩. **7. p.** do pieczątek ⟨*pudełko z wkładką filcową lub wojłokową zwilżoną tuszem*⟩. **8. p.** od (do) igieł, szpilek ⟨*do zatykania igieł, szpilek*⟩. **9. p-i** pod oczami ⟨*miejsca opuchnięte pod oczami*⟩. **10.** Książka, lektura do poduszki ⟨*przeznaczona do czytania przed zaśnięciem, usposabiająca do snu; o treści lekkiej*⟩. **11.** Być zmuszonym sprzedać ostatnią poduszkę ⟨*stracić całe mienie, znaleźć się w skrajnej nędzy*⟩. **12.** *przestarz.* Dać, włożyć pod poduszkę ⟨*ofiarować datek ślubny przy wyjściu za mąż, posag*⟩: Jeżeli pani uda się poprowadzić go na kobierzec, mateczka umyśliła włożyć pod poduszkę nowożeńców dobry posażek, jakieś dwadzieścia tysięcy rubli. *Żer. Grzech 55.* **13.** Myśleć o poduszce ⟨*o śnie, o spaniu*⟩. **14.** Opaść, osunąć się na **p-i** ⟨*o chorym, wyczerpanym, rannym; o głowie chorego, rannego*⟩. **15.** Przyłożyć głowę do poduszki: Zasnął ledwie przyłożywszy głowę do poduszki. **16.** Unieść się z poduszek. **17.** Zabrać komu ostatnią poduszkę ⟨*wyzuć kogo z mienia, doprowadzić do nędzy*⟩.

podwalina 1. Trwałe, słabe **p-y** ⟨*podstawy czego*⟩. **2.** Kłaść, położyć **p-y** c z e g o a. p o d c o: Anglia położyła podwaliny swej potęgi morskiej aktem nawigacyjnym za Cromwella. *Szeląg. SPP.* **3.** Stanowić podwalinę **(p-y)** c z e g o.

podwiązać, podwiązywać p. drzewka, rośliny ⟨*opasywać je sznurkiem, taśmą, łykiem itp.; wiązać tak, żeby łodygi, gałęzie nie opadały; przywiązać do tyczek*⟩.

podwieczorek 1. p. taneczny ⟨*przyjęcie popołudniowe połączone z tańcami*⟩. **2. p.** przy mikrofonie ⟨*rozrywkowa audycja radiowa nadawana w godzinach popołudniowych*⟩. **3.** Dać, dostać, zjeść co **na p.** ⟨*na posiłek przedwieczorny*⟩.

podwinąć, podwijać 1. p. nogi pod siebie ⟨*podkurczyć siadając na nie*⟩: Turek siedzi podwinąwszy nogi pod siebie. *SW.* **2. p.** ogon pod siebie ⟨*o psie: zwiesić, opuścić ogon; o człowieku: spokornieć*⟩.

podwodny Rośliny **p-e** ⟨*żyjące, pogrążone w wodzie*⟩.

podwoje Otwierać, otworzyć **p.**: a) ⟨*udostępni(a)ć co komu, d(aw)ać, stwarzać(-orzyć) możliwości*⟩: Dotychczas nie ożenił się, a jakkolwiek najznamienitsze domy w Rzeczypospolitej otwierały mu szeroko podwoje, utrzymywał, że nie może dość gładkiej dziewki w nich znaleźć. *Sienk. Pot. IV, 185*; b) ⟨*d(aw)ać, urządzać(-ić) przyjęcia(-e)*⟩: Koło r. 1800 [Warszawa] nabrała cokolwiek życia, kilka bowiem domów otworzyło swe gościnne podwoje. *Demb. L. Wspom. I, 72.*

podwójny 1. p-a moralność ⟨*dwulicowa, obłudna, nieszczera*⟩. **2. p-e** życie ⟨*obłudne, oparte na sprzeczności czynów i zasad*⟩: Żyć życiem podwójnym.

podwórko 1. Ciasne **p.** ⟨*wąski krąg zainteresowań lub interesów*⟩: Ludzie tej epoki [saskiej] [...] zamykają się w ciasnym podwórku stereotypowych tematów i tematy te powtarzają bez końca. *Krzyż. J. Lit. 397.* **2.** Rodzime, własne **p.** ⟨*krąg własnych, rodzimych zainteresowań, spraw; wąski zakres zainteresowań*⟩. **3.** Czynić zło itp. na cudzym podwórku ⟨*krzywdzić kogo innego; szkodzić komu innemu, nie sobie*⟩. **4.** *pot.* Przyjść, przejść na czyje **p.** ⟨*podzielić czyje przekonania, uznać czyje interesy, sprawy za słuszne*⟩. **5.** *pot.* Wtykać nos w cudze **p.** ⟨*mieszać się do cudzych spraw*⟩.

podwórze 1. Na podwórzu ⟨*na powietrzu, na dworze, pod niebem*⟩. **2.** Od podwórza, z podwórza ⟨*od zewnątrz, ze dworu*⟩: Wejście na klatkę schodową od podwórza a. z podwórza. **3.** *pot.* Mieszkać, mieć mieszkanie w podwórzu, od podwórza ⟨*w oficynie, nie w części frontowej*⟩: Mieszka w podwórzu. *SW.* Ma mieszkanie od podwórza. *SW.*

podwórzowy 1. p. grajek, muzykant, śpiewak ⟨*produkujący się po podwórzach*⟩. **2.** Pies **p.** ⟨*pilnujący domostwa, trzymany w budzie na podwórzu*⟩.

podwyżka 1. p. c z e g o: **p.** pensji, komornego, podatków. **2. p.** kursu (papierów, akcji) ⟨*zwyżka, podniesienie się kursu*⟩. **3.** Dostać podwyżkę (pensji, zarobków). **4.** Żądać podwyżki (płac).

podwyższać, podwyższyć 1. p. c o — o c o: a) ⟨*podnosić wysokość czego, czynić wyższym*⟩: **p.** dom o dwa piętra; b) ⟨*zwiększać koszt czego; podnosić, uposażenie, wynagrodzenie*⟩: **p.** cenę; pensję, podatki. **2.** *muz.* **p.** o pół tonu, o ton ⟨*(prze)transponować o pół tonu, o ton wyżej*⟩.

podziać (się) 1. Nie wiedzieć gdzie **p.** ręce ⟨*nie wiedzieć, co robić z rękami; nie wiedzieć, jak się zachować; czuć się skrępowanym, zawstydzonym*⟩. **2.** Nie mieć, nie wiedzieć gdzie **się p.** ⟨*nie wiedzieć, co ze sobą zrobić*⟩: Nie mając gdzie się podziać, położyłem się na ławce. *SPW.*

podział 1. p. administracyjny (kraju). **2. p.** pracy ⟨*rozczłonkowanie procesu pracy na poszczególne czynności w zakładzie produkcyjnym, zwiększające wydajność pracy*⟩. **3.** Społeczny **p.** pracy ⟨*podzielenie pracy w społeczeństwie między różne gałęzie produkcji*⟩. **4.** Do podziału ⟨*do podzielenia*⟩: Dać pieniądze do podziału między ubogich. *SW.* **5.** Dokon(yw)ać podziału.

podzielić, podzielać 1. Podzielić c o — n a c o, np. jabłko na części. **2.** Podzielać przekonanie, sąd, zdanie; podzielać zamiłowanie czyje ⟨*myśleć, zapatrywać się tak samo, jak kto inny; mieć takie samo zamiłowanie*⟩: Najzupełniej podzielam twoje zdanie. **3.** *przestarz.* Podzielać z innymi co ⟨*stać się w czym ich współuczestnikiem, wziąć w czym udział, wespół z innymi*⟩: Podzielać z kim losy, boleść. Podzielam twój żal. *SW.* **4.** *przestarz.* Podzielić z kim obiad, posiłek ⟨*zjeść z kim wspólnie obiad, posiłek*⟩: Zastajesz nas pan przy rannym obiedzie. Czy nie zechcesz podzielić go z nami? *Fredro A. Bliz. 198.*

podzielić się p. się c z y m ⟨*dać komu część czego*⟩: **p. się** zapasami, spuścizną, zdobyczą (z kim). **p. się** jajkiem, opłatkiem ⟨*dzieląc się jajkiem, opłatkiem złożyć sobie wzajemnie życzenia*⟩.

podzielony Głosy, opinie, zdania **p-e** ⟨*niejednomyślne, nie zgadzające się ze sobą*⟩.

podziemie 1. Wyjść z podziemia ⟨*wyjść z ukrycia, wyjść na światło dzienne, dać się poznać*⟩: Od dawna nurtujące ruchy rewolucyjne wyszły wreszcie w r. 1848 z podziemia w wielu krajach Europy. *Piw. Hist. 313.* **2.** Zejść do podziemia ⟨*zacząć działać w konspiracji*⟩: Organizacja nie mogąc działać jawnie, zeszła do podziemia.

podziemny 1. Basen, chodnik, kanał, skarbiec, wykop **p.**; grota, pieczara **p-a**; przejście **p-e** ⟨*znajdujący(-a,-e) się pod ziemią*⟩. **2.** Roboty **p-e** ⟨*wykonywane pod ziemią*⟩. **3.** Walka **p-a**, knowania **p-e** ⟨*konspiracyjna(-e)*⟩.

podziękowanie *przestarz.* **podzięka 1.** Gorące(-a), serdeczne(-a), szczere(-a), publiczne(-a) **p. 2. p.** za co: **p.** za opiekę, za pomoc; za wyświadczoną grzeczność, przysługę. **3.** Z podziękowaniem, *przestarz.* z podzięką (przyjąć co, odesłać co, odmówić czego); list z podziękowaniem. **4.** Wyrazić komu **p.**; złożyć komu **p.**

podziobany p. ospą, przez ospę ⟨*mający na twarzy ślady po przebytej ospie*⟩: Szpetny jak szatan, kosooki i przez ospę podziobany jak sito. *Konopn. Now. I, 17.*

podziw 1. Głęboki, mimowolny, niemy, nietajony, szczery **p. 2. p.** d l a k o g o, c z e g o: **p.** dla śmiałka; dla wytrwałości w nauce; dla piękna, dla odwagi, śmiałości, sprytu. **3. p.** n a d c z y m: Stał jak wryty od podziwu nad jej urodą. *Sienk. SPP.* **4.** Godny podziwu: Z godnym podziwu uporem dążył do celu. **5.** Nad **p.**, *rzad.* na **p.** ⟨*zadziwiająco, zdumiewająco, nadspodziewanie, nadzwyczajnie, nieprawdopodobnie, niezwykle*⟩: Piękna pogoda utrzymywała się nad **p.** długo. Chłopak nad **p.** zdolny. **6.** **(Aż) p.** bierze (brał): Zawsze wesoła, że aż **p.** bierze. **7.** Nie móc wyjść z podziwu ⟨*dziwić się bardzo, ciągle się dziwić, nie móc się nadziwić*⟩: Kiedy na nią patrzę, paniusiu, to z podziwu wyjść nie mogę, że to moja córka. *Żer. Grzech 27.* **8.** Oglądać, patrzeć z podziwem. **9.** Oniemieć z podziwu. **10.** Wprawić (kogo) w **p.**: Wprawiał w szczery podziw niezmierną dyskrecją i subtelnym wycieniowaniem szczegółów. *Lorentz SPP.* **11.** (Wz)budzić (czyj) **p.**

podziwienie Nie móc wyjść z podziwienia ⟨*nie móc wyjść z podziwu, dziwić się bardzo, ciągle się dziwić*⟩: Nie mógł wyjść z podziwienia, że można być tak naiwnym.

podzwaniać p. zębami ⟨*szczękać z zimna zębami*⟩.

podzwrotnikowy 1. Burza **p-a** ⟨*krótkotrwała, gwałtowna*⟩. **2.** Klimat **p.** ⟨*strefa klimatyczna przejściowa, klimat pośredni między gorącym a umiarkowanym*⟩. **3.** Las **p.**, roślinność **p-a** ⟨*właściwy(-a) dla okolic zwrotnika, bujny(-a), dziewiczy(-a)*⟩. **4. p.** pas wysokich ciśnień.

podźwignąć 1. p. głowę ⟨*podnieść z trudem*⟩. **2. p.** z ruiny, z gruzów ⟨*zbudować, wznieść na nowo, odbudować, odrestaurować*⟩: **p.** miasto z gruzów. **3. p.** k o g o z upadku ⟨*wspomóc kogo, postawić na nogi, wydźwignąć z upadku, poratować*⟩.

podżegacz p. wojenny a. do wojny: Siły zwolenników pokoju są o wiele potężniejsze od sił podżegaczy wojennych. *Nowa Kult. SPP.*

poemat 1. p. liryczny, narodowy, satyryczny, żartobliwy. **2. p.** dydaktyczny ⟨*wierszowany traktat filozoficzny, naukowy, religijny itp.*⟩. **3. p.** dygresyjny ⟨*poemat o wątkach epickich z obszernymi fragmentami lirycznymi*⟩. **4. p.** epicki ⟨*powieść poetycka*⟩. **5. p.** heroikomiczny ⟨*poemat opowiadający o błahych zdarzeniach stylem podniosłym*⟩. **6.** *muz.* **p.** symfoniczny ⟨*utwór na orkiestrę symfoniczną bez określonej formy, przedstawiający lub sugerujący pewne określone treści literackie wskazane w tytule*⟩. **7. p.** c z e g o; o c z y m: **p.** miłości, walki i chwały; **p.** o żołnierzu tułaczu.

poeta p. dramatyczny; **p.** narodowy; **p** natchniony.

poetycki 1. Audycja, gawęda **p-a**; wieczór **p.** ⟨*poświęcona(-y) poezji*⟩. **2.** Geniusz, polot, talent **p.**; ekspresja, wena, twórczość, wrażliwość, wyobraźnia **p-a**; rzemiosło, uzdolnienie **p-e. 3.** Powieść **p-a** ⟨*gatunek powieści powstałej w okresie romantyzmu, będącej odmianą poematu epickiego, w którym przeplatają się elementy epickie i liryczne, przeważnie przepojone nastrojem grozy, tajemniczości, niesamowitości*⟩.

pofałdować p. firanki, spódnicę ⟨*ułożyć w fałdy, sfałdować*⟩; *przen.* Twarz, którą wiek pofałdował stary. *Drużb. SW.*

pogadanka 1. p. oświatowa, naukowa, radiowa ⟨*wykład popularny*⟩. **2. p.** dla dzieci, dla młodzieży. **3. p.** na temat czego. **4.** Nadać (przez radio) pogadankę. **5.** Wygłosić pogadankę.

poganiać Coś (na czymś siedzi i) czymś pogania ⟨*jedno po drugim następuje nieprzerwanie; czegoś gromadzi się dużo*⟩: Pech na pechu siedzi i pechem pogania. *Żer. Grzech 79.*

pogański *przestarz.* **p-e** nasienie, **p.** syn ⟨*wyzwiska*⟩: Odrwiłeś mię, pogański synu. *Troc.*

pogarda 1. Głęboka, niema, nie ukrywana **p. 2. p.** c z e g o: **p.** bogactw, życia, śmierci. **3. p.** d l a k o g o, d l a c z e g o a. w z g l ę d e m k o g o, c z e g o: **p.** dla tchórza; dla przesądów. **4.** Godzien pogardy. **5.** Z pogardą (patrzeć na kogo, na co; wyrażać się o kim, o czym; odwrócić się od kogo, od czego). **6.** Budzić, ściągnąć na siebie, wywoł(yw)ać pogardę. **7.** Mieć dla kogo, czego pogardę lub kogo, co w pogardzie ⟨*pogardzać kim, czym*⟩: Pan Baltazar ma w pogardzie nowoczesny strój światowy. *Oppman Typy 43.* **8.** Okaz(yw)ać komu pogardę. **9.** *daw.* Pójść w pogardę; podać kogo, w pogardę ⟨*pogardzać czym; wystawić na pogardę, spowodować pogardzanie kim, czym*⟩: Poszły w pogardę urzędy i mądrość. *Mick. SPP.* W pogardę podano pracę rzemieślnika i kupca. *Chrzan. I. Lel. 160.* **10.** Ściągnąć na kogo pogardę: Tchórzostwem swoim ściągnął na siebie ogólną pogardę.

pogardzenie Nie do pogardzenia ⟨*którym nie należy pogardzać, nie zasługujący na odrzucenie, korzystny, wartościowy; wart zachodów, starań*⟩: Interes, kąsek, propozycja nie do pogardzenia. Alfred był dla niej partią nie do pogardzenia. *Jun. Mazur. 236.*

pogawędka 1. Krótka, dłuższa, przyjacielska **p. 2.** Uciąć sobie z kim pogawędkę.

pogląd 1. Błędny, osobisty, słuszny, szeroki, trafny, ustalony **p. 2. p-y** filozoficzne, naukowe, polityczne, społeczne. **3. p.** n a c o: **p.** na świat, na dzieje powszechne. **4.** Kształtować czyj **p. 5.** Mieć jaki **p.** na co; mieć jakie **p-y** ⟨*mieć jaki sąd o czym; podzielać jakąś opinię*⟩: Tak, twój ojciec ma trochę staroświeckie poglądy. *Par. Niebo 186.* **6.** Narzucać(-ić) **p. 7.** Podzielać czyj **p.** a. **p-y. 8.** Różnić się w poglądach. **9.** Sformułować swoje **p-y. 10.** Szerzyć **p. 11.** Wyrazić, wypowiedzieć **p.**, że... ⟨*opinię*⟩. **12.** Wyrobić sobie (swój) **p.** n a c o a. c o d o c z e g o. **13.** Zmienić **p.** (**p-y**): Zmienić swój **p.** na jakąś sprawę; zmienić swoje **p-y** polityczne. **14. p.** czyj, jaki przyjmuje się, szerzy się, ustala się; **p-y** (czyje) krystalizują się, zmieniają się.

pogłaskać 1. p. kogo po sercu, **p.** czyją ambicję, dumę itp. ⟨*zrobić komu przyjemność chwaląc go, schlebiając mu, umacniając go w dobrym mniemaniu o sobie*⟩: Pochwała pogłaskała wszystkich po sercu. *Skiba Poziom. 180.* **2.** Nie pogłaskać kogo po główce ⟨*nie obejść się z kim łagodnie, nie pochwalić; zganić, ukarać*⟩: Pójdziemy potem na milicję. Nie wiem, czy dużo tam zdziałamy — po główce go za to wszystko nie pogłaszczą, ale zobaczy się. *Past. Trzeba 81.*

pogłoska 1. Alarmujące, niepokojące, nieprawdziwe, nie sprawdzone **p-i. 2. p.** o c z y m: **p.** o wojnie. **3.** Nie dawać ucha pogłoskom. **4.** Rozpuszczać, rozsiewać **p-i. 5. p-i** chodzą, krążą, kursują, obiegają, rozchodzą się: Chodzą pogłoski, jakoby... *SW.*

pogoda 1. Burzliwa, chmurna, deszczowa, mroźna, niepewna, obrzydliwa, odwilżowa, piękna, słoneczna, stała, sztormowa, zmienna **p. 2. p.** marcowa ⟨*zmienna, raz deszcz, raz słońce*⟩. **3.** Psia **p.** ⟨*brzydka; niesprzyjające warunki atmosferyczne*⟩. **4.** *meteor.* Mapa pogody ⟨*mapa synoptyczna*⟩. **5.** Stan pogody ⟨*atmosfery*⟩. **6.** Zmiana pogody. **7.** *przen.* **p.** duszy, umysłu, usposobienia; **p.** na twarzy, na czole. **8.** Przy (dobrej) pogodzie (kończyć żniwa, wyruszyć gdzie). **9.** Barometr idzie na pogodę ⟨*wskazuje zbliżanie się wyżu barometrycznego*⟩. **10.** Błyska się, ma się, zanosi się na pogodę. **11.** Przewidywać pogodę. **12.** Znieść co (nieszczęście, stratę) z pogodą ⟨*ze spokojem*⟩. **13. p.** popsuła się, sprzyja, ustaliła się, utrzymuje się.

przysł. **14.** Będzie pogoda, jak się nie poleje z nieba woda. **15.** Czasu pogody bój się nawałności (wielkiej wody).

pogodny 1. Ranek **p.** ⟨*bez opadów atmosferycznych, bezchmurny, słoneczny, bez silnych wiatrów*⟩. **2.** Morze **p-e**; rzeka **p-a** ⟨*spokojne(-a), bez fal*⟩. **3. p.** uśmiech; **p-e** usposobienie ⟨*miły(-e), wyrażający(-e) pogodę ducha, wesoły(-e)*⟩.

pogodzić się 1. p. się z c z y m ⟨*przyjąć co z rezygnacją, oswoić się z czym*⟩: **p. się** z faktem. **2. p. się** z Bogiem ⟨*wyspowiadać się (przed śmiercią), nawrócić się*⟩.

pogoń 1. Intensywna, natychmiastowa **p.** ⟨*pościg*⟩. **2. p.** z a k i m, z a c z y m: **p.** za złodziejem, za tramwajem; *przen.* **p.** za oryginalnością. **3.** Posłać, rozesłać, wysłać, wyprawić **p.** (za kim, za czym) ⟨*wysłać itp. goniących*⟩. **4.** Puścić się, ruszyć, rzucić się, wyruszyć w **p.** za kim, za czym; rozesłać, wyprawić, wysłać kogo, co w **p.** za kim ⟨*ruszyć, rzucić się; wysłać kogo, aby kogo, co dogonić, ująć*⟩: Kali dosiadłszy konia, ruszył w pogoń. *Sienk. SPP.* Wyprawił za nim w pogoń hufce jazdy. *Siem. L. Kart. 29.* **5.** Ujść pogoni, uciec przed pogonią ⟨*przed goniącymi*⟩. **6.** Wyrwać się pogoni ⟨*goniącym, ścigającym*⟩. **7.** Zaniechać pogoni ⟨*pościgu*⟩. **8.** Zarządzić **p.** ⟨*pościg*⟩. **9.** Zmylić **p.** ⟨*zmylić ścigających*⟩. **10. p.** ustała ⟨*pościg*⟩; **p.** zatrzymała się, zawróciła ⟨*goniący, ścigający*⟩.

pogotowie 1. p. bojowe; ostre **p.** ⟨*gotowość, stan gotowości do podjęcia jakiegoś działania, np. działań wojennych, akcji ratowniczej*⟩: Zarządzić ostre **p. 2. p.** awaryjne, techniczne ⟨*zespół ludzi dysponujących odpowiednimi środkami lokomocji, narzędziami, których zadaniem jest natychmiastowa naprawa uszkodzeń powstałych w fabrykach, instytucjach, na ulicy, w komunikacji itp.*⟩. **3.** *hand.* **p.** kasowe ⟨*określona suma pieniędzy w kasie na wydatki nieprzewidziane*⟩. **4. p.** ratunkowe: a) ⟨*instytucja udzielająca doraźnej pomocy lekarskiej w nagłych wypadkach; budynek, w którym się mieści taka instytucja*⟩; b) ⟨*instytucja niosąca pomoc znajdującym się w niebezpieczeństwie turystom, narciarzom itp.; ekipa ludzi niosąca taką pomoc*⟩. **5.** Stan stałego pogotowia ⟨*gotowości do czego*⟩. **6.** Być w pogotowiu do czego (np. do wyjazdu, do wymarszu) ⟨*być gotowym do czego (do wyruszenia, do działania) w każdej chwili*⟩. **7.** Mieć co w pogotowiu, *przestarz.* na pogotowiu, *daw.* pogotowiu ⟨*mieć co przygotowane z góry, pod ręką, do natychmiastowego użycia*⟩: Schodząc do groty wyjął latarkę, aby mieć ją w pogotowiu. - Mieli pogotowiu sposób, aby wszystkim dogodzić. *Narusz. Hist. VI, 39.* **8.** Wezwać **p.** (ratunkowe).

pogranicze *wojsk.* Wojska Ochrony Pogranicza (WOP) ⟨*oddziały rozlokowane na terenach nadgranicznych, czuwające nad bezpieczeństwem granic kraju*⟩.

pogrom 1. Krwawy, straszny, zupełny **p.** ⟨*pobicie, zmasakrowanie; klęska, rozgromienie*⟩. **2.** Dochodzi, doszło do pogromu. **3.** Ocaleć po pogromie a. z pogromu. **4.** Ujść z pogromu.

pogromca p. dzikich, drapieżnych zwierząt ⟨*poskramiacz, treser*⟩. *przen.* **p.** serc ⟨*mężczyzna mający wielkie powodzenie u kobiet, uwodziciel*⟩.

pogrozić 1. p. (k o m u) c z y m: **p.** pięścią, palcem, rózgą ⟨*pomachać pięścią itp. na znak ostrzeżenia, przestrzegając przed pobiciem, karą cielesną*⟩. **2.** *żart.* Pogrozisz mu palcem w bucie ⟨*nic mu nie zrobisz*⟩. *SW.*

pogróżka 1. Czcza, pusta **p. 2.** List z pogróżkami (otrzymać). **3.** Rzucać **p-i. 4.** Skończyło się na pogróżkach. **5.** Uląc się, nie uląc się pogróżek. **6.** Wykonać pogróżkę.

pogrzeb 1. Bogaty, okazały, manifestacyjny, skromny **p. 2.** Być na pogrzebie (kogo); pójść na **p. 3.** Będzie jeszcze na naszym pogrzebie ⟨*przeżyje nas*⟩. *SW.* **4.** Iść, posuwać się, wlec się jak za pogrzebem ⟨*iść, posuwać się bardzo wolno*⟩: Szosa jest pełna, a nocą to żadna jazda, wleczemy się jak za pogrzebem. *Żukr. Dni 190.* **5.** Sprawić, urządzić, wyprawić komu **p.** ⟨*złożyć czyje zwłoki do grobu, urządzić ceremonię złożenia zwłok do grobu*⟩. **6. p.** wyruszył, przeszedł ulicami (miasta), przybył na miejsce (na cmentarz) ⟨*kondukt żałobny*⟩.

pogrzebowy 1. p-a mina ⟨*posępna, ponura*⟩. **2.** Zakład **p.**; przedsiębiorstwo **p-e** ⟨*zakład, przedsiębiorstwo zajmujące się pogrzebami*⟩. **3.** Zasiłek **p.** ⟨*zasiłek pieniężny na pogrzeb pracownika lub członka jego rodziny*⟩.

pogubić *daw.* **p.** głowy ⟨*stracić orientację; potracić głowy*⟩: Otóż śliczni amanci! pogubili głowy. Do diabła, kto się z takim tchórzostwem zaleca! *Zabł. Szlafm. 219.*

pogwałcić p. prawa, ustawy ⟨*postąpić wbrew prawu, ustawie; naruszyć, złamać prawo, ustawę*⟩.

pojazd 1. p. kryty, odkryty; nowoczesny, staroświecki ⟨*powóz*⟩. **2. p.** mechaniczny ⟨*pojazd napędzany za pomocą silnika*⟩.

pojąć, pojmować *książk.* **p.** za żonę, *daw.* **p.** w małżeństwo ⟨*poślubić, (o)żenić się*⟩.

pojechać 1. *rub.* **p.** na tamten świat, do lali ⟨*umrzeć*⟩. **2.** *daw.* **p.** po kim jak po burej suce ⟨*zwymyślać kogo, źle się z kim obejść*⟩: Urąga jej co się zowie... Bestia pojechał po babie jak po burej suce. *Dygas. Pióro 136.* **3. p.** do Rygi ⟨*zwymiotować*⟩.

pojednać (się) 1. p. k o g o z Bogiem ⟨*udzielić komu rozgrzeszenia; nawrócić kogo*⟩. **2. p. się** z Bogiem ⟨*wyspowiadać się, nawrócić się*⟩.

pojednawczy 1. Komisja **p-a** ⟨*komisja, której zadaniem jest pokojowe załatwianie różnych sporów międzynarodowych*⟩. **2.** *praw.* Posiedzenie **p-e** ⟨*w sprawach rozwodowych: posiedzenie, w czasie którego sąd stara się nakłonić obie strony do zgody*⟩. **3.** Sąd **p.** ⟨*rozjemczy, polubowny*⟩.

pojedynczy 1. Łóżko **p-e**; tapczan **p.** ⟨*na jedną osobę*⟩. **2. p-e** okno ⟨*składające się z jednej oszklonej ramy obsadzonej w ościeżnicy*⟩. **3. p-a** szerokość (tkaniny) ⟨*nie podwójna*⟩.

pojedynek 1. Bezkrwawy, krwawy **p. 2.** Mieć z kim **p.** ⟨*pojedynkować się*⟩: Miał on pojedynek z porucznikiem od huzarów w piętnastym roku swojego życia. *Lam J. Głowy II, 131.* **3.** Stanąć, stawać do pojedynku: Jutro stanę do pojedynku i dam się zabić. *Żer. SPP.* **4.** Wyzwać kogo na **p. 5.** Zabić, zastrzelić, zranić kogo; zginąć w pojedynku.

pojedynka 1. W pojedynkę, *daw.* pojedynką ⟨*pojedynczo, po jednemu; samotnie*⟩: W pojedynkę za mną, w pojedynkę, a i po dwóch! Chodźno sam! *Sienk. SW.* **2.** Jechać w pojedynkę ⟨*w jednego konia*⟩. *SW.*

pojeść Jakby wszystkie rozumy a. rozumy całego świata pojadł ⟨*iron. o kimś przemądrzałym, zarozumiałym*⟩: Gada, jakby całego świata rozumy pojadł. *L.*

pojęcie 1. p. oderwane ⟨*nie mające odpowiedników wśród konkretnych rzeczy*⟩. **2. p.** filozoficzne, fizyczne, moralne. **3. p.** konkretne ⟨*podmiotowy odpowiednik poszczególnej rzeczy lub osoby (poszczególnych rzeczy lub osób)*⟩. **4. p.** c z e g o ⟨*sposób rozumienia czego*⟩: **p.** piękna, przyjaźni; dobrej roboty. **5. p.** o c z y m ⟨*wiedza o czym, znajomość czego*⟩: **p.** o muzyce, o gwiazdach, o wychowaniu młodzieży. **6.** Pomieszanie pojęć. **7.** Treść i zakres pojęcia. **8.** Nie do pojęcia ⟨*nie do uwierzenia, nie do wiary*⟩: A to rzecz nie do pojęcia! Chcieć mu młodego dziewczęcia! Weźmiesz za to, dziadu, figę! *Zabł. Balik 174.* Wszystko stawało się ciemne, bolesne, nie do pojęcia smutne. *Goj. SPP.* **9.** *pot.* Mieć **p.** o czym, mieć jakieś **p.** o czym; nie mieć pojęcia o czym, nie mieć jakiegoś (np. najmniejszego, zielonego) pojęcia o czym: a) ⟨*znać się na czym, rozumieć się na czym, orientować się w czym; nie znać się na czym, nie rozumieć się na czym, nie orientować się w czym*⟩: Ma o muzyce naszego stulecia pojęcie bardzo zielone. *Tyg. Powsz. SPP.* Aktorzy nasi pokazali jeszcze raz, iż o porządnej dykcji nie mają pojęcia. *Loren. Dwadz. 7*; b) ⟨*wyobrażać sobie co; nie wyobrażać sobie czego*⟩: Masz pojęcie, co się tam działo! Nie masz pojęcia, jaki to był entuzjasta sportu. **10.** *żart. pot.* Nie mieć pojęcia o wyobrażeniu ⟨*nic nie rozumieć, nie mieć żadnych wiadomości o czym, z jakiejś dziedziny*⟩: Ten człowiek nie ma pojęcia o wyobrażeniu, co to jest nawigacja. **11.** Coś przechodzi (ludzkie, wszelkie) **p.** ⟨*coś jest nieprawdopodobne, trudne do zrozumienia*⟩: Co on wyprawia, to przechodzi ludzkie pojęcie. **12.** Wyrobić sobie **p.** o kimś, o czymś ⟨*sąd, zdanie*⟩.

pojmować p. **pojąć**

pokarać p. kogo gardłem, na gardle ⟨*ukarać śmiercią*⟩: Łokietek [...] buntowników gardłem i konfiskatą majątków pokarał. *Bobrz. Dzieje I, 162.*

pokarm 1. Codzienny, posilny, prosty, zdrowy, zwykły **p.**: Proste pokarmy są najzdrowsze. *SW.* **2. p.** roślinny, mięsny a. zwierzęcy. **3. p.** (matczyny a. **p.** matki) ⟨*mleko w piersiach matek*⟩: Obfity, tłusty **p.** Stracić **p. 4.** *przen.* **p.** duchowy, umysłowy. **5.** Pobierać **p.** ⟨*o roślinach*⟩. **6.** Przyjmować **p.**: Chory od tygodnia nie przyjmował pokarmów. **7.** Przyrządzać, trawić **p-y.**

pokaz Na **p.**: a) ⟨*dla pozoru, dla efektu*⟩: Moralność na **p.**; robić coś na **p.**; b) ⟨*wart pokazania, nie byle jaki*⟩: Chłop na **p.**

pokazać, pokazywać 1. p. (k o m u) c o — c z y m: **p.** komu palcem drogę. **2. p.** co oczami, na migi ⟨*dać znak, dać poznać; porozumieć się oczami, na migi*⟩. **3.** Pokazywać grymasy, fanaberie ⟨*grymasić, kaprysić*⟩. **4. p.** pazury, pazurki, rogi, zęby ⟨*okazać swoją siłę; moc; zagrozić komu*⟩: Wróg pokazywał nie tylko pazury, lecz dobrze uzbrojone pięści. *Twórcz. 4, 1954, s. 155.* **5. p.** piersi, ramiona ⟨*obnażyć je, dekoltować się*⟩. **6. p.** plecy ⟨*uciec z pola walki*⟩: Mieczowi haniebnie plecy pokazali. *Rzew. H. Zamek 331.* **7.** Pokazać sztukę ⟨*dokazać sztuki*⟩: Pokaż sztukę i przeskocz ten rów! *SW.* **8. p.** sztuki ⟨*o popisach iluzjonisty*⟩: Przyszedł do Serbinowa magik i dzieci błagały, żeby mu pozwolić pokazać sztuki. *Dąbr. M. SPP.* **9. p.** świat komu ⟨*umożliwić bujne, szerokie życie, poznanie różnych wartości*⟩: Mógłbym tej dziewczynie pokazać świat, ułożyć jej ruchy, nauczyć smutku i zwątpienia. *Brand. K. Troja 22.* **10.** *wulg.* **p.** komu tyłek ⟨*wypiąć tyłek na kogo, okazując mu w ten sposób pogardę*⟩. **11.** *pot.* **p.** c o — k o m u ⟨*udowodnić, wykazać*⟩: A ja wam pokażę, że tak nie jest! *SW.* **12.** Ja ci (jemu, wam itp.) pokażę! ⟨*wykrzyknienie wyrażające pogróżkę; ja cię itp. nauczę!*⟩: Ja ci tu zaraz pokażę! ja ci się porządzę! *Goj. Dziew. I, 227.* **13.** To się dopiero pokaże ⟨*okaże w przyszłości, wyjdzie na jaw*⟩: Kto ma rację, to się dopiero pokaże. **14.** Nie móc, nie śmieć **p.** oczu ⟨*wstydzić się*⟩. **15.** Nie **p.** (czego) po sobie ⟨*nie dać poznać, nie uzewnętrznić*⟩: Poczuła się jego słowami bardzo dotknięta, ale nie pokazała tego po sobie.

pokazać się, pokazywać się Coś się po kim nie pokaże ⟨*ktoś czegoś nie zrobi, nie podda się czemu*⟩: On by miał płakać? To się po nim nie pokaże.

pokazowy Proces **p.** ⟨*mający na celu nie tylko wykazanie winy oskarżonego, ale i uzyskanie sukcesów propagandowych*⟩.

pokazywać p. **pokazać**

pokazywać się p. **pokazać się**

pokładać (się) 1. p. w k i m, w c z y m ufność, wiarę, zaufanie ⟨*spodziewać się czego po kim, po czym; ufać, wierzyć komu, czemu*⟩. **2. p. się** ze śmiechu ⟨*śmiać się mocno zginając się przy tym*⟩.

pokładanka Na pokładankę ⟨*na leżąco, po rozciągnięciu*⟩: Dostać sto batów na pokładankę.

pokładowy Oficer **p.** ⟨*oficer pełniący służbę nawigacyjną na okręcie; oficer nawigacyjny, szturman*⟩.

pokłon 1. Głęboki, niski **p. 2.** Bić, wybijać **p-y** ⟨*kłaniać się nisko zginając się w pół lub klęcząc i uderzając czołem o ziemię*⟩: Nie biją dziś pokłonów słońcu, gwiazdom i księżycowi. *Żmich. Pog. 66.* **3.** Oddać **p. 4.** Zgiąć się w pokłonie.

pokora 1. Głęboka, szczera, udana **p. 2.** Wilcza **p.** ⟨*udana, obłudna*⟩: Radziejowski odział się w wilczą pokorę i udał się do senatorów, aby go pogodzili z królem. *Kub. SW.* **3.** W pokorze ducha (przyjąć co, wielbić kogo) ⟨*z wielką pokorą, bardzo potulnie, ulegle*⟩. **4.** Okazać pokorę. **5.** Udać się, uderzyć w pokorę ⟨*upokorzyć się*⟩: Mnie się zdaje, że lepiej udać się w pokorę. *Żer. SPP.*
przysł. **6.** Pokora mury łamie.

pokorny 1. p-a mina, prośba, postawa; **p.** ton; **p-e** modły. **2. p.** jak dziecko. **3.** *daw.* **p.** sługa, służka; pozostaję, czynię się (w listach również piszę się) pokornym sługą ⟨*formułka używana w zwrotach do kogo lub w listach*⟩: Pokorny służka szanownego sąsiada dobrodzieja! [...] Jakże czcigodne zdrowie? *Prus Drobiaz. 99.* **4.** Zgiąć, zginać **p.** kark: a) ⟨*kłaniać się uniżenie*⟩: Służba zginała pokorne karki. *Reym. Now. IV, 16*; b) ⟨*być uniżonym*⟩.

pokos Kosić zboże na **p.** ⟨*odkładając je kosą na ściernisko, nie wiążąc od razu w snopki*⟩.

pokotem p. (kłaść, padać, spać, ułożyć się, walić się itp.) ⟨*jeden obok drugiego, jeden za drugim; rzędem, szeregiem*⟩: Trupy zasłały pole pokotem. *SW.*

pokój ● **1. p.** ⟨*część mieszkania, izba*⟩; **p.** ciasny, niewielki, obszerny, ogromny; mroczny, nieustawny, piękny, ponury, przestronny, widny, wesoły, wygodny; **p.** frontowy, mansardowy, przechodni, przyległy, sąsiedni; **p.** umeblowany; **p.** od frontu, od podwórza, od ulicy. **2. p.** bawialny, dziecinny, gościnny, jadalny, mieszkalny, stołowy, sypialny; **p.** kawalerski, sublokatorski; **p.** służbowy, **p.** dla służby. **3. p.** biurowy, bilardowy, hotelowy, muzyczny, szachowy; oddzielny **p.**; **p.** do pracy; **p.** do wynajęcia. **4. p.** z wygodami ⟨*pokój, którego mieszkaniec może korzystać z urządzeń sanitarnych znajdujących się w tym mieszkaniu*⟩. **5.** Kąt, róg pokoju. **6.** Chodzić po pokoju. **7.** *przestarz.* Iść, udać się na pokoje; bywać na pokojach. **8.** Odnająć, wynająć **p. 9.** Przewietrzyć **p. 10.** Wejść, wpaść do pokoju; wyjść z pokoju. **11.** Zamknąć się w pokoju. **12.** *przestarz.* Zgodzić kogo do pokojów ⟨*przyjąć kogo do służby na pokojówkę*⟩: Felicja, zgodzona niedawno do pokojów, dała się, owszem, poznać jako zupełnie odpowiednia. *Dąbr. M. Noce II, 54.*

● **13. p.** ⟨*spokój; ugoda pokojowa*⟩: Powszechny, trwały **p. 14.** *hist.* **p.** święty ⟨*w starożytnej Grecji: zakaz walczenia w okresie igrzysk olimpijskich*⟩. **15.** *przestarz.* Dla świętego pokoju ⟨*dla świętego spokoju*⟩: Dla świętego pokoju Teofil stał się jednym z jego najlepszych uczniów. *Par. SPP.* **16.** Zbrojny **p.** ⟨*sytuacja, w której państwo nie prowadzi jeszcze wojny, ale jest w stanie zbrojnej gotowości*⟩. **17.** Gałązka oliwna, gołąb, różdżka pokoju ⟨*symbole pokoju i zgody*⟩. **18.** *kult.* Pocałunek pokoju ⟨*w liturgiach chrześcijańskich pocałunek, uścisk wzajemny dawany na znak jedności wiernych*⟩. **19.** *hist.* Sądy pokoju ⟨*w Księstwie Warszawskim i Królestwie Kongresowym: sądy cywilne najniższej instancji*⟩. **20.** Sędzia pokoju ⟨*w Księstwie Warszawskim i Królestwie Kongresowym: sędzia powoływany spoza grona zawodowych prawników, rozstrzygający spory cywilne w najniższej instancji*⟩. **21.** Wyścig pokoju, kolarski raid pokoju ⟨*imprezy sportowe mające na celu propagowanie pokoju i przyjaźni między narodami*⟩. **22. p.** miłujące narody ⟨*narody pokojowe*⟩. **23.** Apel pokoju; obóz pokoju; kongres obrońców pokoju: Rosną w liczbę i siły międzynarodowe, solidarne ludzkie szeregi naszego obozu pokoju. *Andrz. SPP.* **24.** Nagroda pokoju ⟨*za działalność na rzecz pokoju*⟩. **25.** Bojownik o **p. 26.** Światowa Rada Pokoju ⟨*organ międzynarodowego ruchu działaczy politycznych i intelektualistów złożony z przedstawicieli nar. kom. obrońców pokoju rozpatrujący podstawowe sprawy dotyczące utrzymania pokoju*⟩. **27.** *przestarz.* Dać **p.** c z e m u a. z c z y m (dziś zwykle: spokój) ⟨*zaniechać, zaprzestać czego*⟩: Ot, dajcie już pokój tym wprost zbytecznym roztrząsaniom. *Krzywosz. Jula 111.* Lepiej dać pokój z wyjazdami. *Dąbr. M. SPP.* **28.** *przestarz.* Dać k o m u **p.** (dziś zwykle: spokój) ⟨*przestać komu dokuczać, przeszkadzać, zaczepiać, zawracać głowę*⟩: A dajcież mi święty pokój! *Orzesz. Niemn. II, 38.* **29.** *przestarz.* Mieć **p.** ⟨*nie być niepokojonym*⟩: Zajączek ci się łatwo dostanie [...] Lecz niech ma pokój niedźwiedź mrukliwy. *Tremb. Różne 85.* **30.** Ofiarować komu **p. 31.** Naruszyć, zakłócić, zamącić **p. 32.** Palić, wypalić, zapalić fajkę pokoju ⟨*u Indian: przy zawieraniu układów pokojowych: palić kolejno fajkę dla zaświadczenia przyjaznych stosunków*⟩. **33.** Podpisać **p.** ⟨*układ pokojowy*⟩: Kazimierz podjął rokowania i podpisał w listopadzie 1348 r. pokój w Namysłowie. *Piw. Hist. 91.* **34.** Prosić o **p.**: Etolczykowie przyszli z gałązką oliwną o pokój prosząc. *Słow. Agez. 161.* **35.** Zawrzeć, zaprzysiąc, zerwać **p. 36.** *podn. książk.* **p.** ludziom dobrej woli, **p.** z tobą, **p.** temu domowi ⟨*zwrot wyrażający życzenie: żyjcie spokojnie, bez kłopotów, walk itp., często mający charakter powitania lub pożegnania*⟩: Postąpił krok naprzód i wyrzekł głosem donośnym: — Pokój temu domowi! *Gomul. Mieszczka 175.* **37. p.** jego duszy, prochom, wieczny mu **p.**, niech odpoczywa w pokoju ⟨*podniosły, uroczysty zwrot pochodzenia kultowego używany w odniesieniu do osoby zmarłej*⟩: Ta nieszczęsna nie będzie już cierpieć [...] wieczny jej pokój, wieczne odpoczywanie. *Goj. Rajs. II, 195.* **38. p.** doszedł do skutku, stanął (między kim a kim; gdzie, np. w Oliwie). **39. p.** panuje (między narodami, w jakimś kraju, w jakiejś części świata).

pokpić p. sprawę ⟨*załatwić co w sposób nieudolny, popsuć co*⟩: O mojej dobrej woli nie możesz wątpić, ale czy podołam zadaniu? A jeśli pokpię sprawę? *Grusz. Ar. Tys. 374.*

pokrapiać, pokropić, pokropywać Deszcz pokrapia, pokropuje, pokropił ⟨*pada, padał drobnymi, rzadkimi kroplami*⟩.

pokrewieństwo 1. Dalsze **p.** ⟨*związek krwi*⟩. **2. p.** m i ę d z y k i m (a k i m), **p.** z k i m: Dzierlatka wykazuje bardzo wyraźne pokrewieństwo ze skowronkiem. *Dyak. SPP.* **3. p.** p o k i m, z e s t r o n y k o g o: **p.** po babce, ze strony babki. **4.** Być z kim w pokrewieństwie: W bliskim jesteśmy z sobą pokrewieństwie. *Orzesz. SPP.* **5. p.** zachodzi (między kim a kim).

pokrewny 1. p. k o m u, c z e m u — c z y m, p r z e z c o, p o d j a k i m ś w z g l ę d e m ⟨*podobny, mający wspólne cechy*⟩: Podobny sposobem myślenia. Czuł tę niewypowiedzianą rozkosz wyższego umysłu, jaką daje obcowanie pokrewnych sobie pod każdym względem natur, które do siebie przystają i rozumieją się całkowicie. *Gawal. SW.* **2.** Języki **p-e** ⟨*wywodzące się od jednego starszego języka wspólnego*⟩. **3.** Wyrazy **p-e** ⟨*mające wspólny rdzeń*⟩.

pokręcić 1. p. c o lub c z y m ⟨*zakręcić*⟩: **p.** korbę a. korbą. **2. p.** głową ⟨*pomyśleć, zastanowić się, pokombinować*⟩: Pawełku, pokręć no głową, bo mi pieniędzy potrzeba! *Dygas. Pióro 34.* **3. p.** karki ⟨*pozabijać się*⟩: Pospadawszy, pokręcili karki. *SW.* **4. p.** wąsa ⟨*podkręcić*⟩: Podróżny pokręcił wąsa, aby ukryć pół uśmiechu. *Krasz. SW.* **5.** Pokręciło k o g o ⟨*ktoś dostał reumatyzmu*⟩. **6.** Żeby cię pokręciło ⟨*rodzaj przekleństwa*⟩.

pokręcić się Pokręciło się komu w głowie ⟨*pomieszało się, ktoś przestał rozumieć, rozeznawać co*⟩.

pokrycie 1. *techn.* **p.** metaliczne ⟨*warstwa metalu nakładana na przedmioty metalowe zwykle w celach ochronnych*⟩. **2. p.** dachu ⟨*to, czym dach poszyto: gonty, słoma itp.*⟩. **3. p.** mebli ⟨*tkanina, którą je obito, obicie*⟩. **4.** *meteor.* **p.** nieba ⟨*chmury pokrywające niebo*⟩. **5. p.** na futro ⟨*materiał wierzchni, wierzch, poszycie*⟩. **6.** Mieć **p.** w czym ⟨*o transakcjach: być zabezpieczonym czym pod względem uregulowania należności, wypłacalności; przen. — być uzasadnionym*⟩: Własne środki przedsiębiorstwa powinny mieć zasadniczo pokrycie w funduszu statutowym przedsiębiorstwa. *Skrzyw. Przem. I, 108.*

pokryć, pokrywać 1. p. c o — c z y m: **p.** dom, budynek itp. dachem; **p.** budowlę dachówką, gontami, słomą itp. ⟨*zbudować dach nad domem itp.; położyć, umocować na zewnętrznej płaszczyźnie dachu dachówkę itp.*⟩. **2. p.** meble skórą, dermatoidem, aksamitem ⟨*obić*⟩. **3. p.** długi, wydatki ⟨*zapłacić*⟩. **4. p.** co milczeniem ⟨*nie mówić nic o czym, przejść nad czym do porządku, udać, że się o czymś nie wie; przemilczeć co*⟩. **5. p.** co tajemnicą ⟨*zataić co, zatrzymać co w ukryciu, w tajemnicy*⟩: W małym miasteczku na prowincji, gdzie tak dobrze znają się wszyscy i swoje interesa, podobne zdarzenie nie mogłoby być tak długą pokrywane tajemnicą. *Bog. Kapit. I, 159.*

pokrywa 1. p. chmur ⟨*warstwa chmur pokrywająca niebo*⟩. **2. p.** śnieżna ⟨*warstwa śniegu pokrywająca co*⟩.

pokrywać p. **pokryć**

pokrywka 1. Pod pokrywką czego (pod pozorem): Pod pokrywką przyjaźni mojej szuka zguby. *Troc.* **2.** *daw.* Bez pokrywki ⟨*otwarcie, jawnie, bez ogródek, nie obwijając w bawełnę, prosto z mostu*⟩: Wynurzam, co myślę i bez pokrywki. *L.* **3.** *przestarz.* Służyć za pokrywkę czego ⟨*za pretekst, za pozór*⟩: Oficjalny cel naukowej wycieczki Platera służył za pokrywkę tajnej, nie znanej dokładnie misji. *Smolka SPP.*

pokrzywa *iron.* Cieszy się, zadowolony jak goły, nagi w pokrzywach ⟨*ktoś jest bardzo niezadowolony, znajduje się w przykrej sytuacji*⟩.

pokrzyżować p. komu działania, interesy, zabiegi, zamiary itp. ⟨*zniweczyć, popsuć, unicestwić*⟩: Zła pogoda pokrzyżowała im plany wyjazdu.

pokup Mieć **p.**: a) ⟨*być poszukiwanym jako towar*⟩: Wyrabiane w rękodzielniach tutejszych płócienka [...] znaczny miały pokup. *Balliń. M. Polska III, 501*; b) ⟨*cieszyć się popytem, mieć powodzenie*⟩: Felietony, powieści, wiersze i wierszydła, na których widok mdło się robi, mają dziś pokup i znajdują nakładcę. *Prus Kron. II, 359.*

pokusa 1. Silna **p. 2. p., p-y** c z e g o: Zwyciężyła pokusa kariery. *Żer. SPP.* **p-y** życia. **3. p.** d o c z e g o, n a c o ⟨*ochota na co*⟩: **p.** do figlów. **4.** Mieć pokusę (co robić a. na co): Bardzo wielką miałem pokusę uciec stąd. *Żmich. SPP.* **5.** Narażać, wystawiać kogo na pokusę (na pokusy). **6.** Odpędzać, zwalczać pokusę, **p-y. 7.** Opierać się, oprzeć się; ulegać, ulec pokusie. **8. p.** bierze, napada, odbiega kogo (co robić a. na co): Brała ją pokusa, by raz się o tym przekonać. *Dąbr. M. SPP.* **9. p-y** czyhają na kogo.

pokuta 1. Ciężka, dobrowolna, lekka, szczera **p. 2. p.** z a c o: **p.** za błąd popełniony. **3.** Czynić, odbyć, odprawiać pokutę. **4.** Grać, śpiewać, śmiać się jak na pokutę a. za pokutę ⟨*smutno*⟩: A jeśli się roześmieje — to jak za pokutę. *Malcz. SW.* **5.** Naznaczyć, zadać komu pokutę. **6.** Odd(aw)ać się pokucie: Oddała się dobrowolnie najcięższej pokucie. *Kaczk. SPP.*

pokutować 1. p. z a k o g o, z a c o: **p.** za grzechy ⟨*odbywać pokutę, cierpieć, odbywać karę*⟩; *przen.* ⟨*cierpieć, odczuwać złe skutki czego*⟩. **2.** Coś gdzieś pokutuje (zwykle o poglądach, teorii, przesądach itp.) ⟨*tkwi, występuje, kołacze się*⟩: Pokutują u nas, zwłaszcza w prasie cytaty wciąż te same. *Boy Słowa 92.*

polać, polewać 1. p. co krwią ⟨*przypłacić co życiem, zginąć w walce o co*⟩: Có rzekł, to strzymał, choćby krwią przyszło polewać. *Krasz. Baśń 116.* **2. p.** co łzami ⟨*opłakać(-iwać) co*⟩: Panna Aleksandra polała łzami każde słowo listu. *Sienk. Pot. I, 93.*

polać się Krew się polała ⟨*dokonano zabójstwa; doszło do bitwy, do bójki*⟩: Krew robotnicza polała się obficie w dniach styczniowych (1905 r.) również i na ulicach Łodzi. *Nowe Drogi 1, 1955, s. 61.*

pole 1. dzikie, otwarte, szczere **p.** ⟨*teren nie osłonięty, nie zabudowany, bezdrzewny*⟩. **2.** Żyzne **p.**; **p.** uprawne ⟨*ziemia uprawna*⟩. **3. p.** c z e g o: a) ⟨*ziemia uprawna, obsiana czym*⟩: **p.** buraków, pszenicy, żyta; b) *geom.* ⟨*powierzchnia czego*⟩: **p.** trójkąta, trapezu, koła; c) *przen.* **p.** c z e g o a. d o c z e g o ⟨*dziedzina czego, zakres, sfera*⟩: **p.** czynu, działania, pracy społecznej; **p.** do domysłów, do działania. **4. p.** do popisu ⟨*dziedzina, zakres, teren działania; sposobność, okazja do wykazania się czym*⟩: Teatry nasze raz po raz wystawiały utwory Hugo, a najwięksi polscy aktorzy [...] znajdowali w nich świetne pole do popisu. *Twórcz. 12, 1953, s. 169.* **5.** *fiz.* **p.** akustyczne ⟨*przestrzeń, w której są słyszane dźwięki rozchodzące się z danego ogniska*⟩. **6.** *przestarz.* **p.** boże, **p.** umarłych ⟨*cmentarz*⟩: Cyganka nie śmiała wejść za nią na pole umarłych. *Krasz. SW.* **7.** *sport.* **p.** bramkowe ⟨*w piłce nożnej i grach podobnych: część boiska przylegająca do bramki*⟩. **8.** *łow.* Czarne **p.**: a) ⟨*przestrzeń nie pokryta śniegiem*⟩; b) ⟨*teren polowań albo polowanie na grubego zwierza, szczególnie na dziki*⟩. **9.** *górn.* **p.** eksploatacyjne, **p.** wybierania ⟨*część złoża otoczona wyrobiskami i przystosowana do wybierania lub będąca w trakcie wybierania*⟩. **10.** *hist.* **p.** elekcyjne ⟨*teren, na którym obozowała przybyła na elekcję szlachta i na którym odbywała się elekcja*⟩. **11.** *fiz.* **p.** elektryczne ⟨*przestrzeń, w której na ciała naładowane działają siły natury elektrycznej*⟩. **12.** *geol.* **p.** firnowe ⟨*obszar, na którym gromadzi się gruba warstwa firnu; strefa akumulacji śniegu*⟩. **13.** *fiz.* **p.** grawitacyjne, **p.** sił ⟨*przestrzeń wokół danej masy (np. Ziemi, Słońca), w której każdemu punktowi przyporządkowana jest określona siła o określonym kierunku*⟩. **14. p.** lodowe ⟨*obszary lodowe; lodowce*⟩. **15. p.**

naftowe ⟨*obszar górniczy, na którym odbywają się wiercenia poszukiwawcze złóż ropy naftowej; obszar naftowy określony warunkami geologicznymi*⟩. **16.** *łow.* Ostre **p.** ⟨*teren polowania pokryty grudą, niedogodny dla psów myśliwskich*⟩. **17.** *górn.* **p.** robocze ⟨*w przodkach: przestrzeń wolna między calizną a szeregiem stojaków, gdzie pracują górnicy*⟩. **18.** *górn.* **p.** wrębowe ⟨*pole robocze w ścianie, w którym pracuje wrębiarka*⟩. **19.** **p.** wyścigowe a. wyścigów ⟨*miejsce wyścigów z torami wyznaczonymi do biegu koni*⟩. **20.** **p.** walki, chwały ⟨*teren, na którym toczy się bitwa; plac bitwy*⟩. **21.** *fot.* **p.** obrazu ⟨*powierzchnia obrazu fotograficznego*⟩. **22.** *wojsk.* **p.** ostrzału ⟨*część terenu znajdująca się pod działaniem środków ogniowych*⟩. **23.** **p.** przemiany ⟨*pole, po którego zajęciu pionek zostaje promowany: w szachach — na dowolną figurę, w warcabach — na damę*⟩. **24.** *wojsk.* **p.** rażenia ⟨*przestrzeń, na której tor pocisku nie przewyższa wysokości celu, dzięki czemu skuteczność ognia jest w tym miejscu największa*⟩. **25.** *sport.* **p.** rzutu ⟨*w lekkoatletyce: określona przepisami część boiska, na której wyrzucony sprzęt (kula, dysk, oszczep) musi pozostawić pierwszy ślad, aby rzut był ważny*⟩. **26.** *sport.* **p.** trafienia ⟨*w szermierce: miejsce na ciele zawodnika, w którym zadane poprawnie trafienie liczy się jako ważne*⟩. **27.** *fiz.* **p.** widzenia ⟨*zespół punktów rzeczywistych w pewnej przestrzeni, widzianych przez oko nieruchome lub obejmowanych przez instrument; pot. przestrzeń obejmowana wzrokiem*⟩. **28.** *lotn.* **p.** wzlotów ⟨*użytkowa część lotniska, długi pas, zwykle o nawierzchni betonowej przeznaczony do ruchu statków powietrznych na ziemi*⟩. **29.** *żegl.* **p.** ogólne żagli ⟨*suma płaszczyzn geometrycznych wszystkich żagli okrętu*⟩. **30.** *łow.* Pies jest w pierwszym, w drugim polu ⟨*pies jest pierwszy, drugi rok używany do polowania (sposób określania wieku psa myśliwskiego)*⟩. **31.** *mat.* Jednostka pola ⟨*kwadrat, którego bok równa się jednostce długości, a pole jego równa się kwadratowi tej jednostki, na 1 cm², m² itp.*⟩. **32.** *prow.* Na polu, na pole, z pola ⟨*na dwór, na dworze, ze dworu*⟩: Jak tam dziś na polu? *SW.* **33.** Być na polu lub w polu; iść na **p.** lub w **p.**; iść, jechać polami, przez pola; uprawiać **p.**; pracować w polu. **34.** Dać **p.** ⟨*przyjąć wyzwanie, stanąć do walki*⟩. **35.** Dotrzymać pola ⟨*wytrwać na placu (bitwy), nie cofnąć się*⟩: Dwukrotnie usiłował stawić mu czoło, ale nie dotrzymał pola i pośpiesznie cofnął się ku swej stolicy. *Parn. Aecjusz 237.* **36.** Otworzyć, pozostawić komu **p.** do czego, mieć, znaleźć, **p.** do czego (np. do popisu, do działania) ⟨*dać komu, mieć, znaleźć wielkie możliwości jakiegoś działania; móc działać w jakiejś dziedzinie*⟩: Nie miałem pola do zużytkowania większej części zdobytej wiedzy naukowej. *Prus Now. IV, 178.* **37.** Pracować na polu czego, na tym samym, na innym polu ⟨*w jakiejś; w tej samej, w innej dziedzinie*⟩: Pracować na polu nauki. **38.** *daw.* Ruszyć, wyruszyć w pole ⟨*na wojnę*⟩. **39.** Schodzić z pola ⟨*o roślinach uprawnych: być zbieranym z pola*⟩: Rzepaki letnie schodzą z pola dopiero w drugiej połowie sierpnia. *Upr. rośl. II, 694.* **40.** *daw.* Stracić **p.** ⟨*przegrać bitwę (na otwartej przestrzeni), wycofać się*⟩: Pole straciwszy, w miastach się bronili. *Koch. P. SW.* **41.** Szukaj wiatru w polu ⟨*o kim lub o czym zaginionym, schowanym, niemożliwym do odnalezienia*⟩: Znów może gdzie wyjedziesz zabrawszy moje pieniądze — i szukaj wiatru w polu. *Żer. Dzieje I, 272.* **42.** Umknąć, ustąpić, zejść z pola (walki). **43.** Ustąpić komu pola ⟨*ustąpić komu; zejść z drogi*⟩. **44.** *daw.* Wyjeżdżać na czarne **p.** ⟨*wyjeżdżać na wojnę*⟩. **45.** Wywieść, wyprowadzić kogo w **p.** ⟨*oszukać, zwieść kogo*⟩: Oszukuje was ten kuglarz, wywodzi w pole. *Żer. Sułk. 94.* **46.** *daw.* Zalegać, zależeć **p.** ⟨*(z)gnuśnieć w bezczynności, zaniedbać(-ywać) się, opuszczać, opuścić się (szczególnie w służbie wojskowej)*⟩: Odbierałem od niego zapewnienie, że w razie powstania i on by nie zaleźał pola. *Kamień. Pam. 165.* **47.** **p.** (do czego) otwiera się (przed kim) ⟨*sposobność, okazja*⟩: Otwierało się **p.** do plotek. Przed architektami otworzyło się szerokie **p.** do działania przy odbudowie miasta.

polec **1.** **p.** o d c z e g o ⟨*zginąć*⟩: **p.** od ciosu, od uderzenia, od pchnięcia. Poległ od kuli. *Łoz. Wł. SPP.* **2.** **p.** na polu chwały. **3.** **p.** śmiercią walecznych, śmiercią żołnierza. **4.** **p.** w bitwie, w boju, w walce (o wolność).

polecenie **1.** Poufne, ustne, zaszczytne **p.** **2.** **p.** c z e g o: **p.** dopuszczenia do egzaminu. **3.** Z polecenia, na **p.** (co robić): Z polecenia sądu zmuszony jestem pana aresztować. *Lam J. SPP.* **4.** Dać, wydać komu **p.** **5.** Mieć **p.** co robić: Mamy polecenie zrewidować pana. *Szew. Kleszcze 46.* **6.** Otrzymać, spełnić **p.**: Mogli otrzymać polecenie dotarcia aż do wielkiego Kanału Ibrahima. *Sienk. SPP.* **7.** Wywiązać się z polecenia.

polecieć **1.** **p.** na skrzydłach, ptakiem, lotem ptaka ⟨*pobiec, pojechać szybko, natychmiast (zwrot wyrażający pragnienie udania się dokąd, zwykle w trybie warunkowym)*⟩: Ona by także tam poleciała, na skrzydłach by poleciała, aby domy i ulice, przyjaciół i przyjaciółki zobaczyć. *Orzesz. Cham 97.* **2.** **p.** n a k o g o, n a c o ⟨*dać się komu skusić, złakomić się na co, zmamić*⟩: Myślisz, że nie znajdziemy głupiego, co na ciebie poleci. *Perz. Aszan. 137.* **p.** na czyje oczy, na czyje pieniądze, na czyj majątek. **3.** **p.** z językiem, z gębą ⟨*pójść poskarżyć się na kogo, zrobić donos*⟩: Jakbyś wiedział, że poleci zaraz z gębą do mego starego. *Gąs. W. Pig. 56.* **4.** Oczko poleciało ⟨*w pończosze, swetrze: spruło się*⟩.

polemika **1.** Gwałtowna, ożywiona **p.** **2.** Prowadzić, rozpocząć, toczyć, zakończyć, zamknąć polemikę: Co innego jest prowadzić polemikę o nic, a co innego przedstawić dowody. *Sienk. SPP.* **3.** Wywołać polemikę: Ukazanie się tej powieści wywołało żywą polemikę w prasie literackiej. **4.** **p.** toczy się, wywiązała się między kim (i kim).

polepszać się, polepszyć się Polepsza się, polepszyło się komu ⟨*nastąpiła poprawa w czyim stanie zdrowia*⟩: Polepszyło mu się nawet o tyle, że mógł na łóżku siąść. *Krasz. Opow. 298.*

polerować **p.** ryż, kaszę ⟨*oczyszczać ryż z łusek, wygładzać kaszę perłową*⟩.

poletko **p.** doświadczalne ⟨*określona powierzchnia gruntu przeznaczona pod uprawę roślin w celach doświadczalnych*⟩.

polewać p. **polać**

polewany 1. p-e ciastka, sucharki ⟨*pokryte lukrem, lukrowane*⟩. 2. p. garnek, p-e naczynie ⟨*blaszany(-e), pokryty(-e) emalią, polewą*⟩. 3. p-e kafle ⟨*pokryte glazurą*⟩.

polewka *daw.* 1. Piwna, winna p. ⟨*grzane piwo, wino z przyprawami*⟩. 2. Dworska p. ⟨*dworski chleb, służba na dworze*⟩: Kiedym był młody [...] zaznałem tej dworskiej polewki. *Pol Przyg. 6.*

polica *daw.* Położyć, założyć zęby na policę, na policy ⟨*przymierać głodem*⟩: O puzderku i wiktuałach podróżnych gdybym ja nie pamiętał, to przyszłoby i zęby na policy położyć. *Chodź. Pisma I, 366.*

policja 1. p. piesza, zmotoryzowana; p. tajna. 2. p. sanitarna, obyczajowa, polityczna, rzeczna. 3. Funkcjonariusz policji. 4. Poszukiwany, ujęty przez policję. 5. Oddać kogo w ręce policji, pod nadzór policji. 6. p. aresztuje kogo, przeprowadza (masowe) aresztowania; ściga, zatrzymuje kogo.

policyjny 1. Państwo p-e ⟨*w którym rządy wykonywane są za pośrednictwem policji*⟩. 2. Pies p. ⟨*specjalnie wytresowany do tropienia przestępców*⟩.

policzek 1. Zapadnięte (zapadłe) policzki. 2. Głośny p. ⟨*uderzenie w twarz*⟩. 3. Dostać, otrzymać, wziąć p.: Wziąłem policzek za ciebie. *Zabł. SPP.* 4. Coś jest policzkiem dla kogo ⟨*hańbą, upokorzeniem, afrontem*⟩: List Sienkiewicza do cesarza Wilhelma jest policzkiem dla hakatystów. *SW.* 5. Uszczypnąć kogo pieszczotliwie w p. 6. Ucałować kogo w oba policzki. 7. Wyciąć, wymierzyć komu p. ⟨*spoliczkować kogo*⟩. 8. Wydąć, wydymać policzki.

policzyć 1. *posp.* p. komu kości, żebra, zęby ⟨*zbić kogo*⟩. 2. p. co na karb czego ⟨*złożyć na co*⟩: Wady, które w niej odkrył, można było policzyć na karb zaślepienia młodości i fałszywego wychowania. *Chmielow. Dram. 265.* 3. p. co za winę, za zasługę ⟨*uznać, poczytać za winę, za zasługę*⟩: Musi to być w każdym razie policzone mu za winę, za brak biegłości. *Korzon Wewn. VI, 126.* 4. Coś będzie komu policzone ⟨*coś będzie komu uznane, coś znajdzie uznanie*⟩: A iż chcesz się chronić pokusy, przeto ta zasługa policzona ci będzie. *Sienk. Quo II, 51.*

policzyć się p. się z kim ⟨*porachować się z kim, zemścić się za co*⟩: Jak tylko przyjdzie mój przyjaciel [...] to on dopiero się z wami policzy. *Makowiec. Dios. 58.*

poligraficzny Przemysł p. ⟨*drukarski*⟩. Zakład p. ⟨*który oprócz drukarni prowadzi dział chemigrafii oraz introligatornię*⟩.

poliszynel *przestarz.* Tajemnica poliszynela ⟨*rzekoma tajemnica, od dawna wszystkim znana*⟩.

politowanie 1. p. nad kim: Czuł jakieś politowanie nad nią i jakby bolesne przeczucie wiszącego nad nią nieszczęścia. *Krasz. Sfinks I, 246.* 2. Godny politowania ⟨*o kimś lub o czym*⟩. 3. Z politowaniem (patrzyć na kogo, na co! uśmiechnąć się). 4. Budzić, wzbudzać p.

polityczny 1. Autonomia, samodzielność p-a (państwa). 2. Dyskusja p-a. 3. Mówca p. ⟨*zajmujący się polityką; poruszający tematy związane z polityką*⟩. 4. p-e dzieje narodu. 5. Rozum p. ⟨*przewidująca orientacja, roztropność w sprawach polityki; talent, zdolności do polityki*⟩. 6. Geografia, mapa p-a ⟨*dotycząca granic państwa, jego ustroju i rządów*⟩. 7. *przestarz.* p-a głowa ⟨*działacz znający się na polityce; wybitny polityk*⟩. 8. Literatura, publicystyka p-a; pismo, artykuł, pamflet p. ⟨*poruszająca(-e, -y) problemy życia zbiorowego, sprawy państwa i stosunków społecznych*⟩. 9. Organizacja p-a; stronnictwo, ugrupowanie p-e ⟨*zrzeszająca(-e) ludzi mających te same cele polityczne, reprezentująca(-e) interesy pewnej klasy lub grupy społecznej i występująca(-e) w obronie ich praw*⟩. 10. Prawo p-e ⟨*określające ustrój państwa i prawa obywateli*⟩. 11. Przestępstwo p-e ⟨*zakazane przez prawo działanie przeciwko ustrojowi społecznemu, gospodarczemu lub politycznemu albo przeciw władzom państwa*⟩. 12. Przewrót p. 13. Więzień, zesłaniec p. ⟨*skazany za działanie przeciw istniejącemu ustrojowi państwa*⟩. 14. Wydział p. ⟨*do spraw związanych z aktualnie istniejącym ustrojem państwa*⟩.

polityka 1. Dobra, zła; niebezpieczna, ostrożna, przezorna, wyczekująca, zaborcza, zręczna p.; p. otwartych drzwi, wolnej ręki. 2. p. kulturalna (państwa). 3. p. wewnętrzna, zewnętrzna, zagraniczna; p. gospodarcza ⟨*planowa działalność czynników rządowych w dziedzinie spraw wewnętrznych, zagranicznych, gospodarczych*⟩. 4. Strusia p. ⟨*udawanie, że się nie dostrzega istniejących faktów, przymykanie oczu na rzeczywistość*⟩. 5. Interesować się, kierować, zajmować się polityką. 6. Prowadzić (ostrożną, zręczną itp.) politykę. 7. Rozmawiać o polityce.

I polka Nosić, strzyc włosy na polkę ⟨*z tyłu prosto przycięte*⟩.

II polka 1. p. galopka ⟨*tańczona w szybkim tempie; galop*⟩. p. mazurka ⟨*taniec, którego muzyka jest połączeniem elementów polki i kujawiaka*). 2. Grać, tańczyć polkę.

polny 1. p. bratek, powój, szczaw; p-a koniczyna, róża itp. ⟨*różne gatunki roślin rosnących dziko na polach, łąkach, ugorach itp.*⟩. 2. p-a droga, dróżka, ścieżka ⟨*wiodąca przez pole, wydeptana lub wyjeżdżona*⟩. 3. *hist.* pisarz p. ⟨*wyższy funkcjonariusz prowadzący kancelarię, rachunkowość wojskową, spis oddziałów itp.*⟩.

polować 1. p. na co: p. na dziki, na zające, na kaczki. 2. p. samopas, w pojedynkę, z podchodu. 3. *łow.* p. na wychodnego, z zasiadki, z ambony ⟨*strzelać do zwierzęcia z ukrycia oczekując jego wyjścia na żer*⟩. 4. *daw.* p. pod pierzem ⟨*polować z ptakami łowczymi*⟩. 5. p. z chartami, z ogarami; z sokołem. 6. p. z naganką ⟨*strzelać do zwierzyny napędzanej na strzał*⟩. 7. *przen.* p. na kogo, na co ⟨*starać się kogo, co zdobyć, ubiegać się o kogo, o co*⟩: p. na męża; p. na posag; na osobliwości wydawnicze.

polowanie 1. p. na co: p. na bażanty, na kuropatwy, na lisy. 2. p. na pomyka ⟨*łowy samopas na zające, zwykle z psem*⟩. 3. p. na wab, na wabia.

z wabikiem ⟨*łowy na zwierzynę wabioną naśladowaniem jej głosów*⟩. **4. p.** z nagonką (nagonką). **5. p.** z zasiadki, na wychodnego ⟨*czatowanie w ukryciu na zwierzynę*⟩. **6.** Urządzić, wyprawić **p.** (na kogo, na co).

polowy 1. Adiutant **p.** ⟨*pełniący swoje funkcje podczas służby wojskowej w polu*⟩. **2.** Czapka **p-a** ⟨*noszona na ćwiczeniach; polówka*⟩. **3.** Ćwiczenia **p-e** ⟨*w polu, w terenie*⟩. **4.** Działo **p-e** ⟨*używane w terenie, ruchome, nie umieszczone na stałe w obiektach fortyfikacyjnych*⟩. **5.** Sąd **p.** ⟨*sąd powołany w okresie stanu wojennego lub wyjątkowego, działający w trybie doraźnym*⟩. **6.** Żandarmeria **p-a** ⟨*policja wojskowa działająca w okresie wojny*⟩.

polski 1. *zoot.* **p-e** bydło czerwone ⟨*czerwona rasa bydła krajowego*⟩. **2. p-a** droga ⟨*polna, wiejska, nie brukowana*⟩. **3. p.** orzeł ⟨*symbol państwa polskiego*⟩. **4.** *daw.* **p.** strój, ubiór ⟨*którego najbardziej charakterystyczną częścią był kontusz, żupan, pas słucki*⟩. **5. p.** sztandar ⟨*biało-czerwony*⟩. **6.** Świnie **p-e** ⟨*rasa świń licząca wiele odmian, wyhodowanych w Polsce*⟩. **7.** Taniec **p.** ⟨*polonez*⟩. **8.** *bud.* **p-e** wiązanie ⟨*ozdobny układ cegieł w murze, w którym główki i wozówki następują kolejno po sobie w każdej warstwie*⟩. **9.** Złoty **p.** ⟨*w Polsce w XVII w. moneta obiegowa równa trzydziestu groszom miedzianym albo trzem szelągom*⟩. **10. p-e** zrazy ⟨*zrazy zawijane z farszem w środku*⟩. **11.** *rzad.* Z polska ⟨*na sposób polski, po polsku*⟩: Przybytek ten założony [...] z polska szeroko, zajmował olbrzymi czworobok. *Berent Diog. 112.* **12.** Po polsku ⟨*w języku polskim*⟩: Mówić, śpiewać po polsku. **13.** Czuć po polsku ⟨*tak jak Polak; uważać się za Polaka*⟩: Słów tych słuchała przede wszystkim brać żołnierska ⟨...⟩ i wszyscy co czuli po polsku. *Rozwad. 45.* **14.** Rozumieć, nauczyć się, umieć po polsku ⟨*znać, rozumieć język polski, polską mowę*⟩.

polszczyzna Łamana **p.** ⟨*język polski niepoprawny, z błędami, ze złą cudzoziemską wymową*⟩: Mówić łamaną polszczyzną. Mówić, pisać, wyrażać się piękną polszczyzną.

polubowny 1. Sąd **p.** ⟨*złożony z kilku obywateli, którym strony powierzyły rozstrzygnięcie sporu cywilnego*⟩. **2.** Sędzia **p.** ⟨*osoba powołana w skład sądu polubownego*⟩.

polus Dwa **p-y** ⟨*dwa pojęcia przeciwstawne, dwa przeciwieństwa, dwa bieguny*⟩: Ja i pan Leon — to dwa diametralnie przeciwne polusy. *Żer. Dzien. I, 370.*

poła 1. Długie, szerokie, wąskie, zaokrąglone **p-y**; **p-y** fraka, palta, kurtki. **2. p.** namiotu ⟨*jedna z dwóch części zasłony, stanowiącej wejście do namiotu*⟩. **3.** Trzymać się kogo za połę ⟨*krępować czyjąś swobodę, nie pozwalać na co, nie puszczać dokąd*⟩: I wiesz, gdyby mnie ojciec za połę nie trzymał [...] byłbym dał dęba. *Jackiew. Jan 283.* **4.** Trzymać się kogo za **p-y** lub czyjej **p-y** ⟨*nie odstępować kogo, rachować na czyją opiekę, na czyje poparcie*⟩: Wszystkie [...] albo za piecem siedzą, lub się kogoś za poły trzymać muszą. *Krasz. Szalona 29.*

połamać 1. p. ręce, nogi, żebra ⟨*złamać w wielu miejscach, pogruchotać*⟩. **2.** Bodajeś ręce, nogi połamał! ⟨*przekleństwo*⟩. **3. p.** komu gnaty, kości. **4. p.** kij, laskę itp. na kim, na czym, o kogo, na czyim grzbiecie ⟨*zbić kogo kijem, laską itp. bardzo mocno*⟩. **5.** Ktoś (o) mało nóg nie połamie ⟨*(biegnie) bardzo szybko, (śpieszy się) bardzo*⟩: Uciekał tak, że o mało nóg nie połamał. **6. p.** sobie zęby na kim, na czym ⟨*nie dać rady komu, czemu, natrafić na skuteczny opór kogo, czego*⟩: Co pan myśli [...] że ja tak się dam łatwo? Jeszcze sobie Sojecki na mnie zęby połamie. *Kowalew. M. Kamp. 127.*

połamany Być, czuć się połamanym ⟨*czuć ból w kościach*⟩.

połapać 1. p. (trochę, nieco itp.) wiedzy, nauki, wiadomości ⟨*przyswoić sobie, zdobyć, opanować trochę wiedzy itp.*⟩: Połapał trochę wiadomości z różnych dziedzin nauki, ale powierzchownie. **2. p.** oczka ⟨*w swetrze, pończosze: zarobić rząd sprutych oczek*⟩.

połączenie 1. p. kolejowe, lotnicze, tramwajowe itp. ⟨*komunikacja utrzymywana za pomocą autobusu, kolei itp.*⟩. **2. p.** radiowe ⟨*nawiązanie kontaktu za pomocą radia*⟩. **3. p.** telefoniczne ⟨*możliwość rozmowy telefonicznej; rozmowa telefoniczna*⟩: Mieć, dostać, otrzymać, uzyskać **p.** telefoniczne (np. z Poznaniem). **4. p.** z c z y m: **p.** miasta z miastem (np. Warszawy z Londynem); dzielnicy z dzielnicą w mieście (np. Mokotowa z Grochowem w Warszawie).

połączony 1. p-e wojska. **2. p.** pokrewieństwem (z kim). **3.** Coś jest z czym **p-e** ⟨*coś jest nieodzowne dla czego, towarzyszy czemu, wiąże się z czym*⟩: Wspinaczka była połączona z ogromnym wysiłkiem fizycznym.

połączyć 1. p. c o ⟨*związać, złączyć, zespolić*⟩: **p.** siły, usiłowania, wysiłki. **2. p.** c o — c z y m : **p.** warkocze wstążką; pokoje drzwiami; rzeki kanałem. **3. p.** c o — z c z y m koleją, linią komunikacyjną (kolejową, autobusową, lotniczą, morską) ⟨*zbudować jakąś linię komunikacyjną między dwoma punktami (miasta), miastami, dwiema miejscowościami*⟩. **4. p.** k o g o z k i m (za pomocą telefonu) ⟨*nawiązać rozmowę telefoniczną, przywołać kogo do rozmowy telefonicznej*⟩.

połączyć się 1. p. się z k i m (ślubem, małżeństwem; węzłem małżeńskim) ⟨*zawrzeć z kim związek małżeński*⟩. **2. p. się** z k i m telefonicznie ⟨*uzyskać rozmowę telefoniczną*⟩.

połeć 1. p. słoniny ⟨*płat słoniny z całego boku wieprza*⟩. **2.** *przestarz.* Smarować tłusty **p.** ⟨*temu co ma, dawać jeszcze więcej, dawać coś komu zamożnemu, nie potrzebującemu wsparcia*⟩: Dla własnej [...] korzyści smarować tłuste połcie lubią finansiści. *Hertz B. Bajki 189.* **3.** *łow.* Iść, stać połciem a. na **p.** ⟨*iść, stać przed myśliwym odsłaniając swój bok*⟩.

połknąć, połykać 1. p. literę (litery), zgłoskę (zgłoski), wyraz (wyrazy), słowo (słowa), zdanie (zdania) ⟨*mówiąc, śpiewając, czytając opuścić poszczególną zgłoskę (poszczególne zgłoski) wyrazu, cały wyraz* *(całe wyrazy) itp.; pisząc pominąć literę (litery) itp. w tekście*⟩: Czytając połykał całe wyrazy. **2.** *daw.* Połknąć kulę ⟨*zginąć od kuli*⟩: W szwadronie stojąc, gdy kulę połknie, wnet duszę wyzionie. *Piotr. Satyr. 30.* **3.** Połykać ogień, noże, szable itp. ⟨*o cyrkowcach, sztukmistrzach: pokazywać sztuki z ogniem, nożami itp., udając, że się je połyka*⟩. **4.** Połykać powietrze, kurz, zapach itp. ⟨*oddychać; wciągać powietrze, kurz itp.*⟩. **5.** Połykać ślinkę, ślinę ⟨*mieć apetyt, ochotę na co*⟩: Połyka ślinkę na samą myśl bankietu, jakim go powiat jego powita. *Gosz. Pszonki 444.* **6.** Połknąć śmierć ⟨*znaleźć śmierć, umrzeć, zginąć*⟩. **7.** Połykać kogo, co oczami ⟨*chciwie, z ciekawością, z pożądaniem oglądać kogo, co, przypatrywać się, przyglądać się komu, czemu*⟩: Kiedy to mówił, ścigał i połykał oczyma Kasię. *Tysz. Rozb. III, 413—414.*

połowa 1. Brzydka, brzydsza **p.** rodzaju (rodu) ludzkiego ⟨*mężczyźni*⟩. **2.** Piękna, nadobna **p.** rodzaju (rodu) ludzkiego ⟨*kobiety*⟩: Jedno tylko uczucie było w nim stałe; oto: tkliwość dla nadobnej połowy rodu ludzkiego. *Prus Now. II, 121.* **3.** Mniejsza, większa **p.** [!] ⟨*lepiej: mniejsza, większa część*⟩. **4. p.** bramy, drzwi, okna ⟨*jedna z dwóch otwierających się części, skrzydło bramy, drzwi, okna*⟩. **5.** Do połowy: a) ⟨*do jednej drugiej danej całości*⟩: Opuścić roletę do połowy. Napełnić naczynie do połowy; b) ⟨*do pasa, do talii*⟩: Obnażyć się do połowy; c) ⟨*do spółki, wspólnie z kim*⟩: Kupić co z kim do połowy. **6.** Na połowę ⟨*na pół; na dwie części*⟩: Przekroić bochenek chleba na połowę. **7.** O połowę, *daw.* przez połowę ⟨*o jedną drugą danej całości*⟩: O połowę tańszy; zmniejszyć co (np. koszty) o połowę. **8.** Po połowie ⟨*w jednej drugiej; pół na pół*⟩: Dzielić się zyskami po połowie. **9.** W połowie: a) ⟨*w środku*⟩: Zatrzymał się w połowie drogi. Zdarzyło się to jakoś w połowie zimy. Jestem już z robotą w połowie. *SW*; b) ⟨*połowicznie, do połowy*⟩: Zeszyt w połowie zapisany. Sprawa w połowie już załatwiona. *SW.* **10.** Ustać w połowie drogi, *przen.* ⟨*nie dokończyć czego*⟩.

połowiczny p-e środki, sposoby; **p-e** załatwienie sprawy ⟨*nie radykalne; kompromisowe, ugodowe*⟩.

położenie 1. Dogodne **p.**; **p.** pionowe, poziome, ukośne ⟨*miejsce, stanowisko, pozycja względem otoczenia lub innego przedmiotu*⟩. **2.** Piękne, malownicze **p. 3. p.** lesiste, obronne, wyżynne. **4.** Beznadziejne, chwiejne, dogodne, drastyczne, fatalne, kłopotliwe, korzystne, niepewne, nieznośne, przykre, rozpaczliwe, szczęśliwe, trudne **p.** ⟨*sytuacja*⟩. **5. p.** ekonomiczne, finansowe, gospodarcze, majątkowe, polityczne, towarzyskie ⟨*stan, sytuacja*⟩. **6. p.** geograficzne ⟨*szerokość i długość geograficzna danego miejsca, miejscowości; miejsce na kuli ziemskiej, w którym leży, znajduje się dana miejscowość, dany obiekt*⟩. **7. p.** bez wyjścia ⟨*bardzo trudna sytuacja; położenie, z którego nie sposób wybrnąć*⟩. **8. p.** c z e g o, w z g l ę d e m c z e g o: **p.** miasta; **p.** wskazówek zegara; **p.** Ziemi względem Słońca, Księżyca względem Ziemi. **9.** Postawić się w czyim położeniu, wejść w czyje **p.** ⟨*zrozumieć dobrze czyją sytuację; wczuć się w czyj stan, sytuację*⟩: Postaw się pan w moim położeniu, jakże miałam uczynić. *Bliz. Dam. 127.* **10.** Postawić, stawiać kogo w jakimś położeniu (np. w położeniu bez wyjścia) ⟨*stworzyć komu jakąś sytuację*⟩. **11.** Nad(aw)ać, przybierać, zajmować, zmieniać jakie **p.** ⟨*pozycję*⟩. **12.** Zorientować się w położeniu ⟨*w sytuacji*⟩. **13.** Znaleźć się w jakimś położeniu ⟨*w jakiejś sytuacji*⟩: Pani sędzina [...] w smutnym znalazła się położeniu po śmierci pana sędziego. *Orzesz. SPP.*

położony 1. Coś jest gdzie, jakoś **p-e** ⟨*coś znajduje się, leży, mieści się gdzie; zajmuje pewną przestrzeń, określone miejsce*⟩: Willa położona w głębi lasu. Pokój położony od ogrodu. **2.** *daw.* Ktoś jest dobrze, wysoko **p.** ⟨*ktoś cieszy się doskonałą opinią, powodzeniem, względami; jest ceniony, szanowany*⟩: Znakomitej rodziny potomek i na dworze bardzo dobrze położony. *Krasz. Pam. 28.*

położyć 1. *przestarz.* **p.** adres ⟨*zaadresować*⟩. **2. p.** akcent, nacisk na co ⟨*uznać za szczególnie ważne, zaakcentować co*⟩. **3. p.** fundament, podwaliny czego a. pod co ⟨*zacząć budowę czego*⟩: W roku 1825, dnia 19 listopada położono fundament pod budowę nowego teatru. *Kotarb. J. Teatr. 15; przen.* ⟨*dać mocne podstawy czemu, zapoczątkować co*⟩. **4. p.** nogi, nóżki na stół ⟨*ujawnić swe plany, zamiary*⟩. **5. p.** tamę, zaporę czemu ⟨*spowodować zaprzestanie czego, nie dopuścić do czego; wstrzymać co, zakończyć co*⟩: **6. p.** krzyż, znak krzyża: a) ⟨*przeżegnać się, przeżegnać kogo*⟩; b) **p.** krzyż, na czym ⟨*zrezygnować z czego, porzucić myśl o czym; zakończyć co*⟩. **7. p.** mury (budynku) ⟨*postawić, wybudować*⟩. **8. p.** czyje litery, inicjały, imię, nazwisko itp. ⟨*podpisać się, wpisać na czym imię, nazwisko itp.*⟩. **9.** *daw.* **p.** pozew, skargę ⟨*wnieść, podać pozew, skargę; wystąpić z pozwem, skargą*⟩. **10. p.** sztukę ⟨*o aktorze, reżyserze: przyczynić się złą grą lub reżyserią do jej niepowodzenia*⟩. **11.** *przestarz.* **p.** ufność, zaufanie, wiarę, nadzieję w kim, w czym ⟨*zaufać, zawierzyć komu, czemu; oprzeć, ugruntować nadzieję na kim, na czym*⟩: Nie zawiedziecie się w tej ufności, któraście we mnie położyli. *Sienk. Pot. III, 90.* **12. p.** uszy po sobie ⟨*stać się pokornym, potulnym; przycichnąć, zamilczeć, ustąpić, stchórzyć*⟩: Coraz ostrzej powstawała na Maćka, który uszy położył po sobie i milczał. *Dygas. Now. VII, 185.* **13. p.** zasługi (w jakiej dziedzinie) ⟨*uczynić, zdziałać wiele dobrego (w jakiej dziedzinie)*⟩: I cóż on przez ten czas uczynił? [...] Czy położył już jakie rzeczywiste zasługi? *Kaczk. Anunc. I, 214.* **14. p.** znak pisarski (kropkę, przecinek itp.) ⟨*umieścić, wpisać*⟩. **15. p.** co na karb czego ⟨*uzasadnić, wytłumaczyć co czym, przypisać co czemu*⟩: [Makaronizmy u Kochanowskiego] na karb smaku współczesnego położyć należy. *Nehr. Studia 143.* **16. p.** co na ząb ⟨*zjeść co, pożywić się czym*⟩: Nie mieć co na ząb **p. 17. p.** za co (w ofierze) duszę, życie ⟨*oddać, poświęcić życie, umrzeć za kogo, za co*⟩: Spełniając obowiązek, nie waha się położyć w ofierze życia. *Witkow. S. Trag. I, 289.* **18. p.** kogo do łóżka, **p.** kogo spać a. do snu ⟨*umieścić kogo w łóżku*⟩: Położyć dzieci spać. **19. p.** mostem, trupem, pokotem, na miejscu, na placu, *daw.* **p.** ileś trupa ⟨*zabić; stratować, zmasakrować*⟩: Skoczyli na hultajów i w godzinę mostem ich położyli. *Sienk. SPP.*

położyć się 1. p. się do trumny, w mogile, do mogiły ⟨*umrzeć*⟩: Cóżby rzekł na to stary Rejtan, gdyby ożył? wróciłby do Lachowicz i w grób się położył! *Mick. Tad. 33.* **2. p. się** spać ⟨*pójść spać*⟩. *pot.* **p. się** do łóżka ⟨*zachorować*⟩. **p. się** krzyżem ⟨*rozciągnąć się na ziemi z rozłożonymi ramionami na kształt krzyża*⟩. **3.** *daw.* **p. się** obozem ⟨*rozbić, rozłożyć obóz*⟩: Obozem z całą swą drużyną w dobrach Brzostowskich się położył. *Chodź. Pisma III, 391.* **4.** *lot. mors.* **p. się** na nowy kurs ⟨*o statku, samolocie: zostać skierowanym na nowy kurs*⟩: Mewy leciały za statkiem, który wykręcał z wolna, aż położył się [...] na wyznaczony kurs. *Meis. Sams. 76.*

połówka p. okienna ⟨*jedno skrzydło okna*⟩.

południe 1. Po południu ⟨*po godz. 12*⟩. **2.** *przestarz.* O południu ⟨*o godz. 12*⟩: W domu teraz jadam o południu, po wiejsku. *Mick. Listy II, 70.* **3.** Przed południem ⟨*przed godz. 12*⟩. **4.** W **p.**, w samo **p.** ⟨*o godz. 12*⟩. **5.** Z południa: a) ⟨*od strony południa (w znaczeniu przestrzennym)*⟩: Burza nadciągała z południa; b) *przestarz.* ⟨*po południu (w znaczeniu czasowym)*⟩: Było już dobrze z południa. **6.** Dobre **p.** ⟨*forma pozdrowienia*⟩. **7. p.** czyich lat, czyjego życia ⟨*wiek dojrzały*⟩: Wiekiem od młodej jutrzenki pod lat niewieścich schodziła południe. *Mick. Graż. 23.*

południowy 1. p-a cera, **p-e** oczy ⟨*charakterystyczna(-e) dla ludzi pochodzących z południa*⟩. **2. p.** dziennik, **p-a** gazeta ⟨*wychodzący(-a) w połowie dnia, ukazujący(-a) się w południe*⟩. **3. p-e** kraje ⟨*leżące na południu*⟩. **4. p.** posiłek ⟨*spożywany w południe*⟩. **5. p-e** rośliny, owoce, kwiaty, wina ⟨*hodowane na południu, produkowane na południu, pochodzące z południa, z krajów o ciepłym lub gorącym klimacie*⟩. **6. p.** wiatr ⟨*wiejący z południa*⟩. **7.** *daw.* południowsze, południejsze kraje, ziemie ⟨*położone bardziej na południu*⟩.

połykać p. **połknąć**

połysk 1. p. szklany. **2.** Jedwabisty, perłowy, srebrzysty, złocisty, tęczowy **p. 3.** *techn.* Wysoki **p.** ⟨*mocny, intensywny, świecący*⟩: Meble na wysoki połysk. **4. p.** c z e g o: **p.** stali, złota, wody. **5.** Dawać **p. 6.** Nabierać połysku.

połyskiwać 1. C o ś połyskuje c z y m a. o d c z e g o ⟨*ma połysk, rozsiewa blask, lśni, błyszczy, świeci, migoce*⟩: Niebo połyskuje gwiazdami. **2.** Atłas, jedwab, srebro, szkło, złoto połyskuje. **3.** Księżyc połyskuje. **4.** C o ś połyskuje w c z y m ⟨*w blasku czego*⟩: Bagnet, zbroja połyskuje w słońcu.

połyskliwy 1. p. blask; **p-a** barwa, rzeka, woda; **p-a** zbroja; **p-a** sierść ⟨*połyskujący(-a), odznaczający(-a) się połyskiem; błyszczący(-a), lśniący(-a)*⟩. **2. p.** o d c z e g o: pierścień **p.** od drogich kamieni.

połyskujący p-e oczy, włosy ⟨*błyszczące, lśniące*⟩.

pomacać *rub.* **p.** kogo kijem ⟨*uderzyć, zbić, pobić, zadać cios*⟩.

pomacać się *pot. środ.* **p. się** po kieszeni ⟨*wahać się w wydaniu pieniędzy, pożałować pieniędzy na co*⟩: Jesteście z takich, co to na zebraniu: hura! — a jak przyjdzie rękę przyłożyć, to wtedy wolicie się pomacać po kieszeni. *Braun Lewanty 163.*

pomagać, pomóc 1. p. sobie rękami, nogami; ruchami rąk, nóg itp. ⟨*robiąc coś używać rąk, nóg do pomocy*⟩: Wspinał się na skałę, pomagając sobie rękami. Opowiadał, pomagając sobie gestami. **2. p.** d o c z e g o ⟨*ułatwić co*⟩: Pomogliście mu do ucieczki. *Sienk. SPP.* **3.** *przestarz.* **p.** n a c o: a) ⟨*dać skuteczny środek na co*⟩: Czy ci felczer pomógł na zęby? *Prus SPP*; b) ⟨*być skutecznym, (po)skutkować*⟩: Na febrę to pomaga lekarstwo. *Troc.* **4. p.** w c z y m ⟨*dawać pomoc, udzielać pomocy w jakiejś dziedzinie*⟩: Nie mogę w niczym pani pomóc. *Nałk. Z. SPP.*

przysł. **5.** Święty Boże nie pomoże ⟨*nic nie pomoże, nie ma ratunku, nie ma wyjścia z sytuacji*⟩.

pomaleńku, pomalutku, pomału 1. p. ⟨*zwykle w odpowiedzi na pytanie, co słychać albo na pytanie o zdrowie: nie najgorzej, średnio, znośnie, jako tako*⟩: Jak się powodzi? — Dziękuję, tak... pomaleńku (pomalutku, pomału). Jakże wasze zdrowie? — Tak, pomalutku. *SW.* **2.** *daw.* Mało pomału ⟨*stopniowo, po trochu*⟩: Wieś z początku śmieszna, nudna, cicha, mało pomału zaczęła nabierać w jego oczach powabów. *Padal. Pok. 39.*

pomarańczowy Olejek, dżem **p.**; wódka **p-a** ⟨*wyprodukowany(-a) z pomarańczy*⟩. Kolor **p.** ⟨*taki jak owoc pomarańczy; żółtoczerwony*⟩.

pomarszczony p-a twarz, szyja; **p-e** policzki, lica ⟨*pokryta(-e) zmarszczkami*⟩.

pomącić p. komu głowę a. w głowie ⟨*wprowadzić zamęt w czyich myślach, zakłócić czyją równowagę umysłową*⟩: Zjawił się za granicą prorok Towiański i pomącił już znacznej liczbie ludzi porządną niegdyś głowę. *Trent. Demon. 147.*

pomącić się Pomąciło się komu w głowie ⟨*ktoś stracił jasność umysłu, zdolność przytomnego myślenia*⟩: Ze strachu pomąciło mu się do reszty w głowie. *Strug Krzyż III, 177.*

pomiar 1. p-y antropometryczne ⟨*badanie wymiarów ciała ludzkiego i proporcji zachodzących między nimi*⟩. **2. p-y** astrometryczne, fotometryczne, kartograficzne, termiczne, zoometryczne. **3. p-y** grawimetryczne ⟨*badanie siły ciężkości służące do wyznaczania kształtu globu ziemskiego*⟩. **4. p-y** gruntów. **5.** Dokonywać pomiarów, robić **p-y**.

pomieszać, pomieszany 1. Pomieszać komu zmysły, rozum; **p.** w głowie; *żart.* **p.** klepki ⟨*spowodować zakłócenie równowagi psychicznej, uczynić obłąkanym*⟩: Nagłe jakoweś nieszczęście pomieszało mu zmysły. *L.* **2.** *pot.* Pomieszany na rozumie ⟨*obłąkany*⟩. **3.** *pot.* Mieć rozum pomieszany, *żart.* klepki **p-e** ⟨*być obłąkanym, niespełna rozumu*⟩: Dobry człowiek [...] tylko... ma trochę klepki pomieszane. *Prus Dusze 44.* **4.** Pomieszać komu układy, szyki ⟨*nie dopuścić do realizacji układów itp.; pokrzyżować komu układy, szyki*⟩.

pomieszać się Pomieszało się komu w głowie, pomieszał się komu rozum, umysł ⟨*ktoś stracił równowagę psychiczną, stał się obłąkany*⟩: Widywano go, jak błąkał się po polach, po lesie, wymachiwał rękami [...] jak nawiedzony albo ten, co mu się rozum całkiem pomieszał. *Jun. Antrop. 221.*

pomieszanie p. zmysłów ⟨*obłęd, obłąkanie*⟩: Dostać pomieszania zmysłów.

pomieszczenie *przestarz.* Znaleźć **p.** w czym (np. w piśmie) ⟨*być zamieszczonym, opublikowanym*⟩: „Przegląd Literacki", w którym znalazło pomieszczenie niejedno cenne studium. *Chmielow. Zarys 174.*

pomieścić (się) *przestarz.* **p.** w gimnazjum, w urzędzie ⟨*umieścić w gimnazjum, w urzędzie, zapewnić miejsce w gimnazjum, wyrobić urząd*⟩.

pomijać, pominąć 1. p. okazję, sposobność; nie **p.** okazji, sposobności ⟨*nie (s)korzystać z okazji, sposobności; (s)korzystać z okazji, sposobności*⟩: Starała się nie pominąć żadnej okazji, aby go spotkać. *Meis. Sams. 135.* **2.** Pomijając, pominąwszy co ⟨*jeżeli się nawet nie weźmie (czego) pod uwagę, oprócz czego*⟩: Pominąwszy zalety stylu i wybornej polszczyzny, kronika ta stanowi pomnik najcelniejszy wymowy XVI wieku. *Mech. Wym. I, 477.*

pomnik 1. *przen.* **p-i** budownictwa, kultury, sztuki; **p.** języka polskiego ⟨*zabytek językowy o dużej wartości artystycznej*⟩: Psałterz Floriański z XV wieku jest jednym z najstarszych pomników języka polskiego. **2. p.** przyrody ⟨*roślina, skała itp. twór przyrody chroniony ze względu na wartość przyrodniczą, krajobrazową czy pamiątkową*⟩. **3. p.** Mickiewicza, Kopernika. **4.** Odsłonięcie pomnika. **5.** Wystawić, wznieść komu **p. 6.** Wystawić sobie (czym) **p.** ⟨*upamiętnić się, zdobyć czym sławę*⟩: Konstytucjami sejmu konwokacyjnego wystawili sobie [Czartoryscy] pomnik niepospolitego rozumu stanu. *Bobrz. Dzieje II, 243.* **7.** Zostawić po sobie trwały **p.** ⟨*w dziełach swoich*⟩. *Hor. Od. III, 30.*

pomnikowy p-e wydanie dzieł (np. Słowackiego).

pomoc 1. Bratnia, czynna, natychmiastowa, sąsiedzka, skuteczna, wydajna, spóźniona, wzajemna **p.** ⟨*wspomożenie, ratunek*⟩. **2. p.** domowa ⟨*kobieta zatrudniona u kogo w celu wykonywania różnych prac domowych; służąca*⟩. **3. p.** lekarska. **4. p.** materialna, pieniężna ⟨*wsparcie, zasiłek*⟩. **5.** Pierwsza **p.** (w nagłych wypadkach) ⟨*czynności mające na celu ratowanie czyjego zdrowia lub życia w razie nagłego zachorowania lub nieszczęśliwego wypadku*⟩. **6. p-e** naukowe, szkolne ⟨*podręczniki, tablice, mapy, rysunki, przyrządy itp. ułatwiające naukę, nauczanie*⟩. **7. p.** d l a k o g o: dla inwalidów, dla powodzian. **7a. p.** w c z y m: **p.** w gospodarstwie. **8.** Pakt przyjaźni i wzajemnej pomocy. **9.** Przy pomocy kogo (*rzad.* czego) ⟨*mając kogo za pomocnika, korzystając z czyich usług, poparcia, pomocy; rzadziej: posługując się czym, używając czego*⟩: Bałwana ze śniegu ulepił przy pomocy kolegów. **9a.** Za pomocą czego ⟨*posługując się czym, używając czego*⟩: Wbił gwóźdź w ścianę za pomocą młotka. Obserwować ciała niebieskie za pomocą teleskopu. **10.** Biec, skoczyć, pośpieszyć na **p.** ⟨*aby pomóc komu, w celu obrony, wsparcia kogo*⟩: Spływając z siodła już się bokiem chyli, kiedy mu swoi na pomoc skoczyli. *Mick. Graż. 38.* **11.** Błagać, prosić, udać się (do kogo), zwrócić się o **p. 12.** Być komu a. dla kogo pomocą, stanowić **p.** w czym ⟨*pomagać komu lub czemu, być pomocnikiem, podporą, stanowić ratunek*⟩: Ona jest wielką pomocą dla Kornela. *Nałk. Z. SPP.* **13.** Nieść (komu) **p.**; odrzucić czyją **p. 14.** Doznać pomocy. **15.** Mieć z kogo **p.**; oglądać się na czyją **p. 16.** Oczekiwać, spodziewać się od kogo pomocy. **17.** Odmówić, udzielić komu pomocy. **18.** Otrzymać, przyjąć, uzyskać od kogo **p.**; znaleźć gdzie **p. 19.** Potrzebować, szukać, wyglądać, żądać pomocy. **20.** Służyć pomocą. **21.** Uciec się do czyjej pomocy a. do pomocy czego ⟨*skorzystać z czyjej pomocy; pomóc sobie czym*⟩: Jeżeli śnieg jest zlodowaciały i nośny, trzeba niejednokrotnie przy zmianie kierunku uciec się do pomocy kijków. *Bielcz. Narc. 129.* **22.** (Po)śpieszyć, przyjść, przybyć z pomocą, na **p.** ⟨*pomóc, wesprzeć, ratować*⟩. **23** Wołać na **p.**, o **p.**; wzywać pomocy, na **p.** ⟨*wołać, wzywać kogo w chwili niebezpieczeństwa czekając ratunku, obrony*⟩. **24.** Przyjąć, zgodzić sobie kogo do pomocy ⟨*wynająć sobie pomocnika lub pomocnicę*⟩: Przyjął sobie do pomocy w gospodarstwie starego włościanina. *Orzesz. SPP.* **25.** Na **p.**! *rzad.* pomocy! ⟨*okrzyk wydawany w chwili niebezpieczeństwa, wołanie o ratunek*⟩. **26. p.** nadbiega, nadchodzi, nadciąga, przybywa: a) ⟨*ludzie przynoszący ratunek*⟩: Nim pomoc nadbiegła wilki owcę zagryzły. *SW.* Wkrótce przybyła pomoc i pożar ugaszono. *SW*; b) ⟨*posiłki wojenne, zaopatrzenie, żywność itp.*⟩: Po miesiącu nadciągnęła pomoc i uwolniła oblężone miasto.

pomocnica p. domowa ⟨*kobieta pomagająca w gospodarstwie domowym; służąca*⟩.

pomocniczy 1. Artykuły, środki, źródła **p-e. 2.** Adres **p.** ⟨*formularz dołączony do paczki wysyłanej pocztą, zawierający dodatkowy adres oraz dane dotyczące przesyłki*⟩. **3.** *handl.* Konto **p-e**, rachunek **p.** ⟨*prowadzone(-y) jako poddział głównego*⟩. **4.** Materiały, surowce **p-e** ⟨*używane do produkcji, lecz nie wchodzące w skład gotowego produktu lub stanowiące tylko jego uboczną część składową*⟩. **5.** *roln.* Nawóz **p.**, nawożenie **p-e** ⟨*sztuczny(-e) w odróżnieniu od naturalnego*⟩. **6.** Personel **p.** ⟨*nie wykonujący pracy, zadania samodzielnie*⟩. **7. p.** pracownik naukowy ⟨*niesamodzielny, nie mający jeszcze tytułu docenta*⟩. **8.** Przemysł **p.**

pomocny 1. p. k o m u: Kupcy pomocni są miastom, lekarze — chorym. *Brodz. SPP.* **2. p.** d o c z e g o: **p.** do osiągnięcia celu. **3. p.** w c z y m; n a c o: Instrumenty pomocne w nauczaniu. To mi będzie na różne okoliczności życia pomocne. *SPP.* **4.** Podać komu, wyciągnąć pomocną dłoń, rękę ⟨*przyjść z pomocą, udzielić pomocy, wesprzeć, wspomóc*⟩: Kiedy byłem w potrzebie, wyciągnął do mnie pomocną dłoń.

pomost 1. p. kapitański, oficerski ⟨*wzniesiona część pokładu statku, przeznaczona dla kapitana lub oficera dyżurnego*⟩. **2. p.** nawigacyjny ⟨*nadbudówka, mieszcząca urządzenia i przyrządy do kierowania statkiem*⟩. **3.** Przedni, tylny **p.** ⟨*w tramwaju*⟩. **4.** Leżeć; słać pomostem ⟨*leżeć na ziemi gęsto jeden obok drugiego; przewracać na ziemię jedno obok drugiego, pokotem*⟩: Wichry walą odwieczne dęby wraz z mdłym chrostem, co wspaniale wprzód stało, to leży pomostem. *Dmoch. Rym. 4.* **5.** *przen.* Rzucić **p.** między kim i (a) kim, czym i (a) czym

⟨*zbliżyć kogo do kogo, co do czego; powiązać kogo z kim; co z czym*⟩: Rzucić pomost między miastem i wsią. **6.** *przen.* Stanowić **p.** między kim (i) a kim, czym (i) a czym ⟨*być ogniwem pośrednim; powiązać co z czym*⟩: Tragik Seneka stanowi pomost między Eurypidesem a Szekspirem. *Witkow. S. Trag. II, 271.*

pomóc p. **pomagać**

pomówienie Mieć z kim do pomówienia ⟨*chcieć z kim porozmawiać w jakiej sprawie, porozumieć się co do czego*⟩: Pozwól na chwilkę, mam z tobą do pomówienia.

I pompa Leje jak z pompy ⟨*o deszczu*⟩.

II pompa Z pompą ⟨*okazale, uroczyście, pompatycznie*⟩: Przyjęcie odbyło się z pompą.

pomsta 1. Wołać o pomstę do nieba, do Boga, wzywać na kogo pomsty z nieba, *daw.* wołać pomsty nieba a. do nieba, o pomstę w niebiosy ⟨*domagać się ukarania sprawcy, pomszczenia*⟩: Braci naszych krew woła pomsty do nieba! *Krasz. Poezje I, 80.* **2.** Wołający o pomstę do nieba: a) ⟨*domagający się pomsty, pomszczenia*⟩: Poobrzynane gałęzie sterczą do góry niby poobcinane a wołające o pomstę do nieba ręce. *Sienk. SPP*; b) ⟨*o czymś brzydkim, nieudanym*⟩: Projekt pomnika wołający o pomstę do nieba. **3.** *daw.* Wziąć pomstę: a) ⟨*zemścić się*⟩: Wziął on za to pomstę na Spytku i zniszczył majętności jego. *Krech. Lux* w: *Tyg. Ilustr. 31, 1900*; b) ⟨*zostać ukaranym*⟩.

pomyje *posp.* Wylewać na kogo **p.**, wylewać komu na głowę **p.** ⟨*obrzucać kogo obelgami*⟩: Gazety wylewały na moją głowę kubły pomyj. *Brand. K. Antyg. 316.*

pomylić się Coś się komu pomyliło ⟨*ktoś popełnił omyłkę, poplątał co, wziął jedną rzecz za drugą*⟩.

pomyłka 1. Gruba, nieszczęsna, śmieszna **p.** *przen.* Życie ich całe było jakowąś śmieszną pomyłką, krwawym nieporozumieniem. *Żer. Przedw. 158.* **2. p.** c o d o k o g o, c o d o c z e g o; w c z y m: **p.** co do osób; **p.** w zadaniu, w rachunku. **3.** Przez pomyłkę ⟨*otrzymać, zrobić co*⟩: Przez pomyłkę doręczono mu inną paczkę. **4.** Naprawić, sprostować pomyłkę. **5.** Popełnić pomyłkę. **6. p.** zakradła się, zaszła: Najwidoczniej zaszła tu jakaś pomyłka.

pomysł 1. Dowcipny, jałowy, niefortunny, nowy, oryginalny, szczęśliwy, śmiały **p. 2.** Poroniony **p.** ⟨*kiepski, lichy*⟩. **3. p.** racjonalizatorski. **4. p.** c z e g o, d o c z e g o: **p.** wynalazku. Nie miała nigdy żadnego pomysłu do zabawy. *Dąbr. M. SPP.* **5.** Niewyczerpany w pomysłach. **6.** Mieć **p-y**: Przykre pomysły miewa ten człowiek. *Bart. SPP.* **7.** Podsunąć komu **p. 8.** Powziąć **p.**, wpaść na **p. 9.** Sypać pomysłami (jak z rękawa). **10.** Urzeczywistnić, wcielić w życie, wykonać **p. 11.** Zaczerpnąć **p.** do czego; zapożyczyć skądś, od kogo **p. 12. p.** nasuwa się komu, przychodzi komu do głowy: Jedne od drugich dziksze pomysły przychodziły mu do skołatanej głowy. *Krasz. SPP.*

pomysłowość 1. Niezwykła, wielka **p. 2. p.** w c z y m: **p.** w doborze ilustracji, w strojach. **3.** Odznaczać się pomysłowością, rozwinąć całą **p.**

pomyślany Coś jest **p-e** jako coś, jako jakieś ⟨*coś zostało zaprojektowane jako coś, jako jakieś*⟩: Utwór **p.** jako dramat. Wystwa **p-a** jako jubileuszowa.

pomyśleć 1. p. n a d c z y m; o k i m ś, o c z y m: Czyś ty kiedy głębiej nad tym pomyślał? *SPP.* Pomyśleć o pracy, o rozrywce. Pora już pomyśleć o wyjeździe. *L.* **2.** Ani **p.**, niepodobna **p.** o czym ⟨*coś jest niemożliwe, nieprawdopodobne*⟩: Ani pomyśleć o wyskoczeniu [...] studnia na półczwarta łokcia. *Mick. Wiersze 352.* O szturmie do okien niepodobna im było pomyśleć, bo tam przywitałby ich ogień w same twarze. *Sienk. Pot. I, 113.* **3.** Czas **p.** o czym ⟨*zatroszczyć się o co, zadbać o co, zająć się czym*⟩: Czas **p.** o przygotowaniu się do egzaminów. **4.** Strach **p.** ⟨*wyobrażając, uzmysławiając sobie straszno się robi*⟩: Strach pomyśleć ile to ludzi ginie w wypadkach samochodowych. **5.** Kto by (to) pomyślał, że... ⟨*trudno było przewidzieć, zgadnąć, że...*⟩: Kto by to pomyślał, że osada tak szybko zamieni się w miasto.

pomyślenie Coś jest nie do pomyślenia, *rzad.* coś nie jest do pomyślenia ⟨*coś jest niemożliwe, nieprawdopodobne*⟩: Bez szybkiej kolei podziemnej lub napowietrznej nie do pomyślenia jest sprawna komunikacja miejska.

pomyślność 1. Wypić, wznieść toast za **p.** czego. **2.** Życzyć komu (wszelkiej) pomyślności.

pomyślny 1. p. obrót sprawy, skutek ⟨*korzystny dla kogo, pożądany, sprzyjający*⟩. **2.** Wiadomość, wieść **p-a** ⟨*pocieszająca, pożądana*⟩. **3. p-e** wiatry ⟨*sprzyjające żegludze*⟩. **4. p.** wynik egzaminu ⟨*dodatni, więcej niż dostateczny*⟩.

ponaddźwiękowy Szybkość **p-a** ⟨*większa od szybkości rozchodzenia się fal dźwiękowych*⟩: Samolot o szybkości ponaddźwiękowej.

ponieść, ponosić 1. *daw.* Ponieść hańbę, obelgę, przykrość ⟨*zostać zhańbionym, zelżonym; doznać przykrości*⟩. **2. p.** stratę, szkodę, winę ⟨*być dotkniętym czym, doznać czego*⟩. **3. p.** wydatki czego ⟨*być obciążonym wydatkami; pokryć wydatki*⟩. **4. p.** odpowiedzialność ⟨*być odpowiedzialnym, być obarczonym odpowiedzialnością*⟩. **5.** *daw.* Ponieść rany ⟨*odnieść rany, zostać ranionym*⟩. **6.** Ponieść śmierć ⟨*umrzeć, zginąć*⟩. **7.** Coś kogo ponosi ⟨*ktoś daje się porwać, opanować jakiemuś uczuciu; ktoś nie panuje nad sobą; ktoś daje się powodować czym*⟩: Poniósł go gniew; poniosła go furia, fantazja, wściekłość. **8.** *przestarz.* ponieść co do ust (np. rękę czyją), do oczu (np. chustkę) ⟨*zbliżyć, podnieść*⟩: Poniósł jej rękę do ust i ucałował. **9.** *daw.* Ponieść komu, czemu zdrowie, życie ⟨*oddać, złożyć, ofiarować, poświęcić*⟩: Wkrótce poniesiem zdrowie nasze w potrzebie Rzeczypospolitej. *Rzew. H. Zamek 325.* **10.** Iść, jechać, pójść, uciec, uciekać gdzie oczy poniosą, rzadziej: gdzie nogi poniosą ⟨*iść itp. bez celu, przed siebie, jak najdalej; nie wiedząc dokąd*⟩: Pójdę, gdzie mnie oczy poniosą. *SW.* **11.** Koń poniósł; konie poniosły ⟨*koń popędził, konie popędziły wbrew woli kierującego nim(i)*⟩.

poniewierka 1. p. p o c z y m ⟨*poniewieranie się, tułaczka*⟩: **p.** po więzieniach. **2.** Iść, pójść, rzucić co na poniewierkę: Zniszczeni poszli na poniewierkę. *Sow. A. SPP.* **3.** *daw.* Mieć, trzymać kogo, co w poniewierce ⟨*mieć kogo, co za nic, mieć w pogardzie; poniewierać kim*⟩. **4.** Oddać kogo (komu) w poniewierkę: Niepodobna, abyś chciał oddać nas w poniewierkę obrzydłym Fenicjanom albo barbarzyńskim zbójom. *Makowiec. Przyg. 33.* **5.** Pójść w poniewierkę ⟨*stracić znaczenie, zostać zlekceważonym, usuniętym na daleki plan*⟩: Sprawa ogólna poszła wobec tej prywatnej w poniewierkę. *Sienk. Listy II, 273.*

ponosić p. **ponieść**

ponury 1. *bot.* Borowik **p.** ⟨*grzyb niejadalny z rodziny żagwiowatych*⟩. **2. p-e** mury więzienne ⟨*budzące grozę, posępne*⟩. **3. p-e** myśli ⟨*pesymistyczne, złowrogie*⟩. **4. p-a** twarz; **p.** wzrok ⟨*wyrażająca(-y) ponurość, chmurna(-y), posępna(-y)*⟩.

pończocha 1. Grube, cienkie **p-y; p-y** elastyczne, fildekosowe, nylonowe, stylonowe, wełniane. **2. p-y** damskie, męskie. **3.** Para pończoch. **4.** *przen.* Łyse kasztany (konie) w pończochach, to jest z białymi nogami do kolan. *Gray. SW.* **5.** Cerować; kłaść, wkładać; nosić **p-y;** chodzić w pończochach; robić pończochę (na drutach). **6.** *żart.* Chować pieniądze do pończochy ⟨*składać, oszczędzać*⟩; mieć coś w pończosze; nabić pończochę, mieć nabitą pończochę ⟨*mieć oszczędności*⟩.

pończoszkowy *daw.* Dworak, elegant **p.** ⟨*noszący pończochy, ubrany z cudzoziemska*⟩: Jednego z pończoszkowych elegantów bykiem w nos poczęstować musiałem. *Kaczk. SW. przestarz.* Roboty **p-e** ⟨*roboty pończoch, skarpet na drutach*⟩.

pończoszniczy 1. Artykuły, wyroby **p-e** ⟨*pończochy, skarpety itp.*⟩. **2.** Ścieg **p.** ⟨*o gładkim splocie oczek*⟩.

poobrywać *rzad.* **p.** ręce ⟨*naderwać sobie ręce przy ciężkiej robocie*⟩.

poparcie 1. Na poparcie czego ⟨*aby poprzeć co*⟩: Na poparcie swych wywodów przytoczył ważkie argumenty. Na poparcie słów błyskało tysiące szabel. *Sienk. SPP.* **2.** Doznać poparcia (w czym). **3.** Mieć czyje **p.** ⟨*być popieranym przez kogo*⟩: Jako młoda i utalentowana artystka, mając poparcie reżyserii, prędko dochodzi do stanowiska pierwszorzędnego. *Ower. Ramp. 221.* **4.** Odmówić, udzielić poparcia.

popas 1. p. ranny, południowy, wieczorny ⟨*przerwa na pokarmienie koni; przerwa w podróży*⟩. **2. p.** w podróży. **3.** Odbywać, odprawiać, zrobić **p.** (w podróży). **4.** Stanąć na **p.** a. na popasie: Gdy było blisko południa, stanęliśmy na popas. *Kras. SW.* **5.** Zatrzymać się z popasem.

popaść 1. p. w c o: **p.** w gniew, w letarg; w nałóg, w odrętwienie, w rozpacz, w smutek, w zadumę, w złość, w zniechęcenie itp. ⟨*być opanowanym, ogarniętym przez co, zwykle przez jakieś uczucie, pogrążyć się w czym; zapaść w jakiś stan*⟩. **2. p.** w niedostatek ⟨*doznać biedy itp.*⟩. **3. p.** w grzech ⟨*zgrzeszyć*⟩. **4. p.** k o m u a. w czyje ręce ⟨*dostać się w czyje ręce; być schwytanym; dostać się pod władzę czyją*⟩: Mitrydates, żeby w ręce rzymskie nie popadł, życie sobie odjął. *Lel. SW.* Pakują na wóz, co tylko popadnie im w ręce. *SW.* **5. p.** w ruinę ⟨*ulec ruinie*⟩: Majątek popadł w ruinę. **6. p.** w spór z kim ⟨*uwikłać się w spór*⟩. **7. p.** na języki, na zęby ⟨*zostać obmówionym, oplotkowanym*⟩: Trzeba się strzec, aby na zęby nie popaść. *Krasz. Kartki 232.* **8.** Gdzie, jak, co popadnie, popadło ⟨*gdzie się da, gdzie się zdarzy, trafi, gdzie można; jak się da, co się da; jakkolwiek, byle jak*⟩: Walić gdzie popadnie; chwytać co popadnie, pracować jak popadnie.

popchnąć, popychać 1. p. c o : **p.** sprawę ⟨*przyspieszyć jej załatwienie*⟩: Sprawa się zatrzymała; wypadało ją popchnąć, aby szła dalej. *Mochn. SW.* **2. p.** k o g o — c z y m ⟨*pchnąwszy posunąć, potrącić*⟩: **p.** kogo łokciem. **3. p.** k o g o d o c z e g o, na jakąś drogę a. na drogę czego ⟨*skłonić, namówić, zniewolić, zmusić kogo do czego; być powodem czyjego postępowania, działania*⟩: Zazdrość popchnęła ją do zbrodni. Popchnął go na złą drogę ⟨*na drogę występku*⟩. Być może, iż nędza popchnęła go na niewłaściwą drogę, ale on już błędy swoje odpokutował z okładem. *Dygas. Gorz. I, 204.* **4. p.** kogo do upadku, do zguby ⟨*spowodować czyj upadek, czyją zgubę, nieszczęście*⟩.

popełniać, popełnić 1. p. c o ⟨*dokonywać*⟩: **p.** kradzież, przestępstwo, zbrodnię. **2. p.** błąd (błędy), głupstwo(-a) ⟨*robić*⟩: Nie masz człowieka, który by czasem nie popełnił głupstwa. *Wiszn. SW.* **3. p.** samobójstwo ⟨*odbierać, odebrać sobie życie*⟩. **4.** *żart.* **p.** książkę, wiersz itp. ⟨*spłodzić, stworzyć*⟩: Czy to tak trudno takich kupletów nie popełniać? *SW.*

popęd 1. Niepohamowany, zmysłowy, zwierzęcy **p.** ⟨*impuls*⟩; *przen.* zwykle w *lm* ⟨*zapał, poryw, zamiłowanie, upodobanie, dążenie*⟩: **p-y** artystyczne, pływackie. **2. p.** mimowolny, wrodzony ⟨*instynkt*⟩. **3. p.** płciowy ⟨*naturalne dążenie do stosunku płciowego z osobnikiem płci przeciwnej*⟩. **4. p.** d o c z e g o ⟨*pociąg, skłonność, namiętność do czego, żądza czego*⟩: **p.** do gry, do hazardu, do trunków; *przen.* ⟨*zamiłowanie, zapał, rozmach*⟩: **p.** do działalności społecznej. **5.** Z własnego (naturalnego) popędu ⟨*z własnej chęci, inicjatywy; bez niczyjej namowy, rady*⟩: Brał udział w dyskusjach z własnego popędu. **6.** *daw.* Dać **p.** ⟨*zachęcić do czego, zainicjować, rozwinąć co*⟩: Siła fizyczna daje popęd młodym junakom do szukania przygód awanturniczych. *Ziel. G. Poezje II, 118.* **7.** Iść za popędem serca, uczucia ⟨*iść za głosem, podszeptem serca; kierować się uczuciem; postępować zgodnie z tym, co się czuje*⟩: Nie sztuka iść za popędem serca, robić to, co nam przyjemne i miłe. *Tyg. Ilustr. 145, 1870.*

popiół 1. p. drzewny, torfowy. **2.** *geol.* **p.** wulkaniczny ⟨*drobne cząsteczki lawy wyrzucane z krateru podczas wybuchu wulkanu*⟩. **3.** Leżeć w gruzach i popiołach ⟨*ulec całkowitemu zniszczeniu*⟩: Miasto leżało w gruzach i popiołach. **4.** Nie ma po kim (ani) dymu, ani popiołu ⟨*ktoś znikł, ukrył się, nie ma po kimś śladu*⟩: Gotóweczkę zabrał i nie ma po nim dymu ani popiołu. *Gas. W. Pig. 60.* **5.** Obrócić w **p.**, w kupę popiołów ⟨*spalić, zburzyć, zrujnować, zniszczyć co zupełnie*⟩: Napad nieprzyjaciela obrócił osadę w popiół.

Obraz miasta, zmienionego w kupę popiołów. *Sienk. SPP.* **6.** Odradzać, odrodzić się z popiołów ⟨*powst(aw)ać po kompletnym zniszczeniu, odbudo(wy)wać się na ruinach*⟩: Warszawa po kompletnym zniszczeniu przez hitlerowców szybko odrodziła się z popiołów. **7.** Przysięgać, zaklinać się na **p-y** czyje (np. matki) ⟨*na prochy, na śmiertelne szczątki*⟩: **8.** *przen.* rozsyp(yw)ać się w **p.**: Niszczały i rozsypywały się w popiół całe systemy dotychczasowych moich wiar i pewników. *Orzesz. Ad astra 69.* **9.** Spalić co (się) na **p.** ⟨*spalić (się) doszczętnie*⟩: Dom spalił się na popiół.

popis 1. p. doroczny, solowy. **2. p.** gimnastyczny. **3. p.** szkolny a. szkoły. **4. p-y** artystyczne, choreograficzne; dramatyczne, poetyckie. **5. p.** zręczności, odwagi. **6.** Mieć, znaleźć pole do popisu ⟨*mieć okazję, możność pokazania swych umiejętności*⟩.

popisać się, popisywać się 1. p. się czym: **p. się** celnym strzelaniem, jazdą figurową na lodzie; postępami w nauce. Niedługo on tu popisze się z jakim głupstwem, które potem wydrukować każe. *Polak w Paryżu 356—357.* **2.** Nie popisać się (czym, przed kim) ⟨*zachować się kompromitująco; wykonać, zrobić co tak źle, że zasługuje się na naganę*⟩: No, nie popisałeś się, narobiłeś samych głupstw.

popisowy Numer **p.**, rola **p-a** ⟨*numer, rola pozwalające zabłysnąć aktorowi, pokazać swoje umiejętności*⟩.

poplątać się Język się komu poplątał ⟨*ktoś nie mógł chwilowo wypowiedzieć się wyraźnie lub sensownie*⟩.

popłoch 1. Dziki, wielki, największy **p.**; **p.** nie do opisania. **2.** Biec, pierzchać, uchodzić, uciekać w popłochu. **3.** Budzić, siać, wzbudzać, wywoł(yw)ać **p. 4. p.** ogarnia (ludzi), powstaje, powstał; robi się, zrobił się.

popłynąć Gaz, energia (elektryczna), prąd popłynie (dokąd) ⟨*gaz itp. zostanie doprowadzony, umożliwi się dopływ gazu itp.*⟩: Już w lipcu 1945 popłynął gaz do stolicy. *Tryb. Ludu 292, 1952.*

poprawa 1. p. bytu, warunków, zdrowia ⟨*polepszenie*⟩. **2.** *przestarz.* Dom poprawy ⟨*dom poprawczy*⟩. **3.** Droga poprawy a. do poprawy: On już wszedł na drogę poprawy. *SPP.* Nie godzi się zamykać mu drogi do poprawy. *Sienk. SPP.* **4.** (Przy)obiecać, przyrzec, przyrzekać poprawę. **5.** Rozpocząć od czego poprawę. **6.** Widać poprawę (w czym): W zdrowiu jego widać poprawę. *SW.*

poprawczy Zakład **p.** ⟨*zakład wychowawczy dla młodzieży przestępczej lub moralnie zaniedbanej*⟩.

poprawiać, poprawić 1. p. swój akcent, swoją wymowę (w obcym języku). **2.** Poprawiać błędy ⟨*usuwać*⟩. **3. p.** dach, płot ⟨*naprawi(a)ć*⟩. **4.** *przen.* **p.** nastrój: Nastrój poprawiały wiadomości z wschodniego frontu. *Jackiew. Górn. 128.* **5. p.** rasę ⟨*uszlachetni(a)ć*⟩. **6.** *sport.* **p.** rekord ⟨*ustanawiać, ustanowić nowy rekord*⟩. **7. p.** co lub czego (w dop. cząstkowym) ⟨*doprowadzać co do porządku*⟩: Poprawiła suknię, poprawiwszy raz jeszcze włosów i stroju. *Mick. SPP.*

poprawiać się, poprawić się 1. p. się na czym ⟨*zająć wygodniejszą pozycję*⟩: Poprawiać się na krześle, na fotelu. **2. p. się** w czym ⟨*uzyskać lepszy wynik*⟩: **p. się** w matematyce. **3. p. się** z czego: a) Poprawili się z błędów. *Sienk. SPP*; b) (u profesora): **p. się** z matematyki. **4.** *rub.* Poprawić się z pieca na łeb ⟨*zrobić jeszcze gorzej*⟩. **5.** Humor, nastrój się poprawił; stosunki się poprawiły ⟨*polepszył się; polepszyły się*⟩.

poprawka 1. Drobne **p-i**. **2. p-i** językowe, stylistyczne; **p-i** w tekście, w rękopisie. **3. p.** do czego ⟨*sprostowanie wniesione do czego*⟩: Poprawka do ustępu... *SPP.* **4. p.** z czego ⟨*poprawkowy egzamin z czego*⟩: **p.** z fizyki, z łaciny. **5.** Mieć poprawkę z czego ⟨*powtórne przepytanie ucznia zwykle po wakacjach*⟩: Miał poprawkę z łaciny. **6.** Nanieść, wprowadzić (do tekstu) **p-i**; robić (w tekście) **p-i**. **7.** Przyjąć projekt ustawy bez poprawek ⟨*bez zmian*⟩. **8.** Wnieść poprawkę.

poprawkowy Egzamin **p.**

popręg 1. Dopiąć popręgów; podciągnąć, rozluźnić **p-i**. **2.** Ścisnąć, ściągnąć konia popręgiem. **3.** *daw.* Dopiąć komu popręgów ⟨*ująć kogo w karby, w ryzy, wziąć kogo krótko; ujarzmić kogo*⟩: Dopiął nam nieprzyjaciel popręgów jeszcze ciaśniej. *Tw. SW.*

poprosić p. **prosić**

poprowadzić p. **prowadzić**

popróbować p. **próbować**

poprzek 1. Na **p.**, w **p.** ⟨*prostopadle do czego, poprzecznie*⟩: Droga przecina pole na **p.** Przejść plac w **p. 2.** Stawać w **p.**, na **p.** ⟨*przeszkadzać, sprzeciwiać się, bruździć*⟩: Opozycjoniści bezwzględnie stawali w poprzek wszystkiemu, co wychodziło od Ponińskiego i jego kliki. *Korzon Wewn. II, 146.*

poprzewracać się Poprzewracało im się w głowach ⟨*stali się zarozumiali, zbyt ambitni*⟩: Poprzewracało im się w głowach: uważają się za geniuszów.

poprzysiąc, poprzysięgać 1. p. komu — co: Poprzysiąć komu przyjaźń, zemstę. **2. p.** komu (sobie) co robić: Bośmy sobie poprzysięgli celować bardzo wysoko. *Dąbr. Ig. SPP.*

popsuć 1. p. (komu) humor ⟨*pogorszyć*⟩. **2. p.** kogo — czym ⟨*nauczyć czego złego; zdemoralizować*⟩: Jest młodą kobietą, niedoświadczoną i lekko popsutą zbytkami i światowością. *Orzesz. Wesoła. 231.*

popsuć się Coś się popsuło w królestwie duńskim (Szekspir, *Hamlet*) ⟨*sytuacja się pogorszyła, sprawy się pogorszyły*⟩.

popularność 1. Ogromna, wielka, zasłużona, tania **p. 2.** Gonić, nie gonić za popularnością. **3.** Stracić **p. 4.** Używać popularności. **5.** (Z)jednać komu, czemu (sobie) **p. 6.** Zyskać **p.** wśród kogo (np. wśród młodzieży).

popularny 1. p-a broszura; **p.** odczyt, podręcznik, wykład ⟨*przystępna(-y)*⟩. **2.** Biblioteka dzieł popularnych; **p-e** wydanie (utworów). **3. p-a** rozrywka; koncert **p.** ⟨*dla szerokich mas*⟩. **4.** Stać się popularnym ⟨*być szeroko znanym; mieć rozgłos wśród szerokich kręgów społeczeństwa*⟩.

popuszczać, popuścić 1. p. c o lub c z e g o (w dop. cząstkowym) ⟨*zwolnić, zluzować*⟩: Popuścić sobie pasa. *Troc.* Pochylił się na koniu, cugli mu popuścił. *Jeż SPP.* **2.** *przen.* **p.** wędzidła (wędzideł), wodze ⟨*osłabiać rygor, folgować, dawać możność swobodnego działania*⟩: Kto raz sercu popuścił wodze, już się nie może powstrzymać w drodze. *Grudz. Poezje 78.* **3.** Nie **p.** broni, szabli itp. z ręki ⟨*być stale w gotowości bojowej; ciągle walczyć*⟩: Nie można było w tych stronach szabli z ręki popuścić ani muszkietu na gwoździu zawiesić. *Sienk. Wołod. II, 26.* **4.** Mróz popuścił ⟨*sfolgował, zmniejszył się*⟩.

popychać p. **popchnąć**

popyt 1. p. n a c o : **p.** na towary; *przen.* **p.** na płody literackie. **2.** Cieszyć się popytem; mieć **p.** ⟨*o towarach, płodach itp. również przen.*⟩.

pora ⟨*okres, czas czego*⟩ **1. p.** godowa, lęgowa ⟨*u zwierząt, ptaków*⟩. **2. p.** jesienna, letnia, wiosenna, zimowa; jesienną, letnią, wiosenną, zimową porą. **3. p.** obiadowa, popołudniowa, przedwieczorna, wieczorna. **4.** Późna, spóźniona, wczesna **p. 5.** Ogórkowa **p.** ⟨*okres letniego zastoju w handlu, w pracy, w życiu kulturalnym miasta; martwy sezon, ogórki*⟩. **6.** *żart.* Dziecinna **p.** ⟨*wcześnie, jeszcze nie czas na spoczynek, na pójście do domu*⟩. **7.** *daw.* Dżdżysta, piękna, słotna, sucha **p.** ⟨*dżdżysta itp. pogoda*⟩. **8. p.** c z e g o ⟨*okres, w którym zwykle coś bywa wykonywane, coś się dzieje*⟩: **p.** sianokosów; **p.** upałów, mrozów. **9. p-y** roku ⟨*okresy klimatyczne wywołane ruchem obiegowym Ziemi i nachyleniem jej osi ku Słońcu; wiosna, lato, jesień, zima*⟩. **10. p.** co robić ⟨*czas, właściwy moment*⟩: **p.** wstawać. **11. p.** n a k o g o, n a c o ⟨*odpowiedni czas, moment nadchodzi dla kogo, do czego*⟩: No, Helenko, na nas pora. *Żer. SPP.* Już **p.** na kolację. **12.** Nie **p.** na co a. co robić ⟨*niestosowna, nieodpowiednia sytuacja, niestosowny, nieodpowiedni moment do wykonania czego*⟩: Tutaj nie pora na dziwy. *Konopn. Balcer 108.* Nie **p.** robić sobie wzajemne wymówki, gdy trzeba szybko działać. **13.** Nie **p.** tu i nie miejsce co robić ⟨*nieodpowiedni moment*⟩: Nie pora tu i nie miejsce rozwodzić się nad podobnymi szczegółami. *Niemoj. Szach 77.* **14. p.** (jest) po temu ⟨*odpowiednia, stosowna chwila; odpowiedni czas*⟩: Należało to zrobić, kiedy była pora po temu. **15.** Do tej pory ⟨*do tej chwili*⟩: Do tej pory nie wrócił. **16.** Od tej pory ⟨*od tej chwili, od tego czasu*⟩: Od tej pory, kiedym ją z bliska widział, chata skurczyła się jeszcze bardziej i zapadła w ziemię. *Prus Now. III, 77.* **17.** *daw.* Od pory do pory ⟨*w pewnych odstępach czasu*⟩: Coraz bliżej i głośniej odzywał się [..] szum falujących płomieni, a od pory do pory z przerażającym łomotem trzeszczały palące się belki i krokwie. *Łoz. Wal. Dwór 392.* **18.** O każdej porze dnia i nocy. **19.** O tej, o tej samej, o takiej czy innej porze; w tej porze; w porze jakiej (np. letniej, nocnej) ⟨*w tym czasie; w jakimś czasie*⟩: Lokal o tej porze jest zwykle pusty. **20.** *daw.* Pod tę (ową) porę ⟨*w danym okresie czasu, wtedy*⟩: Był pod tę porę w Wiedniu dzisiejszy pleban nieborowski. *Tremb. Listy I, 51.* **21.** W porę, w samą porę ⟨*we właściwej chwili, w odpowiednim momencie*⟩: W samą porę przybył na stację. **22.** Nie w porę ⟨*nieodpowiedni, niestosowny, niewygodny; w nieodpowiedniej chwili, w nieodpowiednim momencie*⟩: Gość nie w porę. Przybyć gdzie nie w porę. **23.** *daw.* Mieć porę do czego a. co robić ⟨*mieć okazję do czego albo co robić*⟩: Gdy zaś i zięć z córką gospodarską odjechał, miałem większą porę do rozmów. *Kras. Podstoli 124.* **24.** *daw.* Przyprowadzić co do (pierwszej) pory ⟨*doprowadzić co do należytego (pierwotnego) stanu*⟩: [Łazienkę] do pierwszej pory przyprowadził. *Kras. Hist. 90.*

porabiać Co porabiasz? co porabiacie? ⟨*co u ciebie (u was) słychać; jak się miewasz, jak się miewacie?*⟩

porachować *posp.* **p.** komu gnaty, kości, *rzad.* zęby ⟨*zbić mocno*⟩.

porachunki 1. Dawne, osobiste, stare, zadawnione **p-i** ⟨*porachowanie się, rozprawienie się z kim*⟩. **2.** Mieć z kim **p-i** ⟨*być urażonym przez kogo i nie uzyskać satysfakcji; żywić urazę do kogo*⟩: Mając z Atenami stare porachunki, Egineci wysłali na pomoc Tebanom flotę. *Sinko Lit. I/1, 344.*

porada 1. Fachowa **p.**; **p.** lekarska, prawna. **2. p.** z zakresu rolnictwa, ogrodnictwa. **3.** Za poradą, z porady kogo a. czyjej (co zrobić): Za poradą rodziców zdecydował się zdawać na wydział prawa. Uczyniłem to z jego porady. *SW.* **4.** Udzielać (-ić) porady.

poradnictwo p. zawodowe ⟨*pomoc w wyborze zawodu*⟩.

poranek 1. p. artystyczny, filmowy, muzyczny ⟨*impreza artystyczna, seans filmowy, koncert w porze przedpołudniowej*⟩. **2.** *poet.* **p.** życia ⟨*pierwsza młodość*⟩.

poranny Zorza **p-a** ⟨*świt*⟩.

porastać, porosnąć 1. p. w piórka, w pierze ⟨*poprawi(a)ć sobie byt, osiągać dobrobyt*⟩: I ja porosnę w pierze, choć dziś bez butów chodzę. *Bogusł. W. Cud 31.* **2. p.** w sadło ⟨*(z)bogacić się, (z)robić majątek*⟩: Nadspodziewanie szybko w sadło porósł. *Przybysz. Współ. I, 69.*

przysł. **3.** Na jednym miejscu i kamień mchem porasta ⟨*jednostajność życia czyni człowieka niewolnikiem nałogów*⟩. *SFA.*

poratowanie Dla poratowania zdrowia (robić co): Wyjechał w góry dla poratowania zdrowia.

porażenie 1. p. słoneczne ⟨*choroba wywołana zbyt silnym działaniem na skórę promieni słonecznych, charakteryzująca się gorączką, wysypką, bólem głowy, torsjami itp.*⟩. **2.** *med.* **p.** słuchu, wzroku; **p.** mózgu, półkuli mózgowej itp. ⟨*paraliż, bezwład*⟩. **3. p.** c z y m : **p.** prądem.

porażka 1. Ciężka, dotkliwa, sromotna **p.** ⟨*przegrana, klęska*⟩. **2.** Doznać, uniknąć porażki. **3.** Ponieść porażkę.

porcelana 1. Chińska, saska **p. 2. p.** twarda ⟨*wypalana w bardzo wysokiej temperaturze*⟩. **3. p.**

miękka ⟨*bez kaolinu, wypalana w niższej temperaturze*⟩.

porcelanowy Cera **p-a** ⟨*gładka jak porcelana*⟩.

porcja 1. Duża, mała **p.**; **p.** dzienna. **2.** *wojsk.* Żelazna **p.** ⟨*rezerwowa, zapasowa porcja żywności lub amunicji używana w razie konieczności*⟩. **3. p.** chleba, flaków, lodów itp.; **p.** batów, kuksańców. **4.** Dostać, wziąć swoją porcję. **5.** Dzielić na **p-e. 6.** Wydawać, zmniejszyć **p-e.**

poręcz *przestarz.* Zaprząc konie w **p.** ⟨*w jednym rzędzie, jeden obok drugiego*⟩: Przelatywał przez Warszawę w wysokim kabriolecie [...] w cztery albo ośm koni ognistych, w poręcz zaprzężonych. *Ask. Poniat. 30.*

poręka 1. Z poręki czyjej ⟨*na skutek czyich starań; dzięki komu*⟩: Zbliżył się do niej zły, skwaszony, pewien, że z poręki siostrzyczki nowe go czekają cięgi za coś świeżo przeskrobanego. *Żer. Char. 92.* **2.** Dać poręką (za kogo, za co) ⟨*dać zapewnienie, gwarancję, poręczyć*⟩: Ułożę się z podsędkiem, dam za ciebie porękę i zapłacę zaległe procenta. *Korz. J. Spek. 135.*

porobić 1. p. głupstwa: Porobił głupstwa i teraz żałuje. **2. p.** majątki, pieniądze, kariery ⟨*o wielu ludziach: wzbogacić się, zdobyć powodzenie*⟩. **3 p.** oszczędności ⟨*zaoszczędzić sporo pieniędzy; zrobić wiele oszczędności, zaoszczędzić na wielu rzeczach*⟩. **4. p.** sprawunki ⟨*dokonać zakupu wielu rzeczy*⟩. **5. p.** znajomości ⟨*zaznajomić się z wielu osobami*⟩.

porobić się Coś się gdzie, z kim itp. porobiło ⟨*coś się stało, zdarzyło, zwykle coś złego*⟩: Miała po nią przyjechać rodzina, ale [...] coś tam się porobiło, tak że w rezultacie nikt nie przyjechał. *Dąbr. M. Noce II, 83.* Co się tu porobiło! *SW.*

poronienie 1. p. nawykowe ⟨*spowodowane niemożnością donoszenia płodu*⟩. **2. p.** samoistne ⟨*spowodowane wadami rozwojowymi macicy, chorobami zakaźnymi itp.*⟩. **3. p.** sztuczne ⟨*zabieg chirurgiczny mający na celu usunięcie płodu*⟩. **4.** Spowodować, wywołać **p.**

porosnąć p. **porastać**

porozstawiać *pot.* **p.** (komu) rodzinę, wszystkich po kątach ⟨*zwymyślać, zbesztać kogo*⟩.

porozumienie 1. Dobre, łatwe, ścisłe, tajne (tajemne), trudne **p. 2. p.** z k i m; m i ę d z y k i m (a k i m): **p.** z sąsiadami; między poważnionymi; **p.** między instytucjami co do czego. **3.** Po porozumieniu z kim: Załatwić co po porozumieniu z zainteresowanymi. **4.** W porozumieniu z kim ⟨*z czyją wiedzą, za czyją zgodą, mając czyją zgodę*⟩: Działać w porozumieniu z kim. Zarząd spółdzielni w porozumieniu z radą nadzorczą zwołał ogólne zebranie członków. **5.** Osiągnąć **p. 6.** Szukać porozumienia. **7.** Wejść w **p.**, zawrzeć **p.** z kim ⟨*zawrzeć układ, sojusz, związek; związać się z kim w jakiejś sprawie*⟩. **8. p.** następuje, przychodzi do skutku.

poród 1. Ciężki, lekki, przedwczesny **p. 2. p.** bezbolesny ⟨*przeprowadzony według metod mających na celu zmniejszenie odczuwania bolesności przez odpowiednie przygotowanie rodzącej*⟩. **3. p.** czaszkowy (główkowy), miednicowy ⟨*w którym płód rodzi się główką, miednicą*⟩. **4. p.** kleszczowy ⟨*podczas którego płód wydobywa się za pomocą specjalnych kleszczy*⟩. **5.** Odbyć **p.**

porównać, porównywać 1. p. k o g o, c o — d o k o g o, c z e g o, z k i m, z c z y m: W wielkiej peruce, którą do złotego runa lubił porównywać. *Dan. SPP.* Nie mogę porównać jego stanu obecnego ze stanem w dniach poprzednich. *Sienk. SPP.* **2.** Nie dający się (którego nie można) z niczym porównać ⟨*niezwykły, jedyny w swoim rodzaju*⟩: Widok nie dający się z niczym porównać. **3.** Ktoś, coś nie da się **p.** z nikim, z niczym; czegoś nie można **p.** z niczym ⟨*ktoś, coś znacznie przewyższa pod jakimś względem kogo albo co innego; ma o wiele większą wartość*⟩: Pierwszy lot człowieka w kosmos nie da się z niczym porównać.

porównać się, porównywać się Ktoś, coś nie może **p. się** z kim, czym innym ⟨*nie dorównuje komu, czemu*⟩: Pod względem gwaru, zgiełku, jakiejś gorączki życiowej w gonitwie za pieniędzmi żadne miasto nie może się porównać z New Yorkiem. *Sienk. Uzup. II, 49.*

porównanie 1. Piękne, trafne, śmiałe **p.** ⟨*figura stylistyczna, polegająca na zestawieniu rzeczy podobnych*⟩. **2. p.** dnia z nocą, **p.** wiosenne, jesienne ⟨*okres równonocy wiosennej i jesiennej około 21 marca i 23 września; zrównanie dnia z nocą*⟩. **3.** Bez porównania ⟨*bezspornie, w sposób oczywisty; znacznie; o wiele*⟩: Bez porównania lepszy, gorszy. Stała się rzecz bez porównania ważniejsza. *Prus SPP.* **4.** W porównaniu z k i m, z c z y m ⟨*w stosunku do kogo, czego, w zestawieniu z kim, z czym; wobec kogo, czego*⟩: W porównaniu z nią była niezgrabna i brzydka. *Zap. G. SPP.* **5.** Być niczym w porównaniu z czym ⟨*nie dorównywać czemu, nie mieć wartości w porównaniu z czym*⟩: Te rzeczy, które widzisz, są niczym w porównaniu z renami białymi, które posiadam, a którym nikt równych nie widział. *Fel. E. Syb. I, 223.* **6.** Ktoś, coś wytrzymuje **p.**; nie ma, nie wytrzymuje porównania z kim, z czym ⟨*dorównuje, nie dorównuje komu, czemu innemu*⟩: Wytrzymywał porównanie z najpierwszymi artystami. *Gard. Trzech 152.*

porównawczy 1. Badania **p-e**; metoda **p-a. 2.** Językoznawstwo **p-e** ⟨*nauka, zajmująca się historycznym pokrewieństwem języków wywodzących się z jednego języka wspólnego*⟩. **3.** *jęz.* Okolicznik **p.** ⟨*mający formę porównania, wskazujący na sposób wykonania czynności lub stopień właściwości porównywanego przedmiotu*⟩. **4.** Wyrażenie **p-e** ⟨*połączenie dwóch wyrazów za pomocą wyrazu porównawczego lub wyrażenia przyimkowego, np. gruby jak beczka, wić się na kształt węża*⟩.

porównywać p. **porównać**

porównywać się p. **porównać się**

port 1. p. drzewny, rybacki, węglowy, przeładunkowy. **2. p.** macierzysty ⟨*w którym statek jest zarejestrowany*⟩. **3. p.** rzeczny, morski; **p.** wojenny. **4. p.** schronienia ⟨*do którego statek zawija w ra-*

zie sztormu⟩. **5.** *przen.* Być portem dla kogo ⟨*być bezpiecznym schronieniem, ostoją*⟩: Paryż [...] był dla Chopina [...] portem i wytchnieniem. *Iwasz. J. Chopin 35.* **6.** Wejść, wchodzić; zawinąć, zawijać do portu (o statku). **7.** Wyjść, wypłynąć z portu.

portki 1. Zgrzebne **p. 2. p.** cyfrowane, z cyfrowaniem ⟨*spodnie góralskie z grubej białej wełny z haftem w górnej ich części*⟩. **3.** Chodzić bez portek, nie mieć całych portek ⟨*nie mieć co na siebie włożyć, być biednym*⟩: Nie ma całych portek i wyjeżdża za granicę. *Prus Emanc. I, 130.* **4.** *posp.* Trząść portkami, robić w **p.** ze strachu ⟨*bardzo się bać, być przestraszonym*⟩: Wuj tylko ładnie gada, a drży przed babką i przed dziedzicem. Trzęsie portkami, że aż strach. *Kłos. Wiosna 58.*
przysł. **5.** Mądry jak Salomonowe portki (jak stołowe nogi).

portowy 1. Czas **p.** ⟨*opóźnienie się przypływów morza w stosunku do kulminacji księżyca*⟩. **2.** Książka **p-a** ⟨*w której notuje się wpływające i odpływające jachty*⟩.

portret 1. Istny, wykapany, żywy **p.** kogo ⟨*dokładne, wierne odbicie, osoba uderzająco podobna do kogo*⟩: Syn i córka byli żywym portretem ojca. *Sztyrm. Pow. I, 344.* **2. p.** duchowy ⟨*opis czyjego charakteru, umysłu*⟩. **3. p.** literacki ⟨*charakterystyka danej osoby jako pisarza*⟩. **4. p.** muzyczny ⟨*charakterystyka kogoś środkami muzycznymi*⟩. **5.** (na)malować, (wy)rzeźbić; wykonać czyj **p. 6.** *posp.* Ty złodziejski portrecie! ⟨*wyzwisko*⟩.

poruszać, poruszyć 1. p. co: **p.** bolączki, sprawę, temat jaki, zagadnienie ⟨*dotykać, omawiać; podnosić*⟩: Poruszył z lekka tę drażliwą sprawę. *SPP.* **2.** Poruszyć kamienie, skałę ⟨*wzruszyć nawet najbardziej zatwardziałego*⟩: Starzec spojrzał na niego z wyrazem tak pełnym uczucia i szczerego przywiązania, że by zdołał poruszyć skałę. *Dzierzk. Obrazy 64.* **3. p.** niebo i ziemię, niebo i piekło, wszystkie sprężyny (machiny) ⟨*uży(wa)ć wszelkich środków, wpływów dla osiągnięcia czego*⟩: Zborowscy poruszali niebo i ziemię, aby [...] pomścić haniebną śmierć brata. *Sliw. A. Bat. 233.* **4.** *daw.* **p.** wszystkie sposoby ⟨*używać wszystkich sposobów, uciekać się do nich*⟩. **5. p.** ziemię ⟨*skopywać, wzruszać ziemię*⟩. **6.** Poruszyć zwierza ⟨*zmusić do opuszczenia legowiska, schroniska; ruszyć go*⟩. **7. p.** żółć komu ⟨*drażnić, irytować kogo, prowokować kogo do gniewu*⟩. **8.** Poruszyć kogo — czym ⟨*wytrącić z równowagi, podniecić, wstrząsnąć*⟩: **p.** kogo łzami, szczerym wyznaniem. **9.** Poruszyć kogo do głębi, do żywego ⟨*sprawić, by ktoś głęboko czymś się przyjął, coś odczuł*⟩: Ślub Zamoyskiego z Batorówną zaniepokoił szlachtę i poruszył do żywego wielu magnatów, zazdroszczących kanclerzowi nowego zaszczytu. *Śliw. A. Bat. 229.*

poruszać się, poruszyć się 1. Nie ma się gdzie **p.** ⟨*jest bardzo ciasno*⟩: Pokój tak zastawiono meblami, że nie było się gdzie poruszać. **2.** Poruszać się w czym swobodnie, łatwo, z łatwością ⟨*dobrze się orientować, być biegłym, w jakiejś sprawie, dobrze się znać na czym*⟩: W zagadnieniach matematyki wyższej poruszał się z łatwością.

poruszenie 1. Ogólne, silne **p.** ⟨*podniecenie, wzburzenie, wzruszenie*⟩. **2.** Wywołać **p.**: Wiadomość o katastrofie samolotu wywołała wśród mieszkańców silne poruszenie. **3. p.** powstaje, powstało (na sali).

porwać, porywać 1. p. kogo, co ⟨*pochwycić, uprowadzić*⟩: Wilk porwał owcę. **2. p.** dziecko ⟨*podstępnie zabrać, uprowadzić*⟩. **3. p.** kajdany ⟨*rozerwać, również przen.*⟩. **4. p.** kogo w objęcia, w ramiona. **5. p.** kogo, co — za co ⟨*chwycić*⟩: **p.** kogo za łeb, za kołnierz; **p.** za sztylet. **6. p.** za broń ⟨*wziąć czynny udział w walce, stanąć do walki*⟩. **7.** *rzad.* Porwać za pióro ⟨*zacząć pisać, stać się pisarzem*⟩: Po Baszkonie porwał za pióro kronikarskie Dzierzwa między 1289 a 1296 rokiem. *Wiszn. Lit. II, 133.* **8. p.** kogo — czym ⟨*wywołać entuzjazm, pociągnąć, zachwycić, olśnić, oczarować*⟩: Prelegent porwał słuchaczy swym wykładem. **9.** Coś kogo porywa ⟨*opanowuje, nawiedza*⟩: Porwał go kaszel, śmiech; porwała go tęsknota. **10.** Śmierć kogo porwała ⟨*ktoś umarł*⟩: Śmierć go porwała w kwiecie wieku. *SW.* **11.** Niech cię, go, ich itp. diabli porwą, licho porwie, *daw.* kaduk porwie, kat (kaci) porwie (porwą) ⟨*rodzaj przekleństwa*⟩: Niech go kaci porwą z jego bałamuctwami. *SW.*

porwać się, porywać się 1. p. się do czego ⟨*rzucić się do czego, chwycić za co*⟩: **p. się** do broni, do kijów, do kłonic, do szabel. **2. p. się** na kogo, na co ⟨*targnąć się; napaść na kogo, na co*⟩: Już wtedy żadna potęga nie mogła się na nas porywać bezkarnie, bo duch w całej armii był wielki i ognista przeciwko Wołochom zawziętość. *Kaczk. Olbracht. III, 12.* **3. p. się** na kogo — z czym: **p. się** na kogo z kijem. **4.** Porwać się za co ⟨*chwycić się*⟩: **p. się** za głowę, za włosy, za czupryny. **5. p. się** na co ⟨*podjąć się śmiało czego trudnego, (po)ważyć się na co*⟩: Twórca pieśni „Bogurodzica" [...] musiał władać doskonale językiem, skoro nie tylko porwał się na rzecz tak trudną, ale ją wykonał prawie bez zarzutu. *Łoś Zabyt. 360.* **6.** Porwać się z czego ⟨*zerwać się, powstać gwałtownie*⟩: Porwać się z krzesła. Jak zaczęli się kłócić, tak się z miejsca porwali. *Krasz. SPP.* **7.** Porwała się mucha na słonia ⟨*ktoś słaby targnął się na kogoś potężnego*⟩.

poryw 1. p. artystyczny, poetyczny, twórczy ⟨*natchnienie, nagły przypływ energii twórczej; upodobania, zamiłowania artystyczne*⟩. **2.** Szlachetny **p.** ⟨*popęd, uniesienie, zapał*⟩. **3. p.** czego: a) ⟨*pęd, prąd, siła rwąca*⟩: **p.** wiatru, huraganu, zamieci; b) ⟨*popęd, uniesienie; nagłe, gwałtowne uczucie*⟩: **p.** radości, gniewu, rozpaczy; serca. **4.** W porywie czego (zrobić co): W porywie uniesienia wszyscy się ściskali i przyrzekali sobie wzajemną pomoc. Działać w porywie gniewu. **5.** (Po)hamować, powściągać czyjeś **p-y.**

porządek 1. Cudowny, idealny, wzorowy **p. 2. p.** alfabetyczny, *rzad.* abecadłowy ⟨*kolejność według liter alfabetu*⟩: Ułożyć indeks nazwisk w porządku alfabetycznym. **3. p.** bojowy, wojskowy ⟨*szyk zgodny z aktualnie obowiązującymi zasadami w wojsku w różnych okolicznościach*⟩. **4. p.** chronologiczny ⟨*uporządkowanie według dat od najwcześniejszej do najpóźniejszej lub odwrotnie*⟩. **5. p.** etyczny, moralny (świata). **6. p.** dorycki, joński, koryncki ⟨*w architekturze greckiej podstawowe style kolumn*⟩. **7. p.** naturalny a. natury; **p.** przyrodzony; **p.** świata ⟨*porządek właściwy naturze, zgodny z naturą danej rzeczy lub zjawiska*⟩. **8. p.** prawny (państwa) ⟨*całokształt przepisów prawnych obowiązujących w państwie*⟩. **9. p.** publiczny, społeczny, *daw.* **p.** towarzyski ⟨*ład, spokój, życie zgodne z obowiązującymi społeczeństwo prawami*⟩: Odpowiadać za naruszenie porządku publicznego. **10.** Porządki generalne, przedświąteczne, wielkie ⟨*sprzątanie gruntowne, dokładne*⟩. **11. p.** obrad, **p.** dzienny (obrad) ⟨*kolejność spraw omawianych na posiedzeniu; plan obrad*⟩: Sprawa weszła (wpłynęła) na porządek dzienny obrad. Wniosek nie podtrzymany spadł z porządku obrad. **12. p.** w c z y m ⟨*ład, stan uporządkowania czego*⟩: **p.** w domu, w gospodarstwie; **p.** w korespondencji, w papierach, w materiałach naukowych, literackich; **p.** w myślach. **13.** Dla porządku ⟨*na wszelki wypadek, aby nie robić wyjątku*⟩: Dla porządku poprosił o rachunek. **14.** *przestarz.* Po porządku, za porządkiem ⟨*kolejno, po kolei, w kolejności*⟩: Przedstawić, opowiedzieć wszystko po porządku a. za porządkiem. **15.** Być w porządku: a) ⟨*być w odpowiednim stanie, funkcjonować prawidłowo*⟩: Mechanizm jest w porządku; b) ⟨*zachować się właściwie, zgodnie z obowiązującymi zasadami*⟩: Chciał być w porządku wobec przyjaciela. *Brzoza Bud. 172.* **16.** Coś nie jest w porządku, niezupełnie w porządku (z kim) ⟨*coś (u kogo) odbiega od należytego, normalnego stanu, jest nienormalne*⟩: Zachowuje się od pewnego czasu dziwnie. Coś tam nie jest z nim w porządku. **17.** Coś jest nie w porządku ⟨*coś jest niewłaściwego, niestosownego; są jakieś braki*⟩: Od razu wyczułem, że coś jest nie w porządku. *Kowalew. S. Świat 84.* **18.** Wszystko (jest) w porządku ⟨*wszystko jest tak, jak należy*⟩: Skłaniał głowę na znak, że wszystko jest w porządku. *Gomul. Ciury II, 26.* **19.** Dbać o **p.**, zaprowadzać **p.**; zachowywać, utrzymywać **p.** a. co w porządku ⟨*dbać o czystość, czyścić co, przestrzegać czystości, zachowywać czystość*⟩. **20.** Lubić **p. 21.** Mieć co w porządku ⟨*mieć co w stanie zgodnym z wymaganiami, przepisami w danej dziedzinie*⟩: Mieć papiery, kasę w porządku. **22.** Mieć co nie w porządku ⟨*mieć jakąś wadę*⟩: Mieć nie w porządku serce, system nerwowy. **23.** Obalić, przewrócić, wywrócić (cały) **p. 24.** Pilnować, przestrzegać porządku. **25.** Przywołać kogo, *daw.* też przyprowadzić kogo do porządku ⟨*wezwać, zmusić do zachowania spokoju, przerwania rozmów, do właściwego zachowania się*⟩: Zachowywał się na zebraniu tak kłótliwie, że przewodniczący kilkakrotnie przywoływał go do porządku. **26.** Przywrócić **p.**, doprowadzić na powrót do porządku ⟨*wprowadzić na nowo ład, spokój w kraju, w mieście itp.*⟩. **27.** Robić porządki ⟨*czyścić, porządkować*⟩. **28.** Trzymać, zostawić rzeczy w porządku ⟨*uporządkowane, w należytym stanie*⟩. **29.** Zrobić **p.** koło kogo, czego ⟨*uporządkować, posprzątać co, poukładać, oczyścić*⟩: Zrobić porządek koło chorego, koło garderoby. **30.** Zrobić z czym **p.** ⟨*uporządkować co*⟩. **31.** Zrobić z kim **p.** ⟨*zmusić kogo do posłuchu; skarcić, ukarać kogo*⟩: Trzeba awanturnika doprowadzić do komisariatu. Tam zrobią z nim porządek. **32.** Coś jest na porządku dziennym ⟨*coś stale się powtarza, często się zdarza, zachodzi, występuje; jest częstym zjawiskiem*⟩: Na porządku dziennym były karty. *Żer. SPP.* **33.** Przejść, przechodzić nad czym do porządku (dziennego) ⟨*pominąć, zignorować co; przestać się czym zajmować*⟩: Przechodzi się do porządku nie nad takimi stratami. *Dąbr. M. SPP.* **34.** Stanąć na porządku dziennym, postawić co **na p.** dzienny ⟨*stać się aktualnym, ważnym; stać się przedmiotem częstych dyskusji; uczynić co aktualnym, ważnym*⟩: Od najpierwszej zaraz chwili stworzenia Królestwa Kongresowego kwestia jego uprzemysłowienia stanęła na porządku dziennym. *Ask. Nowe 207.* **35. p.** panuje gdzie, rozprzęga się. **36.** Co to za **p-i**? *iron.* ładne **p-i**! ⟨*co to za zwyczaje; ależ nieporządek, bałagan*⟩.

porządkowy 1. *mat.* Liczba **p-a** ⟨*oznaczająca kolejną pozycję w zbiorze uporządkowanym*⟩. **2.** *hist.* Komisje **p-e** ⟨*utworzone za króla Stanisława Augusta w celu wprowadzenia porządku w zarządzie miast królewskich*⟩. **3.** *praw.* Kara **p-a** ⟨*kara wymierzana za drobne przekroczenia przepisów dotyczących zachowania porządku w miejscach publicznych*⟩. **4.** Numer **p.** ⟨*kolejny, bieżący*⟩.

porzucić 1. p. męża, żonę ⟨*opuścić, zostawić na opiece losu*⟩. **2. p.** ławę szkolną, uniwersytecką itp.: a) ⟨*skończyć szkołę, uniwersytet*⟩; b) ⟨*przestać chodzić do szkoły, uniwersytetu; przerwać naukę w szkole, uniwersytecie*⟩. **3. p.** pióro ⟨*przestać pisać, zaniechać twórczości literackiej*⟩. **4. p.** pracę ⟨*przestać pracować*⟩. **5. p.** suknię duchowną, habit ⟨*przestać być księdzem, mnichem*⟩. **6. p.** kogo na zawsze, **p.** ten świat, to życie ⟨*umrzeć, zejść z tego świata*⟩.

posada ● **p.** ⟨*zajęcie, urząd, miejsce pracy*⟩ **1.** Dobra, dobrze płatna, doskonała, intratna, popłatna, świetna, wyśmienita **p. 2.** Odpowiedzialna **p.** ⟨*wymagająca wysokich kwalifikacji, obarczająca odpowiedzialnością*⟩. **3.** Dostać, otrzymać, objąć, stracić, utracić, wyrobić komu, zajmować, zmienić posadę. **4.** Siedzieć na posadzie. **5.** Usunąć, *pot.* wygryźć, *posp.* wylać, *pot.* wylecieć, zrezygnować z posady. **6. p.** wakuje, jest do objęcia, jest wolna.

● Zwykle **w** *lm* ⟨*podłoże, podwalina, podstawa*⟩. **7.** Chwiać się, drżeć, dygotać, trząść się w posadach, *rzad.* w posadzie ⟨*doznawać gwałtownych wstrząsów; być wstrząsanym gwałtownie, aż do gruntu*⟩. **8.** Ruszyć, wyważyć co z posad. **9.** Wstrząsnąć, zachwiać posadami.

posadzić 1. p. k o g o — n a c z y m, p r z y c z y m, z a c z y m ⟨*umieścić w pozycji siedzącej, poprosić, pozwolić usiąść*⟩: **p.** dziecko na kolanach, gości przy stole lub za stołem. **2. p.** kogo na tronie, na księstwie ⟨*oddać komu władzę monarszą, książęcą; powołać kogo na tron*⟩. **3.** *łow.* **p.** na ziemi ⟨*o ptaku łowczym: strącić zdobycz z powietrza na ziemię*⟩. **4.** *żegl.* **p.** jacht, łódkę itp. na mieliźnie ⟨*nakierować jacht, łódkę tak, żeby osiadły, utknęły na mieliźnie*⟩. **5.** Nie wiedzieć, gdzie kogo **p.** ⟨*traktować kogo ze szczególnymi względami, chcieć okazać wysoki szacunek*⟩. **6. p.** kogo wysoko: **a)** ⟨*posadzić przy stole na honorowym miejscu*⟩; **b)** ⟨*wywyższyć kogo, wynieść, wyróżnić,* *ocenić wysoko, obdarzyć szczególnymi względami*⟩: Pani Sand ogłosiła porównanie dramatów fantastycznych Getego, Byrona i Dziadów. Zgadniesz, jak nasi dziwią się widząc mnie tak wysoko posadzonego. *Mick. Listy II, 226.* **7. p.** kogo do więzienia, za kratę ⟨*zamknąć kogo w areszcie, w więzieniu*⟩.

posag 1. Brać, wziąć **p.** za żoną, wziąć co w posagu (np. dom, określoną sumę pieniędzy). **2.** Dać (córce) **p.**; dać co w posagu. **3.** Gonić za posagiem, żenić się dla posagu. **4.** Mieć **p.**; mieć, otrzymać co a. jaką sumę w posagu: Panna Amelia [...] piękna dziewczyna z dobrym wychowaniem, a do tego słyszałem, że więcej dziesięciu tysięcy rubli srebrnych ma w posagu. *Barsz. Włosy 59.* **5.** *daw.* Wnieść co posagiem a. jako **p.**

posądzenie 1. p. o c o: **p.** o kradzież, o wybicie szyby. **2.** *przestarz.* Mieć w posądzeniu kogo, rzucać na kogo **p.** ⟨*posądzać kogo*⟩: Wyfukawszy się do woli na wszystkich, których miał w posądzeniu o nieprzyjaźń dla siebie, pozostał na swoim miejscu. *Kaczk. Anunc. I, 73.* **3. p.** pada na kogo: Posądzenie o wybicie szyby w oknie padło na chłopców grających w piłkę.

poselski 1. *hist.* Instrukcje **p-e** ⟨*w Polsce przedrozbiorowej: polecenia udzielane posłom na sejm przez wyborców na sejmikach*⟩. **2.** *hist.* Koło **p-e** ⟨*w Polsce przedrozbiorowej: izba poselska*⟩. **3.** Mandat **p.** ⟨*pełnomocnictwo do pełnienia czynności posła*⟩. **4.** Nietykalność **p-a** ⟨*przywilej polegający na tym, że poseł w czasie trwania mandatu nie może być pozbawiony wolności bez zezwolenia sejmu*⟩. **5.** *hist.* Sejmik **p.** ⟨*w Polsce przedrozbiorowej: zjazd ziemski szlachty przed obradami sejmu dla wybrania posłów i uchwalenia instrukcji*⟩.

poselstwo 1. Iść, jechać, przebywać, przychodzić, przyjeżdżać w poselstwie ⟨*iść, jechać itp. jako poseł, wysłannik*⟩: Przyjeżdżam w sekretnym poselstwie od panny Jagienki do pana starosty. *Kaczk. Olbracht. II, 85.* **2.** *przestarz.* Odbywać, odprawiać; *daw.* sprawiać, sprawować **p.**, dopełnić poselstwa ⟨*być wysłannikiem, posłem*⟩. **3.** Wyprawić, wysłać **p.** (do jakiegoś kraju, do władcy kraju): Wyprawił Chmielnicki poufne poselstwo do sułtana. *Szajn. SPP.*

poseł 1. p. akredytowany ⟨*stały przedstawiciel dyplomatyczny państwa w innym państwie*⟩. **2.** *hist.* **p.** ziemski ⟨*poseł będący przedstawicielem jakiegoś okręgu, np. gubernii; w Polsce przedrozbiorowej: poseł wybrany na sejmiku szlacheckim ziemskim*⟩. **3. p.** na sejm ⟨*przedstawiciel danego okręgu wyborczego w sejmie*⟩. **4.** *przestarz.* Przybywać, przychodzić do kogo w posły ⟨*przybywać itp. jako poseł*⟩. **5.** Wybrać, *daw.* obrać posłem a. posła.

przysł. **6.** Posła ani ścinają, ani wieszają. **7.** Przez posły wilk nie tyje (nie syty) ⟨*najlepiej załatwiać coś osobiście, nie za czyimś pośrednictwem*⟩.

posiać 1. Ktoś jest, rośnie, zjawia się, wschodzi itp. (tam), gdzie go nie posieli, nie posieją, nie **p.** ⟨*wszędzie się wciska, pcha, kręci; wszędzie się go spotyka*⟩: Józio jest wszechobecny, rośnie, gdzie go nie posiać, wyłazi spod ziemi, spada z powietrza. *Boy Flirt IX, 82.* **2.** Coś posiał — zbieraj (musisz zebrać) ⟨*musisz ponosić skutki tego, coś wywołał, coś spowodował*⟩. **3.** Jak, jakby (kto) maku, makiem posiał (cicho, cisza, ucichło) ⟨*stało się bardzo cicho*⟩.

posiadać, posiąść 1. p. jakiś język, znajomość języka, kilku języków ⟨*znać jakiś język, władać jakimś językiem (kilku językami)*⟩. **2. p.** głos, talent, wykształcenie ⟨*mieć głos itp.*⟩. **3. p.** ojca, syna, rodzinę, przyjaciół, znajomych itp. ⟨*mieć ojca itp. (wśród żyjących)*⟩. **4. p.** (częściej *dk*) kobietę ⟨*mieć stosunek płciowy z kobietą, współżyć płciowo z kobietą*⟩. **5. p.** wartość, wyższość; **p.** prawo ⟨*mieć wartość itp.*⟩. **6.** Posiąść wszystkie rozumy ⟨*być bardzo mądrym, wiele umieć; iron. być przemądrzałym*⟩: Przeczytał kilka fachowych książek i zdaje mu się, że wszystkie rozumy posiadł. **7. p.** czyje względy, uczucia, wzajemność, zaufanie ⟨*cieszyć się czyimi względami itp.*⟩.

posiadać się Nie **p. się** z gniewu, oburzenia, radości, uciechy, ze szczęścia ⟨*nie móc się opanować z gniewu itp., bardzo się gniewać itp.*⟩.

posiadanie 1. p. czasowe, dziedziczne, wieczyste ⟨*władanie rzeczą w sposób wyłączny*⟩. **2.** Stan, prawo, ochrona posiadania. **3.** W posiadaniu pisma (Waszego) ⟨*germ. lepiej: otrzymawszy (Wasze) pismo*⟩. **4.** Brać, wziąć, objąć, dostać, otrzymać co w **p.**; wejść w **p.** czego; dojść, przyjść do posiadania czego ⟨*stać się posiadaczem czego*⟩. **5.** Być, znajdować się w czyim posiadaniu ⟨*być, stać się czyją własnością*⟩. **6.** Dostać się, przejść itp. w czyje **p.** ⟨*stać się czyją własnością*⟩: Willa przeszła w posiadanie innej rodziny. **7.** Mieć, trzymać, utrzymać w posiadaniu ⟨*być posiadaczem czego, posiadać co*⟩: Mieć dom w posiadaniu. **8.** Oddać co komu w **p.**, wprowadzić kogo w **p.** czego ⟨*uczynić kogo posiadaczem czego, dać co komu na własność*⟩: Formalności potrzebne do wprowadzenia pani Barbary w posiadanie zapisanej sumy. *Dąbr. M. SPP.* **9.** Nabyć, przenieść, przywrócić **p.**

posiedzenie 1. p. nadzwyczajne, zwyczajne; **p.** plenarne; **p.** naukowe, sądowe ⟨*sesja, zebranie; narady*⟩. **2.** Brać udział w posiedzeniu. **3.** Odbyć, odroczyć, otworzyć, rozwiązać, zagaić, zamknąć, zawiesić, zwołać **p.**

posiedzieć 1. p. drugi, trzeci rok w klasie ⟨*zostać na drugi, trzeci rok w tej samej klasie*⟩. **2. p.** nad czym (nad książką, nad rachunkami itp.) ⟨*ślęczeć, popracować nad czym*⟩.

posiekać p. kogo, co na bigos, na kawałki, w kawałki, na kotlety, na sztuki, w sztuki ⟨*bardzo kogo, co poranić*⟩: Trzasnę sześć razy szpicrutą, posiekam fizys na kotlety. *Żer. Dzieje II, 177.*

posiekać się Dać, pozwolić posiekać się w kawałki, niż.. (byle...) ⟨*starać się nie dopuścić do czego za wszelką cenę, być gotowym na najwyższe ofiary, na śmierć dla kogo, czego*⟩: Raczej da się posiekać w kawałki [...] niż zdradzi choćby jedno słówko z tego, co tam padło. *Przem. Jakobin. 79.*

posiekany p-e ręce; **p-a** twarz, skóra ⟨*spierzchnięte(-a) od wiatru, mrozu, wody*⟩.

posiłek ● **1.** Dzienny, południowy, ranny, wieczorny **p.** ⟨*jadło, jedzenie*⟩. **2.** Ciężki, lekki, pożywny, strawny, zdrowy **p. 3.** Gorący, zimny; prosty, smaczny, obfity, skromny **p. 4.** Wspólny **p. 5. p.** na x osób. **6.** Godzina, pora posiłku. **7.** Przygotowywać, przyrządzać **p. 8.** Przyjmować **p.**
● **9. p-i** lądowe, morskie, powietrzne a. lotnicze ⟨*pomoc w ludziach i sprzęcie wojennym*⟩; zbrojne, znacznę **p-i. 10.** Dawać, dost(aw)ać, otrzym(yw)ać, sprowadzać, ściągać, werbować, wzywać **p-i. 11.** *daw.* Iść, nadchodzić, nadciągać na **p.**, w posiłku, ku posiłkowi, z posiłkiem ⟨*iść itp. na pomoc*⟩: Jazda szła na posiłek piechocie. **12.** *daw.* Mieć, zostawić (wojsko, żołnierzy, zapasy pieniężne itp.) w posiłku: a) ⟨*w odwodzie, w zapasie*⟩; b) mieć kogo w posiłku ⟨*móc liczyć na wsparcie, pomoc czyją*⟩: Bolesław czeski miał w posiłku Lutików, Mieczysławowi szli w pomoc Sasi. *Lel. Polska II, 127.* **13.** Oczekiwać, żądać posiłków. **14.** Prosić o **p-i. 15. p-i** idą, nadchodzą, napływają, przybywają.

poskąpić 1. Nie **p.** dla kogo (własnej) krwi ⟨*być gotowym dla kogo do największych ofiar*⟩. **2.** Natura (Bóg) poskąpiła (poskąpił), nie poskąpiła (nie poskąpił) komu rozumu, urody itp. ⟨*ktoś jest brzydki, głupi; urodziwy, rozumny*⟩: Nie poskąpiła jej wdzięków natura. *SW.*

poskramiać p. (dzikie) zwierzęta ⟨*tresować*⟩: **p.** lwy, tygrysy.

poskrobać p. na palcach, **p.** marchewkę komu ⟨*wykonać palcem jednej ręki ruch skrobania po palcu drugiej, dla podkreślenia swojej racji lub okazania komu swego lekceważenia; a widzisz, a miałem rację*⟩: Nie wiem, czy powstrzymałem się wtedy od tryumfującego spojrzenia. Byłbym mu nawet na palcach poskrobał: „zyg, zyg marchewka". *Berent Fach. 58.*

I posłać, posyłać 1. p. c o : **p.** pieniądze pocztą, przez pocztę. **2. p.** (komu ręką) całusa ⟨*wykonać ruch ręki symbolizujący przeniesienie pocałunku od ust w kierunku osoby pozdrawianej*⟩. **3. p.** kulę, strzałę, strzał ⟨*strzelić w pewnym kierunku*⟩: Posłano za nim kilka strzałów. **4. p.** dokąd myśli ⟨*skierować ku czemu myśli; pomyśleć o kim, o czym*⟩. **5.** *daw.* **p.** oko, ucho ⟨*(s)kierować gdzie wzrok, słuch*⟩: Coraz dalej posyłałem oko za laurem pięknie kwitnącym pode mną. *Słow. Poem. II, 63.* **6. p.** pogróżkę ⟨*skierować do kogo pogróżkę, pogrozić komu*⟩. **7. p.** pozdrowienia ⟨*pozdrowić za czyim pośrednictwem*⟩. **8. p.** spojrzenie, wzrok ⟨*(s)kierować na kogo spojrzenie itp., spojrzeć*⟩. **9. p.** przekleństwo, uśmiech, westchnienie itp. ⟨*(s)kierować do kogo przekleństwo, uśmiech itp.*⟩. **10. p.** swaty ⟨*oświadczyć się za pośrednictwem swatów*⟩. **11. p.** światło, snop światła, promienie (świetlne) ⟨*(s)kierować na co smugę światła, oświetlić co*⟩. **12. p.** (komu) ukłon(-y) ⟨*ukłonić się komu*⟩. **13. p.** kogo do szkoły, na wyższą uczelnię, *przestarz.* na naukę ⟨*umożliwić komu naukę w szkole, na uczelni*⟩: Posłał syna do liceum. **14. p.** kogo na kurację; do doktora, do szpitala, do sanatorium ⟨*skierować kogo, aby się leczył*⟩. **15. p.** kogo na urlop ⟨*dać komu urlop, urlopować kogo*⟩. **16. p.** c o (łódź, statek itp.) na dno ⟨*zatopić*⟩: Torpeda wypuszczona z łodzi podwodnej posłała na dno tankowiec. **17.** *posp.* **p.** do diabła, w diabły ⟨*wyrzucić kogo, co; pozbyć się kogo, czego*⟩: Wiele norm, wiele przesądów posyłało się w diabły. *Boy Słowa 188.* **18.** *posp.* **p.** kogo do stu, do wszystkich diabłów ⟨*odesłać kogo, kazać mu iść precz*⟩. **19. p.** kogo na tamten świat, *żart.* na łono Abrahama ⟨*przyczynić się do czyjej śmierci; zabić, uśmiercić kogo*⟩: Cztery zamki zburzyłem ze szczętem, dwustu zbrojnych posłałem na łono Abrahama. *Wędr. 11, 1901.* **20. p.** kogo na śmierć, na szubienicę, na szafot, na krzesło elektryczne itp. ⟨*skazać, wydać kogo na śmierć*⟩. **21. p.** p o k o g o, p o c o ⟨*wyprawić po kogo, po co*⟩: **p.** po lekarza, po papierosy. **22.** Po śmierć by go **p.**, tylko go po śmierć **p.** ⟨*o kimś, kto wysłany bardzo długo nie wraca, bardzo długo coś załatwia*⟩. **23. p.** kogo co robić ⟨*kazać komu co robić*⟩: Posyłali chłopca pasać krowy. **24.** Diabeł kogo posłał ⟨*zjawił się ktoś niepożądany*⟩: Diabeł posłał tu jeszcze Rojka, aby mu buntował syna. *Par. Niebo 207.*

II posłać p. tapczan: a) ⟨*rozesłać na tapczanie pościel do spania*⟩; b) ⟨*uporządkować tapczan po spaniu; zasłać tapczan*⟩.

posłanie Ostatnie, śmiertelne **p.** ⟨*miejsce, gdzie kto umiera lub gdzie ciało leży przed pogrzebem*⟩.

posłaniec p. miejski, *przestarz.* publiczny, uliczny ⟨*wynajmowany przez osoby prywatne, zawodowy*⟩.

posłuch 1. Wielki **p.** ⟨*autorytet, zaufanie*⟩. **2.** Surowy **p.** ⟨*poddawanie się czyjej woli, posłuszeństwo*⟩: Zaprawiać dziecko od małego do surowego posłuchu. **3. p.** d l a k o g o : Umie nakazać dla siebie posłuch. *Nałk. Z. SPP.* **4. p.** u k o g o, g d z i e : Ma wielki **p.** u sąsiadów, w okolicy. **5.** Budzić, jednać sobie, wymuszać, zapewniać, zdobywać **p. 6.** D(aw)ać **p.** czemu, czyim podszeptom: Nie dawał posłuchu skargom. **7.** Mieć, znajdować **p.** gdzie, u kogo ⟨*być chętnie słuchanym; mieć u kogo autorytet*⟩: Słowa jego znajdowały **p.** u zebranych. **8.** Wymagać posłuchu, zmuszać do posłuchu ⟨*(do) posłuszeństwa*⟩.

posłuchanie 1. Poufne, sekretne, uroczyste **p.** ⟨*audiencja*⟩. **2.** Dać komu, mieć, *daw.* odprawić; uzyskać, wyjednać, wyznaczyć **p.**; prosić o **p. 3.** Odmówić, udzielić posłuchania.

posługa 1. p-i domowe ⟨*prace pomocnicze związane z gospodarstwem domowym*⟩. **2.** Drobne, dorywcze, osobiste **p-i** ⟨*usługi, obsługiwanie kogo*⟩. **3.** *kult.* **p.** duchowna, religijna ⟨*udzielanie sakramentów kościelnych*⟩. **4.** *hist.* **p.** kmieca ⟨*powinność chłopa wynikająca z obowiązujących ustaw*⟩. **5.** *hist.* **p.** krajowa, publiczna, rządowa, wojenna ⟨*świadczenie na rzecz państwa*⟩. **6.** *hist.* **p.** rycerska ⟨*obowiązek szlachty stawiania się na pospolite ruszenie*⟩. **7. p.** d l a k o g o, c z e g o; n a r z e c z k o g o, c z e g o. **8.** Chłopiec, kobieta do posługi. **9.** Być na posługach, chodzić na **p-i** ⟨*pracować jako posługaczka, posługiwać, usługiwać*⟩: Ta kobieta chodzi na **p-i.** *SW.* **10.** Mieć na **p-i** kogo ⟨*dysponować kim jako posługującym*⟩: Mając na posługi sprawne, jak p. Waldemaras, kreatury, szybko i skutecznie się uwinął. *Ask. Uwagi 343.* **11.** Nająć, wziąć kogo do posługi. **12.** *książk.*

Nieść, pełnić, sprawować posługę a. **p-i** około kogo, czego, przy kim: Pełniła około niej wszystkie posługi. *Orzesz. SPP.* **13.** Oddać komu ostatnią posługę ⟨*wziąć udział w pogrzebie; pochować, pogrzebać zmarłego*⟩. **14.** Używać kogo do posług.

posłuszeństwo 1. Absolutne, całkowite, ślepe **p. 2. p.** k o m u, d l a k o g o, w o b e c k o g o: **p.** rodzicom. **3.** Obiecać, przyrzekać, wpajać, wypowiedzieć komu **p.**; przymusić, zmusić kogo do posłuszeństwa, wymusić na kim **p. 4.** Zaprzysiąc komu, złamać **p.**, *daw.* wyłamać się spod posłuszeństwa. **5.** Wymagać, żądać posłuszeństwa. **6.** Trzymać, utrzym(yw)ać kogo, żyć w posłuszeństwie: Utrzymać nas w posłuszeństwie nie zdołają. *Sienk. SPP.* **7.** Coś odmawia posłuszeństwa ⟨*przestaje działać, funkcjonować*⟩: Głos, mięśnie, nogi, serce; pamięć odmówił(-y, -o, -a) posłuszeństwa. **8.** Nerwy odmawiają komu posłuszeństwa ⟨*ktoś jest zdenerwowany, nie może się opanować*⟩. **9.** Siły odmawiają komu posłuszeństwa ⟨*ktoś traci siły*⟩.
przysł. **10.** Lepsze posłuszeństwo, niż nabożeństwo.

posłuszny 1. Ślepo **p.**; **p.** we wszystkim; **p.** jak dziecko, jak pies. **2. p.** k o m u, c z e m u: **p.** dowódcy, rozkazom; **p.** nakazom sumienia. **3. p.** w z g l ę d e m k o g o, c z e g o: **p.** względem każdego zachcenia. *Żer.* **4. p.** n a c o: **p.** na rozkaz, na każde skinienie. **5.** *przen.* **p-e** dłonie, maszyny. **6.** Być posłusznym narzędziem w czyich rękach ⟨*nie mieć własnej woli, słuchać kogo we wszystkim*⟩.

posłużyć 1. p. pomocą, radą ⟨*dać pomoc, radę*⟩. **2. p.** za narzędzie, za dowód, za przykład, za wzór; za pozór ⟨*być narzędziem, dowodem, przykładem, wzorem; stanowić pozór*⟩. **3.** Coś komu posłużyło, nie posłużyło ⟨*dobrze zrobiło, pomogło; nie pomogło, zaszkodziło*⟩: Pobyt w górach posłużył mu doskonale. Lekarstwo mu nie posłużyło. **4.** To na nic nikomu nie posłuży ⟨*nie pomoże, nie przyda się*⟩: Miał jakieś poczucie [...] że to na nic nikomu nie posłuży, nic nie wyjaśni. *Sienk. Quo II, 54.* **5.** (Jeżeli) los, szczęście, pogoda itp. posłuży ⟨*(jeżeli) los itp. będzie sprzyjał*⟩.

posłyszeć 1. Dobrego słowa od kogo nie **p.** ⟨*nie otrzymać pochwały, zachęty; nie doświadczyć życzliwości, dobroci*⟩. **2.** Złego słowa od kogo nie **p.** ⟨*nie być ganionym, nie doświadczać niechęci, złości*⟩.

posmarować 1. p. c o — c z y m ⟨*smarując pomazać, pokryć powierzchnię cienką warstewką czegoś lepkiego, ciągłego, płynnego itp.*⟩: **p.** chleb miodem, masłem; **p.** ręce gliceryną. **2.** Jakby go (ją itp.) kto miodem posmarował ⟨*o kimś silącym się na uprzejmość, przymilnym*⟩: A taki robi się słodki, miły, jakby go kto miodem posmarował. *Krasz. SW.* **3.** *pot.* **p.** komu łapę (rękę) ⟨*dać łapówkę*⟩.

pospolity 1. p. aferzysta, oszust, zbrodniarz ⟨*zwykły*⟩. **2.** *bot. med. zool.* **p.** ⟨*+ wyraz określany wskazuje na częstość występowania danego gatunku lub zjawiska*⟩: grusza, jodła **p-a**; buk **p.**; sokół **p.**; migrena **p-a**, liszaj **p. 3.** *jęz.* Rzeczownik **p.**, imię **p-e** ⟨*rzeczownik nie będący imieniem własnym*⟩. **4.** *hist.* **p-e** ruszenie: a) ⟨*w dawnej Polsce: powołanie pod broń w razie zagrożenia kraju wszystkich obywateli zdolnych do władania bronią; wojsko tak sformowane*⟩: Zwołać, powołać **p-e** ruszenie; b) ⟨*w Polsce międzywojennej: ogół rezerwistów powoływanych pod broń w razie wojny*⟩. **5. p-e** rysy (twarzy) ⟨*proste, ordynarne*⟩. **6.** *daw.* **p-a** rzecz, rzecz **p-a** ⟨*rzeczpospolita, państwo*⟩. **7. p.** wyraz ⟨*o wartości uczuciowej pośredniej między potoczną a wulgarną; trywialny*⟩.

pospuszczać p. **spuszczać**

pospychać p. **spychać**

posrebrzać, posrebrzyć Wiek, siwizna, starość posrebrzył(a) komuś głowę, skronie, włosy ⟨*ktoś stał się siwym, osiwiał*⟩: Przedwczesna siwizna posrebrzyła mu skronie.

post 1. Ścisły, surowy **p.**; **p.** o chlebie i wodzie. **2.** Wielki **p.** ⟨*w Kościele katolickim okres od środy popielcowej do Wielkiej Soboty przed Wielkanocą*⟩. **3.** Jeść z postem ⟨*jeść postne, bezmięsne potrawy, nie jeść mięsa, tłuszczów; pościć*⟩. **4.** Obserwować **p-y**; złamać, zachować **p.**

I postać 1. Atletyczna, barczysta, drobna, gibka, krępa, kształtna, niepozorna, szczupła, wdzięczna, wiotka, wyniosła **p.** ⟨*figura, sylwetka, postawa (zwykle o ludziach)*⟩. **2. p.** alegoryczna, historyczna, legendarna; **p.** sceniczna, tytułowa ⟨*sylwetka ludzka stworzona przez pisarza, aktora itp.; kreacja*⟩. **3.** Groźna, nowa, odmienna, zewnętrzna **p.** ⟨*kształt, forma*⟩: Choroba przybierała coraz groźniejszą postać. **4. p.** kobieca, męska ⟨*osoba rodzaju żeńskiego, męskiego*⟩: W drzwiach ukazała się jakaś nieznana postać kobieca. **5.** Lubiana, popularna, szanowana, znana itp. **p.** (w mieście, w społeczeństwie itp.) ⟨*osoba, osobistość*⟩. **6. p.** (czego) ciekła, gazowa, lotna, płynna, stała ⟨*stan, forma czego*⟩: **p.** płynna roztopionego metalu. **7. p.** dramatu, komedii, powieści ⟨*kreacja*⟩. **8.** Pod postacią c z e g o; w postaci c z e g o ⟨*w formie czego; w kształcie czego*⟩: Niech przynajmniej wolno będzie [...] powiedzieć prawdę pod bajki postacią. *Niemc. Bajki 253.* Złoto znajduje się w naturze w postaci drobnych bryłek lub piasku. **9.** Mieć, przybrać (na siebie) jakąś **p.** a. **p.** czego ⟨*mieć, przybrać kształt, wygląd czego*⟩: Front jego (sc. domu) od podmiejskiej uliczki miał postać dworku dawnej formacji. *Żer. Uroda 52.* Całe miasto przybrało na się postać uroczystą, świąteczną. *Kremer Listy I, 95.* **10.** Coś zmieniło **p.** rzeczy; **p.** rzeczy zmieniła się; rzeczy zmieniły, wzięły jakąś **p.** ⟨*zmienił się stan czego; sprawy przybrały inny obrót*⟩: Zmieniła się postać rzeczy: dawniej wschód słońca mnie usypiał, dziś budzi. *Jun. Mazur. 245.*

II postać 1. Czyjaś noga, stopa nie postała, nie postanie w jakimś miejscu; ktoś nie postał, nie postanie gdzie nogą, stopą ⟨*ktoś nie był, nie będzie nigdy, nie stąpnął, nie stąpnie nogą w jakimś miejscu*⟩: Dotknąłeś mnie do żywego — nigdy tu moja noga więcej nie postanie. **2.** Coś nie postało, ani postało komu w głowie, w myśli, w umyśle w sercu ⟨*coś nie przyszło komu nigdy do głowy, ktoś nigdy nie pomyślał o tym; nie zapragnął tego*⟩: Nigdy taka myśl w głowie mojej nie postała.

Sienk. Pot. IV, 191. Zemsta nie postała nigdy w jego sercu. *SFA.*

postanowienie 1. Mocne, nieodwołalne, niezłomne, nieugięte, silne **p. 2. p.** sądowe, sejmowe ⟨*uchwała, orzeczenie*⟩. **3.** *przestarz.* Mieć **p.** (co robić) ⟨*postanowić co, być zdecydowanym na co*⟩: Nie myślał żebrać o łaskawość [...] Miał mocne postanowienie śmiać się cynicznie. *Żer. Uroda 47.* **4.** Powziąć, zrobić, zmienić **p.** ⟨*wytrwać, zachwiać się w (swym) postanowieniu*⟩. **5. p.** zapada: Na posiedzeniu zapadło następujące postanowienie.

postawa 1. Atletyczna, dumna, herkulesowa, imponująca, okazała, olbrzymia, potężna, prosta, rosła, wyprostowana, wyniosła **p.** ⟨*figura, sylwetka, prezencja, powierzchowność*⟩: Młodzieniec o atletycznej postawie. **2. p.** czynna, nieugięta, niezachwiana, ostrożna, wyczekująca; **p.** badawcza, twórcza; **p.** rycerska, żołnierska ⟨*zachowanie się*⟩. **3. p.** filozoficzna, ideologiczna, myślowa, moralna, polityczna, życiowa ⟨*stanowisko, nastawienie, ustosunkowanie wobec czego; podejście do czego; pogląd na co*⟩. **4.** Groźna, wyzywająca **p.** ⟨*pozycja, mina*⟩: Przyjąć groźną postawę. **5. p.** naturalna, niedbała, sztywna; **p.** klęcząca, stojąca, leżąca ⟨*pozycja (ciała), poza*⟩. **6.** *sport.* **p.** wyjściowa ⟨*układ ciała bezpośrednio przed wykonaniem ćwiczenia gimnastycznego*⟩. **7.** *sport. wojsk.* **p.** zasadnicza ⟨*postawa ciała wyprostowana, na baczność*⟩. **8.** *med.* **p.** płodu ⟨*w położnictwie: położenie grzbietu płodu względem grzbietu matki*⟩. **9. p.** wobec kogo, czego ⟨*ustosunkowanie do kogo, do czego*⟩: **p.** wobec państwa, wobec życia. **10.** Przybrać, przyjąć, zająć jaką postawę wobec czego ⟨*ustosunkować się wobec czego*⟩.

postawić 1. p. c o : **p.** (komu) bańki, pijawki ⟨*przystawić komu (choremu) do ciała bańki, pijawki*⟩. **2. p.** cel, zadanie; pytanie, tezę, wniosek, problem, ultimatum, warunek ⟨*wysunąć, przedstawić, wnieść*⟩: Postawiła Kazimierzowi szereg pytań dotyczących metody nauczania. *Dygas. SPP.* **3. p.** cenę ⟨*ustalić, ustanowić; wycenić*⟩. **4.** *daw.* **p.** czoło, pierś komu, czemu ⟨*stawić opór, przeciwstawić się komu, czemu; podjąć walkę z kim, z czym*⟩: Był tak zuchwały, gwałtowny, a przy tym możny, że [...] nikt mu się oprzeć nie śmiał, ani czoła postawić. *Berw. Studia I, 106.* **5. p.** dom, most, pomnik itp. ⟨*wybudować*⟩. **6. p.** trójkę itp., **p.** notę, ocenę, stopień ⟨*dać, przyznać jaką ocenę; ocenić co na dwójkę itp.*⟩ **7. p.** granicę, tamę, przeszkodę czemu ⟨*ograniczyć, zatamować; przeszkodzić czemu*⟩. **8. p.** horoskop ⟨*ułożyć tablicę położenia gwiazd w celu przepowiedzenia przyszłości; przepowiedzieć komu przyszłość na podstawie położenia gwiazd*⟩: Kapłani postawili jego przyszłemu dziecku tak dobry horoskop, że książę był zachwycony. *Prus Far. I, 239.* **9. p.** pasjansa ⟨*ułożyć w pewnym porządku karty dla wywróżenia przyszłości; powróżyć z kart*⟩. **10. p.** krok ⟨*uczynić, zrobić; stąpnąć*⟩. **11. p.** kropkę, przecinek; cyfrę, datę, tytuł itp. ⟨*wypisać, umieścić na czym; opatrzyć co kropką itp.*⟩. **12.** *przestarz.* **p.** kozła na czole ⟨*zmarszczyć się gniewnie, zrobić minę surową, nieprzystępną, odpychającą; nachmurzyć się, nasrożyć się*⟩. **13. p.** n a c o (wielkie) oczy ⟨*zdziwić się czemu*⟩. **14.** *teatr.* **p.** rolę ⟨*dobrze, właściwie zrozumieć i przygotować rolę; odtworzyć, zagrać jakąś rolę*⟩: Był miernym aktorem i nie potrafił postawić tej głównej roli. **15. p.** (k o m u) śniadanie, kolację, piwo, kieliszek wódki itp. ⟨*poczęstować, potraktować kogo śniadaniem itp.; zafundować komu co*⟩. **16. p.** świadka ⟨*sprowadzić, przedstawić świadka w jakiejś sprawie*⟩: Może postawić świadka, który widział Angelinę, jak uciekała z domu. *Stryjk. Bieg 140.* **17. p.** co pod znakiem zapytania ⟨*uznać co za wątpliwe, podać w wątpliwość*⟩. **18. p.** co komu przed oczy ⟨*ukazać, ujawnić, uświadomić komu co*⟩: Postawił im przed oczy całą grozę położenia. **19. p.** co na (jedną) kartę, na szalę ⟨*ofiarować, zaryzykować co dla kogo, dla jakiej sprawy, idei itp.*⟩: Gotów postawić wszystko na jedną kartę, aby dopiąć celu. **20. p.** c o — n a c z y m, w c z y m ⟨*umieścić, ustawić*⟩: **p.** wazon na stoliku; parasol w kącie. **21. p.** co na gazie; **p.** wodę na herbatę itp. ⟨*umieścić naczynie z czym, z wodą, z jakąś potrawą na ogniu itp. dla przyrządzenia potrawy*⟩. **22. p.** gdzie, na czym swoją nogę, stopę ⟨*zbrojnie, przemocą zawojować, zdobyć, zagarnąć co; wtargnąć gdzie*⟩: Systematycznie wszędzie się obwarowali, gdzie tylko nogę swą postawili, a pomimo to walka trwała lat kilkadziesiąt, zanim cały naród był podbity. *Kętrz. Ludn. 14.* **23. p.** na swoim ⟨*uczynić coś według swej woli, swego życzenia; dopiąć celu, dokazać czego, przeprowadzić swą wolę*⟩: On musi zawsze na swoim postawić. **24. p.** co na wysokim poziomie; na należytej stopie itp. ⟨*doprowadzić co do jakiegoś stanu; urządzić, zorganizować*⟩: Postawił gospodarstwo na wysokim poziomie. **25. p.** k o g o g d z i e, p r z y c z y m ⟨*wyznaczyć komu pracę, miejsce pracy*⟩: Majster postawił świeżo przyjętego do pracy robotnika przy betoniarce. **26. p.** kogo, co na nogi: a) ⟨*podnieść, poderwać, pobudzić kogo, co do czynu, do działania; zerwać, zbudzić ze snu; zelektryzować, zmobilizować*⟩: Alarm postawił wszystkich mieszkańców na nogi; b) ⟨*podźwignąć kogo, co z upadku; poprawić, polepszyć stan materialny kogo, czego*⟩: Nowy zarząd postawił przedsiębiorstwo na nogi. - To małżeństwo mogło go na nogi postawić. *Perz. Lek. 12*; c) ⟨*przywrócić komu siły, zdrowie; pokrzepić, wyleczyć kogo*⟩: Kuracja w sanatorium postawiła go na nogi; d) *daw.* ⟨*ufundować, zorganizować*⟩: Postawiłem na nogi chorągiew z samych zabijaków na całą Litwę znanych. *Sienk. Pot. IV, 93.* **27. p.** kogo na jakimś stanowisku, na czele, u steru czego itp. ⟨*mianować, wyznaczyć kogo na jakieś stanowisko, umieścić kogo na czele czego; dać komu kierownictwo czego*⟩: Gedymin, obdarzywszy osobnymi dzielnicami kilku swoich synów, postawił na ich czele nieudolnego Jawnutę. *Dąbr. J. Dzieje 45.* **28. p.** kogo na piedestale, na świeczniku ⟨*umieścić kogo wysoko w hierarchii społecznej, towarzyskiej itp., uznać go za jednostkę wybitną w jakiejś dziedzinie; wywyższyć kogo*⟩: Krytyka literacka stawia na tym samym piedestale Mickiewicza i Słowackiego. **29. p.** kogo, co dobrze, wysoko, na szczycie itp. ⟨*wynieść kogo, co w oczach ludzi, wzbudzić ich szacunek, podziw, uznanie dla kogo; sprawić, aby ktoś zyskał cenioną pozycję towarzyską, społeczną lub materialną*⟩: Już tak rzecz ułożę, że nie tylko panu nie zaszkodzi, ale wysoko pana postawi. *Fredro J. Żyw. 13.* **30. p.** kogo pod pręgierz, pod pręgierzem ⟨*obwinić publicznie kogo o co; oskarżyć*⟩: Autor chciał postawić pod pręgierz satyry praktyki pewnego wpływowego pisma literackiego. *Rocz. Lit. 1933, s. 69.* **31. p.** kogo poza prawem ⟨*pozbawić kogo praw*⟩. **32. p.** kogo przed sądem, **p.** w stan oskarżenia ⟨*wytoczyć komu proces, sprawę sądową; oskarżyć kogo przed sądem*⟩. **33. p.** kogo, co we właściwym świetle ⟨*ukazać, przedstawić kogo, co tak, jak należy, prawdziwie, właściwie*⟩: Czas postawi we właściwym świetle twoich nieprzyjaciół, czas zedrze z nich maskę. *Lam J. Głowy 118.* **34. p.** kogo, co za wzór komu ⟨*ukazać, przedstawić kogo, co jako ideał, wzór do naśladowania*⟩.

postawić się 1. p. się sztorcem, zuchwale ⟨*stawić komu opór, sprzeciw; sprzeciwić się*⟩. **2.** *przestarz.* **p. się** na słowie ⟨*dotrzymać słowa*⟩. **3. p. się** w czyim położeniu, na czyim miejscu ⟨*wyobrazić sobie, zrozumieć, odczuć czyjąś sytuację, położenie; wejść w czyjeś położenie*⟩: Postaw się pan w moim położeniu, jakże miałam uczynić. *Bliz. Dam. 127.* **4.** Choćby się, żeby się kto na głowie postawił ⟨*choćby się kto usilnie starał o co; o trudnościach, przeszkodach stawianych komu*⟩: Choćby się na głowie postawił, pieniędzy nie zdobędzie. *przysł.* **5.** Zastaw się, a postaw się.

postąpić, postępować 1. p. dobrze, źle; chytrze, mądrze, uczciwie ⟨*znaleźć się, poczynać sobie*⟩. **2. p.** według czego: **p.** według czyjej rady. **3. p.** w o b e c k o g o, w z g l ę d e m k o g o. **4.** *daw.* Postępować w lata ⟨*stawać się starszym; starzeć się*⟩. **5. p.** z k i m ⟨*poczynać sobie, obchodzić się w pewien sposób z kim*⟩: Nie umie postępować z ludźmi.

posterunek 1. p. blokowy ⟨*instalacja sygnalizacyjna w kolejnictwie; blok*⟩. **2. p.** obserwacyjny ⟨*miejsce, z którego się obserwuje; osoba lub załoga pełniąca straż*⟩: Przez dzień śpimy w okopach, wystawiwszy posterunki obserwacyjne; w nocy zaś czuwamy. *Kotarba Pam. 135.* **3.** Silne, wzmocnione **p-i** ⟨*osoby pełniące straż, wartę*⟩. **4.** Stracony, wysunięty **p.** ⟨*odpowiedzialne stanowisko, obowiązek trwania w służbie jakiej idei, sprawy itp.*⟩. **5. p.** wojskowy, milicyjny, policyjny a. **p.** milicji, policji. **6.** *przen.* **p.** pracy. **7.** Być, stać; lec, zginąć na posterunku: Lekarz, zaraziwszy się od chorego, legł na posterunku. *SW.* **8.** Obsadzić co posterunkami. **9.** Opuścić **p.**, zejść z posterunku ⟨*z miejsca, gdzie się pełni straż*⟩. **10.** Postawić na posterunku. **11.** Powołać kogo na jakiś **p. 12.** Ściągnąć **p-i. 13.** Wytrwać na posterunku. **14.** Zameldować się na **p.** milicji. **15.** Zdjąć kogo z posterunku ⟨*ze stanowiska*⟩.

postęp 1. *mat.* **p.** arytmetyczny, geometryczny ⟨*ciąg liczb, w którym różnica (iloraz) dwóch kolejnych wyrazów jest liczbą stałą*⟩. **2. p.** cywilizacyjny, dziejowy, gospodarczy, moralny, społeczny, techniczny ⟨*rozwój*⟩. **3. p.** ludzkości, wiedzy. **4. p.** w c z y m ⟨*osiągnięcie lepszych wyników, wyższy stopień czego*⟩: **p.** w naukach. **5.** Dźwignia, motor postępu. **6.** Idee, ideały, siły postępu. **7.** Obóz postępu ⟨*grupa, zespół ludzi lub krajów, dla których postęp społeczny i polityczny jest przewodnią ideą w działaniu*⟩. **8.** Z postępem czego, w miarę postępu czego ⟨*z biegiem czego, z upływem czego*⟩: Z postępem wieku zaczęły nękać go choroby. **9.** Robić **p-y** ⟨*osiągać coraz lepsze wyniki; rozwijać się*⟩: Chłopiec robił szybkie **p-y** w naukach. - Choroba robiła zastraszające postępy. *Reym. Now. I, 403.* **10.** Kroczyć drogą postępu, wejść na drogę postępu. **11.** Śledzić **p-y** czego. **12.** Tamować, wstrzymywać **p. 13.** Wykaz(yw)ać **p.**, **p-y**.

postępek 1. Brudny, brzydki, chwalebny, oszukańczy, piękny, płochy, szlachetny, śmiały **p.** ⟨*zachowanie się, czyn; uczynek*⟩. **2.** *daw.* **p.** sądowy ⟨*procedura sądowa*⟩. **3.** Odpowiadać, nie odpowiadać za swoje postępki.

postępować p. **postąpić**

postępowanie 1. p. ⟨*sposób zachowania się; czyny, postępki*⟩: Droga, linia; normy, zasady postępowania. Mieć swój sposób postępowania (z ludźmi). **2. p.** apelacyjne, arbitrażowe, cywilne, niesporne, odwoławcze, rewizyjne, sądowe, wykonawcze; **p.** sporne; **p.** spadkowe ⟨*tryb działań sądu*⟩. **3.** Podjąć, wdrożyć, wstrzymać, wszcząć, umorzyć, zamknąć, zawiesić **p.** ⟨*sądowe*⟩: Zgłoszenie wniosku nie wstrzymuje postępowania. *SPP.*

postępowy 1. p. artysta, pisarz, uczony; **p.** umysł; klasa **p-a**; koła, siły **p-e**; stronnictwo **p-e** ⟨*idący (-a,-e) z postępem*⟩. **2. p.** kierunek, nurt, proces, światopogląd; literatura, prasa, sztuka, myśl **p-a**; **p-e** dążenia, idee, hasła, metody, poglądy, przekonania, teorie, tradycje, zasady.

postny 1. Dzień **p.** ⟨*w którym obowiązuje post; dzień bezmięsny*⟩. **2.** Pieśni **p-e** ⟨*pieśni kościelne śpiewane zwykle w okresie wielkiego postu*⟩. **3.** Potrawa **p-a** ⟨*bezmięsna, nie zawierająca tłuszczu, jałowa, chuda, czcza*⟩.

postojowy 1. Stacja **p-a. 2.** Lampy, światła **p-e** ⟨*w pojazdach mechanicznych: światła zapalane podczas postoju pojazdów przy drogach*⟩.

postój 1. Dłuższy, krótki **p.**; **p.** w podróży ⟨*miejsce lub czas zatrzymania się kogo lub czego*⟩: W czasie krótkich postojów koń żarł wszystko, nie przebierając. *Sienk. SPP.* **2.** Zatrzymać się na **p. 3. p.** dorożek, taksówek ⟨*miejsce postoju, stacja*⟩.

postrach 1. Dla postrachu, na **p.** (co robić) ⟨*w celu wywołania strachu, lęku, popłochu u kogo*⟩: Czasem dla postrachu poszczekiwał. *Wikt. SPP.* Wypaliwszy na postrach z krócicy, ruszyła w dalszą drogę. *Sienk. Wołod. III, 53.* **2.** Być postrachem k o g o, c z e g o; d l a k o g o: Baba Jaga jest postrachem dzieci. Bandyta był postrachem okolicy. Był postrachem dla nieprzyjaciół. *SFA.* **3.** Budzić, siać, szerzyć **p. 4.** Rzucić(-ać) **p.** na co: Dają salwy, żeby rzucić postrach na miasto. *Mick. SPP.* **5. p.** padł na kogo, co; zdjął kogo, co.

postradać 1. p. rozum, zmysły ⟨*oszaleć, zwariować*⟩. **2. p.** życie ⟨*zginąć*⟩: Cycero blisko Kapui życie postradał. *Lel. SW.*

postronek Ktoś o nerwach jak postronki ⟨*o kimś bardzo opanowanym, o mocnych nerwach*⟩.

postronny **1.** Osoba **p-a** ⟨*obca*⟩: Osobom postronnym wejście wzbronione. *SW*. **2.** Pies **p.** ⟨*odbiegający na polowaniu od myśliwego, goniący sam za zwierzyną*⟩.

postrzał **1. p.** w c o ⟨*rana od pocisku*⟩: **p.** w nogę, w bok, w skrzydło. **2.** Dostać, otrzymać **p.**

postrzelony **1. p-a** pałka ⟨*postrzeleniec*⟩. **2.** Biega, biegnie, wylatuje itp. jak **p.** ⟨*szybko, pośpiesznie, jak szalony*⟩: Wyleciał z pokoju jak **p. 3.** Być postrzelonym ⟨*narwanym, trochę nienormalnym, bzikowatym*⟩.

postrzępiony **1. p.** horyzont; **p-e** góry, chmury ⟨*o nierównych brzegach, strzępiaste*⟩. **2. p-e** głosy, zdania ⟨*urywane, zagłuszane czym*⟩: Wyrzucał z siebie krótkie, postrzępione zdania. *Kłos. Wiosna 150.*

postrzyc (się) **1. p.** k o g o, **p. się** na mnicha, na zakonnika ⟨*zrobić kogo, zostać mnichem, zakonnikiem*⟩. **2.** Postrzyc uszami (uszyma) ⟨*o zwierzętach: poruszać podniesionymi uszami*⟩: Osioł, postrzygłszy tylko nieco uszyma, przeszedł spokojnie. *Sienk. Pust. I, 175.*

postulat **1.** Słuszny **p. 2.** Stawiać, przedstawiać, rozpatrywać, sformułować **p-y**.

posunąć, posuwać **1. p.** oddział, wojsko itp. ⟨*skierować dokąd*⟩. **2. p.** zegar, wskazówki (zegara) ⟨*popchnąć*⟩. **3. p.** pracę, roboty, sprawę (naprzód, daleko) ⟨*dojść do wyników, przyczynić się do rozwoju*⟩. **4. p.** c o a ż d o c z e g o ⟨*doprowadzić*⟩: Posuwa waleczność aż do zuchwalstwa, hojność aż do rozrzutności, pokorę aż do upodlenia. *SW*. **5. p.** co za daleko ⟨*przesadzić w czym; nadużyć czego*⟩: Za daleko posuwasz szyderstwo, bezwstyd, bezczelność, zemstę, nienawiść. *SW*. **6.** *przestarz.* **p.** kogo na jakieś stanowisko, na wyższy urząd, stopień ⟨*awansować kogo, przesunąć na (wyższe) stanowisko*⟩. **7.** Posuwać nogami ⟨*powłóczyć nogami*⟩: Przybyły przedreptał posuwając trochę nogami wzdłuż sali. *Krasz. SW*. **8. p.** w konkury do kogo ⟨*ruszyć, udać się, uderzyć; starać się o rękę*⟩.

posunąć się, posuwać się **1. p. się** d o c z e g o, np. do rękoczynu, do zwierzeń ⟨*ośmielić się na co, (z)decydować się na co*⟩. **2.** *przestarz.* **p. się** d o k o g o, o c o ⟨*starać się o co, zwrócić się do kogo o co*⟩: **p. się** do ojca o rękę córki.

posuwisty Taniec **p.** ⟨*o pas (kroku) suwanym*⟩.

posyłać p. **I posłać**

poszanowanie **1. p.** ludzkie ⟨*szacunek, poważanie*⟩. **2.** Wzajemne **p.** c z e g o ⟨*szanowanie, uszanowanie czego*⟩: Wzajemne poszanowanie praw, interesów. **3. p.** c z e g o: **p.** pracy, prawa. **4. p.** d l a k o g o, d l a c z e g o: **p.** dla starszych, dla cudzej własności. **5. p.** u k o g o: **p.** u kolegów, u sąsiadów. **6.** Godny poszanowania. **7.** Mieć **p.** d l a k o g o, c z e g o; mieć w poszanowaniu k o g o, c o ⟨*szanować kogo, co*⟩: Robotnice [pszczoły] [...] mają w wielkim poszanowaniu królową, pielęgnują ją i służą jej starannie. *Dyak. Przyr. 170.* **8.** Zyskać **p.**

poszarpany **1. p.** horyzont, **p-e** kontury, **p-e** wybrzeże ⟨*o nierównych brzegach, postrzępiony(-e)*⟩. **2. p.** głos ⟨*urywany, słyszany z przerwami*⟩: Opowiadać co poszarpanym głosem.

poszczycić się Móc **p. się** czym ⟨*wykazać się czym godnym pochwały, przynoszącym zaszczyt*⟩: Teatr nasz może się poszczycić świetnymi aktorami.

poszukać **1. p.** czego w pamięci ⟨*przypomnieć sobie co*⟩: Zmarszczyła brwi i poszukała tamtych słów w pamięci. *Goj. Dziew. I, 109.* **2. p.** czego ze świecą, daleko czego **p.**; jakiego, jakiej, jakich **p.** ⟨*coś jest bardzo rzadkie, trudne do odnalezienia, należy do rzadkości; jakich mało, doskonały*⟩: Mam wieś, jakiej daleko poszukać. *Fredro A. Jow. 142.* Majstrowie, jakich poszukać. *Fredro A. SW*. **3. p.** k o g o, c o oczami, wzrokiem ⟨*postarać się znaleźć kogo wzrokiem, spojrzeć na kogo*⟩. **4. p.** odwetu na kim, **p.** zadośćuczynienia ⟨*wziąć odwet, zemścić się na kim, uzyskać zadośćuczynienie*⟩: [Napoleon] miał pod bokiem [...] Austrię, gotową zerwać w każdej chwili narzucony jej pokój i poszukać na nim odwetu, skoro tylko powinie mu się noga. *Ask. Poniat. 109.*

poszukiwanie **1.** Skrzętne, usilne **p-a**. **2. p.** k o g o, c z e g o [nie: z a k i m, z a c z y m]: Wszelkie poszukiwania go [nie: z a n i m] były bezowocne. *SPP*. **3.** Prowadzić **p-a** ⟨*prace badawcze, badania*⟩.

pościel **1.** Świeża, śnieżnej białości **p.** ⟨*bielizna pościelowa*⟩. **2.** Zmieni(a)ć, przewlec **p. 3.** *rzad.* Dębowa, sosnowa **p.** ⟨*trumna*⟩. **4.** *książk.* Być, leżeć na śmiertelnej pościeli ⟨*być śmiertelnie chorym, bliskim śmierci*⟩: Donosi mu, że jego ojciec na śmiertelnej leży pościeli. *Dzierzk. Obrazy 80.*

pościelić *przysł.* Jak sobie pościelisz (pościelesz), tak się wyśpisz.

pościg **1. p.** ⟨*ściganie, ludzie ścigający; pogoń*⟩: natychmiastowy **p. 2. p.** z a k i m, z a c z y m: **p.** za nieprzyjacielem, za bandytą. **3.** Ujść przed pościgiem, wymknąć się pościgowi. **4.** Wysłać, zorganizować **p.**

poślizg Wpaść w **p.** ⟨*o pojazdach mechanicznych: przy ruszaniu ślizgać się kołami w miejscu; przy hamowaniu przesunąć się po śliskiej powierzchni bez obrotu kół*⟩: Auto wpadło w poślizg i uderzyło w przydrożne drzewo.

pośmiertny **1.** Odprawa, zapomoga **p-a** ⟨*określona suma (pieniędzy) wypłacana rodzinie przez przedsiębiorstwo po śmierci pracownika*⟩. **2.** Pisma, papiery; wydanie **p-e** ⟨*pisma, papiery, utwory wydane po śmierci autora*⟩. **3.** Wspomnienie **p-e** ⟨*artykuł omawiający życie i działalność zmarłego*⟩.

pośmiewisko **1.** Być celem pośmiewiska; być narażonym, narazić się, podać, wystawić kogo na **p.** ⟨*być celem drwin, urągowiska, szyderstwa, narazić się itp. na drwiny, urągowiska, szyderstwa*⟩. **2.** Być, stać się pośmiewiskiem; robić z kogo (z siebie) **p.** ⟨*być itp. przedmiotem drwin, być osobą lub rzeczą, z której się wszyscy śmieją*⟩.

pośpiech **1.** Nerwowy, szalony, ustawiczny **p. 2.** Bez pośpiechu, przez **p.**, w pośpiechu (co robić): Z pośpiechu, przez pośpiech a. w pośpiechu zapomniał o najważniejszej rzeczy. *SW*. **3.** Z pośpiechem (pośpiesznie): Wraca z pośpiechem. *SW*. **4.** Naglić do pośpiechu.

pośredni Być czymś pośrednim (po)między czym i (a) czym: Było to coś pośredniego pomiędzy chatą chłopską a małym dworkiem. *Krasz. SPP*.

pośrednictwo 1. p. m i ę d z y k i m a k i m. **2.** Biuro pośrednictwa pracy ⟨*instytucja ułatwiająca uzyskanie zajęcia, posady itp.*⟩. **3.** Za pośrednictwem kogo lub czego ⟨*przy pomocy kogo, za pomocą czego; dzięki komu lub czemu; przez kogo*⟩: Pertraktować z firmą zagraniczną za pośrednictwem jej przedstawiciela. **4.** Ofiarować swoje **p. 5.** Podjąć się pośrednictwa; prosić o **p.**, wziąć na siebie **p.** (w jakiej sprawie).

poświecić Ani **p.**, ani poświeci (kogo lub czego) ⟨*nie ma kogo, czego ani śladu*⟩: Uczucia swe wypowiadają frazesami zużytymi; szczerości między nimi nawet nie poświecić. *Chmielow. Zarys 303*.

poświęcenie 1. p. bez granic ⟨*czyn ofiarny*⟩. **2.** Pełen poświęceń; gotowy do poświęceń. **3. p.** kościoła ⟨*konsekrowanie*⟩. **4.** Być gotowym do najwyższych poświęceń dla kogo, dla czego.

pot 1. Gęsty, obfity, zimny **p. 2.** Siódmy **p.**, siódme **p-y** ⟨*obfite pocenie z wysiłku lub gwałtownego wzruszenia*⟩: Zlewać się siódmym potem; siódme **p-y** biją na kogo; pracować do siódmego potu. **3.** Śmiertelny **p.**, śmiertelne **p-y** ⟨*bardzo silne pocenie się pod wpływem strachu, bólu lub wysiłku*⟩: Oblać się śmiertelnym potem. **4.** Mokry od potu. **5.** Lekarstwo, zioła na **p-y** ⟨*na obfite pocenie się*⟩. **6.** Brać, dać komu na **p-y** ⟨*brać, dać środki wywołujące obfite pocenie się w celach leczniczych*⟩. **7.** (Być) cały w pocie, w potach, w siódmych potach; tonąć w potach ⟨*pocić się intensywnie*⟩: Obudziłem się [...] cały w potach. *Chodź. Pisma III, 29*. **8.** Obetrzeć, ocierać **p.** z czoła, z twarzy. **9.** Pracować, zarabiać (na chleb); spożywać chleb (*1. Mojż. III, 19*) w pocie czoła, w krwawym pocie, *daw.* do potu, w pocie, w potach ⟨*pracować bardzo ciężko, z dużym wysiłkiem, nakładem pracy, zarabiać itp. trudząc się bardzo*⟩. **10.** Skropić, użyźnić potem (ziemię). *SFA*. **11.** Uprawiać co (np. rolę) krwawym potem, w krwawym pocie ⟨*uprawiać co ciężką pracą, ciężkim znojem*⟩. **12. p-y** uderzyły, wystąpiły na kogo ⟨*ktoś poci się, spocił się bardzo (z gorąca lub pod wpływem silnych wzruszeń)*⟩. **13. p.** leje się; oblał, zlewa kogo, co (np. twarz).

potąd (Mieć) czego (kogo) **p.** (z gestem wskazującym na gardło, nos, w ogóle głowę) ⟨*(mieć) czego w nadmiarze, nie móc już patrzeć na kogo, na co*⟩: Jedzenia **p.** Mam tego **p.**

potem 1. Ani przedtem, ani **p. 2.** Dopiero **p. 3.** Zaraz **p.** ⟨*w następnej chwili, następnie*⟩. **4.** Na **p.** ⟨*na później, na przyszłość*⟩: Schować, odłożyć co na **p.**

potęga 1. Niezwykła, wielka **p.** ⟨*moc, wielka siła*⟩. **2. p.** majątkowa ⟨*przewaga, wpływ, wielkość*⟩. **3. p.** morska, lądowa, światowa ⟨*mocarstwo*⟩. **4.** *mat.* **p.** druga, trzecia itp. ⟨*iloczyn danej liczby przez nią samą; kwadrat liczby; iloczyn trzech czynników równych danej liczby, sześcian liczby itp.*⟩. **5. p-i** nadprzyrodzone, piekielne, złe ⟨*domniemane istoty nadprzyrodzone ingerujące w życie ludzkie; siły, moce, duchy*⟩. **6. p.** c z e g o ⟨*moc, skuteczność*⟩: **p.** słowa, **p.** przyrody, oświaty, rozumu; pieniędzy, złota; *przen.* **p.** woli. **7. p.** państwa ⟨*przewaga, wpływ wielkość; władza*⟩. **8.** *mat.* Wykładnik potęgi ⟨*liczba, która wyraża, ile razy podstawa potęgi występuje jako czynnik*⟩. **9.** *przestarz.* Całą, straszliwą, znaczną potęgą (iść, wyruszyć, stanąć itp.) ⟨*całą armią*⟩. **10.** Do potęgi (wzmagać co, przesadzać) ⟨*w bardzo dużym stopniu, w dwójnasób, wielokrotnie*⟩: Wieści przesadzone do potęgi. **11.** Na potęgę ⟨*w dużych ilościach, w dużym stopniu, bardzo intensywnie, bardzo mocno*⟩: Zmęczony na potęgę. Kłamać, spać, pić na potęgę. Kpili na potęgę z „barbarzyństwa i ciemnoty" młodego poety. *Brosz. SPP*. **12.** Dojść, przyjść do potęgi; stanąć u szczytu potęgi; rosnąć, wzrastać w potęgę; stanowić potęgę ⟨*o państwie, kraju, społeczeństwie, rodzie, niekiedy o jednostce: stać się, stawać się, być potężnym*⟩: Spartakus stanął u szczytu potęgi. *Rudn. H. Spart. 81*. Rósł w wojskową potęgę. *Sienk. SPP*. **13.** Obalić, skruszyć, zniszczyć potęgę czyją: Skruszyć potęgę zakonu. *Mick. SW*. **14.** Podnieść, podnosić liczbę do określonej potęgi ⟨*(po)mnożyć ją przez siebie określoną ilość razy, potęgować*⟩. **15.** Urastać do potęgi czego ⟨*stawać się potężnym jak...*⟩: W oczach naszych chłop urasta do potęgi króla Piasta. *Wysp. Wes. 55*.

potępiający p. sąd, wyrok itp. ⟨*zawierający uznanie czyjej winy*⟩.

potępienie 1. Wieczne **p.** ⟨*w religiach chrześcijańskich: utrata zbawienia, kara za grzechy w postaci piekła*⟩. **2.** Rzucać **p.** na kogo; skazać kogo na (wieczne) **p.**

potępieniec Cierpieć, drzeć się, jęczeć, krzyczeć, męczyć się, ryczeć itp. jak **p.** ⟨*nieludzko, okropnie*⟩.

potężny 1. p. mężczyzna, **p.** nos; **p-e** łapy, nogi; **p-a** głowa, łysina ⟨*dużych rozmiarów, wielki(-e,-a), masywny(-e,-a)*⟩. **2. p.** cios, mróz; **p.** huk ⟨*odznaczający się dużą siłą, bardzo silny*⟩; *żart.* **p-e** chrapanie. **3. p.** haust, łyk ⟨*zawierający dużo płynu, ogromny*⟩. **4. p.** kraj, sojusznik, protektor, wróg; **p-e** państwo, stronnictwo, **p-e** siły ⟨*będący(-e) potęgą, wpływowy(-e), możny(-e)*⟩. **5. p.** skok, sus ⟨*ogromny*⟩. **6. p-e** wrażenie (zrobić na kim) ⟨*bardzo intensywne, silne, mocne*⟩. **7.** *przen.* **p.** głupiec, **p.** umysł; **p-a** indywidualność; **p-a** wola.

potoczny Styl, zwrot **p.**; wyrażenie **p-e** ⟨*styl itp., którym posługujemy się w życiu codziennym, w swobodnej rozmowie, nieliteracki(-e), nieksiążkowy(-e)*⟩.

potoczyć p. (dokoła, po czym) okiem, spojrzeniem, wzrokiem ⟨*rozejrzeć się dokoła, spojrzeć kolejno na wszystkich*⟩: Bystrym okiem potoczyła po całym towarzystwie. *Łoz. Wal. Noce 103*.

potok 1. Rwący, spieniony, szumiący, wartki **p. 2. p-i** lodowe, lodowcowe ⟨*w epoce lodowcowej wąskie strumienie wody płynące w szczelinach tworzących się w jednolitej powłoce lodowej*⟩. **3. p.** c z eg o ⟨*strumień, nurt*⟩: **p.** lawy, wody; **p-i** deszczu; *przen.* **p.** światła; **p.** obelg, wymysłów. **4.** Lać się, płynąć, spływać itp. potokiem, potokami (o deszczu, krwi, łzach itp.) ⟨*bardzo obficie*⟩: Krew mu się z rany lała potokiem. *Grudz. Ideal. 66.* Deszcz potokami spływał po szybach. **5.** Krew leje się, płynie potokiem, potokami ⟨*jest dużo rannych lub zabitych w czasie wojny; wojna pochłania liczne ofiary*⟩: Wstyd [...] biadać nad sobą, kiedy potokiem leje się krew. *Strug Ojc. 94.* **6.** Wino, rum itp. płynie, leje się potokiem, potokami ⟨*wino itp. jest pite w wielkich ilościach*⟩: Na przyjęciu szampan lał się potokiem. **7. p.** płynie, rwie, szoruje, wije się.

potomność 1. Przejść do potomności ⟨*do przyszłości, do czasów potomnych*⟩: Do potomności przeszedł Krasicki nade wszystko jako najznakomitszy bajkopisarz polski. *Chrzan. I. Lit. 471.* **2.** Przekazać co, pozostawić sąd o czym potomności.

potomstwo 1. Liczne **p.** ⟨*potomkowie, synowie i córki; również młode zwierzęta*⟩. **2.** Mieć, płodzić, wyd(aw)ać, zostawić po sobie **p. 3.** Obdarzyć kogo (licznym) potomstwem.

potracić p. głowy (w odniesieniu do wielu osób): **a)** ⟨*nie wiedzieć co począć, ulec panice*⟩: Ludzie w tym rozgardiaszu potracili głowy; b) ⟨*ulec czyjemu urokowi, zakochać się gwałtownie*⟩: To jeden Litwin nadzwyczajnej gładkości, za którym wszystkie panny z fraucymeru księżny głowy potraciły. *Sienk. Ogn. III, 185*; c) *rzad.* ⟨*doznać zamroczenia, upić się*⟩: Po kilku kieliszkach potracili głowy.

potrafić 1. p. być jakim ⟨*umieć być jakim*⟩: Potrafi być dowcipnym. **2.** Jak tylko (kto, co) być potrafi: Była dla nich tak niedobra, jak tylko potrafi być człowiek dla drugiej ludzkiej istoty. *Jaroch. Niemił. 193.*

potrawa 1. Prosta, posilna, wykwintna, wyszukana; smaczna, ulubiona, wymyślna; niesmaczna, obrzydliwa **p. 2. p.** mięsna, postna. **3.** Obiad z x potraw. **4.** Karta, spis potraw ⟨*karta zawierająca zestaw potraw (wraz z cenami); jadłospis*⟩. **5.** Przyprawa do potraw. **6.** Przyrządzać, roznosić **p-y. 7.** Zastawić (np. stół) potrawami.

potrawka 1. p. z raków, z ryżu, z kurczęcia. **2.** Kura w potrawce.

potrzask Wpaść w **p.**; znaleźć się w potrzasku, jak w potrzasku ⟨*znaleźć się w pułapce, wpaść w zasadzkę*⟩: Przekonali się później, że byliby wpadli w potrzask. *New. SPP.* Otoczony ze wszystkich stron zbieg znalazł się w potrzasku.

potrzeba 1. Konieczna, nagła, nieodzowna, paląca, pilna **p. 2. p.** fizjologiczna, naturalna, *daw.* przyrodzona ⟨*konieczność oddania moczu lub kału*⟩. **3. p-y** główne, pierwsze, najpierwsze, najkonieczniejsze, najpilniejsze ⟨*rzeczy podstawowe, zasadnicze, stanowiące o egzystencji człowieka*⟩: Zaspokoić najkonieczniejsze **p-y. 4. p-y** czytelnicze, kulturalne, materialne, oświatowe, umysłowe ⟨*rzeczy, warunki niezbędne do czego*⟩. **5.** Rzeczy, towary itp. pierwszej potrzeby ⟨*takie, bez których nie można istnieć, nie można się obejść*⟩: Sklep dobrze zaopatrzony w artykuły pierwszej potrzeby. **6.** Bez potrzeby ⟨*niepotrzebnie, napróżno, nadaremno*⟩: Kręcić się bez potrzeby. Denerwujesz się czymś bez potrzeby. *Prus SPP.* **7.** W potrzebie ⟨*w niebezpieczeństwie; w biedzie*⟩: Przyjść komu z pomocą; porzucić, opuścić kogo w potrzebie. **8.** W miarę potrzeby. Każdy pokój w miarę potrzeby łączył się z innymi. *Prus SPP.* **9.** W razie potrzeby: W razie potrzeby pomagał po cichu, lecz skutecznie. *Prus SPP.* **10.** *daw.* Wedle potrzeby ⟨*tyle, ile trzeba, dosyć*⟩: Jedźże więc, kiedy tak chcesz, zabaw się tam wedle potrzeby, ale wracaj nam wczas. *Kaczk. Olbracht. II, 97.* **11.** (Jest) **p.** c z e g o, (jest) k o m u **p.** c z e g o: Potrzeba rozsądku. *Mick. SPP.* Potrzeba nam wszystkim serc. *Dygas. SPP.* **12.** *przestarz.* Być w potrzebie ⟨*znajdować się w ciężkim położeniu, w trudnej sytuacji zwłaszcza materialnej*⟩: Jeżeli tylko możesz, bądź łaskaw pożyczyć mi pieniędzy [...] jestem teraz w... potrzebie. *Sienk. Koresp. I, 67.* **13.** Czuć, odczuwać potrzebę czego: Czuł potrzebę zwierzania się. **14.** Iść, pójść za (swoją) potrzebą ⟨*iść, pójść, aby się załatwić, oddać mocz lub kał*⟩. **15.** *przestarz.* Mieć potrzebę czego ⟨*potrzebować czego*⟩: Jeżelibyś miał potrzebę paszportu, pójdziesz z listkiem tu przyłączonym. *Mick. Listy II, 397.* **16.** *przestarz.* Mieć co nad potrzebę ⟨*posiadać co w nadmiarze*⟩: Jeżeli który z nich godziwym przemysłem do tego stanu dojdzie, że ma więcej nad potrzebę, nie trzeba go niszczyć pod pretekstem, że zbytek dobrego mienia człowieka psuje. *Kras. Podstoli 39.* **17.** Nie mieć potrzeby (co robić) ⟨*nie być zmuszonym, zobowiązanym czynić co*⟩: Motruna nie miała potrzeby ani po wodę chodzić, ani o drwach myśleć. *Krasz. Chata I—II, 156.* **18.** Nie ma potrzeby czego ⟨*nie trzeba*⟩: Na moje pytanie, czy nie sprowadzić jej doktora, odpowiedziała [...] że nie ma najmniejszej potrzeby. *Sienk. Bez dogm. III, 113.* **19.** Zaspokoić potrzebę czego. **20. p.** przyciska kogo, zmusza kogo do czego. **21. p.** (czego) zachodzi.

potrzebny 1. p. d o k o g o, c z e g o: Wychowawczyni **p-a** do dzieci. Higiena **p-a** do zdrowia. Książka **p-a** do lektury. **2. p.** d l a k o g o lub k o m u: To dla mnie wcale niepotrzebne. *SPP.* Komu to potrzebne? **3. p.** n a c o: Pieniądze potrzebne na wypłaty. *Dąbr. M. SPP.*

potwarz 1. Niegodna, sromotna **p. 2.** Rzucać(-ić) **p.** na kogo: Zdjęło ją oburzenie, że ktoś śmie taką potwarz rzucać na Wilczka. *Kaczk. SPP.*

pourabiać p. sobie ręce (do łokci) ⟨*pracując wiele ponad siły nadszarpnąć zdrowie, zmęczyć się, zmordować się*⟩: Ręce sobie do łokci pourabia, **a** na złe się nie puści. *Konopn. Now. I, 124.*

powab 1. p. kobiecy ⟨*urok, czar, piękno, wdzięk*⟩. **2. p-y** serca, umysłu; **p.** świata, życia. **3.** Czarować, nęcić powabem (czego). **4.** Dodawać, przydawać powabu, powabów; stracić **p.**

powaga 1. p. lekarska, naukowa itp. ⟨*doskonały fachowiec, autorytet w dziedzinie medycyny, nauki itp.*⟩. **2.** Niezachwiana, niewzruszona, wewnętrzna **p.** ⟨*poważne zachowanie się, stateczność, godność*⟩. **3.** Ojcowska **p.** ⟨*autorytet*⟩. **4. p.** c z e g o: **p.** chwili ⟨*ważność*⟩. **5. p.** lat, wieku. **6. p.** narodu, sądu; **p.** prawa, władzy ⟨*autorytet*⟩. **7. p.** śmierci ⟨*majestat; spokój*⟩. **8. p.** w o b e c k o g o ⟨*autorytet*⟩: Ażeby nie osłabić własnej powagi wobec dzieci. *Prus SPP.* **9.** *daw.* Pod powagą ⟨*pod osłoną, pod pozorem czego*⟩: Na zjazdach tych wszystko działo się jeszcze pod powagą i z woli króla. *Bandt. Hist. 125.* **10.** Z (całą, niewzruszoną itp.) powagą (robić co) ⟨*poważnie, serio, nie śmiejąc się*⟩: Opowiadać co, przyglądać się komu, czemu z niewzruszoną powagą. **11.** Cieszyć się powagą ⟨*autorytetem*⟩. **12.** Dodawać, nadawać, przydawać komu, sobie powagi ⟨*godności, znaczenia; dojrzalszego wyglądu*⟩. **13.** Mieć powagę u kogo, gdzie, *daw.* nad kim ⟨*być poważanym przez kogo*⟩: Chcąc u ludzi mieć powagę, nie trzeba się z podłymi pospolitować. *Boh. Figl. 46.* **14.** Nabrać powagi (i znaczenia). **15.** Oblec się, przyoblec twarz w powagę, przybrać wyraz powagi ⟨*stać się poważnym, spoważnieć*⟩. **16.** Podnieść, podkopać, poderwać, utrzymać, zachować powagę: Mówca chciał tym milczeniem podnieść powagę nowego ustępu. *Par. SPP.* **17.** Stracić, zyskać na powadze ⟨*na autorytecie, na prestiżu*⟩. **18.** Uchodzić za powagę (w jakiej dziedzinie lub specjalności) ⟨*być autorytetem, doskonałym specjalistą*⟩. **19.** Użyć swojej powagi ⟨*swego autorytetu*⟩: Użyj swojej powagi wobec dzieci. **20.** Zażywać, *daw.* używać powagi u kogo ⟨*mieć znaczenie, być ważnym, uważanym za autorytet; doznawać szacunku, uznania*⟩: Zażywał powagi jako znawca muzyki.

powalić 1. p. kogo z nóg, **p.** kogo na łopatki, **p.** na ziemię ⟨*przewrócić, obalić*⟩. **2. p.** k o g o — c z y m: a) ⟨*obalić, przewrócić uderzeniem*⟩: Pięścią powalił zhukanego byka. *Zal. SW*; b) ⟨*porazić, postrzelić, zabić*⟩: Powalił niedźwiedzia celnym strzałem. **3.** *daw.* **p.** kogo trupem ⟨*zabić kogo*⟩: Pchnął go nożem w serce i powalił trupem. *Moracz. Dzieje VII, 22.* **4.** Choroba, atak (choroby) powalił(a) kogo ⟨*ktoś zachorował ciężko, dostał silnego ataku choroby*⟩.

pował *daw.* Na **p.**, powałem ⟨*stosami, stertami; pokotem, pokosem*⟩: Kłaść jodły na **p.** Leżą trupy na pował. *SW.*

powarzony Byli, chodzili (jak) powarzeni ⟨*byli wytrąceni z równowagi, zakłopotani*⟩: Wszyscy chodzili powarzeni, zdenerwowani. Całe wojsko było jak powarzone. *Pas. SW.*

poważanie 1. Głębokie, powszechne, prawdziwe, wielkie **p.** ⟨*uznanie, szacunek*⟩. **2.** Być u kogo w poważaniu: Córka ich w całym mieście w wielkim jest poważaniu. *Kaczk. SW.* **3.** Mieć, zyskać **p.**, *daw.* zażywać poważania u kogo. **4.** Mam cię, go itp. w dużym poważaniu ⟨*euf. wulg. zamiast mam cię, go itp. w dupie; nic sobie z ciebie, z niego itp. nie robię*⟩. **5.** (Łączyć, załączać) wyrazy poważania, z poważaniem, skrótowo: z poważaniem ⟨*formułka grzecznościowa stosowana jako zakończenie listu (o charakterze urzędowym lub do osób mniej znanych)*⟩.

poważnie 1. p. chory; **p.** zachorować ⟨*ciężko, obłożnie*⟩. **2.** Brać, traktować kogo lub co **p.** ⟨*serio*⟩: Brać życie **p. 3.** Myśleć o kobiecie **p.** ⟨*mieć zamiar ożenić się z nią; starać się o nią*⟩. **4.** Wyglądać **p.**: a) ⟨*starzej, na więcej lat niż się ma w rzeczywistości*⟩; b) ⟨*solidnie; mieć wygląd wzbudzający zaufanie*⟩.

poważny 1. p-a choroba, rana ⟨*budząca obawy, niebezpieczna, groźna, ciężka*⟩. **2. p-e** dzieło ⟨*wartościowe, o dużym znaczeniu*⟩. **3. p-a** mina, **p-e** spojrzenie, **p.** wzrok ⟨*pełna(-e), pełen powagi*⟩. **4. p-e** kapitały, oszczędności ⟨*znaczne, duże*⟩. **5. p.** kolor ⟨*niejaskrawy; postarzający*⟩. **6. p-e** lata, **p.** wiek ⟨*podeszłe(-y); starość*⟩: Z nią zapoznawały się damy poważne stanowiskiem i wiekiem. *Prus Emanc. III, 65.* **7.** Muzyka **p-a** ⟨*muzyka klasyczna w przeciwieństwie do lekkiej, rozrywkowej*⟩. **8. p.** stan: a) ⟨*w chorobie: ciężki, groźny, budzący obawy*⟩; b) ⟨*o kobiecie w ciąży: ciąża*⟩. **9. p.** strój, **p-e** ubranie; **p-a** suknia itp. ⟨*odpowiedni(-e,-a) dla osoby starszej; postarzający(-e,-a)*⟩. **10. p-a** suma, **p-e** koszty ⟨*znaczna(-e), pokaźna(-e)*⟩. **11. p-e** zamiary ⟨*względem kobiety: chęć zawarcia z nią małżeństwa*⟩. **12. p.** zarzut ⟨*ciężki*⟩. **13.** *daw.* **p.** znak, **p-a** chorągiew ⟨*regularny oddział wojska*⟩. **14. p.** c z y m ⟨*okazały, potężny*⟩: O dwa tysiące kroków zamek stał za domem, okazały budową, poważny ogromem. *Mick. Tad. 17.* **15. p.** latami, wiekiem ⟨*podeszły w latach; sędziwy, stary*⟩. **16.** Być w poważnym stanie ⟨*o kobiecie: być w ciąży*⟩.

powąchać 1. p., nie **p.** prochu ⟨*brać udział, nie brać udziału w bitwie*⟩: Nie powąchawszy prochu dosłużę się naszywek kaprala. *Hertz B. Termin. 54.* **2.** *przestarz.* Dać komu **p.** grosza ⟨*dać pieniądze*⟩: Zjedzą licha, żebym im dał powąchać grosza, póki mnie mego nie oddadzą do szeląga. *Krasz. Int. 274.* **3.** Powąchaj, czym to pachnie ⟨*zwrot używany w pogróżkach z jednoczesnym pokazaniem paska, pięści, kija itp. jako narzędzia wymierzenia kary*⟩.

powątpiewanie 1. p. o c z y m a. w c o ⟨*wątpliwość*⟩: Wyrazić **p.** o czym a. w co. **2.** Z powątpiewaniem ⟨*mając wątpliwości; niedowierzająco*⟩: Z powątpiewaniem kręcić głową; przyjąć jakąś wiadomość, czyje zapewnienie. **3.** *daw.* Być, zostawać w powątpiewaniu ⟨*być niepewnym co do czego, być w niepewności; powątpiewać o czym*⟩: W powątpiewaniu zostawałem, jak też on projekt przyjmie. *Koźm. Pam. III, 39.*

powędrować p. do więzienia, *pot.* do paki, za kratki ⟨*zostać uwięzionym*⟩.

powiać Inny wiatr, wiatr z innej strony powiał, powieje ⟨*zmieniła się, zmieni się sytuacja*⟩: Obawiano (się), żeby znowu inny wiatr nie powiał i Linowscy nie cofnęli pozwolenia. *Bał. Dziady 202.*

powiadać 1. *pot.* Powiadam ci, wam ⟨*zwrot wtrącony, usprawiedliwiający użycie jakiegoś określenia*⟩: Człowiek gruby, powiadam wam, jak beczka. Język, powiadam państwu, miałem obłożony, że aż strach. *SW.* **2.** Serce, przeczucie powiada co komu ⟨*ktoś ma przeczucie, ktoś coś przeczuwa*⟩: Serce, przeczucie mi powiada, że wkrótce wszystko się szczęśliwie ułoży. *SW.* **3.** Jak powiada, jak powiadasz, jak powiadają ⟨*zwroty wtrącone: jak twierdzi itp., jak utrzymuje itp.*⟩: Jest to człek znakomity, bo, jak sam powiada, ma tytuł starościca jeszcze od pradziada. *Zabł. Firc. 8.* Był to, jak powiadają, dzielny człowiek. *SW*. **4. p.** komu co pod sekretem ⟨*zwierzać się, wyjawiać co w zaufaniu zastrzegając tajemnicę*⟩: A jeżeli ci kobieta coś powiada pod sekretem, to nie po to, abyś to jej zaraz wypominał. *Iwasz. J. Odbud. 31*. **5.** *daw*. **p.** przyszłość ⟨*wróżyć, przepowiadać przyszłość*⟩. **6.** *daw*. **p.** sobie ⟨*myśleć, tłumaczyć sobie co*⟩: Czuję [...] że moja młodość nie jest zupełnie stracona dla dobra ojczyzny mojej — przynajmniej tak sobie powiadam. *Słow. Listy I, 159*. *daw*. **7. p.** kogo jakim lub kim ⟨*głosić wieści o kim, uważać kogo za kogo; pomawiać, posądzać kogo o co*⟩: Powiadano go pojmanym, to rannym. *Kaczk. Anunc. II, 4*. **8.** *daw*. **p.** czym ⟨*uważać, mieć za co*⟩: Insi [...] dogodzenie zmysłom największym na ziemi dobrem powiadają. *Karp. Zab. IV, 78*.

powiastka 1. p. filozoficzna, historyczna, ludowa, wierszowana itp. ⟨*krótkie opowiadanie, opowieść, historyjka*⟩. **2. p.** o czym: **p.** o mądrym słoniu. **3. p.** dla kogo: **p.** dla dzieci, dla młodzieży. **4.** Czytać, pisać **p-i**. **5. p-i** krążą wśród ludu.

powiązać się *książk*. **p. się** z kim wieczną przysięgą ⟨*zawrzeć małżeństwo*⟩: Gorąco pragnąłem wieczną przysięgą powiązać się z najdroższą mi Zosią. *Kaczk. Murd. II, 51*.

powiązany p. pokrewieństwem ⟨*krewny*⟩.

powicie 1. Od powicia ⟨*od dnia narodzin, od pierwszego dnia życia*⟩: Gorące serce wrzało we mnie od powicia. *Słow. Maria 101*. **2.** W powiciu ⟨*w wieku niemowlęcym; w dzieciństwie*⟩: Urodzony w niewoli, okuty w powiciu, ja tylko jedną taką wiosnę miałem w życiu. *Mick. Tad. 305*.

powiedzenie 1. *daw*. Nad wszelkie **p.** ⟨*nad wszelki wyraz; tak, że trudno to wyrazić słowami*⟩: Kochali go nad wszelkie powiedzenie. *Konopn. Now. IV, 113*. **2.** Mieć sobie dużo do powiedzenia ⟨*mieć wiele do omówienia, wyjaśnienia; mieć temat do zwierzeń*⟩: Pochylali się oboje ku sobie, widocznie mieli sobie dużo do powiedzenia. *Zap. G. Mił. 208*. **3.** Nie mieć nic do powiedzenia (w jakiej sprawie, w czym) ⟨*nic nie znaczyć, nie odgrywać żadnej roli*⟩: Ja tu nic nie mam do powiedzenia. *Nałk. Z. SPP*.

powiedziane 1. Mało **p-e** ⟨*zwrot wtrącony precyzujący wypowiedź*⟩: Jest człowiek bardzo, a bardzo tobą zajęty, nawet to mało powiedziane: zajęty, zakochany w tobie po uszy. *Jun. Now. 209*. **2.** Nie jest **p.** ⟨*nie jest pewne*⟩: Wcale nie jest **p.**, że mecz wygramy.

powiedzieć 1. p. co cicho, głośno, dobitnie, szeptem; łagodnie, stanowczo, z gniewem, w dwóch słowach itp.; **p.** otwarcie, szczerze, wprost, wręcz, bez ogródek itp. **2. p.** mowę, kazanie; **p.** wiersz, **p.** co wierszem, prozą ⟨*wygłosić; wyrecytować*⟩. **3. p.** sobie (w duchu): a) ⟨*pomyśleć, uświadomić sobie co*⟩: Powiedział więc sobie w duchu: „Ach, ty durniu niemądry, czego ty się boisz?" *Brand. M. Dom 112*; b) ⟨*obiecać, przyrzec sobie co; postanowić*⟩: Powiedziałem sobie, że odtąd nikomu nie pożyczę. *SW*. **4. p.** swoje ⟨*wypowiedzieć się w jakiej sprawie, wyjaśnić swoje stanowisko, swój pogląd*⟩: Co do mnie, powiedziałem swoje aż w trzech felietonach. *Boy Flirt VI, 33*. **5.** Śmiech, wstyd **p.** ⟨*zwroty wtrącone, określające stosunek mówiącego do treści zawartej w wypowiedzi*⟩: Także się starał o jej względy a — wstyd powiedzieć — dla takiej Fesi ją rzucił. *Kaczk. Olbracht. III, 245*. **6. p.** co na czyją (swoją) obronę ⟨*przytoczyć argumenty, okoliczności usprawiedliwiające*⟩: Niewinna, nic nie powiem na obronę swoję, gardzę potwarzą. *Fel. A. Barb. 44*. **7. p.** co na kogo ⟨*oskarżyć kogo, obwinić kogo, rzucić podejrzenie na kogo*⟩: Wszystko można na mnie powiedzieć, ale sok, który ja przygotowałam, pannie Karusi nie mógł zaszkodzić! *Żer. Przedw. 234*. **8.** Można, mogę **p.**; nie można, nie mogę **p.** ⟨*zwrot nadający relacji charakter oględny: można, mogę stwierdzić; nie można, nie mogę zaprzeczyć*⟩: Film mi się nawet podobał, nie mogę powiedzieć. **9.** *przestarz*. Między nami powiedziawszy ⟨*zastrzegając tajemnicę, sekret między rozmawiającymi*⟩: Czeka na wiadomość od tego, co to się z nią powinien żenić, choć to, między nami powiedziawszy, widłami pisano. *Krasz. Szalona 162*. **10.** Powiedziawszy (po prostu, szczerze, otwarcie itp.), nawiasem powiedziawszy, dość **p.**; nie dość, mało **p.**, *pot*. powiedziałbyś ⟨*zwroty wtrącone określające, precyzujące wypowiedź*⟩: Przyjdę, powiedzmy, jutro po południu. Orientował się w terenie, nie dość powiedzieć dobrze, wręcz znakomicie. **11. p.** prawdę ⟨*wyznać co szczerze, nic nie zataić*⟩: Powiedziałem jej w liście całą prawdę mego serca. *Łus. Pam. 158*. **12.** Prawdę powiedziawszy ⟨*jeśli mam być szczerym*⟩: Prawdę powiedziawszy, w czterdziestej wiośnie należałoby jakoś ustalić się i już o tej porze znaczyć coś na świecie. *Strug Chim. I, 233*. **13. p.** komu co w oczy, w żywe oczy, wprost w oczy, **p.** prawdę, kilka słów prawdy w oczy ⟨*ocenić (surowo) czyjeś postępowanie; zganić, złajać kogo*⟩: Nie znam pana, aleś mnie zainteresował, żeś miał odwagę powiedzieć w oczy prawdę temu staremu łajdakowi. *Korz. J. Krewni 225*. Lecz ci powiem wprost w oczy, żeś szelma! *Słow. Sen 216*. **14. p.** komu dobre słowo ⟨*odezwać się do kogo życzliwie, serdecznie; okazać komu życzliwość*⟩: Mógłbyś choć na pożegnanie powiedzieć dobre słowo. **15.** Nie **p.** komu złego słowa ⟨*nie robić wymówek, nie mieć nic do zarzucenia*⟩: Choć spóźniłam się z obiadem, słowa mi złego nie powiedział. **16. p.** komu (co) do słuchu ⟨*dociąć, przymówić komu; zganić, zwymyślać kogo*⟩: Obraził się, kiedy mu powiedziałem kilka słów do słuchu za to, że nie poznaje znajomych na ulicy. **17. p.** komu na ucho ⟨*powiadomić kogo o czym szeptem, poufnie*⟩: Powiem ci na ucho, że nie wierzę w uczciwość tego człowieka. **18.** Co chciałem **p.**, a nie skłamać ⟨*mówi się, przypominając sobie coś*⟩. *SFA*. **19.** Co powiesz, co powiecie; powiedz sam, powiedzcie sami ⟨*jakie jest twoje (wasze) zdanie; jak uważasz, uważacie; chyba przyznasz, przyznacie rację*⟩: Co powiesz na mój sprawunek? *SW*. No bo powiedz sam, w interesach może on nas z łatwością wystrychnąć, jak to mówią, na dudka. *Dąbr. M. Noce II, 228*. **20.** Co świat powie, co ludzie powiedzą (o tym) ⟨*jaka będzie opinia ogółu o czym, jak świat to oceni, osądzi*⟩: Uważ no sama, wszak nas widzą, śledzą, czyż można tak otwarcie? cóż ludzie powiedzą?

wszak to nieprzyzwoicie. *Mick. Tad. 225.* **21.** Że tak powiem ⟨*zwrot wtrącony usprawiedliwiający użycie jakiegoś określenia*⟩: Gmach, że tak powiem, wspaniały. **22.** Żebym nie powiedział więcej, żeby nie **p.** ⟨*zwroty oględne uwydatniające hamowane, dosadne lub nieuprzejme określenie; by nie rzec*⟩: Durny ty jesteś, Klemensie... żebym nie powiedział więcej. *Iwasz. J. Odbud. 19.* Jest co najmniej naiwny, żeby nie powiedzieć głupi. **23.** *iron.* Powiedział, co wiedział ⟨*stwierdził, co było powszechnie wiadome*⟩. **24.** Przeczucie, serce to (komu) powiedziało ⟨*ktoś ma wewnętrzne przekonanie o czymś*⟩: Wszak serce twoje powiedziało ci, że ona cię kocha: wierz sercu i bądź odważnym. *Lam J. Głowy III, 54.*

przysł. **25.** Powiedziały jaskółki, że niedobre (są) spółki.

powieka 1. Dolna, górna **p. 2.** Mrużyć, przymrużać, zamykać, zacisnąć **p-i. 3.** Bez drgnienia, zmrużenia powieki, powiek ⟨*bez wahania; nie przejmując się; odważnie, dzielnie*⟩: Kłamie bez zmrużenia powiek. Idzie na śmierć bez zmrużenia powieki. **4.** *książk.* Usnąć, zasypiać z czym pod powieką, powiekami; mieć, nosić co pod powieką ⟨*śnić o czym, wyobrażać sobie co, marzyć o czym*⟩: Zasypia z jej obrazem pod powiekami, budzi się z myślą o niej. *Sienk. Mieszan. 32.* **5.** *książk.* Zamknąć, *daw.* zawrzeć **p-i** na zawsze ⟨*umrzeć*⟩. **6.** *książk.* Śmierć, sen śmiertelny zamknie, *daw.* zawrze komu **p-i** ⟨*ktoś umrze*⟩: Niech prędko sen śmiertelny zamknie jej powieki. *Słow. Mind. 65.* **7.** Zamknąć, zawrzeć komu **p-i** ⟨*być obecnym przy czyjej śmierci; oddać komu ostatnią posługę, pochować kogo*⟩: Dozwól, niech zawrę powieki moim ojcom. *Wilk. P. Wieś I, 131.* **8.** Coś klei, skleja komu powieki ⟨*powoduje senność, usypia*⟩: Znużenie kleiło mu powieki. **9.** Coś komu spędza, płoszy sen z powiek ⟨*coś przeszkadza zasnąć, powoduje bezsenność*⟩: Sprawa zatonęła w tysiącu innych, co spędzają z powiek sen i mijają. *Dąbr. M. SPP.* **10.** *pot.* Sen odleciał, uciekł, uleciał z czyich powiek ⟨*ktoś nie mógł zasnąć, cierpi na bezsenność*⟩. **11. p-i** ciążą komu, zamykają się ⟨*komuś chce się spać*⟩. **12. p-i** podnoszą się, opadają, drgają, opuszczają się, przysłaniają oczy.

powierzchnia 1. p. chropowata, falista, gładka, równa, szorstka ⟨*zewnętrzna, wierzchnia strona czego*⟩. **2. p.** c z e g o ⟨*strona wierzchnia, wierzch czego*⟩: **p.** morza, ziemi. Pływak utrzymuje się na powierzchni wody. *SW.* Na powierzchni kuli ziemskiej. *SW.* **3. p.** c z e g o lub p o d c o ⟨*określony obszar, teren*⟩: **p.** pokoju; pola; **p.** pod uprawę buraków, pod zabudowę; (wy)mierzyć powierzchnię lokalu. **4.** *przen.* **p.** prawdy życia. **5.** Utrzymać się na powierzchni ⟨*utrzymać swoją egzystencję, wytrwać w czym, nie dać się*⟩: Trapszo wysilał się na inicjatywę repertuarową, aby tylko utrzymać się na powierzchni. *Solski Wspom. I, 135.* **6.** Wypłynąć, wypływać, wyciągnąć, wyciągać, wydoby(wa)ć co na powierzchnię: a) ⟨*wydoby(wa)ć się, wydoby(wa)ć co na zewnątrz*⟩: Źródło wypływa u zbocza góry na powierzchnię. Zatopioną łódź wydobyto na powierzchnię; b) ⟨*nabrać, nabierać znaczenia, st(aw)ać się ważnym; wysunąć(-uwać) się na plan pierwszy*⟩: Sprawa polska znów wypłynęła na powierzchnię wydarzeń. *Wojtk. Gen. 234.* **7.** Zetrzeć, zgładzić, zmieść kogo, co z powierzchni ziemi ⟨*zgładzić, uśmiercić kogo; zniszczyć, zniweczyć co*⟩: Wojna zmiotła z powierzchni ziemi całe miasta. **8.** (Z)niknąć z powierzchni ziemi ⟨*przest(aw)ać istnieć, (z)niknąć*⟩: Całe gatunki zwierząt zniknęły z powierzchni ziemi.

powierzchownie 1. Oddychać **p.** ⟨*płytko, nie mogąc zaczerpnąć pełnego oddechu*⟩. **2.** Znać co (tylko) **p.** ⟨*po wierzchu, niegruntownie*⟩.

powierzchowność 1. Dystyngowana, gładka, miła, piękna, nieprzyjemna, odrażająca, ujmująca **p.** ⟨*wygląd człowieka, postać*⟩. **2. p.** c z e g o a. w c z y m ⟨*niegruntowność, płytkość, zewnętrzny efekt*⟩: **p.** pojęć, sądu; **p.** cywilizacji, życia; **p.** w sztuce. **3.** Człowiek, osoba jakiejś powierzchowności ⟨*jakiegoś wyglądu, cech zewnętrznych*⟩: Osoba ujmującej powierzchowności. **4.** Z powierzchowności (być jakim; być podobnym do kogo, przypominać kogo) ⟨*zewnętrznie, z wyglądu*⟩: Miły z powierzchowności. Z powierzchowności przypominał sępa. **5.** Sądzić z powierzchowności ⟨*z pozoru; z tego, co się wydaje*⟩: Nie chciejcie nigdy w tym zepsutym wieku z powierzchowności sądzić o człowieku. *Niemc. Bajki 258.*

powierzchowny 1. Człowiek, umysł **p.** ⟨*traktujący wszystko lekko, płytki*⟩. **2.** Lektura, znajomość czego **p-a** ⟨*pobieżna, niedokładna*⟩. **3.** Oddech **p.** ⟨*krótki, urywany, niepełny*⟩. **4.** Studia **p-e** ⟨*pobieżne, niegruntowne, niedokładne*⟩.

powierzenie *daw.* Mieć co w powierzeniu ⟨*mieć co powierzone, zlecone w zaufaniu*⟩: Mieć sekret w powierzeniu.

powiesić *przysł.* Dla kompanii dał się Cygan powiesić.

powieszenie Skazać na śmierć przez **p.** ⟨*przez stracenie na szubienicy*⟩.

powieściowy 1. Odcinek **p.** ⟨*część powieści drukowana w odcinku pisma codziennego lub tygodnika*⟩. **2.** Postać **p-a** ⟨*występująca w powieści, zmyślona, nierealna*⟩.

I powieść *przysł.* Dobra powieść, gdy wołają: jeść ⟨*dobra nowina, dwunasta godzina*⟩.

II powieść p. okiem, spojrzeniem ⟨*obrzucić spojrzeniem, spojrzeć na kogo, co; obejrzeć kogo, co*⟩: Wszedł na salę i powiódł okiem po zebranych.

powieść się Powiodło się, powiodło się komu ⟨*udało się, poszczęściło się*⟩: Wytężono wszystkie siły, aby dobić do brzegu. Powiodło się.

powietrze 1. Ciężkie, czyste, duszne, niezdrowe, orzeźwiające, ożywcze, parne, przejrzyste, świeże, wilgotne **p.** ⟨*atmosfera*⟩. **2. p.** ciekłe ⟨*skroplone sztucznie*⟩. **3.** *daw.* Morowe **p.** ⟨*zaraza morowa, mór*⟩. **4.** Otwarte, wolne **p.** ⟨*przestrzeń poza mieszkaniem, budynkiem, domami*⟩. **5. p.** sprężone, zgęszczone ⟨*o ciśnieniu powyżej kilku atmosfer, wytwarzane w sprężarkach*⟩. **6.** Na (świeże) powietrze; na powietrzu; na świeżym, wolnym powietrzu ⟨*na otwartej przestrzeni*⟩: Wyjść, wyjechać na świeże powietrze. Przebywać na świeżym powietrzu.

7. *przestarz.* Budować pałace, zamki na powietrzu ⟨*snuć nierealne projekty; marzyć, roić budować zamki na lodzie*⟩: Nadzieja tyle dostarcza ludziom imaginacji, że mają zawsze z czego budować pałace wielkie na powietrzu. *L.* **8.** Bujać, unosić się; mknąć, szybować w powietrzu ⟨*w przestrzeni nad ziemią*⟩. **9.** Oddychać (świeżym) powietrzem. **10.** Odświeżyć, (ze)psuć **p.** **11.** Strzelić, dać ognia w **p.** ⟨*strzelić w górę na postrach*⟩. **12.** Pruć, przeszywać **p.** (o ptaku, strzale, krzyku): Ostry krzyk wołającego o pomoc przeszył powietrze. **13.** Wisieć w powietrzu: a) ⟨*grozić, zapowiadać się*⟩: Wojna wisiała w powietrzu; b) ⟨*nie mieć podstaw, nie być dostatecznie umotywowanym, uargumentowanym*⟩: Całe jego dowodzenie wisiało w powietrzu. **14.** Coś wstrząsnęło powietrzem: Krzyk straszliwy wstrząsnął powietrzem i walka zawrzała w jednej chwili. *Sienk. SW.* **15.** Wysadzić; wylecieć w **p.** ⟨*zburzyć, zniszczyć co za pomocą środków wybuchowych; być wysadzonym*⟩: Wysadzić most w powietrze. Magazyn amunicji wyleciał w powietrze. **16.** Zaczerpnąć, złapać powietrza.

powietrzny 1. Droga, linia, trasa **p-a**; szlak **p.** ⟨*lotnicza(-y); wytyczona(-y) w powietrzu na pewnej wysokości nad ziemią*⟩. **2.** Grań, ściana **p-a**; siodło **p-e** ⟨*przepaścista(-e)*⟩. **3.** Kabotaż **p.**; komunikacja, żegluga **p-a** ⟨*lotniczy(-a)*⟩. **4.** Kąpiel **p-a** ⟨*używanie ruchu lub leżenie na świeżym powietrzu bez odzieży stosowane jako zabieg przyrodoleczniczy*⟩. **5.** Linia **p-a** ⟨*bezpośrednia odległość od danego punktu na ziemi do punktu innego*⟩.

powiew 1. Gwałtowny, lekki, ożywczy, silny, świeży **p.** ⟨*podmuch*⟩. **2. p.** wiosenny, letni, jesienny, zimowy. **3. p.** wiatru. **4.** *przen.* **p.** miłości, **p.** śmierci. **5. p.** idzie skąd, od strony czego: Świeży nocny powiew szedł od Wisły. *Andrz. Wojna I, 152.*

powijak 1. Być, znajdować się w powijakach ⟨*w stadium początkowym*⟩: Na początku 20 wieku lotnictwo było jeszcze w powijakach. **2.** Oswobodzić się, wyjść, wyzwolić się z (krępujących itp.) powijaków ⟨*ze stanu niemowlęctwa, ze stadium początkowego*⟩: Nauka wyzwoliła się z dziecięcych powijaków. *SW.*

powijalny p-a babka ⟨*wiejska akuszerka, położna*⟩.

powinność 1. *rub.* Psia **p.** ⟨*obowiązek*⟩: Moja psia powinność jego słuchać. *Sienk. SPP.* **2.** *daw.* Mieć co za **p.** ⟨*czuć się zobowiązanym*⟩: Jako świadek oczywisty tych dziejów, mam to sobie za powinność, ażebym, ile możności, czytelników z błędu wywiódł. *Kras. Hist. 11.* **3.** Spełnić, znać swą **p.**: Chłopiec znał swoje powinności. *Par. SPP.*

powinszowanie 1. p. d l a k o g o: **p.** dla rodziców. **2.** Bilet, list z powinszowaniem ⟨*z życzeniami, z gratulacjami*⟩. **3.** Z powinszowaniem nowego roku, imienin ⟨*formułki powinszowań na kartkach*⟩. **4.** Przesłać komu **p.** **5.** Złożyć komu **p.**; wypowiedzieć kilka słów powinszowania.

powlec, powlekać, powłóczyć p. poduszkę, kołdrę ⟨*nałożyć, nakładać poszewkę na poduszkę, kopertę na kołdrę*⟩.

powłoka 1. Gruba, ochronna, ruchoma **p.** ⟨*warstwa okrywająca powierzchnię czego; zewnętrzna strona czego*⟩. **2.** *przen.* Ziemska **p.** ⟨*ciało*⟩: Ledwo zdołał rozebrać się i dowlec ziemską powłokę do łóżka. *Żer. Opow. II, 303.* **3. p.** c z e g o: **p.** lodu. **4. p.** na pierzynę ⟨*poszwa*⟩. **5.** Pod powłoką (czego): Spokojna na pozór rzeka pod swą cichą powłoką kryje niebezpieczne dla nieproszonego śmiałka głębie. *Wędr. 2, 1901.* *przen.* Cała niezmierna czułość tej duszy utajona tak długo pod grubą powłoką melancholii, występowała teraz z ukrycia z niepohamowaną siłą. *Konopn. Now. IV, 99.*

powłóczyć 1. p. nogami, pantoflami, trepami itp. ⟨*sunąć po ziemi nie odrywając stopy*⟩. **2.** Ledwo nogi, nogami **p.** ⟨*iść z trudem, z wysiłkiem; być starym, schorowanym*⟩: Nie mógł jeść i nie mógł całkiem sypiać, wychudł na szczapę, ledwie już nogami powłóczył. *Reym. Fron. 81.*

powodzenie 1. Niespodziewane, szalone, wielkie, zasłużone **p.** ⟨*pomyślny obrót rzeczy, sukces; szczęście*⟩. **2. p.** u k o g o ⟨*wzięcie*⟩: **p.** u kobiet. **3. p.** w c z y m, w jakiejś dziedzinie ⟨*sukcesy*⟩: **p.** w handlu, w polowaniu, w zawodzie; **p.** na scenie. **4.** Z powodzeniem (co robić) ⟨*udatnie, osiągając dobre rezultaty*⟩: Miał duże zdolności aktorskie i z powodzeniem grywał trudniejsze role na scenach amatorskich. **5.** Z różnym powodzeniem ⟨*ze zmiennym szczęściem*⟩: Bójka rozpoczęła się na dobre z różnym powodzeniem i wśród wielkiej wrzawy. *Lam J. Głowy I, 86.* **6.** Powodzenia! ⟨*formułka wyrażająca życzenie pomyślności, sukcesów, szczęścia*⟩. **7.** Cieszyć się powodzeniem, mieć **p.**: a) ⟨*podobać się, być otoczonym wielbicielami (wielbicielkami); osiągać sukces*⟩: Na balu miała największe **p.** ze wszystkich pań; b) ⟨*o towarach: być pokupnym, poszukiwanym przez klientów*⟩: Największym powodzeniem cieszyły się modne sandałki. **8.** Rokować, zapewnić komu **p.** **9. p.** psuje, zepsuło kogo.

powolny 1. p-e konanie ⟨*stopniowe*⟩. **2. p.** krok, **p-e** tempo ⟨*wolny(-e), nieraptowny(-e), opieszały(-e)*⟩. **3.** Być powolnym narzędziem w czyim ręku ⟨*ulegać komu, słuchać go i ślepo wykonywać jego rozkazy*⟩: Stracił hart ducha i stał się powolnym narzędziem w rękach sprytnego intryganta. *Śliw. A. Lel. 135.*

powołać, powoływać 1. p. k o g o, c o — n a c o; d o c z e g o ⟨*ustanowić, wybrać; wyznaczyć, zaprosić, zaangażować*⟩: **p.** prezydium, rząd, zarząd. **p.** kogo na katedrę, na stanowisko dyrektora. **2. p.** do wojska, pod broń; do służby wojskowej, frontowej ⟨*wydać nakaz stawienia się w wojsku, do służby frontowej*⟩. **3. p.** do życia: a) ⟨*ustanowić, zorganizować*⟩: **p.** do życia instytucję, towarzystwo naukowe, komisję; b) ⟨*przywrócić do życia, na nowo ożywić*⟩: Próżne były starania, by sztucznie powołać do życia, co w języku było, lecz zginęło. *Brück. Jęz. 140.* **4.** Bóg powołał kogo, bogowie powołali kogo do siebie, do chwały swojej ⟨*ktoś umarł, zszedł z tego świata*⟩.

powołać się, powoływać się 1. p. się n a k o g o, n a co: **p. się** na dawną znajomość, na czyje świadectwo, na czyje słowa. **2.** Powołując się na list [nie: w powołaniu się na list]. *SPP.*

powołanie 1. p. d o c z e g o ⟨*wrodzone do czego uzdolnienie, wrodzona skłonność*⟩: **p.** do zawodu nauczycielskiego. **2.** Z powołania ⟨*z zamiłowania, ze skłonności, z poczucia misji*⟩: Był lekarzem z powołania. **3.** Czuć w sobie, mieć **p.** d o c z e g o: Nie był w swym życiu rodzinnym szczęśliwy. Może po prostu nie miał powołania do stanu małżeńskiego. *Nałk. Z. Romans 3.* Ci, którym się zdaje, że pisaliby, gdyby nie to, gdyby nie owo [...] nigdy nie potrafią wziąć się do pióra, bo do niego prawdziwego powołania nie mają. *Krasz. Poeta 125.* **4.** Minąć się z powołaniem: Właściwie minąłem się z powołaniem. Stałem się bowiem pisarzem, a miałem zostać maszynistą. *Płomyk 5, 1952.*

powoływać p. **powołać**

powoływać się p. **powołać się**

powód 1. Błahy, dostateczny, istotny, prawdziwy, ważny **p.** ⟨*przyczyna, racja; podstawa*⟩. **2. p.** c z e g o, d o c z e g o: **p.** niezadowolenia. Słuszne miał powody gniewu. *Sienk. SPP.* **p.** do rozmowy, do wdzięczności, do zobaczenia się z kim. **3.** Bez powodu: Kłócili się często bez powodu. **4.** Z powodu czego, z (jakichś) powodów: Przedstawienie odwołano z powodu choroby aktora. Nie mogę tego zrobić z wielu powodów. *SW.* **5.** Dać komu **p.** do czego: Nie dawaj im powodu do zaczepek. **6.** Jest **p.**, nie ma powodu do czego: Powodu do sporów nie ma. *Sienk. SPP.* Nie było powodu do rozpaczy. *Dąbr. M. SPP.* **7.** Mieć **p.**, nie mieć powodu do czego a. co robić: Przede mną nie masz powodu robić sekretu. *Bał. Dom 110.* **8.** Przytoczyć, wyłuszczyć, wynajdywać **p-y** czego: Wynajduje tysiączne powody dla usprawiedliwienia swej opieszałości. *SW.*

powrotny 1. Analfabetyzm **p. 2.** Bilet **p.** ⟨*upoważniający do powrotu*⟩. **3.** W drodze powrotnej: Zatrzymać się gdzie w drodze powrotnej.

powrót 1. p. do miasta, do kraju; **p.** do szkoły, *przen.* **p.** do normalnego życia, do zdrowia. **2.** Na **p.** ⟨*znowu, na nowo, z powrotem*⟩: Wydobył wino i schował je na powrót. *Prus Lalka I, 42.* **3.** Tam i na **p.**, tam i z powrotem ⟨*w tę i tamtą stronę*⟩: Chodził po pokoju tam i na **p.** (tam i z powrotem). **4.** Z powrotem ⟨*znowu, na nowo, od nowa*⟩: Zawrócił i szedł z powrotem w stronę domu. Jutro spodziewamy się go z powrotem. *SFA.* **5.** *rzad.* Za powrotem ⟨*wracając, wróciwszy*⟩: Za powrotem Grodziccy nakładali drogi, aby zajść na stację po gazety. *Par. Niebo 99.* **6.** Być z powrotem ⟨*wrócić*⟩: Za chwilę będę z powrotem. *SW.* **7.** Czekać na czyj **p.**; oczekiwać, wyczekiwać czyjego powrotu. **8.** Zabierać się do powrotu: Trzeba było zabierać się do powrotu. *Nałk. Z. SPP.*

powróz Wart powroza ⟨*wart, żeby go powiesili; łotr*⟩.

powstać, powstawać 1. Powstawać jak grzyby po deszczu ⟨*zostać, być zbudowanym w szybkim tempie i masowo*⟩: Nowe dzielnice w odbudowanym mieście powstawały jak grzyby po deszczu. **2. p.** jak Feniks z popiołu ⟨*być niezniszczalnym, nieśmiertelnym, odrodzić(-ać) się*⟩. **3. p.** z grobu, z martwych ⟨*ożyć, zmartwychwsta(wa)ć*⟩. **4.** *żart.* **p.** z łoża boleści ⟨*ozdrowieć*⟩. **5.** Chaos, tumult powstał, zamieszanie powstało gdzie. **6.** Dzień, ranek powstaje ⟨*zaczyna się*⟩. **7.** *przestarz.* Mgła, tuman powstaje ⟨*unosi się*⟩: Mgły powstawały nad łąkami. **8.** W głowie czyjej powstała myśl ⟨*ktoś pomyślał, powziął myśl*⟩: Skrzetuskiemu ani w głowie nie powstała myśl, by ta zawierucha mogła trwać długo. *Sienk. Ogn. I, 197.* **9.** Słońce, zorza powstaje ⟨*ukazuje się na horyzoncie, wstaje*⟩. **10.** Spór powstał między kim a kim ⟨*wszczął się, zaczął się, nastąpił*⟩. **11.** Śmiech (ogólny) powstał (na sali). **12.** Włosy na głowie powstają ⟨*groza, strach, przerażenie ogarnia kogo*⟩: Włosy powstają na głowie, gdy się słyszy o [...] bezwstydnych oszustwach, przez które tysiące biedaków traciło niekiedy całe mienie. *Prus Kron. III, 391.*

powstanie ● **1.** Zbrojne **p.** ⟨*chwycenie za broń, insurekcja*⟩. **2.** Objąć powstaniem: Cały kraj objęty był powstaniem. **3.** Stłumić (krwawo) **p. 4. p.** wybucha.

● **5.** Uczcić kogo, co, pamięć czyją przez **p.** ⟨*stojąc na baczność i zachowując milczenie przez pewien czas*⟩.

● **6.** Zawdzięczać czemu swe **p.** ⟨*swą genezę, swój początek*⟩.

powstawać p. **powstać**

powstrzymać, powstrzymywać 1. p. c o ⟨*(po)hamować co*⟩: **p.** łzy, oddech, płacz, śmiech. **2. p.** c o — c z y m ⟨*(za)hamować, (za)tamować*⟩: **p.** upływ krwi opatrunkiem. **3. p.** k o g o o d c z e g o ⟨*powściągnąć, (z)mitygować*⟩: Obecność dam powstrzymywała go od wybuchu. **4. p.** k o g o — z a c o ⟨*przytrzym(yw)ać*⟩: **p.** biegnącego za ramię.

powstrzymać się, powstrzymywać się p. się o d c z e g o ⟨*(po)hamować się*⟩: Przez całą dobę powstrzymywał się od jedzenia. Nie mógł powstrzymać się od śmiechu.

powstydzić się Nie **p. się** c z e g o ⟨*nie narazić się na wstyd, nie być czym zawstydzonym, nie zawstydzić się*⟩: Siedział na tak ognistym tureckim ogierze, że i sam król byłby się go nie powstydził. *Kaczk. Olbracht. II, 237.* Nie powstydzę się swojej roboty. *SW.*

powszechny 1. *fiz.* Ciążenie **p-e**, grawitacja **p-a** ⟨*ogólna właściwość ciał polegająca na wzajemnym przyciąganiu się jakichkolwiek dwóch ciał z siłą odwrotnie proporcjonalną do kwadratu ich odległości*⟩. **2. p.** dom towarowy ⟨*pedet, PDT*⟩. **3.** Dzieje **p-e**, historia, literatura **p-a** ⟨*dzieje, historia, literatura wszystkich narodów świata*⟩. **4.** *daw.* Głos **p.** ⟨*opinia ogółu, opinia publiczna*⟩. **5.** Głosowanie **p-e** ⟨*w którym biorą udział wszyscy (zwykle pełnoletni) obywatele*⟩. **6. P-a** Kasa Oszczędności (PKO) ⟨*instytucja finansowa, zajmująca się gromadzeniem i lokowaniem indywidualnych oszczędności pieniężnych i organizowaniem obrotu przekazowo-czekowego*⟩. **7. p.** obowiązek wojskowy ⟨*ustawowo określony obowiązek zgłaszania się do rejestracji i odbywania służby wojskowej*⟩. **8. p-e** oburzenie, uznanie; **p-a** radość; **p.** śmiech, żal ⟨*ogólne(-a,-y), obejmujące(-a,-y) wszystkich*⟩. **9.** *kult.* Sobór **p.** ⟨*w Kościele katolickim: zwołane przez papieża zebranie biskupów z całego świata w celu rozstrzygania w sprawach wiary*⟩. **10.** *kult.* Spowiedź **p-a** ⟨*formułka wyznania grzechów, rodzaj* *modlitwy*⟩. **11.** Artykuły powszechnego spożycia ⟨*używane przez wszystkich, powszechnie używane*⟩. **12. p.** szacunek ⟨*ogólny, szacunek wszystkich*⟩. **13.** Szkoła **p-a** ⟨*siedmioklasowa szkoła obowiązkowa w okresie międzywojennym*⟩. **14.** Uniwersytet **p.** ⟨*dokształcanie dorosłych w formie odczytów cyklicznych*⟩. **15.** Zostawić po sobie żal **p.**; zwracać na siebie powszechną uwagę, zyskać powszechne uznanie ⟨*wszystkich*⟩.

powszedni 1. Chleb **p.**: a) ⟨*codzienne, zwykłe jedzenie konieczne do utrzymania się przy życiu*⟩; b) ⟨*warunki, środki do życia, podstawa egzystencji*⟩: Walka o chleb powszedni wyczerpała jego siły. *Sienk. Wiad. I, 41*; c) ⟨*rzecz zwykła, codzienna*⟩: Ustawiczny pośpiech w pracy to dla dziennikarza chleb powszedni. **2.** Dzień **p.** ⟨*zwykły, nieświąteczny*⟩. **3.** *kult.* Grzech **p.** ⟨*naruszenie zasad postępowania w rzeczach mniejszej wagi*⟩.

powtarzać, powtórzyć 1. p. co po kilka razy, w kółko, słowo w słowo ⟨*wykon(yw)ać ponownie; ponawiać, ponowić co*⟩. **2. p.** kurs, algebrę itp. ⟨*przypominać sobie materiał kursu, algebry itp.; przerabiać materiał kursu, algebry itp. ponownie*⟩. **3. p.** klasę, oddział, semestr ⟨*uczęszczać po raz drugi do tej samej klasy itp., zostać na drugi rok w klasie itp.; repetować*⟩. **4. p.** (jak) za panią matką pacierz ⟨*powtarzać czyje zdanie bezkrytycznie*⟩.

powtórzyć p. **powtarzać**

powyżej 1. p. gardła ⟨*do przesytu, do przejedzenia*⟩: Objeść się **p.** gardła; mieć jakiego jedzenia **p.** gardła. **2. p.** uszu ⟨*ponad granice wytrzymałości, cierpliwości; więcej niż można znieść*⟩: Mieć czyjego towarzystwa powyżej uszu.

powziąć 1. *przestarz.* **p.** języka ⟨*zasięgnąć informacji; dowiedzieć się, jak sprawa stoi*⟩: Nie wiedział, gdzie się znajduje jego dawny oddział. Gdzie go szukać? Od kogo powziąć języka? *Żer. Rzeka 180.* **2. p.** myśl czego ⟨*zdecydować się na co*⟩. **3. p.** podejrzenie ⟨*odczuć; zacząć podejrzewać*⟩: Powziął co do jego osoby podejrzenia. *Sokoł. A. Dzieje IV, 149.* **4. p.** uchwałę ⟨*uchwalić co*⟩. **5.** *łow.* **p.** wiatr ⟨*zwęszyć, poczuć węchem*⟩. **6. p.** zamiar ⟨*zamierzać*⟩: Zamiar był równie szybko wykonany, jak powzięty. *Lam J. Kron. 23.*

poza 1. Niedbała, wymuszona, zalotna **p.** ⟨*ułożenie ciała, postawa*⟩. **2.** Przybrać jaką pozę ⟨*postawę*⟩. **3.** Stać, stanąć w jakiej pozie: Wyszedł nucąc na korytarz i stał tam w niedbałej pozie bywałego światowca i podróżnika. *Dąbr. M. Noce III/1, 249.* **4.** Unikać pozy ⟨*nienaturalności, zmanierowania*⟩.

pozaciągać 1. p. długi ⟨*porobić długi*⟩. **2. p.** okna ⟨*pozasłaniać*⟩: Okna, wysoko umieszczone, pozaciągane ciemnymi zasłonami, nie przepuszczają światła. *Zap. G. SW.* **3. p.** straże, wartę ⟨*pełnić, objąć straż, stanąć na straży*⟩.

pozasłużbowy Godziny **p-e**; w godzinach pozasłużbowych (wykonać pracę) ⟨*poza godzinami służbowymi*⟩.

pozatykać p. gęby ⟨*zmusić do milczenia wiele osób*⟩: Nieśmiało wytłumaczył, że ludziom gęb pozatykać nie można. *Orzesz. Niemn. II, 162.*

pozazdroszczenie Godny pozazdroszczenia, do pozazdroszczenia; nie do pozazdroszczenia ⟨*którego można zazdrościć; którego nie należy zazdrościć, budzący litość, sprawiający przykrość*⟩: Los, położenie, pozycja, sytuacja nie do pozazdroszczenia.

pozbawiać, pozbawić 1. p. k o g o c z e g o ⟨*odejmować, odjąć komu co*⟩: **p.** rodziców władzy rodzicielskiej. - Opinia przeciwstawna [...] pozbawiła mnie pewności siebie. *Rudn. L. Stare II, 199.* **2. p.** kogo praw, wolności. **3. p.** życia ⟨*(s)powodować czyją śmierć, być przyczyną czyjej śmierci*⟩.

pozbawiony 1. p. poczucia humoru, skrupułów, wdzięku ⟨*odznaczający się brakiem poczucia humoru itp.*⟩. **2.** Nie **p.** c z e g o ⟨*odznaczający się czym*⟩: Osoba nie **p-a** wdzięku.

pozbierać 1. p. myśli ⟨*skupić się, zastanowić się*⟩: Czekaj, czekaj! Dajże myśli pozbierać człowiekowi. *Bron. J. Ogn. 219.* **2.** Nie **p.** kości, zębów ⟨*być, zostać silnie pobitym*⟩: Tak cię zbiję, że kości nie pozbierasz.

pozdrowienie 1. Ostatnie, przyjazne, przyjacielskie, serdeczne **p. (p-a)** ⟨*słowa, gesty pozdrawiającego*⟩. **2.** Braterskie **p.** a. **p-a** ⟨*wyrazy pamięci o kim, przyjaznego ustosunkowania do kogo*⟩. **3.** *kult.* **p.** anielskie ⟨*w Kościele katolickim: modlitwa do Matki Boskiej zaczynająca się od słów: „Zdrowaś Mario"*⟩. **4. p-a** k o m u, o d k o g o: przesyłać **p-a** rodzicom, znajomym; przynosić; przekazywać **p-a** komu od rodziców; otrzymać **p-a** od czytelników, od słuchaczy. **5.** Przesłać, rzucić komu **p.**

pozdrowiony Bądź **p.** ⟨*podniosła formuła powitania*⟩: Bądź pozdrowiony, Piękny Zwycięzco, nieustraszony Herkulesie! *Rudn. H. Spart. 77.*

pozew 1. p. rozwodowy ⟨*wezwanie do sądu na rozprawę o rozwód*⟩. **2. p.** sądowy a. do sądu. **3. p.** o c o: **p.** o pobicie. **4. p.** p r z e c i w k o m u. **5.** Doręczyć, wręczyć, otrzymać **p. 6.** Wnieść **p.** do sądu przeciw komu ⟨*wszcząć proces przeciw komu, złożyć do sądu skargę na piśmie przeciw komu*⟩.

poziom 1. Niski, wysoki, niższy, wyższy itp. **p.**: a) ⟨*położenie*⟩: Wysoki **p.** wody w rzece; b) ⟨*stan, stopień rozwoju*⟩: Niski, wysoki poziom kultury. **2. p.** artystyczny, moralny, umysłowy k o g o, c z e g o ⟨*wartość*⟩: **p.** artystyczny utworu. **3. p.** morza ⟨*średnia wysokość powierzchni morza lub oceanu, stanowiąca podstawę do pomiarów wysokości na lądach*⟩: Wzgórze wznosi się 320 m nad **p.** morza. **4.** Na poziomie; nie na poziomie ⟨*o dużej wartości; miernej wartości*⟩: Film na poziomie; sztuka nie na poziomie. **5.** Towarzystwo na poziomie ⟨*odpowiednie pod względem wykształcenia, inteligencji, kultury*⟩. **6.** Być na poziomie ⟨*zachować się właściwie, stanąć na wysokości zadania*⟩: Wszyscy zawiedli, on jeden był na poziomie. **7.** Obniżyć, osiągnąć (określony) **p.**; podnieść się, wznieść się do (określonego) poziomu ⟨*obniżyć itp. (określoną) wysokość, podnieść się itp. do (określonej) wysokości; również przen.*⟩: Woda w rzece wzniosła się do niebywałego poziomu: ośmiu może dziewięciu metrów. *Kurek Woda 93.* **8.** Podnosić **p.** czego ⟨*udoskonalać,* *rozwijać co*⟩: Podnosić **p.** kultury. **9.** Stać na wysokim poziomie; utrzym(yw)ać się na (jednym, wysokim) poziomie: Sztuka w tym kraju stoi na wysokim poziomie. **10.** *przen.* Ulatywać, unosić się, wylatywać nad **p-y**: Młodości! ty nad poziomy wylatuj. *Mick. Wiersze 102.*

poznać, poznawać 1. p. k o g o p o c z y m, z c z e g o ⟨*rozróżnić, rozpoznać*⟩: Poznał go po chodzie, po głosie. Z wyrazu twarzy poznał, że jest zła. **2.** Poznać w k i m k o g o ⟨*można się domyślić, rozpoznać*⟩: Z wyrazu twarzy i z oczu przebija niepoślednia inteligencja; poznać w nim na pierwszy rzut oka człowieka myślącego. *Fiedl. A. Rio 167.* **3.** Dać **p.** ⟨*uświadomić komu co, zwrócić czyją uwagę na co*⟩: Ręką skinąwszy dał poznać, że się posłuchanie skończyło. *Rzew. H. Listop. II, 342.* **4.** Dać **p.**; nie dać **p.** po sobie ⟨*uzewnętrzniać co; nie uzewnętrzniać czego*⟩: Nie dał poznać po sobie, że jest silnie zdenerwowany. **5.** Miło mi **p.** pana, panią ⟨*formułka stosowana przy prezentowaniu sobie osób nie znających się*⟩.
przysł. **6.** By poznać człowieka, trzeba z nim zjeść beczkę soli. **7.** Poznać głupiego po śmiechu jego. **8.** Poznać lwa po pazurach. **9.** Poznać pana po cholewach. **10.** Prawdziwych przyjaciół poznajemy w biedzie. **11.** Zjesz beczkę soli, nim poznasz do woli.

poznaka Zmienić się nie do poznaki ⟨*zmienić się całkowicie, tak, że trudno kogo lub co poznać*⟩. *por.* niepoznaka.

poznanie 1. p. myślowe; zmysłowe ⟨*dociekanie, wiedza zdobyta za pomocą myśli; za pomocą zmysłów*⟩. **2.** *filoz.* Teoria poznania ⟨*epistemologia*⟩. **3.** Dać do poznania ⟨*uświadomić komu co, dać do zrozumienia*⟩: Dano mu do poznania, że nie ma co dalej robić w ministerstwie. *Chłęd. Pam. II, 31.* Daj jej do poznania, że się w niej kochasz. *L.* **4.** Zmienić się nie do poznania ⟨*tak, że trudno poznać; zmienić się zupełnie*⟩: Nie do poznania się zmieniła: [...] musi być chora. *Chłęd. Pam. II, 204.*

poznawać p. **poznać**

pozorny 1. p. spokój ⟨*udany, złudny*⟩. **2.** Śmierć **p-a** ⟨*letarg*⟩.

pozostać, pozostawać 1. p. bez dachu nad głową ⟨*(s)tracić mieszkanie, dom*⟩. **2. p.** na drugi rok ⟨*w szkole: nie przejść, nie przechodzić do następnej klasy*⟩. **3. p.** p r z y c z y m: a) ⟨*obstawać przy czym*⟩: **p.** przy swojej opinii, sądzie, zdaniu; b) ⟨*nie tracić czego, nie zmieni(a)ć jakiej rzeczy posiadanej na inną*⟩: Kawaleria Narodowa pozostała przy dawnych kurtkach granatowych z amarantowymi wyłogami. *Korzon Wewn. V, 85.* **4. p.** przy życiu ⟨*ocaleć*⟩: Po zbombardowaniu wsi nieliczni tylko jej mieszkańcy pozostali przy życiu. **5. p.** w tyle (po)za kim, za czym ⟨*nie nadążyć(-ać) za kim, za czym*⟩: Wyrób piwa (w Galicji w XIX w.) pozostał w tyle poza konsumpcją krajową. *Bujak Społ. 164.* **6.** Coś pozostaje, pozostało po kim ⟨*ktoś pozostawił co*⟩: Pozostały po nim dobra. *SW.* **7.** Coś pozostaje w związku z czym ⟨*coś ma związek z czym*⟩. **8.** Nie pozostaje komu nic innego, jak... (co zrobić) ⟨*ktoś jest zmuszony coś zrobić*⟩: Nie pozostaje panu nic innego, jak pójść do domu. *Par. SPP.* **9.** Niech to pozostanie między nami ⟨*niech o tym nie dowie się nikt poza nami*⟩.

pozostawiać, pozostawić 1. p. co (po sobie) ⟨*przekazać następcom jako spuściznę, spadek itp.*⟩: Starożytność pozostawiła po sobie wiele cennych zabytków sztuki. Pozostawić po sobie dobrą pamięć. **2. p.** kogo, co samemu sobie, własnemu losowi, na łasce losu ⟨*opuścić kogo, skazać kogo na własne siły*⟩: Ludzie w pośpiechu ratowali się przed powodzią pozostawiając inwentarz i dobytek własnemu losowi. **3.** Nie pozostawiać wątpliwości ⟨*sprawiać, że nie powstały wątpliwości; być jasnym, oczywistym*⟩: Raporty brzmią wyraźnie, żadnej nie pozostawiają wątpliwości. *Fiedl. A. Biz. 99.* **4.** Pozostawiać wiele do życzenia ⟨*nie zadowalać, być niezadowalającym*⟩: Zachowanie jego pozostawiało wiele do życzenia. **5.** Nie **p.** kamienia na kamieniu ⟨*(z)niszczyć, (z)burzyć doszczętnie*⟩: Spalą wieś, nie pozostawią kamienia na kamieniu. *Pięt. Łuna 115.*

pozór 1. Dla pozoru ⟨*dla oka*⟩: Strzepnął dla pozoru trochą kurzu. *Par. SPP.* **2.** Na **p.**, z pozoru ⟨*pozornie, na oko, na wygląd, na zewnątrz*⟩: Przyjąć kogo na **p.** serdecznie. Często, co złe z pozoru, dobre jest w istocie. *Kras. Bajki 19.* **3.** Pod pozorem ⟨*pod pretekstem*⟩: Grając wysoko w karty, pod pozorem rozrywki uprawiali hazard. Opuścił zebranie pod pozorem bólu głowy. **4.** Pod żadnym pozorem ⟨*pod żadnym warunkiem, w żadnym wypadku*⟩: Nakaże mu, aby do kartki nie zaglądał pod żadnym pozorem. *Zap. G. SPP.* **5.** *daw.* Dawać **p.** ⟨*dawać baczenie, zwracać uwagę na co*⟩. **6.** *daw.* Mieć **p.** ⟨*mieć wygląd*⟩: Całe miasto ze swymi wąskimi ulicami i wysokimi średniowiecznymi kamienicami bardzo starożytny ma pozór. *Tyg. Ilustr. 188, 1863.* **7.** Nadawać czemu **p.** czego ⟨*przypominać co tylko zewnętrznie, powierzchownie*⟩: Dywan położny w pokoju przy zniszczonych meblach nadawał mieszkaniu tylko pozór wykwintu. **8.** Odjąć komu **p.** do czego ⟨*pretekst*⟩: Polska przyjęciem chrześcijaństwa odjęła Niemcom pozór do strasznych krucjat. *Bobrz. Dzieje I, 203.* **9.** Odrzucić **p-y.** **10.** Ratować **p-y.** **11.** Wierzyć pozorom. **12.** Zachować **p.**, **p-y**; uczynić co dla zachowania pozoru. **13. p-y** mylą.

pozrywać Mało nie **p.** boków ze śmiechu, od śmiechu ⟨*bardzo się uśmiać*⟩: Gruby szlachcic, a tak krotochwilny, żeśmy na weselu mało boków od śmiechu nie pozrywali. *Sienk. Pot. IV, 48.*

pozwać, pozywać 1. p. kogo przed sąd ⟨*wnieść pozew do sądu*⟩. **2.** *daw.* **p.** kogo na pojedynek, na szable, na walkę ⟨*wyzwać*⟩: Myślałem, że mnie pozwą, jako rycerzom przystało, na walkę konną lub pieszą, ale to zbóje, nie rycerze. *Sienk. Krzyż. II, 26.*

pozwolenie 1. p. n a c o : **p.** na wydawanie pisma; na wwóz, wywóz towarów. **2.** Za pozwoleniem ⟨*wyrażenie używane przy wtrącaniu się do rozmowy, przerywaniu komu, oponowaniu itp.: pozwól, pozwólcie; jeśli mi wolno powiedzieć; przepraszam*⟩: Za pozwoleniem!... Teraz ja wtrącę słówko. *Prus Emanc. I, 284.* **3.** Dać, dostać, otrzymać, uzyskać **p.** **4.** Prosić kogo o **p.** **5.** Udzielić pozwolenia.

pozwalać, pozwolić 1. p. sobie na co: a) ⟨*być w stanie sprawić sobie co, móc kupić, zdobyć co; dosta(wa)ć, osiągać(-gnąć), mieć co*⟩: Na kupno telewizora nie mógł sobie jeszcze pozwolić; b) ⟨*nie powstrzym(yw)ać się od czego; nie krępować się, pofolgować sobie w zachowaniu*⟩: Pili powoli lampkami i nawet pani Julia, już na dobre rozbawiona, pozwoliła sobie na jedną. *Dąbr. Ig. Matki 412.* **2.** Jeśli czas, pogoda, pozwoli; jeśli okoliczności pozwolą ⟨*będzie; będą po temu*⟩: Jeśli czas pozwoli, odwiedzę was jutro. **3.** Za dużo, za wiele sobie pozwalać ⟨*zachowywać się zbyt swobodnie, nie znać miary w czym*⟩: Za dużo sobie pozwalasz wobec rodziców. **4.** Pan, pani pozwoli; może pan, pani pozwoli (do gabinetu, tutaj itp.) ⟨*forma grzecznościowa przy zwracaniu się do kogo: proszę przejść, pofatygować się dokąd*⟩: Może pan do mnie pozwoli (*Por. Jęz. 5. 10*). *SPP.* **5.** Pozwoli pan, pani; pozwolisz, pozwól itp., że... (lub z bezokolicznikiem) ⟨*forma grzecznościowa używana w rozmowie, wyrażająca intencję; niech mi będzie wolno*⟩: Pozwoli pani, że się przedstawię. Pozwoli pani towarzyszyć sobie?

pozycja 1. p. leżąca, siedząca, obronna, pozioma, pionowa ⟨*układ ciała, położenie*⟩. **2.** Dobra, fałszywa, niezła, niezależna, zachwiana **p.**; **p.** społeczna ⟨*miejsce w społeczeństwie, stanowisko, położenie*⟩. **3. p-e** nieprzyjacielskie; **p-e** obronne, zaczepne ⟨*stanowiska obronne lub zaczepne*⟩: Rozpoznać, zaatakować, zająć **p-e** nieprzyjacielskie. **4.** *sport.* **p.** strzałowa ⟨*w piłce nożnej, hokeju itp.: sytuacja najdogodniejsza do strzelenia bramki*⟩. **5.** Mieć jaką pozycję ⟨*zajmować jakie stanowisko*⟩: Ja mam dobrą pozycję, bo bezstronnie wszystkim prawdę mogę mówić, kiedy i ilekroć mię zaczepią. *Mick. Listy II, 287.* **6.** Mieć (niezłą, niezależną itp.) pozycję, zdobyć w świecie pozycję ⟨*stanowisko, wpływy*⟩: Pańskiej propozycji odmówić muszę. Pan nie masz pozycji. *Asnyk Poezje II, 219.* **7.** Leżeć, pozostawać, siedzieć, spać, znaleźć się w jakiej pozycji ⟨*w położeniu; w układzie ciała właściwym dla takiego położenia*⟩: Siedział na fotelu w pozycji pół leżącej. **8.** Przybrać jaką pozycję ⟨*postawę*⟩: Przybrał pozycję Atlasa, dźwigającego na grzbiecie brzemię świata. *Perz. SPP.*

pozycyjny Wojna **p-a** ⟨*w której działania bojowe stron walczących prowadzone są z silnie umocnionych i rozciągających się w głąb terenu pozycji obronnych*⟩.

pozytywny 1. p. bohater ⟨*centralna postać w literaturze realizmu krytycznego i realizmu socjalistycznego, szlachetna, walcząca o nowe lepsze życie, postępująca zawsze zgodnie z głoszonymi, wyznawanymi ideami*⟩. **2.** *przestarz.* Filozofia **p-a** ⟨*pozytywizm*⟩.

pozywać p. **pozwać**

pożalić się (Że) pożal się Boże ⟨*politowania godny, mizerny, marny; mizernie, marnie, biednie, źle*⟩: Głupi, że pożal się Boże. - Miałem zawsze dziurawe buty, ubranka pożal się Boże. *Reym. Now. III, 199.* Żyje pożal się Boże. *SPP.*

pożałowanie Godny pożałowania a. pożałowania godny: a) ⟨*lichy, nędzny; nieszczęśliwy*⟩: Dola biedaków godna pożałowania; b) ⟨*niewłaściwy, niestosowny*⟩: Ekscesy pożałowania godne.

pożar 1. Szalejący **p. 2.** *przen.* **p.** wojny, uczuć: Pożarem wojny gdy pół świata płonie. *Tremb. SW.* **3.** Łuna pożaru. **4.** Podsycić, stłumić, ugasić, umiejscowić, wzniecić, zlokalizować **p. 5.** Przybyć na miejsce pożaru (np. o straży). **6. p.** obejmuje, ogarnia, zajmuje co (budynek, las itp.). **7. p.** powstaje, szerzy się, wybucha, wzmaga się.

pożarniczy Narzędzia **p-e.**

pożarny Straż **p-a** ⟨*straż ogniowa*⟩.

pożarski Kotlet **p.** ⟨*kotlet mielony z mięsa mieszanego cielęcego i wieprzowego*⟩.

pożądanie 1. Przedmiot pożądań (stanowić) ⟨*usilnych pragnień*⟩. **2.** (O)budzić w kim **p.** ⟨*o kobiecie: (o)budzić, wywoł(yw)ać żądzę*⟩.

pożądliwy p. wzrok, **p-e** spojrzenie ⟨*wyrażający(-e) pożądanie*⟩: Spoglądać na kogo, na co pożądliwym wzrokiem.

pożegnać się p. się z k i m, z c z y m: **p. się** ze światem, z życiem ⟨*umrzeć*⟩: Zgnębiony chorobą pożegnał się ze światem.

pożegnanie 1. Smutne, uroczyste **p. 2.** Na **p.** (uścisnąć sobie dłonie). **3.** Odejść (od kogo), opuścić, zostawić kogo bez (słowa) pożegnania.

pożerać 1. p. k o g o, c o — c z y m: Pożerał ją oczami. **2. p.** książki ⟨*czytać namiętnie bez wyboru*⟩. **3.** Pożera kogo ciekawość, namiętność, zazdrość itp. ⟨*ktoś jest opanowany przez silne uczucie, np. zazdrość itp.*⟩.

pożoga 1. Nieść, roznosić pożogę ⟨*wielki pożar*⟩: Wiatry pożogę coraz dalej niosły. *Mick. SW.* **2.** Dokonać podboju mordem i pożogą: Mordem i pożogą dokonał zakon krzyżacki podboju Prus. *Piw. Odra 145.* **3.** Wzniecić pożogę, również *przen.*: Te zwycięstwa, którymi dosięga półbogi, w zazdroszczących mu sercach wznieciły pożogi. *Tremb. Różne 98.*

pożycie 1. Bliskie, dobre, harmonijne, zgodne, złe **p.** ⟨*obcowanie, przestawanie*⟩. **2. p.** domowe, małżeńskie, rodzinne, towarzyskie. **3. p.** z k i m: **p.** z mężem, z żoną, z rodziną, z ludźmi. **4.** Miły, niemiły, przykry, zgodny w pożyciu.

pożyczać *przysł.* Dobry zwyczaj, nie pożyczaj. Nie pożyczaj, zły obyczaj (nie oddają, jeszcze łają).

pożyczka 1. p. bezprocentowa, długoterminowa, krótkoterminowa, inwestycyjna, lichwiarska, wewnętrzna. **2.** Drobne **p-i. 3. p.** państwowa ⟨*rodzaj kredytu zaciągniętego przez państwo u obywateli*⟩. **4. p.** premiowa ⟨*pożyczka państwowa połączona z wygraną pieniężną; bilet, obligacja tej pożyczki*⟩. **5.** *jęz.* **p.** leksykalna, wyrazowa ⟨*wyraz przejęty z obcego języka*⟩. **6. p.** n a c o: a) ⟨*zagwarantowana czym*⟩: **p.** zaciągnięta na swe dobra, na dom; b) ⟨*zaciągnięta na jakiś cel, w jakimś celu*⟩: **p.** na zakup futra; na budowę dróg. **7.** Mieć pieniądze na pożyczkach ⟨*u dłużników*⟩. **8.** Rozpisać, spłacić, uzyskać, zaciągnąć pożyczkę. **9.** Udzielić pożyczki, udzielać pożyczek. **10.** Ulokować kapitał w pożyczkach (państwowych).

pożytek 1. Ogólny **p. 2.** Z pożytkiem (co robić): Czytać, studiować, pracować z pożytkiem. **3.** Coś idzie, wyszło komu na **p. 4.** Mieć **p.** z czego ⟨*osiągać korzyści*⟩: Stworzyliśmy własnym kosztem instytucję, z której tylko społeczeństwo mieć będzie pożytek. *Święt. A. Nałęcze 92.* **5.** Obrócić co na (swój) **p. 6.** Odnieść z czego **p.**: Widzę, iż z nauk twoich rzetelny odniosłeś pożytek. *Niemc. Sieciech. 27.* **7.** Pracować dla (ogólnego) pożytku. **8.** Przynieść, przynosić **p.**: O tym, ile jeszcze pożytku przyniesie mu kamień, dowiedzieć się miał człowiek pierwotny dopiero później. *Was. W. SPP.*

pożywienie 1. Obfite, smaczne, zdrowe **p.** ⟨*jedzenie, posiłek, strawa, żywność*⟩. **2.** Przyrządzić, zgotować **p. 3.** Służyć za **p.**, stanowić **p.**: Owoce służyły im za jedyne **p. 4.** Zdobywać sobie **p.** (zwykle o zwierzętach). **5. p.** składa się z...

pójść 1. p. pieszo, szybkim, równym, wolnym krokiem ⟨*podążyć, udać się, skierować się*⟩. **2. p.** całą parą ⟨*działać, funkcjonować sprawnie, intensywnie*⟩. **3. p.** galopem, kłusem, w pełny galop, stępa, *daw.* stępą ⟨*o zwierzętach, zwłaszcza o koniach: biec galopem, kłusem, stępa*⟩: Zwolnił cugle i koń poszedł stępa. **4.** *wulg.* Poszedł, pójdziesz precz, won! ⟨*wynoś się! nie chcę cię widzieć!*⟩. **5. p.** (w czym) dalej ⟨*rozwinąć co, ująć szerzej, posunąć naprzód*⟩: W Uniwersale połanieckim Kościuszko w sprawie reform chłopskich poszedł znacznie dalej, niż to uczyniła Konstytucja 3 maja. *Fiedl. F. Konst. 40.* **6. p.** dobrze, pięknie; źle ⟨*poszczęścić się, udać się; nie udać się, nie poszczęścić się*⟩: Egzamin poszedł mu dobrze. **7. p.** wysoko, wyżej ⟨*awansować*⟩: Byłby stąd poszedł wysoko [...] gdyby nie zbieg przeciwnych okoliczności. *Bartosz. Hist. 436.* **8.** O co poszło? ⟨*co było przyczyną kłótni, konfliktu itp.*⟩. **9. p.** d o k ą d l u b g d z i e ⟨*udać się*⟩: **p.** do domu, do lasu, do teatru; **p.** na spacer, na wykład; **p.** w kierunku jeziora; **p.** w swoją stronę. **10. p.** gdzie oczy poniosą ⟨*udać się byle gdzie, wszystko jedno dokąd*⟩: Rzucę wszystko do diabła i pójdę, gdzie mnie oczy poniosą! *Reym. Now. V, 62.* **11. p.** jak w dym ⟨*z ochotą, z zapałem, nie oglądając się na nic*⟩. **12.** Poszło, pójdzie jak po maśle, jak z płatka ⟨*udało się; ułożyło się łatwo, bez trudu, pomyślnie*⟩: Wszystko poszło jak po maśle. **13. p.** jak zmyty ⟨*zawieść się, nic nie wskórać (gdyż coś potoczyło się wbrew przewidywaniom)*⟩: Usłyszał kilka słów prawdy i poszedł jak zmyty. **14. p.** d o k o g o, d o c z e g o; **p.** n a k o g o, n a c o ⟨*zacząć uczyć się, terminować u kogo; zacząć uczyć się, kształcić się w jakimś kierunku, w jakiejś dziedzinie; obrać jakiś zawód; zacząć pracować w jakim zawodzie*⟩: **p.** do kowala, do szewca; **p.** do handlu, do rolnictwa, do rzemiosła; **p.** na posadę, na studia, na medycynę, na nauczyciela, na instruktora, na prawnika. **15. p.** do grobu, do wieczności, do ziemi, **p.** ziemię gryźć, *żart.* do Abrahama na piwo, *posp.* do lali ⟨*umrzeć*⟩: Umarła młodo z suchot, wraz z nią poszedł do grobu podeszły w wieku małżonek. *Orzesz. Pam. I, 323.* Ja im już niedługo ustąpię. Pójdę ziemię gryźć. *Zap. G. Ptak I, 137.* **16.** *pot.* **p.** do więzienia, do kozy, do kryminału, za kratki, pod klucz ⟨*zostać aresztowanym, skazanym na więzienie; dostać się do więzienia*⟩. **17. p.** do łóżka, **p.** spać; *książk.* **p.** na spoczynek ⟨*położyć się do łóżka, położyć się spać; udać się na spoczynek*⟩. **18. p.** do podpisu, do zatwierdzenia ⟨*zostać skierowanym*⟩: Akt poszedł do podpisu. Projekt poszedł do zatwierdzenia. **19. p.** n a c o ⟨*zostać przeznaczonym, obróconym na co*⟩: Cały zapasik poszedł na spłatę długów syna. *SW.* Pozostałe szmaty pójdą na ścierki. *SW.* **20. p.** na deski ⟨*w boksie: zostać powalonym silnym ciosem*⟩. **21. p.** na dziady, na żebry, po prośbie, pod kościół, z torbami ⟨*zacząć żebrać; żebrać*⟩: Jak nie będziesz pilnował swego, to na dziady pójdziesz. *Twórcz. 8, 1953, s. 92.* **22. p.** na karb czego ⟨*zostać czemu przypisanym*⟩: Musiałem się trzymać tak jakoś, aby [...] niepomiernej wesołości nie zdradzić, która by na karb wygranej poszła. *Krasz. Pam. 187.* **23. p.** na koniec świata, w ogień za kim (zwykle w trybie warunkowym) ⟨*być gotowym na wszystko dla kogo, na największe trudy i ofiary*⟩: Ona go tak kochała! [...] poszłaby za nim na koniec świata. *Choj. Alkh, II, 324.* **24 p.** na marne, na nic, w poniewierkę, *daw.* na nice ⟨*zmarnować się, nie odnieść skutku, stać się bezużytecznym*⟩: Cały koncert pójdzie na nic, jeżeli pan nam nie pomoże. *Prus Emanc. II, 85.* **25. p.** na swoje, na swój chleb ⟨*rozpocząć życie samodzielne, przestać być na czyim utrzymaniu; założyć własne gospodarstwo*⟩: Uśmiechnął się, własne dzieci wspomniał, co już na swoje poszły. *Żukr. Cór. 14.* **26. p.** na tułaczkę, na tułactwo, *daw.* w tułaczkę ⟨*opuścić ojczyznę, rozpocząć tułaczkę*⟩. **27. p.** na złą drogę, **p.** po zgubnej drodze ⟨*postępować, postąpić wbrew nakazom etyki, wbrew prawu*⟩: Jest bardzo zalotna, może [...] pójść po drodze zgubnej dla siebie, i rzucić „cień na całą rodzinę". *Dygas. As 46.* **28. p.** p o c z y m: **p.** po linii najmniejszego oporu ⟨*dążyć do unikania wszelkich trudności; robić to, co najłatwiejsze, co przychodzi bez wysiłku, bez starań*⟩: Przed aktorem stały dwie drogi do wyboru: pierwsza — pójścia po linii najmniejszego oporu na zrutynizowany szablon i szarżę [...] i druga droga — rzetelnego stosunku do każdej roli, ciężkiej pracy nad nią. *Pam. Teatr. 1, 1955, s. 18.* **29.** Coś poszło po myśli czyjej ⟨*rozwinęło się, ułożyło się zgodnie z czyim życzeniem*⟩: Jeśli mi wszystko pójdzie po myśli, przyjadę do kraju odetchnąć parę miesięcy. *Rodz. Dew. 115.* **30.** Poszło komu po nosie ⟨*skończyło się porażką, nie udało się; dostał nauczkę, naganę; utarto mu nosa*⟩. **31. p.** p o d c o: **p.** pod mur, pod ścianę, pod miecz, na pal, na szubienicę ⟨*zostać straconym (rozstrzelanym, ściętym, wbitym na pal, powieszonym)*⟩. **32. p.** pod nóż ⟨*o zwierzętach rzeźnych, drobiu: zostać zarzniętym*⟩: Krowa, kura poszła pod nóż. **33. p.** w c o: **p.** w drobny mak, w drzazgi, w strzępy ⟨*ulec zupełnemu rozbiciu, zniszczeniu*⟩: Wazon kryształowy spadł ze stołu i poszedł w drobny mak. **34. p.** w konkury, *daw.* w konkur ⟨*oświadczyć się*⟩. **35. p.** w niepamięć, w zapomnienie ⟨*zostać zapomnianym, ulec zapomnieniu*⟩: Dawne urazy poszły w zapomnienie. **36. p.** w niewolę, *daw.* w łyka, w jasyr ⟨*dostać się do niewoli, zostać wziętym do niewoli*⟩. **37.** *daw.* **p.** w nogi ⟨*uciec*⟩: Bohater mój napadł na wrogi i jął ich rąbać tak, że poszli w nogi. *Słow. Ben. 155.* **38. p.** w odwłokę, *daw.* w zwłokę, w przewłokę ⟨*zostać odłożonym na później, odroczonym*⟩:

Sprawa poszła w odwłokę. **39.** *przestarz.* **p.** w ojca, w matkę, w dziadka itp. ⟨*stać się podobnym do ojca itd., wdać się w ojca itd.*⟩: Obaj synowie byli przystojni, ze wzrostu poszli w ojca, z urody w matkę. *Bart. L. Ludzie 141.* **40.** *daw* **p.** w ryzę ⟨*być przymuszonym do czego, zostać ujętym w ryzy*⟩: Ani chybi, Klarysa jego bałamuci, ale pójdzie mi w ryzę. *Zabł. Firc. 88.* **41.** *przestarz.* dziś *żart.* **p.** w sołdaty, w guwernantki itp. ⟨*zostać żołnierzem, guwernantką itp.*⟩: Z jego rozporządzenia poszedł w sołdaty. *Lel. Pam. 106.* **42. p.** w czyje ślady, **p.** za czyim przykładem ⟨*zrobić co, postąpić podobnie jak ktoś*⟩. **43. p.** w świat, między ludzi ⟨*rozpocząć życie samodzielne, zacząć żyć wśród obcych*⟩: Wolała jednak pójść między ludzi niż siedzieć na ojcowiźnie. *Prus Plac. 8.* **44.** *przestarz.* dziś *żart.* **p.** w tan, w tany, w taniec; **p.** poloneza itp. ⟨*puścić się w taniec; zatańczyć poloneza itp.*⟩: Zaczęła grać muzyka [...] starsi poszli najprzód w tan z matronami. *Kaczk. Olbracht. I, 296.* **45.** *daw.* **p.** (z kim) w tuzy ⟨*rozpocząć bójkę*⟩: Złapał czającego się za piekarnią Józefa i całą winę nań zwalając, chciał pójść z nim w tuzy. *Chodź. Pisma I, 89.* **46.** *przestarz.* **p.** w zapasy ⟨*współzawodniczyć, rywalizować*⟩: Jam się postarzał [...] a ty jeszcze z młodszymi mógłbyś pójść w zapasy. *Mick. Tad. 337.* **47. p.** z dymem, *daw.* w perzynę ⟨*spalić się, spłonąć*⟩. **48. p.** z a k i m, z a c z y m ⟨*naśladować kogo w zakresie formy, tematyki, np. literackiej*⟩: Dramat hiszpański nie poszedł niewolniczo za przyjętymi formami, lecz stworzył sobie formy własne. *Witkow. S. Trag. II, 321.* **49. p.** za czyją radą ⟨*posłuchać czyjej rady, zastosować się do czyjej rady*⟩: Dobrze mówisz, pójdę za twoją radą. *L.* **50. p.** za mąż, *pot.* za kogo ⟨*zostać mężatką, czyją żoną; wstąpić w związek małżeński*⟩. **51.** Coś poszło komu z czego ⟨*polało się, pociekło*⟩: Poszła mu krew z nosa. Łzy jej poszły z oczu. *SW.* **52.** *przestarz.* Lata komu poszły ⟨*ktoś stał się starszym, zestarzał się*⟩: Choć lata temu Frankowi już dobrze poszły, a on matki się słuchał i o ożenku nie myślał. *Bogusz. Kura 92.* **53.** *przestarz.* Stąd poszło, że... ⟨*wynikło*⟩. **54.** Wino poszło komu do głowy; w nogi ⟨*uderzyło do głowy; spowodowało zawrót głowy; niemożność poruszania się*⟩.

przysł. **55.** Lekko przyszło, lekko poszło ⟨*rzecz. pieniądze zdobyte łatwo, bez trudu zostały spożytkowane, wydane beztrosko*⟩. **56.** Nauka nie poszła (nie pójdzie) w las ⟨*doświadczenie nie było (nie będzie) zapomniane*⟩.

pół 1. p. czarnej ⟨*mała filiżanka czarnej kawy*⟩. **2. p.** żartem, **p.** serio ⟨*niezupełnie żartując i nie całkiem serio*⟩: Mówić pół żartem, pół serio. **3. p.** do (drugiej, trzeciej itd.), o **p.** do (drugiej, trzeciej itd.); wpół do (drugiej, trzeciej itd.), o wpół do (drugiej, trzeciej itd.) ⟨*godzina pierwsza, druga trzydzieści itd.; o godzinie pierwszej, drugiej trzydzieści*⟩. **4. p.** na **p.** ⟨*w równych częściach, w połowie*⟩: Ekstrakt zmieszany pół na pół z wodą. **5.** Na **p.**: a) ⟨*na dwie połowy*⟩: Rozciąć co na **p.**; b) a. przez **p.**, na poły ⟨*w połowie, do połowy, niecałkowicie*⟩: Na **p.** dojrzały, na **p.** ugotowany; na **p.** rozpięta bluza. Rozumieć co przez **p.** tylko. Przyniósł starą księgę [...] na poły od szczurów pożartą. *Zab. XIII/1, 1776, s. 87.* **6.** W **p.** drogi, w **p.** słowa itp. ⟨*w połowie*⟩: Zawrócił w **p.** drogi. Przerwał w **p.** słowa.

półcień 1. Łagodny **p. 2.** Tonąć, zanurzyć się, znaleźć się w półcieniu: Meble tonęły w półcieniu. **3. p.** panuje gdzie (np. w pokoju).

półgębkiem 1. Bąkać, gadać, gwarzyć, mówić, mruczeć, odpowiadać, odzywać się, przebąknąć, rozmawiać, szeptać, wspominać itp. **p.** ⟨*niewyraźnie, niezrozumiale; nieśmiało, oględnie*⟩. **2.** Jadać, jeść **p.** ⟨*mało; niechętnie; bez apetytu*⟩. **3.** Śmiać się, uśmiechać się **p.** ⟨*nieszczerze; cicho; krzywo*⟩. **4.** *euf. żart.* Siadać, (u)siąść **p.** ⟨*jednym pośladkiem*⟩.

półgłosem Czytać, jęczeć, kląć, liczyć, modlić się, mówić, nucić, opowiadać, rozmawiać, śpiewać, uczyć się, wydawać rozkazy itp. **p.** ⟨*niezbyt głośno, przytłumionym głosem*⟩.

półka 1. p. biblioteczna ⟨*regał*⟩. **2. p.** na książki a. do książek; **p.** w ścianie. **3.** Rzędy półek. **4.** Coś leży, stoi na półce. **5.** Sięgnąć na półkę. **6.** Pojawić się, zjawić się na półkach księgarskich ⟨*o książce: ukazać się w sprzedaży*⟩. **7.** Schodzić z półek (księgarskich) ⟨*o książce, dziele: być wycofanym ze sprzedaży*⟩. **8.** Zalegać **p-i** (księgarskie) ⟨*o książce: nie mieć pokupu*⟩.

półkole 1. Półkolem (otaczać kogo, co; rosnąć, biec, stanąć) ⟨*w kształcie półokręgu, łukiem*⟩: Linia drogi biegła półkolem. **2.** W **p.**: Damy usiadły w półkole. *Prus Lalka III, 138.* **3.** Ustawić (się) w **p.**

półkorcówka *daw.* Mieć głowę, łeb jak **p.** ⟨*mieć dużo kłopotów, zmartwień; mieć dużo na głowie*⟩: Kolosalne kłopoty, mówię ci, łeb mam jak półkorcówka. *Dygas. Pióro 59.*

półkrąg 1. Półkręgiem, w **p.** (stanąć, ustawić się) ⟨*w półkole*⟩: Na zrębie głazów w półkrąg stanęli. *Zmor. Poezje 73.* **2.** Zatoczyć **p.**

półkrew Koń, klacz, pies półkrwi ⟨*pochodzące ze skrzyżowania osobnika określonej rasy z osobnikiem bez określonej rasowości*⟩.

półksiężyc 1. *daw.* dziś *rzad.* Ciągnąć się, okrążać, otaczać, rozciągać się, rozwijać się, rozwijać szyki, ustawiać się, wyginać się półksiężycem, w **p.** ⟨*ciągnąć się itp. tworząc grupę w kształcie sierpa księżyca*⟩: Rozwinąwszy się w półksiężyc, odważnie czekali natarcia. *Gomul. Miecz. II, 137.* **2.** Walka między krzyżem i półksiężycem ⟨*między chrześcijaństwem i islamem*⟩.

półmisek 1. p. c z e g o ⟨*zawartość półmiska, potrawy z półmiska*⟩: **p.** jarzyn, ryb. **2. p.** z c z y m ⟨*płaskie, podłużne naczynie stołowe, rodzaj płytkiej miski z zawartością*⟩: **p.** z mięsiwem, z jarzynami. **3.** Obnosić **p.**; położyć, włożyć na **p.**; podać na półmisku. **4.** *przestarz.* Rozkładać co (jak) na półmisku, na **p-i** ⟨*rozwodzić się nad czym*⟩: Wszędzie lubił podawać radę, toczyć dyskusje, rozkładać rzecz na półmiski. *Szujski Portr. 27.*

północ 1. Daleka **p.** ⟨*północne kraje podbiegunowe*⟩. **2.** Od północy do południa ⟨*o czasie*⟩. **3.** Na północy czego ⟨*w części północnej czego, kraju, miasta itp.*⟩: Na północy Polski. **4.** Na **p.** od czego ⟨*w kierunku północnym*⟩: Na **p.** od Warszawy.

5. Z północy na południe ⟨*o kierunku przestrzennym*⟩: Z północy na południe przeciął ją [dolinę] wstęgą Białki. *Prus SPP*. **6.** *daw*. Z północy ⟨*po północy*⟩: Przybliżyłem się do jednej dużej wsi, o godzinie 2 z północy. *Kopeć Dzien. 33*. **7. p.** bije, wybiła ⟨*zegar wydzwania, wydzwonił godzinę 12 w nocy*⟩.

północny 1. *fiz*. Biegun **p.** (magnesu) ⟨*biegun dodatni magnesu; w kompasie: biegun wskazujący północ*⟩. **2.** Fauna, roślinność **p-a** ⟨*właściwa strefie północnej*⟩. **3.** Kraje, ziemie **p-e** ⟨*leżące na północy*⟩. **4. p.** wschód ⟨*strona, kierunek między północą a wschodem; północo-wschód*⟩. **5. p.** zachód ⟨*strona, kierunek między północą a zachodem; północo-zachód*⟩. **6.** Wiatr **p.** ⟨*wiejący z północy*⟩. **7.** *astr*. Zorza **p-a** ⟨*zorza polarna*⟩.

półpnący Róże **p-e** ⟨*gatunek róż o długich, wiotkich pędach wymagających podpór do normalnego wzrostu*⟩.

półpustynny Klimat **p.** ⟨*w którym suma opadów w ciągu roku jest większa niż w klimacie pustynnym; deszcze występują tu przeważnie tylko w postaci rzadkich, ale gwałtownych ulew*⟩.

półrocze Oceny, stopnie, świadectwo na **p.** ⟨*za pół roku nauki, na zakończenie pierwszego półrocza*⟩: Świadectwo na półrocze dostałem dobre. *Pigoń Komb. 134*.

półuchem Słuchać **p.** ⟨*nie bardzo zwracając uwagę na to, co kto mówi; nieuważnie*⟩.

półwędrowny Ryby **p-e** ⟨*żyjące w strefie przybrzeżnej morza, w pobliżu ujścia rzek, odbywające tarło w dolnym biegu rzek*⟩.

półwyścigowy Rower, samochód, motocykl **p.** ⟨*pośredni między typem wyścigowym a turystycznym*⟩.

późno 1. Do późna ⟨*do późnych godzin, długo wieczorem lub w nocy*⟩: Długo rozmawialiśmy, do późna w nocy. *Słow. Listy I, 218*. **2.** Jest, było, robi się **p.**, za **p.** ⟨*pozostaje zbyt mało czasu, brakuje czasu; po czasie, po właściwym czasie*⟩: Teraz już za późno na układy. *Sienk. Wołod. II, 4*. *przysł*. **3.** Kto późno przychodzi, sam sobie szkodzi. **4.** Lepiej późno, niż nigdy (wcale).

później 1. Prędzej czy **p.**, wcześniej czy **p.** ⟨*kiedyś, kiedykolwiek, w jakimkolwiek czasie, po jakimś czasie; koniecznie, bezwzględnie*⟩: Prawda prędzej czy później odnosi triumf. *Bliz. Dam. 116*. Prędzej czy później przekonasz się o tym. **2.** Na **p.** (odłożyć, odsunąć, zostawić itp.) ⟨*na potem, na przyszłość*⟩: Odłożyć decyzję na **p.**

praca 1. p. ⟨*celowa działalność wytwórcza; wysiłek, trud, robota; akcja*⟩: **p.** akordowa (na akord), dniówkowa. **2. p.** badawcza, biurowa, fizyczna, dydaktyczna, literacka, naukowa, niewolnicza, niesamodzielna, pisarska, pedagogiczna, przetwórcza, przygotowawcza, publicystyczna, redakcyjna, samodzielna, twórcza, umysłowa, wychowawcza, wytwórcza, zbiorowa, zespołowa. **3. p.** benedyktyńska, ciężka, daremna, dokładna, gorączkowa, krwawa, lekka, mozolna, mrówcza, niedbała, niestrudzona, niewdzięczna, niewydajna, niezmordowana, ofiarna; owocna, wydajna, wytężona, wytrwała; **p.** ponad siły, w pocie czoła. **4. p.** ciągła, dorywcza, dzienna, najemna, nocna, sezonowa, stała, zarobkowa, zawodowa; na dwie, na trzy zmiany; **p.** za wynagrodzeniem. **5. p.** dyplomowa, magisterska, doktorska, habilitacyjna ⟨*rozprawa, projekt itp. stanowiące podstawę uzyskania dyplomu, tytułu magistra itp.*⟩. **6.** *fiz*. **p.** elektryczna, **p.** prądu ⟨*iloczyn mocy prądu i czasu, mierzony w watogodzinach*⟩. **7. p-e** hodowlane, inwestycyjne, kartograficzne, kodyfikacyjne, polowe, przygotowawcze, urbanistyczne, wykopaliskowe ⟨*działalność zespołowa nad wytwarzaniem czego*⟩. **8. p.** konspiracyjna, podziemna ⟨*działalność, akcja*⟩. **9.** *fiz*. **p.** mechaniczna ⟨*wielkość fizyczna mierzona iloczynem wartości siły przez wartość przebytej drogi lub też iloczynem wartości składowej siły zgodnej z kierunkiem drogi przez wartości przebytej drogi*⟩. **10. p.** nieprodukcyjna ⟨*działalność nie związana bezpośrednio z produkcją, np. artystyczna, badawcza, wychowawcza, naukowa*⟩. **11. p.** organiczna, **p.** u podstaw ⟨*hasło pozytywistów zalecające dążenie do podniesienia gospodarczego wsi i oświaty wśród ludu*⟩. **12. p.** partyjna, patriotyczna, polityczna, społeczna ⟨*działalność*⟩. **13. p.** poprawcza, przymusowa ⟨*kara za wykroczenia administracyjne, odbywana bez pozbawienia wolności w miejscu stałego zatrudnienia lub w miejscu wskazanym przez wydającego wyrok*⟩. **14. p.** pionierska ⟨*działanie zapoczątkowujące co, wprowadzające coś nowego; nowatorstwo*⟩. **15. p.** potokowa ⟨*polegająca na zachowaniu kolejności i ciągłości w wykonywaniu poszczególnych elementów produkowanego przedmiotu*⟩. **16. p.** produkcyjna ⟨*której celem jest przystosowanie dóbr przyrody do potrzeb człowieka; działalność w dziedzinie produkcji materialnej, której rezultatem jest wartość użytkowa*⟩. **17. p.** siłowa ⟨*wysiłek fizyczny, ćwiczenia gimnastyczne wyrabiające siłę fizyczną*⟩. **18. p.** syzyfowa ⟨*ciężka, lecz bezcelowa praca (od imienia mitologicznego Syzyfa, założyciela i króla Koryntu, za liczne nieprawości skazanego na ciągłe wtaczanie na górę głazu, który od szczytu osuwał się z powrotem w dół)*⟩. **19. p.** zlecona ⟨*określona praca wykonywana na zlecenie*⟩. **20. p.** całego życia ⟨*to, co ktoś zapracował, zarobił, zgromadził, zaoszczędził pracując; dorobek*⟩. **21. p.** pióra ⟨*pisanie utworów literackich*⟩: Utrzymywać się z pracy pióra. **22. p.** c z y m ⟨*gdy się wymienia narzędzie pracy*⟩: **p.** łopatą; **p.** piórem. **23. p.** n a c o: **p.** na chleb. **24. p.** n a d c z y m ⟨*gdy się wymienia cel pracy*⟩: **p.** nad rozwiązaniem komunikacji w mieście. Każdą chwilę zacznie poświęcać pracy nad sobą. *SPP*. **25. p.** o k o ł o c z e g o: **p.** około gospodarstwa. **26.** Bezpieczeństwo i higiena pracy (BHP) ⟨*dział ochrony pracy mający na celu zapobieganie wypadkom przy pracy oraz zapewnienie pracownikom nieszkodliwych dla zdrowia warunków*⟩. **27.** Bieg, tok, tętno, rytm pracy. **28.** Ciągłość pracy. **29.** Czas, dzień pracy. **30.** Cześć pracy! ⟨*w zakładach, zwłaszcza produkcyjnych, pozdrowienie powitalne lub pożegnalne, akcentujące pozytywny stosunek do wysiłku ludzkiego*⟩. **31.** Dyscyplina pracy ⟨*ogół przepisów mających na celu zabezpieczenie należytego wykonania pracy w państwie*⟩. **32.** Harmonogram, plan, podział pracy. **33.** Inspektor pracy ⟨*specjalny urzędnik państwowy lub działacz społeczny, nadzorujący przestrzegania przepi-*

sów o bezpieczeństwie i higienie pracy⟩. **34.** Karta pracy: a) ⟨*karta służąca do zapisywania, notowania wykonanych przez robotnika czynności*⟩; b) ⟨*w okresie okupacji niemieckiej: dokument, dowód zatrudnienia (kalka niem. Arbeitskarte)*⟩. **35.** Ludzie pracy, świat pracy, człowiek pracy ⟨*warstwa społeczeństwa utrzymująca się z pracy zarobkowej*⟩. **36.** Metoda, organizacja, styl, warunki pracy. **37.** Nakład, wkład pracy. **38.** Nawał pracy. **39.** (Naukowa) organizacja pracy. **40.** Obóz pracy, *rzad.* dom pracy ⟨*miejsce pracy przymusowej z pozbawieniem lub ograniczeniem wolności*⟩. **41.** Prawo pracy ⟨*ogół przepisów regulujących stosunki między pracownikiem a pracodawcą, określających obowiązki, uprawnienia pracownika i pracodawcy względem siebie*⟩. **42.** Przodownik pracy ⟨*pracownik epoki socjalistycznej, który we współzawodnictwie osiąga najwyższą ilość produkcji w określonej jednostce czasu*⟩. **43.** Racjonalizacja pracy ⟨*ulepszenie, poprawienie, udoskonalenie warunków lub metod wykonywania czego*⟩. **44.** Spółdzielnia pracy ⟨*zrzeszenie grupy osób w celu wspólnej pracy z określonym umową udziałem w zyskach i wspólną odpowiedzialnością*⟩. **45.** *fiz.* Teoretyczne jednostki pracy ⟨*jednostki, którymi mierzy się pracę, np. erg, kilogramometr itp.*⟩. **46.** Współzawodnictwo pracy ⟨*w ustroju socjalistycznym: szlachetna rywalizacja ludzi pracujących w dążeniu do podniesienia ilości i jakości produkcji*⟩. **47.** Wydajność pracy ⟨*ilość produkcji otrzymywana w określonej jednostce czasu*⟩. **48.** Wyścig pracy. **49.** Wyzysk pracy. **50.** Zakład, miejsce pracy ⟨*instytucja, w której ma się posadę, gdzie jest się zatrudnionym*⟩. **51.** Pole do pracy. **52.** Zdolność do pracy. **53.** Umowa o pracę ⟨*umowa, w której pracownik zobowiązuje się do pełnienia dla pracodawcy pracy za wynagrodzeniem*⟩. **54.** Niezmordowany, wytrwały w pracy. **55.** Brać się, wziąć się, zabrać się do pracy. **56.** *pot.* Chodzić, jeździć do pracy ⟨*pracować*⟩: A twój stary gdzie chodzi do pracy? **57.** Dać komu, otrzymać pracę ⟨*zajęcie, zarobek; posadę*⟩. **58.** Dojść do czego (własną) pracą: Własną pracą doszedł do stanowiska. *SW.* **59.** Imać się; jąć się pracy. **60.** *pot.* Iść do pracy ⟨*zacząć pracować*⟩: Od pierwszego idę do pracy. **61.** Napędzać, nawoływać do pracy. **62.** Oddać się, poświęcić się pracy. **63.** Odpocząć po pracy. **64.** Odrywać kogo od pracy. **65.** Podejmować, podjąć pracę. **66.** Podołać ogromowi pracy. **67.** Podziękować za pracę. **68.** Pogrążyć się, zatopić się w pracy. **69.** Przerwać, rzucić pracę. **70.** Przykładać do czego pracy, przykładać się do pracy. **71.** Stracić, zmienić, znaleźć pracę ⟨*posadę, zatrudnienie, zajęcie*⟩. **72.** Rzucić się w wir pracy. **73.** Skazać na ciężkie **p-e** ⟨*pozbawić wolności, skazać na więzienie z obowiązkiem wykonywania wyznaczonej pracy*⟩. **74.** Szukać pracy ⟨*zajęcia, posady*⟩. **75.** Tętnić pracą. **76.** Ustawać, nie ustawać w pracy. **77.** Wciągnąć się, wziąć się, zabrać się, zasiąść, zaprząc się (kogo) do pracy. **78.** Wkładać, włożyć w co pracę (dużo pracy). **79.** Wykonać pracę. **80.** Zadać sobie pracę czego ⟨*zadać sobie trud czego*⟩. **81.** Zagrzebać się, zakopać się po uszy w pracy. **82.** Zalegać z pracą. **83.** Żyć z pracy rąk ⟨*utrzymywać się z pracy fizycznej*⟩. **84. p.** idzie (dobrze, źle, na całego); idzie na marne; **p.** pali się komu w rękach; wre, zawrzała; wydaje, osiąga owoce. *przysł.* **85.** Bez pracy nie ma kołaczy. **86.** Jaka praca, taka płaca. **87.** Praca tuczy, bieda uczy. **88.** Cierpliwością i pracą ludzie się bogacą. **89.** Praca lat skraca. **90.** Praca nie zając — nie ucieknie. **91.** Żadna praca nie hańbi.

pracować 1. p. fizycznie, umysłowo; **p.** dorywczo, sezonowo; kolektywnie, zespołowo; społecznie, zarobkowo; **p.** na cudzym; **p.** niezmordowanie, ochoczo, ofiarnie, rzetelnie, wydajnie; żwawo; bez wytchnienia, z całego serca, ze wszystkich sił; **p.** dzień i noc, od świtu do nocy; w milczeniu, w skupieniu, w pocie czoła, do siódmego potu; ponad siły, ponad normę; za dwóch, za czterech. **2. p.** jak koń, jak wół, jak mrówka, jak się patrzy; *żart.* jak dziki osioł. **3. p.** na dwie, na trzy zmiany; **p.** na akord, na dniówkę; **p.** pełną parą, na pełnych, na zwolnionych obrotach. **4. p.** ręka w rękę ⟨*zgodnie, wzajemnie sobie pomagając*⟩. **5. p.** w biurze, w fabryce. **6. p.** c z y m ⟨*gdy się wymienia narzędzie pracy, również przen.*⟩: **p.** łopatą; **p.** głową, **p.** językiem, język pracuje ⟨*mówić, obmawiać kogo*⟩: Oni pracowali łopatami, on językiem. - Niewieście języki pracują. Głównym przedmiotem ich zajęcia — oblubienica. *Gomul. Miecz II, 144.* **7. p.** łokciami ⟨*rozpychać się, przedostawać się przez tłum, pomagając sobie łokciami*⟩: Pracowaliśmy dość bezceremonialnie nie tylko łokciami, ale i pięściami. *Górs. H. Czarn. 203.* **8. p.** piórem ⟨*pisać prace naukowe, literackie; być pisarzem*⟩. **9. p.** d l a k o g o, d l a c z e g o ⟨*działać na czyją korzyść, przejawiać działalność w czyim interesie*⟩: **p.** dla idei, dla dobra kraju. **10. p.** o k o ł o c z e g o ⟨*wkładać w jakąś pracę dużo trudu, wysiłku, starania*⟩: **p.** około drzew (owocowych). Ślimak sam pracował około roli. *Prus SPP.* **11. p.** n a k o g o, n a c o ⟨*zarabiać na (czyje, swoje) utrzymanie; spełniać jakieś czynności na czyją korzyść; dorabiać kogo swoją pracą*⟩: **p.** na żonę, na dzieci; **p.** na fabrykanta; **p.** na chleb, na kawałek chleba, na twardy chleb powszedni, na utrzymanie, na życie. **12. p.** na siebie ⟨*utrzymywać się z własnej pracy, zarabiać na własne utrzymanie*⟩. **13.** Czas pracuje na kogo, na co; przeciw komu, czemu ⟨*oddalenie w czasie sprzyja, nie sprzyja komu lub czemu*⟩: Na rozum biorąc czas pracuje przeciwko nim. *Was. W. Rzeki 500.* **14. p.** n a c z y m ⟨*działać w jakiś sposób za pomocą jakichś urządzeń, materiałów*⟩: Piec hutniczy pracuje na sztucznym dmuchu. Motor pracuje na benzynie, na ropie. **15. p.** na jakimś polu ⟨*działać w jakiejś dziedzinie*⟩. **16. p.** n a d c z y m ⟨*dążyć do wykonania czego, wykonywać co; prowadzić studia, badania nad czym; pisać, komponować, tworzyć co*⟩: **p.** nad obrazem, operą, powieścią; **p.** nad rozwiązaniem problemu naukowego, nad podniesieniem oświaty. **17. p.** nad kim, nad sobą ⟨*kształtować, wyrabiać swój lub czyj charakter, wolę; kształcić kogo (się)*⟩: Nad Kazią muszę jeszcze dużo pracować, żeby wyplenić w niej mieszczańskie zamiłowania. *Sienk. Now. VI, 58.* **18.** Głowa, myśl, fantazja, wyobraźnia pracuje ⟨*ktoś myśli, zastanawia się, fantazjuje, wyobraża sobie co*⟩.

pracownica *książk.* **p.** igły ⟨*krawcowa*⟩.

pracownik 1. Dobry, doskonały, doświadczony, niedbały, niewydajny, sumienny, świetny **p. 2. p.**

etatowy, kontraktowy, najemny, sezonowy, stały; **p.** fizyczny, umysłowy. **3.** Niesamodzielny **p.** nauki ⟨*nie mający jeszcze tytułu docenta*⟩. **4.** Samodzielny **p.** nauki ⟨*mający tytuł naukowy docenta lub profesora*⟩. **5.** *książk.* **p.** mózgu ⟨*myśliciel, naukowiec*⟩. **6.** *książk.* **p.** pióra ⟨*pisarz, literat*⟩.

pracujący Lud **p.**, ludność **p-a**, masy **p-e**, klasy **p-e**, inteligencja **p-a** ⟨*warstwa społeczna utrzymująca się z pracy zarobkowej*⟩.

prać 1. p. brudy (czyje, swoje, rodzinne itp.) ⟨*roztrząsać, wyciągać na światło dzienne, ujawniać sprawy drażliwe, przykre*⟩: W moim salonie, cieszącym się od tylu lat renomą tak zasłużoną, zaiste, oni sobie brudy rodzinne prać przyszli! *Żer. Biała 46.* **2. p.** k o g o — c z y m, p o c z y m ⟨*okładać, bić*⟩: **p.** syna paskiem; **p.** kogo po plecach, po twarzy.

pradawny Od pradawna ⟨*od bardzo dawna, od najdawniejszych czasów, od dawien dawna*⟩: Dziki od pradawna utrzymywały się w odwiecznych lasach Karpat. *Wodz. Wspom. 45.*

pradziad 1. Od dziada pradziada, z dziada pradziada ⟨*z dawien dawna, od dawien dawna*⟩: Spora część obecnych gospodarzy siedzi tu na wsi z dziada pradziada. *Pigoń Komb. 15.* **2.** Za dziadów pradziadów ⟨*w czasach dawnych, najdawniejszych*⟩: Po pasiekach skarbowych wszystko po dawnemu, jak było za dziadów pradziadów. *Dz. Lit. Lw. 10, 1857.*

pragnąć p. czego jak kania dżdżu ⟨*bardzo pragnąć; pragnąć niecierpliwie*⟩. *posp.* Jak pragnę Boga, zbawienia, szczęścia, wolności! ⟨*zaklęcia*⟩.

pragnienie 1. Dokuczliwe, silne **p.** ⟨*uczucie suchości w gardle, gdy się chce pić*⟩. **2.** Głębokie, gorące, głuche **p.** ⟨*pożądanie, życzenie, żądza*⟩. **3. p.** c z e g o: **p.** szczęścia, poświęceń, miłości; **p.** zemsty. **4.** Budzić, obudzać, wywoływać **p.**, wzniecać **p.** (czego). **5.** Doznać pragnienia czego a. co robić; Doznałem nieopisanego pragnienia pomóc biedakowi. *Święt. A. Obraz. I, 198.* **6.** Gorzeć pragnieniem czego. **7.** Cierpieć, czuć, mieć, odczuwać, (u)gasić, znosić **p. 8.** Omdlewać, schnąć, usychać, umierać z pragnienia. **9.** Spełnić, zaspokoić czyje **p. 10. p.** dokucza komu, dręczy kogo; pali, trapi kogo. **11. p.** czego rośnie w kim, w czyim sercu.

praktyka 1. Długoletnia **p. 2. p.** dyplomowa, letnia, wakacyjna ⟨*praca w zakładach wytwórczych w celu ugruntowania wiadomości teoretycznych*⟩. **3. p.** lekarska, prawnicza, adwokacka ⟨*wykonywanie zawodu; wziętość; klientela*⟩. **4.** Lekarz z praktyką. **5. p-i** guślarskie, magiczne, zabobonne ⟨*przesądy, zabobony, guślarstwo, czary*⟩: Czynić **p-i** guślarskie. **6. p-i** kościelne, pobożne, religijne ⟨*czynności zewnętrzne jako formy czci religijnej*⟩. **7.** W praktyce ⟨*w zastosowaniu; praktycznie; w praktycznej realizacji*⟩: Co znaczyło w praktyce owo słowo, nikt objaśnić nie umiał. *Żer. SPP.* Ograniczyć, przeprowadzić, zastosować co; coś jest jakie, ma zastosowanie jakie w praktyce. **8. Z** praktyki ⟨*z doświadczenia (życiowego)*⟩: Z praktyki wiedzieć o czym, przekonać się. **9.** Grunt (to) **p.**! **10.** Dać kogo (chłopca) na praktykę ⟨*do terminowania, na naukę*⟩. **11.** Łączyć teorię z praktyką ⟨*stosować teorię w praktycznym działaniu*⟩. **12.** Mieć w czym praktykę, nabyć w czym praktyki ⟨*biegłość(-ści), doświadczenie(-nia)*⟩. **13.** Mieć ileś lat praktyki w zawodzie ⟨*doświadczenia; pracy praktycznej*⟩. **14.** Mieć co w ciągłej praktyce ⟨*w ciągłym użyciu*⟩. **15.** Odby(wa)ć praktykę ⟨*zajęcie praktyczne po ukończeniu nauki*⟩. **16.** Rozpocząć praktykę (lekarską) na prowincji, w mieście, w szpitalu. **17.** Wstąpić (do urzędu, do fabryki) na praktykę. **18. p.** dowodzi, poucza, uczy, wskazuje, że...

praktykujący Lekarz **p.** (wolno, prywatnie) ⟨*przyjmujący pacjentów w domu*⟩.

prapradziad Z prapradziada ⟨*z dawien dawna, od bardzo dawna, z dziada pradziada*⟩: Wszak mieszczanie z prapradziada iść w paragon z szlachtą mogą! *Oppman Typy 5.*

prasa ● **1. p.** drukarska ⟨*maszyna do odbijania na papierze odbitki z formy drukarskiej przez tłoczenie*⟩. **2. p.** hydrauliczna, parowa. **3. p.** korektorska ⟨*maszyna drukarska, zwykle ręczna, dociskowa, używana do wykonywania próbnych odbitek (szpalt lub kolumn) przeznaczonych do korekt*⟩. **4.** Być pod prasą ⟨*być w druku, drukować się*⟩: Numer (gazety) jest już pod prasą. **5.** *daw.* Brać kogo, co; brać czyje ciało w prasę ⟨*ściskać gorsetem*⟩: [Damy] w prasę [...] ciała swoje biorą i okrutnym sznurowaniem krępując, twarde one ważą się nosić sznurówki. *Zab. VII/1, 1772, s. 134.* **6.** Opuścić prasę, wyjść, wychodzić spod prasy ⟨*zostać wydrukowanym*⟩: Nowe wydanie poezji Mickiewicza wyszło spod prasy. **7.** Coś pójdzie pod prasę ⟨*zacznie się drukować*⟩.

● **8. p.** codzienna, poranna, popołudniowa, wieczorna; **p.** periodyczna, **p.** literacka, polityczna, polityczno-społeczna, kulturalna, sportowa; **p.** opozycyjna, prorządowa, **p.** oficjalna itp. ⟨*czasopisma*⟩: Czytać poranną prasę. **9.** Głosy, przedstawiciele prasy ⟨*dziennikarze*⟩. **10.** Dać o czym notatkę do prasy. **11.** Mieć dobrą, złą prasę ⟨*mieć dobrą, złą opinię u piszących na dany temat, o danej osobie*⟩: Nowości beletrystyczne nie miały dobrej prasy. **12.** Omawiać zagadnienie na łamach prasy.

prask Trzask! prask! ⟨*wykrzyknik naśladujący odgłos uderzenia, pęknięcia, upadku czego*⟩: Naraz trzask prask i szkło z wybitej szyby posypało się na podłogę.

prasowy 1. Cenzura **p-a. 2.** Kampania **p-a** ⟨*prowadzona za pośrednictwem prasy*⟩. **3.** Konferencja, narada **p-a. 4.** Loża **p-a** (w parlamencie, w sejmie). **5.** Polska Agencja **P-a** (PAP). **6.** Wywiad **p.** ⟨*udzielony przedstawicielom prasy*⟩.

praszczęta *daw.* Biegać na **p.**, przejść przez **p.**, puszczać przez (na, w) **p.** ⟨*karać chłostą; być karanym chłostą*⟩: Karę chłosty (w wojsku) wymierzano pod pręgierzem albo też, za niemieckim zwyczajem, przez bieganie „na praszczęta", czyli przez rózgi: żołnierze zbrojni w pręty czy rózgi ustawiali się w dwa szeregi, a skazaniec musiał przebiegać pomiędzy nimi. *Bystr. Dzieje II, 378.*

praw *daw.* Jest, był itp. **p.** (w czym) ⟨*ma, miał itp. słuszność, rację*⟩: Praw w tym, co powiada. *Sienk. SW.*

prawda 1. Gorzka, niezbita, oczywista, rzetelna, szczera, *żart.* najprawdziwsza **p.** ⟨*prawdziwość; brak fałszu, kłamstwa, udawania; wypowiedź zgodna z istotnym stanem rzeczy*⟩. **2.** Naga **p.** ⟨*fakty niczym nie upiększone, bez żadnych nieprawdziwych dodatków, takie, jakie rzeczywiście są lub były*⟩. **3.** Święta **p.** ⟨*słowa niewątpliwie prawdziwe*⟩. **4. p.** o k i m, o c z y m: **p.** o sobie, **p.** o niebezpieczeństwie. **5. p.**? ⟨*czy tak?*⟩: Jak go długo nie widać, to ci markotno, co? prawda? *Bliz. Dam. 67.* **6. p.**! ach **p.**! ⟨*wykrzyknienie wyrażające nagłe uprzytomnienie sobie czegoś; a tak, rzeczywiście!*⟩: Prawda, przecież my dziś idziemy do teatru. **7. p.**, to **p.** ⟨*zwrot potwierdzający słuszność czyjej wypowiedzi: tak jest istotnie*⟩. **8.** Czy to **p.** ⟨*czy tak rzeczywiście jest, było, zdarzyło się*⟩: Czy to prawda, że wyjeżdżasz za granicę? **9.** *iron.* **p.** była! ⟨*wyraża powątpiewanie: a jakże, akurat*⟩. **10.** Co **p.** ⟨*trzeba przyznać, że...; istotnie, prawdę mówiąc; wprawdzie*⟩: Na sobie miał niewytworny co prawda, ale całkiem przyzwoity garnitur. *Hamera Dozn. 13.* **11.** *przestarz.* dziś *reg.* i *gw.* Po prawdzie ⟨*mówiąc szczerze, trzeba przyznać, że...; prawdę mówiąc; w istocie, rzeczywiście*⟩: Spuścił oczy, zamyślił się i nic nie odpowiedział, bo i po prawdzie nie miał co odpowiedzieć. *Dzierzk. Rodzina 31.* **12.** Bliski prawdy, podobny do prawdy, rzecz podobna do prawdy, zgodny z prawdą; daleki od prawdy. **13.** Bogiem a prawdą ⟨*mówiąc szczerze, w istocie, w samej rzeczy, naprawdę*⟩: Bogiem a prawdą bazgrzesz szkaradnie. *Krasz. Sfinks II, 80.* **14.** Ciąć, mówić, pisać, powiedzieć, rzucać, wygarnąć, (wy)rąbać prawdę (w oczy), gorzką prawdę, słowa prawdy ⟨*mówić, powiedzieć itp. rzeczy (słowa) prawdziwe, szczere, zgodne z rzeczywistością; mówić śmiało, bez ogródek, niekiedy rzeczy nieprzyjemne*⟩. **15.** *podn.* Dać, dawać świadectwo prawdzie ⟨*wyraźnie co potwierdzić, zaświadczyć, zadokumentować*⟩. **16.** Dojść, dowiedzieć się prawdy. **17.** Mijać, minąć, rozminąć się z prawdą ⟨*mówić, przedstawiać rzeczy, fakty itp. niezgodnie z rzeczywistością; kłamać świadomie lub bezwiednie, fałszować rzeczywistość*⟩: Chyba nie minę się z prawdą, twierdząc, że... *SPP.* **18.** Popatrzeć spojrzeć, *rzadk.* zajrzeć prawdzie w oczy ⟨*zdawać sobie sprawę z sytuacji, z faktycznego stanu rzeczy; umieć pogodzić się z niemiłą rzeczywistością*⟩. **19.** Jeśli mam prawdę powiedzieć, prawdę mówiąc, prawdę powiedziawszy ⟨*chcąc być zupełnie szczerym; należy przyznać, że..., naprawdę, istotnie*⟩: Prawdę mówiąc nie mam ochoty wyjeżdżać z miasta. **20.** Nie ma, nie było w tym cienia, krzty prawdy. **21.** Odkryć, ustalić, wyjawić prawdę. **22.** Owijać prawdę w bawełnę ⟨*mówić o czym prawdziwym nie wprost, lecz aluzjami, nie wypowiadać się otwarcie*⟩: Dość tego [...] prawdy nie ma co w bawełnę owijać. *Choj. Alkh. II, 317.* **23.** Zamykać oczy na prawdę.

przysł. **24.** Prawda jak oliwa na wierzch wypływa. **25.** Prawda w oczy kole; prawda gorzka potrawa ⟨*szczera wypowiedź często jest dla słuchającego nieprzyjemna*⟩.

prawdopodobieństwo *książk.* Według, podług (wszelkiego) prawdopodobieństwa ⟨*prawdopodobnie, przypuszczalnie*⟩.

prawdziwy 1. p. diament, jedwab; **p-a** perła ⟨*naturalny(-a), nie sztuczny(-a)*⟩. **2.** Grzyb **p.** ⟨*z rodziny borowików; prawdziwek*⟩. **3. p-a** historia, **p-e** zdarzenie ⟨*rzeczywista(-e), nie zmyślona(-e), autentyczna(-e)*⟩. **4. p.** kłopot ⟨*istotny, duży*⟩: Być w prawdziwym kłopocie. **5. p-a** miłość, przyjaźń; **p.** żal ⟨*rzeczywista(-y), nie udana(-y), nie kłamana(-y)*⟩: Nigdy prawdziwa miłość nie umiera. *Kochan. SW.* **6. p-a** przyjemność ⟨*istotna, szczera, wielka*⟩: Z prawdziwą przyjemnością patrzyłem na występ młodego baletu. **7.** Ktoś, *rzad.* coś z prawdziwego zdarzenia ⟨*poważny, nie będący dyletantem*⟩: Pisarz, aktor, muzyk, orkiestra itp. z prawdziwego zdarzenia.

prawica 1. *książk.* Po prawicy, *rzad.* na prawicy (czego, czyjej) *podn.* ⟨*z prawej strony, po (czyjej) prawej stronie*⟩: Stanąć, zasiąść po prawicy króla, księcia itp. - Ogromna chorągiew książęca z białym orłem stała po prawicy tronu. *Iwasz. J. Tarcze 321.*

przysł. **2.** Nie wie lewica, co czyni prawica. (Niech nie wie lewica, co daje prawica. *Mat. VI, 3*).

prawić 1. p. k o m u c o: **p.** aforyzmy, bajki, historie, opowieści ⟨*mówić, opowiadać*⟩: Albert prześliczne nieraz prawił nam aforyzmy. *Żmich. SPP.* **2. p.** androny, banialuki, brednie, od rzeczy, trzy po trzy; *daw.* baje ⟨*mówić, pleść głupstwa, rzeczy bez sensu; bzdurzyć*⟩. **3. p.** czułości, czułe słówka, dusery, grzeczności, komplementy; impertynencje, niegrzeczności ⟨*mówić komu rzeczy przyjemne, pochlebne; przykre*⟩: Gromada stała chwilę prawiąc sobie czułości. *Wikt. SPP.* **4.** *przestarz.* dziś *żart.* **p.** mowę, oracje ⟨*wypowiadać, wygłaszać*⟩. **5. p.** kazanie, morały, perorę ⟨*wygłaszać, robić uwagi umoralniające, pouczać co do postępowania, napominać, strofować*⟩: Słuchaj, Hortensjo, nie chcę ci prawić morałów, ale źle robisz igrając z podobnymi uczuciami. *Dygas. As 38.* **6. p.** jak z ambony, jak z katedry ⟨*mówić uroczyście, z namaszczeniem; przemawiać, perorować*⟩. **7.** *daw.* **p.** jak z motka ⟨*mówić płynnie, recytować*⟩: Przykładem żaków szkolnych, czegoś się nauczył, jak z motka prawisz. *Piotr. Satyr 34.*

prawidło 1. p-a gramatyczne ⟨*reguły*⟩. **2.** *daw.* Mieć za **p.** (co robić) ⟨*traktować co jako normę postępowania*⟩: Mam to za prawidło, od którego nigdy nie odstępuję, ażeby wieczorem nie pokazywać się inaczej jak we fraku. *Krasz. Pam. 191.* **3.** Trzymać się prawidła, prawideł: My jednak po staremu trzymaliśmy się prawideł. *Sienk. SPP.* **4.** Ująć, ujmować co w **p.** (**p-a**).

prawidłowy p-a figura geometryczna; **p.** kształt; **p-e** rysy itp. ⟨*foremna(-y, -e), symetryczna(-y, -e)*⟩.

prawnie *daw.* **p.** czynić, poczynać ⟨*przed sądem, sądownie*⟩: Stadnicki każdego jurystę, który by przeciw niemu śmiał akcję wnosić, łapał, więził i do przysięgi zmuszał, że nigdy przeciw niemu prawnie czynić nie będzie. *Łoz. Wł. Praw. II, 362.*

prawo 1. Nieprzedawnione, niewygasłe, przyrodzone, słuszne **p.** (do czego) ⟨*uprawnienie*⟩. **2.** Nieubłagane, odwieczne **p.** ⟨*przepisy, reguły prawne, ustawy*⟩. **3. p.** administracyjne ⟨*ogół norm regulują-*

cych działalność organów zarządu państwowego⟩. **4. p.** autorskie ⟨*ogół przepisów prawnych określających uprawnienia przysługujące autorowi dzieła artystycznego, literackiego i naukowego oraz regulujących stosunki wynikające z powstania danych dzieł*⟩. **5. p.** cywilne ⟨*ogół przepisów normujących stosunki osobowe i majątkowe jednostki*⟩. **6. p.** handlowe ⟨*przepisy normujące stosunki prawne, wynikające z czynności handlowych*⟩. **7. p.** karne ⟨*przepisy zawierające zakazy lub nakazy, których naruszenie zagrożone jest karą; ogół norm określających postępowanie karne*⟩. **8. p.** kanoniczne ⟨*w niektórych społecznościach religijnych: ogół przepisów dotyczących spraw religijnych*⟩. **9.** *hist.* **p-a** kardynalne ⟨*główne, podstawowe zasady ustroju w Polsce XVII i XVIII w., które nie mogły być zmienione*⟩. **10. p.** koronne a. polskie ⟨*przepisy obowiązujące przed rozbiorami na terenie Korony*⟩. **11.** *hist.* **p.** lenne ⟨*w średniowieczu przepisy regulujące stosunki między panem a lennikiem (wasalem)*⟩. **12.** *hist.* **p.** magdeburskie, **p.** niemieckie ⟨*przeniesione do Polski w XIII i XIV w. z Niemiec, głównie z Magdeburga, nadawane nowo zakładanym lub dawnym miastom i wsiom polskim, gwarantujące szeroki samorząd*⟩. **13. p.** międzynarodowe, **p.** narodów ⟨*ogół norm określających stosunki między państwami*⟩. **14. p.** obyczajowe, zwyczajowe ⟨*niepisane, oparte na zwyczajach normy prawne uznane za obowiązujące*⟩. **15. p-a** obywatelskie ⟨*uprawnienia przysługujące obywatelowi*⟩: Wyrok czterech lat z pozbawieniem praw obywatelskich. *Bogusz. SPP.* **16. p.** państwowe a. polityczne, a. konstytucyjne ⟨*dotyczące politycznej i społeczno-gospodarczej organizacji państwa*⟩. **17.** *posp.* Psie **p.** ⟨*przymus, konieczność, obowiązek wynikający z czyjejś zależności od kogo*⟩: Twoje psie prawo słuchać rodziców. **18. p.** rzeczowe ⟨*dotyczy własności, użytkowania itp. przedmiotów ruchomych i nieruchomych*⟩. **19. p.** rzymskie ⟨*ogół norm prawnych obowiązujących w starożytnym Rzymie*⟩. **20.** Wilcze **p.** ⟨*przemoc, bezprawie*⟩: Na wysokich zamkach ej, rządzi wilcze prawo, wieje chłopu wiatrem w oczy, wieje w oczy krwawo! *Dobrow. S. Rzecz 28.* Wilczym prawem czego dostać. **21. p.** wyborcze ⟨*system wyborów do władz państwowych lub samorządowych*⟩. **22. p.** c z e g o ⟨*stała zależność między zjawiskami*⟩: **p.** ciążenia, **p.** rozszerzalności ciał; **p.** przyczynowości; **p-a** natury. **23. p.** c z e g o ⟨*przepis, prawidło, wymaganie*⟩: **p-a** gościnności, grzeczności, przyzwoitości. **24. p.** c z e g o; **p.** d o c z e g o ⟨*uprawnienie*⟩: **p.** starszeństwa; **p.** życia i śmierci; **p.** do życia. **25. p.** jazdy ⟨*uprawnienie do prowadzenia pojazdu mechanicznego*⟩. **26.** *daw.* **p.** kaduka ⟨*norma zwyczajowa ustalająca przejście na własność państwa majątku pozbawionego ustawowego spadkobiercy*⟩. **27.** Prawem kaduka ⟨*bezprawnie, niezasłużenie*⟩: Pozyskać, zdobyć co prawem kaduka. **28. p.** łaski ⟨*uprawnienie do złagodzenia, a nawet darowania kary przysługujące zazwyczaj głowie państwa, w Polsce — Radzie Państwa*⟩. **29. p.** obywatelstwa ⟨*przywilej przynależności do danego państwa*⟩. **30. p.** pięści, **p.** silniejszego ⟨*przemoc*⟩. **31. p.** pracy ⟨*ogół przepisów dotyczących umowy o pracę, bezpieczeństwa i higieny pracy*⟩. **32.** *hist.* **p.** składu ⟨*w średniowieczu: przywilej przysługujący niektórym miastom, na mocy którego przejeżdżający przez nie kupcy musieli wystawić tu swe towary na sprzedaż w ciągu kilku lub kilkunastu dni*⟩. **33. p.** ubogich ⟨*uprawnienie, na podstawie którego osoby niezamożne uwolnione są od odpłat sądowych*⟩. **34. p.** n a c o ⟨*pozwolenie, koncesja, przywilej*⟩: **p.** na przejazd przez grunt sąsiedzki. **35.** Artykuł, duch, powaga, sankcja prawa; zbiór praw ⟨*artykuł itp. ustawy, przepisu prawnego; zbiór ustaw, przepisów prawnych*⟩. **36.** Doktor, doktorat obojga praw (*daw.* prawa) ⟨*doktor, doktorat prawa świeckiego i kościelnego*⟩. **37.** Litera prawa ⟨*dosłowne brzmienie przepisu prawnego, nie uwzględniające żadnych okoliczności ubocznych, nie zawartych w przepisie*⟩: Trzymać się litery prawa. **38.** Jakim prawem ⟨*na jakiej podstawie, dlaczego*⟩: Jakim prawem wtrącasz się w nieswoje sprawy. Jakim prawem to zrobiłeś? *SW.* **39.** W imieniu prawa ⟨*formułka używana czasem przez osoby działające z polecenia organów sprawiedliwości*⟩: W imieniu prawa wzywam panów do rozejścia się. *Grusz. Ar. Tys. 358.* **40.** *przestarz.* Z prawa ⟨*zgodnie z obowiązującym prawodawstwem, na mocy uprawnień zagwarantowanych ustawą; legalnie*⟩: Czy to biedny człowiek powinien się upominać o to, co mu się z prawa przynależy? *Dygas. Gorz. I, 104.* **41.** *daw.* Na prawie, na gorącym prawie ⟨*na (gorącym) uczynku*⟩: Na gorącym prawie pojmany. *Troc.* **42.** Zgodnie z prawem ⟨*zgodnie z przepisami prawa*⟩. **43.** Chodzić, wstąpić, zapisać się na **p.** ⟨*na wydział prawny uczelni*⟩. **44.** Czuć się w prawie, *daw.* być w swoim prawie ⟨*uważać się za uprawnionego do czego, być uprawnionym do czego*⟩: Nie czuł się w prawie do ostrego sądzenia nikogo i niczego. *Dąbr. M. Noce III, 13.* **45.** *daw.* Czynić prawem przeciw komu, iść w **p.** z kim ⟨*dochodzić czego sądownie, procesować się*⟩: Chciałem prawem przeciw niemu czynić. *Sienk. SW.* **46.** Dochodzić prawa (praw) do czego ⟨*walczyć, zabiegać o to, domagać się tego, co się komu należy zgodnie z prawem, co zostało komu zagwarantowane*⟩: Dochodzić praw swoich do spadku po krewnych. **47.** Dopominać się o swoje **p-a** *przen.*: Pusty żołądek dopominał się o swoje prawa. **48.** Dyktować, łamać, naruszyć, narzucać, ograniczać, (po)deptać, (po)gwałcić, przekraczać, zdeptać, znieść **p.**, **p-a**. **49.** Mieć **p.** do kogo, do czego ⟨*móc się czego domagać, żądać, oczekiwać; zasługiwać na co; być uprawnionym do korzystania z czego, do rozporządzania kim lub czym*⟩: Mam takie samo prawo jak inni do szczęścia. - W Polsce poddany nie miał prawa apelacji od wyroku pańskiego do innej instancji. *Balzer Zagadn. 58.* Do własnego syna mam prawo i nie pozwolę sobie dawać nauk, jak mam z nim postępować. *Krzywosz. Jula 153.* **50.** Mieć **p.** (co robić): a) ⟨*być uprawnionym do czego*⟩: Jakie ty prawo masz taki wstyd na stare lata matce sprawiać. *Goj. Dziew. II, 166.* Miała prawo stanowić o swoim losie. *Dąbr. M. SPP.* Nie mam najmniejszego prawa robić ci wymówek; b) *pot.* ⟨*o przedmiotach: mieć uzasadnienie czego*⟩: Nie rozwijaj linii dłuższej niż dwieście metrów, kabel jest stary i ma prawo się urwać. *Ziel. S. Świt. 8.* **51.** *przen.* Mieć, zyskać **p.** obywatelstwa ⟨*wejść w zwyczaj*⟩: W Grecji nawet barwa w rzeźbie miała prawo obywatelstwa. *Krasz. Kartki 594.* **52.** Mieć swoje **p-a** ⟨*uprawnienia,* *przywileje*⟩: Każdy wiek ma swoje prawa. *SW*. **53.** Nada(wa)ć, spis(yw)ać, uchwalać **p-a** ⟨*ustawy*⟩. **54.** Nabyć, odstąpić, odzyskać, otrzymać, rościć (sobie), (u)tracić, (u)zyskać, zdobyć **p. (p-a)** do czego ⟨*uprawnienia*⟩: Nie roszcząc żadnego prawa do dokładności. *Mochn. SPP*. **55.** Nadużywać prawa, obchodzić, obejść **p.** ⟨*postępować wbrew przepisom prawa*⟩. **56.** Obstawać przy swych prawach ⟨*uprawnieniach*⟩. **57.** Odkryć, wykryć, sformułować **p.** (naukowe) lub **p.** c z e g o (np. ciążenia). **58.** Odmawiać komu prawa do czego. **59.** Otoczyć kogo opieką prawa. **60.** Podlegać prawu: a) ⟨*podlegać normom prawnym*⟩; b) ⟨*podlegać prawidłowościom naturalnym*⟩: Wszystkie ciała na ziemi podlegają prawu ciężkości. **61.** Powoł(yw)ać się na swe **p-a** ⟨*uprawnienia*⟩. **62.** Pozbawić kogo prawa c z e g o a. d o c z e g o ⟨*uprawnienia*⟩. **63.** Przelać na kogo swe **p. (p-a)**: Lila prawo swe do tej sumy przelała na Ildefonsa Poryckiego. *Orzesz. SPP*. **64.** Przestrzegać prawa, praw. **65.** Przypuścić kogo do swych praw. **66.** Przyznać komu **p.**, szanować, uzna(wa)ć czyje **p.**, zaprzeczyć komu prawa do czego. **67.** (S)korzystać z przysługującego sobie prawa. **68.** Ścigać kogo prawem ⟨*występować sądownie przeciw komu*⟩. **69.** Upomnieć się o swe **p-a**. **70.** Urągać prawu, prawom: Postępowanie hitlerowców w krajach okupowanych urągało wszelkim prawom. **71.** Ustąpić komu prawa do czego. **72.** Wdzierać się w cudze prawa. **73.** Wyjąć spod prawa, spod opieki prawa ⟨*pozbawić opieki prawa, możności odwoływania się do organów wymiaru sprawiedliwości*⟩: Wyjęto ich spod opieki prawa. *Prus SPP*. **74.** Wyłamać się spod prawa, wykroczyć przeciw prawu: Był to warchoł, który sam jeden tyle razy przeciw prawu wykroczył. *Sienk. SPP*. **75.** Wyzuć kogo z praw. **76.** Zabezpieczyć czyje, swoje **p-a** (do czego). **77.** Zrównać w prawach. **78.** Zrezygnować z prawa, zrzec się swego prawa, swych praw do czego. **79. p.** do czego przysługuje, służy komu. **80. p.** wygasa, traci moc ⟨*przestaje obowiązywać*⟩.

prawodawczy Ciało, zgromadzenie **p-e**; organ **p.**; władza **p-a** ⟨*organ państwowy uchwalający prawa*⟩.

prawomocny Wyrok **p.**; orzeczenie **p-e** ⟨*który(-e) się uprawomocnił(o)*⟩: Zapadł wreszcie wyrok prawomocny. *Łoz. Wł. SPP*.

prawowity p. syn, potomek itp. ⟨*urodzony w zalegalizowanym małżeństwie*⟩.

prawy 1. p. brzeg rzeki ⟨*po prawej ręce patrzącego w kierunku ujścia*⟩. **2. p.** but, rękaw ⟨*wkładany na prawą nogę, rękę*⟩. **3.** Dziecko, dziedzic, syn itp. prawego łoża, z prawego łoża ⟨*urodzony(-e) w legalnym małżeństwie*⟩. **4. p.** dziedzic, potomek, następca tronu itp. ⟨*legalny, prawowity*⟩. **5.** *techn.* **p.** gwint, śruba o prawym gwincie ⟨*ze skrętami skierowanymi w prawą stronę*⟩. **6.** *sport.* **p.** prosty, **p.** sierpowy, **p.** sierp ⟨*w boksie: cios zadany prawą ręką*⟩. **7. p-a** ręka: a) ⟨*prawica*⟩; b) *przen.* ⟨*główny pomocnik, zastępca*⟩: Ty prawą ręką jesteś w moim domu. *Brodz. SPP*. **8. p-e** skrzydło (gmachu); **p-a** strona (czego) ⟨*skrzydło, strona po prawej ręce*⟩. **9.** *mat.* **p-a** strona równania ⟨*część równania po znaku równości*⟩. **10. p-a** strona tkaniny, ubrania, papieru itp. ⟨*wierzchnia, zewnętrzna*⟩. **11.** Na **p.**, w **p.** ⟨*w prawą stronę, po prawej stronie czego*⟩: Na **p.** od mostu. Skręcić w **p. 12.** Na **p.** i (na) lewo ⟨*wszędzie, dokoła; bez umiaru; tu i tam*⟩: Szastać pieniędzmi na **p.** i lewo. **13.** W **p.** i w lewo ⟨*i tak i owak*⟩: Jął [...] kalkulować w prawo i w lewo. *Berent Diog. 250*. **14.** Albo w lewo (na lewo), albo w **p.** (na **p.**) ⟨*tak albo inaczej (trzeba się zdecydować)*⟩: Żebyś sobie wiedziała, jesienią musi być już z Wawrzkiem załatwione albo w lewo, albo w prawo. *Mort. Wawrzek 149*. **15.** *daw.* Od prawego ⟨*z prawej strony*⟩: Pierwszy od prawego. **16.** Z prawa ⟨*z prawej strony*⟩: Z prawa i lewa ciągnęły się gęste zarośla. *Was. W. Rzeki 45*. **17.** Iść prawą drogą; zejść, wyjść z prawej drogi; wrócić, wejść na prawą drogę ⟨*postępować uczciwie, szlachetnie; stać się uczciwym; przestać być uczciwym*⟩: Szczerze pragnąłem wejść na prawą drogę! *Krasz. Pam. 130*. **18.** Naprowadzić, nawrócić itp. kogo na prawą drogę; sprowadzić kogo z prawej drogi ⟨*uczynić kogo dobrym, szlachetnym; wskazać właściwy sposób postępowania; skłonić do niewłaściwego, niemoralnego postępowania*⟩: Cóż, apostołem chcesz pan być? nawracać mnie? naprowadzić na prawą drogę. *Krasz. Szalona 42*.

prąd 1. Bystry, wartki **p.** ⟨*pęd wody, nurt, wart*⟩. **2. p-y** jeziorne, morskie, oceaniczne ⟨*ruchy wód w pewnym stałym lub okresowo zmieniającym się kierunku*⟩. **3.** *przen.* **p.** kulturalny, społeczny. **4. p-y** powietrza a. powietrzne ⟨*silne strumienie powietrza; przeciągi*⟩. **5.** *przen.* **p.** w c z y m ⟨*tendencja, kierunek*⟩: **p.** w nauce, w sztuce. **6.** Pod **p.** ⟨*w kierunku przeciwnym niż ruch wody; przen. niż ruch inny, np. pojazdów, pieszych itp.*⟩. **7.** Dać się porwać, dać się unieść, ulec prądowi ⟨*dać się porwać nurtowi, pędowi wody; również przen.*⟩. **8.** Płynąć z prądem ⟨*w odniesieniu do wody: płynąć w kierunku nurtu; przen. postępować, działać zgodnie z panującymi tendencjami, zwyczajami*⟩. **9.** *pot.* **p.** (elektryczny) łapie, złapał kogo ⟨*razi, poraził kogo*⟩. **10. p.** ogarnia, porywa, unosi kogo ⟨*nurt, pęd wody; również przen.*⟩. **11. p-y** (różne, przeciwne) ścierają się ⟨*dążności, kierunki*⟩.

precyzja 1. Wielka, najdalej posunięta **p.** ⟨*dokładność*⟩. **2.** Z precyzją (wykonać, wykończyć; sformułować co) ⟨*z dokładnością; ze ścisłością*⟩. **3.** Dążyć do precyzji. **4.** Coś wymaga precyzji.

predylekcja Jawna, wyraźna **p.** ⟨*skłonność, słabość, upodobanie*⟩. *książk.* Mieć predylekcję do kogo, czego ⟨*mieć skłonność, słabość do kogo, do czego*⟩: Miała predylekcję do wspomnień.

prefabrykowany Budynek **p.** ⟨*wykonany z prefabrykatów*⟩.

prefekt 1. p. policji ⟨*we Francji: naczelnik policji*⟩. **2.** *kult.* Ksiądz **p.** ⟨*katecheta*⟩.

preliminarz p. budżetowy a. budżetu ⟨*projekt budżetu państwowego przedstawiony przez rząd parlamentowi (sejmowi) do zatwierdzenia*⟩.

premedytacja Z premedytacją (działać, robić co) ⟨*z rozmysłem, z ułożonym z góry planem*⟩: Morderstwo z premedytacją.

premia 1. p. eksportowa, wywozowa ⟨*dopłata skarbu państwa do niektórych towarów wywożonych z* *kraju*⟩. **2. p.** stypendialna ⟨*specjalna premia wypłacana stypendystom wyróżniającym się w nauce*⟩. **3.** Dostać, otrzymać premię za co (np. za jakość produkcji) ⟨*nagrodę pieniężną*⟩.

premiowy 1. Papiery **p-e** ⟨*papiery wartościowe, obligacje pożyczek*⟩. **2.** Pożyczka **p-a** ⟨*pożyczka państwowa połączona z wygraną pieniężną*⟩.

presja 1. p. fizyczna, moralna; **p.** dyplomatyczna; silna **p.** ⟨*nacisk, przymus, zmuszanie do czego*⟩. **2. p.** opinii publicznej. **3.** Być, robić co pod presją (czyją a. czego): Pod presją ONZ zwaśnione kraje zgodziły się na rozejm. **4.** Ulec presji. **5.** Wywierać presję na kogo, na co.

pretekst 1. p. d o c z e g o ⟨*udany powód; pozór*⟩: **p.** do zaczepki. **2.** Pod pretekstem c z e g o ⟨*pod pozorem*⟩: Wyszedł pod pretekstem bólu głowy. **3.** Coś jest pretekstem, służy za **p.** do czego: Było to pretekstem do pozbycia się przybysza. **4.** Mieć **p.** do czego ⟨*mieć rację pozornie słuszną do robienia czego*⟩: Uknuł nawet zdradziecki plan posługiwania się modną panną jak parawanem [...], aby wobec Świerkowskiego i tak zwanego świata mieć pretekst do częstego widywania pięknej mężatki. *Żer. Opow. 139.* **5.** Szukać pretekstu ⟨*pozornej racji, wybiegu*⟩: Szukał pretekstu, aby nie pójść do szkoły. **6.** Użyć czego jako pretekstu. **7.** Wynajdywać **p-y**, znaleźć **p.**

pretensja 1. Bezpodstawna, dzika, niesłuszna, słuszna, uzasadniona **p.** ⟨*roszczenie; uraza, żal*⟩. **2.** Nieściągalne, wygórowane **p-e** ⟨*roszczenia, zwykle pieniężne*⟩. **3. p.** d o c z e g o: a) ⟨*roszczenie, żądanie czego*⟩: **p.** do tronu, do terytorium; b) *przen.* ⟨*wygórowana ambicja, przesadne wyobrażenie o sobie, pozowanie na co*⟩: **p.** do elegancji, do zdolności, do nauki. **4. p.** d o k o g o — o c o ⟨*uraza, żal*⟩: O co właściwie masz do mnie pretensję? **5.** Być w pretensjach, ktoś w pretensjach ⟨*o kimś starającym się ładnie wyglądać, chcącym się podobać za wszelką cenę*⟩: Był istotnie na starość w jakichś jeszcze pretensjach. *Kremer Listy I, 71.* Baba jeszcze w pretensjach. *SW.* **6.** Dochodzić, zrzec się swych pretensji ⟨*roszczeń*⟩. **7.** Mieć pretensję do kogo — o co ⟨*mieć żal, urazę do kogo*⟩: Miał pretensję do wszystkich, do całego świata. - Jeżeli mnie uznasz teraz lub później za dziwaka, nie będę miał o to żadnej pretensji. *Święt. A. Twinko 83.* **8.** Mieć pretensję, nie mieć pretensji do czego ⟨*chcieć uchodzić, nie chcieć uchodzić za co*⟩: Publikacja niniejsza nie ma pretensji do systematycznej pracy. *Jamp. Wspom. 3.* **9.** Oddalić, odrzucić, zaspokoić **p-e**; odstąpić od pretensji ⟨*roszczenia; od roszczeń*⟩. **10.** Rościć sobie, wysuwać, wysunąć, zgłaszać, zgłosić, żywić **p-e**; zaniechać pretensji; wystąpić z pretensjami.

prewencyjny 1. Areszt **p.** ⟨*zapobiegawczy, przed ogłoszeniem wyroku*⟩. **2.** Cenzura **p-a** ⟨*cenzurowanie druków przed ich opublikowaniem*⟩. **3.** Więzienie **p-e** ⟨*w którym odosobnia się osoby oskarżone przed ogłoszeniem wyroku*⟩. **4.** Wojna **p-a** ⟨*prowadzona dla uprzedzenia napaści ze strony przeciwnej*⟩.

prezent 1. p. gwiazdkowy, imieninowy, ślubny. **2.** Dać, ofiarować, posłać, przynieść komu co w prezencie: Przyniosła mi w prezencie słownik niemiecki. *Dąbr. Ig. SPP.* **3.** Dostać od kogo **p.** a. co w prezencie. **4.** Kupić co na **p. 5.** Obdarować kogo prezentem. **6.** Robić **p-y**, zrobić komu **p.**

prezentować 1. *wojsk.* **p.** broń ⟨*stawać na baczność, trzymając broń przed sobą dla oddania honorów wojskowych*⟩. **2.** *hand.* **p.** weksel ⟨*przedstawiać do wypłaty*⟩. **3.** *przestarz.* **p.** k o g o — k o m u ⟨*przedstawiać*⟩: Rejentowa prezentowała nieznajomego pana, którego mieli u siebie w loży. *Dąbr. M. SPP.*

prezes p. Rady Ministrów ⟨*premier*⟩.

prędki 1. p. bieg, chód, głos, krok, puls, ruch ⟨*szybki, raźny, żwawy*⟩. **2. p-a** decyzja; **p.** koniec, skutek, zgon, zmrok ⟨*nagły, natychmiastowy, raptowny, rychły, wczesny*⟩. **3.** Człowiek, temperament **p.** ⟨*popędliwy, porywczy, gwałtowny, krewki, żywy*⟩. **4. p.** d o c z e g o, w c z y m ⟨*pochopny, skory do czego; chętnie, skwapliwie robiący co*⟩: **p.** do bitki; **p.** w podejrzeniach.

przysł. **5.** Prędka odmowa, datku połowa.

prędko 1. Prędzej, później; prędzej czy później ⟨*wcześniej bądź później*⟩: Prędzej, później musisz ich spotkać. *Sienk. SPP.* **2.** Co prędzej, czym prędzej ⟨*jak najszybciej, natychmiast, bez zwłoki*⟩: Pragnął czym prędzej uciec. *Par. Niebo 171.* **3.** Na prędce ⟨*na poczekaniu, w lot, dorywczo*⟩: Zakręcić co do zjedzenia na prędce.

przysł. **4.** Dwa razy daje, kto prędko daje. **5.** Im prędzej, tym lepiej.

prędkość 1. p. bezwzględna, względna; **p.** początkowa, końcowa; ponaddźwiękowa, zawrotna **p. 2.** przez **p.**, z prędkości ⟨*na skutek pośpiechu, w pośpiechu, przez pośpiech*⟩: Pomylić się w czym przez **p. 3.** *gw.* W prędkości ⟨*w krótkim czasie, szybko, natychmiast*⟩: Skąd nazbierasz tyle kory w prędkości. *Sier. Dno 253.*

pręgierz 1. Być, stać, stanąć pod pręgierzem, *rzad.* na pręgierzu (np. opinii publicznej) ⟨*być obwinionym, oskarżonym o co, być napiętnowanym winą w oczach ogółu, wobec opinii publicznej*⟩: Lękał się za swe czyny stanąć pod pręgierzem opinii publicznej. *Prz. Tyg. Życia 9, 1875.* **2.** Postawić kogo, co pod **p.** lub pod pręgierzem (np. opinii publicznej) ⟨*obwinić, oskarżyć, napiętnować publicznie kogo, co; oddać pod sąd opinii publicznej*⟩: Ludzi nikczemnych śmiało pod pręgierz opinii publicznej stawiać powinniśmy. *Bojko Pisma 100.*

probierczy 1. Kamień **p.** ⟨*twarda skałka o barwie czarnej (najczęściej łupek krzemionkowy), służąca do określania zawartości metalu szlachetnego w stopach*⟩. **2.** Prawo **p-e** ⟨*zbiór przepisów prawnych dotyczących zawartości metali szlachetnych w stopach metali*⟩. **3.** Urząd **p.** ⟨*urząd zajmujący się kontrolą i cechowaniem przedmiotów zawierających metale szlachetne, np. złoto, srebro, platynę*⟩.

problem 1. Aktualny, skomplikowany, trudny **p.**; **p.** naukowy, społeczny. **2.** *sport.* **p.** skalny, tatrzański ⟨*osiągnięcie, zdobycie jakiegoś trudnego przejścia, szczytu w górach*⟩. **3. p.** szachowy ⟨*zadanie szachowe*⟩. **4.** Rozwiązać, stawiać **p.**: Problemu tego nigdy sobie nie stawiał. *Boy SPP.*

proca Jak z procy ⟨*nagle, błyskawicznie; ni stąd, ni zowąd; na poczekaniu*⟩: Wylecieć jak z procy.

proceder 1. Mało intratny, zyskowny; niebezpieczny, niecny **p.** ⟨*zajęcie; działalność, postępowanie*⟩. **2.** Prowadzić, uprawiać **p.**: Niebezpieczny prowadzicie proceder. *Sienk. SPP.*

procedura 1. Obowiązująca, prosta, skomplikowana, złożona **p.** ⟨*sposób przeprowadzenia jakiejś sprawy; tok, przebieg czego*⟩. **2. p.** cywilna, karna, kryminalna, sądowa ⟨*przepisy określające tok postępowania w sprawach cywilnych itp.*⟩.

procent 1. Duży, nikły, znaczny **p.** (czego) ⟨*setna część danej wielkości*⟩: Owoce mają duży procent cukru. **2.** Duży, lichwiarski, nadmierny, olbrzymi, wygórowany, wysoki **p.** ⟨*odsetki płacone przez dłużnika wierzycielowi*⟩. **3.** Na sto **p.**, w stu procentach ⟨*całkowicie, zupełnie*⟩: Być pewnym, spokojnym; uwierzyć w co na sto procent (w stu procentach). Plan wypełnić w stu procentach. *Jastr. SPP.* **4.** Dać, przysłać co w procencie ⟨*jako prowizję, jako ekwiwalent*⟩: Ściągał antałek wina, które mu kupiec z Z. w procencie był przysłał. *Wilk. P. Poran. II, 34.* **5.** Oddać, odpłacić, zwrócić z procentem, z procentami ⟨*oddać itp. z nawiązką, z naddatkiem*⟩: Odda on społeczeństwu z procentem za tę przysługę, którąśmy mu wyświadczyli. *Dygas. Robins. 103.* **6.** Pożyczyć pieniądze na **p.** (komu lub od kogo). **7.** *przestarz.* Przynosić **p.** ⟨*procentować*⟩: Fabryk tych było już siedem. Procent przynosiły dobry. *Prus SPP.* **8.** Ulokować, umieścić, złożyć pieniądze na **p.**, na procencie. **9.** Żyć z procentu ⟨*z odsetek od kapitału*⟩.

procentowy 1. Papiery **p-e** ⟨*papiery wartościowe, przynoszące określony procent od włożonej w nie sumy pieniężnej*⟩. **2.** Tablice **p-e** ⟨*z gotowymi obliczeniami odsetek dla różnych sum kapitału, różnych stóp procentowych i czasu*⟩.

proces ● 1. p. ⟨*stopniowy rozwój, faza rozwojowa czego; reakcje chemiczne, zmiany fizyczne, fizjologiczne, którym podlegają ciała martwe oraz żywe organizmy*⟩: **p.** ewolucyjny, dziejowy, gospodarczy, historyczny, produkcyjny, rozwojowy. **2. p.** duchowy, psychiczny, psychologiczny ⟨*kolejne fazy przeżyć, doznań wewnętrznych człowieka*⟩. **3.** Powstrzymać, przechodzić, przyśpieszyć **p.** (np. rozwojowy, chemiczny).

● 4. *praw.* **p.** ⟨*postępowanie sądowe, sprawa sądowa*⟩: **p.** cywilny, karny, polityczny, rozwodowy, sądowy, spadkowy. **5. p.** o c o: **p.** o obrazę, o odszkodowanie, o pobicie. **6.** Rewizja procesu, **7.** Przegrać, wygrać, wytoczyć **p.**

proch ● 1. p. ⟨*kurz, pył, okruszyna*⟩: **p-y** ludzkie ⟨*szczątki, popioły*⟩. **2.** Dźwignąć, podnieść kogo z prochu; wstać z prochu ⟨*wydobyć kogo z poniżenia; wydostać się z upadku, z poniżenia*⟩. **3.** *przestarz.* Leżeć, korzyć się, pełzać, tarzać się w prochu; słać się w **p.** przed kim ⟨*korzyć się, poniżać się przed kim, być pokornym wobec kogo*⟩: Hołota, która dziś w proch się przede mną ściele, jutro błotem mnie obrzuci. *Choj. Alkh. I, 334.* **4.** Obrócić się, rozbić kogo (się), rozpaść się, rozsypać się, (s)kruszyć kogo (się), zetrzeć kogo na **p.**, w **p.** ⟨*rozbić, rozsypać się w drobne kawałeczki; pokonać, zniszczyć kogo (się), zniweczyć kogo całkowicie, zupełnie*⟩: Skały wietrzeją i rozsypują się w **p.** Szklanka rozbiła się na **p.** Zetrzeć na **p.**, rozbić w **p.** armię nieprzyjacielską. - Boś jest proch i w proch się obrócisz. *Wuj. SW.* Wszystkie jej nadzieje rozsypały się w proch. *Sienk. SW.* **5.** Zdmuchiwać, zmiatać **p.** przed kim, sprzed czyich stóp, nóg ⟨*być uległym wobec kogo, gotowym do wszelkich usług*⟩: Nosiłbym ją na ręku, zdmuchiwał przed nią proch. *Sienk. Bez dogm. III, 19.* **6. p-y** czyje przenieść, rozrzucić, złożyć gdzie; **p-y** czyje spoczywają gdzie ⟨*szczątki, popioły ludzkie*⟩.

● 7. p. ⟨*materiał wybuchowy*⟩: **p.** bezdymny ⟨*materiał wybuchowy wyrabiany z nitrocelulozy*⟩. **p.** strzelniczy ⟨*materiał wybuchowy wyrabiany z saletry, siarki i węgla*⟩. **8.** Zapalny jak **p. 9.** Czuć **p.**, pachnie prochem ⟨*można spodziewać się wojny, bitwy, strzelaniny*⟩: Nie były to już czasy spokojne. Pachniało prochem i krwią. *Hertz P. Sedan 17.* **10.** Dosypać prochu do ognia ⟨*podsycić co, spowodować wzmożenie czego, np. kłótni, zamieszania, walki; por. Dolać oliwy do ognia*⟩. **11.** Strzelać bez prochu ⟨*twierdzić co bezpodstawnie*⟩. **12.** Wąchać **p.**, nie wąchać prochu ⟨*brać udział, nie brać udziału w bitwie; mieć doświadczenie, nie mieć doświadczenia z pola walki*⟩: Już w latach młodocianych wąchałem proch. *Winaw. Lit. 86.* **13.** Prochu nie wymyśli ⟨*o kimś mało inteligentnym, nie umiejącym samodzielnie myśleć*⟩: Dobry chłopiec [...] Ale prochu nie wymyśliłby. *Kosiak. Rick II, 31.*

produkcja 1. p. drobna, masowa, seryjna; rzemieślnicza, rolnicza, przemysłowa, włókiennicza itp. ⟨*wytwórczość*⟩. **2. p-e** artystyczne, cyrkowe, taneczne ⟨*występy, popisy*⟩. **3. p.** globalna ⟨*ogół wyrobów gotowych, półgotowych i usług wykonanych przez przedsiębiorstwo w pewnym okresie (np. w miesiącu, roku)*⟩. **4. p.** literacka, malarska, piśmiennicza, muzyczna ⟨*ogół dzieł literackich, malarskich, piśmienniczych, muzycznych jakiego okresu, środowiska*⟩. **5. p.** uboczna ⟨*wytwarzanie artykułów nietypowych w celu wykorzystania odpadów i zdolności produkcyjnej przedsiębiorstwa*⟩. **6. p.** zwierzęca ⟨*hodowla bydła domowego*⟩. **7.** Stosunki produkcji ⟨*w procesie wytwarzania dóbr materialnych — stosunki kształtujące się między ludźmi, zależne od formy własności środków produkcji i formy podziału produktów*⟩. **8.** Środki produkcji ⟨*materialne składniki procesu wytwarzania dóbr materialnych, narzędzia, urządzenia pomocnicze itp. oraz zasoby i bogactwa naturalne ziemi*⟩. **9.** Rozwijać produkcję.

produkcyjny 1. Cykl, plan, proces, tok **p.**; brygada, hala, norma **p-a**; zobowiązanie **p-e** ⟨*odnoszący(-a, -e) się do produkcji, związany(-a, -e) z produkcją*⟩. **2.** Czyn **p.** ⟨*wyprodukowanie czegoś dodatkowego ponad obowiązującą normę*⟩. **3.** Narada **p-a** ⟨*narada pracowników biorących bezpośredni udział w produkcji, nad ulepszeniem metod pracy*⟩. **4.** Pasza **p-a**, pokarm **p.** ⟨*w hodowli zwierząt: pokarm, pasza wysokiej jakości specjalnie dobrane, podawane zwierzętom w celu utuczenia lub podniesienia mleczności (u krów)*⟩. **5.** Praca **p-a** ⟨*działalność w dziedzinie produkcji materialnej; przystosowywanie dóbr przyrody do potrzeb człowieka*⟩.

6. Pracownik **p.** ⟨*biorący bezpośredni udział w produkcji, pracujący bezpośrednio przy wytwarzaniu*⟩. **7.** Spółdzielnia, spółdzielczość **p-a** ⟨*w krajach o ustroju socjalistycznym: dobrowolne zrzeszenie chłopów dla wspólnego prowadzenia gospodarstwa rolnego*⟩. **8.** Zdolność **p-a** ⟨*ilość produktu możliwa do wytworzenia w ciągu określonego czasu (na dobę, na miesiąc, rok)*⟩.

produkt 1. p-y drzewne, przemysłowe, spożywcze, tłuszczowe itp. ⟨*wyroby*⟩. **2. p.** globalny ⟨*suma produkcji wszystkich działów gospodarki narodowej, wytwarzana przez społeczeństwo w określonym czasie*⟩. **3. p-y** kolonialne ⟨*towary importowane dawniej z krajów kolonialnych, np. kawa, herbata, korzenie itp.*⟩. **4.** *przen.* **p.** literacki; **p.** fantazji ⟨*wytwór, dzieło*⟩. **5. p-y** rolne a. rolnicze ⟨*płody ziemi*⟩. **6. p-y** uboczne ⟨*odpady, części pozostałe przy produkcji czego*⟩. **7.** Zaopatrywać (np. rynek) w **p-y**.

profesor 1. p. (gimnazjalny) ⟨*tytuł używany zwyczajowo w stosunku do każdego nauczyciela szkoły średniej*⟩. **2. p.** honorowy ⟨*profesor otrzymujący ten tytuł w dowód uznania (najczęściej po ustąpieniu z katedry)*⟩. **3. p.** nadzwyczajny ⟨*samodzielny pracownik naukowy, wyższy stopniem od docenta*⟩. **4. p.** tytularny ⟨*tytuł udzielany za wybitne zasługi w dziedzinie nauki; nosiciel tego tytułu*⟩. **5. p.** zwyczajny ⟨*samodzielny pracownik naukowy, wyższy stopniem od profesora nadzwyczajnego*⟩. **6. p.** c z e g o ⟨*gdy się wymienia przedmiot, którego ktoś wykłada, lub uczelnię, na której wykłada*⟩: **p.** historii, prawa; **p.** politechniki, uniwersytetu. **7.** Pani **p.**, do pani **p.** itp. ⟨*w zwrotach do wykładowczyni na wyższej uczelni*⟩; *uczn.* Pani profesorka, do pani profesorki itp. ⟨*w zwrotach do wykładowczyni w szkole podstawowej lub liceum*⟩.

profil 1. Delikatny, drapieżny, klasyczny, ostry, regularny, grecki, rzymski, wyrazisty **p.** ⟨*kontur twarzy z boku*⟩. **2.** Z profilu, w profilu ⟨*z boku, w widoku bocznym*⟩: Podobny do ptaka z profilu. Obejrzeć, widzieć kogo z profilu (w profilu). **3.** Stanąć, ustawić co profilem ⟨*w pozycji bocznej, bokiem*⟩: Stań profilem.

program 1. p. filmowy, radiowy, teatralny; **p.** imprezy, koncertu, obchodu, uroczystości, widowiska, wyścigów, zawodów sportowych itp. ⟨*zestawienie poszczególnych pozycji jakiejś imprezy; spis zwykle drukowany tych pozycji (z nazwiskami autorów, wykonawców itp.)*⟩. **2.** *ekon.* **p.** finansowy ⟨*zestawienie zawierające wszystkie dochody i wydatki pieniężne systemu finansów ogólnopaństwowych; wyszczególnienie środków zapewniających równowagę finansową w gospodarce narodowej*⟩. **3. p.** oficjalny, polityczny, społeczny; **p.** badań naukowych, reform społecznych itp. ⟨*ogólne założenia, zasady jakiejś działalności*⟩. **4. p.** zajęć szkolnych, **p.** szkolny, **p.** określonej nauki (np. logiki, matematyki, literatury) ⟨*plan zajęć w szkołach; zwięzłe wyłożenie treści danej dyscypliny*⟩. **5.** Projekt, zmiana programu. **6.** Według programu, zgodnie z programem (odby(wa)ć się): Zajęcia w szkole odbywają się codziennie zgodnie z programem. **7.** Mieć co w programie ⟨*w planie, mieć co zaplanowane*⟩: Miał w programie wyjazd latem na wycieczkę zagraniczną. **8.** Przedstawić, rozwinąć **p.** (np. działalności). **9.** Ułożyć, zaprojektować **p.** (np. zajęć szkolnych). **10.** Wprowadzić, wcielać w życie **p.** (np. reform).

projekt 1. Ambitny, nowy, ostateczny, pierwotny, stary **p.** ⟨*plan, pomysł*⟩. **2. p.** architektoniczny, przestrzenny ⟨*rozplanowania terenu*⟩. **3.** Typowy **p.** (budowlany) ⟨*plan, szkic (budowli), przeznaczony do wielokrotnie powtarzanej realizacji*⟩. **4. p.** c z e g o ⟨*plan, zarys czego w formie utrwalonej na piśmie albo w formie rysunku*⟩: **p.** ustawy; **p.** gmachu, mostu, osiedla, linii kolejowej. **5. p.** c o d o c z e g o: Projekty co do dzieci. *Dąbr. M. SPP.* **6.** Dać, doprowadzić do skutku, (od)rzucić, powziąć, przedstawić, przyjąć, referować, urzeczywistnić, uzasadni(a)ć, wcielić w czyn, wykonać, wysunąć (z)realizować **p.**: Powziął zuchwały projekt zamienienia jej [pustyni] na żyzną okolicę. *Prus SPP.* **7.** Snuć, układać **p-y**: Mimo iż mieszkali od wielu lat w mieście, wciąż snuli projekty przeniesienia się na wieś. **8.** Nosić się, wystąpić z projektem. **9. p.** dojrzewa, powstaje, upada.

prokrustowy p-e łoże ⟨*męczące położenie, sytuacja niezwykle trudna i ciężka do zniesienia*⟩: Im bezmierniejszą wola, im potężniejszą myśl ludzka, tym więcej muszą się one kurczyć, by wejść w prokrustowe łoże rzeczywistości. *Matusz. I. Swoi 213.*

prokurator p. generalny ⟨*główny oskarżyciel publiczny mianowany przez Radę Państwa*⟩.

proletariacki 1. Demokracja **p-a** ⟨*ustrój polityczny, w którym zwierzchnia władza należy do ludu pracującego; demokracja socjalistyczna*⟩. **2.** Internacjonalizm **p.** ⟨*międzynarodowa solidarność proletariuszy i mas pracujących wszystkich krajów, jedna z naczelnych zasad partii komunistycznych*⟩. **3.** Rewolucja **p-a** ⟨*dokonana przez proletariat*⟩. **4.** Światopogląd **p.** ⟨*oparty na materialistycznym monizmie; materializm dialektyczny*⟩.

proletariat 1. p. miejski, wiejski ⟨*klasa proletariuszy*⟩. **2.** Walczący, zorganizowany **p. 3.** Dyktatura proletariatu ⟨*ustrój polityczny w okresie przejściowym od kapitalizmu do socjalizmu, w którym nieograniczoną władzę państwową sprawuje klasa robotnicza w sojuszu z chłopstwem pracującym*⟩.

proletariusz p-e wszystkich krajów łączcie się! ⟨*hasło w Manifeście komunistycznym Marksa i Engelsa będące hasłem wszystkich partii komunistycznych*⟩.

promesa 1. p. bankowa ⟨*dokument zawierający przyrzeczenie udzielenia pożyczki petentowi przez bank*⟩. **2. p.** wizy ⟨*obietnica dania wizy wjazdowej przez kraj, do którego udaje się petent*⟩.

promieniować 1. p. c z y m ⟨*okazywać, uzewnętrzniać co*⟩: **p.** humorem, radością, szczęściem, zadowoleniem, zdrowiem. **2. p.** n a k o g o, n a c o ⟨*wywierać wpływ na kogo, na co; oddziaływać na kogo, na co*⟩: Wielka literatura promieniowała ideowo na całą sztukę. *Prz. Kult. 22, 1954.* **3.** *med.* Ból promieniuje ⟨*rozchodzi się, przenosi się z miejsca chorego do narządów zdrowych*⟩.

promień 1. Blady, jasny, srebrny, złoty **p.** ⟨*wąskie pasmo, wąska smuga światła*⟩. **2. p.** c z e g o: lampy, słońca, księżyca. **3. p.** włosów ⟨*pasmo, kosmyk*⟩. **4.** *przen.* **p.** łaski, nadziei, radości, szczęścia. **5.** W promieniu c z e g o ⟨*w odległości (we wszystkie strony)*⟩: W promieniu kilometra nie było żadnej osady. **6.** Rozchodzić się promieniami ⟨*rozchodzić się promieniście*⟩. **7.** Rzucić **p.** (np. na ekran), rzucać, roztaczać **p-e** (o słońcu). **8. p.** (słońca, księżyca itp.) pada na co, przedziera się przez co (np. przez chmurę), wciska się gdzie.

promocja 1. p. do następnej klasy (do klasy drugiej, trzeciej, czwartej itp.) ⟨*zezwolenie na przejście z klasy niższej do wyższej*⟩: Otrzymać promocję do następnej klasy. **2. p.** doktorska ⟨*nadanie tytułu naukowego doktora; ceremonia z tym związana*⟩.

propaganda 1. Gorliwa, masowa, namiętna **p.** ⟨*rozpowszechnianie, propagowanie czego*⟩. **2. p.** pokojowa, prasowa, rewolucyjna, szeptana, wizualna, wojenna, wroga, wywrotowa. **3. p.** c z e g o: **p.** czytelnictwa; muzyki ludowej. **4.** Narzędzie, środek propagandy. **5.** Organizować, rozwinąć, uprawiać propagandę. **6.** Posługiwać się propagandą.

propagandowy 1. Broszura **p-a**, wydawnictwo **p-e** ⟨*służące propagandzie czego*⟩. **2.** Chwyt, środek **p.**; kampania **p-a.**

proporcja 1. *daw.* Mieć głowę nie dla proporcji ⟨*być mądrym, zaradnym, sprytnym*⟩: Głowę ma nie dla proporcji przecież. *Orzesz. Sylwek 198.* **2.** Zachować **p-e** (w czym) ⟨*właściwy stosunek, umiar*⟩.

proporcjonalny 1. p. d o c z e g o lub w z g l ę d e m c z e g o: Pałac i ogród proporcjonalne do rozmiarów posiadłości. *Perz. SPP.* **2.** *mat.* Wprost **p.** ⟨*pozostający w takim stosunku do innej wielkości, że gdy tę drugą zwiększymy lub zmniejszymy pewną ilość razy, wówczas pierwsza zwiększy się lub zmniejszy taką samą ilość razy*⟩. **3.** *mat.* Odwrotnie **p.** ⟨*zależny od innej wielkości w ten sposób, że gdy tę drugą powiększymy pewną ilość razy, wówczas pierwsza zmniejszy się taką samą ilość razy i odwrotnie: gdy drugą zmniejszymy pewną ilość razy, wówczas pierwsza powiększy się taką samą ilość razy*⟩. **4.** *polit.* **p.** system wyborczy ⟨*w którym głosowanie odbywa się na podstawie list, przy czym każda lista otrzymuje ilość miejsc odpowiednią do ilości złożonych na nią głosów w okręgu wyborczym*⟩.

proporzec p. przechodni ⟨*w zawodach sportowych, współzawodnictwie pracy, szkolnym itp.: nagroda w postaci chorągiewki wręczana zwycięzcy nie na własność, lecz do czasu następnych zawodów z obowiązkiem przekazania jej następnemu zwycięzcy*⟩.

propozycja 1. Korzystna, ponętna **p.** ⟨*to, co się proponuje albo to, co komu proponują; zaofiarowanie czego albo zaofiarowanie się z czym*⟩. **2.** Mieć, otrzymać propozycję czego: Egon miał już kilka propozycji wyjazdów do Grazu. *Jackiew. Wiosna 148.* **3.** Odrzucić, przyjąć propozycję, zgodzić się na propozycję. **4.** Ponowić propozycję. **5.** Wystąpić z propozycją: Kiedy Zygmunt osiągnął pełnoletność, stryj wystąpił nagle z propozycją odkupienia jego gruntu. *Zal. W. SPP.* **6.** Zrobić komu propozycję ⟨*zaproponować co*⟩. **7. p.** wychodzi od kogo.

prorok 1. Bodajbym był, obym był fałszywym prorokiem ⟨*oby się moje słowa nie sprawdziły*⟩: Bodajbym był fałszywym prorokiem, ale jemu nic dobrego z oczu nie patrzy. *Sienk. Pot. IV, 50.* **2.** Co rok (to) **p.** ⟨*gdy komu co rok rodzi się dziecko*⟩. *przysł.* **3.** Broda, jak u proroka, a cnota, jak u draba. **4.** Nikt nie jest prorokiem we własnym kraju ⟨*najtrudniej znaleźć uznanie u swoich*⟩.

prosić, poprosić 1. p. c z e g o (z dopełniaczem cząstkowym): **p.** chleba, wody; **p.** noża. **2.** *daw.* **p.** pardonu ⟨*zwrócić się do przeciwnika w walce z prośbą o darowanie życia*⟩. **3. p.** d o c z e g o ⟨*zwykle gdy się wymienia miejsce, do którego się zaprasza*⟩: **p.** do stołu; **p.** do gabinetu, do salonu, do ogrodu itp. **4. p.** do tańca ⟨*zapraszać, zaprosić*⟩. **5. p.** k o g o — n a c o, np. **p.** na obiad, na herbatę, na imieniny, na lampkę wina (gdy się wymienia cel, w jakim się zaprasza) ⟨*zapraszać, zaprosić; (za)proponować, aby przyszedł, np. na obiad itp.*⟩. **6.** Prosić kogo na wszystko, na wszystkie świętości ⟨*zaklinać*⟩. **7. p.** k o g o o c o ⟨*zwracać się, zwrócić się (do kogo) z prośbą o co*⟩: **p.** o chleb, o wodę, o nóż; **p.** o chwilę rozmowy, o pomoc, o pozwolenie, o przebaczenie, o wyjaśnienie czego. **8. p.** o głos ⟨*zwracać się, zwrócić się do przewodniczącego zebrania, by pozwolił przemawiać*⟩. **9. p.** o ogień ⟨*zwracać się, zwrócić się z prośbą o użyczenie zapałek w celu zapalenia papierosa, cygara, fajki*⟩. **10. p.** o rękę czyją ⟨*oświadczyć się o kogo*⟩. **11. p.** kogo, aby co robił lub **p.** kogo co robić: Poprosili go, aby został (prosili go zostać). Proszę siadać, proszę, siadajcie, niech pan (pani) siada. **12. p.** kogo w kumy ⟨*aby był ojcem chrzestnym lub matką chrzestną dziecka*⟩. **13.** Nie dać się prosić ⟨*szybko spełniać czyją prośbę*⟩: Nie daj się prosić, kapitanie, zaśpiewaj. *Choj. Alkh. I, 85.* **14.** Prosić za kim ⟨*wstawiać się za kim, orędować komu*⟩: Nie miałbym odwagi za nim prosić, gdybym nie był pewny, że to się więcej nie powtórzy. *Par. Niebo 154.* **15.** Proszę! ⟨*wykrzyknienie wzywające do wejścia do środka, zwykle jako odpowiedź na pukanie*⟩. **16.** Proszę? ⟨*grzeczna, uproszczona forma zapytania: co proszę? co? — gdy pragniemy, aby rozmówca powtórzył to, co powiedział albo gdyśmy nie dosłyszeli ostatnich jego słów*⟩. **17.** Proszę, proszę bardzo, proszę uprzejmie: a) ⟨*zwrot grzecznościowy używany jako odpowiedź na „dziękuję"*⟩; b) ⟨*zwrot wyrażający zgodę na co*⟩: Chce pan sobie pójść, proszę bardzo. *Putr. Rzecz. 117.* **18.** Proszę pana, proszę pani itp. ⟨*formuła grzecznościowa zwracania się do kogoś, z kim się nie jest na ty*⟩: Nic mnie nie boli, proszę ojca. *Strug Ojc. 119.* **19.** Proszę ciebie, proszę pana, proszę państwa itp. ⟨*zwrot wtrącony wciągający do dyskusji rozmówcę*⟩: Weźmy, proszę cię, takie tylko zjawisko jak ludzką namiętność do pieniędzy. Czegoż to człowiek dla nich nie poświęci? *Żer. Prom. 60.* Ja, proszę państwa, nigdy o czymś podobnym nie słyszałem. *SPP.* **20.** Proszę, no proszę! ⟨*wykrzyknik wyrażający podziw, zdumienie*⟩: Umie pan sam naprawić radio? No proszę! **21.** Proszę mi wierzyć ⟨*zwrot zapewniający co, podkreślający prawdziwość wypowiedzi*⟩: Nie chciałem pani urazić, proszę mi wierzyć. **22.** I proszę ⟨*zwrot podkreślający zaskakujący wynik czego*⟩: Pierwszy raz poszedł z ojcem na polowanie. I proszę. Upolował wspaniałego rogacza.

23. *pot.* Że proszę, że proszę siadać ⟨*zwrot wyrażający uznanie dla kogo, czego*⟩: Chłopak był sprytny, tak wykołował wszystkich, że proszę. **24.** Coś aż prosi (się) o co ⟨*wymaga uzupełnienia czym, dostosowania do czego, dodania, wykonania czego*⟩: Budynki są w opłakanym stanie, aż proszą o remont.
przysł. **25.** Kogo nie proszą, tego kijem wynoszą.

prosię 1. p. nieskrobane ⟨*prostak, gbur, grubianin*⟩. **2.** Kwiczeć jak zarzynane prosię ⟨*głośno, piskliwie lamentować*⟩. **3.** Rozmawiać z kim jak gęś z prosięciem ⟨*nie móc się z kim porozumieć, nie rozumieć się nawzajem*⟩: Rozmawiamy jak gęś z prosięciem, ona po angielsku, a ja po francusku. *Chopin Wyb.*
przysł. **4.** Nie miała baba kłopotu kupiła sobie prosię ⟨*o sytuacji, w której ktoś sam bierze na siebie jakiś kłopotliwy obowiązek*⟩.

prostacki 1. p-e obyczaje, zachowanie ⟨*właściwe prostakom, grubiańskie*⟩. **2.** Po prostacku ⟨*w sposób właściwy prostakowi, ordynarnie, prostacko*⟩: Pluł na podłogę, jadł głośno mlaskając po prostacku. **3.** Z prostacka ⟨*w sposób prostacki, prostacko*⟩: Ubrany z prostacka w kapotę i długie buty.

prostak 1. p. bez wychowania. **2.** Jak **p.** ⟨*jak człowiek nieokrzesany, prostacki, prostacko*⟩: Zachowywać się jak **p. 3.** *gw.* Na prostaki ⟨*prosto, na przełaj*⟩: Puścić się do wsi na prostaki. Na prostaki do miasta będzie ze trzy kilometry. **4.** Uchodzić za prostaka; wyglądać na prostaka, mieć wygląd prostaka.

prosto 1. p. (skąd) ⟨*wprost, bezpośrednio*⟩: Telewizor **p.** z fabryki. Garnitur **p.** od krawca. Przyjść **p.** z pociągu. Mleko **p.** od krowy. **2. p.** przed siebie, **p.** jak strzelił, **p.** jak sierpem rzucił ⟨*w prostej linii*⟩. **3. p.** w oczy (świecić, patrzyć komu): a) ⟨*wprost, bezpośrednio, w linii prostej*⟩; b) ⟨*otwarcie, jasno, szczerze*⟩: Powiedzieć komu prawdę **p.** w oczy. **4. p.** spod igły ⟨*o czymś nowym, nowiutkim*⟩: Garnitur **p.** spod igły; auta **p.** spod igły. **5. p.** z mostu (mówić, pisać) ⟨*otwarcie, szczerze, nie owijając w bawełnę*⟩: Wypalił im prawdę **p.** z mostu. **6.** Chodzić, trzymać się **p.** ⟨*w pozycji pionowej, wyprostowanej*⟩. **7.** Iść **p.** ⟨*nie skręcając w żadną stronę, wzdłuż linii prostej*⟩. **8.** Tłumaczyć co (się), wypowiadać co, mówić **p.** ⟨*w sposób naturalny; niesztucznie, jasno, wyraźnie, zwyczajnie; bez upiększeń*⟩.

prostota 1. Rozbrajająca, ujmująca **p.** ⟨*naturalność, bezpośredniość w obejściu*⟩. **2. p.** c z e g o ⟨*brak komplikacji, nieskomplikowanie, niezawiłość*⟩: **p.** konstrukcji; **p.** języka, stylu; *przen.* **p.** serca. **3.** Pełen prostoty.

prostować 1. *techn.* **p.** blachę, stal itp. ⟨*nadawać blasze, stali itp. kształt płaski i odpowiednią grubość; wygładzać, wyprostowywać przez walcowanie*⟩. **2. p.** drogę ⟨*kierować się krótszą drogą*⟩: Żołnierzy prowadził pan Roch Kowalski [...] prostując sobie drogę ku Białemustokowi. *Sienk. Pot. III, 81.* **3. p.** grzbiet, plecy, postać ⟨*wyprostowywać, rozprostowywać się*⟩. **4. p.** kości *pot.* gnaty ⟨*wyprężać całe ciało, rozprostowywać członki; prostować się, przeciągać się, zażywać ruchu po dłuższym przebywaniu w jednej pozycji*⟩. **5.** *przestarz.* **p.** omyłki ⟨*korygować*⟩. **6.** *fiz.* **p.** prąd ⟨*zmieniać prąd zmienny na jednokierunkowy*⟩. **7. p.** czyje (błędne, kręte) ścieżki ⟨*nawoływać do dobrego, pouczać o tym, co dobre, wyplenić skąd zło, naprawiać czyje błędy*⟩: Macie prostować kręte ścieżki, karcić obyczaje, chłostać wady i przywary. *Prz. Tyg. Życia 30, 1875.*
przysł. **8.** Kto drogi prostuje, w domu nie nocuje.

prosty 1. p. jak świeca, jak trzcina. **2. p.** jak strzelił: Droga prosta jak strzelił. **3. p.** c z y m ⟨*prawy, szczery*⟩: **p.** sercem. **4. p.** człowiek, prości ludzie ⟨*nie wykształcony(-eni); nieobyty(-yci)*⟩. **5.** Po prostu: a) ⟨*w sposób prosty, bezpośrednio, zwyczajnie, wprost, wręcz, bez ceremonii*⟩: Opowiadał po prostu i naturalnie; b) ⟨*mówiąc otwarcie, szczerze, wprost, wręcz*⟩: Powietrze po prostu balsamiczne. Ten wasz Funio to po prostu bałwan.

proszek 1. p. d o c z e g o ⟨*ułatwiający co*⟩: **p.** do pieczenia, do prania; **p.** do zębów (do czyszczenia zębów). **2. p.** n a c o lub o d c z e g o ⟨*środek stosowany jako lek lub działający niszcząco na pasożyty*⟩: **p.** na ból głowy lub od bólu głowy; **p.** na robactwo, na pchły itp. **3.** *pot.* Coś jest w proszku ⟨*coś jest całkowicie rozmontowane, jakaś praca jest wykonana zaledwie we fragmentach, częściowo*⟩.

proszony 1. p. obiad, **p-e** śniadanie itp. ⟨*na które kogoś zaproszono*⟩. **2.** Chodzić po proszonym a. po proszonym chlebie ⟨*zajmować się żebraniną, żebrać*⟩.

prośba 1. Gorąca, milcząca, niema, osobista, pokorna, uniżona, uprzejma, usilna **p. 2. p.** o k o g o, o c o: **p.** o brata; **p.** o ułaskawienie, o zapomogę. **3. p.** z a k i m, z a c z y m: **p.** za synem. **4.** Na (czyją) prośbę; na ogólną, na własną prośbę ((z)robić co): Na moją prośbę zgodził się czekać. *Dąbr. M. SPP.* Zwolnił się z pracy na własną prośbę. **5.** Być głuchym na czyje **p-y. 6.** Iść, chodzić po prośbie ⟨*zajmować się żebraniem, żebrać*⟩. **7.** Mieć do kogoś prośbę: Nie chcę ci zabierać czasu, mam tylko jedną prośbę. *Brand. K. SPP.* **8.** Odrzucić, poprzeć, spełnić, uwzględnić czyją prośbę. **9.** Ponowić swą prośbę. **10.** Przedstawić komu prośbę. **11.** Przychylić się do czyjej prośby, wysłuchać czyjej prośby, zniżyć się do prośby. **12.** Przyjść, wystąpić, zwrócić się do kogo z prośbą. **13.** Wnieść prośbę (zwykle na piśmie).

protekcja 1. Silna, wysoka **p.** ⟨*poparcie*⟩. **2.** Przez protekcję ⟨*przy czyim poparciu*⟩: Przez protekcję otrzymał posadę. **3.** Liczyć na czyją protekcję ⟨*na poparcie*⟩. **4.** Mieć protekcję ⟨*poparcie*⟩. **5.** *przestarz.* Mieć kogo w protekcji ⟨*opiekować się kim, popierać kogo*⟩: Chciejże Mci Dobrodzieju jakeś zaczął, mieć mię w swojej protekcji. *Boh. Figl. 16.* **6.** *daw.* Poddać się pod protekcję czyją ⟨*pod protektorat, pod władzę opiekuńczą*⟩: W dniu dzisiejszym poddaliśmy się pod protekcję najjaśniejszego króla szwedzkiego. *Sienk. Pot. I, 198.* **7.** Szukać protekcji u kogo, gdzie ⟨*poparcia*⟩. **8.** *przestarz.* Uciekać się pod czyją protekcję, wziąć kogo w protekcję ⟨*pod opiekę, w opiekę*⟩: Uciekł się pod jego protekcję. *Łoz. Wł. SPP.*

protektorat 1. p. n a d c z y m ⟨*opieka honorowa*⟩: **p.** nad wystawą sztuki, techniki. **2.** Coś (impreza jakaś) pod czyim protektoratem: Koncert pod protektoratem ministra. **3.** Objąć nad czym **p. 4.** Rozciągnąć **p.** nad jakimś krajem ⟨*władzę zwierzchnią*⟩.

protest 1. Energiczny, gwałtowny, ostry **p.** ⟨*sprzeciw, zaprotestowanie*⟩. **2. p.** weksla ⟨*akt stwierdzający odmowę przyjęcia (akceptacji) lub zapłaty weksla w terminie*⟩. **3. p.** przeciw czemu: **p.** przeciw przemocy; przeciw gwałtom. **4.** Bez protestu (co (z)robić) ⟨*bez sprzeciwu*⟩: Znosiła przykrości bez protestu. **5.** Burza protestów. **6.** Dopuścić weksel do protestu. **7.** Spowodować, wywołać **p.**, burzę protestów. **8.** Wnieść **p. 9.** Wystosować **p.** do kogo. **10.** Wystąpić z protestem: Musimy razem wystąpić z protestem. *Hertz B. SPP.* **11.** Zakładać, założyć **p.** przeciw czemu: Posłowie carscy, niezadowoleni z wyroku, dekretów przyjąć nie chcieli i protest założyli. *Kub. SPP.* **12. p-y** odzywają się; odezwały się głosy protestu.

protokół 1. Dokładny, szczegółowy **p.**; **p.** obdukcyjny ⟨*akt urzędowy zawierający opis wypadku, zeznań, przesłuchania, oględzin itp.; pisemne sprawozdanie z czego*⟩. **2. p.** dyplomatyczny ⟨*ogół prawideł i zasad normujący porządek ceremoniałów dyplomatycznych*⟩. **3. p.** zdawczo-odbiorczy ⟨*sporządzany przy zdawaniu, przekazywaniu czego*⟩. **4. p.** posiedzenia, rozprawy sądowej. **5.** Uwagi do protokołu. **6.** Odczytać **p.** (np. z poprzedniego zebrania). **7.** Pisać, prowadzić **p.** ⟨*protokołować*⟩. **8.** Podać, podyktować co do protokołu. **9.** Spisać **p. 10.** Wciągnąć, wpisać co, zeznawać do protokołu.

prowadzenie (się) Osoba, osóbka lekkiego, złego prowadzenia (się) ⟨*lekkich obyczajów*⟩. *sport.* Wyjść na **p.** ⟨*wysunąć się w wyścigu na pierwsze miejsce*⟩.

prowadzić, poprowadzić, przeprowadzić, przeprowadzać 1. p. co (w połączeniu z rzeczownikiem będącym dopełnieniem tej czynności): ⟨*(z)realizować to, co jest wyrażone w dopełnieniu*⟩; **p.** badania ⟨*(prze)badać co; (po)kierować badaniami w jakiejś dziedzinie*⟩. **2. p.** dyskusję, polemikę ⟨*(prze)dyskutować; polemizować; (po)kierować dyskusją, polemiką*⟩. **3. p.** flirt z kim ⟨*(po)flirtować*⟩. **4.** Przeprowadzić kontrolę ⟨*(prze)kontrolować*⟩. **5.** Prowadzić korespondencję (z kim) ⟨*korespondować; wymieni(a)ć listy z kim*⟩. **6.** Prowadzić handel, hodowlę ⟨*zajmować się handlem, hodowlą; handlować (czym), hodować co*⟩. **7.** (prze)**p.** kurację, leczenie ⟨*leczyć się; odby(wa)ć kurację, leczenie*⟩. **8. p.** lekcję, wykład ⟨*mieć, odby(wa)ć lekcję, wykład*⟩. **9.** (prze)**p.** narady ⟨*naradzać(-ić) się*⟩. **10.** (prze)**p.** negocjacje, pertraktacje, rokowania, układy ⟨*pertraktować, rokować, układać się; doprowadzić do skutku negocjacje itd.*⟩. **11. p.** rozmowę (z kim) ⟨*rozmawiać; rozmówić się (z kim); (po)kierować rozmową*⟩. **12.** Prowadzić spór a. spory o co ⟨*spierać się o co*⟩. **13. p.** walkę ⟨*walczyć; doprowadzić walkę do skutku; (po)kierować walką*⟩. **14.** Prowadzić wojnę ⟨*wojować, walczyć*⟩. **15.** (po)**p.** auto, czołg, traktor, samolot itp. ⟨*(po)kierować autem itp.*⟩. **16.** *sport.* (po)**p.** bieg, wyścig ⟨*(po)biec, (po)jechać na pierwszej pozycji, jako pierwszy*⟩. **17.** (po)**p.** biuro, fabrykę, interes, przedsiębiorstwo, sklep, zakład itp. ⟨*(po)kierować biurem itd.; d(aw)ać sobie radę z zarządzaniem czym*⟩. **18.** *górn.* (po)**p.** chodnik, szyb ⟨*przebi(ja)ć, (wy)drążyć*⟩. **19.** *spoż.* Prowadzić ciasto ⟨*wyrabiać ciasto w odpowiedni, należyty sposób*⟩. **20.** (po)**p.** dom, gospodarstwo (domowe) ⟨*zarządzać domem, gospodarstwem; zajmować się, zająć się ogółem spraw domowych*⟩. **21.** Prowadzić dom otwarty ⟨*przyjmować licznych gości, urządzać często przyjęcia*⟩. **22.** (po)**p.** drogę, kanał, linię, rów ⟨*(po)budować*⟩. **23.** Prowadzić grę ciemną, dwulicową, obłudną, podwójną ⟨*postępować obłudnie, nieszczerze, podstępnie*⟩: Pan jakąś ciemną grę prowadzi! Po co jej się pan przedstawił pod innym nazwiskiem? *Krzyw. I. Gorzk. 68.* **24.** Prowadzić interesy ⟨*zajmować się interesami (pieniężnymi)*⟩. **25.** Prowadzić księgi (handlowe, podatkowe itp.) ⟨*notować w księgach dochody i rozchody, wysokość obrotów itp.*⟩. **26.** Prowadzić ołówek, pędzel ⟨*wodzić ołówkiem itp. wykonując co*⟩. **27.** (po)**p.** partnerkę (partnera) w tańcu ⟨*(po)kierować partnerką (partnerem) w tańcu*⟩. **28.** *sport.* Prowadzić piłkę, krążek ⟨*przesuwać piłkę, krążek wymijając przeciwników*⟩. **29.** *daw.* Prowadzić rej ⟨*być pierwszym, przodować; wodzić rej*⟩: Wszędzie ułani rej prowadzili i cały ród niewieści lgnął do nich jak muchy. *Sztyrm. Pow. I,77.* **30. p.** roboty ⟨*wykon(yw)ać roboty, (po)kierować robotami*⟩: **p.** roboty remontowe sposobem gospodarczym. **31.** *daw.* Rzecz (dalej) prowadzić ⟨*mówić, opowiadać w dalszym ciągu, kontynuować opowiadanie; zmierzać w opowiadaniu do czego*⟩: Chciałem dalej rzecz prowadzić, ale chęć ziewania przeniosła się nieznacznie od słuchaczów na mnie. *Krasz. Wiersze 163.* **32.** Prowadzić smyczek ⟨*ciągnąć, pociągać smyczkiem po instrumencie (po strunach) w czasie gry*⟩. **33.** (prze)**p.** dochodzenie, śledztwo ⟨*zbierać, zebrać dowody w sprawie będącej przedmiotem śledztwa*⟩. **34.** Prowadzić proces, sprawę ⟨*sądzić w jakiejś sprawie*⟩. **35.** (po)**p.** tańce; mazura, walca itp. ⟨*być wodzirejem (w mazurze, walcu itp.)*⟩. **36.** *hand.* Prowadzić jakiś towar (np. papier, konfekcję męską itp.) ⟨*o przedsiębiorstwie: zajmować się sprzedażą tego towaru, mieć go w obrocie towarowym*⟩. **37.** *łow.* Prowadzić zwierzynę łowną (np. lisa, zająca) ⟨*wodzić za zwierzyną będącą w ruchu wycelowaną bronią*⟩: Składam się, prowadzę go [niedźwiedzia] kilka sekund na celu i wypalam z prawej rurki. *Tyg. Ilustr. 181, 1863.* **38.** Prowadzić jakie życie a. jaki tryb życia ⟨*pędzić, wieść życie; żyć*⟩: Prowadził spokojne życie, regularny tryb życia. **39.** Prowadzić do czego: a) ⟨*wieść, doprowadzać; sprowadzać, wywoływać, powodować co, pociągać za sobą*⟩: Cnota prowadzi do szczęścia. *SW*; b) ⟨*zmierzać (z mową) do pewnego celu, nakierować mowę, mieć co na myśli mówiąc co*⟩: Mów jaśniej, bo nie mogę zrozumieć, do czego prowadzisz. **40.** Prowadzić do celu: Do jednego celu różne mogą prowadzić drogi. *Sienk. SPP.* **41** (po)**p.** oddział do boju, do szturmu ⟨*wieść; kierować oddziałem w boju*⟩. **42.** (po)**p.** do ołtarza, na kobierzec ⟨*brać, wziąć ślub, zawierać, zawrzeć związek małżeński*⟩. **43.** Prowadzić do wniosku ⟨*nasuwać wniosek*⟩: To prowadzi do wniosku, że... **44.** Coś do niczego nie prowadzi ⟨*chybia celu, mija się z celem, nie osiąga skutku*⟩: Ustawiczne awantury i kłótnie o drobiazgi do niczego nie prowadzą. **45.** Prowadzić kogo lub po czym oczami (oczyma) ⟨*wodzić za kim lub po czym; odprowadzać wzrokiem*⟩. **46.** (po)**p.** kogo na pasku, na sznurku, za nos ⟨*narzucać(-ić) komu swą wolę; zmuszać, zmusić do postępowania według własnej woli*⟩: Był mężem nie pozwalającym prowadzić się żonie na pasku. - Jesteś równie piękna jak sprytna [...] Niejednego jeszcze głupca poprowadzisz za nos tak jak mnie. *Kosiak. Now. 74.* **47. p.** kogo pod rękę, pod ramię ⟨*iść ująwszy kogo pod ramię*⟩. **48.** Prowadzić kogo za rękę ⟨*kierować kim; opiekować się kim*⟩: Matki chciałyby dorosłe już dzieci ciągle prowadzić za rękę. **49.** Prowadzić d o c z e g o, n a c o, w c o itp. ⟨*biec, ciągnąć się w jaką stronę, w jakim kierunku*⟩: Droga prowadziła do lasu, na górę, w głąb parku. **50.** Niech Bóg prowadzi ⟨*formuła pożegnania używana niekiedy przez wierzących, wyrażająca życzenie pomyślnej podróży*⟩. **51.** Skąd Pan Bóg prowadzi ⟨*formuła powitania używana niekiedy przez wierzących, zawierająca pytanie, skąd kto przyjeżdża, wraca itp.*⟩.

prowentowy *przestarz.* Pisarz **p.** ⟨*urzędnik prywatny (oficjalista) prowadzący kontrolę dochodów majątku ziemskiego*⟩.

prowiant Suchy **p.** ⟨*racje żywnościowe gotowe do spożycia bez uprzedniego gotowania*⟩.

prowincja 1. Cicha, daleka, głęboka, głucha, zaśniedziała, zabita deskami **p.** ⟨*część kraju oddalona od stolicy; zapadły kąt*⟩. **2.** Gęś, gąska z prowincji ⟨*o osobie niewykształconej, nieobytej z życiem (wielko)miejskim; naiwnej, ograniczonej; bez aspiracji*⟩. **3.** Mieszkać na prowincji; przenieść się, wyjechać na prowincję.

prowincjonalny 1. p. donżuan ⟨*zaściankowy, małomiasteczkowy, parafiański flirciarz, lowelas*⟩. **2.** Gazeta **p-a** ⟨*wychodząca na prowincji*⟩. **3.** Gęś **p-a** ⟨*lekc. o kobiecie ograniczonej umysłowo, naiwnej, zwykle pochodzącej z prowincji*⟩.

prowizorium *ekon.* **p.** budżetowe ⟨*budżet tymczasowy, obowiązujący do czasu uchwalenia właściwego budżetu*⟩.

próba 1. Bezskuteczna, ciężka, ostatnia, udatna **p.**; **p.** wstępna ⟨*próbowanie, wypróbowanie czego; doświadczenie, doświadczenie czego*⟩. **2.** *hist.* **p.** boża ⟨*średniowieczny sposób dowodzenia winy lub niewinności oskarżonego przez poddanie go odpowiednim badaniom, np. próba wody, ognia, pojedynek oskarżyciela z oskarżonym itp.; sądy boże, ordalia*⟩. **3. p.** generalna ⟨*ostateczna próba, podczas której wszystko odbywać się powinno dokładnie tak, jak na właściwych występach przed publicznością*⟩. **4. p.** jednostkowa ⟨*niewielka ilość towaru pobrana dla przeprowadzenia badań*⟩. **5. p.** ogniowa ⟨*pierwsze cięższe boje; również przen.*⟩: Pierwsze wystąpienie Sztyrmera w większym zebraniu było próbą ogniową jego nieśmiałości. Wyszedł z niej zwycięsko. *Chmielow. Powieśc. 209.* **6. p.** średnia a. wydzielona ⟨*przy próbie ogólnej zbyt dużej wydzielona część (towaru) do badania*⟩. **7.** *med.* **p.** tuberkulinowa ⟨*przylepienie plastra z maścią tuberkulinową lub bezpośrednie wtarcie maści w określone miejsce na skórze przedramienia, stosowane przez lekarzy w celu stwierdzenia zetknięcia z gruźlicą*⟩. **8. p.** c z e g o: **p.** sprawności, wytrzymałości; **p.** maszyny, mostu; *przen.* **p.** charakteru(-ów), sił. **9. p.** ognia, wody zimnej a. gorącej, żelaza itp. ⟨*średniowieczne sposoby dowiedzenia winy czy niewinności oskarżonego, należące do próby bożej, polegające na pławieniu go w wodzie, na wyjmowaniu przez niego rozpalonego żelaza, na pojedynkowaniu się z oskarżycielem itp.*⟩. **10. p.** platyny, srebra, złota ⟨*zawartość platyny itp. w stopie z innymi metalami, wyrażona w stosunku do 1000 części stopu*⟩. **11.** Złoto pierwszej, drugiej, trzeciej itp. próby. **12. p.** sztuki, opery, dramatu, komedii itp., koncertu ⟨*przygotowanie sztuki, koncertu do odegrania przed publicznością*⟩. **13. p.** n a c o ⟨*gdy się wymienia właściwość, którą ma się za pomocą próby zbadać*⟩: **p.** na szczelność, na wytrzymałość, na zginanie. **14.** Na próbę, na **p-y**, tytułem próby, *przestarz.* sposobem próby ⟨*w celu przekonania się o czym lub o czyjej przydatności do czego*⟩: Przyjąć kogo do pracy na próbę. **15.** Być na próbie, odbywać próbę ⟨*pracować określony czas, w którym bada się czyją przydatność; być kandydatem do czego*⟩. **16.** Podd(aw)ać próbie kogo, co ⟨*(z)badać, wypróbow(yw)ać co*⟩: Poddać próbie działanie motoru, wytrzymałość skrzydeł samolotu itp. Poddano belkę próbie wytrzymałości. **17.** Podejmować, podjąć, ponowić próbę czego: Podjął nową próbę pogodzenia zwaśnionych stron. **18.** Prowadzić **p-y** (sztuki, koncertu itp.) ⟨*przygotowywać sztukę, koncert do odegrania przed publicznością*⟩. **19.** Przechodzić, przejść, przeby(wa)ć **p-y** a. przez **p-y**: Nie może przechodzić prób tak ciężkich i dotkliwych. *Makusz. SPP.* Przejść przez wiele prób. *SW.* **20.** Wyjść z próby zwycięsko. **21.** Wystawić kogo, co na próbę ⟨*doświadczyć kogo; zbadać czyje reakcje, zachowanie; przekonać się o szczerości czyich intencji, zamiarów; przekonać się o czym*⟩: Wystawić czyją cierpliwość na próbę. **22.** Wytrzymać próbę czasu, wieku, życia ⟨*okazać się trwałym, przejść zwycięsko przez co*⟩: Tylko wybitne dzieła sztuki wytrzymują próbę czasu. **23. p.** (sztuki, koncertu itp.) odbywa się. **24. p.** wypadła pomyślnie, niepomyślnie, udała się.

próbka 1. Pierwsze **p-i** poezji, twórczości ⟨*pierwsze wiersze, utwory*⟩. **2.** Brać próbkę, pobrać **p-i** (np. towarów).

próbny Okres **p.** ⟨*okres zwykle trzymiesięczny zatrudnienia pracownika w instytucji, stanowiący okres wypróbowania czyjej przydatności do zawodu*⟩.

próbować, popróbować 1. p. sił, szczęścia ⟨*starać się, usiłować zdziałać coś w jakiejś dziedzinie, wypróbowywać swoje możliwości; przedsięwziąć co z myślą, że się to uda*⟩: Konieczność popycha do samodzielności i każe sił własnych próbować. *Wędr. 23, 1901.* Bilety na dzisiejsze przedstawienie są już wyprzedane. Pójdę do kasy jutro popróbować szczęścia. **2.** Próbować różnych, wielu, najrozmaitszych zawodów ⟨*pracować kolejno w różnych zawodach*⟩: Na tułaczce próbował wszystkich niemal zawodów. *Sienk. Now. III, 7.* **3.** *przestarz.* Próbować zgody ⟨*usiłować pogodzić się z kim lub pogodzić kogo*⟩: Mój panie, jesteś sekundantem i obowiązkiem twym próbować zgody, a nie odwodzić od niej. *Bełc. Tarło 198.*

próchno 1. Stare **p.** ⟨*o kimś starym, niedołężnym*⟩: Wolę przecież młodą i zdrową dziewkę niż jakie stare próchno, żebyśmy potem oboje kwękali i z mieszkania zrobili szpital. *Bał. Dziady 193.* **2. p.** się z kogo sypie ⟨*ktoś jest stary, starzeje się*⟩.

próg 1. Drewniany, kamienny **p.** ⟨*dolna część futryny drzwiowej wystająca nad poziom podłogi*⟩. **2.** Gościnne **p-i** ⟨*gościnny dom; gościnni gospodarze*⟩. **3.** Niskie, wysokie **p-i** ⟨*o domu ludzi niezamoż-

nych, skromnych lub zamożnych stojących wysoko w hierarchii społecznej⟩. **4.** *rzad.* Za niskie **p-i** dla kogo a. na czyje nogi ⟨*bywanie w czyim domu jest niewłaściwe z racji różnic społecznych, majątkowych itp.*⟩. **4a.** Nie na czyje nogi te **p-i,** za wysokie **p-i** na czyje nogi ⟨*bywanie w czyim domu jest niepożądane dla kogo, ktoś jest niepożądany w czyim domu, nie uważany za godnego z racji różnic społecznych, materialnych itp.*⟩: Z tego nic nie będzie — nie na jego nogi te progi. *Skarb. Starosta 77.* **5. p.** ogniowy a. płomienny ⟨*występ oddzielający w piecu hutniczym palenisko od topniska*⟩. **6.** Rodzinne **p-i** ⟨*dom rodzinny; rodzina*⟩: Opuścić rodzinne **p-i.** Wracać w **p-i** rodzinne. **7.** *fot.* **p.** czułości ⟨*ilość światła dająca w materiale światłoczułym pierwszy ślad zaczernienia*⟩. **8.** *psych.* **p.** podniety ⟨*minimalna wielkość, którą musi osiągnąć podnieta, aby wywołać jakieś wrażenie*⟩. **9.** *psych.* **p.** różnicy ⟨*minimalny przyrost lub ubytek podniety, niezbędny, aby wrażenie już istniejące zmieniło się w sposób dostrzegalny*⟩. **10.** *fiz.* **p.** słyszalności ⟨*najmniejsze, jeszcze słyszalne natężenie dźwięku*⟩. **11.** *psych.* **p.** świadomości ⟨*granica między podświadomością a świadomością*⟩. **12.** Na progu, u progu czego ⟨*na początku, na wstępie*⟩: Na progu stulecia; u progu kryzysu (stać, znaleźć się): Stoją chyba na progu powodzenia. *Dąbr. M. SPP.* **13.** Za progiem, tuż za progiem ⟨*niedaleko, bardzo blisko*⟩: Zima (tuż) za progiem. **14.** Goście, oglądać kogo w swych progach ⟨*w swym domu, w swym lokalu*⟩. **15.** Nie wyjść, nie wychylić się, nie pozwolić wyjść itp. za **p.**, ani za **p.** ⟨*nie opuścić pomieszczenia, nie wychodzić nigdzie, nie pozwolić na wyjście skąd*⟩: Matka nie pozwalała chłopcu wyjść ani za próg, póki nie odrobi lekcji. **16.** Przekroczyć, przestąpić itp. **p-i** czego a. czyje ⟨*wejść do środka jakiego (czyjego) pomieszczenia; odwiedzić kogo*⟩: Z bijącym sercem przekroczyłem próg małego domku. *Przybysz. Współ. I, 86.* Odtąd noga moja nigdy nie przestąpi progu ich domu. **17.** *daw.* Pokazać komu **p.** ⟨*kazać komu wyjść; wyprosić, wyrzucić kogo; pokazać komu drzwi*⟩: Przyszłam ci mój próg domowy pokazać palcem, byś szedł precz z dziedzińca. *Słow. Ben. 340.* **18.** Wejść, wstąpić w czyje **p-i** ⟨*zajść do kogo, odwiedzić kogo*⟩.

próżnia 1. p. w kieszeni, w żołądku ⟨*o braku pieniędzy, odczuwaniu głodu*⟩. **2. p.** w sercu, **p.** w życiu ⟨*pustka*⟩: Po jej śmierci uczuł wielką próżnię w życiu. *SW.* **3.** Ktoś mówi, słowa czyje padają w próżnię: Miał wrażenie, że słowa jego padają w próżnię. Nikt się nie odezwał. **4.** Trafiać w próżnię ⟨*nie wywoływać oddźwięku*⟩: Wywody jego trafiały w próżnię. **5.** Wisieć, być zawieszonym w próżni ⟨*nie mieć łączności z czym*⟩: Ogólniki wiszą w próżni, jeżeli nie służą objaśnieniu żywych i złożonych w swej konkretności faktów językowych. *Dor. Rozm. II, 6.* **6.** Zawieszać w próżni ⟨*izolować od czego*⟩: Mówiąc wyłącznie o formie wiersza, zawiesił go niejako w próżni. **7.** Zawisnąć w próżni ⟨*nie zostać zrealizowanym, spełznąć na niczym*⟩: Wobec braku kredytów plany rozbudowy zakładu zawisły w próżni.

próżnica Po próżnicy: a) *przestarz.* dziś *gw.* ⟨*na próżno, niepotrzebnie, bez powodu*⟩: Gadać po próżnicy; b) *daw.* ⟨*bezczynnie, próżnując*⟩: Ani dzieciom lepszą dolę zgotujesz, gnijąc tutaj po próżnicy. *Kossak Z. Krzyż. III/IV, 359.*

próżno Na **p.** ⟨*bez oczekiwanego skutku, niepotrzebnie, zbytecznie, na darmo, daremnie*⟩: Usiłowała coś sobie przypomnieć, ale na próżno. *Prus Emanc. I, 137.*

próżność 1. p. kobieca. **2.** Z próżności, przez **p.** (co robić) ⟨*z chęci imponowania czym, budzenia podziwu u innych*⟩: Ojciec przez czułość, matka przez próżność stroili ją w błękitne i różowe sukienki. *Orzesz. Z różnych I, 290.* **3.** Dogadzać, pochlebiać, schlebiać czyjej próżności; łechtać czyją **p.**: Rój wielbicieli, który ją otaczał, schlebiał jej próżności. **4.** Wszystko (jest) **p.** ⟨*marność, znikomość*⟩.

próżny 1. p. c z e g o ⟨*wolny od czego, pozbawiony czego*⟩: Śpią próżni kłopotu. *Mick. SPP.* Stoję rozkoszy próżen i dosytu. *Słow. SPP.* **2.** Odejść, przyjść z próżnymi rękami ⟨*nic nie otrzymać, nic nie przynieść*⟩. **3.** Przelewać z pustego w **p-e** ⟨*prowadzić jałową rozmowę, dyskusję*⟩.
przysł. **4.** Z próżnego i Salomon nie naleje.

pruć 1. Flaki, żyły **p.** z kogo: a) ⟨*męczyć, zadawać cierpienia*⟩: Każ ze mnie pruć żyły, winy moje na większą karę zasłużyły. *Zabł. Amf. 164*; b) ⟨*wymagać pracy ponad siły*⟩: Fabrykant, majster żyły pruć chcieli z ludzi. *Bron. W. Nadz. 25.* **2. p.** fale ⟨*o łodzi, statku itp.: płynąć szybko*⟩. **3. p.** powietrze ⟨*o ptakach, strzałach, samolotach: przecinać powietrze, przelatywać szybko w powietrzu*⟩: Jaskółki ze świergotem przelatywały nad wodą i pruły powietrze fantastycznymi liniami. *Reym. SPP.* **4.** *daw.* **p.** ziemię ⟨*orać*⟩: Porze ziemię pługiem. *Troc.*

prychać, prychnąć p. śmiechem ⟨*wybuchać, wybuchnąć krótkim, urywanym śmiechem; parskać, parsknąć śmiechem*⟩.

pryk *wulg.* Stary **p.** ⟨*człowiek sterany życiem, zniszczony, stary*⟩.

prym 1. Dzierżyć, wieść, *przestarz.* mieć, trzymać **p.** w czym; przed czym, przed kim ⟨*zajmować pierwsze miejsce, mieć przewagę w jakiej dziedzinie*⟩: Na zabawie ludowej prym wodzili żołnierze. - Przed mężczyznami prym mają kobiety. *Kaczk. Olbracht. I, 264.* **2.** *daw.* Iść z kim o **p.** ⟨*iść o lepsze*⟩: O prym, kto lepiej śpiewa, szedł szczygieł z słowikiem. *Kras. SW.*

prysiud *reg.* Iść w **p-y** ⟨*puścić się w taniec*⟩. *reg.* Tańczyć (np. kozaka) z prysiudami ⟨*z przysiadami*⟩.

pryskać, prysnąć 1. p. jak bańka mydlana ⟨*rozwi(ew)ać się, ulat(yw)ać, (z)niknąć*⟩: Nadzieja pryskała jak bańka mydlana i znów nastawały dni zwątpienia, niepewności, bezowocnych poszukiwań. *Jun. Bruk. 108.* **2.** *pot.* **p.** w świat ⟨*szybko wyjechać, uciec*⟩: Papuś znowu prysnął w świat. *Żer. Dzieje II, 177.* **3.** Czar, nadzieja pryska; złudzenia pryskają ⟨*rozwiewa się, rozwiewają się; znika, znikają*⟩.

prysznic 1. Gorący, zimny **p.** ⟨*kąpiel natryskowa*⟩. **2.** Brać, wziąć **p.**; korzystać z prysznicu.

prywatny 1. p. adres ⟨*adres czyjego mieszkania*⟩. **2.** Inicjatywa **p-a**: a) ⟨*zapoczątkowanie czego przez osoby prywatne*⟩; b) *pot.* ⟨*przedsiębiorstwo handlowe lub przemysłowe będące własnością osoby prywatnej; właściciele takiego przedsiębiorstwa*⟩. **3. p.** interes, przedsiębiorca; **p-e** przedsiębiorstwo. **4.** Lekcje **p-e**, nauczanie **p-e** ⟨*odbywające się poza szkołą państwową, zwykle indywidualne*⟩. **5.** Osoba **p-e** ⟨*nie reprezentująca (w jakiejś sprawie) żadnej instytucji, władzy itp.*⟩. **6.** Prawo **p-e** ⟨*ogół przepisów normujących prawa osobiste i majątkowe osób fizycznych i prawnych*⟩. **7. p.** sekretarz, **p-a** sekretarka, sprawa ⟨*osobisty(-a)*⟩.

pryzmat Patrzeć na co, widzieć co przez **p.** czego ⟨*ujmować co pod pewnym kątem, z pewnego punktu widzenia*⟩: Kształty, widziane jedynie przez pryzmat wspomnienia, potworniały. *Witkiew. S. Szt. 373.*

prząśny 1. Chleb **p.**; pieczywo **p-e** ⟨*z niekwaszonego ciasta*⟩. **2.** Miód **p.** ⟨*niesycony, niefermentowany*⟩.

prząść 1. p. nici, len, kądziel ⟨*przerabiać włókno na nici (lnu itp.)*⟩. **2.** Cienko **p.**: a) ⟨*żyć w biedzie*⟩; b) ⟨*być bardzo słabego zdrowia*⟩; c) ⟨*ostatkiem gonić, robić bokami, być w krytycznym położeniu*⟩: O poddaniu nie myślcie, bo Szwedzi już cienko przędą i licho ich w oczach bierze. *Sienk. Pot. III, 296.*

przebić, przebijać 1. p. k o g o, c o — c z y m ⟨*przeszy(wa)ć na wylot czym ostrym, przedziurawi(a)ć, przekłu(wa)ć*⟩: Przebić kogo nożem, mieczem; przebić sobie nogę szkłem. **2. p.** co oczami, wzrokiem ⟨*przeniknąć*⟩: Próbował przebić wzrokiem ciemności. **3.** *karc.* **p.** kartę ⟨*pobić bitą kartę jeszcze starszą*⟩: Przebić króla asem. **4.** *sport.* **p.** piłkę ⟨*w grze w siatkówkę: przerzucić piłkę przez siatkę*⟩. **5. p.** ulicę, tunel ⟨*przeprowadzić burząc przeszkody; przekopać, przekuć, przerąbać w czym (np. w skale)*⟩.
przysł. **6.** Głową muru nie przebijesz.

przebiec, przebiegać 1. p. komu drogę ⟨*biegnąć przeciąć komu drogę; przebiec w poprzek drogę tuż przed kimś idącym nią*⟩: Kiedyśmy wracali, czarny kot przebiegł nam drogę. **2. p.** kraj, miasto itp., **p.** z ust do ust ⟨*o wieściach, wydarzeniach itp.: zostać rozgłoszonym, przekazanym ustnie wielu osobom; obiec, obiegać*⟩: Całe miasto przebiegła wieść jak błyskawica! *Zabł. Pojedn. 202.* **3. p.** p o c z y m: Coś przebiegło po czym ⟨*pojawiło się na moment, na krótko, przemknęło*⟩: Cień smutku przebiegł po jej bladej twarzy. *Tyg. Ilustr. 196, 1863.* **4.** Dreszcz, mrowie, mróz, żar itp. przebiegł komu po ciele, po skórze itp., po kim a. kogo ⟨*dreszcz itp. wstrząsnął kim, przeniknął kogo*⟩: Żar i mróz kolejno przebiegały Wilczkowi po żyłach. *Choj. Alkh. IV, 247.* **5. p.** p r z e z c o: coś przebiegło komu przez myśl; myśl (jaka) przebiegła komu przez głowę ⟨*ktoś w danej chwili o czymś pomyślał*⟩: Myśli przebiegały mu przez głowę z szybkością i jasnością błyskawic. *Prus Far. III, 222.* **6. p.** c o — c z y m ⟨*przesunąć, przesuwać po czym*⟩: Palce pianisty przebiegały klawiaturę szybkimi pasażami. **7. p.** pismo, list itp. oczami, wzrokiem ⟨*szybko lub pobieżnie przeczytać co (po cichu)*⟩. **8. p.** co myślą, wspomnieniem, pamięcią a. w pamięci ⟨*prześledzić co szybko w myślach, w pamięci*⟩: Prędko przyszedł do siebie i począł przebiegać myślą wszystko, co się stało, a jednocześnie szukał środków ratunku. *Sienk. Pust. I, 50.* **p.** pamięcią młode lata.

przebieg 1. Emocjonujący, niezwykły, normalny **p.** ⟨*tok, bieg, czego*⟩. **2. p.** martwy, pusty ⟨*nieproduktywne przebycie pewnej drogi przez pojazd mechaniczny, np. dojazd traktora na pole, powrót samochodu ciężarowego bez ładunku*⟩. **3. p.** c z e g o ⟨*odbywanie się, rozwijanie się czego; bieg, tok*⟩: **p.** wypadków; **p.** dyskusji; **p.** choroby. **4.** Mieć **p.** ⟨*przebiegać, odbywać się*⟩: Gojenie się rany miało przebieg normalny, siły wracały i zaczął zjawiać się apetyt. *Nałk. Z. Zwierz. 32.* **5.** Śledzić **p.** czego.

przebiegać p. **przebiec**

przebierać (się), przebrać (się); poprzebierać (się) 1. p. (się) z a k o g o, z a c o ⟨*ub(ie)rać w strój charakterystyczny dla kogo lub przedstawiający co*⟩: Chłopcy poprzebierali się za kowbojów. **2.** Przebierać c z y m — p o c z y m, w c z y m ⟨*poruszać czym wykonując jakąś czynność; przesuwać co — po czym*⟩: Przebierał palcami po stole. Muły weselej przebierały kopytami i wózek żywiej się toczył niż dnia poprzedniego. *Gomul. Róże 110.* **p.** nogami w tańcu. **3.** Przebrać miarę, miarkę (w czym) ⟨*przeholować, przesadzać(-ić) w czym; przekraczać(-oczyć) dozwolone granice w postępowaniu*⟩: **p.** miarę w jedzeniu, w piciu, w pochwałach, w gniewie. **4.** Przebiera się miara, miarka czego ⟨*coś za długo trwa, czegoś jest już nadto, czegoś ma się dosyć*⟩: Przebrała się miara jego cierpliwości. **5.** *pot.* Przebierać w kim, w czym jak w gruszkach, jak w ulęgałkach ⟨*wyszukiwać wybredzając*⟩: Jednymi dziewczętami pogardzając, drugie przyjmując, przebierać sobie w nich będę, jak w gruszkach. *L.* **6.** Nie przebierać w słowach, w wyrazach ⟨*używać słów nieprzyzwoitych, niecenzuralnych*⟩: Wymyślał, nie przebierając w wyrazach. **7.** Nie przebierać w argumentach, w środkach ⟨*nie cofać się przed użyciem każdego argumentu, środka; uważać każdy środek za właściwy*⟩.

przebijać p. **przebić**

przebitkowy 1. Bibułka **p-a** ⟨*służąca za przebitkę*⟩. **2.** Buchalteria **p-a**, metoda **p-a** księgowania ⟨*sposób księgowania, przy którym zapis odbija się jednocześnie na kilku kartkach kontowych*⟩.

przebłysk 1. p. c z e g o ⟨*krótkotrwały błysk; przen. krótkotrwały objaw czego*⟩: **p.** artyzmu, humoru, talentu; **p.** świadomości. - W pierwszej chwili odczuł jakby przebłysk zadowolenia. *Sienk. SPP.* **2.** Mieć **p-i** czego.

przebój Iść, torować (sobie) drogę, zdobywać co przebojem, *przestarz.* na **p.** ⟨*pokonując wszelkie trudności; siłą, przemocą*⟩: Wyglądał [...] na człowieka, który nie umie sobie przebojem zdobywać miejsca, lecz woli dla miłej zgody każdemu ustępować z drogi. *Bał. Dziady 107.* Wypadło przebojem torować sobie drogę. *SW.*

przebrać się p. **przebierać się**

przechadzka 1. Daleka, dłuższa, wspólna **p.** ⟨*spacer*⟩. **2. p.** p o c z y m: po parku, po ulicach miasta. **3.** Iść, pójść, wyjść na przechadzkę. **4.** Odbyć przechadzkę, odbywać **p-i.**

przechodzić, przejść 1. p. (niepowrotnie) ⟨*przemijać, przeminąć*⟩: Wszystko przechodzi, wszystko przemija na tym świecie. *L.* Przeszło, minęło niepowrotnie, rozwiało się niby mgła nad jeziorem. *Żer. Syzyf.*

41. **2. p.** bez echa, bez wrażenia ⟨*nie wywoł(yw)ać odpowiedniego wrażenia, oddźwięku; minąć, mijać bez wrażenia*⟩: Wystawienie nowej sztuki znanego pisarza przeszło w stolicy bez echa. **3.** Burza przeszła, deszcz, huragan przeszedł przez co a. nad czym ⟨*przeciągnęła, przeciągnął*⟩. **4.** Chmura przeszła ⟨*przesunęła się*⟩. **5.** Czas przeszedł, lata (szybko) przeszły ⟨*przeminął, przeminęły*⟩. **6.** Kandydatura przeszła, wniosek przeszedł ⟨*został(a) przyjęta(-y), uchwalona(-y)*⟩. **7.** Wojna przeszła (przez kraj) ⟨*miała miejsce, odbyła się, przewaliła się*⟩. **8. p.** c o: **p.** chorobę ⟨*być chorym; przebyć chorobę*⟩. **9. p.** kurs, praktykę, próbę ⟨*odby(wa)ć*⟩. **10. p.** twardą, trudną szkołę życia ⟨*zdoby(wa)ć doświadczenie życiowe doznając wielu niepowodzeń, pokonując liczne trudności*⟩. **11. p.** różne koleje w życiu ⟨*o człowieku: przeży(wa)ć okresy powodzenia i niepowodzeń; imać się, jąć się różnych zajęć, zawodów*⟩: Przechodził różne koleje, to najmował się za pisarza w rozmaitych kancelariach, to służył u kupców za sklepowego. *Dyb. B. Syb. I, 498.* **12. p.** c o a. p r z e z c o ⟨*przekraczać(-oczyć) co*⟩: **p.** ulicę a. przez ulicę; **p.** rzekę a. przez rzekę; granicę a. przez granicę. **13. p.** komu drogę ⟨*idąc przeciąć(-inać) drogę, którą ktoś przebywa; przejść w poprzek drogi tuż przed kimś idącym nią*⟩: Klął, bo mu kot przeszedł drogę. **14. p.** p r z e z c o ⟨*być zarejestrowanym, zostać zarejestrowanym*⟩: Korespondencja przechodzi przez dziennik. **15.** Coś przechodzi przez czyje ręce ⟨*ktoś załatwia co; rozporządza, zarządza czym*⟩: Ubodło ją cokolwiek, że tego rodzaju sprawa nie przechodzi, jak zawsze, przez jej ręce. *Dąbr. M. Noce III/2, 167.* **16.** Coś przechodzi komu przez głowę, *rzad.* przez myśl ⟨*ktoś o czymś myśli, jakaś myśl się komu nasuwa*⟩: Co mi w takich nocach przechodziło przez głowę, trudno wypowiedzieć. *Słow. Listy I, 244.* **17.** Ani, nigdy przez myśl a. przez głowę coś komu nie przeszło ⟨*ani przez chwilę ktoś o czym nie pomyślał; nie przyszło to komu nawet do głowy*⟩: Nigdy mi przez myśl nie przeszło, aby to niedołężne stworzenie miało w sobie tyle chytrości. *Krasz. Pam. 199.* **18.** Słowa nie chcą przejść a. przechodzą z trudem komu przez gardło ⟨*ktoś nie może czegoś powiedzieć, wyznać; z trudem dobywa głosu (ze wzruszenia, wstydu itp.)*⟩: Już mi przez gardło przejść nie chciały te ciągłe prośby o pieniądze... ta żebranina. *Perz. Siostra 68.* **19.** Przejść przez życie ⟨*przeżyć życie*⟩: Czemuż tak cicho z tobą ramię w ramię nie wolno przejść mi przez życie?! *Rom. Poezje I, 63.* **20.** Przechodzić z ust do ust ⟨*o wydarzeniach, wieściach itp.: być rozgłaszanym, przekazywanym ustnie; obiegać*⟩: Nim gdzie przyjechał, już o nim krążyły jakieś wieści [...] które przechodząc z ust do ust olbrzymiały. *Groza Róża 162.* **21.** Przejść do historii, do potomności, w pokolenia ⟨*zostać uwiecznionym, zapamiętanym; upamiętnić się, wsławić się*⟩: Do potomności przeszedł Krasicki nade wszystko jako najznakomitszy bajkopisarz polski. *Chrzan. I. Lit. 471.* **22.** Przejść do następnej, wyższej klasy; przechodzić z klasy do klasy ⟨*otrzym(yw)ać promocję do następnej, wyższej klasy*⟩. **23. p.** do innego teamtu a. na inny temat ⟨*zmieni(a)ć temat, zaczynać, zacząć mówić lub pisać na inny temat, o czym innym*⟩. **24. p.** na emeryturę, w stan spoczynku ⟨*zost(aw)ać emerytem*⟩: Generał przeszedł w stan spoczynku. **25. p.** na inne stanowisko ⟨*być, zostać przeniesionym*⟩. **26. p.** na inną wiarę, na inne wyznanie ⟨*zmieni(a)ć wiarę, wyznanie*⟩. **27.** Przejść na czyją stronę ⟨*stać się stronnikiem, zwolennikiem kogo, czego*⟩: Według tej ostatniej informacji, Seweryn Baryka przeszedł dawno, dawno na stronę wrogów. *Żer. SPP.* **28. p.** na kogo, na czyją własność ⟨*dost(aw)ać się komu, st(aw)ać się czyją własnością*⟩: Opuszczony majątek przeszedł na własność państwa. **29.** Przejść nad czym (do porządku dziennego) ⟨*nie brać pod uwagę, nie uwzględni(a)ć czego; przyjąć co obojętnie*⟩: Sejm dwukrotnie przeszedł nad tym wnioskiem do porządku dziennego. *Dęb. L. Z hist. 286.* Tak lekko przejść nad tą chorobą matki. *Grusz. An. SPP.* **30. p.** k o g o (c z y m) ⟨*przewyższać(-yć) kogo pod jakim względem*⟩: Uczeń przeszedł mistrza. **p.** kogo rozumem. **31.** *przestarz.* **p.** kogo o głowę ⟨*przewyższać(-yć)*⟩: Przechodzi go o głowę. *SW.* **32.** Przejść samego siebie ⟨*okazać się lepszym, zdolniejszym, mądrzejszym itp. niż (się jest) zwykle*⟩: Hannibal w tej bitwie przeszedł samego siebie w przewidywaniu i zimnej powściągliwości. *Ziel. T. Rzym. 123.* **33.** Coś przechodzi granice oczekiwania, (ludzkie) pojęcie, wszelkie wyobrażenie itp. ⟨*coś wykracza poza przyjęte ramy, normy, jest trudne do objęcia rozumem; jest ponad czyje siły*⟩: Skąpstwo jego przeszło wszelkie granice. *Zap. G. Kaśka 186.* Rezultat badań przeszedł najśmielsze oczekiwania. **34.** Coś przechodzi czyje siły ⟨*jest ponad czyje siły*⟩: Praca ta przechodzi moje siły. *SW.* **35.** Strach, zimno, mrowie, dreszcze, ciarki itp. przechodzą, przeszły kogo a. po kim ⟨*strach, zimno, dreszcze itp. przenikają, przeniknęły kogo; wstrząsają, wstrząsnęły kim; ktoś odczuł nagły strach itp.*⟩: Śmieli się straszliwie, bezlitośnie. Mrowie przechodzi od takiego śmiechu. *Sewer Nafta II, 69.* **36. p.** c z y m ⟨*przesiąkać, przesiąknąć czym, jaką substancją lub jakim zapachem*⟩: Mięso przeszło solą, octem. Ubranie przeszło naftaliną. **37. p.** w c o ⟨*przeistaczać(-oczyć) się w co*⟩: Tymczasem szmer w głębi doliny potęgował się i przeszedł w zgiełk. *Prus SPP.*

przechylać się, przechylić się p. się na czyją stronę ⟨*przechodzić, przejść na czyją stronę; sta(wa)ć się czyim stronnikiem; brać, wziąć czyją stronę*⟩: Nie wiedziałem [...] kto ma tutaj rację? Przechylałem się raczej na stronę matki. *Kłos. Wiosna 11.*

przeciąć, przecinać 1. p. c o — c z y m: a) ⟨*przerznąć(-ynać), rozciąć(-inać)*⟩: **p.** sznur nożem; b) ⟨*przeprowadzić(-ać) co w poprzek czego, (s)krzyżować co z czym; przegrodzić(-adzać) co czym*⟩: **p.** drogę rowem. **2. p.** dowóz, komunikację, odwrót itp.; **p.** komu drogę ⟨*uniemożliwi(a)ć dowóz itd.; zagrodzić, zajechać drogę*⟩: Otoczono ich zewsząd, odwrót przecięto. *Gomul. Miecz. I, 162.* **3.** *książk.* **p.** pasmo (dni) żywota, życie czyje ⟨*spowodować śmierć*⟩. **4. p.** plac, ścieżkę, ulicę ⟨*przejść, przechodzić w poprzek placu itd.*⟩: Skracali sobie drogę przecinając ścieżkę zygzakowatą. *Żer. Opow. 220.* **5. p.** powietrze ⟨*przelecieć, przelatywać w powietrzu*⟩: Jaskółki szybkim lotem przecinały powietrze. Błyskawica przecięła powietrze. **6. p.** ręce, zakład ⟨*rozdzielić(-ać) połączone dłonie dwu zakładających się osób dla dopełnienia ważności zakładu*⟩: Odchodząc widziałem, że obaj antagoniści wyciągają do siebie ręce i że ktoś trzeci przecina zakład. *Prus Now. I, 34.*

przeciąg 1. p. czasu ⟨*okres, odcinek czasu*⟩: Po pewnym przeciągu czasu. *SW*. **2.** W przeciągu czego ⟨*w okresie, w czasie czego*⟩: W przeciągu dnia, godziny, roku itp.

przeciągać, przeciągnąć 1. p. co przez dziennik, rejestr itp. ⟨*wpis(yw)ać do dziennika itp.*⟩. **2. p.** członki, grzbiet, kości, ramiona, ręce itp. ⟨*rozprosto(wy)wać, wyciągać(-nąć) na całą długość*⟩: Stał wyprostowany, przeciągał obolałe członki. *Jackiew. Jan 145.* **3. p.** linię telefoniczną, wysokiego napięcia ⟨*przeprowadzać(-ić)*⟩. **4. p.** strunę ⟨*przebierać, przebrać miarę*⟩: Nie należy przeciągać struny. *Zap. G. SPP.* **5. p.** kogo na czyją stronę ⟨*pozysk(iw)ać kogo jako zwolennika, stronnika*⟩: Jan trzymał z Lubomirskimi i szlachtę na jego stronę przeciągał. *Dygas. SPP.* **6.** *pot.* **p.** c o — c z y m ⟨*przesuwać(-unąć), przejeżdżać, przejechać czym po czym; (po)mazać co czym; (prze)prasować co czym*⟩: **p.** obraz pędzlem, farbą, pokostem; **p.** bieliznę żelazkiem. **7.** Przeciągnąć komu nożem po gardle ⟨*poderżnąć komu gardło*⟩: Radzi by oni i tu nożami po gardłach ludziom przeciągnąć. *Sienk. SW.* **8.** Przeciągnąć k o g o c z y m — p o c z y m, p r z e z c o ⟨*uderzyć kogo czym*⟩: **p.** kogo batem po grzbiecie, przez twarz. **9.** Mina się mu przeciągnęła ⟨*zafrasował się; zmartwił się*⟩. **10.** *daw.* Zimno przeciąga kogo ⟨*przejmuje, przenika, przeszywa; komuś robi się zimno*⟩: A może by na szklaneczkę herbatki? Pan Tomasz zmarzł, aż mu nos posiniał, mnie także coś zimno przeciąga. *Bał. Dziady 93.*

przeciąganie p. liny ⟨*popularne niegdyś zapasy, w których dwie drużyny ciągnąc linę starają się wzajemnie przeciągnąć przez linię środkową*⟩.

przeciągnąć p. **przeciągać**

przeciekać Coś przecieka komu przez palce ⟨*ktoś coś marnuje, traci; nie umie czego utrzymać przy sobie, wykorzystać, zużytkować*⟩: Mortonowi dość często w praktyce twórczej bogaty materiał życia przecieka jakoś przez palce. *Twórcz. 6, 1953, s. 220.*

przecierać, przetrzeć 1. p. drogę ⟨*idąc, jadąc drogą (u)czynić ją łatwiejszą do przebycia; (u)torować drogę*⟩: Przodem jechały sanie, które przecierały drogę. **2. p.** komu oczy (na co) ⟨*odkry(wa)ć komu prawdę, pozbawi(a)ć kogo złudzeń; umożliwi(a)ć komu poznanie rzeczywistego stanu rzeczy*⟩: Tak, mój chłopcze, jesteś jeszcze młody [...] przetrze ci oczy dopiero doświadczenie. *Święt. A. Nałęcze 121.*

przecierać się 1. Droga się przeciera ⟨*staje się możliwa, dogodna do przebycia*⟩: Śniegi przecie na wieki leżeć nie będą, a jak tylko drogi się przetrą, zaraz wyjadą. *Kaczk. Olbracht. III, 118.* **2.** Oczy się komuś przecierają ⟨*ktoś poznaje rzeczywisty stan rzeczy, prawdę; pozbywa się złudzeń*⟩.

przecięcie *przestarz.* W przecięciu ⟨*przeciętnie, średnio*⟩: Dochód roczny w ostatnich latach wynosił w przecięciu 3600 rubli. *SW.*

przecinać p. **przeciąć**

przecinek Kłaść, położyć, postawić **p.**

przeciskać się, przecisnąć się Prośba, wiadomość nie chce przecisnąć się, przeciska się z trudem itp. komu przez gardło, przez usta ⟨*ktoś nie chce mówić o czym, wstydzi się, boi się mówić o czym; wypowiedzenie prośby, wiadomości sprawia komuś przykrość*⟩: Nie wyobrażała sobie, jak jej ta prośba przeciśnie się przez gardło. *Perz. Las 162.*

przeciwieństwo 1. p. klasowe; skrajne, zupełne **p. 2. p.** biologiczne ⟨*przeciwieństwo istniejące pomiędzy łączącymi się komórkami płciowymi różnych organizmów, będące źródłem żywotności powstającego organizmu i impulsem jego rozwoju*⟩. **3. p.** losu ⟨*niepowodzenia, trudności spowodowane przez los*⟩. **4.** *filoz.* Stosunek przeciwieństwa ⟨*jeden ze stosunków, jaki może zachodzić bądź między zakresami nazw, bądź między zdaniami*⟩. **5.** W przeciwieństwie do kogo, do czego ⟨*w odróżnieniu od kogo, od czego*⟩: W przeciwieństwie do brata był wysoki. Mazowsze w przeciwieństwie do terenów południowych jest równinne. **6.** Stać w przeciewieństwie do czego ⟨*różnić się całkowicie*⟩: Podwórze przed domem pełne było ruchu i odgłosów gospodarskich; widział owo krzątanie się, które stało w zupełnym przeciwieństwie do kontemplacyjnego zamyślenia, w jakim się pogrążył. *Iwasz. J. Panny 89.* **7.** Stanowić **p.** k o g o, c z e g o a. w z g l ę d e m k o g o, c z e g o: Przyjaciele stanowili zupełne względem siebie przeciwieństwo. **8.** Zwalczać(-yć) przeciwieństwa ⟨*niepowodzenia, przeszkody, trudności*⟩: Kto przeszedł już tyle przeciwieństw i nareszcie je zwalczył, ten nie mógł się narażać na nowe zgryzoty. *Kaczk. Olbracht. III, 117.* **9. p-a** prześladują, ścigają kogo.

przeciwność 1. p-i życiowe ⟨*trudności, przeciwieństwa, niepowodzenia, przeszkody*⟩. **2. p-i** losu. **3.** Borykać się, walczyć z przeciwnościami. **4.** Zrażać się, nie zrażać się przeciwnościami.

przeciwny 1. p. kierunek; **p-a** strona ⟨*przeciwległy(-a)*⟩: Iść w przeciwnym kierunku. Sklep znajduje się po przeciwnej stronie ulicy. **2.** Diametralnie, wręcz, zupełnie **p.** ⟨*zupełnie różny*⟩: Poglądy diametralnie **p-e. 3.** Wiatr **p.** ⟨*wiejący w kierunku odwrotnym do kierunku ruchu*⟩. **4.** *daw.* **p.** w głowę ⟨*całkiem, zasadniczo, biegunowo różny*⟩: Dwa pojęcia w głowę sobie przeciwne. **5. p.** c z e m u: Działanie **p-e** naturze. Osiągnął skutek wprost przeciwny swemu zamiarowi. *Święt. A. SPP.* **6. p.** w z g l ę d e m c z e g o ⟨*przeciwstawiający się czemu; przeciwstawny w stosunku do czego*⟩: Liczba niewymierna przeciwna względem danej liczby niewymiernej. *(K. Sł. Techn.) SPP.* **7.** W przeciwnym razie ⟨*w innym wypadku*⟩: Byli pewni, że żyje, gdyż w przeciwnym razie mieliby jakieś urzędowe zawiadomienie. *Pług Zagon II, 265.* **8.** Być **p.** komu, czemu ⟨*nie zgadzać się z czym, sprzeciwiać się czemu*⟩: Była przeciwna jakiemukolwiek wietrzeniu izby.

przeciwpancerny Artyleria **p-a**; pociski, działka, oddziały **p-e** ⟨*do zwalczania broni pancernej*⟩.

przeciwpowodziowy Pogotowie **p-e**; wały **p-e** ⟨*chroniące przed powodzią, zabezpieczające od powodzi*⟩.

przeciwstawienie W przeciwstawieniu do ⟨*inaczej niż...; na odwrót, przeciwnie*⟩: W przeciwstawieniu do gładkolicych Kretejczyków Achajowie noszą zarost. *Sinko Lit. I/1, 19.*

przeczucie 1. Czarne, niejasne, tajemnicze, trwożne, złe, złowieszcze, złowrogie, złowróżebne **p.** ⟨*uczu-*

cie ostrzegające o tym, co ma nastąpić⟩. **2.** Tknięty, wiedziony przeczuciem. **3.** Mieć **p.** c z e g o, ż e...; *daw.* o czym ⟨*przeczuwać co*⟩: Już późno! bliskiej śmierci mam przeczucie. *Mick. Giaur 197.* **4.** Wierzyć w **p. 5.** (Złe) **p.** męczy, opanowało kogo, ścisnęło czyje serce. **6. p.** mówi co komu, tknęło kogo: Przeczucie mi mówi, że tak się stanie. *SW.* **7. p.** nie omyliło, nie zawiodło kogo, sprawdziło się. **8. p-a** (trwożne, złe itp.) ogarniają, nękają, ścigają, trapią kogo.

przeczuć, przeczuwać p. co przez skórę ⟨*wyczu(wa)ć podświadomie, instynktownie; domyślić(-ać) się czego*⟩: Przeczuwałem przez skórę, że coś napłatał, nabroił bez miary. *Fredro A. Śluby 104.*

przeczysty 1. Brylant, diament, kamień przeczystej wody ⟨*doskonale szlifowany, bez najmniejszej skazy*⟩. **2.** Duchy **p-e** ⟨*anioły*⟩. **3.** *kult.* Panienka, Panna Przeczysta ⟨*Matka Chrystusa, Matka Boska*⟩.

przeczyszczenie 1. Środki na **p.** ⟨*przeczyszczające*⟩. **2.** Brać, dać, wziąć na **p.** ⟨*podać lub przyjąć środek przeczyszczający*⟩.

przeć 1. p. d o c z e g o, n a c o ⟨*dążyć, zmierzać usilnie do czego; nastawać na co*⟩: Parł do tej przeprowadzki. *Grusz. An. SPP.* Parł okrutnik na to, by nie żyła. *Żebr. SW.* **2.** *przestarz.* Kolka prze kogo ⟨*ktoś odczuwa kłujący ból w jamie brzusznej lub w klatce piersiowej*⟩.

przedawnienie Podlegać przedawnieniu.

przeddzień W **p.**, w przededniu ⟨*o dzień wcześniej, w dniu poprzedzającym co; w czasie poprzedzającym jakieś zdarzenie, fakt, chwilę, dzień itp.*⟩: W **p.** wyjazdu zachorował. Było to w przededniu rewolucji. *SW.*

przedłużyć się *przestarz.* Gęba, twarz mu się przedłużyła ⟨*stracił humor, pewność siebie, zmieszał się, zdetonował się; był niezadowolony*⟩: Stracił na minie, gęba mu się przedłużyła. *Dygas. Beld. 82.*

przedmiot 1. Cenne, wartościowe **p-y**; **p.** osobisty, użytkowy ⟨*rzeczy codziennego użytku; wytwory pracy człowieka*⟩. **2. p.** c z e g o: a) ⟨*osoba lub rzecz wzbudzająca czyjeś zainteresowanie*⟩: **p.** czyich marzeń, uniesień, zabiegów, zawiści; **p.** śmiechu; b) ⟨*temat przez kogo poruszany lub opracowywany, osnowa, treść*⟩: **p.** badań; **p.** rozmowy. **3.** *praw.* **p.** prawa, własności, zobowiązania ⟨*rzecz, postępowanie, umowa itp., na które rozciągają się pewne normy prawne*⟩. **4. p.** sztuki ⟨*dzieło sztuki*⟩. **5.** *książk. kanc.* W przedmiocie (czego) ⟨*w zakresie czego, w sprawie*⟩: Przepisy karne w przedmiocie ochrony własności społecznej. **6.** Mieć co za **p.** ⟨*traktować jako temat*⟩: W seksternie Pawełka było zupełnie co innego, niż fizyka albo historia. Mieściły się tam [...] poematy przeważnie, mające za przedmiot młodość i miłość. *Skiba Poziom. 104.* **7.** Odbiegać od przedmiotu ⟨*pomijać główny wątek, wplatać dygresje nie łączące się z omawianym tematem*⟩. **8.** Przechodzić od przedmiotu do przedmiotu; przeskakiwać z przedmiotu na przedmiot lub od przedmiotu do przedmiotu ⟨*prowadzić rozmowę chaotycznie, lekko, ciągle zmieniając temat*⟩: Tak nagle przeskakiwał od przedmiotu do przedmiotu, że niekiedy robił wrażenie wariata. *Prus Wyb. 187.*

przedmiotowy 1. Pisarz, poeta **p.** ⟨*epik*⟩. **2.** Sztuka **p-a** ⟨*odtwarzająca i przedstawiająca świat zewnętrzny, jako zjawiska i przedmioty; realistyczna, nieabstrakcyjna*⟩.

przedni 1. p-e koło (u wozu); **p-e** łapy, nogi (u zwierzęcia) ⟨*znajdujące się na przodzie, umieszczone od przodu*⟩. **2. p.** pomost (w tramwaju). **3. p-a** straż ⟨*oddział wojska poprzedzający siły główne, zabezpieczający lub ułatwiający działania wojenne; awangarda; również przen.*⟩. **4.** *spoż.* **p-a** szynka ⟨*łopatka wieprzowa*⟩. **5. p-e** zęby ⟨*siekacze*⟩.

przedpłata 1. p. n a c o ⟨*prenumerata, abonament*⟩: **p.** na encyklopedię. **2.** Ogłosić, rozpisać przedpłatę. **3.** Uiścić, wnieść przedpłatę.

przedpogrzebowy Dom **p.** ⟨*kostnica*⟩. Kaplica **p-a** ⟨*przeznaczona na wystawienie trumny ze zwłokami i nabożeństwa żałobne*⟩.

przedpokój 1. Urodzić się w przedpokojach ⟨*w rodzinie należącej do służby królewskiej lub magnackiej*⟩. **2.** *daw.* Wycierać przedpokoje, posadzki w przedpokojach ⟨*wysługiwać się osobom wpływowym*⟩: Dni przepędza na pięcie, w przedpokojach wyciera posadzki. *L.* **3.** Zestarzeć się w przedpokoju ⟨*całe życie spędzić w służbie na dworze magnackim*⟩.

przedpotopowy 1. *przestarz.* **p-e** dzieje ⟨*dzieje ubiegłych epok geologicznych*⟩. **2. p.** model, wzór czego ⟨*przestarzały, staroświecki*⟩: **p.** model samochodu. **3. p-e** poglądy ⟨*staroświeckie, zacofane*⟩.

przedsięwzięcie 1. Niebezpieczne, śmiałe, trudne, wielkie **p.**; **p.** zakrojone na wielką skalę ⟨*rzecz przedsięwzięta, impreza*⟩. **2.** *daw.* Mieć **p.** a. mieć w przedsięwzięciu (co robić) ⟨*zamierzać, przedsiębrać co; stawiać sobie za cel*⟩: Wyczytuję z listu twego, że masz w przedsięwzięciu sposobić syna twego do Palestry. *Czart. Dośw. III, 2.* **3.** Coś popycha kogo do (śmiałych, wielkich) przedsięwzięć.

przedstawiać, przedstawić 1. p. c o: **p.** dowody, księgi, rachunki ⟨*okaz(yw)ać, d(aw)ać do wglądu*⟩. **2. p.** k o g o — k o m u ⟨*(za)prezentować kogo komu, (za)poznać kogo z kim*⟩: **p.** towarzystwu przybyłego gościa. *SW.* **3. p.** projekt, wniosek ⟨*składać, złożyć*⟩. **4.** Przedstawiać sobą [*rus.*] ⟨*przedstawiać, być przedstawicielem czego*⟩. *SPP.* **5.** Przedstawiać trudności ⟨*zawierać trudności*⟩: To przedstawia wielkie trudności. *SPP.* **6.** Przedstawiać wartość ⟨*mieć*⟩: Obrazy Matejki przedstawiają ogromną wartość. **7. p.** kogo do awansu, do odznaczenia, do nagrody itp. ⟨*pod(aw)ać, zgłaszać, zgłosić*⟩. **8.** Przedstaw, przedstawcie sobie [*rus.*] ⟨*wyobraź, wyobraźcie sobie*⟩: Przedstaw sobie, ciągle mi daje do poznania, że się domyśla dużo rzeczy. *Zap. G. Żab. 35.*

przedstawiciel p. dyplomatyczny ⟨*dyplomata reprezentujący rząd swego państwa w obcym kraju; poseł nadzwyczajny, minister pełnomocny, ambasador*⟩.

przedstawicielstwo 1. p. narodu, narodów ⟨*sejm, parlament*⟩. **2. p.** handlowe ⟨*placówka handlowa, najczęściej za granicą, firmy lub organizacji gospodarczej krajowej, biuro tej placówki*⟩. **3.** Mieć **p.** czego a. jakiejś instytucji ⟨*być oficjalnym przedstawicielem, pełnomocnikiem instytucji, jej wyrobów*⟩:

Miał ostatnio przedstawicielstwo maszyn do szycia i patefonów. *Kurek Ocean 48.*

przedstawić p. **przedstawiać**

przedstawienie 1. p. kukiełkowe, teatralne ⟨*widowisko, spektakl*⟩. **2.** Dać, odwołać, urządzić, zawiesić **p. 3.** Robić (z siebie) **p.** ⟨*zachowaniem swoim zwracać na siebie uwagę, ośmieszać się; narażać się na śmieszność*⟩: Dajże pokój. Nie rób przedstawienia przy ludziach. Zachowujesz się jak histeryczka. *Meis. Sześciu 213.* **4. p.** odbyło się, zostało odwołane.

przedział, przedziałek 1. Przedział m i ę d z y k i m (a k i m) ⟨*różnica dzieląca; przepaść*⟩: Między wami jest zbyt wielki przedział. *SW.* **2.** Pogłębić, usunąć, zapełnić przedział między kim (a kim). **3.** Czesać się, włosy zaczesane z przedziałem, z przedziałkiem (z boku, pośrodku) ⟨*z miejscem, odstępem przedzielającym; z rozdziałem*⟩.

przedzielać, przedzielić p. włosy ⟨*uczesać włosy z przedziałkiem*⟩.

przefasonować *wulg.* **p.** nos, mordę itp. ⟨*bijąc zniekształcić, rozkwasić*⟩: Licz się ze słowami, przybłędo jedna, bo ci tak nos przefasonuję, że cię twoja ukochana nie pozna. *Meis. Sześciu 183.*

przegląd 1. p. lekarski ⟨*oględziny, kontrola, badanie*⟩. **2. p.** c z e g o ⟨*zestawienie, przekrój*⟩: **p.** literatury, prasy, wydarzeń, zagadnień. **3. p.** wojska, wojsk ⟨*lustracja, parada*⟩. **4.** Dać **p.**, dokonać przeglądu czego (np. sił, osiągnięć). **5.** Zrobić **p.** kompanii, batalionu itp. ⟨*sprawdzić stopień sprawności, wyposażenia, wyćwiczenia kompanii itp.*⟩.

przegrać, przegrywać 1. p. c o: **p.** jakąś sumę, majątek do kogo ⟨*grając z kim stracić na rzecz kogo*⟩: Z najlepszym w świecie humorem [...] znaczną sumkę przegrał do Ferdynanda. *Krasz. Pam. 119.* **2. p.** w karty, w szachy: Przegrał w karty kilka tysięcy złotych. **3. p.** proces, sprawę, wojnę ⟨*zostać, być zwyciężonym w czym; ponieść klęskę, porażkę w czym*⟩. **4.** Przegrać płytę, przegrywać płyty ⟨*odtworzyć(-arzać) utwór muzyczny, tekst nagrany na płytę*⟩.

przegryzać, przegryźć p. co w sobie ⟨*przeży(wa)ć, przetrawi(a)ć co w sobie*⟩: Coś w tobie jest, coś ty w sobie przegryzasz. *Żer. Uroda 117.*

przegubowy 1. Autobus, trolejbus, tramwaj **p.** ⟨*zawierający przegub, pozwalający na zginanie wozu na zakrętach*⟩. **2.** Lampa (elektryczna) **p-a.**

przeholować *daw.* **p.** miarę ⟨*przebrać*⟩: W tym błąd uczynił, że miarę przeholował i za bardzo spoił sąsiada. *Jun. Bracia 231.* **p.** w c z y m ⟨*przesadzić, przebrać miarę*⟩: **p.** w jedzeniu, w piciu, w wydatkach, w zabawie.

przejazd 1. Bezpłatny, drogi, łatwy, tani **p.** ⟨*jazda*⟩. **2. p.** kolejowy ⟨*miejsce skrzyżowania dróg kolejowych lub drogi kolejowej z innym rodzajem drogi*⟩. **3. p.** c z e g o: **p.** pociągu, samochodu, wozu. **4. p.** c z y m: **p.** koleją, tramwajem, samochodem itp. **5. p.** c z y m, p r z e z c o: **p.** morzem, mostem, ulicą; **p.** przez most, przez ulicę, przez miasto. **6.** Droga, trasa przejazdu. **7.** Prawo przejazdu. **8.** Opłata za **p. 9.** Być, bawić, znaleźć się, zatrzymać się gdzie przejazdem, w przejeździe ⟨*w trakcie przejazdu, w drodze*⟩: Raz jeden byłem u nich z ciotką, w przejeździe naturalnie. *Bliz. Dam. 45.* **10.** Dać, otwierać, tamować, ułatwiać, utrudniać, zagradzać, zamykać **p.**

przejażdżka 1. p. konna a. konno. **2.** Zamiejska **p. 3. p.** do miasta, do lasu. **4. p.** c z y m — p o c z y m: **p.** łodzią po jeziorze, autem po mieście. **5. p.** w c z y m: **p.** w aucie, w łodzi, w powozie. **6.** Jechać, ruszyć, wybrać się na przejażdżkę. **7.** Odbyć, projektować, urządzić, zorganizować przejażdżkę (np. po mieście). **8.** Używać, zażywać przejażdżki. **9.** Wracać z przejażdżki.

przejąć, przejmować 1. p. co na własność, w spadku ⟨*przyjąć, wziąć, odebrać*⟩. **2. p.** dług ⟨*przyjąć na siebie*⟩. **3. p.** centrę, piłkę, podanie ⟨*odebrać piłkę od gracza tej samej drużyny w celu podania jej następnemu lub strzelenia bramki*⟩. **4.** Ból, dreszcz, zimno, ciepło przejmuje kogo ⟨*przenika na wskroś*⟩. **5.** Duma, (z)groza, niepokój, obawa, podziw, radość, smutek, strach, wstręt, zachwyt, żal itp. przejmuje kogo (czyje serce) ⟨*ogarnia, przenika kogo*⟩: Zgroza mię na ten widok przejęła. *SW.* **6.** C o ś k o g o przejmuje c z y m ś ⟨*o doznaniach psychicznych: ktoś doznaje jakiegoś uczucia, przeżywa jakiś stan*⟩: Postępowanie syna przejmowało ją smutkiem.

przejechać, przejeżdżać 1. p. komu drogę ⟨*jadąc przeciąć(-inać) drogę w poprzek*⟩. **2.** *daw.* **p.** konia, zaprząg, czwórkę itp. ⟨*(po)jeździć jakiś czas konno lub zaprzęgiem, zwykle dla utrzymania koni w formie*⟩: Jeżeli rano wyszedł od siebie, to tylko na to, aby konie wierzchowe przejechać regularnie w rajszuli. *Kaczk. Grób II, 202.* **3. p.** c z y m ⟨*jadąc przesunąć się, przedostać się jakimś środkiem (lokomocji)*⟩: **p.** końmi, koleją, wozem, pociągiem, samochodem. **4. p.** c z y m — p o c z y m: przejechać dłonią, grzebieniem, językiem, pędzlem, ręką, szczotką itp. po czym, wzdłuż czego, tam i z powrotem ⟨*pociągnąć, przesunąć dłonią itd.*⟩: **p.** grzebieniem po czuprynie, językiem po twarzy, pędzlem po płótnie. Targnął się za czuprynę, przejechał niecierpliwą ręką po twarzy, nie mógł się uspokoić. *Kaczk. Olbracht. III, 206.* **5.** *pot.* Przejechać kogo a. komu po głowie, policzku, ręce, zębach; przez głowę, policzek itd.; przejechać kogo kijem, laską, nożem, szablą itp. ⟨*uderzyć, ciąć, zranić*⟩: Prawda, żeś mnie szpetnie przez łeb przejechał, aleś mnie potem na nogi postawił, czego do śmierci nie zapomnę. *Sienk. Pot. I, 259.* **6. p.** c o a. p r z e z c o ⟨*jadąc przedosta(wa)ć się, przekroczy(-aczać) co*⟩: **p.** ulicę, bramę a. przez ulicę, przez bramę. **7.** Przejechać stację ⟨*pojechać dalej nie wysiadając na danej stacji; minąć daną stację*⟩: Co chwilę wyglądał oknem, bał się, żeby nie przejechać stacji.

przejechać się 1. *pot.* **p. się** na cmentarz (na Bródno, na Powązki), na tamten świat ⟨*umrzeć*⟩: Dostała tyfusu i przejechała się na Powązki. *Prus Now. I, 107.* **2.** *pot.* **p. się** p o k i m ⟨*skrytykować, wydrwić, zgromić, wyśmiać kogo*⟩: Napisał książkę, w której „przejechał się“ jak się patrzy po różnych podróżnikach współczesnych. *Rocz. Lit. 1937, s. 210.* **3.** *pot.* **p. się** po kim, po czym z automatu, z karabinu maszynowego ⟨*wystrzelić, wypuścić serię po-*

cisków w kogo, w co⟩. **4.** *żart.* **p. się** za mąż ⟨*wyjść za mąż*⟩: Ledwie jednego męża odwiozła na Powązki, a już (dałbym sobie rękę uciąć) sama przejechałaby się drugi raz za mąż. *Prus Lalka III, 51.*

przejeżdżać p. **przejechać**

przejęcie 1. Głębokie, gorące, nadzwyczajne, niezwykłe, szczere **p.** ⟨*oddanie się czemu, zapał, wzruszenie*⟩. **2.** Bez przejęcia (co robić) ⟨*obojętnie, bez zapału*⟩: Zapytał bez przejęcia. *Dąbr. M. SPP.* **3.** Z przejęciem (co robić) ⟨*ze wzruszeniem, z zapałem*⟩: mówić, pełnić obowiązek, powiedzieć, recytować, słuchać z przejęciem. **4.** Spotniały z przejęcia.

przejma *daw.* Na przejmy, w przejmy ⟨*na przemian, kolejno*⟩: Albo milczą, albo gdy wyjawić nie śmieją, gęste tylko z litości łzy na przejmy leją. *L.*

przejmować p. **przejąć**

przejrzeć 1. p. czyją grę, intencje, zamiary ⟨*odgadnąć, przewidzieć co; zorientować się w czym*⟩: Książę pomorski pierwszy z książąt lechickich przejrzał grę krzyżacką i starał się powstrzymać, póki jeszcze pora, rozrost zakonu. *Piw. Prusy 12.* **2. p.** kogo a. czyje serce na wskroś, na wylot, do gruntu ⟨*poznać kogo dokładnie, rozpoznać czyje prawdziwe zamiary, intencje*⟩: Gdybyś mógł przejrzeć serce moje, nie byłbyś tak postąpił. *Sienk. Na polu 100.* **3. p.** na oczy ⟨*zrozumieć, poznać istotny stan rzeczy*⟩.

przejście ● **1.** Szerokie, wąskie **p.** ⟨*miejsce, którędy się przechodzi*⟩; podziemne, tajemne **p.** ⟨*korytarz*⟩. **2. p.** m i ę d z y c z y m, p r z e z c o: **p.** między domami; **p.** przez ulicę. **3.** Nie ma przejścia ⟨*nie należy, nie wolno przechodzić*⟩. **4.** Stać, stanąć w przejściu ⟨*w miejscu, którędy się przechodzi*⟩. **5.** Zrobić **p.** dla kogo, dla czego ⟨*miejsce do przejścia dla kogo, dla czego*⟩.

● **6.** Ciężkie, przykre **p.** ⟨*przeżycie*⟩. **7.** Mieć (przykre, ciężkie) **p.** (z kim, z czym) ⟨*przeżywać co; mieć jaką przygodę*⟩: Mamusia miała ciężkie przejścia i od tego czasu wszystkiego się boi. *Goj. Diew. I, 217.*

przejściowy 1. Cela **p-a** ⟨*cela więzienna, w której przetrzymywani są więźniowie po aresztowaniu przed skierowaniem do stałego więzienia lub przed zwolnieniem*⟩. **2.** Obóz **p.** ⟨*obóz, w którym trzymani są więźniowie przed skierowaniem do stałego obozu*⟩: Hitlerowski obóz przejściowy w Pruszkowie w czasie okupacji. **3.** Wiek **p.** ⟨*u młodzieży: okres dojrzewania płciowego; u starszych, zwłaszcza u kobiet: okres przekwitania płciowego*⟩.

przejść p. **przechodzić**

przekaz 1. p. pocztowy, pieniężny ⟨*suma pieniężna przekazana pocztą*⟩. **2. p.** na pieniądze ⟨*blankiet pocztowy wypełniany przy przesyłce pieniędzy pocztą*⟩. **3.** Kupić, wypełnić **p.** ⟨*blankiet przekazu pocztowego*⟩. **4.** Otrzymać **p.** (pieniężny). **5.** Przesłać pieniądze przekazem.

przekazać, przekazywać 1. p. listownie, pisemnie, telefonicznie, telegraficznie, ustnie; przez radio, drogą radiową; z ręki do ręki; z ust do ust; testamentem, w testamencie, w spadku, w spuściźnie, z ojca na syna. **2. p.** c o ⟨*d(aw)ać, (s)cedować*⟩: **p.** fundusz, majątek, stanowisko, urząd, władzę. **3.** *sport.* **p.** piłkę graczowi ⟨*pod(aw)ać*⟩. **4. p.** wiadomość, wieści ⟨*przes(y)łać*⟩. **5. p.** wniosek ⟨*złożyć za czyim pośrednictwem*⟩.

przekąs Z przekąsem (mówić, odzywać się, odpowiadać, pytać, rzec, śmiać się, uśmiechać się) ⟨*drwiąco, ironicznie, szyderczo, zjadliwie*⟩: Patrzył on teraz na tego człowieka, którego zawsze miał za nic, o którym zawsze z przekąsem, a czasem nawet z pogardą wspominał. *Kaczk. Grób II, 269.*

przekąska 1. p-i zimne i gorące. **2.** Na przekąskę ⟨*jako przekąska, do przekąszenia*⟩: Sardynki, śledź itp. na przekąskę.

przekleństwo 1. Siarczyste, stłumione **p-a** ⟨*obelżywe wyrazy*⟩. **2.** Ciskać, miotać **p-a**: Miota przekleństwa, wszystkim grozi, łaje. *Fredro A. Poez. 84.* **3.** Coś jest przekleństwem czyim ⟨*klątwą*⟩: Wiedzieliśmy już wtedy, że miłość jest przekleństwem człowieka, przed którym nie ujdzie. *Makusz. Bezgrz. 205.* **4.** Obrzucić kogo przekleństwami, stekiem przekleństw ⟨*obrzucić wymysłami, brudnymi wyrazami, zwymyślać kogo*⟩. **5.** Rzucić **p.** na kogo, na co ⟨*klątwę*⟩: [Przekleństwo] rzucam na przeszłość. *Wikt. SPP.* **6.** (Za)grozić komu przekleństwem ⟨*klątwą, wyklęciem*⟩. **7. p.** ciąży na(d) kim, na(d) czym, spada na czyją głowę ⟨*klątwa, fatalność*⟩: Przekleństwo ciąży na tej rodzinie. *SW.*

przeklinać p. na czym świat stoi, aż uszy puchną (więdną) ⟨*kląć mocno, używać dobitnych przekleństw*⟩: Nasz Korniej z końmi rady sobie dać nie może, a przeklina na czym świat stoi. *Krasz. Int. 28.*

przekład 1. Dokładny, dosłowny, poprawny, staranny, wolny **p.** ⟨*tłumaczenie*⟩. **2. p.** z jakiego języka na inny (np. z francuskiego na polski). **3.** *książk.* Dokonać przekładu ⟨*przełożyć, przetłumaczyć*⟩.

przekładać, przełożyć p. karty ⟨*zdejmować, zdjąć część kart kładąc pod spód pozostałych*⟩.

przekonanie 1. Błędne, głębokie, niezachwiane, wewnętrzne **p.** ⟨*przeświadczenie, mniemanie, opinia, pogląd*⟩. **2.** Chwiejne, ustalone, wyrobione, zmienne **p-a**; **p-a** polityczne, społeczne ⟨*poglądy*⟩. **3. p.** o c z y m: **p.** o potrzebie reform. **4.** W przekonaniu czyim ⟨*według czyjego przeświadczenia, opinii, poglądu*⟩: Zbójnictwo w przekonaniu górali nie hańbiło nikogo. *Witkiew. S. SW.* **5.** Dochodzić, dojść, przyjść, przychodzić do przekonania, że... **6.** Dzielić czyje **p. 7.** Mieć **p.**, że... ⟨*być pewnym czego, być przeświadczonym o czym*⟩: Mam głębokie przekonanie, że żadna praca nie upadla człowieka, póki jest uczciwa. *Lam J. Głowy I, 85.* **8.** Nie mieć do kogo, do czego przekonania ⟨*nie być pewnym kogo, czego; nie wierzyć komu, czemu*⟩. **9.** Nabrać przekonania do kogo, do czego ⟨*nabrać zaufania do kogo, do czego*⟩: Nabrał do niego przekonania. *Iwasz. J. SPP.* **10.** Nabrać przekonania, że... ⟨*być przeświadczonym, że..., nabrać pewności, że...*⟩: Obserwując go od dłuższego czasu, nabrał przekonania, że jest to człowiek uczciwy. **11.** Powziąć **p.** do kogo, do czego. **12.** Przemawiać do czyjego przekonania: Trzeba nie tylko do uczucia, ale i do przekonania ludzi przemawiać. *Sienk. SPP.* **13.** Coś przypada, nie przypada; przypadło, nie przypadło komu do przekonania ⟨*coś przekonywa, nie przekonywa; przekonało, nie prze-*

konało kogo⟩: Tłumaczenia syna nie przypadły mu do przekonania. **14.** Sprzeniewierzyć się swym przekonaniom. **15.** Trafi(a)ć komu do przekonania ⟨*przekon(yw)ać kogo*⟩: Argumenty twoje nie trafiają mi do przekonania. Ten pogląd pani Barbarze trafił do przekonania. *Dąbr. M. SPP.* **16.** Umocnić, upewni(a)ć, utwierdzić się (kogo) w przekonaniu (, że...). **17.** Wpoić, wpajać; wszczepi(a)ć, zaszczepi(a)ć komu, w kogo **p. 18.** Wynieść skąd, z czego **p. 19.** Wyrzec się, nie chcieć wyrzec się swoich przekonań. **20.** Wzbudzić w kim **p.**, że... **21.** Zachwiać czyim przekonaniem. **22.** Zgadzać się, nie zgadzać się z czyim przekonaniem: Nie zgadza się to z moim przekonaniem. *SW.* **23.** Zmieni(a)ć **p-a** (np. polityczne).

przekór Na **p.** ⟨*na złość komu, wbrew czyjej woli; wbrew czemu*⟩: Robić komu na przekór. Na przekór naturze. *Dan. SPP.*

przekraczać, przekroczyć 1. *książk.* **p.** próg (czyjego domu, mieszkania) ⟨*wejść do czyjego domu, mieszkania*⟩: Progu jej mieszkania nie przekroczył ani razu. *Żer. Dzieje II, 58.* **2. p.** granicę przyzwoitości ⟨*posuwać, posunąć się w czym zbyt daleko, za wiele sobie pozwalać*⟩. **3. p.** plan ⟨*wykon(yw)ać czegoś więcej niż było planowane*⟩. **4.** *praw.* Przekroczyć prawo, pełnomocnictwo, umowę itp. ⟨*postąpić wbrew prawu itp.; nadużyć prawa itp.*⟩.

przekręcać, przekręcić 1. p. gałkę, kontakt, kurek itp. ⟨*obracać, obrócić gałkę itp. włączając lub regulując dane urządzenie*⟩. **2. p.** co przez maszynkę (do mięsa, do wyciskania soków itp.) ⟨*przepuszczać, przepuścić co przez maszynkę, (prze)mleć co*⟩. **3. p.** czyje słowa ⟨*przeinaczać(-yć) czyją wypowiedź*⟩.

przekroczyć p. **przekraczać**

przelać, przelewać 1. p. łzy ⟨*płakać*⟩: Jaki krzyk protestu miałem w duszy, ilem łez gorzkich i palących przelał! *Konopn. Now. IV, 53.* **2.** Przelewać krew (swoją a. czyją) ⟨*walcząc odnosić rany; ranić kogo, zabijać*⟩: Przelewać krew dla ojczyzny. **3.** *druk.* **p.** wiersz ⟨*składać, złożyć na nowo wiersz składu w celu uzyskania bezbłędnego tekstu*⟩. **4. p.** co na papier ⟨*wyrazić, wyrażać co słowami; pis(yw)ać co, zapis(yw)ać co*⟩: Nie umiał swoich pomysłów przelać na papier. **5.** Przelewać z pustego w próżne ⟨*mówić bez treści, bezprzedmiotowo; prowadzić jałową dyskusję*⟩. **6. p.** na kogo swoje prawa, uprawnienia ⟨*przekaz(yw)ać komu; przenieść, przenosić na kogo swoje prawa itp.*⟩.

przelatywać, przelecieć 1. Deszcze przelatują, przelatywały ⟨*przechodzą, przechodziły, przepadują, przepadywały*⟩. **2.** Myśli jakie przelatują komu przez głowę ⟨*ktoś myśli, pomyślał o czym*⟩: Najdziwaczniejsze myśli przelatywały jej przez głowę. *Kaczk. Olbracht. III, 58.*

przelew 1. p. bankowy ⟨*w bankowym obrocie bezgotówkowym przeniesienie pewnej sumy pieniężnej z jednego konta na drugie*⟩. **2. p.** krwi ⟨*odnoszenie ran w walce, zadawanie ran, zabijanie*⟩: Obeszło się bez przelewu krwi. *SPW.*

przelewać się 1. p. się przez ręce, na rękach ⟨*zwisać bezwładnie, lecieć przez ręce*⟩: Był tak osłabiony upływem krwi, że się nam na rękach przelewał. *SW.* **2.** Nie przelewa się u kogo ⟨*nie ma za dużo, nie ma dostatku*⟩: U niego się też nie przelewa. *SW.*

przelewki To nie **p.** ⟨*to rzecz poważna, trudna, niebezpieczna; rzecz wymagająca skupienia sił i starań*⟩: Instynktownie wyczuł, że tu chodzi o poważne rzeczy. Że to nie przelewki. *Breza Niebo 211.* Widząc, że to nie przelewki, wziął się do nauki.

przeleźć, przełazić 1. Głos, słowa nie mogą przeleźć przez gardło ⟨*nie można wydobyć głosu, wypowiedzieć słowa (ze wzruszenia, z upokorzenia itp.)*⟩: Słowo prośby [...] nie mogło mu przeleźć przez gardło. *Żer. Popioły II, 121.* **2.** *daw.* Piecem przeleźć ⟨*być promowanym nie wiadomo jakim sposobem*⟩: On zdał od razu, a tyś z pierwszej piecem przelazł. *Tyg. Ilustr. 144, 1870.*

przelot 1. p. docelowy ⟨*w którym szybownik przed startem zgłasza miejsce lądowania*⟩. **2. p.** docelowo-powrotny ⟨*w którym szybownik zgłasza przed startem miejsce, do którego doleci i skąd bez lądowania powróci na miejsce startu*⟩. **3. p.** otwarty ⟨*w którym miejsce lądowania nie jest z góry określone, a pilot stara się przebyć jak największą odległość od miejsca startu*⟩. **4.** W przelocie: a) ⟨*w locie, w chwili przelatywania w powietrzu*⟩: Jaskółka [...] w przelocie czerniawym skrzydłem uderzyła go po skroni. *Wójc. Klechdy I, 79*; b) a. przelotem ⟨*mimochodem, przy sposobności, po drodze, przelotnie*⟩: Być, znaleźć się gdzie w przelocie (przelotem). Dwa spojrzenia skrzyżowały się w przelocie. *Żmich. Pow. 162.* **5.** *daw.* W **p-y** ⟨*na wyścigi, na wyprzódki*⟩: Myślą z orły szedł w przeloty. *Mick. Dziady 104.*

przelotny 1. Ptaki, ptactwo **p-e** ⟨*wędrowne, odlatujące na zimę do innych krajów*⟩. **2.** Opady **p-e**; deszcz, śnieg **p.** ⟨*krótkotrwałe(-y)*⟩.

przeładować, przeładowywać p. żołądek ⟨*(z)jeść za dużo; objeść się; objadać się*⟩.

przełaj 1. Na **p.** ⟨*po przekątnej, po linii prostej; przecinając, skracając drogę właściwą*⟩: Iść, zmierzać; biec, przejść, puścić się na przełaj. **2.** *sport.* Bieg na **p.** ⟨*bieg odbywający się w terenie otwartym, z pokonywaniem przeszkód naturalnych*⟩.

przełamać, przełamywać 1. p. papier, arkusz papieru ⟨*zgiąć, zginać w odpowiednim miejscu, złożyć, składać*⟩. **2.** Przełamać z kim chleb a. przełamać się z kim chlebem ⟨*podzielić się z kim chlebem, ugościć kogo*⟩: Walczymy, by w domu z swoimi sprawiedliwie przełamać się chlebem. *Słonim. SPP.* **3.** Przełamać pierwsze lody ⟨*usunąć, przezwyciężyć początkowe trudności*⟩.

przełamać się, przełamywać się *przestarz.* Głos się komu przełamuje ⟨*ktoś pod wpływem silnego afektu z trudem mówi*⟩: Urwał, bo głos mu nagle przełamał się, a łzy na nowo zakręciły pod powiekami. *Kosiak. Rick II, 58.*

przełazić p. **przeleźć**

przełknąć p. [gorzką] pigułkę ⟨*doznać jakiejś przykrości*⟩: Nasłuchała się [...] tylu komplementów, że może przełknąć tych parę gorzkich pigułek. *Boy Flirt III, 166.*

przełom 1. p. w czym ⟨*moment zwrotny*⟩: **p.** w życiu, w karierze, w twórczości, w literaturze.

2. Na przełomie czego ⟨*w momencie zwrotnym*⟩: Na przełomie lata. Na przełomie XIX i XX wieku. **3.** Stanowić, wywołać (w kim, w czyjej duszy) **p. 4. p.** następuje, nastąpił (np. w czyim życiu).

przemawiać, przemówić 1. p. (do kogo) czule, rozsądnie, serdecznie; protekcjonalnie, uszczypliwie; tonem zwierzchnika, tonem zuchwałym ⟨*odzywać się, odezwać się; zwracać się, zwrócić się; mówić do kogo*⟩. **2. p.** publicznie; na zebraniu, na wiecu ⟨*mieć mowę, przemówienie*⟩. **3. p.** d o k o g o, d o c z e g o ⟨*starać się przekon(yw)ać kogo odwołując się do jego rozsądku, uczucia itp., (wy)perswadować komu, przekon(yw)ać kogo*⟩: Nie ma języka, którym by można do niego przemówić. *Jun. Now. 139.* **4. p.** komu do rozumu, do serca, do sumienia; *przen.* **p.** komu kijem, pięścią, wałkiem do rozumu. **5. p.** z a k i m, z a c z y m, w czyjej obronie, na czyją korzyść, przeciw komu, czemu: a) ⟨*wypowiadać się, wypowiedzieć się za kim, za czym; przeciw komu, czemu; popierać, poprzeć kogo, co; sprzeciwi(a)ć się, być przeciwnym komu, czemu*⟩: Otwarcie przemawiali w obronie swoich poglądów. *Jackiew. Wiosna 207*; b) coś przemawia za kim, za czym; na czyją korzyść; przeciw komu, czemu ⟨*coś świadczy na czyją korzyść lub przeciw komu; coś dowodzi czego lub przeczy czemu*⟩: Wszystkie okoliczności przemawiają przeciwko oskarżonemu. **6.** Coś przemawia do kogo lub czego ⟨*jest zrozumiałe, wywołuje oddźwięk, wzrusza*⟩: Przykład skuteczniej przemawia, niż teoretyczne dowodzenie. Słowa twoje nie przemawiają do mnie zupełnie. **7.** Coś aż przemawia ⟨*przyciąga oczy, jest b. ładne, harmonijne, żywe w kolorach*⟩. **8.** Coś przemawia przez kogo ⟨*ktoś daje wyraz czemu w mowie*⟩: Zawiść przez ciebie przemawia.

przysł. **9.** Przemówił dziad do obrazu, a obraz do niego ani razu.

przemian Na **p.**, *przestarz.* na **p-y** ⟨*zastępując jedno drugim kolejno, na zmianę; raz jedno, raz drugie*⟩: Nadzieja, obawa i miłość miotały na przemiany jej duszę. *Ziel. W. Wspom. 195.*

przemiana 1. Gwałtowne, nagłe, olbrzymie, zupełne **p-y**; **p-y** duchowe, psychiczne; dziejowe, historyczne; gospodarcze, ideologiczne, polityczne, społeczne; ilościowe, jakościowe; klimatyczne ⟨*zmiany, przeobrażenia*⟩. **2. p.** c z e g o: **p.** charakteru, sposobu życia. **3. p.** c z e g o w c o ⟨*przeobrażenie*⟩: **p.** wsi w miasto; osady rolniczej w przemysłową. **4.** Ulec przemianie. **5. p-y** dokonują się, są widoczne, zachodzą.

przemiennie Owocować **p.** ⟨*co drugi rok*⟩.

przemierzyć *daw.* **p.** kogo kijem ⟨*pobić kogo, uderzyć kijem*⟩: Wynoś się, gałganie, bo cię kijem przemierzę. *Święt. A. Obraz. I, 115.*

przemknąć Coś przemknęło komu przez myśl ⟨*ktoś pomyślał o czym przez chwilę*⟩: Jeśli mnie wyrzuci — przemknęło mu przez myśl — nie powiem słowa o liście do Orszy. *Brand. K. Antyg. 273.*

przemoc 1. p. k o g o n a d k i m ⟨*gwałt, przewaga*⟩: **p.** panów nad poddanymi. **2.** *daw.* Piekielne **p-e** ⟨*diabły*⟩. **3.** Akt, środki przemocy. **4.** Dopuścić się, oprzeć się, ulec, ulegać; uży(wa)ć przemocy. **5.** Dostać się gdzie, wedrzeć się; porwać, uprowadzić kogo, co; wydrzeć, wziąć, zabrać co; powstrzymywać co (np. łzy) przemocą ⟨*przy użyciu siły fizycznej; wbrew czyjej woli*⟩. **6.** Wyzwolić (się) spod czyjej przemocy.

przemowa 1. Krótka, powitalna **p.** ⟨*przemówienie*⟩. **2.** Mieć, wygłosić przemowę, wystąpić z przemową ⟨*mieć, wygłosić przemówienie; przemawiać*⟩. **3. p.** d o k o g o, d o c z e g o: **p.** do młodzieży; **p.** do rozsądku.

przemóc p. co w sobie, *daw.* na sobie ⟨*przezwyciężyć, zmusić się do czego*⟩: Już przemógł żal w sobie. *Bartosz. SPP.* Nie mogę na sobie przemóc, żebym ci sama wszystko powiadała. *Czart. Panna 114.*

przemówić p. **przemawiać**

przemówienie 1. p. agitacyjne, powitalne, żałobne ⟨*wypowiedź okolicznościowa, mowa*⟩. **2. p.** d o k o g o: **p.** do jubilata; do wojska; do zgromadzonych. **3.** Wygłosić **p. 4.** Wystąpić z przemówieniem.

przemysł 1. p. budowlany, chemiczny, cukrowniczy, ceramiczny, drzewny, dziewiarski, elektrotechniczny, energetyczny, górniczy, hutniczy, jedwabniczy, maszynowy, metalowy, mleczarski, naftowy (nafciarski), odlewniczy, okrętowy, olejarski, papierniczy, poligraficzny, przetwórczy, spożywczy, tkacki, włókienniczy, wojenny, zbrojeniowy, zegarmistrzowski itp. **2. p.** chałupniczy ⟨*chałupnictwo*⟩. **3. p.** ciężki ⟨*wytwarzający środki produkcji, obejmujący górnictwo, hutnictwo, przemysł maszynowy i chemiczny*⟩. **4. p.** drobny ⟨*uspołeczniony przemysł ludowy, spółdzielnie pracy i inwalidzkie, przemysł miejscowy, punkty usługowe pracujące na zamówienia indywidualne itp.*⟩. **5. p.** gazowniczy ⟨*gazownictwo*⟩. **6. p.** lekki ⟨*wytwarzający artykuły masowego spożycia; obejmujący włókiennictwo, przemysł spożywczy, skórzany, szklany, ceramiczny itp.*⟩. **7. p.** ludowy ⟨*oparty na tradycjach ludowych, wytwarzający produkty we własnych warsztatach*⟩. **8. p.** precyzyjny ⟨*wytwarzający narzędzia, aparaty itp. przedmioty wymagające wielkiej dokładności wykonania*⟩. **9.** Gałąź, ośrodki, rozwój przemysłu. **10.** *przestarz.* Rycerz przemysłu ⟨*oszust*⟩: Ten rycerz przemysłu, hochsztapler i niebieski ptak, dość późno zaczął zdawać sobie sprawę ze swej klęski. *Brand. K. SPP.* **11.** Własnym przemysłem (co robić) ⟨*dzięki własnej zaradności, dzięki własnemu sprytowi*⟩: Zdobyć co, żywić się własnym przemysłem. **12.** Rozwijać **p. 13. p.** kwitnie, rozwija się, upada.

przemysłowy 1. Owoce **p-e** ⟨*używane na przeroby, przerobowe*⟩. **2.** Prawo **p-e** ⟨*zbiór przepisów określających warunki zakładania i prowadzenia przedsiębiorstw*⟩. **3.** Rośliny **p-e** ⟨*rośliny oleiste, włókniste, lecznicze, garbnikowe itp.*⟩.

przeniesienie 1. *księg.* Do przeniesienia ⟨*w księdze buchalteryjnej: suma wynikła z podliczenia kolumny, którą należy przenieść na stronę następną w celu doliczenia jej do następnych pozycji*⟩. **2.** *księg.* Z przeniesienia ⟨*suma nadpisana nad kolumną jako suma poprzednich pozycji*⟩.

przenieść, przenosić 1. p. co na papier; na płótno itp. ⟨*(na)pisać, (za)pisać; (na)rysować*⟩: Przenosił uroki okolicy na płótno. **2.** *hist.* **p.** miasto, osadę itp. na prawo niemieckie ⟨*nadać miastu itp. samo-*

rząd oparty na wzorach niemieckich⟩. **3.** *sport.* Przenieść piłkę: a) ⟨*uderzyć piłką z nadmierną siłą, tak że lot jej będzie zbyt długi lub zbyt wysoki*⟩; b) ⟨*uderzyć piłkę tak, by przeleciała nad przeciwnikiem, nad siatką*⟩. **4.** *mat.* **p.** wiadomą lub niewiadomą z jednej strony równania (nierówności) na drugą ⟨*wykon(yw)ać działanie algebraiczne, w którego wyniku dana liczba pojawia się po przeciwnej stronie równania*⟩. **5. p.** wyraz(y) ⟨*rozdzielić(-ać) wyraz(y) na dwie części za pomocą kreski i drugą część wyrazu napisać w następnym wierszu*⟩. **6. p.** wzrok, oczy; spojrzenie na kogo, na co ⟨*spojrzeć, spoglądać na kogo, na co*⟩: Przenosił wzrok z matki na syna. **7.** Przenieść kogo na inne stanowisko, posadę, urząd itp. ⟨*dać komu inne stanowisko itp.; zatrudnić gdzie indziej*⟩. **8.** Przenieść kogo na emeryturę, w stan spoczynku ⟨*zwolnić z zajmowanego stanowiska po przepracowaniu ustawowej liczby lat zapewniając dożywotnie uposażenie*⟩. **9. p.** na kogo swoje prawa ⟨*przekaz(yw)ać, przel(ew)ać, (s)cedować*⟩.
przysł. **10.** Wiara góry przenosi.

przenieść się, przenosić się 1. Przenosić się z miejsca na miejsce ⟨*zmieniać stale miejsce pobytu, jeździć, podróżować*⟩. **2. p. się** na inne stanowisko, na (inną) katedrę; **p. się** na medycynę itp. ⟨*zmieni(a)ć zajęcie, posadę, kierunek studiów itp.*⟩. **3.** Przenieść się do wieczności, na tamten świat, *żart.* na łono Abrahama ⟨*umrzeć*⟩. **4.** Oczy czyje przeniosły się, wzrok czyj przeniósł się na kogo, na co ⟨*ktoś spojrzał na kogo, na co*⟩.

przenikać, przeniknąć 1. p. (czyją) tajemnicę, (czyje) myśli, plany, zamiary ⟨*domyślać(-ić) się; odgadywać, odgadnąć*⟩. **2. p.** co wzrokiem, spojrzeniem ⟨*przejrzeć na wylot, przepatrzyć*⟩. **3.** Coś (jakieś uczucie) przenika czyją duszę, czyje serce ⟨*ktoś doznaje jakiegoś uczucia*⟩: Radość przeniknęła jej duszę. *Jezier. Rzepicha 404.* Żal przeniknął serce. *SW.* **4.** Słowa czyje przenikają do serca ⟨*trafiają, przemawiają do czyjego uczucia*⟩: Mądre jego słowa do serca przenikały. *Groch. SW.* **5.** Wzrok czyj, spojrzenie czyje przenika do głębi, do serca, do duszy (czyjej) ⟨*przejmuje na wskroś kogo*⟩.

przenikliwość 1. p. oczu, spojrzenia ⟨*bystrość, ostrość spojrzenia*⟩. **2.** Z przenikliwością (ujmować co) ⟨*z bystrością*⟩.

przeniknąć p. **przenikać**

przenosić p. **przenieść**

przenosić się p. **przenieść się**

przeobrażenie *geol.* **p.** skały ⟨*metamorfoza*⟩. **p-a** społeczne ⟨*przemiany, zmiany*⟩.

przepadać, przepaść 1. Przepadać z a k i m, z a c z y m ⟨*bardzo kogo lub co lubić*⟩: Przepadał za muzyką, za teatrem. **2.** Bodajeś przepadł! zgiń, przepadnij! ⟨*rodzaje przekleństw, zaklęć*⟩. **3.** Przepadł jak kamień w wodę ⟨*zniknął, zapodział się tak, że odnaleźć go nie można*⟩. **4.** Majątek, pieniądze przepadają ⟨*idą na marne, zostają stracone*⟩. **5.** Wniosek przepadł ⟨*nie przeszedł, nie został uchwalony; został odrzucony*⟩. **6.** Wszystko przepadło ⟨*coś nie da się odrobić, uratować; nie ma ratunku na co*⟩: Pokazuje się, że wszystko przepadło z kretesem! *Choj. Alkh. I, 181.*

przepadłe Iść, robić na **p.** ⟨*marnować się, zatracać; robić co na próżno, na marne*⟩: Piszę niechętnie na przepadłe. *Mick. Listy II, 7.*

przepasać *daw.* **p.** kogo mieczem ⟨*pasować na rycerza*⟩: W r. 1618 przepasany został mieczem Mahometa młody, gorący i żądzą wojen i sławy pałający Osman II. *Dzied. Lisow. I, 179.*

przepaska 1. *przestarz.* Pod przepaską ⟨*o przesyłkach pocztowych: pod opaską*⟩. **2.** Mieć przepaskę na oczach ⟨*nie dostrzegać czego, patrząc na co; oceniać co niewłaściwie, fałszywie*⟩: Że obowiązki jej są nie po stronie konwenansu, ale uczucia, to mogą jej wziąć za złe albo hipokryci, albo ludzie mający przepaskę na oczach. *Sienk. Bez dogm. II, 117.*

przepaść 1. Bezdenna, głęboka, głucha, niezgłębiona **p.** ⟨*otchłań, bezdeń*⟩. **2.** Brzeg, krawędź przepaści. **3.** Rzucić się, runąć w **p. 4.** Stać, stanąć nad przepaścią, nad brzegiem przepaści: Kraj stał nad przepaścią kryzysu gospodarczego. **5.** Staczać się, stoczyć się w **p.** (czego): Stoczyć się w **p.** nędzy. **6.** Wykopać **p.** między kim ⟨*uczynić przedział, postawić przegrodę*⟩. **7.** Wyrównać, zapełnić **p.** ⟨*usunąć przegrodę*⟩. **8. p.** dzieli kogo, co od kogo, czego; stoi między kim: Jakiekolwiek są skłonności serc naszych, między nimi stoi przepaść nieprzebyta. *Rzew. H. Listop. I, 319.* **9. p.** otwiera się, rozwarła się przed kim a kim: Przepaść się otworzyła między mną a światem. *Słow. SW.*

przepaść p. **przepadać**

przepełniać, przepełnić 1. *przestarz.* Przepełnić miarę czego ⟨*nadużyć czego, przesadzić w czym; przebrać miarę w czym*⟩: Już zbrodni przepełniłeś miarę. *Fel. A. Barb. 73.* **2.** Coś przepełnia (zwykle jakieś uczucie) czyją duszę, czyje serce: Myśl o tym przepełniała przykrą trwogą Basine serce. *Sienk. Wołod. III, 13.*

przepełnić się Miara czego przepełniła się ⟨*coś przekroczyło dopuszczalne granice, jest nie do zniesienia*⟩: Dużo wchłonąłem już poniewierki, spojrzeń nienawistnych, obelg i wyzwisk [...] Tym razem przepełniła się miara. *New. Chłopiec 30.*

przepędzać, przepędzić 1. p. konia ⟨*(z)męczyć, (z)mordować*⟩. **2. p.** wódkę, spirytus itp.; **p.** przez alembik ⟨*przepalać(-ić), przedestylow(yw)ać, przekraplać(-roplić)*⟩. **3. p.** kogo przez kije, przez rózgi, przez pałki ⟨*zmusić skazanego do przejścia lub przebiegnięcia wzdłuż dwuszeregu ludzi uzbrojonych w kije itp., którymi oni zadają skazanemu razy*⟩: Nikifora przepędzić przez pięćset kijów — rozkazał komendant, zwróciwszy się do podoficera. *Święt. A. Twinko 142.*

przepić, przepijać p. d o k o g o: a) ⟨*pić zwracając się do kogo, pić w czyje ręce*⟩: Pan Klemens wziął w rękę butelkę z wiśniową nalewką i przepił do gościa. *Orzesz. SPP.*; b) a. d o c z e g o ⟨*robić aluzje, czynić przycinki; mieć co na myśli*⟩.

przepis 1. p-y bezpieczeństwa, cenzuralne, finansowe, paszportowe, policyjne, proceduralne, religijne, ruchu kołowego, szkolne, uniwersyteckie ⟨*regulamin, instrukcja*⟩. **2. p.** lekarski a. lekarza ⟨*recepta*⟩.

3. **p-y** dla kogo ⟨*regulamin, wskazówka*⟩: **p-y** dla konduktorów. *SPP*. **4. p.** na co ⟨*wskazówka, recepta*⟩: **p.** na konfitury, na pieczenie ciast; na wyrób atramentu. **5. p-y** o czym; co do czego; dotyczące czego ⟨*rozporządzenie, regulamin*⟩: **p-y** o habilitacji; **p-y** dotyczące przesyłek. **6.** Wbrew przepisom (co robić): Fundusz na umorzenie długów Rzplitej, wbrew przepisom prawa, był na inne cele obracany. *Korzon SPP*. **7.** *przestarz.* Iść za czyim przepisem ⟨*za radą*⟩: Idąc za przepisem lekarzy, wziął urlop. *Trent. Demon. 14.* **8.** Łamać, obchodzić, (po)gwałcić, przekroczyć **p-y**. **9.** Obostrzyć, wydać **p-y**. **10.** *praw.* Obrażać **p.** ⟨*być w niezgodzie z przepisem*⟩. **11.** Przestrzegać przepisów, stosować się do przepisów. **12.** Wykroczyć przeciw przepisom.

przeplatany Sadzać, siedzieć, usadzić w przeplatanego ⟨*na przemian mężczyzna obok kobiety; tak żeby nie siedziały obok siebie osoby tej samej płci*⟩: Usadowiono nas w przeplatanego; ja dostałem się między dwie panny. *Zielon. L. Wspom. 148.*

przepłukać, przepłukiwać p. (sobie) gardło, *rzad.* usta ⟨*napić się trunku (alkoholu), pić trunek (alkohol)*⟩: Weszli do baru, aby ćwiartką czystej gardło przepłukać.

przepływ Staw z przepływem ⟨*z którego woda ma stały odpływ*⟩.

przeprawa p. z kim ⟨*zatarg, nieprzyjemności, przykrości*⟩: Mieć z kim przeprawę. Czekała go ciężka przeprawa z wujem. *Perz. Uczn. 89.*

przeproszenie Z przeproszeniem ⟨*przepraszam, że to mówię; daruj, darujcie, za pozwoleniem*⟩: Człowiek był niesolidny, co tu dużo mówić, z przeproszeniem, świnia.

przeprowadzać, przeprowadzić 1. p. co ⟨*dokon(yw)ać czego; uskuteczni(a)ć co, doprowadzać(-ić) do skutku*⟩: **p.** badania, inspekcję, krytykę, śledztwo, wywiad; **p.** remont. **2. p.** dowód winy, tezę ⟨*uzasadni(a)ć winę, tezę; dowodzić, dowieść winy, wykaz(yw)ać słuszność tezy*⟩. **3.** Przeprowadzać konia ⟨*prowadzić tam i z powrotem dla zademonstrowania jego chodu lub dlatego, żeby ostygł*⟩. **4.** *rzad.* **p.** lekcję ⟨*odb(yw)ać lekcję*⟩: Na godzinę zastępstwa przyszedł do nas sam dyrektor [...] i przeprowadził lekcję literatury. *Pigoń Komb. 154.* **5. p.** linię, rurę, rów, kolej, szosę, drogę itp. ⟨*(po)ciągnąć linię, zakładać, założyć rurę, (prze)kopać rów, (wy)budować szosę, drogę itp.*⟩. **6. p.** mobilizację: a) ⟨*zarządzać(-ić) mobilizację (na wypadek wojny lub zagrożenia wojną)*⟩; b) **p.** mobilizację czego ⟨*(z)mobilizować wszystkie środki do wykonania czego*⟩. **7. p.** podział, granicę ⟨*dokon(yw)ać podziału, rozgraniczenia czego; (po)dzielić zgodnie z przyjętą zasadą podziału*⟩: Przeprowadzić podział głosek według miejsca artykulacji. **8. p.** rozwód ⟨*zabiegać o rozwód; uzysk(iw)ać rozwód (zgodnie z obowiązującym prawem)*⟩. **9. p.** sprawę ⟨*załatwi(a)ć sprawę*⟩. **10. p.** transakcję ⟨*załatwi(a)ć korzystnie interes; dokon(yw)ać korzystnej umowy, układu*⟩. **11.** *daw.* **p.** zaciąg, werbunek ⟨*zaciągać(-nąć), werbować do wojska; rekrutować*⟩. **12. p.** czym — po czym ⟨*przesuwać, przesunąć*⟩: **p.** palcem, ręką po stole, po mapie, po czole itp. **13. p.** kogo, co oczami, wzrokiem ⟨*wodzić, powieść za kim, za czym wzrokiem*⟩: Aż do drzwi przeprowadził mię wzrokiem. *Orzesz. Pam. I, 66.* **14. p.** kogo, co śmiechem, szyderstwem, kpinami itp.; kogoś, coś przeprowadzają śmiechy, kpiny itp. ⟨*śmiać się, szydzić z kogo w czasie, gdy przechodzi, umyka itp.*⟩: Musi [...] rad nie rad zabierać tekę i wynosić się z klasy. Przeprowadzają go śmiechy i szyderstwa kolegów. *Gomul. Wspom. 375.*

przeprzążka *przestarz.* Na przeprzążkę ⟨*o koniach: na zmianę*⟩: Ja dziś jeszcze konie wyślę [...] żeby wszędzie świeże były na przeprzążkę. *Sienk. Pot. I, 212* (również *przen.*).

przepuszczać, przepuścić 1. *pot.* **p.** (ucznia) do następnej klasy ⟨*da(wa)ć uczniowi promocję do następnej klasy*⟩. **2. p.** majątek, pensję, wszystkie pieniądze, cały zarobek itp., zwykle *dk* ⟨*przetrwonić, przehulać, stracić*⟩: Przepuścił cały zarobek. *SW.* **3. p.** co płazem ⟨*nie dochodzić winy, nie szukać odwetu; darować, przebaczać(-yć)*⟩. **4.** Nie przepuszcza, nie przepuści nikomu ⟨*nie oszczędza, nie oszczędzi nikogo; nie zostawia, nie zostawi w spokoju*⟩: Nie przepuszcza nikomu, każdemu jakąś łatkę przypnie, każdemu jakąś złośliwość powie. *SPP.* **5.** *żart.* **p.** przez gardło: a) ⟨*(wy)pić*⟩: **p.** przez gardło kilka kieliszków; b) zwykle *dk* ⟨*przepić, przejeść*⟩: Marnotrawca ten wszystko przez gardziel przepuścił. *Fur. SW.* **6. p.** prąd przez co ⟨*(s)powodować przepływanie prądu przez co*⟩. **7. p.** przez maszynkę ⟨*mleć, przemleć w maszynce*⟩.

przepych 1. Zbytkowny **p.** ⟨*wystawność, okazałość*⟩. **2. p.** czego a. w czym: **p.** strojów a. w stroju; **p.** w urządzeniu mieszkania. **3.** Z przepychem (urządzić co, przyjąć kogo): Mieszkanie urządzili sobie z przepychem. **4.** *daw.* Na **p.** ⟨*siląc się na wystawność*⟩: Wystroić się na **p. 5. p.** panuje gdzie.

przerabiać, przerobić 1. p. glebę, ziemię ⟨*uprawi(a)ć*⟩. **2.** *pot.* Nie przerobić roboty ⟨*nie wyczerpać roboty, nie zrobić wszystkiego, co było do zrobienia*⟩: W Paranie [...] choćbyś ręce po łokcie urobił, jeszcze bardzo dużo się znajdzie: tu roboty nie przerobisz. *Tyg. Ilustr. 33, 1900.* **3. p.** kogo, co na swoje kopyto ⟨*zmieni(a)ć kogo, co według swoich przekonań, na swój sposób; przerabiać(-robić) po swojemu; przekabacać(-ić)*⟩: Wszystkich na swoje kopyto przerobiła. *Zap. G. Żab. 73.*

przerastać, przerosnąć Coś przerasta czyje siły, możliwości ⟨*coś jest za trudne do wykonania, jest ponad czyjeś siły, możliwości*⟩: O cokolwiek ją zapytano, odpowiedź zdawała się przerastać jej siły. *Dąbr. M. Noce II, 22.*

przerażenie 1. Obłędne, rosnące, śmiertelne **p.** ⟨*gwałtowny przestrach, lęk*⟩. **2.** Z przerażenia ⟨*na skutek przerażenia*⟩: Z przerażenia stanęły mu włosy na głowie. *SW.* **3.** Z przerażeniem (patrzeć na co, spostrzec co; myśleć o czym itp.): I z przerażeniem rozmyślałem w sobie, jak moim dzieciom takiej nocy w grobie. *Słow. Poem. I, 286.* **4.** Okrzyk przerażenia (wyrywa się komu z piersi). **5.** Zdjęty przerażeniem. **6.** Ochłonąć, oniemieć z przerażenia. **7.** Przyprawić kogo o **p. 8.** Szerzyć, wywoł(yw)ać **p. 9. p.** chwyta, ogarnia kogo; powstaje gdzie: Chwytało mnie za serce dzikie, obłędne przerażenie. *Reym. Now. V, 274.* Łatwo zrozumieć, jakie przerażenie powstało w okolicy wskutek tego straszliwego wypadku [zabójstwa]. *SW*. **10. p.** maluje się na czyjej twarzy, w czyich oczach.

przerosnąć p. **przerastać**

przerwa 1. Chwilowa, długa, krótka, wielka **p. 2. p.** obiadowa, południowa, śniadaniowa ⟨*przerwa w pracy na spożycie posiłku*⟩. **3. p.** w c z y m: a) ⟨*pauza*⟩: **p.** w obradach, w nauce; w ruchu (pociągów); b) *przestarz.* ⟨*miejsce przerwane, wyrwa*⟩: **p.** w tamie, w wale. Woda wielką przerwę w grobli uczyniła. *Troc.* **4.** Bez przerwy ⟨*ciągle, stale, bezustannie; nie przerywając*⟩: Pracować bez przerwy. Deszcz padał cały dzień bez przerwy. **5.** Studiować z przerwami. **6.** Trafić w przerwę (w obradach). **7.** Zrobić przerwę. **8. p.** nastąpiła.

przerwać, przerywać 1. p. komu w pół słowa, w pół zdania ⟨*przestać mówić a. przerwać czyją wypowiedź nagle, nie dokończywszy lub nie dając dokończyć słowa, zdania*⟩. **2. p.** front ⟨*przełamać*⟩. **3. p.** milczenie ⟨*zacząć, zaczynać mówić*⟩.

przerzucać, przerzucić 1. p. c o — p r z e z c o ⟨*rzucać(-ić) przez co*⟩: **p.** tobół przez płot. **2. p.** c o — z c z e g o d o c z e g o ⟨*rzucając pod(a-w)ać*⟩: **p.** piłkę z rąk do rąk; **p.** szablę z jednej ręki do drugiej. **3.** *techn.* **p.** bieg ⟨*w pojazdach mechanicznych: zmieni(a)ć szybkość jazdy przez odpowiednie sprzęgnięcie przekładni skrzynki biegów*⟩. **4. p.** gazetę, książkę ⟨*przeglądać, przejrzeć pobieżnie; (prze)czytać niedokładnie*⟩. **5. p.** kartki, stronice ⟨*przekładać, przełożyć; przewracać kartki, przeglądając je pobieżnie*⟩. **6. p.** most, kładkę ⟨*(wy)budować; kłaść, położyć na czym*⟩. **7. p.** kogo, co przez granicę ⟨*przeprowadzić(-dzać); przemycać(-ić)*⟩: **p.** dywersanta, szpiega przez granicę; **p.** towar przez granicę. **8. p.** na kogo ciężary, pracę, obowiązki, podatki itp. ⟨*zmuszać, zmusić kogo do wykonania pracy itp. wykręcając się od niej samemu*⟩.

przesada 1. Gruba, lekka, najmniejsza, zwykła **p.** ⟨*przebranie miary; przesadność, nienaturalność*⟩. **2. p.** w c z y m, n a p u n k c i e c z e g o: Przesada w dbaniu o cnotę. *Nałk. Z. SPP.* To ją chroni od przesady na punkcie religijnym. *Dąbr. Ig. SPP.* **3.** Bez przesady ⟨*nie przesadzając, nie wyolbrzymiając (czego); naprawdę*⟩: Jest to bez przesady najzdolniejszy uczeń w szkole. **4.** Do przesady ⟨*ponad miarę, aż nazbyt, przesadnie*⟩: Ostrożny, nieufny do przesady. **5.** Dojść w czym, doprowadzić co do przesady: Oszczędność doprowadził do przesady. **6.** Jest w czym **p.**, nie ma w czym przesady. **7.** Wpadać, wpaść w przesadę ⟨*przesadzać(-dzić) w czym*⟩.

przesadzać, przesadzić 1. p. c o lub p r z e z co ⟨*przeskakiwać, przeskoczyć*⟩: **p.** rów a. przez rów. Wpadłszy w lipową aleję przesadziłem przez jeden płot, następnie przez drugi i popędziłem dalej. *Sienk. SPP.* **2. p.** w c z y m ⟨*przebierać, przebrać miarę w czym; przeholować, wyolbrzymi(a)ć*⟩: **p.** w pochwałach, w grzecznościach. **3.** *daw.* Przesadzić kogo przez kij ⟨*zbić kogo, sprawić mu lanie*⟩: Oj, zapewne herod baba, chłopa jak nic przez kij przesadzi. *Dygas. Marg. 160.*

przesąd 1. Dziecinne, ślepe, śmieszne, zakorzenione **p-y** ⟨*niedorzeczne mniemanie; zakorzenione uprzedzenia; zabobony, gusła*⟩. **2. p-y** rasowe, stanowe, społeczne ⟨*uprzedzenia*⟩. **3.** Hołdować przesądom. **4.** Obalić **p.**; rozbić, zburzyć mur przesądów. **5.** Pozbyć się, wyrzec się przesądów: Wyrzec się najmilszych dziadom i ojcom przesądów dla prawdy. *Cz. SW.* **6.** Walczyć, zerwać z przesądami. **7.** Otrząsnąć się, wyzwolić się z przesądów. **8.** Wykorzeni(a)ć **p-y**. **9.** Istnieje **p.**, że... **10. p-y** rozwiewają się: Przesądy, jakie odziedziczyliśmy po przodkach, rozwiać się muszą jako mgła wobec wiedzy. *SW.*

przesilenie 1. *astr.* **p.** letnie ⟨*przypadające na koniec czerwca (około 22), gdy Słońce znajduje się najbliżej bieguna północnego*⟩. **2.** *pot.* (letnie) **p.** dnia z nocą ⟨*przesilenie letnie*⟩. **3.** *astr.* **p.** zimowe ⟨*przypadające na koniec grudnia (około 22), gdy Słońce znajduje się najbliżej bieguna południowego*⟩. **4. p.** choroby ⟨*przełom, zwrot*⟩.

przeskakiwać p. z przedmiotu na przedmiot, z tematu na temat ⟨*w rozmowie, dyskusji: stale zmieniać temat; rozmawiać, dyskutować bez żadnego planu*⟩: Mówiono o wszystkim i o niczym, przeskakiwano z przedmiotu na przedmiot. *Jeż SPP.*

przeskoczyć 1. p. k o g o (np. młodego) ⟨*wyprzedzić kogo w czym, być lepszym od kogo w jakiej dziedzinie; czuć się zdrowszym, mocniejszym, energiczniejszym od kogoś młodszego; zakasować kogoś młodszego*⟩: Choć szósty już krzyżyk dźwigał, czuł się mocny, krzepki, niejednego młodszego by przeskoczył.

przysł. **2.** Gdzie nie można przeskoczyć, tam trzeba podleźć. **3.** Nie mów hop, póki nie przeskoczysz ⟨*nie tryumfuj przed czasem*⟩.

przeskok 1. Nagły, niespodziewany **p.** ⟨*zwrot, przejście, zmiana*⟩. **2. p.** o d c z e g o d o c z e g o: **p.** od zimna do upału; od radości do smutku. **3.** *fiz.* **p.** iskrowy a. iskry ⟨*wyładowanie elektryczne zachodzące między dwoma przewodnikami*⟩.

przesłać, przesyłać 1. p. list, pieniądze (np. pocztą); **p.** notę, raport ⟨*przekaz(yw)ać*⟩. **2. p.** ukłony, pozdrowienia, życzenia; słowa przyjaźni, otuchy itp. ⟨*poda(wa)ć, (za)komunikować, zwykle na piśmie*⟩. **3. p.** uśmiech, ukłon, pocałunek, spojrzenie ⟨*wykonać czynność wyrażoną w dopełnieniu: uśmiechać się, ukłonić się, pocałować (symbolicznie z pewnej odległości) spojrzeć na kogo*⟩. **4. p.** co na czyje ręce; pod czyim adresem [nie: na czyj adres]. *SPP.*

przesłaniać, przesłonić Ktoś lub coś przesłania komu świat ⟨*ktoś jest całkowicie zaabsorbowany, zajmuje się wyłącznie kim lub czym; poświęca się zupełnie komu lub czemu*⟩: Niektórym mężczyznom świat przesłaniają ponoć kobiety — jemu przesłoniły ptaki. *Piskor. A. Siedem 276.*

przesłanka 1. p-i ekonomiczne, naukowe ⟨*fakty, okoliczności, stanowiące podstawę do działania ekonomicznego, naukowego*⟩. **2.** Opierać rozumowanie na prawdziwych lub fałszywych przesłankach ⟨*na zdaniach, stanowiących podstawę do uznania prawdziwości jakiegoś innego zdania*⟩.

przesłonić p. **przesłaniać**

przestać, przestawać 1. Przestać cierpieć ⟨*zakończyć życie (po ciężkiej chorobie), umrzeć*⟩.

przysł. **2.** Kto na małym (na swym) przestaje,

niczego mu nie dostaje. **3.** Ten pan zdaniem moim, kto przestał na swoim.

przestanek Bez przestanku ⟨*bez przerwy, bez ustanku, ciągle*⟩: Czytał bez przestanku kilka godzin.

przestawać ⟨*obcować*⟩ *przysł.* Kto z kim przestaje, takim się staje.

przestąpić, przestępować 1. Przestąpić prawo, rozkaz, ustawę, zakaz itp. ⟨*naruszyć prawo itp.; postępować wbrew prawu itp.*⟩. **2.** Przestępować z nogi na nogę ⟨*stawać na zmianę to na jednej, to na drugiej nodze (zwykle z zakłopotania, z niecierpliwości)*⟩: Uczeń nie wiedząc, co mówić, miął tylko czapkę w rękach i przestępował z nogi na nogę. *Żer. Ludzie II, 181.*

przestępca 1. p. polityczny. **2. p.** wojenny ⟨*zbrodniarz wojenny*⟩. **3. p.** zawodowy ⟨*ten, kto z przestępstwa czerpie środki utrzymania*⟩.

przestępować p. **przestąpić**

przestępstwo 1. p. polityczne, prasowe ⟨*występek, przewinienie*⟩. **2. p.** p r z e c i w c z e m u: **p.** przeciw prawu, przeciw ludzkości. **3.** Dopuścić się przestępstwa. **4.** Popełnić **p.**

przestrach 1. Z przestrachem (patrzeć na kogo, na co) ⟨*z nagłym strachem*⟩. **2.** Z przestrachu (co robić): Pies zawył, zaskowyczał z przestrachu. **3.** Napełnić kogo przestrachem. **4.** Wyrażać **p.** (o twarzy, oczach, postawie). **5.** Wywoł(yw)ać **p.** (u kogo). **6. p.** maluje się na czyjej twarzy, w czyich oczach.

przestroga 1. Ojcowska, przyjacielska, życzliwa **p.** ⟨*ostrzeżenie, upomnienie*⟩. **2. p.** na przyszłość. **3. p.** p r z e d k i m, p r z e d c z y m: **p.** przed złym człowiekiem, przed zbyt pochopną decyzją. **4.** Dać komu przestrogę; udzielać przestróg. **5.** (U)słuchać przestrogi, przestróg.

przestrzał 1. Na **p.** ⟨*na wskroś, na wylot*⟩: Sień (biegnąca) na **p.** Kula przeszła na **p. 2.** Drzwi, okna na **p.** ⟨*na przeciwległych ścianach*⟩. **3.** *przestarz.* Pokoje na **p.** ⟨*w amfiladzie*⟩. **4.** Otworzyć drzwi, okna na **p.** ⟨*w przeciwległych ścianach (powodując przeciąg)*⟩: Otworzono drzwi do sieni na przestrzał.

przestrzeń 1. Nieograniczona, nieskończona **p.**; **p.** bez granic, bez końca; **p-e** międzyplanetarne ⟨*przestwór, przestworze*⟩. **2.** Niewielka, olbrzymia, wielka, znaczna **p.** ⟨*obszar*⟩: Na niewielkiej przestrzeni mieszka znaczna liczba ludzi. *SW.* Lasy ciągną się w tej prowincji na znacznej przestrzeni. *SW.* **3.** Otwarta **p.** ⟨*teren nie ograniczony, odkryty, nie zabudowany, nie porośnięty drzewami itp.*⟩. **4.** *bot.* **p-e** międzykomórkowe ⟨*przestwory międzykomórkowe*⟩. **5. p.** życiowa ⟨*minimum obszaru potrzebne do życia; również przen.*⟩. **6.** *med.* Choroba, lęk, obawa przestrzeni ⟨*agorafobia*⟩. **7.** Na przestrzeni x lat, wieków itp. ⟨*lepiej: w ciągu x lat, wieków*⟩: Pamięta nazwiska i schorzenia wszystkich pacjentów, których leczył na przestrzeni dwu ostatnich lat. *Lut. Próba 73.*

przestrzeżony *przysł.* Przestrzeżony, uzbrojony.

przestwór 1. p. niebieski, powietrzny ⟨*nieograniczona rozciągłość we wszystkich kierunkach; niebo*⟩: Jakie jasne obłoki na niebieskim przestworze. *Len. SW.* **2.** *bot.* Przestwory międzykomórkowe ⟨*wolne przestrzenie między komórkami w tkance miękiszowej, w których odbywa się wymiana gazów między rośliną a atmosferą*⟩. **3.** Bujać w przestworze.

przesyłać p. **przesłać**

przeszkadzać Nie przeszkadzaj sobie, niech pan (pani) sobie nie przeszkadza, proszę sobie nie **p.** ⟨*proszę nie odrywać się od swego zajęcia, nie zwracać na mnie uwagi*⟩.

przeszkoda 1. Nieoczekiwana, niepokonana, nieprzewidziana, nieprzezwyciężona, niezwalczona, poważna **p.**; **p.** nie do pokonania, nie do przebycia ⟨*zawada; trudność*⟩. **2. p.** d o c z e g o ⟨*trudności do osiągnięcia czego*⟩: **p.** do wprowadzenia reform. **3. p.** w c z y m ⟨*trudność objawiająca się w czym*⟩: **p.** w dalszym marszu. *SPP.* **4.** Bez przeszkody, bez przeszkód (robić co) ⟨*nie napotykając żadnych trudności, bez trudności*⟩: Iść, posuwać się bez przeszkód. **5.** *sport.* Bieg z przeszkodami ⟨*bieg, na którego trasie znajdują się naturalne lub sztuczne przeszkody: płotki, rowy, nierówności terenu, krzaki itp.*⟩. **6.** Brać, wziąć; przesadzić(-ać) przeszkodę **(p-y)** ⟨*o jeźdźcu; (koniu)*⟩. **7.** Być komu, dla kogo przeszkodą. **8.** Napotkać **p-y**; natknąć się, trafić na przeszkodę, na **p-y. 9.** Obalić, ominąć, pokonać, przebyć, przełamać, przezwyciężyć, usunąć **p-y. 10.** Stawiać komu **p-y. 11.** Coś stoi na przeszkodzie ⟨*coś przeszkadza, jest zawadą, utrudnieniem*⟩. **12. p-y** piętrzą się, zachodzą: Zaszły nieprzewidziane **p-y.** Zachodziły liczne i trudne do pokonania przeszkody. *SW.*

przeszłość 1. Awanturnicza, burzliwa **p.** ⟨*okres czyjego życia*⟩. **2.** Niedawna, niepowrotna, odległa, zamierzchła **p.** ⟨*bardzo odległe czasy*⟩. **3. p.** narodu, ludzkości, miasta ⟨*dawne dzieje*⟩. **4.** Kobieta, panna z przeszłością ⟨*kobieta, panna, która miała liczne romanse, przeżycia erotyczne*⟩. **5.** Cofnąć się myślą w **p. 6.** Mieć swoją (świetną) **p.** ⟨*dzieje, historię*⟩: Kraków ma swoją świetną przeszłość. **7.** Należeć do przeszłości: Sprawy te należą już do przeszłości. *SW.* **8.** Odgrzebywać wspomnienia przeszłości. **9.** Sięgać dalekiej przeszłości.

przeszpiegi Na **p.** (iść, przysłać, wyprawić, wysłać kogo; przyjść itp.) ⟨*w celu szpiegowania, podpatrywania; na zwiady*⟩: Prusacy, korzystając z ciemnej nocy, wsunęli się między reduty raczej na przeszpiegi niż w jakim stanowczym celu. *Przyb. Oblęż. 59.*

przeszyć, przeszywać 1. p. k o g o — c z y m: **p.** kogo wzrokiem, spojrzeniem ⟨*przeniknąć, przejąć*⟩: Przeszywała mię takim wzrokiem, że traciłem władzę w nogach. *Żer. Dzien. III, 387.* **2. p.** kogo, co strzałą ⟨*przebi(ja)ć, przestrzelić*⟩: Z boku go strzałą jadowitą przeszył. *Kras. SW.* **3.** Coś przeszywa kogo a. czyje serce ⟨*ktoś doznaje czego, jakiegoś stanu, uczucia*⟩: Ostry ból przeszył go na wskroś. Niepojęty żal przeszył mu serce. *Par. Niebo 220.* Przeczytał to ostrzeżenie, którego każde słowo przeszywało go jak sztylet. *Korz. J. Wdow. 493.*

prześcieradło p. kąpielowe ⟨*rodzaj dużego ręcznika do wycierania się po kąpieli*⟩. *wulg.* Drzeć się jak stare **p.** ⟨*krzyczeć, wrzeszczeć bardzo głośno*⟩.

prześcig *przestarz.* Na **p-i** ⟨*starając się wzajemnie prześcignąć, na wyścigi, na wyprzódki, jeden przez drugiego*⟩: Na prześcigi popędzili ku domowi.

prześladować 1. Fatalizm, los, pech kogo prześladuje ⟨*kogoś stale spotyka niepowodzenie; komuś stale się nie wiedzie*⟩: Zdaje się, że fatalizm jakiś prześladował osadę po jej założeniu: wielkie pożary okropne zadały klęski. *Fel. F. Syb. III, 259.* **2. p.** k o g o — c z y m ⟨*gnębić, napastować, niepokoić*⟩: Będzie go prześladowała listami. *Strug SPP.*

przeświadczenie 1. Błogie, mocne, gorzkie, wewnętrzne **p.** ⟨*przekonanie*⟩. **2. p.** o c z y m: **p.** o czyjej niewinności, o słuszności czego. **3.** W przeświadczeniu, że... ⟨*będąc przeświadczonym, że...*⟩: Zborowscy radzi byli przeprowadzić swego kandydata w przeświadczeniu, że król przez nich wyniesiony potrafi sowicie nagrodzić zasługi. *Śliw. A. Bat. 40.* **4.** Czynić, robić co z przeświadczenia, w przeświadczeniu, że... **5.** Mieć **p.**, przyjść do przeświadczenia, że... **6.** Wpoić w kogo **p.**, że...

przetrzeć p. **przecierać**

przewaga 1. Fizyczna, liczebna, militarna, naturalna **p.** ⟨*górowanie nad kim, nad czym pod jakimś względem, wyższość*⟩. **2. p.** intelektualna, moralna. **3.** Bohaterskie, rycerskie **p-i** ⟨*czyny bohaterskie, zwycięstwa*⟩: Opiewać, wysławiać czyje bohaterskie **p-i**. Jan Pągowski ganił nieco dumę kawalera, ale chwalił jego przewagi rycerskie. *Sienk. SW.* **4. p.** k o g o n a d k i m, c z e g o n a d c z y m. **5.** Coś daje, zapewnia komu przewagę nad kim, nad czym: Zdolności i opanowanie dawały mu przewagę nad otoczeniem. Znajomość prawa daje nam przewagę nad wami. *SW.* **6.** Czuć swoją przewagę nad kim. **7.** Mieć, osiągnąć, (u)zyskać przewagę nad kim ⟨*być w korzystniejszej sytuacji względem kogo*⟩: Mając nad nimi liczebną przewagę nie obawialiśmy się spotkania. *Fiedl. A. Biz. 190.* **8.** Ulec, ulegać (czyjej) przewadze. **9.** Wyłamać się, wyzwolić się spod czyjej przewagi.

przewąchać, przewąchiwać 1. *posp.* **p.** niebezpieczeństwo, pieniądze u kogo ⟨*przewidzieć, przeczuć, domyślić się, dowiedzieć się*⟩: Pieniądze u starego przewąchał i dlatego tak go do siebie wabił. *Orzesz. SPP.* **2. p.** pismo ⟨*domyślić(-ać) się niebezpieczeństwa albo że co grozi*⟩. *SWil.*

przewiany Gips **p.** ⟨*śnieg leżący płatami złożonymi z drobnych, luźno ze sobą związanych ziaren*⟩.

przewidywanie 1. Trafne **p.** ⟨*domysł, przypuszczenie*⟩. **2.** c z e g o a. c o d o c z e g o: **p.** nieszczęścia. Przewidywania nasze co do przyszłości sprawdziły się. *SW.* **3.** W przewidywaniu czego ⟨*przewidując co, spodziewając się czego; przypuszczając, że coś nastąpi*⟩: W przewidywaniu ostrej zimy zaopatrzyli się w większe ilości opału. **4.** Wbrew przewidywaniom; według wszelkich przewidywań, zgodnie z przewidywaniami ⟨*wbrew domysłom, przypuszczeniom; zgodnie z domysłami, z przypuszczeniami*⟩.

przewidzenie Coś jest, było do przewidzenia ⟨*czegoś można się było spodziewać, domyślać*⟩.

przewieść *daw.* **1. p.** proces ⟨*przeprowadzić proces sądowy*⟩. **2. p.** co na siebie ⟨*znieść co, wymóc co na sobie; przełamać się, przezwyciężyć się*⟩: Nie mogłem przewieść na sobie, żebym się nie ujął krzywdy nieszczęśliwych. *Kossak. Ksiądz 36.*

przewietrzać, przewietrzyć p. glebę, rolę ⟨*udostępni(a)ć dopływ powietrza do gleby, np. przez spulchnienie*⟩.

przewijać (się), przewinąć (się) 1. p. dziecko, niemowlę ⟨*zmieni(a)ć dziecku pieluszki*⟩. **2.** *daw.* Przewinąć kogo przez nogę ⟨*oszukać; wyprowadzić, wywieść kogo w pole*⟩: Niecnota ten mię przecie przez nogę przewinął. *Ern. SW.* **3.** Coś przewija się przed czyimi oczami (oczyma) ⟨*przesuwa się*⟩: Wielkie wypadki, które się przed oczami naszymi przewinęły, zniknęły jak sny znikome. *Oppman San Domingo. 8.* **4.** Uśmiech przewija się, przewinął się przez czyje wargi, po czyich wargach ⟨*ktoś uśmiecha się, uśmiechnął się nieznacznie*⟩.

przewina 1. *książk.* Ciężka **p.** ⟨*przewinienie, wina*⟩. **2.** *daw.* Odszczek(iw)ać przewinę ⟨*publicznie przyznać się do winy i odwołać oszczerstwo*⟩: Jeszcze czulszym okazał się statut małopolski na obrazę honoru. Oszczerca niewiast odszczekiwał przewinę. *Szajn. Jadw. I, 50.* **3.** Ukarać kogo za **p-y**.

przewinienie 1. Ciężkie, najcięższe **p.** ⟨*wina; wykroczenie*⟩. **2. p.** w z g l ę d e m k o g o, c z e g o: **p.** względem władzy. **3.** Darować komu **p.** ⟨*wybaczyć komu co*⟩: Skoro darowałeś mi przewinienie, to już więcej o tym nie wspominaj. **4.** Karcić, (u)karać za **p.**

przewlec, przewlekać 1. p. nitkę przez igłę ⟨*wsunąć nitkę w uszko igły; nawlec igłę*⟩. **2.** *daw.* **p.** c o n a c o ⟨*nawlec, nanizać na co*⟩: **p.** paciorki na sznurek. **3.** Przewlekać samogłoski, słowa, wyrazy ⟨*wymawiać przeciągle*⟩. **4. p.** pościel ⟨*zmienić powleczenie, bieliznę pościelową*⟩.

przysł. **5.** Co się przewlecze, to nie uciecze.

przewlekle p. ciągnąć (śpiew) ⟨*śpiewać przeciągle, zawodząco*⟩.

przewlekły 1. p. akord, ton ⟨*długo dźwięczący, przeciągły, zawodzący*⟩. **2.** Choroba **p-a** ⟨*charakteryzująca się długim przebiegiem, chroniczna*⟩. **3. p-e** spojrzenie ⟨*zatrzymujące się dłużej na kim, mające coś wyrazić; znaczące*⟩. **4.** *fot.* Wywoływanie **p-e** ⟨*mające na celu złagodzenie zbyt ostrych kontrastów*⟩. **5. p-e** zdanie ⟨*zanadto rozbudowane, za długie, zagmatwane*⟩.

przewłoka, przewłóka 1. *daw.* Idzie, poszło w przewłokę ⟨*jest, zostało odłożone, zaniedbane; odwlokło się*⟩: Kara poszła w przewłokę. **2.** Puszczać, puścić co w przewłokę, na przewłóki ⟨*odkładać, odłożyć co na później; odroczyć*⟩: Najpilniejsze sprawy puszczają w przewłokę. *Kalin. Galic. 440.*

przewodni 1. *ryb.* Formy **p-e** ryb ⟨*formy ryb występujące najczęściej na danym obszarze*⟩. **2.** Gwiazda **p-a** ⟨*główny cel, do którego się dąży; idea przyświecająca komu*⟩: Takie przygotowawcze prace i badania muszą mieć za przewodnią gwiazdę jedno: bezinteresowność naukową. *Boy Mick. 51.* **3.** Idea, myśl **p-a** ⟨*główna, naczelna*⟩: Przewodnia myśl utworu literackiego. *SW.* **4.** *muz.* motyw **p.** ⟨*w utworach muzycznych: motyw melodyjny, rytmiczny, harmo-*

niczny, symbolizujący jakąś osobę, uczucie, wydarzenie, zjawisko przyrody — powracający w toku akcji w symfonicznej osnowie⟩. **5.** Niedziela **p-a** ⟨*pierwsza niedziela po Wielkanocy*⟩.

przewodnictwo 1. Pod czyim przewodnictwem ⟨*mając kogo za przewodnika lub przewodniczącego; pod czyim kierunkiem*⟩: Zebranie zarządu odbyło się pod przewodnictwem prezesa. - Odezwała się kapela z pięćdziesięciu grajków złożona, pod przewodnictwem uczonych rybałtów. *Kaczk. Olbracht. III, 349.* **2.** Objąć, przyjąć **p.** czego (np. zebrania).

przewodniczyć 1. p. c z e m u a. n a c z y m ⟨*prezydować czemu, kierować czym*⟩: **p.** zebraniu a. na zebraniu. **2.** Idea, myśl, nadzieja przewodniczy komu lub czemu ⟨*jest bodźcem do czego, przyświeca komu*⟩: Idea usamowolnienia ludu wiejskiego [...] przewodniczyła głównie wszystkim tym robotom. *Wies. Wspom. 31.* **3. p.** w c z y m: **p.** w zarządzie, w komisji.

przewodnik 1. Dobry, zły **p.** ciepła, elektryczności ⟨*ciało, substancja dobrze przewodząca ciepło itp. lub nie przewodząca ciepła itp.*⟩. **2. p.** p o c z y m ⟨*książka ze wskazówkami dla turystów, zwiedzających*⟩: **p.** po Krakowie, po Warszawie; **p.** po muzeum. **3.** Wziąć, wynająć przewodnika ⟨*osobę wskazującą drogę lub oprowadzającą po czym*⟩: W wysokie Tatry wzięliśmy przewodnika górala.

przewodzić 1. *nieco przestarz.* **p.** k o m u, c z e m u ⟨*kierować, dowodzić kim, czym; przewodniczyć komu, czemu; być przywódcą kogo, czego*⟩: Ludowcom przewodził Augustyn. *Prus SPP.* Przewodził całej klasie. **2.** *daw.* **p.** kapeli, orkiestrze ⟨*być dyrygentem, dyrygować orkiestrą*⟩: Mamy też klawicymbał i metra do niego, Niemca, który też kapeli nadwornej przewodzi. *Hof. Kl. Dziennik 27.* **3.** *daw.* **p.** tańcom ⟨*prowadzić tańce, być wodzirejem*⟩. **4. p.** n a d k i m ⟨*rządzić kim, rozkazywać komu; okazywać komu swą wyższość, dyrygować kim*⟩: Chciała [...] mieć kogoś, nad kim mogłaby przewodzić w domu, kogoś, kto będzie żył tylko dla niej. *Krzyw. I. Bunt 75.* **5. p.** w c z y m ⟨*narzucać komu w czym swoją wolę; wodzić rej*⟩: Wszystkich otumanił, oślepił, zawojował, miesza się do wszystkiego, przewodzi we wszystkim. *Łoz. Wal. Dwór 251.* **6.** *daw.* **p.** w boju, do bitwy ⟨*być dowódcą, dowodzić w bitwie*⟩. **7.** *daw.* **p.** co przez siebie ⟨*przeplatać*⟩: Krzyżujących się linii artysta-ślusarz nie wzmacnia nitami, ale je przewodzi przez siebie, co dziełu nadaje siły i wdzięku. *Baliń. M. Polska I, 536.*

przewód 1. p. doktorski, habilitacyjny ⟨*zespół czynności związanych z przeprowadzeniem doktoratu, habilitacji*⟩. **2. p.** dymowy ⟨*kanał odprowadzający dym z paleniska w budynku do komina*⟩. **3. p-y** gazowe ⟨*rury doprowadzające gaz*⟩. **4.** *anat.* **p.** pokarmowy ⟨*narządy przyjmujące i trawiące pokarmy*⟩. **5.** *praw.* **p.** sądowy ⟨*część rozprawy sądowej*⟩. **6. p-y** telefoniczne, telewizyjne ⟨*kable*⟩. **7. p-y** wysokiego napięcia ⟨*urządzenia służące do przesyłania energii elektrycznej*⟩. **8.** Pod czyim przewodem, *daw.* za czyim przewodem ⟨*pod czyim kierownictwem, dowództwem*⟩: Montujemy front jedności narodowej pod przewodem klasy robotniczej. **9.** *daw.* Iść, udać się itp. za czyim przewodem ⟨*iść za kim, kto prowadzi*⟩: Wszyscy zsiedli z koni i za przewodem wielkiego łowczego udali się ścieżką. *Rzew. H. Zamek 283.*

przewództwo *daw.* Pod przewództwem ⟨*pod wodzą, pod przewodnictwem*⟩: We Włoszech lud Neapolu, pod przewództwem rybaka Mazaniella, zrywa się przeciwko ciemięskim rządom Hiszpanów. *Korzon Wewn. I, 29.*

przewóz (Mieć) wóz i (lub) przewóz ⟨*mieć możliwość zdecydowania się na jedno lub drugie*⟩: Masz wóz i przewóz. Będziesz dobra i pracowita, będzie ci dobrze; ale jeżeli nie skorzystasz z okazji, rób, co ci się podoba. *Prus Lalka 148.*

przewracać (się), przewrócić (się) 1. p. kozła, koziołka ⟨*fikać, fiknąć kozła*⟩. **2. p.** co do góry nogami, na opak, *rzad.* na nice ⟨*(z)rujnować, (z)burzyć istniejący porządek; (z)robić zamieszanie, bałagan*⟩: W poszukiwaniu szalika przewrócił w szafie wszystko do góry nogami. - Nie potrafił nawet odszukać miejsca, gdzie stał dom jego gospodarza. Jakby trzęsienie ziemi przewróciło całą wieś na nice. *Reym. Fron. 46.* **3.** Coś (świat) się przewraca do góry nogami ⟨*zmienia się radykalnie, z gruntu*⟩: Wydaje ci się, że jak ciebie zabraknie, świat przewróci się do góry nogami. **4.** Przewracać oczy do kogo ⟨*zalecać się, robić oko, oczy do kogo*⟩: Począł do mnie przewracać oczy, mówić mi sekretnie półsłówka. *Żer. Uroda 172.* **5.** Przewracać oczami: a) ⟨*łypać oczami*⟩; b) ⟨*kokietować kogo, zachowywać się kokieteryjnie, zalotnie*⟩. **6. p.** ziemię, groby itp. ⟨*przekop(yw)ać, rozkop(yw)ać*⟩. **7. p.** komu w głowie, we łbie, *daw.* głową: a) ⟨*(z)robić zarozumiałym*⟩: Sukcesy przewróciły mu w głowie; b) *daw.* ⟨*wprowadzać(-ić) zamęt w czyim umyśle; zawracać, zawrócić komu głowę*⟩: W głowie przewracasz mi jak w młynie i zdaje mi się znowu, że masz słuszność. *Sienk. Dram. 39.* **8.** Komuś przewraca się w głowie, *rub.* we łbie: a) ⟨*ktoś ma o sobie wygórowane mniemanie, jest zarozumiały*⟩: Tym ludziom w głowach się przewraca. *Krucz. SPP*; b) *przestarz.* ⟨*ktoś doznaje zawrotu głowy; ma zamęt w głowie*⟩: W głowie jej się przewracało, kołowało. *Krasz. Jaryna 75.* O tylu rzeczach mam razem do myślenia, że aż mi się w głowie przewraca. *Czart. Panna 125.* **9. p. się** w trumnie ⟨*przypuszczać, że gdyby zmarły żył, zmartwiłby się lub zgorszył czym*⟩: Żeby matka w grobie zobaczyła, jaki ja sobie los obrałem, przewróciłaby się w trumnie. *Orzesz. Cham 45.* **10.** *rub.* Bebechy, flaki, kiszki się komu przewracają ⟨*coś kogo irytuje, drażni*⟩: Kiedy patrzę na te nieporządki, flaki się we mnie przewracają.

przewrotny *daw.* **p.** kawa ⟨*biała, z większą zawartością mleka niż kawy*⟩.

przewrót 1. p. polityczny, społeczny; myślowy, umysłowy ⟨*zmiana; rewolucja*⟩. **2. p.** przemysłowy, rewolucyjny, socjalny. **3. p.** (czego) do góry nogami ⟨*zburzenie, zakłócenie porządku*⟩: Otóż to są skutki mojej nieobecności [...] Nieład, harmider, przewrót wszystkiego do góry nogami. *Dygas. Now. I, 60.* **4. p.** w c z y m: **p.** w technice, w naukach przyrodniczych, w sposobie myślenia, w poglądach. **5.** Dokonać przewrotu; dążyć do przewrotu. **6.** Przygotow(yw)ać, wywołać **p. 7.** Wprowadzić **p.** do czego, w czym: Wystrzelenie sztucznych satelitów wprowadziło przewrót do nauki o kosmosie. **8. p.** dokonuje się, dokonał się, następuje, nastąpił.

przewyżka 1. p. c z e g o n a d c z y m: **p.** dochodów nad wydatkami. **2.** *przestarz.* Z przewyżką ⟨*z nadatkiem, z nadwyżką*⟩: Bo gdy lud wzmocni swoje siły wypoczynkami, w następnych latach odrobi wszystko z przewyżką. *Prus Far. III, 76.*

przewyższać, przewyższyć 1. *przestarz.* Coś przewyższa czyjeś (najśmielsze itp.) marzenia, przypuszczenia ⟨*coś okazuje się w większym zakresie, występuje z większą siłą niż się spodziewano*⟩: Obojgu ani na chwilę nie przychodziło do głowy, że wkrótce groźna rzeczywistość przewyższy wszelkie ich fantastyczne przypuszczenia. *Sienk. Pust. I, 8.* **2. p.** k o g o c z y m, w c z y m ⟨*przechodzić, przejść; prześcigać(-nąć); zakasować*⟩: Tyś wszystkich przewyższył zręcznością lub w zręczności. *SPP.*

przeziębienie 1. Lekkie, przewlekłe, silne **p. 2.** Skłonny do przeziębień. **3.** Z przeziębienia ⟨*na skutek przeziębienia*⟩: Z przeziębienia wywiązało się zapalenie płuc. **4.** Nabawić się przeziębienia. **5. p.** wywiązało się.

przezimować *iron.* **p.** w klasie ⟨*zostać na drugi rok; powtórzyć klasę*⟩.

przeznaczać, przeznaczyć 1. p. c o — d o c z e g o, n a c o ⟨*z góry określić cel czego*⟩: Dwa pułki przeznaczone zostały do służby. *Żer. SPP.* Ubranie podniszczone przeznaczył do codziennego użytku. *SW.* **p.** lokal na biuro, pieniądze na zakup czego, obraz na sprzedaż. **2. p.** c o — k o m u, d l a k o g o: Niektóre rzeczy przeznaczył dla matki. *Żer. SPP.* **3.** Los komu co przeznacza ⟨*coś kogo spotyka niezależnie od jego woli; coś przypada komu w udziale*⟩: Ona z taką samą elegancją, z jaką tańczyła, dźwigać będzie każde brzemię, jakie wybierze albo jakie jej los przeznaczy. *Dąbr. M. Noce II, 28.* **4.** *żart.* **p.** co pod placki ⟨*o słabych utworach: (z)niszczyć*⟩: Przeznaczyć nieudolne piśmidła pod placki. *SW.* **5. p.** kogo na śmierć ⟨*skazać na śmierć, poświęcić kogo*⟩. **6. p.** kogo pod sąd ⟨*oddać kogo pod sąd, wytoczyć komu sprawę przed sądem*⟩. **7.** *daw.* **p.** kogo Bogu ⟨*zdecydować o kim, że wstąpi do zakonu*⟩.

przeznaczenie 1. Ślepe **p.** ⟨*los, fatum*⟩: Ślepe przeznaczenie chciało, że... **2.** Miejsce przeznaczenia ⟨*miejsce będące celem przyjazdu, przesyłki itp.*⟩: Dojechał nad ranem do miejsca przeznaczenia. Miejscem przeznaczenia przesyłki była Warszawa. **3.** Wiara, wierzyć w **p.** ⟨*w los, w fatum*⟩. **4.** Mieć jakie **p.** ⟨*o przedmiotach: być przeznaczonym do czego, mieć zastosowanie, cel praktyczny*⟩: Każdy pokój laboratorium ma swoje przeznaczenie. **5.** *daw.* Mieć w przeznaczeniu co ⟨*być przeznaczonym, uprawnionym, zobowiązanym do czego*⟩: Miał bowiem uniwersytet w przeznaczeniu kierować oświatą w całym kraju. *Mac. Piśm. I, 76.* **6.** *przestarz.* Minąć się ze swym przeznaczeniem ⟨*z powołaniem*⟩. *SFA.* **7.** Zmienić **p.** jakiej rzeczy ⟨*obrócić ją na co innego*⟩. *SW.*

przeznaczony 1. p. k o m u, d l a k o g o; d o c z e g o [nie: dla czego], k u c z e m u, n a c o: Zasiłek przeznaczony najbiedniejszym a. dla najbiedniejszych. Miejsca w wagonie przeznaczone dla matek z dziećmi. Zakład przeznaczony do kształcenia nauczycieli. Skóra przeznaczona na zelówki. **2.** Coś jest, było; nie jest, nie było **p-e** ⟨*jest, było; nie jest, nie było nieuchronne, konieczne*⟩: Eteokles chce walczyć, bo przeznaczone mu jest zginąć z ręki brata. *Witkow. S. Trag. I, 182.* **3.** Być przeznaczonym dla siebie (nawzajem), być komu przeznaczonym ⟨*być dobranym w małżeństwie, być odpowiednim dla kogo; odpowiadać sobie wzajemnie*⟩: Powinnaś mnie kochać, my jesteśmy dla siebie przeznaczeni. *Krasz. Szalona 65.*

przysł. **4.** Śmierć i żona od Boga przeznaczona.

przezwyciężać, przezwyciężyć 1. p. c o — (c z y m) ⟨*pokon(yw)ać*⟩: **p.** lenistwo, odrazę, trudności, wstręt. Starość nagle czuć się dawała ze wszystkimi dolegliwościami, zwykle czynnym życiem przezwyciężanymi. *Krasz. SW.* **2. p.** co w sobie, **p.** samego siebie ⟨*opanow(yw)ać siebie; wyrabiać, wyrobić w sobie silną wolę*⟩: **p.** w sobie słabość.

przeżegnać *żart. przestarz.* **p.** k o g o — c z y m, p o c z y m ⟨*uderzyć*⟩: Uciekaj!... bo jak cię przeżegnam tym miotliskiem. *Prus Kłop. 143.* **p.** kogo po krzyżu. *SW.*

przeżycie 1. Ciężkie, piękne, porywające, potężne, przykre, straszne **p.** ⟨*wstrząs psychiczny; doznanie*⟩. **2. p.** estetyczne, psychiczne. **3.** *praw.* Zapis na **p.** ⟨*na rzecz osoby, która przeżyje zapisodawcę*⟩. **4.** Coś jest dla kogoś przeżyciem, stanowi dla kogoś **p.** ⟨*ktoś coś silnie przeżywa*⟩: Rozstanie było dla małych przyjaciół ciężkim przeżyciem. *Brand. M. Dom. 184.*

przeżyć 1. p. w pamięci, w sercu ⟨*przetrwać, pozostać, zachować się w pamięci, w sercu*⟩: Wspomnienia o nich [o Puławach] przeżyją w pamięci ludzkiej. *Koźm. Pam. I, 191.* **2. p.** samego siebie ⟨*stracić znaczenie za życia; żyjąc zniedołężnieć fizycznie lub psychicznie*⟩: Młody — sam siebie przeżyłem i ledwom światło obaczył, wprzód już me życie skończyłem, niż mi los umrzeć naznaczył. *Jasiń. Pisma 46.* **3.** Nie **p.** c z e g o ⟨*nie przenieść, nie przetrzymać*⟩: Nie przeżyję tej straty, tej klęski. *SW.*

przodek ● 1. p. po mieczu; **p.** po kądzieli ⟨*ojciec, dziad, pradziad itp. w linii męskiej; w linii żeńskiej*⟩. **● 2. p.** armatni, działowy ⟨*dwukołowy wózek przedni dział lekkich ze skrzynią na pociski i narzędzia*⟩. **3.** *przestarz.* W przodku, z przodku ⟨*na przedzie, na czele, na froncie, z przodu*⟩: Pan Wołodyjowski gonił w przodku z laudańską chorągwią. *Sienk. Pot. V, 46.* **4.** Mieć **p.** przed kim ⟨*mieć pierwszeństwo*⟩: Macie przed nami przodek wszędy, doma i u króla, miejcież i na wojnie. *Szajn. Jadw. I, 54.*

przodownictwo p. pracy ⟨*osiągnięcie najlepszych wyników w pracy; praca wydajna, ponad ustaloną normę*⟩.

przodownik 1. p. pracy ⟨*pracownik wyprzedzający innych w pracy, mający najlepsze osiągnięcia, wyniki w pracy zawodowej, społecznej itp.*⟩. **2.** Odznaka przodownika pracy ⟨*odznaczenie nadane pracownikom wybijającym się w pracy*⟩. **3.** *gw.* **p.** w tańcu ⟨*tancerz prowadzący taniec, wodzirej*⟩.

przód 1. Do przodu, ku przodowi, w **p.** ⟨*w kierunku przed siebie*⟩: Wysunąć się do przodu; pochylić się ku przodowi a. w **p. 2.** Na przodzie czego ⟨*w części przedniej czego*⟩: Na przodzie sceny, statku. **3.** Na przedzie, *przestarz.* na przodzie, *daw.* po przedzie, po przodu ⟨*przed innymi, wyprzedzając innych; na czele*⟩: Jechać na przedzie. Na przodzie szła jazda, za nią piechota. *Sienk. Now. IV, 223.* Spiesznym krokiem ruszyła po przedzie. *Pług Zagon III, 21.* **4.** Z przodu ⟨*od strony twarzy; od frontu; przed kim, przed czym*⟩: Głos dochodził z przodu. Z przodu i z tyłu na niego uderzyli. *Troc.* **5.** Przodem: a) ⟨*przed innymi*⟩: Iść przodem. Psy biegły przodem, za nimi posuwali się myśliwi; b) ⟨*wcześniej od innych, zawczasu*⟩: Przodem wysłaliśmy kurierów. *Krasz. Brühl 85.* **6.** Puścić kogo przodem ⟨*puścić przed siebie, pozwolić przejść przed sobą*⟩: Puścił ją przodem, po czym sam wyszedł. *Krucz. Sidła 15.* **7.** Stać, wykręcić się przodem do kogo ⟨*frontem, twarzą*⟩. **8.** *daw.* Trzymać **p.** ⟨*przewodzić, mieć prym, wyprzedzać kogo*⟩: Lecz kraj ludny [...] przed naszym trzyma przód niezmierny. *Tremb. Polit. 193.*
przysł. **9.** Kto na przodzie, ten nieprzyjaciel.

prztyk, prztyczek 1. Dać prztyka (prztyczka) w nos ⟨*zakpić sobie z kogo, zlekceważyć kogo, obrazić*⟩. **2.** Dostać prztyka, prztyczka w nos ⟨*zostać zlekceważonym, doznać zniewagi, narazić się na drwiny*⟩: Wyciągasz ręce do świata, by go objąć, by go ucałować. Zazwyczaj w sekundę potem dostajesz prztyczka w nos. *Lamus 5, 1909/10, s. 17.*

przybić, przybijać 1. p. pieczęć ⟨*przyłożyć, przykładać, odcisnąć, odciskać*⟩. **2. p.** do brzegu ⟨*(s)kierować, łódź, statek do brzegu; (wy)lądować*⟩.

przybierać, przybrać 1. p. c o: **p.** minę, postawę ⟨*(z)robić minę; przyjąć, przyjmować postawę*⟩: Przybrał srogą minę. Przybrał postawę obronną. **2. p.** k o g o, c o — c z y m, w c o ⟨*(przy)stroić*⟩: Przybrał stół kwiatami. *SPP.* Kupy ludu przybranego w konopne koszule. *SPP.* **3.** Przybrać kogo za syna ⟨*usynowić*⟩. **4.** Przybrać sobie kogo za towarzysza ⟨*dobrać, wybrać*⟩. **5. p.** c z e g o ⟨*dobierać, dobrać, dokładać, dołożyć; przykładać, przyłożyć czego*⟩: **p.** zupy, materiału, obowiązków, zajęcia. **6. p.** n a c z y m: **p.** na mocy, na sile, na znaczeniu ⟨*stać się silniejszym, znaczniejszym; nabrać mocy, siły, znaczenia*⟩: Ulewa przybrała na sile. W ciągu XIX wieku miasta przybierają na znaczeniu. *Bystr. Kult. 268.* **7. p.** na wadze ⟨*ważyć więcej; (u)tyć, (przy)tyć nieco*⟩: Tuczniki szybko przybierały na wadze. **8.** Rzeka, woda itp. przybiera, przybrała ⟨*poziom wody w rzece podnosi się, podniósł się*⟩.

przybliżenie W przybliżeniu ⟨*niezupełnie ściśle, niezupełnie dokładnie, mniej więcej*⟩: Oszacowano zniszczenia w przybliżeniu na sześćdziesiąt procent. *Bocheń. Praw. 21.*

przybory 1. p. biurowe, rysunkowe; **p.** myśliwskie, rzemieślnicze, szewskie, toaletowe ⟨*narzędzia, komplet narzędzi*⟩. **2. p.** do golenia, do pisania do szycia.

przyboś *gw.* Na **p.** a. **p.** (chodzić) ⟨*bez pończoch, w trzewikach na gołą nogę*⟩: Ona i w zimie przyboś chodzi. *SW.*

przybór *daw.* **p.** rycerski ⟨*rynsztunek, ekwipunek rycerski*⟩.

przybrać p. **przybierać**

przybrany 1. p. ojciec; **p-a** matka; **p-e** dziecko; **p-i** rodzice ⟨*nierodzony(-a, -e, -eni)*⟩. **2. p-e** nazwisko ⟨*obce uznane za własne; pseudonim*⟩: Działać, pisać pod przybranym nazwiskiem. **3. p.** c z y m, w c o: Pokój **p.** kwiatami. Zwrócił się do otyłego człowieka, przybranego w kapelusz z piórem. *Sienk. SPP.*

przybyć, przybywać 1. Przybyło, przybywa c z e g o ⟨*ilość, liczba czego zwiększa się, zwiększyła się*⟩: **p.** lat, dnia, wagi; **p.** ciężarów, kłopotów, powagi. **2.** Wody (w rzece) przybywa ⟨*rzeka przybiera*⟩.

przybytek 1. *książk.* **p.** c z e g o ⟨*pomieszczenie; świątynia*⟩: **p.** nauki, sztuki, wiedzy; **p.** lekkiej muzy; **p.** sprawiedliwości. **2. p.** Pański ⟨*kościół*⟩.
przysł. **3.** Od przybytku głowa nie boli.

przybywać p. **przybyć**

przychodzić, przyjść 1. p. d o c z e g o ⟨*osiągać (-nąć), zdoby(wa)ć co*⟩: **p.** do majątku, do pieniędzy; **p.** do władzy. **2.** *daw.* **p.** d o c z e g o: a) ⟨*popaść, popadać w co, nabawi(a)ć się czego; narazić, narażać się na co*⟩: **p.** do choroby, nieszczęścia, nałogu, niesławy, nędzy; **p.** do rozpaczy; b) ⟨*dojść, dochodzić; dotrzeć, docierać do czego; dowiedzieć się, dowiadywać się; pojąć, pojmować co*⟩: Czyż przyszedłszy do uznania błędu powinniśmy błądzić dalej? *Morzk. Jerzy 23.* **3.** Przyszło do bijatyki, do guzów, do łez ⟨*skończyło się na bijatyce itd.*⟩. **4. p.** do głosu, do słowa ⟨*mieć możność wypowiedzenia się; zabierać głos, przemówić, przemawiać*⟩: Widzi pan, jaka ze mnie gaduła. Nie pozwoliłam dotychczas przyjść panu do słowa. *Morc. Inż. 112.* **5. p.** do lat, do pełnoletności ⟨*sta(wa)ć się pełnoletnim; dorastać, dorosnąć*⟩: Obowiązał rówież opiekuna, jak synów swych, gdy przyjdą do pełnoletności, aby panna Teresa miała do śmierci przytułek i schronienie pod ich dachem. *Korz. J. Krewni 85.* **6.** Przyjść do ładu z kim ⟨*dogadać się z kim, porozumieć się*⟩. **7.** Przyjść do ładu z myślami ⟨*zebrać myśli, uporządkować*⟩: Poszedłem z cygarem do ogrodu, by [...] przyjść do ładu z mymi myślami. *Sienk. Bez dogm. II, 43.* **8. p.** do porozumienia, do zgody ⟨*porozumie(wa)ć się; (po)godzić się*⟩: Mówiliśmy długo, ale do porozumienia przyjść nie było łatwo. *Krasz. Pam. 99.* **9. p.** do przekonania, do przeświadczenia ⟨*po rozważeniu czego być przekonanym, przeświadczonym o czym; przekonywać się o czym*⟩: Po głębszym namyśle przychodzą coraz więcej do przekonania, że stare kawalerstwo, panie, to licha warte. *Bał. Ryby 60.* **10. p.** do przytomności ⟨*odzysk(iw)ać przytomność*⟩: Począł przychodzić do przytomności, odzyskiwać siłę i mowę. *Krasz. Czarna 214.* **11. p.** do rozumu: a) ⟨*nab(ie)rać rozumu, (z)mądrzeć*⟩: Człowiek przychodzi do rozumu z wiekiem. Choć późno do rozumu przyszedłeś, zrozumiałeś, coś zmarnotrawił i stracił! *Orzesz. Niemn. II, 17*; b) Przyjść do rozumu ⟨*uświadomić co sobie, przekonać się o czym*⟩: Przyszedł on na koniec do tego rozumu, że Zuzia nie była partią dla niego. *Kacz. Murd. II, 160.* **12. p.** do równowagi ⟨*odzysk(iw)ać równowagę psychiczną; opanow(yw)ać się*⟩. **13.** *daw.* **p.** do rzeczy, do tego ⟨*przystępować, przystąpić do danej sprawy; zaczy-*

nać, zacząć co omawiać⟩: Przychodźmy teraz do rzeczy, która najbardziej wszystkich obchodzi. *Tremb. Listy II, 19.* **14. p.** do siebie: a) ⟨*odzysk(iw)ać siły; wracać, wrócić do zdrowia; (o)przytomnieć*⟩: Przyszedł do siebie po niejakiej chwili, ale wcale nie wiedział, co się z nim stało. *Kras. Hist. 108*; b) ⟨*odzysk(iw)ać równowagę psychiczną; opanow(yw)ać się*⟩: Rzucił się na krzesło z płaczem. Kiedy cokolwiek przyszedł do siebie, zaczął myśleć, co tu począć. *Libelt Gra 191.* **15. p.** do skutku ⟨*(z)realizować się, urzeczywistni(a)ć się*⟩: Czy interes ten przyjdzie do skutku, nie wiem. *Kron. Koresp. 345.* **16. p.** do zdrowia ⟨*odzysk(iw)ać zdrowie, (wy)zdrowieć*⟩. **17.** Przychodzi, przyszło do czego; do tego, że, iż... ⟨*coś zdarza się, zdarzyło się; zachodzi, zaszło tak daleko, że...; następuje, nastąpiło*⟩: Przyszło do zwierzeń, do konfliktu, do kłótni. Kiedy przyszło do płacenia, panią Stawską znowu napadły skrupuły. *Prus Lalka III, 42.* **18. p.** d o k o g o z c z y m ⟨*zwracać się, zwrócić się do kogo z czym*⟩: **p.** do kogo z kłopotami, z propozycją, z prośbą. **19. p.** na odsiecz, z odsieczą ⟨*(po)śpieszyć, (po)dążyć na ratunek, zwykle komuś atakowanemu, napadniętemu*⟩: Natan się zmieszał i zarumienił, Daniel w tej chwili przyszedł mu z odsieczą. *Sewer Zyzma 227.* **20. p.** na świat ⟨*(u)rodzić się, pojawi(a)ć się na świecie*⟩. **21. p.** z pomocą, *daw.* w pomoc ⟨*okaz(yw)ać pomoc, życzliwość*⟩: Tyle lat żyły w zgodzie, przychodząc sobie z pomocą! *Zap. G. Kaśka 99.* **22. p.** z wizytą, w odwiedziny ⟨*składać, złożyć wizytę, odwiedzać(-ić) kogo*⟩. **23.** Jak przyjdzie, przyszło co do czego ⟨*jak trzeba będzie, trzeba było działać, wykonać co*⟩: Zuchy do gęby i z gęby: a jak przyjdzie co do czego, to gorsi od baby. *Dzierzk. Obrazy 61.* Jak przyszło co do czego, to on chorągiewkę zwinął. *SW.* **24.** Przychodzi, przyszło co na kogo ⟨*ogarnia, ogarnęło go, opanowuje, opanowało nagle, niespodziewanie*⟩: I przyszła na mnie zaduma. *Kaspr. Hymny 107.* **25.** Skąd, skądże mu, tobie itp. przyszło ⟨*skąd się wzięło, z czego wynikło, jaka była przyczyna, że...*⟩: Skądże przyszło tobie odjeżdżać? Ty mi nigdy nie mówiłeś o tym. *Słow. Maz. 232.* **26.** Coś przychodzi, przyszło komu do głowy, na myśl ⟨*ktoś wpada, wpadł na pomysł, coś się komu nasuwa, nasunęło*⟩: Biegł tak szybko, że chwilami przychodziło mu na myśl: czy nie zwraca uwagi przechodniów? *Prus Lalka II, 46.* **27.** Ani komuś do głowy, ani na myśl nie przychodzi, nie przyszło ⟨*ani przez chwilę ktoś o tym nie pomyślał*⟩: A jak mi zwracał na coś uwagę, to tak serdecznie, po prostu, że mi ani do głowy nie przyszło się gniewać. *Kow. A. Rogat. 110.* **28.** Coś przychodzi, przyszło komu na myśl, *przestarz.* na pamięć ⟨*ktoś o czymś sobie przypomina, przypomniał; coś wspomina, wspomniał*⟩: Przychodziły mu ustawicznie na myśl różne epizody z młodości. *Kosiak. Bud. 195.* Przyszła mu na pamięć bajka o świętojańskim kwiecie paproci. *Gomul. Ciury I, 130.* **29.** Coś przychodzi komu łatwo, trudno, bez wysiłku, z łatwością, z trudnością itp. ⟨*coś jest osiągane, zdobywane; ktoś osiąga, zdobywa co łatwo, z trudem itp.*⟩: Myśli po francusku, toteż z trudnością przychodzi jej mówić po polsku. *Żer. Dzien. III, 268.* **30.** Lekko przyszło, lekko poszło ⟨*rzecz, pieniądze łatwo zdobyte, zużyte zostały bez zastanowienia, wydane beztrosko*⟩. **31.** Przyszło komu na co ⟨*ktoś został do czego doprowadzony, zmuszony; spotkało go coś przykrego, złego itp.*⟩: Na to wam przyszło, byście od własnej krwi ginęli. *Krasz. Baśń 209.* **32.** Przychodzi, przyjdzie, przyszło komu (co (z)robić) ⟨*trzeba było, będzie; wypada, wypadnie, wypadło; należy, należało; ktoś jest, będzie, był zmuszony (co (z)robić)*⟩: Przyjdzie nam tu święta samotnie przepędzić. *Mick. Listy II, 20.* **33.** Co komu z tego przyjdzie, przyszło?; nic z tego nie przyjdzie, nie przyszło komu ⟨*jaką ktoś będzie miał z tego korzyść, na co mu się to przyda; ktoś nie będzie miał z tego żadnej korzyści, na nic mu się to nie przyda*⟩: Co ci właściwie przyszło z tych kłamstw. *Goj. Dziew. I, 208.* Nic ci nie przyjdzie, że zaspokoisz ciekawość, a stracić możesz spokojność. *Mick. Listy I, 9.* **34.** Przychodzi, przyszła chęć, fantazja, ochota komu, żeby... [co zrobić]: Przyszła mu ochota wstąpić do baru. **35.** Przychodzi, przyjdzie, przyszła kolej na kogo ⟨*ktoś musi coś wykonać, poddać się czemu*⟩.

przysł. **36.** Kto późno przychodzi, sam sobie szkodzi. **37.** Przyjdzie koza do woza ⟨*będzie się jeszcze szukać u kogo oparcia, pomocy*⟩.

przychylić (się) 1. p. komu nieba ⟨*zrobić dla kogo wszystko, uczynić kogo szczęśliwym; spełniać czyje zachcianki, odgadywać myśli, pragnienia*⟩: Chciałabyś mu nieba przychylić, oddałabyś za niego krew serdeczną. *Sienk. Wołod. I, 153.* **2. p. się** d o c z e g o ⟨*przystać na co, zgodzić się (łaskawie) na co*⟩: **p. się** do czyjej prośby, do czyjego zdania. **3.** *przestarz.* **p. się** na czyją stronę ⟨*przejść na czyją stronę, stać się czyim stronnikiem, zwolennikiem*⟩: Nie umieli stanowczo na żadną stronę się przychylić. *Moracz. Dzieje V, 148.*

przychylność 1. Szczera, wielka, życzliwa **p.** ⟨*życzliwość, względy*⟩. **2. p.** d o k o g o, d l a k o g o, *daw.* k u k o m u; d o c z e g o, k u c z e m u: Otrzymała w spadku po matce znajomość polskiej mowy oraz życzliwą przychylność do narodu. *Dan. SPP.* **3.** Darzyć kogo przychylnością. **4.** Okaz(yw)ać komu **p. 5.** Zjednać sobie, zyskać czyją **p.**

przychylny 1. p. k o m u ⟨*życzliwy, sprzyjający*⟩: Rodzice przychylni starającemu się o rękę córki. **2.** Patrzeć na kogo, na co przychylnym okiem ⟨*odnosić się do kogo, do czego przychylnie*⟩.

przyciąć 1. p. (sobie) c o — c z y m ⟨*przycisnąć, ścisnąć mocno aż do zranienia*⟩: **p.** drzwiami suknię; palec młotkiem, drzwiami. **2. p.** usta ⟨*zacisnąć, ścisnąć*⟩: Przyciął usta i umilkł nagle. *Kow. W. Rodz. 68.* **3.** *przestarz.* **p.** komu języka ⟨*zmusić kogo do milczenia, zagrozić komu, by milczał*⟩: A nie rób plotek asanna — dodała na przykładek macocha — jedno mi słowo piśnij, a zobaczysz, jak ci przytnę języka. *Żmich. Pow. 172.* **4.** *przestarz.* **p.** komu piórek, skrzydełek ⟨*pohamować czyje porywy, zapędy*⟩.

przyciągać, przyciągnąć Coś przyciąga oczy, spojrzenie, uwagę ⟨*jest interesujące, zmusza do obserwacji, zainteresowania*⟩: Jaskrawe reklamy neonowe przyciągają spojrzenie. - Uwagę moją przyciągnęły witryny wielkich magazynów mody męskiej. *Hertz P. Sedan 74.*

przycisk Z przyciskiem (powiedzieć co) ⟨*z zaakcentowaniem, z podkreśleniem, z naciskiem*⟩.

przyciskać, przycisnąć p. kogo do muru ⟨*zmuszać, zmusić kogo do decyzji, do zdecydowanego wypo-*

wiedzenia się, do wyznania czego, do zeznań⟩: Przecież mówiłeś tak, tak. Więc czemu teraz się cofasz? — przyciskała go do muru pani Barbara. *Dąbr. M. Noce II, 160.*

przyczepiać się, przyczepić się p. się d o k o g o o c o, **p. się** d o c z e g o ⟨*występować, wystąpić wobec kogo z pretensjami, szukać zaczepki, dopatrywać się, dopatrzyć się w czym czego złego*⟩: Gdy przeciwnika szarpał, czynił to tak grzecznie [...] że choć się ten wściekał, przyczepić się do niego nie mógł. *Krasz. Opow. 104.*

przyczepka *pot.* Na przyczepkę ⟨*na dodatek, dodatkowo, oprócz tego; dołączywszy do kogo, do czego*⟩: Byłem na wycieczce nie ze swoją klasą, ale z inną na przyczepkę.

przyczółek *wojsk.* **p.** mostowy ⟨*umocnienie służące do obrony lub sforsowania mostu*⟩.

przyczyna 1. Błaha, ważna **p.** ⟨*powód, racja*⟩. **2.** Dochodzić przyczyny czego, znaleźć przyczynę. **3. p.** czego leży w czym. **4.** Bez przyczyny (gniewać się). **5.** Dla niewiadomych przyczyn ⟨*nie wiadomo dlaczego*⟩: Dla niewiadomych przyczyn zabronił synowi myśleć o małżeństwie. *Choj. Alkh. IV, 151.* **6.** Nie bez przyczyny ⟨*zmuszony okolicznością, koniecznością*⟩: Nie bez przyczyny wprawiali młodzież do tej zabawy [do myśliwstwa] ojcowie nasi. *Kras. Podstoli 64.* **7.** Wchodzić w **p-y** ⟨*brać pod uwagę czyje powody, być wyrozumiałym, rozpatrywać co*⟩: Wchodzić w **p-y** czyjego postępowania. **8.** Za czyją przyczyną ⟨*za czyim pośrednictwem, dzięki komu*⟩: Za jego to przyczyną ta potrzeba wygrana, ja pierwszy publicznie to oświadczam. *Sienk. Pot. VI, 165.* **9.** *przestarz.* Dla jakiej, z jakiej przyczyny ⟨*dlaczego, z jakiego powodu; co spowodowało, że...*⟩: Nad wszelkie spodziewanie swoje ja tu panią obaczyłem! Jakim sposobem? Dla jakiej przyczyny? *Orzesz. Anast. 83.* **10.** Dla tej przyczyny ⟨*dlatego, na skutek tego, wobec tego, przeto*⟩. **11.** *daw.* Mieć przyczynę (co (z)robić) ⟨*być w sytuacji uzasadniającej jaką czynność*⟩: Raz Dąb na słabą trzcinę rzuciwszy oko ponure rzekł jej: masz słuszną przyczynę użalić się na naturę. *Zab. VIII/1, 1773, 193.* **12.** Mieć przyczynę ⟨*być uzależnionym, uwarunkowanym w istnieniu; być uzasadnionym*⟩: Doświadczenie wcale nam nie wskazuje, że wszystko ma przyczynę. *Par. Niebo 202.*

przyćmić, przyćmiewać p. pamięć, rozum, umysł ⟨*przytępi(a)ć, osłabi(a)ć*⟩: Ale przyćmienie umysłu nie przyniosło uszczerbku łagodności jej serca. *Brand. K. Drew. 99.*

przydział 1. Dostać, otrzymać **p.** c z e g o ⟨*otrzymać co w przydziale*⟩: Otrzymać **p.** mieszkania, materiałów budowlanych, żywności. **2.** Dostać, otrzymać **p.** d o c z e g o ⟨*zostać przydzielonym dokąd*⟩: Dostać **p.** do pierwszej kompanii, do brygady remontowej. **3.** Dostać, otrzymać **p.** n a c o ⟨*mieć co przyznane; otrzymać dowód, potwierdzenie przyznania czego*⟩: Dostać **p.** na mieszkanie, na samochód.

przygadać *pot.* **p.** sobie dziewczynę, panienkę itp. ⟨*zawrzeć z nią znajomość, pozyskać jej sympatię, względy*⟩.

przyganiać *przysł.* Przyganiał kocioł garnkowi, a sam smoli (a oba smolą).

przygięty Chód **p.** ⟨*charakteryzujący się silniejszym zginaniem nóg w kolanach*⟩.

przygnębienie 1. Ogólne; okropne, straszne **p.** ⟨*złe samopoczucie, smutek*⟩. **2.** Otrząsnąć się z przygnębienia. **3.** Popaść, wpaść w **p. 4. p.** maluje się na czyjej twarzy. **5.** Zapanowało (ogólne) **p.**

przygnieciony p. c z y m ⟨*przytłoczony, przygnębiony*⟩: **p.** smutkiem; **p.** wiadomością, wieścią (niepomyślną).

przygoda 1. Dziwna, nadzwyczajna, niezwykła, zabawna **p.** ⟨*wydarzenie, wypadek*⟩. **2.** Miłosne **p-y** ⟨*przeżycia, romanse*⟩. **3.** Poszukiwacz przygód. **4.** Żądny przygód. **5. p.** w c z y m; z c z y m: **p.** w podróży; **p.** z łódką. **6.** Mieć (dziwną) przygodę. **7.** Opowiadać (swoje) **p-y**; słuchać, szukać przygód. **8. p.** spotyka, spotkała kogo; zdarzyła się komu: Spotkała nas w drodze zabawna przygoda. *SW.*

przygotować, przygotowywać 1. p. artykuł, książkę itp. ⟨*(na)pisać na określony termin*⟩. **2. p.** co (maszynopis, rękopis itp.) do druku ⟨*opracow(yw)ać odpowiednio, (z)adiustować*⟩. **3. p.** grunt, drogę do czego ⟨*stworzyć, stwarzać odpowiednie warunki do czego*⟩: **p.** grunt do reform. **4. p.** lekcje ⟨*odrobić, odrabiać*⟩. **5. p.** k o g o d o c z e g o ⟨*(na)uczyć kogo tego, co jest konieczne do zdania egzaminu, do rozpoczęcia pracy itp.*⟩: **p.** kogo do egzaminu, do matury, do pracy w biurze, do szkoły. **6. p.** kogo na śmierć ⟨*u katolików: udzielić komu ostatnich sakramentów*⟩.

przygotowanie 1. p. d o c z e g o ⟨*przyszykowanie, przysposobienie (się)*⟩: **p.** do egzaminu; zwykle w *lm* ⟨*starania, zabiegi, zachody*⟩: **p-a** do podróży, do zabawy, do wesela. **2.** Robić, (po)czynić, rozpocząć **p-a** do czego. **3.** Mówić, przemawiać bez przygotowania ⟨*improwizować*⟩.

przygotowywać p. **przygotować**

przygruchać *pot. żart.* **p.** sobie pannę, dziewczynę, dzierlatkę itp. ⟨*wdzięcząc się, przymilając się pozyskać jej sympatię, względy; przygadać ją sobie*⟩.

przygwożdżony Być, siedzieć, zatrzymać się jak **p.** ⟨*być itp. unieruchomionym, nie móc się poruszyć*⟩.

przyjaciel 1. Dobry, niezawodny, oddany, serdeczny, wierny **p. 2. p.** domu ⟨*człowiek zżyty z całą rodziną, często bywający, traktowany prawie jak domownik*⟩. **3. p.** od kieliszka ⟨*kompan dotrzymujący towarzystwa przy piciu; towarzysz hulanek*⟩. **4. p.** od serca ⟨*bliski, serdeczny przyjaciel; powiernik*⟩. **5.** Liga Przyjaciół Żołnierza. **6.** Towarzystwo Przyjaciół Nauk. Towarzystwo Przyjaciół Dzieci. **7.** (Mój) przyjacielu ⟨*zwrot poufały używany w stosunku do osób młodszych lub niższych stanowiskiem*⟩: Mój przyjacielu, weź mię do twej łódki. *Bogusł. W. Cud. 68.*

przysł. **8.** Dla przyjaciela nowego nie opuszczaj starego. **9.** Przyjaciela poznasz (poznaje się) w biedzie.

przyjacielski Po przyjacielsku ⟨*w sposób właściwy przyjaciołom; przyjaźnie, serdecznie, życzliwie*⟩: Przyjąć kogo, radzić co komu po przyjacielsku.

przyjazny 1. p-a atmosfera ⟨*przychylna, życzliwa*⟩. **2. p-a** dłoń, ręka ⟨*o człowieku życzliwym, ofiarującym pomoc, okazującym życzliwość*⟩. **3. p-a** dusza ⟨*o człowieku przyjaznym, życzliwym*⟩. **4. p.** komu ⟨*życzliwy, życzliwie usposobiony dla kogo*⟩: **p.** ludziom. **5.** Podać komu, wyciągnąć do kogo przyjazną dłoń, rękę ⟨*okazać komu życzliwość, pomoc*⟩: Kiedy rękę przyjazną chcę wyciągnąć do ciebie, toż muszę przecie wiedzieć dokładnie, z kim mam do czynienia. *Kaczk. Grób. II, 84.*

przyjaźń 1. Bezinteresowna, dozgonna, niezachwiana, prawdziwa, serdeczna, szczera, wierna, wzajemna, zażyła **p.**; **p.** do grobowej deski; **p.** fałszywa. obłudna; **p.** dla interesu. **2. p.** d l a k o g o; z k i m; p o m i ę d z y k i m (a k i m): Uczuł dla tego człowieka przyjaźń. *Żer. SPP.* **p.** z kolegą szkolnym, pomiędzy kolegami. **3. p.** o d c z e g o ⟨*ograniczona do czego*⟩: Przyjaźń od tańca, tenisa i wycieczek. *Nałk. Z. SPP.* **4.** *książk.* Węzły, związki przyjaźni: Połączyć się z kim węzłem przyjaźni. **5.** Być z kim w przyjaźni ⟨*przyjaźnić się z kim*⟩: Był w przyjaźni z wielu pisarzami i artystami. **6.** Darzyć, zaszczycić kogo przyjaźnią. **7.** Dochować komu przyjaźni. **8.** Mieć **p.** dla kogo ⟨*żywić uczucia przyjazne względem kogo*⟩: Pomimo całej sympatii i przyjaźni, jaką mam dla pani, nie mogę tak ryzykować — oświadczył. *Meis. Sams. 117.* **9.** Mieć z kim **p.** ⟨*być z kim w stosunkach przyjacielskich*⟩: Do tej przemowy [...] przydał katalog wszystkich [...] z którymi miał przyjaźń. *Polak w Paryżu 19.* **10.** Okazać, poprzysiąc, zaprzysiąc komu **p. 11.** (Po)zyskać, zjednać sobie czyją **p. 12.** Szczycić się czyją przyjaźnią. **13.** Zawiązać, zawrzeć, *daw.* zabrać z kim **p.**, wejść z kim w **p.** ⟨*zaprzyjaźnić się*⟩: Jeżeli mamy zawrzeć przyjaźń, trzeba się nam bliżej poznać. *Grusz. Ar. Tys. 288.* **14.** Żyć z kim w przyjaźni. **15. p.** łączy, wiąże kogo z kim. **16. p.** wywiązała się z czego; między kim (a kim).

przyjąć, przyjmować 1. p. c o: **p.** co entuzjastycznie, łaskawie, nieufnie, radośnie, spokojnie, życzliwie; z pokorą, ze spokojem itp. ⟨*ustosunkow(yw)ać się do czego w określony sposób*⟩: Śmierć syna przyjął z większym spokojem, niż można było przypuścić. *Bał. Dziady 231.* **2. p.** co na wiarę ⟨*(u)wierzyć w co bez dowodu*⟩: Mój czytelnik tymczasowo musi na wiarę przyjąć, że bądź co bądź sofiści byli w dziejach greckiego myślenia zjawiskiem epokowym. *Święt. A. Moral. 21.* **3. p.** bitwę, walkę, wojnę, wezwanie, wyzwanie ⟨*(z)decydować się na walkę z atakującym*⟩: Bolesław IV nie mogąc sprostać siłom niemieckim, nie przyjmował walnej bitwy, lecz tylko ustawicznie Niemców wojną podjazdową morzył. *Baliń. M. Polska III/2, 16.* **4. p.** chrzest, komunię, sakramenty ⟨*podd(aw)ać się ceremonii udzielenia sakramentów; zostać, być ochrzczonym*⟩. **5. p.** defiladę ⟨*(z)robić uroczysty przegląd defilujących*⟩: Jak on przyjmował defilady, prawdziwy posąg! *Żukr. Dni 187.* **6. p.** dymisję czyją ⟨*wyrazić zgodę na ustąpienie czyje ze stanowiska*⟩. **7. p.** gościnę u kogo ⟨*st(aw)ać się czyim gościem, zamieszkać u kogo jako gość*⟩. **8. p.** katolicyzm, protestantyzm itp. ⟨*zostać, stać się katolikiem itp.*⟩. **9. p.** meldunek, raport, skargę; **p.** co do wiadomości ⟨*(wy)słuchać czego; pozwolić, pozwalać sobie coś donieść, zakomunikować; uważać się za powiadomionego o czym*⟩. **10. p.** (czyje) oświadczyny, **p.** k o g o ⟨*zgodzić się, zgadzać się na poślubienie kogo*⟩. **11. p.** pieniądze za co ⟨*wziąć, brać opłatę za co*⟩. **12. p.** pocztę, towar ⟨*odebrać, odbierać pocztę itp.*⟩ **13. p.** posadę, stanowisko, obowiązek, służbę, miejsce itp. ⟨*zacząć pracować gdzie, objąć jakie stanowisko, urząd itp.; zgodzić się, zgadzać się na objęcie stanowiska, urzędu itp.*⟩. **14. p.** posiłek, pokarm, lekarstwo ⟨*(z)jeść, spoży(wa)ć; połknąć, połykać*⟩. **15. p.** określoną postawę, pozycję, kurs itp. ⟨*ustawi(a)ć, usytuo(wy)wać się w określony sposób*⟩: W zamieszaniu nie mogli ani szyku bojowego sformować, ani przyjąć pozycji obronnej. *Gomul. Miecz. II, 136.* **16.** *daw.* **p.** prawo miejskie ⟨*uzn(aw)ać prawo miejskie, zostać, stawać się mieszczaninem*⟩: Szlachcic musiał przyjąć prawo miejskie i poddać się magdeburgii, ażeby mu pozwolono własność miejską zakupić. *Kaczk. Olbracht. I, 146.* **17. p.** święcenia kapłańskie, śluby zakonne ⟨*zost(aw)ać kapłanem, zakonnikiem*⟩. **18. p.** udział w czym ⟨*zostać, być uczestnikiem czego; wziąć, brać w czym udział*⟩. **19.** Przyjąć wizytę, przyjmować wizyty ⟨*(u)gościć kogo*⟩: Oddałyśmy i przyjęłyśmy kilka wizyt. *Orzesz. Pam. II, 71.* **20. p.** zapisy, zamówienie ⟨*sta(wa)ć się pośrednikiem między zamawiającym co a wykonawcą*⟩: Kelner przyjął zamówienie na obiad. **21. p.** zasadę, system; **p.** co za zasadę, za metodę postępowania ⟨*(uzn(aw)ać co za regułę postępowania*⟩. **22. p.** c o d o c z e g o, w c o: **p.** co do depozytu a. w depozyt ⟨*wziąć na przechowanie*⟩. **23.** Przyjąć co w komis ⟨*podjąć się pośrednictwa w sprzedaży czego*⟩: Bazar ten przyjmuje w komis do sprzedaży wszystko, co komu się zamarzy sprzedać. *Prz. Tyg. Życia 1, 1875.* **24. p.** co w zastaw ⟨*wziąć co jako zabezpieczenie zwrotu wypłaconej komu sumy*⟩: W drugiej sali [lombardu] znacznie mniejszej przyjmowano w zastaw kosztowności. *Brand. M. Sport. 36.* **25. p.** c o z a c o ⟨*uzn(aw)ać, poczyt(yw)ać za co*⟩: Wszystkie opowiadania przyjmował za prawdę. *Bystr. Kult. 178.* **26. p.** co za dobrą monetę ⟨*(u)wierzyć czemu bezkrytycznie; nie dostrzec, nie dostrzegać ironii, obłudy, kłamstwa*⟩: Za dobrą monetę przyjmował jej piękne słówka. *Żmich. Pow. 240.* **27. p.** kogo chłodno, ozięble; gorąco, radośnie, z otwartymi rękami (ramionami) ⟨*(przy)witać kogo u siebie nieżyczliwie; bardzo serdecznie*⟩. **28. p.** k o g o — c z y m. **29. p.** k o g o ogniem ⟨*zacząć, zaczynać strzelać do kogo*⟩: Jeden z plutonów rozwinął się pod lasem i przyjął ogniem nieprzyjaciela. *Wojtk. Gen. 99.* **30. p.** kogo obiadem, herbatą itp. ⟨*(po)częstować gościa obiadem, herbatą itp.; (u)gościć*⟩. **31. p.** k o g o — d o c z e g o; n a c o. **32.** *daw.* **p.** kogo do herbu, do obywatelstwa ⟨*nadać komu swój herb, nadać komu obywatelstwo*⟩. **33.** *daw.* Przyjąć kogo do łaski ⟨*okazać komu swoją łaskę, życzliwość; przywrócić dawne względy*⟩. **34. p.** kogo do organizacji, do partii, do stowarzyszenia, do szkoły, do związku ⟨*(u)czynić członkiem organizacji, partii, związku; umożliwi(a)ć naukę, studia*⟩. **35. p.** kogo na mieszkanie, pod swój dach, na nocleg itp. ⟨*zgodzić się, zgadzać się na czyje zamieszkanie u siebie, na przenocowanie kogo u siebie itp.*⟩: Ludzie i tak dobrzy, że nas przyjęli pod swój dach. *Bron. J. Siostra. 27.* **36. p.** k o g o — z a k o g o (d o c z e g o). **37. p.** kogo za swoje dziecko, za syna, córkę; **p.** do rodziny ⟨*adoptować kogo, zgodzić się, zgadzać się traktować kogo jako członka* *rodziny⟩*. **38. p.** kogo za pomocnika, za lokaja, za portiera itp. ⟨*dać komu zajęcie, posadę pomocnika, lokaja itp., nająć kogo w jakim charakterze*⟩: Może byście mnie, gospodarzu, przyjęli za parobka. *Kruczk. SPP*. **39.** Coś przyjmuje dobry, zły itp. obrót ⟨*coś zmienia się na lepsze, gorsze; toczy się inaczej niż dotąd*⟩: Sprawa przyjęła pomyślniejszy obrót. **40.** Coś przyjmuje określoną barwę, kolor, wygląd ⟨*coś zabarwia się w określony sposób, zmienia wygląd*⟩.

przyjemnie Bardzo mi **p.** (pana, panią itd. poznać) ⟨*formułka grzecznościowa używana przez osobę, której przedstawia się kogoś*⟩.

przyjemność 1. Prawdziwa, wielka **p. 2.** Dla przyjemności (co robić): Polował dla przyjemności. Sporty uprawiał dla przyjemności. **2a.** Z przyjemnością (co robić): Z przyjemnością przyglądał się rozgrywanym na stadionie zawodom sportowym. - Zrobię to dla pana z całą przyjemnością. *SW*. **3.** Mieć, znajdować w czym **p. 4.** Mieć **p.** znać, poznać, widzieć kogo ⟨*grzecznościowo: znać, poznać itp. kogo*⟩: Pamiętam bardzo dobrze i te dawniejsze czasy, w których miałem przyjemność poznać łaskawą Panią jeszcze jako dziewczynkę. *Sienk. Koresp. I, 35*. **5.** Z kim mam **p.**? ⟨*formułka grzecznościowa zastępująca bezpośrednie zapytanie o czyjeś nazwisko*⟩: — Kto pan jesteś? — pytał. — Z kim mam przyjemność? *Ritt. Most 62*. **6.** Dostarczać, dozn(aw)ać przyjemności. **7.** Odmówić sobie, wyrzec się przyjemności czego. **8.** Sprawić, zrobić komu **p.**: Ilekroć przyjdziesz, zrobisz mi zawsze wielką przyjemność. *Orzesz. Argon. 21*. **9.** Uganiać się za przyjemnościami życia. **10.** Używać wszelkich przyjemności. **11. p.** spotyka kogo.

przyjęcie 1. Chłodne, owacyjne, serdeczne, zimne, życzliwe **p.** ⟨*powitanie*⟩. **2.** Huczne, skromne, uroczyste, wielkie, wystawne **p.** ⟨*posiłek dla zaproszonych gości*⟩. **3.** Godziny przyjęć ⟨*ustalone godziny udzielania porad lekarskich, konsultacji, audiencji itp.*⟩: Wyznaczyć, zmienić godziny przyjęć. **4.** Izba przyjęć ⟨*przychodnia lekarska*⟩. **5.** Doznać chłodnego, uprzejmego, życzliwego itp. przyjęcia; spotkać się z chłodnym itp. przyjęciem ⟨*zostać powitanym chłodno, uprzejmie, życzliwie itp.*⟩. **6.** Coś jest do przyjęcia; nie do przyjęcia ⟨*na coś można się zgodzić, nie można się zgodzić*⟩: Warunki do przyjęcia. Propozycja nie do przyjęcia. **7.** Urządzać **p-a** (dla kogo). **8.** Zgotować komu owacyjne **p.** ⟨*powitać kogo owacyjnie*⟩: Artystce zgotowano owacyjne przyjęcie.

przyjęty Coś jest **p-e** ⟨*coś stanowi zwyczaj, jest powszechnie stosowane*⟩: Prawda, że nie jest przyjęte na świecie od nieznajomego podarunki przyjmować. *Krasz. Poeta 144*.

przyjmować p. **przyjąć**

przykazać *daw.* dziś *żart.* Jak Bóg (Pan Bóg) przykazał ⟨*jak należy, jak jest ogólnie przyjęte*⟩: Ubrana i uczesana jak Pan Bóg przykazał, odmłodniała o jakie piętnaście lat. *Lam J. Kariery 150*.

przykład 1. Dobry, zły **p. 2. p.** c z e g o (gdy się wymienia przedmiot, który jest treścią przykładu): Cudowne przykłady takich pierwotnych metafor mamy w „Pieśni nad Pieśniami". (*Przybysz.*) *SPP*. **3. p.** n a c o (gdy się wymienia zasadę ogólną, której przykład jest tylko szczególnym wypadkiem): Przykłady na regułę trzech, na podnoszenie do potęgi; na deklinację pierwszą. *SW*. **4.** Dla przykładu (ukarać kogo). **5.** Na **p.** (np.) ⟨*wyrażenie poprzedzające przykładowe wskazanie na co lub wyliczenie czego*⟩: Drzewa iglaste, jak na **p.** sosna, świerk. *SW*. **6.** Brać **p.** z kogo ⟨*naśladować kogo*⟩. **7.** Być przykładem czego ⟨*stanowić dowód, ilustrację czego*⟩: Był przykładem dobrego kolegi. **8.** Czerpać skąd **p-y. 9.** Dać, dawać (dobry, zły) **p.** komu ⟨*postąpić, postępować w sposób godny naśladowania; pobudzać do czego (do dobrego, do złego)*⟩: Dawała córce przykład swoim skromnym i pracowitym życiem. *Olcha Most I, 98*. **10.** Dawać, stawi(a)ć kogo za **p.** komu. **11.** Dowieść czego; okazać, objaśnić, wykazać co na przykładzie. **12.** Iść, pójść za czyim przykładem ⟨*(z)robić to samo; postępować, postąpić podobnie*⟩: Idąc za przykładem starszych i ja kilka słów powiem o mojej edukacji. *Sztyrm. Katalept. II, 112*. **13.** *przestarz.* Nie ma, nie było przykładu czego ⟨*nie zdarza się, nie zdarzyło się*⟩: Nie było przykładu, żeby pojazd lub wóz wjechawszy do tej wsi nie zatrzymał się przed karczmą. *Rzew. H. Zamek 9*. **14.** Podawać; przytaczać, przytoczyć **p.** lub co jako **p.**: Historia drugiego takiego przykładu nie podaje. *Sienk. SPP*. **15.** Świecić przykładem ⟨*postępować wzorowo, być wzorem dla innych*⟩: W szkole uczył się dobrze, świecił innym przykładem.

przykładać, przyłożyć 1. *przestarz.* **p.** chłostę, klapsa, kułaka komu ⟨*wymierzyć*⟩: Przyłożył kułaka Jakubowej, gwałtem dopominającej się na piwo za znoszenie rzeczy. *Wol. Dom. III, 94*. **p.** dziecku klapsa. **2. p.** głowę do poduszki ⟨*kłaść się do snu; położywszy się zasypiać*⟩: Zdawało się Adasiowi, że ledwo przyłożył głowę do poduszki, a tu Zosia ciągnie go za ramię. *Was. W. Pok. 90*. **3.** Przykładać do kogo, do czego miarę, łokieć itp. ⟨*oceniać, sądzić kogo, co, porównywać kogo, co z kim, czym*⟩: Do niej przecie nie można przykładać tej miary, co do pierwszej lepszej przeciętnej kobiety. *Perz. Siostra 78*. **4.** *elektr.* Przyłożyć napięcie ⟨*włączyć, dołączyć napięcie*⟩. **5. p.** komu nóż do gardła ⟨*stawiać, postawić kogo w krytycznej sytuacji; wymuszać(-sić) co na kim*⟩: Nie może darować Marysieńce, że ona — jego poddanka — ośmiela się jemu, Ludwikowi, przykładać — jak mówi — nóż do gardła. *Boy Mar. 160*. **6. p.** pieczęć, pieczątkę ⟨*odciskać, odcisnąć pieczęć; (o)pieczętować*⟩. **7.** *przestarz.* **p.** pracy, pilności, uwagi itp. ⟨*pilnie pracować, być pilnym, uważnym itp.*⟩: Z przyszłych plonów można było dług spłacić, byle rąk i pracy przyłożyć. *Sienk. Now. II, 240*. **8.** (Dobry, miły, zacny itp.) że (choć) do rany przyłóż, przyłożyć ⟨*bardzo, nadzwyczaj dobry, miły itp.*⟩. **9. p.** ręki do czego ⟨*brać, wziąć w czym udział; zajmować się, zająć się czym; być współtwórcą czego*⟩: Nie było inicjatywy, do której by on ręki nie przyłożył. **10.** *fiz.* Przyłożyć siłę do czego ⟨*działać z określoną siłą na dany przedmiot*⟩. **11.** *przestarz.* **p.** starań, wysiłków ⟨*bardzo się starać o co*⟩: Przykładał starań, aby wszelkie zajęcie skierować na siebie samego. *Łoz. Wal. Noce 106*. **12.** Przykładać do czego wagę, znaczenie ⟨*uznawać co za ważne, kłaść nacisk na co, doceniać co należycie*⟩: Twoja ciotka, pani prezesowa, bardzo wiele wagi przykłada do jego bytności tutaj. *Prus Przem. 173.*

przykładek, przykładka *daw.* Na przykładek, na przykładkę ⟨*dodatkowo, jako dodatek*⟩: A nie rób plotek asanna, dodała na przykładek macocha. *Żmich. Pow. 172.*

przykładnie p. ukarać, ukarany ⟨*należycie, surowo, dla odstraszenia innych*⟩.

przykładny p-a kara; **p-e** ukaranie ⟨*odstraszająca(-e); surowa(-e)*⟩.

przykro 1. Jest, było **p.** (co robić) ⟨*jest, było źle, niemiło, niesympatycznie (co robić)*⟩: Przykro jest tułać się po cudzych kątach. *Prus Kron. IV, 301.* **2.** Jest, było, zrobiło się komu **p.** ⟨*ktoś odczuwa(ł) żal, zakłopotanie; czuje się, czuł się dotknięty, źle, nieswojo*⟩: Przykro mi, że mimo woli obraziłem tę kobietę. *Orzesz. Na dnie II, 82.*

przykrość 1. Wielka, wyraźna **p. 2.** Z przykrością (co robić, stwierdzać): Z przykrością wyznać muszę, że... *SW.* **3.** Doświadczyć, znosić od kogo; doznać w życiu (wielu) przykrości. **4.** Mieć przykrości. **5.** Narażać kogo na przykrości ⟨*na kłopoty, na zmartwienia*⟩. **6.** Oszczędzić komu przykrości. **7.** Sprawić, wyrządzić, zrobić komu **p.** ⟨*dokuczyć komu, dotknąć kogo; spowodować, że komu jest, zrobiło się przykro*⟩: Nie sprawiałby rodzicom przykrości. *Bartk. SPP.* **8. p.** maluje się na czyjej twarzy, spotyka kogo.

przykrócać, przykrócić p. cugli komu ⟨*wziąć, brać w karby; ograniczyć(-ać) kogo w beztroskim postępowaniu*⟩: Solą w oku wam jestem, bom wam cugli przykróciła. *Gomul. Mieszczka 191.*

przykry p. d l a k o g o, c z e g o ⟨*niemiły, nieznośny*⟩: człowiek **p.** dla otoczenia; dźwięk **p.** dla ucha.

przykryć, przykrywać p. c o — c z y m: **p.** głowę, włosy kapeluszem, czapką itp. ⟨*włożyć, wkładać kapelusz, czapkę na głowę*⟩.

przykryć się p. się nogami ⟨*upaść do tyłu prawie fiknąwszy koziołka*⟩: I chłop, psiakrew, jakem lunął w psyk, tak się nogami przykrył! *Syg. Wysadz. 336.*

przykrywka Pod przykrywką czego ⟨*pozorując co czym*⟩: Sypał złośliwościami pod przykrywką żartu.

przykrzyć się Przykrzy się komu ⟨*ktoś się nudzi, jest znudzony*⟩: Strasznie mu się przykrzyło bez określonego zajęcia.

przykuć, przykuwać 1. p. oczy, spojrzenie, wzrok ⟨*przyciągnąć, przyciągać wzrok; zmusić, zmuszać do przyglądania się*⟩: Dziwna jakaś siła przykuwała wzrok mój do jego twarzy. *Żmich. Pow. 199.* **2. p.** uwagę ⟨*mocno (za)interesować, (za)frapować*⟩: Książka jest pomysłowa, przykuwająca uwagę i żywa. *Rocz. Lit. 1934, s. 241.* **3. p.** kogo do miejsca ⟨*(s)powodować zatrzymanie się kogo w miejscu; zmusić, zmuszać kogo do zatrzymania się*⟩: Chciał wyjść, lecz grzmot oklasków z galerii przykuł go do miejsca. *Sewer Zyzma 338.*

przykuty Siedzieć, stać, stanąć jak **p.** ⟨*bez ruchu, nie mogąc się ruszyć (zwykle pod wpływem silnych wrażeń)*⟩: Stanąłem jak przykuty... każdy wyraz ich rozmowy utkwił mi na wieki w pamięci. *Dziek. Siła 51.*

przykuwać p. **przykuć**

przylać, przylewać *przestarz.* **p.** oliwy do ognia ⟨*podsycić(-ać) czyj gniew, rozjątrzyć(-ać) kogo*⟩: Wdawał się w polemikę piśmienną z Jezuitami toruńskimi [...] i tym sposobem do ognia przylewał oliwy. *Łukasz. Hist. IV, 172.*

przyległy p. d o c z e g o, *rzad.* k o m u ⟨*przylegający do czego, pograniczny*⟩: Grunty przyległe do naszych. *SPP.* W przyległym wielkiemu salonowi pokoju. *Orzesz. SPP.*

przylgnąć 1. p. d o k o g o, d o c z e g o; **p.** sercem do kogo; serce czyje przylgnęło do kogo ⟨*przywiązać się do kogo, do czego; ktoś przywiązał się do kogo*⟩: Przylgnął do ich domu. *SPP.* Serce moje przylgnęło do Fruzi. *Jeł. SW.* **2. p.** oczami do czego; oczy czyje przylgnęły do czego ⟨*patrzeć intensywnie, z uwagą na co, przyglądać się czemu uważnie; ktoś przyglądа(ł) się czemu z uwagą*⟩: Przylgnął oczami do jej twarzy.

przylizać, przylizywać p. włosy ⟨*(u)czesać gładko*⟩.

przyłapać, przyłapywać p. k o g o — n a c z y m ⟨*zast(aw)ać kogo w chwili popełniania jakiegoś (zwykle zabronionego lub przestępczego) czynu; (wy)tropić kogo*⟩: **p.** kogo na kłamstwie, na grubej omyłce; na gorącym uczynku. Zląkłeś się tak, jakbym cię przyłapał na złej lekturze. *Par. SPP.*

przyłatać Ni przypiął, ni przyłatał; *rzad.* ni przypiąć, ni **p.** ⟨*o czymś zrobionym, powiedzianym bez sensu, nie pasującym do czego*⟩: Powie czasem coś takiego ni przypiął, ni przyłatał. *Unił. Żyto 193.* Masz czasem takie koncepta, że te w istocie ni przypiąć, ni przyłatać. *Lam J. Głowy II, 87.*

przyłbica Odkryć, odsłonić, podnieść przyłbicę, wystąpić z podniesioną przyłbicą; uchylić przyłbicy ⟨*wystąpić otwarcie, jawnie, nie kryć się z czym*⟩: Zdecydował się porzucić swoje [...] incognito i wstąpił nareszcie z podniesioną przyłbicą w szranki dziennikarskich zapasów. *Prus Kłop. 73.*

przyłożyć p. **przykładać**

przymierzać, przymierzyć 1. Nie przymierzając ⟨*zwrot usprawiedliwiający porównanie*⟩: A ja się zmachałem, nie przymierzając, jak pachciarska szkapa. *Żer. Grzech 23.* Głodny byłem, nie przymierzając jak pies. *Reym. Now. V, 105.*

przysł. **2.** Nie uwierzy, aż przymierzy.

przymierze 1. Odporne, wieczyste, zaczepne, zaczepno-odporne **p.** ⟨*ugoda, sojusz*⟩. **2. p.** z k i m; m i ę d z y k i m a k i m. **3.** Nowe Przymierze ⟨*w religii chrześcijańskiej: Nowy Testament*⟩. **4.** Stare Przymierze ⟨*w religii mojżeszowej: Stary Testament*⟩. **5.** *kult.* Arka przymierza ⟨*skrzynia, w której według Biblii przechowywane były od czasów Mojżesza tablice dziesięciorga przykazań bożych*⟩: *przen.* O wieści gminna! ty arko przymierza między dawnymi i młodszymi laty. *Mick. Konrad 101.* **6.** Naruszyć, zerwać, złamać **p. 7.** Wejść z kim w **p. 8.** Wypowiedzieć (komu) **p. 9.** Zawrzeć z kim **p. 10. p.** stanęło (między kim a kim).

przymierzyć p. **przymierzać**

przymknąć, przymykać 1. p. oczy, powieki ⟨*zasłonić, zasłaniać oczy powiekami; spuścić, spuszczać powieki*⟩. **2.** Nie przymknąć oka ⟨*nie zmrużyć, nie zasnąć*⟩: Wschód się wyjaśniał, a on oka nie przymknął. *Krasz. SW*. **3. p.** oczy na co ⟨*nie zwrócić, nie zwracać uwagi na czyje postępowanie, sprawki, nie przeciwdziałać czyjemu postępowaniu, czyim sprawkom*⟩: Dostanie pan pieniądze, policja przymknie oczy i niech pan ucieka. *Boy Flirt IX, 146*. **4.** *gw. miejska* Przymknąć kogo ⟨*pozbawić wolności, osadzić w więzieniu*⟩: A pani Antoniowa czego się tu szwenda? No, no, proszę uważać. Bo jeszcze mogą panią przymknąć. *Past. Trzeba 77*.

przymówka 1. Ironiczna, uszczypliwa, złośliwa **p.** ⟨*przytyk*⟩. **2. p.** o c o ⟨*dopominanie się*⟩: **p.** o wsparcie. **3.** *przestarz.* Czynić przymówkę do czego ⟨*robić aluzje; przymawiać czemu*⟩: No! nie na wielkoluda waszmość wyglądasz! — rzekł Kmicic czyniąc przymówkę do wzrostu rycerza. *Sienk. Pot. I, 117*. **4.** Uważać, wziąć co za przymówkę do czego, o co: Pomiarkowałem zaraz, żem się nie powinien przed nim skarżyć na tę moją biedę, aby tego nie wziął za przymówkę do kieszeni. *Krasz. Opow. 250*. **5. p-i** spotykają kogo.

przysł. **6.** Na drugiego przymówka, a na się ni słówka.

przymus 1. p. fizyczny ⟨*zmuszenie do czego przy użyciu siły*⟩. **2.** *praw.* **p.** adwokacki ⟨*obowiązkowe zastępstwo strony przez adwokata w procesie*⟩. **3. p.** osobisty ⟨*umieszczenie dłużnika na określony czas w miejscu odosobnionym*⟩. **4. p.** szkolny a. nauczania ⟨*obowiązek posyłania dzieci do szkoły podstawowej*⟩. **5.** Pod przymusem, z przymusem (co robić) ⟨*wbrew woli, z konieczności, nie dobrowolnie, z musu*⟩: Idzie za mąż bez miłości, pod przymusem. *Żer. Śnieg 17*. **6.** *przestarz.* Zadawać **p.** sobie lub komu ⟨*zmuszać się, zmuszać kogo do czego*⟩: Zadawała sobie widoczny przymus, aby być dla mnie serdeczną jak dawniej. *Orzesz. Z różnych I, 251*.

przymusowy 1. p-e lądowanie ⟨*spowodowane defektem samolotu*⟩. **2.** Praca **p-a** ⟨*niedobrowolna, narzucona*⟩.

przymykać p. **przymknąć**

przynależność 1. p. państwowa, **p.** do państwa ⟨*uregulowany prawem związek między jednostką a państwem, prawo obywatelstwa*⟩. **2. p.** narodowa, organizacyjna, partyjna, społeczna kogo ⟨*należenie do czego*⟩.

przynależy *daw.* Jak **p.** ⟨*jak należy*⟩: Dzisiaj jawnie już widzę, żeś jest kawaler [...] umysłu takiego, jak przynależy. *Kaczk. Murd. I, 113*.

przynieść, przynosić 1. p. c o: **p.** dochód, zysk ⟨*da(wa)ć*⟩: Wiele ten dom przynosi [dochodu]? *SW*. **2. p.** hańbę, stratę, szkodę, ujmę, wstyd; **p.** chlubę, korzyść, pożytek, zaszczyt ⟨*sprowadzić(-dzać) co na kogo; sprawi(a)ć, (s)powodować co; narazić(-żać) kogo na co*⟩. **3. p.** pociechę, ulgę ⟨*da(wa)ć, sprawi(a)ć*⟩. **4. p.** wiadomość ⟨*(za)komunikować, obwieścić(-eszczać) co; zawiadomić(-damiać) o czym*⟩. **5. p.** co z sobą na świat ⟨*(u)rodzić się z czym (np. z jakimiś właściwościami, cechami charakteru, zdolnościami itp.)*⟩: Fundamenty rysów i charakteru człowiek przynosi na świat, gdy się rodzi. *Dygas. Molk. 123*. **6. p.** sobie imię ⟨*być, zostać nazwanym imieniem, jakie przypada w kalendarzu w dniu urodzenia kogo*⟩: Dano na chrzcie takie [imię], jakie sam sobie przyniosłem. *Zal. Marc. Wspom. 16*. **7.** *daw.* **p.** w ofierze, w dani, w darze ⟨*złożyć w ofierze, ofiarować*⟩. **8.** *daw.* **p.** w posagu ⟨*wnieść w posagu*⟩. **9.** Gadać, mówić, pleść co ślina do ust, do gęby, na język przyniesie ⟨*gadać, mówić bez zastanowienia, byle co*⟩: Plótł trzy po trzy, co mu ślina do ust przyniosła. *Skiba Poziom. 261*. Wolno mówić, co komu ślina do ust przyniesie. *Krasz. SW*. **10.** Coś, licho kogo przynosi, przyniosło; diabli kogo przynieśli ⟨*ktoś niepotrzebnie przyszedł; jest zbyteczny, sprawia kłopot*⟩: Jakie licho przyniosło cię tu tak wcześnie? *Sztyrm. Katalept. I, 10*.

przyoblec (się), przyoblekać (się) *książk.* **1.** Przyoblec habit; sukienkę duchowną, zakonną ⟨*zostać zakonnikiem (zakonnicą), księdzem*⟩. **2. p.** co w jaką formę, w jaki kształt, w jaką postać itp. ⟨*nada(wa)ć czemu jaką formę itp.; wyrazić(-żać) co w jakiej formie itp.*⟩: Bardzo cenne przyczynki źródłowe, przyobleczone w formę zajmującą i barwną, mamy w pomniejszych szkicach. *Kryt. 9/1, 1910, s. 110*. **3. p. się** w jaką formę, w jaki kształt, w jaką postać itp. ⟨*przybrać, przybierać jaką formę; zostać wyrażonym, być wyrażanym w jakiej formie itp.*⟩: Prus rozumiejąc doskonale potrzebę zmiany położenia kobiet w społeczeństwie, drwi z form, w jakie się agitacja reformatorska przyoblekła. *Matusz. I. Swoi 59*. **4. p.** w słowa ⟨*wyrazić słowami, nadać czemu formę słowną*⟩.

przypadek 1. Czysty, nieprzewidziany, prosty, ślepy **p.** ⟨*traf, zdarzenie, zbieg okoliczności*⟩. **2.** *daw.* Na **p.** czego ⟨*w razie czego*⟩: Zmówili się na przypadek napadu, we dzwony uderzyć. *Krasz. Wilno II, 373*. **3.** W przypadku czego [lepiej: w razie czego]. **4.** *daw.* W każdym przypadku ⟨*w każdym razie, mimo wszystko, jednak*⟩: W każdym przypadku ostrzegam, żebyś z przedmowy wyrzucił wszystko, co się ściąga do walki klasyków, romantyków, Osińskiego etc. *Mick. Listy II, 134*. **5.** *daw.* Z przypadku ⟨*przypadkiem, zbiegiem okoliczności*⟩: Bardzo mnie to cieszy [...] że choć z przypadku, przybywszy tu, dowiaduję się o tak ważnym postanowieniu tyczącym się mojej siostrzenicy. *Krasz. Seraf. 139*. **6.** Coś jest, nie jest kwestią przypadku ⟨*coś jest, dzieje się, zdarza się; nie jest, nie dzieje się, nie zdarza się przypadkowo, na skutek zbiegu okoliczności*⟩: Nie było kwestią przypadku [...] że pisał on [Rej] jedynie po polsku; to był jego program literacki. *Budzyk Lit. IX, 106*. **7. p.** przytrafia się, zdarza się; **p.** chciał, zrządził, że... **8. p-i** chodzą po ludziach.

przypiąć, przypinać 1. p. bukiet, kwiatek do kożucha, *daw.* do bandury ⟨*dodać niestosowną ozdobę; coś, co nie pasuje do czego*⟩. **2. p.** komu łatkę ⟨*powiedzieć, mówić komu lub o kim co uszczypliwego; wyrazić(-żać) się o kim niekorzystnie*⟩: Każdemu musisz zawsze łatkę przypiąć. *Perz. Uczn. 103*. **3. p.** komu rogi ⟨*uwieść, uwodzić komu żonę; zdradzić(-dzać) męża dając się uwieść*⟩. **4. p.** komu skrzydła ⟨*wzbudzić(-dzać) w kim zapał, fantazję; pobudzić(-dzać) kogo do działania*⟩: Miłość przypina, widzę, skrzydła kochankom, zwłaszcza kiedy im dobra nadzieja przewodniczy. *Skarb. Starosta 99.* **5.** Ni przypiął, ni przyłatał; *rub.* ni przypiął, ni wypiął (mówić, powiedzieć co) ⟨*mówić, powiedzieć co niestosownego, bez sensu; ni w pięć, ni w dziewięć*⟩.

przypiec, przypiekać 1. Przypiekać włosy (żelazkiem) ⟨*fryzować, karbować gorącym żelazkiem*⟩: Zakręcała je [włosy] w papiloty, potem przypiekała rozpalonym żelazkiem. *Orzesz. Pam. I, 79.* **2.** *rzad.* **p.** komu do żywego ⟨*bardzo dokuczyć(-ać)*⟩: Sobieski przypiekany do żywego przez żonę, sam bierze pióro, aby napisać w tej sprawie do swego francuskiego brata. *Boy Mar. 190.*

przypierać, przyprzeć 1. p. kogo do muru, do ściany ⟨*postawić, stawiać kogo w położeniu bez wyjścia; zmusić(-szać) do powiedzenia, zrobienia czego wbrew woli*⟩: Przyparty do muru, wygadał wszystko, co wiedział. **2.** *pot.* Przyparło kogo ⟨*ktoś odczuwa potrzebę naturalną (fizjologiczną lub seksualną)*⟩: Cniło im się tylko bez kobiet, a gdy którego przyparło, to odwiedzał szałasy lub przemykał się nocą do wsi, pocieszył Kasię lub Marysię i chyłkiem wracał do lasu. *Wierchy 1931, s. 83.*

przypilić *pot.* Przypiliło kogo ⟨*ktoś odczuł nagłą potrzebę fizjologiczną*⟩.

przypinać p. **przypiąć**

przypłacić 1. p. co kalectwem, obrażeniami ⟨*doznać kalectwa, obrażeń*⟩: Przygodę tę przypłacił lekkimi na szczęście obrażeniami. *Cent. Czel. 64.* **2. p.** co życiem ⟨*ponieść śmierć*⟩: Ryzykancką jazdę na stopniach pociągu przypłacił życiem.

przyprawiać, przyprawić 1. p. k o g o — o c o ⟨*narazić kogo na co*⟩: **p.** kogo o chorobę, o straty. Chcesz podstępem o zgubę wojsko przyprawić. *Sienk. SPP.* **2. p.** komu rogi ⟨*utrzymywać intymne stosunki z czyją żoną; o żonie: zdradzać męża*⟩: Poczciwe członeczysko [...] nie wie, że go żona za nos wodzi i przyprawia rogi. *Wójc. Zar. IV, 29.*

przyprowadzać, przyprowadzić 1. *nieco przestarz.* **p.** k o g o, c o — d o c z e g o ⟨*doprowadzać(-dzić)*⟩: **p.** kogo do gniewu, do rozpaczy, do nędzy; **p.** co do ruiny, do upadku (np. miasto). **2. p.** co do ładu, do porządku ⟨*(z)robić porządek, (u)porządkować co*⟩: Ścierała stół i w zakłopotaniu przyprowadzała to i owo do jakiegoś porządku. *Rus. Wiatr 58.* **3.** *przestarz.* **p.** co do skutku ⟨*(z)realizować jakiś projekt, zamysł itp.*⟩: Napisz mi tylko serio, kiedy masz ostateczny zamiar przyprowadzić do skutku twoje małżeństwo. *Sienk. Koresp. I, 91.* **4.** *przestarz.* **p.** kogo do przytomności, do siebie, do zmysłów ⟨*przywracać, przywrócić komu przytomność; (o)cucić, (o)trzeźwić kogo*⟩: Kiedy ją przyprowadzono do przytomności, spojrzała na mnie wzrokiem dzikim, obłąkanym. *Sztyrm. Pow. I, 374.*

przyprószyć Głowę, brodę czyją, włosy czyje przyprószyła siwizna, szron, śnieg; czas przyprószył głowę czyją itp. (siwizną, szronem itp.) ⟨*ktoś zestarzał się, posiwiał*⟩: Tajemne walki, staczane z widmami i przywidzeniami [...] siwizną przyprószyły jej wspaniałe krucze włosy. *Strug SPP.*

przyprzążka *żart. środ.* Na przyprzążkę (robić co) ⟨*dodatkowo, pobocznie*⟩: Tam [...] rządzi Szlangbaum, a ja tylko na przyprzążkę załatwiam interesa Stacha. *Prus Lalka III, 196.*

przypuszczać, przypuścić 1. p. atak, szturm itp. ⟨*nacierać, natrzeć atakując, szturmując; (za)atakować*⟩. **2.** *daw.* **p.** konia a. koniem ⟨*puszczać, puścić konia w cwał, ruszać(-yć) koniem szybko naprzód; d(aw)ać ostrogę koniowi*⟩: Przypuścił konia i umknął. **3. p.** samca do samicy, stadnika (ogiera) do klaczy itp. ⟨*pozwalać(-wolić) mu zaspokoić popęd płciowy*⟩. **4. p.** co do głowy, do myśli, do serca, do siebie ⟨*myśleć o czym intensywnie, z przejęciem; przejmować się, przejąć się czym; d(aw)ać się opanować czemu; brać, wziąć co do serca*⟩: Daruj mi, jeśli śmiałem przypuścić do głowy myśl starania się o siostrzenicę twoją. *Skarb. Starosta 85.* **5.** Nigdy bym coś (czegoś) podobnego nie przypuszczał ⟨*nigdy by mi coś podobnego nie przyszło do głowy; nigdy bym się czegoś podobnego nie domyślał*⟩. **6.** Przypuścić kogo do czego: a) ⟨*udostępnić komu co*⟩: **p.** kogo do sekretu, do tajemnicy; b) ⟨*pozwolić komu na co*⟩: **p.** kogo do poufałości; c) ⟨*pozwolić wziąć udział w czym, przystąpić do czego*⟩: **p.** kogo do gry, do spółki. **7.** *daw.* **p.** na kogo pokusę, próbę ⟨*wystawi(a)ć kogo na pokusę, na próbę*⟩: Próbę na serce królewskie przypuszczę. *Słow. Król 128.* **8. p.,** że... ⟨*sądzić, mniemać, że...*⟩. **9.** Przypuśćmy, że... ⟨*załóżmy, dajmy na to, że...*⟩: Przypuśćmy, że tak było, więc cóż z tego? *SW.*

przypuszczenie 1. Błędne, fantastyczne, mylne, słuszne **p.** ⟨*domysł, mniemanie*⟩. **2.** Czynić, robić, snuć **p-a. 3.** Gubić się w przypuszczeniach: Sam Kmicic jak w wodę wpadł. Gubiono się w przypuszczeniach, co się z nim stało? *Sienk. Pot. I, 87.* **4.** Coś nasuwa **p.; p.** narzuca się, nasuwa się. **5. p-a** (nie) sprawdzają się, (nie) sprawdziły się. **6. p-a** przychodzą komu do głowy: Przychodziły mu myśli i przypuszczenia straszne. *Krasz. SW.*

przypuścić p. **przypuszczać**

przyrastać, przyrosnąć 1. *daw.* Przyrasta komu serca ⟨*kogoś przepełnia radość; ktoś się cieszy*⟩: Kiedy w ręce twe instrument miły bierzesz [...] aż mi serca przyrasta. *Zab. XIV/1, 1776, s. 132.* **2.** *daw.* **p.** komu do serca ⟨*sta(wa)ć się miłym, kochanym*⟩: Aleś mi też dlatego tak przyrósł do serca, że już nie widzę, kogo bym miał wierniejszego od ciebie. *Kaczk. Olbracht. III, 13.* **3.** *żart.* Brzuch komu przyrasta do krzyża ⟨*ktoś jest wygłodzony; ktoś chudnie z głodu*⟩.

przyroda 1. p. martwa, nieożywiona, żywa ⟨*świat organiczny i nieorganiczny*⟩. **2.** Dzika, pierwotna, wolna **p.** ⟨*otaczający nas teren wraz z florą i fauną*⟩. **3.** Cuda, prawa, procesy, tajniki, zjawiska przyrody. **4.** Głosy przyrody ⟨*głosy otaczającego świata zwierzęcego, odgłosy zjawisk natury*⟩. **5.** Piękno przyrody ⟨*świata roślinnego oraz otaczającego nas terenu*⟩. **6.** Obcowanie z przyrodą. **7.** Ochrona przyrody. **8.** Pomniki przyrody. **9.** Rezerwat przyrody. **10.** Widoki przyrody. **11.** Na łonie przyrody ⟨*z dala od cywilizacji, zwłaszcza z dala od miasta, wsi, wśród pól, łąk, lasów itp.*⟩. **12.** Opanować, przekształcać, przeobrażać przyrodę. **13.** Ubóstwiać siły przyrody. **14.** Ujarzmić siły przyrody. **15.** Uczyć się przyrody (w szkole), studiować przyrodę, zapisać się na przyrodę (na wyższej uczelni). **16. p.** budzi się do życia; odradza się, zasypia.

przyrodni Brat **p.**; siostra **p-a**; rodzeństwo **p-e** ⟨*z tego samego ojca, ale z innej matki albo z tej samej matki, ale z innego ojca*⟩.

przyrodzony *pot.* Potrzeba **p-a** ⟨*potrzeba oddania moczu lub kału*⟩.

przyrosnąć p. **przyrastać**

przyrost p. naturalny ⟨*nadwyżka urodzin nad zgonami na danym terenie*⟩.

przyrząd 1. p-y celownicze, gimnastyczne, miernicze, nawigacyjne, optyczne itp. ⟨*aparaty przeznaczone do wykonywania jakichś czynności lub ułatwiające ich wykonanie*⟩. **2. p.** d o c z e g o: **p.** do dokładnych pomiarów; **p-y** do gimnastyki.

przyrządowy Gimnastyka **p-a** ⟨*na przyrządach*⟩.

przyrzec, przerzekać *przestarz.* **p.** komu czyją rękę, **p.** k o m u k o g o (w zamęście) ⟨*zgodzić się, zgadzać się na czyje małżeństwo; zgodzić się, zgadzać się wyjść za kogo za mąż*⟩.

przyrzeczenie 1. Solenne, uroczyste **p.** ⟨*obietnica*⟩. **2.** Dochować, dotrzymać przyrzeczenia: Wieczną ci miłość przyrzekłam i przyrzeczenia mego święcie dochowam. *Dzierzk. Pow. II, 69.* **3.** Dać **p.** ⟨*przyrzec*⟩. **4.** Otrzymać (od kogo) **p. 5.** (Z)łamać **p. 6.** Wymóc na kim **p. 7.** Wywiązać się z przyrzeczenia.

przyrzekać p. **przyrzec**

przyschnąć, przysychać 1. Przyschło co na kim ⟨*ktoś nie poniósł kary za swoje przewinienia, uszło mu to płazem*⟩: Każdy z nas byłby dobrze za to przypłacił, ale na nim to przyschło. *Łęt. Wspom. 238.* **2.** Wrzód przysechł; rana przyschła ⟨*przestał(a) ropieć; zagoił(a) się*⟩. **3.** Sprawa przyschła ⟨*poszła w zapomnienie*⟩.

przysiadać, przysiadywać, przysiąść, przysiedzieć p. fałdów (nad czym) ⟨*przykładać się, przyłożyć się do czego; (po)pracować nad czym dłuższy czas wytrwale*⟩: Cierpliwie przysiadywał fałdów nad wygładzaniem i poprawianiem swoich utworów. *Chrzan. I. Lit. 525.*

przysiąc, przysięgnąć, przysięgać 1. p. n a c o: **p.** na wszystkie świętości, na wszystko co komu jest drogie, na czyją pamięć ⟨*(za)ręczyć pod przysięgą; złożyć, składać przysięgę; przyrzec, przyrzekać uroczyście*⟩. **2.** *przestarz.* **p.** na posłuszeństwo, na wierność; *rzad.* **p.** posłuszeństwo, wierność ⟨*(za)ręczyć przysięgą, że się będzie posłusznym, wiernym*⟩.
przysł. **3.** Kto często przysięga, mało dotrzymuje.

przysięga 1. Fałszywa; sakramentalna, uroczysta **p. 2.** *hist.* **p.** hołdownicza, homagialna ⟨*składana na wierność panującemu władcy*⟩. **3. p.** lenna, poddańcza, wiernopoddańcza. **4. p.** małżeńska, ślubna; **p.** sądowa. **5. p.** n a c o: **p.** na wierność, na posłuszeństwo. **6.** Formuła, rota przysięgi. **7.** Pod przysięgą (zeznać co, zobowiązać się do czego) ⟨*przysięgając, składając przysięgę*⟩. **8.** Dochować, dotrzymać przysięgi. **9.** Naruszyć przysięgę: Bo kto przysięgę naruszy, ach, biada jemu, za życia biada! i biada jego złej duszy! *Mick. Ball. 20.* **10.** Odbierać, odebrać przysięgę od kogo. **11.** Rozwiązać przysięgę. **12.** Składać, złożyć przysięgę. **13.** Spełnić przysięgę. **14.** Stwierdzić co przysięgą. **15.** (Z)łamać przysięgę. **16.** Zwolnić kogo od przysięgi (w sądzie). **17. p.** wiąże kogo.

przysłać, przysyłać p. c o (np. auto, łódź, konie, powóz, samochód) p o k o g o ⟨*dostarczyć auto itp. w celu przywiezienia kogo*⟩: Przysłał po nas dżonkę chińską z żaglem i dwóch ze swoich najlepszych żeglarzy. *Dyb. B. Pam. 555.*

przysługa 1. Drobna, koleżeńska, nieoszacowana, przyjacielska, sąsiedzka, wielka **p.** ⟨*usługa, grzeczność, przysłużenie się*⟩. **2.** Niedźwiedzia, zła **p.** ⟨*narażenie na szkodę, krzywda wyrządzona w dobrej intencji*⟩: Niedźwiedzią przysługę ojczyźnie oddaje, kto dziś posłów znieważa. *Sienk. Pot. I, 252.* **3.** *przestarz.* Ostatnia **p.** ⟨*uczestnictwo w pogrzebie; pochowanie kogo*⟩. **4.** Oddać, wyświadczyć, przysługę. **5.** Odmówić, nie odmówić przysługi. **6.** Otrzymywać, przyjmować **p-i.**

przysługiwać Prawo łaski przysługuje komu: a) ⟨*ktoś jest uprawniony do ułaskawienia kogo*⟩: Prawo łaski przysługuje Radzie Państwa; b) ⟨*ktoś jest uprawniony do skorzystania z ułaskawienia*⟩: Skazanemu na śmierć przez sąd przysługiwało jeszcze prawo łaski.

przysłużyć się p. się źle komu ⟨*wyrządzić komu krzywdę, zaszkodzić*⟩.

przysposobienie 1. p. przemysłowe, zawodowe ⟨*przygotowanie do przemysłu, do zawodu; wykształcenie przemysłowe, zawodowe*⟩. **2. p.** wojskowe ⟨*przygotowanie młodzieży do służby wojskowej w szkołach średnich i organizacjach pozamilitarnych*⟩.

przystać, przystawać 1. p. d o k o g o, d o c z e g o ⟨*ściśle przylgnąć, przylegać*⟩. **2.** *przestarz.* **p.** d o k o g o ⟨*(po)lubić, (po)kochać kogo; przywiązać(-ywać) się, (przy)lgnąć do kogo*⟩: Prędko przystał do naszej rodziny i przez tydzień swego pobytu zaprzyjaźnił się [...] z moim ojcem. *Andrzej. A. Ram. I, 73.* **3.** Przystać do legionów, do wojska itp. ⟨*wstąpić, zaciągnąć się do wojska*⟩: Według tej ostatniej informacji Seweryn Baryka [...] przystał do polskich legionów. *Żer. Przedw. 45.* **4.** Przystać do siebie ⟨*o osobach: stać się bliskimi sobie wzajemnie, dopasować się do siebie; zaprzyjaźnić się wzajemnie*⟩: Nieszczęśliwa była ta godzina, kiedyśmy do siebie przystali. *Dąbr. M. Noce III/1, 35.* **5. p.** do serca ⟨*przypaść do serca, wzruszyć czym*⟩. **6.** Przystać n a c o ⟨*zgodzić się na co*⟩: **p.** na propozycję, na warunki.

przystało p. **przystoi**

przystań 1. Cicha, spokojna **p.**; kajakowa, rybacka, wioślarska, żeglarska ⟨*mały port*⟩. **2.** Dobi(ja)ć, przybi(ja)ć, zawijać(-nąć) do przystani; odbi(ja)ć od przystani.

przystawać p. **przystać**

przystawiać, przystawić 1. p. garnek, wieczerzę itp. do ognia ⟨*stawiać, postawić garnek itp. na ogniu, na fajerce*⟩: Zaparzano kawę i przystawiano garnuszki do ognia. *Goj. Dzień 83.* **2. p.** komu pijawki ⟨*umieszczać, umieścić na ciele w celu upustu krwi*⟩. **3. p.** komu stołka ⟨*zaszkodzić komu, narazić kogo na stratę, na niepowodzenie*⟩: Widocznie musiał mi ktoś stołka przystawić... plotek narobić. *Prus Now. I, 135.*

przystąpić, przystępować 1. p. do czego: **p.** do spółdzielni, do spółki ⟨*stać się członkiem spółdzielni, spółki*⟩. **2. p.** do konfederacji (do Targowicy) ⟨*przyłączyć się, wziąć udział*⟩: August w imieniu swoim i wojska do Targowicy przystąpił. *Lel. SW.* **3. p.** do egzaminu ⟨*zgłosić się do egzaminu, zdawać egzamin*⟩. **4. p.** do spowiedzi, do komunii, *daw.* do stołu Pańskiego ⟨*(wy)spowiadać się, przyjąć, przyjmować komunię*⟩. **5. p.** do rzeczy; do sedna rzeczy, sprawy; do samej rzeczy ⟨*omówić, omawiać, załatwi(a)ć od razu to, co najważniejsze bez wstępów, bez omówień*⟩: Po co się panowie zatrzymujecie przy pustych wyrazach, przystąpmy do samej rzeczy. *Lubow. Sąd 21.* **6.** *daw.* **p.** do ślubu ⟨*szykować się do ślubu; wziąć ślub*⟩: Wyrobiwszy w parę dni indult, przystąpił zaraz do ślubu. *Kaczk. Grób II, 285.* **7.** Nie przystąp, nie przystępuj bez kija; ani przystąp, ani przystąpić do kogo ⟨*strach podejść do kogo, nie można rozmawiać, porozumieć się z kim; lepiej nie ryzykować*⟩: Jak nie jest w humorze, to do niego ani przystąp. *Nałk. Z. Gran. 80.* **8.** *daw.* Coś przystąpi, przystąpiło komu do głowy ⟨*coś komu przyjdzie, przyszło do głowy, najczęściej coś dziwnego, niedorzecznego, niezwykłego*⟩: Czy człowiek odgadnie, co takiemu stworzeniu do głowy przystąpi? *Jun. Bracia 219.* **9.** *daw.* Obłęd przystąpił, coś przystąpiło do kogo ⟨*ktoś dostał obłędu, manii; coś go opanowało*⟩: Zachowywał się tak, jakby do niego coś przystąpiło.

przystęp 1. Łatwy, trudny, utrudniony, wolny **p.** (do czego) ⟨*możność dojścia; dostęp*⟩. **2. p.** do kogo, do czego. **3.** *przestarz.* **p.** światła, powietrza, wody itp. ⟨*dopływ, dostęp światła, powietrza itp.*⟩. **4.** W przystępie czego ⟨*w przypływie czego*⟩: W przystępie gniewu, rozpaczy; gorączki; dobrego humoru itp. (zrobić co). **5.** Bronić, wzbraniać, wzbronić komu przystępu do kogo, czego: Do łóżka chorej wszystkim przystępu wzbroniono. *Rzeczp. Krak. 326.* **6.** Dać **p.** do siebie (ku sobie) rozpaczy, zwątpieniu ⟨*poddać się rozpaczy, zwątpieniu*⟩. **7.** Nie dawać przystępu do czego: Bagna nie dawały przystępu do rzeki. **8.** Mieć **p.** do kogo, czego: a) ⟨*mieć możność spotkania, nawiązania kontaktu z kim; wejścia, dojścia, wstępu do czego*⟩: Nie miał przystępu do dyrekcji teatru. Do magazynu głównego mieli przystęp tylko pracownicy biblioteki; b) ⟨*o uczuciach: dosięgnąć kogo; ogarniać, ogarnąć, opanować kogo, co*⟩: Dziś do mnie złość nie ma przystępu, ani zawiść, ani małość podła. *Wysp. Noc 221.*

przystępny 1. p-a cena ⟨*niezbyt wysoka, niewygórowana*⟩. **2. p-e** warunki ⟨*możliwe do przyjęcia, dogodne*⟩. **3. p.** wykład ⟨*łatwy do pojmowania, popularny*⟩. **4. p.** dla kogo, *daw.* komu ⟨*zrozumiały, jasny*⟩: Mowa przystępna nawet i dla prostaczków. *SW.* **5. p.** dla czego, czemu ⟨*podatny na co; skłonny do czego*⟩: Organizm **p.** dla chorób. **p.** rozpaczy, szlachetnym uczuciom.

przystępować p. **przystąpić**

przystoi, przystało 1. Przystoi, przystało; nie przystoi, nie przystało, by... a. co robić ⟨*wypada, wypadało; nie wypada, nie wypadało*⟩: Nie przystało uczniowi poufalić się z mistrzem. *Kras. Rozm. 37.* **2.** Jak na kogo przystało (co robić) ⟨*tak jak się godzi, wypada komu; godnie; z honorem*⟩: Marli jak na żołnierzy przystało. *Sienk. SPP.*

przystosowany p. do czego ⟨*ukształtowany odpowiednio do czego; zharmonizowany z czym*⟩: Szkielet ptaka jest wyraźnie przystosowany do lotu. *Michaj. Rozwój 30.*

przystrzyc p. co — w co ⟨*nadać jakiś kształt czemuś strzyżonemu*⟩: **p.** brodę w klin; krzew w stożek.

przysyłać p. **przysłać**

przyszłość 1. Bezpieczna, bliska, daleka, duża, jasna, ładna, obiecująca, pewna, piękna, pogodna, pomyślna, różowa, szczęśliwa, świetna, wielka, wspaniała; ciemna, czarna, mroczna, ponura, smutna, zła **p.** ⟨*okres przyszły; przyszłe losy, dzieje; kariera*⟩. **2. p.** artystyczna, naukowa, życiowa ⟨*kariera*⟩. **3. p.** kogo, czego: **p.** dziecka, lekarza, naukowca, poety, wodza; **p.** przedsięwzięcia, wynalazku. **4.** Cel, gwarancja, melodia, muzyka, nadzieja (lepszej), obraz, podpora, podwaliny, siew, tajniki, ziarno przyszłości. **5.** Plany przyszłości, na **p. 6.** Korzystny dla przyszłości. **7.** Nadzieja, nauka, perspektywy, projekty, widoki, wnioski, wpływ, zadania, zadatek, zamiary na **p. 8.** Niepokój, obawa, troska o **p. 9.** Ktoś bez przyszłości; z przyszłością ⟨*ktoś, kto się nie wybije, nie odznaczy, nie zrobi kariery; ktoś, kto się wybije itd.*⟩: Ależ panie! To człowiek z olbrzymią przyszłością. *Berent Fach. 198.* **10.** Na **p.**; w przyszłości ⟨*potem, później, kiedyś*⟩: Proszę, żeby się takie rzeczy nie powtarzały na przyszłość (w przyszłości). **11.** Budować, rozjaśniać, torować, zabezpieczyć, zapewnić, zawiązać, zgotować, złamać, zniszczyć, zwichnąć komu (sobie) **p. 12.** Czytać, przepowiadać, wróżyć, zgadywać **p.** (z dłoni, z rąk, z twarzy, z gwiazd). **13.** Mieć **p.**: a) ⟨*móc się rozwijać*⟩: Po bagnach i wilgotnych łąkach wśród lasów sadzone olszyny nie mają przyszłości, bo się tu po ich zniknięciu sam z siebie nie odsieje las. *Pol Obrazy II, 113*; b) Mieć **p.** (przed sobą) ⟨*mieć warunki na zdobycie powodzenia; zrobić karierę, majątek*⟩: Nieźle grasz, masz przyszłość przed sobą. *Sewer Zyzma 87.* **14.** Odgadnąć, odkryć, odsłonić, przeczuwać, przejrzeć, przenikać, przewidywać, rokować komu (świetną), zapowiadać, złożyć w czyje ręce **p. 15.** Widzieć w kim swoją, czyją **p.**; **p.** dla siebie, dla kogo ⟨*spodziewać się od kogo pomocy, współpracy, umożliwienia egzystencji*⟩: Całą swą przyszłość widzi w synu. **16.** Wyobrażać sobie **p. 17.** Doczekać przyszłości. **18.** Pracować dla przyszłości ⟨*dla przyszłych pokoleń*⟩. **19.** Liczyć, rachować na **p. 20.** Mieć wpływ na **p. 21.** Zamyślać się nad przyszłością. **22.** Troszczyć się, trwożyć się o **p. 23.** Bać się, lękać się przyszłości, o **p. 24.** Decydować, marzyć, myśleć, stanowić, wątpić o przyszłości. **25.** Patrzeć (ufnie), spoglądać w **p.**; przenosić się (myślą), sięgać wzrokiem, myślą; wybiegać (myślą) w **p.**; wierzyć w (lepszą) **p. 26.** Czytać w przyszłości. **27.** Kłopotać się, martwić się, żyć przyszłością. **28. p.** (jaka) czeka kogo, leży przed kim. **29. p.** jest zakryta przed kim, przed czyimi oczami, przed czyim wzrokiem. **30. p.** jest w czyich rękach (w czyim ręku). **31. p.** maluje się, rysuje się w ciemnych, różowych barwach. **32. p.** należy do kogo, otwiera się przed kim, stoi przed kim otworem, uśmiecha się do kogo. **33. p.** pokaże co ⟨*coś się okaże, da się widzieć, stanie się jasne, zrozumiałe*⟩. **34. p.** przyniesie co komu (np. radość, smutek, powodzenie), tai, ukrywa co, zapowiada co; zapowiada się dobrze, szczęśliwie, smutno.

przyszły 1. Czas **p.**: a) ⟨*przyszłość*⟩: Pisarz robi koziołka w czeluście czasu przyszłego. *Życie Lit. 6, 1954*; b) ⟨*w gramatyce: forma osobowa czasownika oznaczająca, że dana czynność (dany stan) nastąpi później, niż się o tym mówi lub pisze*⟩. **2. p-a** jesień, wiosna, zima; **p-e** lato ⟨*jesień itp. w następnym roku*⟩. **3. p.** kwartał, miesiąc, rok, tydzień ⟨*następny*⟩. **4. p.** poniedziałek, wtorek itp. ⟨*poniedziałek itp. w następnym tygodniu*⟩. **5. p-e** pokolenia ⟨*potomność*⟩. **6.** Na **p.** tydzień, miesiąc, rok itp. ⟨*w przyszłym tygodniu itp.*⟩.

przyszyć, przyszywać p. komu łatkę ⟨*wyrazić(-żać) się o kim uszczypliwie*⟩.

przyszywany 1. p. kuzyn, stryj, wuj, dziadek itp.; **p-a** babka, ciotka, kuzynka itp. ⟨*bardzo daleki kuzyn (daleka kuzynka) itp.; nie krewny, nie krewna; tytularny(-a) kuzyn, kuzynka itp.*⟩. **2. p.** mąż, **p-a** żona ⟨*nieślubny(-a)*⟩. **3.** *rzad.* **p.** syn; **p-a** córka ⟨*przybrany(-a); wychowanek; wychowanka*⟩.

przyśnić 1. Coś nie może się przyśnić, coś ani się komu przyśni ⟨*ktoś nie myśli, nie marzy o tym, nie odważa się na to*⟩: Dobro publiczne taki prym miało przede wszystkim, że się nikomu ani przyśniło na własną uważać fortunę, kiedy król wici rozesłał. *Kaczk. Gniazdo 7.* **2.** Zbić kogo, sprawić komu lanie, basałyki, zamalować kogo itp. że mu się rodzona babka, prababka, sądny dzień przyśni ⟨*zbić kogo bardzo mocno*⟩: Jak cię zamaluję, to ci się sądny dzień przyśni. *Jun. Mazur. 8.*

przysł. **3.** A co się diabłu w gorączce nie przyśni, to on na jawie wymyśli.

przyśnić się 1. Ktoś, coś może, mógłby, mogłoby się **p.** ⟨*ktoś, coś robi silne wrażenie na kimś*⟩: Bokobrody otaczały twarz groźną i daleką, która przyśnić się mogła. *Osm. Siedem 30.* **2.** Coś zaledwie, z trudem może się komu **p.** ⟨*ktoś zaledwie o tym myśli, odważa się na to*⟩: Podobne używanie zaledwie się przyśnić mogło jakiemuś zwolennikowi filozoficznego epikureizmu. *Dygas. Now. V, 94.* **3.** Coś się komu przyśniło ⟨*ktoś ułożył coś sobie dziwacznie w głowie, ubrdał sobie*⟩.

przyśpieszać, przyśpieszyć 1. p. c o ⟨*zwiększyć szybkość czego*⟩: **p.** tempo. **2. p.** biegu, kroku, *daw.* kroki ⟨*biec, iść szybciej*⟩.

przyświecać, przyświecić 1. *książk.* **p.** komu jak gwiazda ⟨*być dla kogo przewodnikiem, radością, szczęściem, nadzieją*⟩: Tyś powinna przyświecać ludziom jak gwiazda. *Bełc. Król 324.* **2.** *książk.* Łaskawa, szczęśliwa gwiazda przyświeca komu ⟨*komuś się wiedzie*⟩: Choć ci łaskawsza niż nam przyświeciła gwiazda, z tegoś ty wzleciał, w którym my siedzimy, gniazda. *Zabł. Różne 363.*

przytknąć p. usta, ustami do czego ⟨*lekko pocałować*⟩: Blade usta przytknął do czoła córki. *Orzesz. Na dnie 129.*

przytomność 1. Całkowita **p.** ⟨*świadomość, normalny stan psychiczny*⟩. **2. p.** umysłu ⟨*panowanie nad sobą, szybkie orientowanie się w sytuacji*⟩: Dzięki przytomności umysłu uniknął wypadku. **3.** *daw.* W przytomności czyjej (np. świadków) ⟨*w obecności czyjej*⟩. **4.** Leżeć, paść bez przytomności, *przestarz.* odchodzić od przytomności. **5.** Odzyskać, stracić **p. 6.** Przychodzić, (po)wracać, (po)wrócić do przytomności ⟨*odzysk(iw)ać przytomność; przychodzić, przyjść do siebie*⟩. **7.** Zachować **p.** (umysłu)

przytulić 1. p. kogo, co do piersi ⟨*przycisnąć, przygarnąć*⟩: Bierze rękę jego, przytuli ją do swoich piersi. *Staszic SW.* **2. p.** głowę ⟨*znaleźć schronienie, przytułek, znaleźć bezpieczne miejsce pobytu*⟩: Gdzie wam bezpieczniej głowy przytulić jako przy mnie, który kilkaset szabel mam do rozporządzenia? *Sienk. Pot. VI, 175.* **3.** Nie mieć gdzie głowy **p.** ⟨*nie mieć schronienia, mieszkania; być bezdomnym*⟩: Podziękować za służbę, będąc obarczonym liczną rodziną, nie mając gdzie przytulić głowy, nie tak to łatwo! *Pług Zagon II, 134.* **4.** *daw.* **p.** uszy ⟨*ucichnąć, uspokoić się*⟩: Służył nam, póki sądził, że fawory zyska, a teraz, jak wilk jaki, przytulił uszyska. *Syrok. Ułas 36.*

przytułek 1. Bezpieczny **p.** ⟨*schronienie; dach nad głową*⟩. **2. p.** dla dzieci, dla sierot; dla kalek, dla starców ⟨*zakład opieki społecznej*⟩. **3.** Dać, zapewnić komu **p. 4.** Doznać od kogo przytułku ⟨*otrzymać u kogo schronienie*⟩. **5.** Iść, oddać do przytułku; umieścić (dziecko) w przytułku; zakończyć życie w przytułku ⟨*do zakładu opiekuńczego; w zakładzie opiekuńczym*⟩. **6.** Szukać gdzie, u kogo przytułku. **7.** Znaleźć gdzie, u kogo **p.**; znaleźć się bez przytułku: Znalazł przytułek u przyjaciela. *Krasz. SW.*

przytwierdzić *daw.* **p.** chłopa do gleby, do roli, do ziemi ⟨*w okresie pańszczyzny zabronić chłopu opuszczenia wsi bez pozwolenia dziedzica*⟩. *por.* przywiązać.

przytyk 1. Osobiste, złośliwe **p-i** ⟨*docinki, przycinki*⟩. **2. p.** d o c z e g o: **p.** do czyjego małego wzrostu. **3.** Brać, wziąć co za **p-i**: Pochwały wzięli sobie za przytyki. *Zab. XIV/1, 1776, s. 42.* **4.** Robić **p-i** *rzad.* **p.** do czego ⟨*przymawiać komu; przymawiać się do czego; robić krytyczne, złośliwe uwagi*⟩: Oho, do posagu robi przytyk. *Dygas. Pióro 33.*

przywdziać, przywdziewać 1. *książk. przestarz.* **p.** c o ⟨*włożyć, wkładać co na siebie*⟩: **p.** suknię, zbroję, żałobę. **2.** *daw.* **p.** koronę ⟨*zostać królem, ukoronować się*⟩: W trzy miesiące po zgodzie braci litewskich przywdziała Jadwiga koronę polską. *Szajn. Jadw. I, s. XIII.* **3.** Przywdziać habit, kaptur, płaszcz mniszy, suknie zakonne ⟨*wstąpić do klasztoru, zostać zakonnikiem*⟩. **4. p.** maskę ⟨*ukry(wa)ć właściwe oblicze, zamiary, uczucia; przyb(ie)rać jakąś pozę, postać; (u)pozować się na kogo, na co*⟩: Nie przywdziewam maski jak ci, co za broń używają fałszu. *Bliz. Dam. 116.* **5.** Przywdziać suknię duchowną ⟨*zostać księdzem*⟩.

przywiązać, przywiązywać 1. p. k o g o, c o d o c z e g o ⟨*przymoco(wy)wać, (u)wiązać*⟩: **p.** psa do drzwi, konia do słupa. **2.** Choroba, kalectwo przywiązuje, przywiązało kogo do łóżka ⟨*pozbawia, pozbawiło możności chodzenia; zmusza, zmusiła(-o) do leżenia*⟩. **3.** Przywiązać (chłopa) do gruntu, do roli, do ziemi ⟨*w dawnych czasach: zmusić chłopa do nie-*

opuszczania miejsca zamieszkania i do uprawy roli na rzecz ziemianina⟩. **4. p.** sobie kamień do szyi ⟨*(u)topić się*⟩: Kamień chyba przywiążę sobie z rozpaczy do szyi, gdy ujrzę Annę obok niego. *Bełc. Hun. 52.* **5.** *daw.* **p.** uwagę ⟨*skupi(a)ć uwagę, skupi(a)ć się na czym*⟩: Uwagi przywiązać nie może do tego, co czyta. *Rzew. H. Zamek 265.* **6.** Przywiązywać wagę, znaczenie do czego ⟨*uważać co za ważne, istotne; liczyć się z czym*⟩: Przywiązywał wagę do tego, co inni mówią o nim. **7. p.** kogo do siebie ⟨*wzbudzić(-dzać) w kim uczucie przywiązania, oddania, sympatii*⟩: Spoglądała na niego „jak w słońce" [...] Tym go oczarowała, spętała, przywiązała do siebie. *Ritt. Noc. 14.*

przywiązanie 1. Niewolnicze, prawdziwe **p. 2. p.** d o k o g o, d o c z e g o; d l a k o g o ⟨*serdeczne zżycie się z kim, z czym*⟩: **p.** do rodziców; do stron rodzinnych. Swoich kochała bez miary i dla nich mogła grzeszyć zbytkiem przywiązania. *Krasz. SW.* **3.** *przestarz.* Mieć **p.** do kogo, do czego ⟨*być przywiązanym do kogo, do czego; darzyć kogo, co sympatią, lubić*⟩: Miałam słabość, miałam przywiązanie do człowieka, o którym ci opowiadałam. *Krasz. Seraf. 228.*

przywiązywać p. **przywiązać**

przywieść, przywodzić 1. p. k o g o, c o d o c z e g o ⟨*doprowadzić(-dzać) kogo do czego*⟩: **p.** kogo do rozpaczy, do szaleństwa; do nędzy, do ruiny, do upadku. **2.** *przestarz.* Przywieść kogo do przytomności, do zmysłów ⟨*doprowadzić kogo do odzyskania przytomności; ocucić*⟩: Użyłem wszystkich sposobów trzeźwienia, jakie mi się nawinęły, aż w końcu przywiodłem go do zmysłów. *Gosz. Pow. 208.* **3.** Przywieść co do skutku ⟨*zrealizować co, załatwić jaką sprawę, wykonać jakieś zamierzenie*⟩: Myśl przejechania się powinieneś do skutku przywieść. *Chopin Wyb. 51.* **4.** *daw.* Przywieść sprawę do sądu ⟨*wnieść sprawę do sądu, wytoczyć sprawę sądową*⟩. **5.** *daw.* **p.** na hak ⟨*narazić(-żać) na niebezpieczeństwo; (do)prowadzić do katastrofy, do złej sytuacji*⟩: Zdrajco! [...] chciałeś mnie na hak przywieść, ledwiem się nie wygadał. *Sienk. Pot. IV, 190.* **6. p.** na myśl, na pamięć; **p.** wspomnienie o czym ⟨*wywoł(yw)ać jakieś skojarzenie myślowe, wspomnienie, (o)budzić co w pamięci; przypomnieć, przypominać co*⟩: Spojrzenie, które rzucił na niskie dachy przylegające do okna, przywiodło mu wspomnienie o wężach zaskrońcach, które wylazły z akwarium na dach. *Słonim. Końce 116.* **7.** Licho (kogo, co) przywiodło ⟨*licho co nadało, spowodowało; źle się stało; licho kogo sprowadziło*⟩.

przywilej 1. p. c z e g o ⟨*szczególne uprawnienie*⟩: **p.** starszeństwa. **2.** *daw.* **p.** n a c o ⟨*pozwolenie na zajmowanie się czym; monopol*⟩: **p.** na prowadzenie handlu, na eksploatację kopalni. **3.** Korzystać z przywileju (, że...). **4.** Mieć **p.** czego, jaki ⟨*korzystać ze szczególnych uprawnień*⟩: Dziewczę ma niby przywilej wyboru. *Syrok. Wędr. 232.* **5.** Nadać, odebrać komu **p. 6. p.** (jaki lub czego) przysługuje komu.

przywodzić p. **przywieść**

przywołać, przywoływać 1. p. kogo do porządku ⟨*nakaz(yw)ać spokój, ciszę, zgodę itp.; kazać opamiętać się odpowiednio, właściwie zachowywać się w danej sytuacji; udzielić(-ać) napomnienia*⟩: **p.** dyskutanta, mówcę do porządku. **2.** *daw.* Przywołać kogo do swego boku ⟨*powierzyć komu odpowiedzialne stanowisko; uczynić kogo swym bliskim współpracownikiem, doradcą*⟩. **3. p.** kogo, oczami, wzrokiem; gestem, ręką itp. ⟨*da(wa)ć komu znać, aby się zbliżył, podszedł*⟩. **4. p.** co na pamięć ⟨*przypomnieć, przypominać sobie co*⟩: Obrazy minionych czasów przywoływał na pamięć. *Jun. Mazur. 109.* **5. p.** uśmiech na usta ⟨*zmusić, zmuszać się do uśmiechu*⟩: Przywołała na usta kwaśno-słodki, lecz pełen uprzejmości uśmiech. *Jun. Now. 96.* **6.** *daw.* **p.** strony, sądy, sprawę ⟨*oznajmi(a)ć głośno rozpoczęcie sądzenia*⟩.

przywracać, przywrócić 1. p. c o ⟨*zaprowadzać(-dzić) co z powrotem*⟩: **p.** karność, ład, porządek, spokój. **2. p.** k o g o — d o c z e g o ⟨*przyjąć, przyjmować kogo, co z powrotem do czego*⟩: **p.** kogo do czci, do godności, do łaski. **3. p.** komu przytomność, zdrowie, życie; **p.** kogo do przytomności, do zdrowia, do życia ⟨*sprawić, że ktoś oprzytomnieje; odzyska zdrowie; będzie żył*⟩.

przyznać, przyznawać 1. p. k o m u c o ⟨*widzieć, dopatrywać się w kim czego*⟩: **p.** komu talent, zdolności, dar wymowy. **2.** Przyznać komu nagrodę ⟨*wyróżnić kogo za co nagrodą*⟩. **3.** Przyznać komu pierwszeństwo ⟨*uznać kogo za pierwszego, za przodującego; uznać czyją przewagę w czym*⟩. **4. p.** komu prawo czego ⟨*da(wa)ć pozwolenie, przywilej na co*⟩. **5. p.** komu rację, słuszność ⟨*zgodzić się, zgadzać się z kim; potwierdzić, przyświadczyć to, co ktoś utrzymuje*⟩. **6. p.** komu co w głębi duszy, w duchu ⟨*w myśli, skrycie zgadzać się z kim, z czym*⟩. **7. p.** z ręką na sercu ⟨*stwierdzić(-dzać) co z przekonaniem*⟩: Z ręką na sercu przyznaję, że wasze argumenty są nie od odparcia. *Brand. M. Pocz. 111.*

przyzwoitość 1. Dla przyzwoitości (co robić) ⟨*ze względu na wymagania konwenansu*⟩: Ceremoniować się dla przyzwoitości. **2.** Przechodzić, przekraczać granice przyzwoitości ⟨*przekraczać granice przyjętych zwyczajów*⟩: Bezczelność tego człowieka przekraczała wszelkie granice przyzwoitości. **3. p.** każe, nakazuje, aby..., co robić: Przyzwoitość nakazywała odwzajemnić serdeczne uściski czułej połowicy i coś powiedzieć na powitanie. *Bał. Burm. 96.*

przyzwyczajenie 1. Brzydkie, dobre, złe **p.** ⟨*nawyk, zwyczaj, obyczaj*⟩. **2.** Siła przyzwyczajenia. **3.** Z przyzwyczajenia (robić co): Chodził do teatru więcej z przyzwyczajenia, niż z potrzeby. **4.** Nabrać przyzwyczajenia (do czego); nabrać (brzydkich) przyzwyczajeń. **5.** Wyrabiać w kim, w sobie dobre przyzwyczajenia.

przysł. **6.** Przyzwyczajenie jest drugą naturą.

psi 1. *pot.* **p.** czas, **p-a** pogoda ⟨*zła pogoda, plucha*⟩. **2.** *euf.* **p-a** dusza, **p-a** kość (słoniowa), **p-a** noga, **p-a** para, **p-a** wełna, **p-a** wiara ⟨*przekleństwa*⟩: Wszystko, psia wełna, zmarniało, nie ma nic, jakoby po spaleniu. *Jun. Antrop. 138.* **3. p-a** dziura ⟨*na statku: otwór prostokątny w marsie*⟩. **4. p.** figiel, częściej w *lm* ⟨*niewyszukany, głupi żart*⟩: Lew był uczony — w cyrku siły sterał — zatem liberał; choć sam się rzadko oddawał zabawie, znosił psie figle łaskawie. *Hertz B. Bajki 102.* **5.** *pot.* **p.** grzyb *niejadalny*⟩. **6. p.** los, **p-e** życie ⟨*marny(-e); nędzny(-e)*⟩. **7.** *wulg.* **p-a** jego (twoja) mać ⟨*przekleństwo*⟩. **8. p.** obowiązek, **p-e** prawo ⟨*obowiązek, od którego nie można się wykręcić, który bezwzględnie należy spełnić*⟩. **9.** Za **p.** grosz, za **p-e** pieniądze ⟨*bardzo tanio, za bezcen*⟩: Kupić co, nabyć, sprzedać za **p-e** pieniądze. **10. p-e** przywiązanie, **p-a** wierność ⟨*bezwzględne(-a), całkowite(-a)*⟩. **11. p-a** służba ⟨*ciężka, nieprzyjemna*⟩. **12. p-e** szczęście, **p.** los ⟨*brak szczęścia; zły, tułaczy los*⟩. **13. p-e** ścierwo ⟨*przekleństwo*⟩. **14.** *bot.* **p-a** trawka ⟨*roślina z rodziny traw o kłoskach jednostronnych*⟩. **15. p-a** wachta ⟨*w gw. marynarskiej: wachta trwająca od północy do czwartej rano*⟩. **16. p.** węch ⟨*spryt, intuicja*⟩. **17. p-a** zapłata, **p.** zarobek ⟨*licha, nędzna zapłata, lichy, nędzny zarobek*⟩. **18.** (Nie) mieć kogo za **p.** pazur ⟨*za nic, nie liczyć się z kim; lekceważyć kogo*⟩: Kobiety cudzych mężów usidlają dla zabawy, a później ich nie mają za psi pazur. *Twórcz. 5, 1953, s. 38.* **19.** Otrzymać, zdobyć (co) psim swędem ⟨*otrzymać co nie wiedzieć jak i kiedy, bez wysiłku; tanim kosztem*⟩. **20.** Przyczepić się do kogo, jak rzep do psiego ogona ⟨*nachodzić kogo, narzucać się komu, nie dawać komu spokoju*⟩.

przysł. **21.** Kto nie słucha ojca, matki, ten posłucha psiej skóry (psiej kołatki). **22.** Psie głosy nie idą pod niebiosy ⟨*niesłuszna obmowa nie może człowieka dotknąć*⟩.

psota 1. Dziecinna, niewinna, nieszkodliwa; złośliwa **p. 2.** *przestarz.* Na psotę komu coś zrobić ⟨*na złość, na przekór*⟩. **3.** Płatać, stroić (komu) **p-y. 4.** Wyrządzić psotę, wyrządzać **p-y**: Jak ten smarkacz raz jeszcze będzie mi wyrządzał psoty, to go każę złapać i rózgami osiec. *Krasz. Latarn. IV, 36.*

pstryczek Dać komu pstryczka (w nos); dostać pstryczka (w nos) ⟨*dać; dostać nauczkę*⟩: Zrobił durnia ze wszystkich [...] Panu wojewodzie też dał pstryczka. *Putr. Rzecz. 466.*

pstrykać, pstryknąć p. w palce ⟨*uderzać(-yć) palcem o palec (jednej ręki) wywołując charakterystyczny odgłos*⟩.

pstrzyć, popstrzyć Muchy pstrzą, popstrzyły co ⟨*brudzą, pobrudziły co, zostawiają, pozostawiały ślady na czym*⟩.

psuć 1. p. c o: **p.** opinię, reputację komu (sobie) ⟨*szkodzić w opinii komu (sobie)*⟩. **2.** *daw.* **p.** sobie głowę ⟨*wysilać umysł, trudzić się nad czym; łamać; suszyć sobie głowę*⟩. **3. p.** komu (sobie) krew ⟨*irytować kogo (się), denerwować kogo (się) (niepotrzebnie na próżno); przyprawiać kogo o zły humor*⟩: Paszkwile psuły dworakom krew. *Brück. Kult. III, 346.* **4. p.** sobie oczy, zdrowie ⟨*osłabiać wzrok, zdrowie*⟩. **5.** *wulg.* **p.** powietrze ⟨*puszczać wiatry*⟩. **6. p.** szyki, plany ⟨*niweczyć, krzyżować szyki, plany*⟩. **7. p.** komu (sobie) żołądek ⟨*powodować choroby żołądka*⟩.

psychologiczny Powieść, nowela **p-a** ⟨*których podstawowym tematem są przeżycia wewnętrzne bohaterów*⟩.

pszczeli Miód **p.** *farm.* Jad **p.** ⟨*jad pszczół specjalnie spreparowany, stosowany jako lek*⟩.

pszczoła 1. Pracowity jak **p. 2.** Brzęk, brzęczenie pszczół. **3. p-y** brzęczą; huczą (na wyroju), roją się, wyroiły się.

przysł. **4.** Kto chowa pszczoły i klacze, ten na biedę nigdy nie płacze. **5.** Kto ma pszczoły, ten ma miód, kto ma dzieci, ten ma smród.

pszenny, *przestarz.* **pszeniczny 1.** Chleb **p.** ⟨*z mąki pszennej*⟩. **2.** Gleba, ziemia **p-a**; grunt **p.** ⟨*odpowiedni(a) do uprawy pszenicy; urodzajna(-y), żyzna(-y)*⟩. **3.** Mąka **p-a** ⟨*z pszenicy*⟩.

ptak 1. p-i domowe, dzikie, drapieżne, śpiewające. **2. p-i** kopalne ⟨*wymarłe, o których istnieniu wiemy na podstawie wykopalin*⟩. **3. p.** łowczy ⟨*ptak drapieżny wyuczony do polowania na inne ptaki*⟩. **3a. p.** łowny ⟨*na którego najchętniej polują myśliwi*⟩. **4.** Niebieski **p.** ⟨*o człowieku lekkomyślnym, nieodpowiedzialnym, żyjącym cudzym kosztem*⟩. **5. p-i** przelotne, wędrowne ⟨*odbywające co roku wędrówkę, odlatujące do ciepłych krajów*⟩. **6.** Stalowy **p.** ⟨*samolot*⟩. **7.** Lekki, wolny jak **p. 8.** *daw.* dziś *książk. podn.* Ptakiem (polecieć, powrócić, przylecieć, wyrywać się do czego itp.) ⟨*lotem ptaka, jak najszybciej, bardzo szybko*⟩: Serce nasze ptakiem wyrywa się z piersi do innego świata. *Morc. Pisma I, 163.* **9.** Lotem ptaka ⟨*bardzo, szybko, prędko*⟩: Chciałbym lotem ptaka z miejsc tych ulecieć. *Słow. Poem. I, 110.* **10.** Z lotu ptaka ⟨*z góry, tak jak się widzi z góry*⟩: Zdjęcie z lotu ptaka. **11.** Śpiew, świegot ptaków. **12.** Bić się, miotać się, rzucać się jak **p.** w klatce ⟨*miotać się bezsilnie*⟩: Odchodziłem po prostu od zmysłów, biłem się jak ptak w klatce. *Reym. Now. V, 273.* **13.** *daw.* Wpaść komu w **p-i** ⟨*wmieszać się w czyje sprawy, wejść w drogę, w paradę; pomylić, pokrzyżować szyki*⟩: Są pewne zdarzenia, że jeden gach drugiemu nie chcąc w ptaki wpadnie. *Zabł. Pojedn. 213.*

przysł. **14.** Zły to ptak, co własne kala gniazdo.

ptasi *zool.* **1. p-e** mleko ⟨*wydzielina wola u gołębi, którą karmione są pisklęta*⟩; *przen.* ⟨*o czymś wymyślnym, wyszukanym, nadzwyczajnym*⟩. **2. p.** mózg ⟨*umysł ciasny, ograniczony, płytki, pozbawiony szerokich horyzontów*⟩. **3.** Brakuje, brak, *daw.* nie dostaje komu tylko (chyba) ptasiego mleka ⟨*ktoś żyje w dobrobycie, może mieć wszystko, czego zapragnie*⟩: Mogło się ludziom wydawać, że brakuje mu tylko ptasiego mleka. *Brosz. Opow. 116.*

ptaszek 1. Ranny **p.** ⟨*o człowieku lubiącym wstawać bardzo wcześnie*⟩. **2.** Mam cię ptaszku, tuś mi ptaszku! ⟨*wykrzyknienie przy schwytaniu kogo na gorącym uczynku*⟩: Mam cię, ptaszku, myśli sobie, to tu widocznie jakaś sprawa miłosna! *Prus Now. I, 39.*

przysł. **3.** Słówko ptaszkiem wyleci, a powróci wołem ⟨*plotka rośnie przechodząc z ust do ust*⟩.

ptysiowy Groszek **p.** ⟨*drobne kluseczki z ciasta takiego jak ptysie*⟩.

publiczka Pod publiczkę ⟨*schlebiając gustom odbiorców, licząc na tani efekt*⟩: [Aktorzy] zaczynają grać „pod publiczkę". *Prz. Kult. 36, 1954.*

publiczny 1. Dobro **p-e**; grosz, interes **p.**; własność **p-a** ⟨*powszechny(-e,-a); ogólny(-e,-a); nie prywatny(-e,-a)*⟩. **2.** Biblioteka **p-a** ⟨*dostępna dla wszystkich*⟩. **3.** Dom **p.** ⟨*lupanar*⟩. **4.** *daw.* Kobieta **p-a**

⟨*prostytutka*⟩. **5.** *praw.* Oskarżenie **p-e** ⟨*wniesione przez prokuratora*⟩. **6.** Opinia **p-a** ⟨*opinia większości danego środowiska*⟩. **7.** *praw.* Oskarżyciel **p.** ⟨*prokurator*⟩. **8.** *praw.* Prawo **p-e** ⟨*określające stosunek jednostki do państwa oraz podmiotów prawa publicznego pomiędzy sobą*⟩. **9.** Roboty **p-e** ⟨*prace mające znaczenie dla ogółu kraju, miasta, gminy itp.*⟩. **10. p-a** tajemnica ⟨*wiadomość nie ogłoszona urzędowo, ale znana ogółowi*⟩. **11.** Widok **p.** ⟨*dostępny dla publiczności*⟩: Wystawić co (np. trumnę ze zwłokami) na widok **p.**

puc *pot.* Do pucu, dla pucu ⟨*na niby, dla żartu, dla zachowania pozoru*⟩: Nie chcąc, żeby mu przeszkadzano w pracy, rozgłosił dla pucu, że wyjeżdża na kilka dni.

puch 1. p. gęsi, łabędzi ⟨*miękkie piórka o skróconej stosinie*⟩. **2. p.** śnieżny ⟨*puszysty, świeżo spadły śnieg*⟩. **3.** *sport.* **p.** zsiadły ⟨*puch śnieżny leżący dłuższy czas, bardziej zwarty*⟩. **4.** Miękki jak **p. 5. p.** pod nosem ⟨*pierwsze owłosienie*⟩: Dziś każdy młodzieniec, ledwie doczekawszy się puchu pod nosem, rozprawia już szeroko i głęboko o miłości. *Sztyrm. Pow. II, 336.* **6.** Na puchach, w puchach (sypiać, wylegiwać się) ⟨*na puchowym posłaniu*⟩. **7.** Rozbić co, rozwiać się w **p.** ⟨*rozbić, rozwiać całkowicie, zniweczyć*⟩: Marzenia rozwiały się w **p.**

puchar 1. p. przechodni ⟨*wręczany zwycięzcy do czasu rozegrania następnych zawodów*⟩. **2.** Między ustami a brzegiem pucharu ⟨*aluzja do tego, że między pożądaniem a wypiciem wiele się może zdarzyć (wg greckiego podania o Anceuszu, którego zabił dzik w chwili, gdy przykładał puchar do ust)*⟩. **3.** Spełni(a)ć **p.**: Obficie spełniane puchary. *Krasz. SW.*

puchnąć 1. Głowa komu puchnie ⟨*ktoś ma kłopoty, zmartwienia*⟩: Pojęcia nie masz, jakie mam kłopoty. Głowa puchnie po prostu. **2.** Uszy puchną od czego ⟨*coś jest dla kogo nieprzyjemne*⟩: Baby srogie czyniły lamenty, od których prawie że już uszy puchły. *Konopn. Balcer 48.* **3.** *żart.* Bić i patrzeć, czy równo puchnie ⟨*zwrot wyrażający dezaprobatę czyjego postępowania*⟩.

pud *pot.* Na **p-y** czego ⟨*w dużej ilości, pod dostatkiem*⟩: Kłopotów mamy na pudy. *żart.* Nudy na **p-y** ⟨*o czymś nudnym*⟩: Przedstawienie zgoła nieinteresujące: nudy na pudy.

pukać, puknąć 1. p d o c z e g o, w c o: **p.** do drzwi, do okna, do pokoju; **p.** w okno. **2.** Pukać do (drzwi) jakiegoś urzędu ⟨*zabiegać o co, domagać się czego w jakimś urzędzie*⟩: Rada miejska przez dwa lata musiała pukać do komisji gubernialnej i wyższych władz, aby fundusz na naprawę potrzebny uzyskać. *Kalin. Galic. 438.* **3.** Pukać palcem w czoło ⟨*dawać do zrozumienia, że ktoś nie jest przy zdrowych zmysłach*⟩: Pukał palcem w czoło, kiwał nad nim z politowaniem głową, a nawet nazywał go wprost osłem. *Goj. Dom 123.* **4.** Pukać z c z e g o — d o k o g o, c z e g o ⟨*strzelać, bić, walić*⟩: **p.** z dział do samolotów. **5.** Serce puka ⟨*bije*⟩: Z cichym westchnieniem jej łono się wznosi, a serce wciąż puka i puka. *Grudz. Marz. 54.*

puknąć się *pot.* **p. się** w czoło ⟨*zastanowić się, pomyśleć nad czym; opamiętać się*⟩: Puknij się w czoło. Tego przecie nie zgubił żaden z chłopaków. *Bron. J. Ogn. 218.*

pula 1. *sport.* **p.** finałowa ⟨*zawodnicy, którzy zakwalifikowali się do finału*⟩. **2. p.** mieszkaniowa ⟨*ogół mieszkań będący do dyspozycji urzędu rozdzielczego*⟩. **3.** *karc.* Być przy puli ⟨*mieć wszelkie szanse wygrania puli*⟩. **4.** Grać do puli ⟨*grać, składając przegraną nie tylko wygrywającemu, ale i do banku*⟩.

puls Trzymać rękę na pulsie ⟨*śledzić, badać objawy i rozwój czego, być w czym zorientowanym; wiedzieć o wszystkim, co się dzieje*⟩: Lubię ludzi, którzy trzymają rękę na pulsie życia, robią wrażenie mocnych, choćby nimi nie byli. *Rudn. A. Lato 129.*

pulsować p. c z y m ⟨*tętnić*⟩: **p.** radością, zabawą, życiem.

pułapka 1. p. n a k o g o, n a c o ⟨*potrzask, samołówka; przen. zasadzka*⟩: **p.** na myszy, na lisy, na ptaki, na ryby; **p.** na złodzieja. **2.** Dostać się, wpaść w pułapkę: Wydawało jej się, że nie ma dla niej wyjścia z tej straszliwej pułapki, w którą się dostała za podszeptem Życkiego. *Meis. Sams. 168.* **3.** Pochwycić, złowić kogo w pułapkę. **4.** Zastawić pułapkę na kogo, na co.

punkt 1. Ciemny **p.** czego ⟨*to, co wywołuje nieufność, podejrzenie; sprawa niejasna, niezrozumiała*⟩: W życiu inżyniera było dużo zagadek i ciemnych punktów. *Ritt. Most. 72.* **2.** Mocny, słaby **p.** kogo lub czego ⟨*mocna, dodatnia; słaba, ujemna strona kogo, czego*⟩. **3. p.** apteczny ⟨*kiosk z artykułami drogeryjnymi; rodzaj małego składu aptecznego*⟩. **4. p.** biblioteczny, noclegowy ⟨*miejsce, gdzie mieści się biblioteka, nocleg*⟩. **5.** *sport.* **p.** karny ⟨*punkt doliczany przez sędziego zawodnikowi lub drużynie za przekroczenie przepisów*⟩. **6. p.** kulminacyjny, szczytowy ⟨*stopień najwyższego napięcia, największego rozwoju czego*⟩: Entuzjazm publiczności osiągnął punkt kulminacyjny, gdy... **7.** *techn.* **p.** martwy ⟨*w silnikach tłokowych krańcowe położenie tłoka, przy którym szybkość tłoka równa się zeru*⟩. **8.** *fiz.* **p.** materialny ⟨*ciało fizyczne o bardzo małych rozmiarach przestrzennych*⟩. **9. p.** obserwacyjny ⟨*stanowisko, placówka, skąd można obserwować kogo lub co*⟩. **10.** *astr.* **p.** odziemny (Księżyca) ⟨*apogeum*⟩. **11.** *astr.* **p.** przysłoneczny ⟨*perihelium*⟩. **12.** *astr.* **p.** przyziemny (Księżyca) ⟨*perigeum*⟩. **13. p.** sporny ⟨*szczegół, sprawa wywołująca zastrzeżenia*⟩. **14. p.** usługowy ⟨*zakład, warsztat, w którym wykonywa się określone usługi*⟩. **15. p.** węzłowy ⟨*miejsce, z którego rozchodzą się w różnych kierunkach drogi, linie kolejowe*⟩. **16.** *geogr.* **p.** wysokościowy ⟨*miejsce o określonej wysokości nad poziomem morza*⟩. **17. p.** zborny ⟨*miejsce zbiórki oddziałów, np. wojskowych*⟩. **18. p.** zwrotny czego ⟨*fakt, wydarzenie itp., po którym następuje zmiana biegu wypadków, zmiana kierunku czego*⟩: Rozmowa z siostrą była dla pana Krukowskiego punktem zwrotnym w jego życiu i w stosunkach. *Prus Emanc. II, 175.* **19.** *fiz.* **p.** ciężkości ⟨*punkt przyczepienia wypadkowej wszystkich sił ciężkości działających na poszczególne elementy danego ciała*⟩; *przen.*: Punkt ciężkości został przesunięty z armii na flotę, a więc z lądowej Sparty na morskie Ateny. *Ziel. T. Kult. ant. I, 149.* **20.** *fiz.*

p. krzepnięcia, zamarzania ⟨*temperatura, w której ciało ciekłe przechodzi w stan stały*⟩. **21. p.** oparcia ⟨*miejsce, w którym coś lub ktoś może się oprzeć; również przen.*⟩: Mieć, stracić, znaleźć **p.** oparcia. **22.** *fiz.* **p.** przyłożenia, zaczepienia ⟨*miejsce, w którym określona siła działa na dany przedmiot*⟩. **23.** *meteor.* **p.** rosy ⟨*temperatura, przy której para wodna znajdująca się w powietrzu skrapla się*⟩. **24.** *astr.* **p-y** równonocy ⟨*punkty przecięcia się równika z ekliptyką*⟩. **25. p.** skupu ⟨*miejsce, w którym skupuje się dostawiane towary*⟩. **26.** *mat.* **p.** styczności ⟨*miejsce, w którym styczna styka się z krzywą*⟩. **27.** *fiz.* **p.** topnienia, topliwości ⟨*temperatura, przy której ciała stałe przechodzą w stan ciekły*⟩. **28. p.** widzenia ⟨*stanowisko, z którego ktoś rozpatruje daną sprawę*⟩. **29. p.** wrzenia ⟨*temperatura, przy której płyn zaczyna wrzeć*⟩. **30. p.** wyjścia czego ⟨*to, co stanowi zaczątek, podłoże, podstawę czego*⟩: Tezy referatu stały się punktem wyjścia dyskusji. **31.** *chem.* **p.** zapłonu ⟨*temperatura, w której dane ciało zapala się płomieniem*⟩. **32. p.** o pierwszej, drugiej itp. ⟨*równo, punktualnie o pierwszej itp.*⟩. **33.** Na punkcie kogo, czego ⟨*w odniesieniu do kogo, czego; w zakresie czego, pod względem czego*⟩: Miał manię na punkcie czystości. **34.** W dobrym punkcie ⟨*o sklepie, kinie itp.: w miejscu ruchliwym, uczęszczanym*⟩: Sklep w dobrym punkcie położony. *SW.* **35.** Z punktu, *daw.* w punkcie ⟨*od razu, natychmiast, z miejsca*⟩: Sprawa z punktu wzięła dobry obrót. **36.** Coś stanęło, utknęło na martwym punkcie ⟨*czegoś nie można doprowadzić do końca, coś napotkało przeszkody nie do pokonania*⟩: Pertraktacje, roboty utknęły na martwym punkcie. **37.** Zbijać **p.** po punkcie ⟨*jedno po drugim*⟩. **38.** Zgadzać się, różnić się (z kim) w jakim a. na jakim punkcie ⟨*pod jakimś względem*⟩: Ponieważ nie we wszystkich punktach się zgadzali, więc wybuchały między nimi przelotne sprzeczki. *Jun. Dworek 122.* **39.** *daw.* Znaleźć się w punkcie ⟨*znaleźć się jak należy, jak potrzeba; znaleźć się w kropce*⟩.

purpura 1. Nosić purpurę ⟨*piastować godność królewską lub kardynalską*⟩. **2.** Okryć purpurą ⟨*mianować dostojnikiem państwowym lub kościelnym*⟩: Jagiełło okrył mnie książęcą purpurą, wielkim księciem litewskim mianował. *Pot. L. Pam. II, 23.* **3.** Przywdziać, uzyskać purpurę (królewską, kardynalską) ⟨*zostać królem, kardynałem*⟩.

pustacki *przestarz.* Po pustacku ⟨*beztrosko, wesoło*⟩: Śmiać się po pustacku.

pustelnik Żyć jak **p.** ⟨*żyć ascetycznie, w odosobnieniu*⟩.

pustka 1. p. w c z y m: **p.** w głowie, w sercu, w życiu. **2. p-i** w kieszeni ⟨*całkowity brak pieniędzy*⟩. **3.** Jest, była, panowała **p.**; są, były, panowały gdzie **p-i** ⟨*jest itp. pusto, bezludnie; nie ma, nie było nikogo; nikt się nie pokazuje; nie ma czego*⟩: Wokół cisza była i pustka. *Berent Próchno 200.* Pustki w sklepach. Pustki w spiżarni. **4.** Stać pustką, pustkami; zionąć pustką ⟨*być całkowicie opuszczonym przez ludzi, nie zamieszkałym*⟩: Domy w zniszczonym mieście zionęły pustką. **5.** Świecić pustką, pustkami ⟨*być niedostatecznie zapełnionym, być prawie pustym*⟩: Sala koncertowa świeciła pustką. **6.** Wypełnić, zapełnić pustkę (w życiu).

pusty 1. p. frazes, dźwięk; **p-a** gadanina, **p-e** słowa ⟨*frazes, słowa bez istotnej treści*⟩. **2. p-a** głowa ⟨*o kimś bezmyślnym lub lekkomyślnym*⟩. **3. p-a** kieszeń, kasa, **p.** skarb itp. ⟨*brak pieniędzy*⟩. **4. p.** śmiech (bierze, porywa kogo) ⟨*żywiołowy, beztroski; szyderczy, złośliwy*⟩: Z początku porwał mię śmiech pusty, a potem litość i trwoga. *Mick. Ball. 33.* **5. p.** żołądek ⟨*czczy*⟩. **6.** Z pustymi rękami (przyjść, przyjechać): a) ⟨*nie przynosząc podarunku*⟩; b) ⟨*bez niczego, nic nie osiągnąwszy*⟩: Wrócić z wyprawy z pustymi rękami. **7.** Przelewać z pustego w próżne ⟨*prowadzić rozmowę bez treści, jałową, o niczym; rzad. robić coś całkowicie zbędnego*⟩.

przysł. **8.** Z pustego i Salomon nie naleje.

puszcza 1. Głucha, nieprzebyta, pierwotna, zapadła **p.**; **p.** dziewicza, leśna. **2.** *przestarz.* Bezludna **p.** ⟨*obszar pusty, dziki; pustynia*⟩. **3.** Głos wołającego (wołający) na puszczy ⟨*słowa, apel nie znajdujące oddźwięku u słuchaczy, trafiające w próżnię*⟩: Rady ich były głosem wołającym na puszczy. *Mech. Wym. III, 193.*

puszczać, puścić 1. p. c o ⟨*rozgłaszać(-osić)*⟩: puścić frazes, koncept, plotkę, wiadomość, wieść; puszczać dowcipy, plotki, wieści itp. **2.** Puszczać bańki mydlane, z mydła ⟨*wydmuchiwać je przez słomkę*⟩. **3.** *rub.* Puszczać bąki, puścić bąka ⟨*wypuszczać, wypuścić gazy; zesmrodzić się*⟩. **4. p.** farbę: a) *łow.* ⟨*zaczynać, zacząć krwawić*⟩; b) *pot.* ⟨*zdradzać(-dzić) się z czym; wygadać się*⟩: Pilnie nastawiał uszu i nie puszczając farby sam starał się dowiedzieć jak najwięcej. *Was. W. Rzeki 181.* **5.** Puszczać finfy (fimfy), puścić finfę (fimfę) ⟨*robić komu złośliwe kawały, zrobić złośliwy kawał; płatać figle (spłatać figla); dokuczać(-yć)*⟩: Jak oni mi będą takie finfy puszczać, to wszystko na nic się nie zda. *Bliz. Rozb. 41.* **6. p.** (koniom) cugli, lejce, wodze ⟨*przestać je mocno trzymać, mocno kierować; zwalniać, zwolnić, popuszczać(-ścić)*⟩: *przen.* **p.** wodze uczuciom. **7.** Puszczać kaczki ⟨*rzucać płaskim kamieniem w taki sposób, aby się kilkakrotnie odbił od powierzchni wody*⟩. **8. p.** korzenie, listki ⟨*o roślinach*⟩. **9. p.** krew ⟨*nacinać, naciąć żyłę w celu upływu krwi (dawny zabieg chirurgiczny)*⟩. **10.** *pot.* **p.** oko, oczko do kogo ⟨*mrugać, mrugnąć do kogo zalotnie*⟩. **11.** Puścić ostatni dech, ostatnią parę ⟨*paść, umrzeć; zdechnąć*⟩. **12.** Nie **p.** pary z ust, z gęby ⟨*nie wygadać się z czym; nie odzywać się, nie odezwać się*⟩. **13. p.** pieniądze, zarobek itp. ⟨*(roz)trwonić*⟩. **14.** *pot. środ.* **p.** rolę ⟨*(za)grać byle jak, (z)lekceważyć rolę*⟩: Nieraz zagrałem lepiej, nieraz gorzej, jak to w teatrze, ale nigdy nie mógł mi nikt zarzucić, że rolę zbagatelizowałem, czy jak się to mówi — puściłem. *Solski Wspom. I, 205.* **15.** Puszczać słowa na wiatr: a) ⟨*nie dotrzymywać tego, co się obiecuje*⟩; b) *rzad.* ⟨*nie słuchać czyich słów, puszczać je mimo uszu*⟩: Nie puszczaj [...] na wiatr słów moich, kiedyś mi za nie podziękujesz. *Groza Wład. II, 70.* **16.** Puszczać zajączki ⟨*powodować odbijanie się promieni słonecznych od powierzchni lusterka i padanie ich na różne przedmioty w postaci jasnych, biegających plam*⟩. **17.** Puścić luźno, w pukle, w warkocz ⟨*o włosach: rozpuścić, ułożyć w pukle, w warkocz*⟩. **18. p.** wolno, na wolność ⟨*uwalniać, uwolnić z zamknięcia (z aresztu, więzienia)*⟩: Po sprawdzeniu dokumentów puszczono zatrzymanych wolno. **19. p.** co mimo uszu, *daw.* **p.** mimo (siebie) ⟨*nie zwracać, nie zwrócić uwagi na czyje słowa; nie brać, nie wziąć pod uwagę*⟩: **p.** obelgi mimo uszu. **20. p.** co młynka, w młynek ⟨*zacząć obracać co bardzo szybko*⟩: Wzniósł duży sękaty kij do góry i puścił go młynka między palcami. *Zachar. Jarema 86.* **21.** Puścić kogo od siebie ⟨*pozwolić mu odejść, odjechać*⟩. **22.** *posp.* Puścić kogo (*rzad.* co) kantem, w trąbę ⟨*porzucić, opuścić kogo; zerwać z kim, zrezygnować z kogo, czego*⟩: **p.** starającego kantem (o kobiecie). **23. p.** płazem, bezkarnie, na sucho ⟨*wybaczać(-yć), darow(yw)ać*⟩: Takich figlów płazem nie puszczę. *Skiba Poziom. 72.* **24.** *przestarz.* **p.** na loterię, na licytację ⟨*wystawić na loterii, na licytacji*⟩. **25. p.** co w dzierżawę ⟨*wydzierżawić*⟩: **p.** ogród w dzierżawę. **26. p.** w niepamięć ⟨*zapominać, zapomnieć; uzn(aw)ać za niebyłe*⟩: Puścić krzywdy w niepamięć. **27.** *przestarz.* **p.** co w odwłokę, w przewłokę ⟨*odkładać, odłożyć na później; odsuwać, odsunąć; odwlekać, odwlec*⟩: **p.** sprawę w odwłokę. **28.** *daw.* **p.** w pośmiewisko, w ohydę ⟨*narażać(-zić) na pośmiewisko; zohydzać(-ić)*⟩: Zaczęto puszczać w pośmiewisko starożytne obyczaje. *Rzew. H. Pam. 305.* **29. p.** (kogo) przodem ⟨*pozwalać, pozwolić komu iść przed sobą; przepuszczać(-ścić)*⟩. **30.** *daw.* **p.** w rozsypkę ⟨*rozbi(ja)ć, rozpraszać, rozproszyć w walce*⟩: **p.** w rozsypkę oddział nieprzyjacielski. **31. p.** co w ruch (np. maszynę, mechanizm) ⟨*uruchamiać, uruchomić*⟩. **32.** Puścić w ruch pięści ⟨*zacząć wymachiwać pięściami; okładać, bić kogo pięściami*⟩. **33. p.** w taniec ⟨*kazać tańczyć*⟩: **p.** w taniec tresowanego niedźwiedzia. **34.** *posp.* **p.** kogo w trąbę ⟨*porzucać(-ić) kogo*⟩. **35. p.** z dymem, *rzad.* z ogniem: a) ⟨*(s)palić; obracać, obrócić w perzynę*⟩: **p.** miasto z dymem; b) *żart.* ⟨*wyd(aw)ać pieniądze na papierosy*⟩; c) *przestarz.* ⟨*(roz)trwonić, przehulać*⟩: **p.** majątek z dymem. **36. p.** (kogo) z kwitkiem ⟨*odprawi(a)ć z niczym*⟩. **37.** Puścić (kogo) z torbami ⟨*uczynić kogo biedakiem, zrujnować*⟩. **38.** Brud, plama puszcza ⟨*spiera się, daje się zeprać, schodzi*⟩. **39.** Klamry, nity puściły ⟨*rozerwały się*⟩. **40.** Kolor puszcza ⟨*farbuje; nie jest trwały*⟩. **41.** Lód, śnieg; ziemia, woda, rzeka puszcza, puścił(a) ⟨*lód itp. topnieje, stopniał; woda itp. rozmarza*⟩: Lody na wiosnę puściły. **42.** Mróz, zima puszcza ⟨*robi się cieplej, następuje odwilż*⟩. **43.** Oczko (w pończosze) puściło ⟨*spruło się*⟩.

puszczać się, puścić się 1. p. się biegiem, cwałem, galopem, kłusem, jak strzała ⟨*ruszać(-yć) szybko*⟩. **2.** *przestarz.* **p. się** n a c o ⟨*brać się, wziąć się do czego, (za)ryzykować co, (od)ważyć się na co*⟩: **p. się** na awantury, na spekulację, na dzierżawę, na dawanie korepetycji. **3. p. się** na złe, na złe życie ⟨*zaczynać, zacząć złe, niemoralne życie*⟩. **4.** *daw.* **p. się** na los (szczęścia) ⟨*zd(aw)ać się na los, (za)ryzykować*⟩. **5.** *daw.* **p. się** w grę (w karty), w ćwika itp. ⟨*zaczynać, zacząć grać w karty, w ćwika itp.*⟩. **6. p. się** w drogę ⟨*wyruszać(-yć)*⟩. **7. p. się** w pogoń za kim. **8.** *daw.* **p. się** w pląsy, w tany, w taniec; **p. się** w mazura, w oberka, w walca itp. ⟨*zaczynać, zacząć tańczyć (mazura itp.)*⟩. **9.** *daw.* **p. się** w zaloty ⟨*zaczynać, zacząć zalecać się*⟩: Trzech godnych kawalerów puściło się do niej w zaloty. *Sienk. Wołod. I, 65.* **10.** *posp.* **p. się** z kim (o kobiecie): a) ⟨*utrzymywać z kim intymne stosunki, oddać się komu*⟩; b) ⟨*odd(aw)ać się nierządowi*⟩. **11.** Broda się komu puszcza, puściła się ⟨*wyrasta, wyrosła*⟩.

puszka 1. p. c z e g o, z c z y m ⟨*puszka z zawartością*⟩: **p.** kawy, mleka w proszku. **2. p.** d o c z e g o, n a c o ⟨*służąca, przeznaczona do przechowywania czego*⟩: **p.** do kawy, na kawę. **3. p.** o d c z e g o ⟨*wzięta od czego, do czego zwykle bywa używana*⟩. **4. p.** p o c z y m ⟨*pozostała po czym, opróżniona z czego*⟩: **p.** po mleku. **5. p.** z c z e g o ⟨*zrobiona z czego*⟩: **p.** z blachy. **6. p.** Pandory ⟨*w mitologii greckiej puszka zawierająca wszystkie nieszczęścia ludzi dana przez Zeusa Pandorze, która przez ciekawość wypuściła je na świat; dziś przen. zbiór, źródło zła, kłopotów, nieszczęść*⟩. **7.** Chodzić z puszką ⟨*kwestować*⟩.

puścić p. **puszczać**

puścić się p. **puszczać się**

pych *żegl.* Na **p.** (jechać, płynąć) ⟨*odpychając się wiosłem lub bosakiem od dna*⟩: Udajemy się na wodę [...] jadąc na pych. *Hop. Jęz. 71.*

pycha 1. Szatańska **p.** ⟨*buta, zarozumiałość*⟩. **2.** Opanowany, opętany pychą. **3.** Unieść się, unosić się pychą. **4.** Wbijać, wzbijać kogo (się) w pychę: Godność człowiecza mnie bynajmniej w pychę nie wzbija. *Orzesz. SPP.* **5.** Złożyć, zrzucić pychę z serca: Złóż tę marną pychę z serca twego. *Rej SW.* **6. p.** rozpiera, rozsadza, zaślepia, żre kogo.

pył 1. p. kwietny, kwiatowy ⟨*pyłek*⟩. **2.** *astr.* **p.** kosmiczny, meteorowy ⟨*drobne okruchy materii rozproszone w kosmosie*⟩. **3.** *książk.* **p.** podróżny ⟨*kurz*⟩. **4. p.** śnieżny, wodny ⟨*drobne cząsteczki śniegu, wody*⟩. **5.** *górn.* **p.** węglowy: a) ⟨*drobne ziarenka węgla unoszące się w powietrzu; sortyment węgla o ziarnach mniejszych od 1 mm*⟩; b) ⟨*sproszkowany węgiel kamienny używany do mas formierskich*⟩. **6.** *petr.* **p.** wulkaniczny ⟨*rozpylona lawa stygnąca w powietrzu*⟩. **7.** *przen. książk.* **p.** czasu, przeszłości, wieków, zapomnienia itp. ⟨*miniony czas, odległa przeszłość, dawne wieki, całkowite zapomnienie itp.*⟩: Wydobyć, otrząsnąć, odgrzebać dzieło, sztukę z pyłu zapomnienia. **8.** Rozbić, zetrzeć, zdruzgotać, zamienić kogo, co w **p.** ⟨*zniszczyć, unicestwić kogo, co całkowicie*⟩. **9.** Zmiatać **p.** spod czyich stóp ⟨*służyć komu pokornie*⟩: [Chciałem] spod stóp człowieka pył zmiatać. *Wikt. SPP.* **10. p.** opada, unosi się, wznosi się, wciska się w oczy, w usta.

pypeć 1. *pot.* Mieć, dostać pypcia na języku ⟨*mówić niedorzeczności, pleść głupstwa*⟩. **2.** Bodajś pypcia dostał; niech pypcia dostanę (na języku)! ⟨*rodzaj przekleństwa, zaklęcia, skierowanego do kogoś, kto mówi coś złego, przykrego, niedorzecznego, nieprawdziwego itp.*⟩: A bodajś pypcia na języku dostała, pleciugo. *Bron. J. Ogn. 124.*

pysk *wulg.* ⟨*o twarzy ludzkiej*⟩ **1.** Niewyparzony **p.**: a) ⟨*wulgarny, dosadny sposób mówienia*⟩: Za twój niewyparzony pysk jeszcze się policzymy! *Morc. Inż. 63*; b) ⟨*człowiek mówiący wulgarnie, nie liczący się ze słowami*⟩. **2.** Cięty, mocny w pysku ⟨*o kimś bardzo wymownym, gadatliwym, kłótliwym, pyskatym*⟩. **3.** O suchym, głodym pysku ⟨*bez jedzenia i picia, o głodzie, na czczo*⟩. **4.** Ciemno, choć w **p.** bij, daj ⟨*bardzo ciemno*⟩. **5.** Jakby mu, mi (kto) w **p.** dał ⟨*jak zmyty; zawstydził(em) się*⟩: Tak jakby mu w pysk dał, odskoczył. *Jabł. SW.* **6.** *pot.* Dać pyska ⟨*pozwolić się pocałować, pocałować kogo; dać buziaka, całusa*⟩: Daj, Ketling, pyska... a nie gniewaj się. *Sienk. Wołod. I, 171.* **7.** Dać, huknąć, lunąć, strzelić, trzasnąć, walnąć, wyrżnąć kogo w **p.**; skuć, zamalować komu **p.**; sprać, zbić po pysku ⟨*uderzyć w twarz, zbić po twarzy*⟩. **8.** Dostać, oberwać, wziąć po pysku ⟨*zostać uderzonym w twarz, wybitym po twarzy*⟩. **9.** Iść, wylecieć skąd na zbity **p.** ⟨*zostać wyrzuconym, usuniętym skąd bezwzględnie*⟩: Albo będą robić, albo niech idą na zbity pysk! *Braun Lewanty 45.* **10.** Iść, (po)lecieć, wyjechać, wyskoczyć itp. z pyskiem ⟨*przyjść ze skargą, donosem na kogo; wystąpić z głośnymi zarzutami, z napaścią na kogo; wymyślać komu*⟩: Poleciał do szefa z pyskiem na kolegów. **11.** Mieć **p.** (od ucha do ucha) ⟨*być ordynarnym, nieopanowanym w mowie*⟩: Bo ty masz zawsze pysk, bo ty nie umiesz zębów zacisnąć. *Rus. Wiatr 21.* **12.** Padać na **p.** ⟨*być bardzo zmęczonym, nie mieć więcej sił*⟩: Dawał nam szkołę co się zowie. Padaliśmy na pyski z przepracowania! *Warsz. młod. 227.* **13.** Rozpuścić, rozedrzeć, rozewrzeć, wywrzeć **p.**; mleć pyskiem ⟨*mówić dużo, głośno, z krzykiem; wrzeszczeć, wykrzykiwać co, wymyślać komu; plotkować hałaśliwie*⟩: Pysk rozpuszcza jak dziadowski bicz, za nic nas nie ma. *Sewer Biedr. 32.* **14.** Stulić, zamknąć, zawrzeć **p.** (zwykle w trybie rozkazującym) ⟨*przestać mówić, zamilknąć, ani pisnąć*⟩: Więc ja im perswadować: —Stulcie pysk, do bisa! *Mick. Dziady 152.* **15.** Wyrzucić, wywalić, wylać itp. kogo na (zbity) **p.** ⟨*wyrzucić, usunąć kogo skąd natychmiast, bezwzględnie*⟩. **16.** Zatkać komu **p.** ⟨*opłacić kogo, aby milczał, przekupić kogo czym*⟩.

pyszny 1. p. c z y m lub z c z e g o: **p.** swoją wielkością; **p.** ze swoich bogactw. **2.** Mieć się z pyszna ⟨*znaleźć się w przykrej, kłopotliwej sytuacji, w opałach, w tarapatach; narobić sobie biedy, ambarasu; mieć za swoje*⟩: Niechby ktoś go nie słuchał! Miałby się z pyszna. *Wikt. Papież 175.*

pytać 1. p. k o g o, c z e g o — o c o: **p.** przyjaciół o radę; **p.** sumienia o słuszność postępowania. **2. p.** o k o g o, o c o ⟨*informować się, zapytywać*⟩: **p.** o przyjaciół, o rodzinę; **p.** o pozwolenie. **3. p.** ucznia (z ławki, przy tablicy) ⟨*przesłuchiwać z lekcji, egzaminować*⟩. **4. p.** c z y m: **p.** spojrzeniem. **5.** Kpi (kpisz) czy o drogę pyta (pytasz) ⟨*powiedzenie wyrażające zdumienie wobec czyjejś zaskakującej wypowiedzi lub dziwacznego pytania*⟩: Zesztywniał w fotelu, zbity z pantałyku: kpi sobie z niego dyrektor, czy o drogę pyta? *New. Archip. 258.* **6.** Nie pytaj! nie pytaj o nic! ⟨*nie zastanawiaj się, lecz działaj; nie zważaj na nic, rób swoje*⟩: Jeśli się znajdziesz w niebezpieczeństwie, nie pytaj o nic, tylko dzwoń do mnie. *przysł.* **7.** Kto pyta, nie błądzi.

pytanie 1. p. niedyskretne, obcesowe, podchwytliwe, zdawkowe ⟨*zdanie z intencją pytającą*⟩. **2.** Krzyżowe **p-a**, ogień krzyżowych pytań, krzyżowy ogień pytań ⟨*szereg szybko następujących pytań, zadawanych komu dla wydobycia zeznań*⟩: Wije się pod ogniem [...] krzyżowych pytań [...] plącze się. *Boy Flirt VI, 220.* **3.** Doniosłe **p.** ⟨*problem, kwestia*⟩. **4. p.** retoryczne ⟨*na które nie oczekuje się odpowiedzi, zwrot krasomówczy*⟩. **5.** *jęz.* **p.** zależne ⟨*zdanie pytające użyte jako określające, rozwijające inną część zdania*⟩. **6. p.** o k o g o, o c o; c o d o c z e g o; d o t y c z ą c e c z e g o. **7.** Też **p.**! także **p.**! ⟨*ma się rozumieć, oczywiście, naturalnie*⟩: Czy możesz mi chwilkę czasu poświęcić? — Także pytanie! *Jun. Wod. 35.* **8.** To jeszcze **p.** ⟨*to jeszcze nie wiadomo, to rzecz niepewna*⟩: — Mam talent. — To jeszcze pytanie. *Zap. G. Mił. 356.* **9.** Nagabywać, zanudzać, zarzucać kogo pytaniami. **10.** Odpowiedzieć na **p.** **11.** Podjąć, rozstrzygnąć, rozwiązać **p.** ⟨*kwestię, problem*⟩. **12.** Rzucić, rzucać **p.** ⟨*zapytywać*⟩. **13.** Stawiać, zad(aw)ać (komu) **p.**: Co dzień stawiał jej te same pytania. *Iwasz. J. SPP.* Szczęśliwi, którzy podobnych pytań nie potrzebują sobie zadawać. *Sienk. SPP.* **14.** Zarzucać, zasypywać kogo pytaniami. **15.** Zwracać się do kogo z pytaniem. **16. p.** dręczy, nurtuje kogo; nastręcza się, nasuwa się, pada; zachodzi. **17. p-a** i odpowiedzi krzyżują się, krzyżowały się.

pytel 1. Zemleć na **p.** ⟨*przepuścić zmieloną mąkę przez pytel*⟩. **2.** *przestarz.* (Robić co) na **p.** ⟨*robić szybko i niedbale, byle jak*⟩: Dumas ma swoje wady: [...] fabrykowanie na pytel wielkiej ilości dzieł. *Tyg. Ilustr. 196, 1873, s. 246.* **3.** *przen.* Przepuścić (dzieło) przez **p.** (np. krytyki). **4.** *tryw.* Puścić język na **p.** ⟨*rozpuścić język, rozgadać się*⟩. *SFA.*

pytki *daw.* Wziąć kogo na **p.** ⟨*przesłuchiwać, indagować; wziąć na tortury podczas śledztwa*⟩: Wziąć ich zaraz na pytki. Sam będę indagował. *Sienk. Pot. V, 128.*

pytlować p. językiem, *rub.* jęzorem, ozorem ⟨*mówić wiele i szybko, gadać, trajkotać, paplać, mleć językiem*⟩.

pytlowy 1. Chleb **p.** ⟨*z mąki pytlowej*⟩. **2.** Mąka **p-a** ⟨*gatunek mąki przepuszczanej przez pytel*⟩.

pyza Okrągły jak **p.**; buzia jak **p.** ⟨*pyzaty(-a), pucołowaty(-a)*⟩.

pyzaty 1. p-a buzia, gęba ⟨*pucołowata*⟩. **2.** *żart.* **p.** księżyc.